PROPYLÄEN VERLAG

GEORG KAISER   WERKE

GEORG KAISER WERKE

DRITTER BAND

GEORG KAISER   WERKE

HERAUSGEGEBEN
VON WALTHER HUDER

DRITTER BAND
STÜCKE 1928–1943

PROPYLÄEN VERLAG

Inhalt

DIE LEDERKÖPFE

Schauspiel in drei Akten

Grundlinien der Fabel bei Herodot

PERSONEN

DER BASILEUS
DIE TOCHTER DES BASILEUS
DER FELDHAUPTMANN
DER STADTHAUPTMANN
EIN TRUPPFÜHRER
ARZT

MEUTERER, BEWAFFNETE, DIENER

ERSTER AKT

Halle im Palast des Basileus.
Viereckige Türöffnungen rechts und links.
Von einem niedrigen Türausschnitt in der Mitte der Grund-
wand strebt eine schmale, goldstufige Treppe steil ins Haus-
innere.
Umgeben von Dienern, die der Arzt anweist, vollzieht der
Stadthauptmann — hockend auf einem Bambussessel, die
Beine in eine kniehohe Wanne tauchend — die Pflege seines
greisig nackten Körpers.
Sichtlich wurde jählings jede Hantierung vom Stadthaupt-
mann, Arzt, Dienern, unterbrochen, um reglose Aufmerk-
samkeit dem Truppführer, der bei der Toröffnung links
steht, zu widmen.

STADTHAUPTMANN *endlich gesprächig zum Truppführer.* Das
mußt du nochmal sagen. Es gibt Dinge, die der Wiederholung bedürfen. Zu ihnen zählt, was du vorredest. Beim erstenmal erschüttert es die Luft — wie Vögel abwärts in den
Wald einbrechen. Es knistert im Laub — da sieht man auf
und späht, bis man Form und Farbe von Gefieder unterscheidet. Man weiß, wer zwitschert — und verscheucht den Lärm,
weil er von Vögeln kommt, die in den Himmel flüchten,
wenn unten einer eine Hand aufhebt! — Du bemerkst, ich
habe nichts verstanden — ich erzähle von Wald und seinem
Getier! — — Kommst du mit dem Vorsatz mich frühmorgens
— während meiner Beschäftigung mit der Erfrischung meines
Körpers nach dem Nachtschlaf — mit Waldgeschichten zu unterhalten? — Wer hat Lust am Wald mitten im Krieg?
TRUPPFÜHRER. Mein Trupp marschiert nicht!
STADTHAUPTMANN. Willst du es ihm nicht erlauben?
TRUPPFÜHRER. Der Trupp widersetzt sich meinem Befehl —
mit der Weigerung, an diesem Morgen aufzubrechen!
STADTHAUPTMANN. Wäre er lieber schon gestern aufs
Schlachtfeld gestürmt?

TRUPPFÜHRER. Der Trupp will den Abend erwarten und nachts den Marsch antreten!

STADTHAUPTMANN. Sind es Mondsüchtige? Haben wir Vollmond?

TRUPPFÜHRER. Der Tag ist überstrahlt von ätzender Sonne. In weißem Licht der Tagesglut will der Trupp nicht marschieren. Alle sind Männer, die – wie alle – entkräftet sind. Die schweren Waffen erdrücken ihre Brust. Im heißen Staub erstickt der Atem. Nicht der zehnte wird ankommen, wohin er unterwegs ist. Vor ihnen sind Tausende auf den tödlichen Märschen zusammengebrochen – jetzt sträuben sich die letzten vor Sonnenuntergang aufzubrechen! – Ich habe zehnmal den Befehl zum Abmarsch gegeben – zehnmal verweigerte mein Trupp den Gehorsam. Ich melde den Widerstand des Trupps!

STADTHAUPTMANN. Das war verständlich. Gut, daß du zu mir gekommen bist. Ich kann dir nämlich eine Aufklärung geben, die du deinem Trupp begreiflich machen wirst: ich bin kein göttliches Wesen. Es tut mir leid, wenn ich die guten Leute enttäuschen muß – aber ich kann die Sonne nicht verhängen. Mit keinem dicken, schwarzen Tuch, das keinen Strahl des feurigen Gestirns durchläßt. Deshalb muß die Sonne scheinen, wann sie scheint – und Märsche marschiert werden, wann der Truppführer es befiehlt. Der bist du bei deinem Trupp. Darum gehe hin und befehle den Aufbruch zum elften Male. Geh', Truppführer.

TRUPPFÜHRER. Was soll ich –

STADTHAUPTMANN. Willst du mich etwas fragen? Was du tun sollst, wenn man dir wieder nicht gehorcht? Dafür weiß ich Rat! *Er holt einen Schwamm aus der Wanne.* Nimm den Schwamm. Zeige ihn deinem Trupp: mit diesem nassen Schwamm ersticke ich die züngelnde Flamme des Aufruhrs. Das ist Aufwand genug, der den Zwischenfall erledigt! – Komm heran. Eigenhändig habe ich ihn aus meiner Fußwanne gefischt. Und lauf zu, bevor das Wasser unter der stechenden Sonne vertrocknet!

TRUPPFÜHRER *nahm den Schwamm und entfernt sich.*

STADTHAUPTMANN *klatscht in die Hände.* Bedient mich! *Zum Arzt, der die Hand in die Wanne taucht.* Prüfst du das Bad? Hat es sich abgekühlt? Stehe ich mit beiden Beinen im kalten Wasser?

ARZT *schüttelt den Kopf.*

STADTHAUPTMANN. Bestimmt nicht?

ARZT. Die Messingwanne hält die Wärme. *Zu den Dienern, die bei der Wanne knien.* Fahrt fort!

Die Diener beginnen wieder mit Schwämmen die Beine des Stadthauptmanns zu waschen.

STADTHAUPTMANN. Mich sollte frösteln – mit geringstem Schauer auf einer Stelle der Haut, die Körner strudelt! Es würde mich nachträglich zu Maßnahmen veranlassen, die sich nicht mit einem nassen Schwamm begnügen, den ich ans Stadttor schicke. Du wirst mich später untersuchen, Arzt – und mir Bericht erstatten, ob sich ein Knötchen zeigt! *Zu andern Dienern.* Meine Packungen! Wo bleiben die Packungen? *Zum Arzt.* Willst du den Burschen nicht endlich sagen, daß sie mir meine Packungen machen?

ARZT. Jetzt ist es Zeit. *Zu den Dienern.* Heiße Tücher!

STADTHAUPTMANN. Kräftig will ich schwitzen. Ich habe Ärger gehabt. Dieser Truppführer hat mir die Galle aufgerührt. Sein Trupp will nicht marschieren. Werden nicht nächstens die Hühner sich weigern, verspeist zu werden? Jetzt legt mir die siedenden Polster auf!

Die Diener nahmen von erwärmten Steinplatten dicke Tücher, die sie dem Stadthauptmann auf Brust und Rücken legen – zuletzt auf das Gesicht.

STADTHAUPTMANN. Das heizt! Das dampft! Arzt – es ist eine großartige Erfindung, die du gemacht hast. Wunderbar werden die Poren von der feuchten Wärme gereizt, die aus den Tüchern strömt. Die ehedem schlaffe Haut spannt sich fühlbar prall. Die Pulse singen – und Blut schwingt in den Adern dünn und flink. Schönes Dasein! – – Niemals bezweifle ich, daß viele unterwegs zusammenbrechen werden. Es wäre lächerlich gewesen, dem Truppführer zu widersprechen. Die Leute sind bestimmt entkräftet. Alle sind es. Mann – Weib – Kind. Wovon lebt das Volk seit geraumer Zeit? Es werden die Felder nicht bestellt – es werden die Viehherden nicht gehütet. Wer soll Felder bestellen und Vieh hüten? Es ist Krieg. Der Krieg verschlingt alles. Er hat das Maul vom Krokodil. Es liegt im Schlamm und ist gefräßig. Niemals wird es satt! – – Ich schwitze. Die Wirkung stellt sich ein. Es rieselt über mich. Erst Tropfen. Hier ein Tropfen – da ein Tropfen. Nun sind es Bäche, die plätschern. – – Soll ich noch schwitzen, Arzt?

ARZT. Ich empfehle es.

STADTHAUPTMANN. Gut, Arzt. Ich befolge deine Anordnungen, Arzt – geduldig. Du sollst deine Freude an mir haben. Ich war zornig. Zorn ist Gift im Körper. Gift bringt den Tod. Ich will nicht sterben. Ich bin zu alt, um das Leben zu verachten. Jetzt vertreibt mein Schweiß meinen giftigen Zorn. Ja, laß mich schwitzen, Arzt! – – Dem Basileus soll ich Trupp um Trupp schicken. Was er im Felde braucht, muß ich ihm hier beschaffen. Die Zahl muß immer stimmen. Ich hole aus den Häusern, was in den Häusern steckt. Der Basileus gibt den Befehl – der Stadthauptmann vollstreckt den Befehl. Ich bin ein tüchtiger Stadthauptmann. Ich habe es noch nicht an Eifer fehlen lassen. Pünktlich habe ich jeden Trupp gestellt, der gefordert wurde. Jetzt will ein Trupp zögern? Soll ich meine glänzende Stellung verlieren, weil andere nicht marschieren wollen? Doch sie marschieren – und ich errege mich umsonst!

ARZT. Entfernt die Tücher!

Die Diener nehmen die Tücher weg.

STADTHAUPTMANN. Ah – ein Neugeborener haucht den ersten Odem nicht fröhlicher. Luft schmeckt – wie nichts schmeckt, Arzt. Ich schwöre es dir, Arzt, besser als Brot und Fleisch. Es ist die unvergleichliche Nahrung. Luft – die bare Luft.

ARZT. Den Mantel!

Die Diener umhüllen den Stadthauptmann mit einem weichen Mantel und trocknen den Körper darunter.

STADTHAUPTMANN. Verstehst du, Arzt, welche wichtige Entdeckung ich eben gemacht habe? Als ich von der Luft als Speise sprach? Ist Luft nicht überall mit unendlichem Überfluß vorhanden? Wirklich mit unerschöpflichem Vorrat? Wen hungert, der Luft hat? Die Luft soll man essen – und satt davon sein. Ich hätte es früher finden sollen, um es dem Truppführer zu sagen, daß im freien Feld die Luft nahrhafter ist als in den engen Gassen der Stadt. Es hätte den Abmarsch beeilt. Aber jetzt ist es zu spät – – –

Truppführer kehrt zurück: sehr erregt; den Schwamm hält er noch in der Hand.

STADTHAUPTMANN. Oder ist es nicht zu spät?

TRUPPFÜHRER *kann noch nicht sprechen.*

STADTHAUPTMANN. Bringst du mir bloß meinen Schwamm zurück, nachdem er seine besänftigende Wirkung getan hat? Läßt du um eines Schwammes willen deinen Trupp instich, der ohne dich marschiert – schon meilenweit die Stadt hinter sich hat? Der Schwamm ist nichts wert – da hast du einen zweiten. Ich schenke dir beide! *Er entreißt dem Diener einen zweiten Schwamm und wirft ihn nach dem Truppführer.*

TRUPPFÜHRER. Ich hatte den Schwamm gezeigt, den der Stadthauptmann schickt –

STADTHAUPTMANN. War er nicht mehr naß genug? Willst du neues Wasser holen? Brennt es noch?

TRUPPFÜHRER. – weil er den Abmarsch befiehlt an diesem Morgen!

STADTHAUPTMANN. Hat man sich nicht entschließen können vor Abend noch sich in Bewegung zu setzen?

TRUPPFÜHRER. Der Trupp will abends nicht marschieren!

STADTHAUPTMANN. So bleibt es bei diesem Morgen. Willst du mir nur mitteilen, daß meine Befehle ausgeführt werden? Seit wann ist das merkwürdig?

TRUPPFÜHRER. Nicht abends – und nicht morgens unternimmt der Trupp den Marsch!

STADTHAUTPMANN. Gibt es noch eine andere Zeit außer Tag und Nacht? – Verstehst du das, Arzt?

ARZT *zuckt die Achseln.*

STADTHAUPTMANN *zum Truppführer.* Du siehst, wir staunen hier. Was heißt es also, wenn du deutlich sprichst?

TRUPPFÜHRER. Zu jeder Zeit verweigert der Trupp den Abmarsch ins Feld!

STADTHAUPTMANN *verstummt.*

TRUPPFÜHRER. Als ich mit dem Schwamm zurückkam und so erklärte: den bringe ich euch jetzt vom Stadthauptmann zu eurer Beruhigung – kühlt euch die hitzigen Köpfe, da bannte anfangs Totenstille die Reihen. Dann rührte sich einer und streifte seine Waffen von sich und häufte sie vor sich auf den Boden. Der nächste tat wie er – und wie die beiden taten alle Mann bei Mann. Jetzt haben sie sich im Schatten der Karren gelagert – und bleiben liegen, wie sie liegen!

STADTHAUPTMANN *nach einer Pause auffahrend – schrill.* Meuterei! Man meutert. Man widersetzt sich dem Befehl. Man entledigt sich der Waffen. Man ruht im Grase. Ich werde die Ruhe stören. Ich werde züchtigen – mit Strafen züchtigen, die nicht vergessen werden – von keinem, der jemals wieder an Widerstand denken sollte! *Er besinnt sich. Dann zum Truppführer.* Wo liegen sie? Bei den Karren? So sollen die Karrenführer die Peitschen hergeben und an die Meuterer verteilen, damit sie selbst den zehnten unter sich zu Tode peitschen. Dann soll der Rest die Waffen wieder aufnehmen und marschieren – im Sonnenbrand bis Abend ohne Rast! – Bist du noch hier?

TRUPPFÜHRER *ab.*

STADTHAUPTMANN. – – – Vielleicht hätte ich nicht schreien sollen. Meine Kehle schluckt schlecht. Fühlst du eine Schwellung, Arzt?

ARZT *betastet den Hals.* Einige Adern blähen sich – sonst nichts.

STADTHAUPTMANN. Das ist aber sehr gefährlich, Arzt. Es wird zuviel Blut dem Kopf zugeführt. Wir müssen sofort mit den Leibesübungen beginnen, um den Blutdruck in andere Körperteile abzuleiten. Umwickelt mich!

ARZT *zu Dienern.* Die Binden!

Diener wickeln lange schmale Tuchstreifen fest um den Oberkörper des Stadthauptmanns.

STADTHAUPTMANN. Wir werden gleich Ball spielen. Zum Laufen fühle ich mich heute nicht aufgelegt. Mich lenken Bälle, die bunt durch die Luft fliegen, besser ab. Oder hältst du mehr von läuferischer Bewegung?

ARZT. Ballspiel – mit Eifer betrieben – hat seinen Nutzen.

STADTHAUPTMANN. Wir können auch laufen. Aber bestehst du nicht darauf, entscheide ich mich für Bälle.

ARZT *zu Dienern.* Die Bälle!

Diener nehmen Bälle und stellen sich im weiten Kreise auf. Der Stadthauptmann tritt zu ihnen. Nur der Arzt bleibt abseits und leitet das Spiel mit Händeklatschen.

STADTHAUPTMANN. Alle auf den Plätzen? Fertig. Arzt, gib das Zeichen. Los!

Die Bälle werden nun reihum geworfen.

STADTHAUPTMANN. Pause! *Zum Arzt.* Ich bin durchaus nicht erschöpft, das Spiel beginnt ja erst – aber vor diesen Dienern, die mit mir spielen, fällt mir folgendes ein: der Truppführer schildert mir den elenden Zustand seiner Leute. Soll ich mir jene zum Spiel einladen – und meine Diener dem Basileus schicken? Kann mich der Anblick von körperlichem Verfall ermuntern? Ich würde mich um den Erfolg meiner morgendlichen Anstrengungen betrügen. Ich brauche Kraft und Gesundheit um mich, um selbst kräftig und gesund zu bleiben. Darauf kommt es mir an. Weiter im Spiel!

Das Spiel nimmt seinen Fortgang.

STADTHAUPTMANN. Ein blauer Ball – ein gelber Ball – ein roter Ball – ein weißer Ball. Draußen knallen jetzt die Peitschen. Bälle klatschen sachter. Es kann nicht jeder Ball spielen. Das muß das Volk wissen. Es zeugt von grenzenloser Dummheit, sich dieser Erkenntnis zu verschließen. Ein Eseltreiber soll sie haben. Hat er sie nicht, muß man sie ihm einprägen – wie jetzt den Meuterern – mit der Peitsche! – – Halt! Nach rechts die Bälle im Kreise – nicht mehr nach links. *Zum Arzt.* Warum haben wir das früher nicht gemacht: die Richtung wechseln? Immer sind die Hüften einseitig gedreht und andre Muskeln bleiben vernachlässigt. Ist das richtig?
ARZT. Schwingt nicht beim Fangen des Balles der Körper auch nach rechts?
STADTHAUPTMANN. Nicht so ausladend wie beim Abwurf des Balls nach links.
ARZT. Werft die Bälle dem rechten Mann zu!

Das Spiel beginnt von neuem.

STADTHAUPTMANN. So hat es den höchsten Grad von Vollkommenheit erreicht – unser Ballspiel. Jede Faser – jede Sehne wird jetzt gleichmäßig beschäftigt – selbst die Knie wippen – und vor allem: der Kopf ist in Anspruch genommen – vom Fangen und Werfen der Bälle. Ohne Ballspiel wüßte ich nicht, wie ich jetzt meine Ruhe bewahren sollte. Ich würde dem Basileus mit Leichen beladene Karren schikken. So stirbt nur der zehnte! – – Wie stirbt man unter Peitschenhieben? Wieviel Streiche verträgt ein fetter Körper – wieviel ein magerer? Da alle halbe Skelette sind, rechne ich bereits mit dem Tod der Gepeitschten. Wir spielen Ball, bis der erste Ball fällt. Wann fällt der erste Ball?

Den Dienern, die mit dem Blick nach links aufgestellt sind, entfallen die Bälle.
Der Truppführer kommt – mühsam sich aufrecht haltend.

STADTHAUPTMANN. Warum fallen die Bälle? *Zu andern Dienern, die ebenfalls, den Truppführer sehend, die Bälle nicht mehr werfen.* Warum spielt ihr nicht mehr? *Zum Arzt.* Wo bleibt dein Zeichen? *Nun wird er auf den Truppführer aufmerksam.* Der unterbricht das Ballspiel? – – *Schreiend.* Stirbt man nicht mehr unter den Peitschenhieben, weil sie kein Fleisch auf den dürren Körpern treffen?! So laß die Karren über sie hinwegfahren, daß ihre Knochen zermalmt werden!!

TRUPPFÜHRER *schüttelt den Kopf.*

STADTHAUPTMANN. Oder sind die Peitschen vorher zerbrochen – und du fragst, wie man die, die sich halbtot am Boden wälzen, zu Ende töten soll? Die Karren über sie!

TRUPPFÜHRER *noch unfähig zu sprechen.*

STADTHAUPTMANN. Wehrten sich die Karrenführer gegen Mißbrauch ihrer Peitschen an Meuterern?

TRUPPFÜHRER. Ich ließ die Peitschen verteilen –

STADTHAUPTMANN. Es ist etwas mit den Peitschen. Was ist mit den Peitschen? Peitschte man ungeschickt? Hat man die Peitschen absichtlich beschädigt?

TRUPPFÜHRER. – und immer neun um den zehnten treten, um ihn niederzupeitschen!

STADTHAUPTMANN. Peitschte man nicht mächtig genug?

TRUPPFÜHRER. Keiner hob seine Peitsche zum Schlage!

STADTHAUPTMANN. Erwürgten sie lieber den eigenen Hals mit den Peitschenriemen?

TRUPPFÜHRER. Als ich wieder befahl zu peitschen – kehrten sie sich zu mir – und bedrohten mich mit allen Peitschen!

STADTHAUPTMANN *starrt ihn an.* – – – *Ruhig.* Dich bedrohten sie. Sie bedrohten dich, weil du da standest. Hätten sie dich wirklich geschlagen, wenn du nicht davongelaufen wärst?

TRUPPFÜHRER. Mit Peitschen – oder mit Steinen hätten sie mich erschlagen, wenn ich ihren Angriff erwartet hätte!

STADTHAUPTMANN. Wer nimmt Steine auf? Wer greift außer den Peitschenträgern mit Steinen an?

TRUPPFÜHRER. Das Stadtvolk, das um den Trupp aus allen Straßen zusammenläuft und sich mit Steinen bewaffnet – zum Widerstand gegen den Stadthauptmann!

STADTHAUPTMANN *nickt.* Mich soll es treffen. Die Peitschen und die Steine sind gegen mich gerichtet. Man wird mit den Peitschen und den Steinen nicht hierher kommen – ich werde hingehn müssen, um meine Auspeitschung und Steinigung zu empfangen. Ich gehe. Gebt mir mein Kleid!

Diener ziehen ihn goldfarben an.

TRUPPFÜHRER. Du wirst den Aufruhr nicht mehr beschwichtigen!

STADTHAUPTMANN. Will ich denn beschwichtigen? Ich will mich peitschen lassen. Ich spüre eine unbezähmbare Neugierde nach Peitschenhieben. Man wird sie mir doch verabreichen? Oder zweifelst du?

TRUPPFÜHRER. Zehntausende sind draußen versammelt!

STADTHAUPTMANN. Da fehlt es nicht an Zuschauern. Vor allen Augen sollen sie mich prügeln. Es muß Zeugen geben, die den Vorgang erlebt haben. Später könnte es von Wichtigkeit sein!

TRUPPFÜHRER. Du findest keine Bewaffnete, die dich begleiten!

STADTHAUPTMANN. Suche ich sie? Verstehe doch: ich will die Peitsche. Ich fordere selbst zum Schlag gegen mich auf. Dreimal hintereinander. Nach drei – schlage ich zu!! Ich zerschlage, was sich mir in den Weg stellt: Männer – Weiber – Kinder! Wer wird so waghalsig sein, mir in den Weg zu treten?! – Aber ich muß hingehn, um meine Neugierde zu befriedigen!

In der Ferne dumpfe Trommeln.

STADTHAUPTMANN *horcht.* – – – *Zum Truppführer.* Sind das die Trommeln deines Trupps?

TRUPPFÜHRER. Sie schlagen die Trommeln –

STADTHAUPTMANN. Warum schlagen sie ihre Trommeln?

TRUPPFÜHRER. Sie trommeln, wenn sie marschieren –
STADTHAUPTMANN. Marschiert man? Marschiert man doch an diesem Morgen? Man marschiert! Man erwartet meine Ankunft nicht. Schon genügt es, daß ich mich ankleide – und der Spuk des Aufruhrs zerstiebt wie Wind! – Folge deinem Trupp, der unter Trommelklang ins Feld marschiert. Berichte alles dem Basileus, er soll euch schächten! – Wir spielen wieder Ball!

Die Diener rühren sich nicht.
Der Truppführer bleibt.
Die Trommeln nähern sich.

STADTHAUPTMANN *hinhörend.* Was ist mit den Trommeln?
TRUPPFÜHRER. Der Schall entfernt sich nicht –
STADTHAUPTMANN. Willst du damit sagen, daß man – – hierher marschiert?
TRUPPFÜHRER. Hierher bewegt sich der Marsch!
STADTHAUPTMANN. Wie hörst du es, Arzt?
ARZT. Wie der Truppführer!
STADTHAUPTMANN *zu den Dienern.* Eure Wahrnehmung?

Die Diener sehen sich verstört an.

STADTHAUPTMANN *schon ängstlich.* Das ist die wichtigste Beobachtung, die gegenwärtig gemacht werden kann: dringt das Geräusch vor oder –? – – Es dringt vor – nichts ist deutlicher als dies langsame Vorrücken von Lärm, der – – *Zum Truppführer.* Was führt der Trommellärm her?
TRUPPFÜHRER. Kannst du fliehen?
STADTHAUPTMANN. Soll ich – – fliehen?
TRUPPFÜHRER. Flucht!
STADTHAUPTMANN. Wohin soll ich fliehen? Ich kann nicht fliehen. Ich könnte es nicht, auch wenn meine Beine mich trügen. Sagst du nicht, daß man in allen Straßen läuft? Man würde mich anhalten und wie eine Ratte im Rinnstein ersäufen! *Verzweifelt.* Diese Trommeln! Der Tag fing so freundlich an. Mit Ballspiel! *Bei den Dienern.* Mit euch habe ich immer gespielt – dürft ihr mich jetzt verlassen? Einer von euch ist stärker als hundert von denen – werft euch dem Ansturm entgegen – mit Waffen, die ihr mit euren Keulen von Armen furchtbar schwingt. Kämpft für mich – ich denke mir

inzwischen den Lohn für euch aus, der euch – *Zum Arzt.* Sage ihnen, ich sei krank. Kranke mißhandelt man nicht. Wo ein Arzt ist, hört Streit auf. Der Arzt muß den Zutritt verweigern. *Im mächtigen Trommellärm geht die Stimme des Stadthauptmanns unter.*

TRUPPFÜHRER *mit überlautem Ruf.* Mit Peitschen kommen sie!

Jäh hören die Trommeln auf.
Tiefe Stille herrscht.
Die in der Halle Anwesenden stehen reglos.
Schwerer Gleichschritt hallt vorwärtskommend: die erste Reihe des Trupps – barhäuptig, in braunen Kitteln, wuchtige Lederpeitschen in den Händen – taucht im Tor links auf – hält – setzt sich von neuem in Bewegung vor andern Reihen, die stoßweise folgen.

STADTHAUPTMANN *kreischend.* Bleibt stehen. Geht nicht weiter. Legt die Peitschen nieder. Ich befehle Stillstand und Umkehr!

Vordringen des Trupps.

STADTHAUPTMANN. Wenn ihr noch vorrückt, lauft ihr mir in die Arme – und ich vernichte euch alle!

Der Trupp bewegt sich vorwärts.

STADTHAUPTMANN. Ihr sollt doch gehorchen – warum gehorcht ihr nicht?!

TRUPPFÜHRER *dicht vor den Reihen.* Beladet euren Widerstand nicht mit Gewalt – gegen den Stadthauptmann. Der Stadthauptmann ist es nicht, der euren letzten Zorn reizt. Er schickte euch den Schwamm und ließ zu Peitschen greifen. Wie Narren und Hunde behandelt er euch. Er übertraf das Maß eurer Geduld. Aber an den Rand eurer Geduld stieß euch dieser Krieg. Ihr seid durch Leiden geschritten, die niemals erduldet wurden. Die Pest brach aus und nennt sich Krieg. Wie die Pest – strich sie an keinem vorbei. Draußen stürzten die Sterbenden und Verstümmelten zu Tausenden – wer hier ist, verendet im Hunger. Die Zeit ist da, die den Wahnsinn verbietet. Von euch kommt das Zeichen. Ihr könnt nicht marschieren. Ihr strauchelt und fallt kraftlos – niemals erreicht ihr das Ziel. Sollt ihr noch aufbrechen? Ich will allein zum Basileus laufen und ihm sagen, was ich hier sage. Er wird mich töten – aber ich will mich töten lassen, wenn es der letzte Tod von hunderttausend Toden wird. Tötet hier den Stadthauptmann nicht. Zerbrecht eure Peitschen. Weicht zurück!

Der Trupp rückt vor.

STADTHAUPTMANN. Jedes Wort, das euer Truppführer spricht, stimmt. Soll ich mich für den Schwamm entschuldigen? Ich tue es. Es war ein Scherz. Wer mißversteht Scherze? Niemals habe ich geglaubt, daß ihr euresgleichen auspeitschen könntet. Es ist unmöglich. Darum verfiel ich auf die Peitschen. Weil ich nicht strafen wollte. Seid ihr nicht hinreichend gequält von dieser Not des Krieges? Auch ich bin abgemagert zum Gerippe. Ihr müßtet mich nackt sehen. Ein Arzt ist immer um mich – und kräftige Diener, die mich von Schritt zu Schritt stützen. Wir sind alle Opfer des Kriegs. Ihr dürft euch nicht bei mir beklagen!

Neuer Schritt des Trupps.

TRUPPFÜHRER. Hört nichts, was der Stadthauptmann sagt. Wer um sein Leben zittert, verwirrt die Worte. Was gilt euch noch der Stadthauptmann? Beendet den Krieg! Geht in eure Häuser und sammelt die Geräte, die Felder pflügen. Sorgt euch ums Brot, das euren Kindern und Frauen nicht mehr wuchs. Die Waffen habt ihr weggeworfen – legt auch die Peitschen nieder. Weicht zurück!

Schritt des Trupps.

STADTHAUPTMANN. Überzeugend redet der Truppführer. Mir fällt es wie Schuppen von den Augen. Der Krieg ist aus! Wo ist Krieg, wenn die Krieger ausbleiben? Es wird dem Basileus mit glühendem Schrecken in die Glieder fahren: kein Nachschub kommt, der die Lücken füllt. Jetzt ist der Basileus verloren – jetzt trifft ihn die Strafe für dies Kriegsunternehmen, das längst gescheitert ist. Oder ist ein Kriegsunternehmen nicht gescheitert, wenn der Hunger mit Waffen belastet wird? Wie will der Basileus noch gewinnen – ohne neue Krieger, die in frischen Scharen zu ihm ziehn? Meldet sich nicht hier ein Rätsel, das unlösbar ist? Für Menschen, die mit Köpfen denken – und nicht vor Blut in den Augen nichts sehen als Blut? Der Basileus wird sich vom Truppführer belehren lassen müssen, der hingeht. Er wird dem Truppführer eine fürchterliche Antwort geben – und sich dann selbst ins Schwert stürzen. Das schneidet sein Leben in Stücke. Stückweis lebt auch dieser Basileus nicht. Der Basileus ist tot – laßt uns in Freuden leben!

Schritt des Trupps.

TRUPPFÜHRER. Das müßt ihr glauben: der Basileus haßt seine Feinde zu heiß, um ihren Sieg zu ertragen. Vorher wird er mit allen untergehn. So würde er sich auch mit euch verderben, die seine blutige Niederlage nicht abwenden könnten. Darum marschiert ihr nicht mehr. Es deckt die Wüste den Basileus und sein sterbendes Herz zu – schon morgen. Aasvögel finden die Spur nicht. Ihr habt euch vorm Tode bewahrt – bewahrt euch vorm Zorn. Weicht zurück!

Schritt des Trupps – langsames Erheben der Peitschen.

STADTHAUPTMANN. Erhebt ihr die Peitschen gegen mich?! Habe ich den Krieg entfacht?! Hatte ich über Krieg und Frieden zu bestimmen?! Der Basileus wollte den Krieg. Haltet euch an den Basileus, wenn ihr Vergeltung fordert. Aber der Basileus kommt nicht wieder – er hütet sich vor der Rückkehr ohne Siegerkranz um die Schläfen. Er fürchtet hier den Empfang mit Peitschen – die nun seinen Stadthauptmann bedrohen. Ich habe keine Peitschen verdient. Ich muß dem Basileus gehorchen wie alle. Er hat mich zu seinem Stellvertreter gemacht – hätte ich abgelehnt, wäre ich gehenkt. Euch hätte es nichts genützt. Ein anderer wäre für mich eingesetzt – der strenger auf Befolgung seiner Befehle gedrungen hätte. Ich spaßte mit dem Schwamm. Verschafft euch den Basileus – und prügelt ihn mit euren Peitschen!

Mit den erhobenen Peitschen dringt der Trupp auf den Stadthauptmann ein.

TRUPPFÜHRER. Senkt die Peitschen. Weicht zurück!

STADTHAUPTMANN. Ihr könnt den Basileus nicht prügeln, weil er im Felde ist – und morgen ein Leichnam. Ihr trefft sein Blut nicht – aber ihr sollt es treffen. Ihr könnt die Rache haben, die ihr sucht. Am Blut des Basileus – das in der Tochter des Basileus lebt. Die überlasse ich euch, wenn ihr mich vergeßt. Mache ich euch nicht einen Vorschlag, der seinen Dank wert ist? Dafür beanspruche ich ihn. Ihr nehmt die Tochter des Basileus – einer nach dem andern – und im Vergnügen habt ihr eure Rache. Das ist mehr als mich drangsalieren. Seht ihr die Treppe, die über goldne Stufen führt? Das ist der Weg hinauf – und oben versperren keine Türen den Zutritt. Seidene Vorhänge bauschen – im weichesten Polster liegt die Tochter des Basileus – von reizenden Düften umweht. Nach soviel Gerüchen der Armut, aus der ihr herkommt, atmet ihr gierig ein. Ihr werdet begierig – und nichts wehrt euch. Ihr habt die Tochter des Basileus nie erblickt – beim Anblick sollt ihr mich preisen, der ich euch hinwies. Laßt eure Peitschen unten – erschreckt die Tochter des Basileus damit nicht, es wird noch Schrecken genug für sie übrig bleiben! *Zum Truppführer.* Sammle die Peitschen!

TRUPPFÜHRER *starrt den Stadthauptmann an – und tritt von ihm weg.*

Der Trupp hat den Stadthauptmann umstellt und hält die Peitschen über ihn.

STADTHAUPTMANN *winselnd.* Gefällt euch die Tochter des Basileus nicht? Stürmt ihr nicht die Treppe? Verlaßt ihr eure Peitschen nicht – die mich zerfleischen? *Er sinkt in die Knie.* Bedrängt mich nicht. Ich bin ein alter Mann, der nicht mehr lange zu leben hat. Schlagt nicht so kleinen Rest von Leben tot – es lohnt den Hieb nicht. Schlagt mich nicht! *Er krümmt den Rücken, bis die Stirn den Steinboden berührt.*

Der Trupp holt mit schwerem Schwunge zum Schlage auf den daliegenden Stadthauptmann aus.
Fernher erster Trompetenstoß mit hellster Schärfe.
Der Peitschenschwung stockt.
Der Truppführer hört gebannt.
Der Stadthauptmann hebt das Gesicht vom Boden auf.

Wieder die Trompeten, die nun nicht mehr verstummen und rasch näher dringen.

STADTHAUPTMANN *sich schon auf Händen stützend.* Aus Gräbern? Unterm Wüstensand? Von Geiern, die überm Aasfeld kreisen – aus krummen Schnäbeln krächzend – – Trompetenstoß? Was blasen die Trompeten? *Er richtet sich ganz auf.* Wo bleiben eure Peitschen – auf meinem Rücken? Warum peitscht ihr nicht? Weil Trompeten sich anstimmen und Luft erschüttern, die draußen weht? Wirkt Luft, die von Trompetenstößen wogt, wie Blitzschlag lähmend auf eure Arme?

Langsam gehen die Peitschen nieder.

STADTHAUPTMANN. Sinkt der Peitschenwald? Hat ihn Sturm gefällt? Was ist das für ein Sturm? Mich wirft er nicht um – mich richtet er auf!

Die Peitschen schleifen am Boden.

STADTHAUPTMANN. Wo schleifen jetzt eure Peitschen? Am Boden? Sucht ihr sie in die Erde zu versenken? Mit eurem Mut, der euch erst unter Trommelklang hereintrieb?

Der Trupp weicht zurück.

STADTHAUPTMANN. Wollt ihr entlaufen? Als ich euch befahl, wegzugehen, gefiel es euch nicht. Jetzt lasse ich euch nicht mehr aus der Tür. Ihr hättet es euch früher überlegen sollen – jetzt soll euch der Basileus hier treffen! *Er lacht laut spöttisch.* Ertaubt unterm Schall – nie mehr sind die Trompeten zum Schweigen zu bringen, die den Basileus verkünden! *Zum Truppführer.* Wie sagtest du das: kehrte der Basileus zurück, wenn er den Feldzug verlor – und von seiner Macht ein Lot eingebüßt hätte? Du schicktest ihn schon unter die Erde und sahst Aasvögel schwirren. Jetzt läßt er diese Trompeten schmettern. Du hast dich gründlich getäuscht, Truppführer. Dem Basileus ist mit dem schwächsten Heer ein Sieg gelungen, den wir noch nicht begreifen. Aber mit Staunen werden wir später den Hergang vernehmen!

Der Trupp schiebt sich eng zusammen.

STADTHAUPTMANN. Wo sind jetzt eure Trommeln? Rühren sie sich nicht gegen die Trompeten? Wo sind eure Helfer vom Tor, die mit Steinen schmeißen? Ließ euch der Haufen schnöde instich? Alles in den Straßen von den Trompeten verblasen? So habt ihr euch in der eigenen Falle gefangen. Ihr sollt nicht entrinnen. Bleibt hier, daß ich euch dem Basileus zeige! *Nach rechts weisend.* Tretet hinter mich. Oder wollt ihr den Basileus mit euren Rücken begrüßen? Bewegt euch. Verliert nicht die Peitschen. Brennt euch der Peitschengriff in der Hand – ihr sollt die Peitschen festhalten. Die Peitschen sollen euch überführen, wie man Verbrechern am Werkzeug die Missetat beweist! *Mit Händeklatschen den Trupp scheuchend.* Drängt euch auf die Wand – verhaltet den Atem. Wer stöhnt – – Wagt keinen Laut!

Der Trupp schiebt sich am Stadthauptmann vorbei und stellt sich rechts auf.

STADTHAUPTMANN *zum Truppführer.* Du hast, als ich in Gefahr war, zu besänftigen versucht. Aber du bist der Führer des aufrührerischen Trupps. Der Basileus würde dich vierteilen lassen. Ich erlaube dir, dich selbst umzubringen. Ob in Wasser oder mit Strick, bleibt deine Entscheidung. Laufe, ehe die Trompeten ankommen.

Der Truppführer rasch links ab.

STADTHAUPTMANN *zu den Dienern.* Beseitigt die Gerätschaften – Bälle, die herumliegen! *Zum Arzt.* Nun wird eine köstliche Zeit der Ruhe anbrechen, nachdem ich den Krieg einigermaßen leidlich überstanden habe. Ich lade dich in mein Landhaus ein, um unter deiner Leitung meine körperlichen Übungen fortzusetzen. Du hast dich bewährt!

Der Arzt verneigt sich; beim Arzt versammeln sich die Diener.

STADTHAUPTMANN *im Lärm der nahen Trompeten schreiend.* Erwartet alle den Basileus!!!!

Die Trompeten brechen ab.
Stille.

Der Basileus kommt links.
Lanzentragende – funkelnd geharnischte Bewaffnete folgen.

BASILEUS. Was ist in den Straßen? Es stiebt um die Ecken – von Plätzen fegt es sich – hinter Türen, die zuschlagen, verschwindet es. Ein Kind blieb greinend auf dem Pflaster sitzen – macht seine Mutter ausfindig, ich will es ihr auf Lanzenspitzen zutragen lassen. Man soll nicht Kinder auf der Straße vergessen. Warum verbirgt man sich vor meinen Trompeten? Schallen sie dumpfer? Locken sie langsamer? Wo bleibt das Volk, wenn meine Trompeten rufen? Bin ich der Basileus? Bin ich's nicht? *Lachend.* Erwartet man nicht den Basileus – sondern den siegenden Feind, der unterm Klang meiner Trompeten einzieht, die ich ihm ließ im Triumph seines Siegs? Mit meinen Trompeten der Feind? Ich hätte sie vorher zerbrochen und über mir selbst gehäuft, um mich zu ersticken. Der Sieger bin ich – und aus meinen Trompeten bläst mein Sieg! – – So gewaltig erscheint die Tat meines Sieges, daß man vor ihm davonläuft? Ihr habt ihn nicht mehr für möglich gehalten. Wie sollte ich noch siegen können? Mit einem Heer, das – schlimmer als jedes Feindes Geschoß – sich selbst hungernd und fiebernd in der Wüste tötete? Mit Schatten von Kriegern, die zu schwach sind, das Ungeziefer, das sie in ihren Lagern frißt, zu erschlagen. Dennoch reichte es zum Sieg über einen Feind, der hinter festen Mauern in seiner Stadt geborgen saß? So unausdenkbar in allen Köpfen hier, daß man vorm Basileus wie vor dem Gespenst flieht, das seinen Tod überlebt?! – – Die Stadt zerbrach ich in einer Nacht und schritt morgens über den Staub von Mauern und Häusern. Ich habe das Spiel gewonnen – mit dem schwächsten Einsatz! *Wieder laut lachend.* Die Maus hat den Löwen bezwungen. Die Fabel ist wert, in der Geschichte nicht vergessen zu werden. Geschlechter werden lachen, wenn sie sie hören. Vom Basileus, der eine Festung eroberte – und das erbärmlichste Kriegsvolk hatte!! *Zum Stadthauptmann.* Wo sind meine Zuhörer? Warum drängt man sich nicht am Wege – neugierig nach dem Anblick des Basileus, der zurückkehrte? Verscheucht die Pest, die ausbrach und mich nicht anrühren soll?
STADTHAUPTMANN. Seit diesem Morgen herrscht die Pest in dieser Stadt. Sie hätte sich vernichtend ausgebreitet, wenn der Arzt nicht gekommen wäre. Der bist du – Basileus!

BASILEUS. Was ist das für eine Pest, die mich braucht?

STADTHAUPTMANN. Aufruhr!

BASILEUS. In meiner Stadt?

STADTHAUPTMANN. Hier!

BASILEUS. Gegen dich?

STADTHAUPTMANN. Gegen den Basileus!

BASILEUS. Man flüchtet in den Straßen – –

STADTHAUPTMANN. – weil die Trompeten klingen. Die Trompeten des Gerichts. Darum verkriecht man sich in den Häusern und zittert im Dunkeln. Vorher schrie man im Freien und drohte mit Steinwürfen. So wollte man hier den Krieg beenden. Er machte nicht mehr satt. Weiber hatten ihre Männer nicht. Kinder blieben im Wachstum zurück. Die Haushunde fehlten – man hatte sie verspeist. Das war zuviel. So grub man Steine aus dem Straßenpflaster und rottete sich zusammen und zog vors Tor deines Palastes – und schickte einen Trupp herein, der mich an deiner Stelle totschlagen sollte. Den Trupp! *Hinweisend.*

BASILEUS. Der Trupp – –

STADTHAUPTMANN. – meuterte zuerst. Er sollte am Morgen ins Feld zu dir abmarschieren. Aber weil die Sonne zu heiß schien, verschob er den Aufbruch bis zum Abend. Bei meinem wiederholten Befehl verweigerte man den Abmarsch ganz. Strafweise sollte der Zehnte ausgepeitscht werden – das brachte ihr Blut in Wallung. Sie peitschten sich nicht – behielten jedoch die Peitschen, um sie mir zu versetzen – mit tödlichen Streichen. Du siehst, sie halten die Peitschen noch in Händen!

BASILEUS. Das sehe ich – –

STADTHAUPTMANN. Du hättest lange auf die Ankunft neuer Krieger warten können. Ich hätte dir keine mehr geschickt. Ich war tot. Du hast den Nachschub nicht mehr gebraucht – aber hättest du ihn gebraucht, wäre dir sein Ausbleiben gefährlich geworden. Bis zur Niederlage, die du nicht überlebt hättest. Kein Basileus mehr – kein Krieg mehr. Das war ihre Berechnung, durch die du in letzter Minute einen Strich gezogen hast – mit Trompetenblasen! – – Was willst du mit ihnen tun?

BASILEUS. – – – Treibt sie in den Hof – – bewacht sie!

Die Bewaffneten gehen hinüber und stoßen mit ihren Lanzen den Trupp aus dem Tor rechts. Trupp und Bewaffnete ab.

BASILEUS *verändert – lachend.* Die Dummköpfe hätten meinen Sieg erleben können – jetzt verderbe ich ihr Leben, das keiner von ihnen im Hof rettet!

STADTHAUPTMANN. Wie willst du sie verderben?

BASILEUS. Wie es mir einfallen soll, wenn ich den Sieg mit meinem Feldhauptmann und meiner Tochter feiere!

STADTHAUPTMANN. Wer ist dein Feldhauptmann?

BASILEUS. Der mir den Sieg verschaffte, den ich nicht mehr zu erringen glaubte. Aber ich hatte den Gedanken mit dem Köder, den ich auswarf. Darum ist es mein Sieg. Sonst könnte ich auch meine Tochter als Siegerin ausrufen lassen. Sie hat daran teil – der Feldhauptmann hat daran teil. Ich bediente mich beider zu meinem Sieg!

STADTHAUPTMANN. Nur der Basileus konnte siegen!

BASILEUS. Oder mit allen sterben. Es war so weit. Ich zählte die Tage bis zum Untergang. An jedem Morgen erwachten weniger – im Schlaf fiel das Heer. Täglich unbezwinglicher trotzte die feindliche Stadt. Mein Willen zerschellte an ihren Mauern, die in die Wolken wuchsen, wie meine Macht sich ohnmächtiger erwies. Waffen erschütterten die Mauersteine nicht – Feuer sengte sie nicht. Ich erkannte die Vergeblichkeit aller Bestürmung. Ich lag in meinem Zelt und ließ die Truppführer zu mir kommen. In ihre Versammlung stieß ich den Eid: wer von euch mit irgendeinem Mittel den Fall der Stadt erreicht – den erhebe ich zu meinem Feldhauptmann und gebe ihm meine Tochter. Denkt an den Feldhauptmann des Basileus und an die Tochter des Basileus – und überlegt euren Plan. Der Eid des Basileus ist bei jedem von euch! *Im Gelächter.* Der Eid tat seine Wirkung. Er tat sie in verblüffender Weise. Nach einer Woche meldet sich ein Truppführer bei mir. Er tritt ins Zelt – ich schaue auf. Über den Kopf hat er eine Lederkappe gestülpt, die nur Schlitze für ein Auge und für den Mund hat. Er läßt seinen unsichtbaren Mund sagen, daß er die Stadt erobern will. Ich lache ihn schallend aus: willst du den Feind erschrecken, daß er aus offenen Toren rennt – vor deinem Lederkopf? Da zieht er die Kappe vom Kopf und zeigt mir sein Gesicht. Ein Gesicht, das eine einzige Wunde war. Ohne Nase – ein knochiges Loch klafft an ihrem Platz. Ohne Lippen bleckten zwei nackte Reihen der Zähne. Ohrmuscheln fehlten. Ein Auge war zerstochen in seiner Höhle. Blutiger Grind auf dem Schädel wucherte statt Haut. Mich ekelte. Ich mußte wegsehn, um ihn fragen zu können: wer ihm diese Verletzungen zugefügt? Er hatte sich selbst verstümmelt. Um zum Feind zu gehn – als Überläufer, nachdem der Basileus ihn in so unmenschlicher Art bestraft hätte, weil ihm – seinem Feldhauptmann – die Eroberung noch nicht gelungen wäre. Nun hasse er den Basileus und wolle auf der feindlichen Seite gegen ihn kämpfen. An seinen Worten wird man nicht zweifeln! – Er hätte auch mich überzeugt, wäre einer vom Feinde in dieser Verfassung bei mir erschienen! – Danach in einer Nacht wird er die Wachen töten und Tore öffnen. Eine Fackel flammt – wir sollen kommen! – Ich ließ den Lederkopf gewähren – und wartete auf die Fackel. Sie entbrannte in einer Nacht. Wir drangen durch alle Tore in eine schlafende Stadt, die sich zum Widerstand nicht aufrüttelte. In einer Nacht war der Sieg vollkommen. Das entmenschte Gesicht hatte den gewaltigsten Feind überrumpelt. Es war die frechste List, die jemals versucht wurde!!

STADTHAUPTMANN. – – – Wirst du deinen Eid halten?

BASILEUS. Der Eid des Basileus stirbt mit dem Basileus. Schon wurde der Lederkopf mein Feldhauptmann und führt die Gefangenen aus der Stadt her. Abends gebe ich ihm meine Tochter zur Hochzeit! *Zu den Dienern.* Ruft meine Tochter zu mir!

Die Diener laufen die Treppe hoch.

BASILEUS *zum Arzt.* Wer bist du?

STADTHAUPTMANN. Ein Arzt, den ich bei gewissen Unregelmäßigkeiten meines Körpers berufe.

BASILEUS. Wie siehst du den Arzt an? Du schielst nach ihm? Ist meine Tochter krank? Kann ich dem Feldhauptmann den Eid nicht halten? *Zum Arzt.* Bist du meiner Tochter wegen hier? Was ist mit meiner Tochter? *Zum Stadthauptmann.* Lügst du?

STADTHAUPTMANN. Deine Tochter schwebte in Gefahr, als die Meuterer hier eindrangen – ich fürchtete für deine Tochter – nach meinem Tod hätte ich sie nicht schützen können – der Arzt kennt meine Besorgnis – ich empfahl sie seiner Obhut!

BASILEUS *sieht forschend von einem zum andern – sieht auf der Treppe seine Tochter kommen. Staunend.* Wer steigt herab – zögernd auf jeder Stufe – wie ein Kind nicht geht –

wenn es zu Männern gerufen wird? Ein Kind kommt mit Sprüngen zu uns und liegt an unsrer Brust. Es bedrängt jeden ohne Scheu. Wo ist das Kind, das von der Treppe stürmte – lärmend?

TOCHTER *steht vorm Basileus.*

BASILEUS. Bist du meine Tochter? Ich kannte ein Mädchen, als ich wegging – das bog sich schmächtig unter meinem Abschiedskuß. Ich fühlte den Druck von dünnen Armen nicht an meinem Hals. Das kleine Mädchen wog mit dem Gewicht von einer Fliege, hob ich es auf. Das war mein kindisches Spielzeug!

TOCHTER *sieht zu Boden.*

BASILEUS. Jetzt schlägst du den Blick nieder – vor meiner Betrachtung. Sie beschämt dich. Es soll ein Mann dich nicht ansehn – wie du fühlst, daß Männer dich nun ansehn werden. Du bist gewachsen in deine Zeit, die Träume bringt. Hast du die Träume?

TOCHTER *beugt den Kopf tiefer.*

BASILEUS. Du hast sie. Sie brennen hinter deiner Stirn und gleiten im Blut. Ich wußte von deinen Träumen. Mitten im waffenschallenden Feldlager flogen sie mir zu – eines Mittags im Zelt erreichte mich die Botschaft. Du wünschtest dir einen Mann. Ich sollte ihn für dich wählen. Unter den Truppführern. Alle berief ich – und sagte ihnen deinen Wunsch: dem eifrigsten im Dienst des Basileus willst du gehören. Im Wettstreit gewann dich einer: der zog sich eine Kappe über den Kopf und ging hin und brachte die feindliche Stadt zu Fall!

TOCHTER *sieht zu ihm auf.*

BASILEUS *lachend.* Der war eifrig. Der schonte sich nicht. Der bediente den Basileus. Er hat sich nicht umsonst geplagt. Gelüstete es ihn nach der Tochter des Basileus – er wird hier seine Begierde übertroffen finden. Der Eid des Basileus hat mehr gehalten, als er dem Lederkopf versprechen konnte!!

Er hält die Tochter vor sich fest und betrachtet sie.

ZWEITER AKT

Mächtige Marschmusik in der Ferne.
In der Halle stehen der Basileus und die Tochter beieinander
– seitlich der Stadthauptmann.

BASILEUS *im Gelächter gegen den Stadthauptmann.* Sie fragt, wie der aussieht, den ich ihr im Feldlager unter den Truppführern zum Liebsten bestimmte!

STADTHAUPTMANN. Da es so geartete und wieder anders geartete Truppführer gibt –

BASILEUS. Meinst du die Arme – den Rumpf – die Beine, die ich beschreiben soll? *Zur Tochter.* Worauf zielt deine Frage? Ich will sie dir beantworten, wenn sie sich beantworten läßt!

TOCHTER. Ist es einer von den jungen Truppführern?

BASILEUS. Der jüngsten einer. Wahrscheinlich der jüngste! *Gegen den Stadthauptmann.* Oder hätte sich wer von einigem Alter zu dieser Heldentat verstanden?

STADTHAUPTMANN. Indem er das Gesicht sich –

BASILEUS. – mit wilden Zeichen bemalte, die meine Feinde zu Tode erschreckten! *Zur Tochter.* Bist du noch neugierig?

TOCHTER. Wie ist sein Wuchs?

BASILEUS. Sein Wuchs – – laß mich nachdenken. Ich hätte mir Einzelheiten merken sollen, aber sie verschwanden vor dem übermächtigen Eindruck dieses bemalten Gesichts! *Nachgrübelnd.* Er ist schlank. Biegsam wie ein wehender Grashalm, als er im Felde vor mir sich verneigte. Aus dem Stand erreichte er mit der Stirn den Fußboden. Staunenswerte Geschmeidigkeit. Liebst du das?

TOCHTER. Ist er – bärtig?

BASILEUS. Ob ihm ein Bart sprießt? Wie mir diese krause Welle von Ohr zu Ohr rinnt? Oder glattes Kinn wie beim Stadthauptmann? – – Er soll es dir selbst verraten – nachts, wenn er im Dunkeln bei dir liegt. Im Finstern siehst du nichts, aber du fühlst im Finstern!

TOCHTER. Warum erkenne ich nicht jetzt, wie er bärtig ist?

BASILEUS *lachend.* Weil der Ansatz seines Bartflaums so schwach ist, daß du ihn nur mit Fingern spürst. Ein Nachtspiel, Kind – oder scheust du nicht die Gegenwart des Stadthauptmanns?

TOCHTER. Mit welcher Farbe blicken seine Augen?

BASILEUS. Die Augen? Zwei Augen? Von einem könnte ich dir berichten. Das ist sicherlich schwarz. Warum schwarz – soll mir noch einfallen. *Zum Stadthauptmann.* Sind schwarze Augen häufig bei den Truppführern? Nicht nur bei den Truppführern – im Volk? Was für Augen hast du?

STADTHAUPTMANN. Zedernholzbraun.

BASILEUS. Du weißt sehr genau über dich Bescheid. Ich wüßte meine nicht zu nennen. *Zur Tochter.* Ein Auge deines Feldhauptmanns ist schwarz. Der Schatten liegt darauf. Er fällt von einer Kappe, die er trägt. So ist sein eines Auge schwarz!

TOCHTER. Verbirgt die Kappe das andere? –

BASILEUS. Mehr. Die Nase – der Mund – das Schädelhaar sind hinter ihr versteckt. Sie schließt rundum bis unter den Hals. Darum blieb auch der Bart ein Rätsel. Zwei Schlitze nur öffnen das Leder: für Blick aus einem Auge und für Sprache von schwerer Zunge!

TOCHTER. Kommt er – mit der Kappe?

BASILEUS. Soll er die Hülle abreißen – von der wüsten Bemalung, die kräftige Krieger zu steifen Puppen lähmte – vor dir, die ein Mädchen ist, das schon zittert bei der Ankunft des Manns, der der Bräutigam ist.

TOCHTER. Warum entfernte er nicht die Bemalung – jetzt am Ende deines Krieges?

BASILEUS. Die läßt er als Siegeszeichen haften. So hat er die Stadt gewonnen, so will er den Ruhm bewahren. Heute. Noch diesen Tag, der ihn belohnt. Mit dir. Fürchtest du dich vor dem Lederkopf?

TOCHTER. Ich will mich – nicht fürchten.

BASILEUS *gegen den Stadthauptmann.* Sie will sich nicht fürchten. Sie faßt Entschlüsse, die ich ihr vorweggenommen habe – als ich im Feldlager vor den Truppführern schwor: wer dem Basileus am besten dient, dem überläßt er seine Tochter! *Zur Tochter.* Du bist – mit deiner Angst oder mit Begierde – ihm verpflichtet, der meinen Feind vernichtete und meinen Eid an sich nahm. Er bringt ihn wie eine blanke Münze, die dich bezahlt. So wirst du sein Eigentum! *Wieder lachend.* Und fiele es deinem Feldhauptmann mit einer witzigen Laune ein, bemalt zu bleiben und seine Kappe nie wieder von der schrecklichen Bemalung zu lüften, um dich nicht unfruchtbar zu machen in deinem Entsetzen, du müßtest dich doch zu dem Lederkopf legen – er hat meinen Eid.

Die Marschmusik rückt nahe.

BASILEUS *laut zum Stadthauptmann.* Kommt der Zug an, den der Feldhauptmann herführt?

STADTHAUPTMANN. Im Tor!!

BASILEUS *zur Tochter.* Hörst du den Marsch, der mit Hörnern und Pauken schallt? Lärmt es in deinen Ohren? Bebt jetzt dein Blut? Ein großer Held wird angemeldet – ihm tost Musik! – Was gilt die Fratze eines Menschen, wenn sie im Dienst des Basileus sich entstellte!

STADTHAUPTMANN *schreiend.* Der Feldhauptmann!

Marschmusik bricht ab.
Stille.
Der Feldhauptmann kommt links: mit Auszeichnung kriegerisch gerüstet – den Kopf bedeckt mit einer braunen Lederkappe, die nur für Mund und ein Auge schmale Schlitze aufweist.

FELDHAUPTMANN *zum Basileus.* Ich bin mit deinem Heer aus dem Felde in deine Stadt zurückgekehrt. Ich habe deine Feinde aus ihrer Stadt vertrieben und als Gefangene in Ketten in deine Stadt gebracht. Ich habe deinem Siege gedient, wie du wolltest, daß einer dient!

BASILEUS. Der Feldhauptmann bist du.

FELDHAUPTMANN. Ich trage die Zeichen, die nur einer in deinem Heer trägt. Du verliehst sie mir am Mittag nach der Nacht, in der ich die feindliche Stadt zu Fall brachte. Das tatest du im Feldlager!

BASILEUS. Es war in meinem Zelt und wir waren allein.

FELDHAUPTMANN. Ich habe den Marsch mit dem Heer und den Gefangenen durch Staub, der unter der wüsten Sonne erstickte, zur äußersten Eile getrieben – um deinen Eid nicht ungeduldig werden zu lassen, der die Erfüllung will!

BASILEUS. Ein Rest steht aus. Du hast recht. Es hat mich gequält. Ich habe dir draußen nur unvollkommen Wort halten können. Stand mir im Augenblick mehr zur Verfügung – im Feldlager? Ich mußte um Aufschub bitten, den ich nicht verzögerte. Ich jagte dir voraus – Pferde fielen genug, wir haben die heißeste Jahreszeit – *Zum Stadthauptmann.* Hat nicht ein ganzer Trupp sich dem Ausmarsch ins Feld unter der glühenden Sonne widersetzt? So heiß ist es. *Wieder zum*

Feldhauptmann. Immerhin kam ich vor dir an. So rechtzeitig, daß ich alle Vorbereitungen treffen konnte, um deinen Empfang vor Zwischenfällen zu schützen. Deine Verkleidung hätte Verwunderung erregt – ich habe sie erklärt. Du bist entsetzlich bemalt und bedeckst die Bemalung mit deiner Kappe. Meine Tochter erfuhr es so von mir, weil sie sich erkundigte, ob du einen Bart hast und zwei schöne Augen!

FELDHAUPTMANN. Warum soll sie nicht die Wahrheit kennen?

BASILEUS. Ist nicht wahr, was der Basileus spricht?!

FELDHAUPTMANN. Das ist wahr.

BASILEUS. Wahr und wahrhaftig wie mein Eid, den ich im Feldlager jedem Truppführer schwor, der meinen Sieg beförderte. Du bist der Helfer. Ein Nichts vordem – schon Feldhauptmann und nachts noch Mann der Tochter des Basileus. Klafft eine Lücke im Eid?

FELDHAUPTMANN. Dein Eid ist vollständig.

BASILEUS. Da ist meine Tochter. Siehst du sie? Dringt durch den Schlitz für deine Augen der Blick scharf genug – und sieht, was er sieht? Soll ich beschreiben, was ich dir gebe? Es übertrifft mein Versprechen – so wuchs, was ich verließ, beim Abzug ins Feld. Doch feilsche ich nicht nachträglich. Du wirst sie haben. Berühre sie!

FELDHAUPTMANN *tritt zur Tochter und legt eine Hand auf ihre Schulter.*

BASILEUS *zur Tochter.* Du fühlst seine Hand – du duldest den Druck: sie unterwirft sich. Du bist dieser Hand vermählt. Betrachte sie aufmerksam. Man muß mit der Hand zufrieden sein, wenn sich das Gesicht nicht offenbart. Es ist zuzeiten furchtbarer, wenn einem die Hände fehlen und nicht der Kopf. Denke zur Nacht an meine Worte. Sie werden dir mit Behagen einfallen, wenn du dich von zwei Händen ergriffen fühlst. Die Nacht ist blind – sie tastet lieber, als sie ansieht. Es soll erst dunkelste Nacht werden, bis ich euch eure Hochzeit rüste. Bin ich nicht gnädig? Mißtraut ihr meiner Stimmung? Ich will sie reizen. Wann ist der Basileus am mildesten gesinnt? Wenn er gestraft hat. Nach Blut der Wein. In Strömen beide! *Zum Stadthauptmann.* Wie will ich strafen? Komm in den Hof: ich will den Trupp, der meuterte, betrachten und finden, was ihn am fürchterlichsten tötet! *Mit dem Stadthauptmann rechts ab.*

TOCHTER *tritt dicht vor den Feldhauptmann und hebt die Hände nach seiner Kappe.*

FELDHAUPTMANN. Wonach greifst du?

TOCHTER. Nach den Zipfeln deiner Kappe.

FELDHAUPTMANN. Um sie mir tiefer auf die Schultern zu ziehen?

TOCHTER. Um deinen Kopf von ihr zu befreien.

FELDHAUPTMANN *tritt zurück.* Ich bin – bemalt. Du weißt es. Es sind Farben aufgetragen, die sich zu grellem Anstrich mischen. Mit Linien führe ich die Zeichnung, die das ursprüngliche Wachstum unverkennbar verzerren. Krieger erschraken davor.

TOCHTER. Ich bin kein Krieger.

FELDHAUPTMANN. Du bist eine Frau.

TOCHTER. Deine Frau.

FELDHAUPTMANN *verstummt.*

TOCHTER. Ich wollte mich nicht fürchten, als der Basileus dich ankündigte, der bei mir eintritt – mit unverhülltem Haupt. Du stehst vor mir. Ich fürchte mich nicht vor dir. Ich fürchte mich nur vor dieser Kappe, die weder schrecklich noch schön ist – die nichts ist als ein lederner Beutel, der jedermann aufgestülpt wird, um niemand zu sein. Jetzt bist du von allen der Mann, mit dem ich meine Hochzeit habe. Wer ist der Mann?

FELDHAUPTMANN *klein. Unsicher.* Der Basileus verbot –

TOCHTER. – mir die Furcht vor deinem Anblick. Ich folge mit größerem Gehorsam. Ich will mit meinen Fingern, die nicht zittern, deine Kappe wegnehmen und dich ansehn.

FELDHAUPTMANN. Du würdest nichts erkennen, was einem menschlichen Antlitz gleicht.

TOCHTER. Mein Blick wird hinter deiner Bemalung suchen und dich finden, den ich lieben will.

FELDHAUPTMANN. Das Leder ist mir wie eine zweite Haut verwachsen.

TOCHTER. Es löst sich nicht? Nicht in der Nacht? *Lachend.* So werde ich dich in der Nacht unsrer Hochzeit betrügen. Du bist bei mir mit Armen, Beinen, Leib – aber der Kopf ist versteckt. Ich mache mir ein Bild von ihm – von Nase, Ohren, Mund – es ist falsch, wie ich am nächsten Morgen entdecke. Habe ich dich da nicht betrogen?

FELDHAUPTMANN. Du betrogst mich nicht, weil du mich am nächsten Morgen nicht siehst.

TOCHTER. So verübe ich Betrug in der zweiten Nacht an dem Bildnis der ersten, das mir entschwand – und schon dir nicht glich. Ein dritter Betrug!

FELDHAUPTMANN. Du siehst mich noch nicht.

TOCHTER. Er wird sich wiederholen – Nacht für Nacht – Betrug um Betrug, bis ich dich endlich sehe. Wann wird es sein?

FELDHAUPTMANN *wieder unsicher*. Ich bin der Feldhauptmann, dem der Basileus seine Tochter gab.

TOCHTER *ruhig*. Ich will nicht betrügen. Ich will nicht Vorstellungen ausgeliefert sein, die schamlos quälen. Ich will keine Nacht bei dir sein, den ich nicht kenne. Im Traum sah ich oft Gestalten, die wechselten und auf mich eindrangen. Ich schrie aus dem Schlaf um Hilfe. Wer sollte helfen? Ein Mann, dem ich einzig gehöre – den ich mit klarem Gesicht unterscheide von allen, die umgehn. Wie ist sein Gesicht?

FELDHAUPTMANN *langsam*. Ich habe kein Gesicht.

TOCHTER *starrt ihn an*.

FELDHAUPTMANN. Ich bin verstümmelt.

TOCHTER *rührt sich nicht*.

FELDHAUPTMANN. Ich trage meine Kappe über einen Kopf, der verletzt wurde – so furchtbar, daß der Basileus die Verwundung verschwieg. Er entsetzte sich selbst damals vor ihr in seinem Zelt. Du hättest nicht fragen sollen. Ich hätte die Wahrheit hinter der Kappe bewahrt. Du fragtest. Ich antwortete. Es wird den Eid des Basileus nicht erschüttern!

TOCHTER *nach einer Pause*. Bist du im Kampf verwundet?

FELDHAUPTMANN. Es traf mich vorher – –

TOCHTER. Fiel das Pferd unter dir und der Sturz auf Stein zerschmetterte dich?

FELDHAUPTMANN. Das ereignete sich anders – –

TOCHTER. Nicht Schlacht, nicht Unglücksfall – wie kommt ein Mensch zu solcher Verstümmlung?

FELDHAUPTMANN. Mit eigner Hand fügte ich mir die Schnitte zu, die Nase – Ohren – meine Lippen ausrissen. Ins Auge stach ich die Messerspitze. Ich schälte wie von einer Frucht die Haut von der Schädeldecke. Da hatte ich mir eine Maske geschnitzt, die wirksam wurde!

TOCHTER *fast tonlos*. Wie wurde sie wirksam?

FELDHAUPTMANN *lachend*. Sie gefiel dem Feind. Sie verschaffte mir Eintritt in seine Stadt. Man konnte meine Fratze nicht genug sehn. Man führte mich überall hin. Ich erkundete alle Stellungen, mit dem einen Auge, das ich mir gelassen hatte, aber das war mehr als die zehntausend Augenpaare des Heers des Basileus draußen im Feld. Und als ich einäugig genug gesehen hatte, riß ich das Stadttor auf und ließ den Basileus mit seiner ganzen Macht ein und verschaffte ihm die nachtschlafende Stadt!

TOCHTER. – – – Für welchen Lohn?

FELDHAUPTMANN. Den Rang des Feldhauptmanns – – *Er stockt.*

TOCHTER. Es ist nicht alles – –

FELDHAUPTMANN *zögernd.* Die Tochter –

TOCHTER. Mich.

FELDHAUPTMANN. Wer die Stadt erobert, so gelobte der Basileus –

TOCHTER. Dir und jedem.

FELDHAUPTMANN. Mir gelang der Sieg des Basileus!

TOCHTER *nach langer Pause.* Laufe in die Wüste zurück und ersticke dich im Staub – wenn der Wüstensand eine Düne, lastend wie Gebirge, auf dich häufte, vernichtete sich das schmählichste Widerbild eines Menschen!

FELDHAUPTMANN. Jetzt erschrickst du vor der Verstümmelung, die du kennst.

TOCHTER. Reizt die den Schauder? Er schüttelt mich schwach. Ich ertrüge deinen Anblick ohne Kappe, verlorst du dein Gesicht im Schlag des Schicksals. Wie traf es dich?

FELDHAUPTMANN. Ich diente dem Basileus.

TOCHTER. In seinem Kriege, der eine Stadt zerstört.

FELDHAUPTMANN. Sie widerstand dem Willen des Basileus.

TOCHTER. Warum griff er sie an?

FELDHAUPTMANN. Die Macht des Basileus soll sich verbreiten.

TOCHTER. Wird das ein Anlaß – einen Krieg zu kämpfen?

FELDHAUPTMANN. Er ist der Basileus!

TOCHTER. Wer ist der Basileus?

FELDHAUPTMANN. Du bist die Tochter des Basileus und sprichst nicht wie die Tochter des Basileus!

TOCHTER. Hörst du das durch deine Kappe? Du verstehst – ich begreife noch nicht, was meine Worte sagen. Mir erfriert nur das Blut, wenn ich an deine Verletzung denke, wie sie geschah. Fürchterlicher als deine Verstümmelung entstellt dich deine Gier, mit der du deinen Rang vor andern suchtest!

FELDHAUPTMANN. Ist er nicht groß?

TOCHTER. Wohin schiebt er dich?

FELDHAUPTMANN. Ins Haus des Basileus. Ich bin an seiner Seite, wie die Hand an seiner Seite ist. Er plant, ich bin das Werkzeug seiner Pläne. Er spricht den Befehl, ich fasse das Schwert. Dann ist mein Schwert gewaltig über dem Heer. Ich schicke es in die Schlachten, die Völker besiegen und Länder verwüsten!

TOCHTER *tritt weiter von ihm zurück.*

FELDHAUPTMANN. Einmal dämmert der Tag, den der Basileus nicht erlebt. Er starb seinen Tod, den alle sterben müssen. Dann erbe ich seine Herrschaft – durch dich, die er mir zur Hochzeit gab. Gewann ich nicht mehr, als je in einem Krieg erbeutet wurde – mit meinem zerschnittenen Gesicht?

TOCHTER *ruhig.* Mit Überlegung hast du dich des Gesichts beraubt. Du bist kein Mensch mehr, du bist ein Tier, das frißt und brüllt. Soll ein Mensch bei einem Tiere leben?

FELDHAUPTMANN. Verhieß der Basileus nicht –

TOCHTER. Macht und mich dem gierigsten von seinen Männern, der am wütendsten zerstört. Da fiel eine Stadt in Trümmer – da begrub sich unter dem Schutt der Zerstörer selbst. Was zog sich heraus? Ein Rumpf, der mit Armen schlägt und mit Beinen rennt. Bei Menschen ein Abscheu. Muß ich den Ekel beherrschen?

FELDHAUPTMANN. Ich schulde Gehorsam dem Eid des Basileus.

TOCHTER. Er hat ihn einem Menschen geleistet – keinem Wesen, das seinen Kopf versteckt. Das ist ein Eid, der brüchig wurde durch den, der ihn schwor. Willst du bei ihm bleiben? So wehre ich mich gegen deine Nähe mit schreien und flüchten in meine Kammer. Wer dringt zu mir? Ein Ding, das ohne Menschenhaupt wandelt. Es kriecht über mich und erdrückt mir Odem und Leib – mit letzter Kraft erwürge ich deinen Hals, den ich unter der Lederkappe finde.

FELDHAUPTMANN. Soll ich mich töten, um dem Eid des Basileus zu entfliehen?!

TOCHTER. Willst du leben in Gefahr deines Lebens auf meinem Bette?!

FELDHAUPTMANN. Kannst du den Basileus zum Widerruf bestimmen?

TOCHTER. Verlangt er meine Schändung durch einen Lederkopf, der jedermann und niemand ist?!

FELDHAUPTMANN *nach einer Pause.* Schicke nach mir, wenn du Botschaft für mich hast. *Links ab.*

Der Basileus und der Stadthauptmann kommen rechts.

BASILEUS *zum Stadthauptmann.* Was wird mit dem letzten? Wenn du mir sagen kannst, was mit dem letzten geschieht, will ich deinen Vorschlag annehmen. Aber mir leuchtet nicht ein, auf welche Art der letzte mit der gleichen Strafe getötet werden soll – *Er bemerkt die Tochter – wendet sich zu ihr.* Eine Rätselaufgabe für dich, mein Kind – dem Hirn des Stadthauptmanns entsprungen. Denke nach: wir stehen im Hof und überblicken die Schar der Meuterer – auf ihre Züchtigung, die ohne Beispiel wird, sinnend. Wir beraten hin und her – nichts gefällt mir, was ich erfinde – was der Stadthauptmann empfiehlt. Ich will verdrossen aus dem Hof gehen – da lenkt der Stadthauptmann meine Aufmerksamkeit auf die Peitschen, die alle in Händen haben. Die Peitschen sollen töten. Nach dieser Regel, die der Stadthauptmann festsetzt: es schlagen alle auf den ersten ein, der fällt. Es wird der zweite in den Kreis gestellt – er fällt gepeitscht. Es fällt der dritte – vierte – zehnte – zwanzigste von den Peitschen. Schließlich bleiben zwei übrig. Davon zerhaut der eine den andern. Wie stirbt der letzte unter Peitschenhieben, die alle treffen sollen – ohne Henker, den der Trupp selbst spielt? Was tust du mit dem letzten?
TOCHTER *schweigt.*
BASILEUS *zum Stadthauptmann.* Sie hat das Ende nicht für diese Rechnung. Weil sie nicht stimmt. Der letzte ist auf diese Weise nicht umzubringen. Man müßte ihn mit besondrem Urteil verdammen. Ist einer das wert?
STADTHAUPTMANN. Man müßte dennoch die Peitsche verwenden.
BASILEUS *zur Tochter.* Er kann sich nicht von den Peitschen trennen. Die dümmsten Einfälle haften am hartnäckigsten. Er wird uns abends noch von diesen Peitschen faseln, wenn wir am Tisch deiner Hochzeit sitzen. Wirst du ihm dann mit Lachen zuhören? Soll er seine Späße treiben.
STADTHAUPTMANN. Die Peitschen werden töten!
BASILEUS *schroff.* Dich?! Der Furcht vor ihnen hatte? Der in seiner Hasenangst – – Was rietest du in deiner Feigheit, um dich zu retten, als dich die Peitschen bedrohten?!

STADTHAUPTMANN *stotternd*. Was riet ich – wem – –?

BASILEUS *zur Tochter*. Fast wäre es mir mißlungen, meinen Eid zu halten – –

TOCHTER. Verbiete ihm zu bleiben.

BASILEUS *sieht sie an. Dann zum Stadthauptmann*. Geh in den Hof zurück. Ich schenke dir das Leben, wenn du die Strafe für die Meuterer rascher als ich ausfindig machst.

STADTHAUPTMANN *rechts ab*.

BASILEUS. Er bot dich allen im Trupp an. Der Arzt berichtete es mir. Erfuhrst du es?

TOCHTER. Was für ein Trupp?

BASILEUS. Der sich am Morgen weigerte, auszumarschieren. Weil die Sonne stach. Weil es ein langer Weg ist zum Basileus ins Feld. Weil es dem Tod entgegengeht. Da verzagte der Trupp – da murrte der Trupp – da drang der Trupp hier ein. Er faßte den Stadthauptmann. Der wies ihn zu dir. Jeder im Trupp sollte dich haben. Du warst vermählt an einem Tag mit hundert Männern – dich hätte der Feldhauptmann verachtet. Doch kam ich zurecht, um meinen Eid zu schützen. Das ist der Trupp im Hof, den ich fing und töte!

TOCHTER. Es ist nicht einer, dem du mich gibst – es sind hundert, denen du mich überläßt.

BASILEUS. Schicke ich dir die Meuterer ins Hochzeitsbett?

TOCHTER. Nicht die. Nicht hundert. Die Zahl ist endlos. Ich weiß nicht, wer zu mir kommt. Er verbirgt sein Gesicht. Er kann es nicht zeigen – es ist verlöscht!

BASILEUS *verstummt. Dann lachend*. Hat sie sich eingefressen – die Bemalung? Ätzte die Farbe die Haut? Sind Löcher gegraben? Von Nase – Mund – Ohren nichts mehr? Auge nur einmal? Keine Strähne von Haar überm Stirnrand? Nur ein knochiger Klumpen der Kopf? Was weißt du mehr, wenn du kennst, was hinter der Kappe steckt?

TOCHTER. Er kann die Kappe nie abtun.

BASILEUS. Er trägt sie wie geboren mit der Schicht von Leder. Er stirbt mit dem Kopf in Leder. Du siehst keinen Greuel!

TOCHTER. Er hat mich erfaßt. Er schüttelt mich furchtbar.

BASILEUS. Vor meinem Feldhauptmann?

TOCHTER. Ich würde ihn töten in der ersten Nacht bei mir!

BASILEUS *mit neuem Gelächter*. So will ich ihn warnen neben dir einzuschlafen. Du könntest dir seinen Hochzeitsschlaf zunutze machen. Mich brächte es um meinen eifrigsten Krieger!

TOCHTER. Gilt das mehr als meine Überwältigung durch ein kopfloses Tier?

BASILEUS *schallend lachend*. Das ist meine Antwort darauf. Ich lache, daß mein Bart flattert. So hat mich noch keiner lachen lassen wie du! – Ein Mädchen wehrt sich gegen einen meiner Krieger, der sich verstümmelte. Wozu vollzog er die Verstümmelung? Um besser mir zu dienen. Was übertrifft dies Ziel? Der Traum von Liebschaft? Er zerstiebt, wenn ich mit meinem Finger einem winke: du sollst von meiner Macht empfangen, wenn du sie mehrst. Da schneidet er sich Kerben ins Gesicht und trägt den Lederkopf ins Brautgemach. Das hat ihn weniger geplagt!

TOCHTER. Ich öffne die Tür nicht zur Nacht!

BASILEUS. Vor diesem Lederkopf?

TOCHTER. Vor einem Lederkopf!

BASILEUS *langsam*. Es ist ein Anblick, der befremdet. Ich gebe es zu. Dir und allen. Man hat es noch nicht erlebt, daß jemand herumläuft, dem der Schädel mit einem Überzug bespannt ist – von Leder, das vom Tier stammt. Nicht einmal aus Menschenhaut gegerbt. Es gibt ein Stocken in den Straßen – ein Gaffen hinter Fenstern nach dem Lederkopf. Der Vorfall ist zu ungewöhnlich, um sich nicht immer wieder zu verwundern! *Nach einer Pause mit Nachdruck*. Man soll sich gewöhnen! Der eine Lederkopf stachelt die Neugier – viele Lederköpfe machen sie stumm. Es läßt sich einrichten! *Er tritt ins Tor rechts – klatscht in die Hände*.

Stadthauptmann kommt.

BASILEUS. Hat dich Erleuchtung gesegnet? Was spürtest du auf? Womit bist du mir zuvorgekommen?

STADTHAUPTMANN *zuckt die Achseln*.

BASILEUS. Du hättest dich vergeblich angestrengt – mit deinen klügsten Empfehlungen. Sie wären jämmerlich vor meiner Entscheidung verblasen – die mir von meiner Tochter eingegeben wurde. Es ist ihr Verdienst, daß ich jetzt die Bestrafung der Meuterer weiß. Es trifft den Trupp Verstümmelung, wie sie der Feldhauptmann sich zufügte! – – – *Von einem zum andern*. Ist die Strafe nicht neu? Hat es sich schon ereignet? Kann einer mir erzählen? – – Auch mir ist nichts erinnerlich. So bleibt es bei meinem Beschluß. Allen wird sie gerecht – *Zur Tochter*. – auch dir. Wenn abends –

indes wir bei deiner Hochzeit am Tisch sitzen – die Schreie vom Hof hereinschallen, wird sich der Aufruhr deines Blutes sänftigen: es ist nichts Sonderbares mehr, daß du mit einem Lederkopf dich schlafen legst – es gibt bald viele Weiber, die dein Schicksal teilen! – – – Der Abend ist nicht weit – ich will mich ruhn, um ihn mit wachen Sinnen zu erleben! *Über die Treppe mitten hinten ab.*

STADTHAUPTMANN *stammelnd.* Er ließ mir keine Zeit im Hof – er fand zuerst, wie er bestraft – – *Ausbrechend.* Was wird mit meinem Leben?

TOCHTER *sich aufraffend.* Du sollst –

STADTHAUPTMANN. Sterben?!

TOCHTER. – den Feldhauptmann rufen!

STADTHAUPTMANN *links ab.*

Feldhauptmann kommt links.

TOCHTER *schweigt.*

FELDHAUPTMANN *endlich.* Verlangtest du vom Basileus, daß er von seinem Eid läßt?

TOCHTER. – – – Verwirfst du deinen Anspruch, wenn er es dir erlaubt?

FELDHAUPTMANN. Dich überrieselt der Schauer vor mir. Ich könnte mich nicht ohne Scham dir nähern.

TOCHTER. Erschrickst du selbst vor deiner Tat, die dich entstellte?

FELDHAUPTMANN. Vor meiner Tat – und vor dem Ursprung meiner Tat. Ich bin das Tier, das wütend ausbricht und zerstört. Mit Recht trage ich die Kappe über meinem unmenschlichen Gesicht.

TOCHTER. Willst du bei Menschen wohnen?

FELDHAUPTMANN. Ich wandre in die Wüste – der Sand verschüttet meine Spur – zur Leichenfeier streichen Aasvögel zu: so endet der Feldhauptmann des Basileus!

TOCHTER *nach einer Pause – ruhig.* Ich habe den Eid des Basileus nicht erschüttert.

FELDHAUPTMANN. Sollst du den Lederkopf bei dir ertragen?

TOCHTER. Der Basileus befiehlt es. Er lachte, als ich widersprach. Er lachte mit dem Bart, der flatterte. Es wurde das mächtigste Lachen seines Lebens.

FELDHAUPTMANN. Es lachte der Basileus – – –

TOCHTER. Das zerbrach nicht meinen Widerstand. Es füllte meine Ohren und ließ sie gleich wieder leer. Vom Lärm seines Gelächters erlitt ich keine Schwäche.

FELDHAUPTMANN. Was schallte noch stärker?

TOCHTER. Der Zorn des Basileus, der über Meuterer tobt. Es ist ein Trupp an diesem Morgen nicht ausmarschiert. Der drang hier ein mit Peitschen, um den Stadthauptmann zu erschlagen. Es kam der Basileus mit seinem Sieg, den du ihm einbrachtest – und trieb den Trupp in den Hof. Nun soll er büßen.

FELDHAUPTMANN. Mit aller Tod?

TOCHTER *schüttelt den Kopf.*

FELDHAUPTMANN. In Ketten auf die Galeere?

TOCHTER. Mit deiner Verstümmelung, die das Gesicht verwüstet!

FELDHAUPTMANN. Wie verfiel der Basileus auf diese Sühne?

TOCHTER. Um Lederköpfe zu schaffen. Deinesgleichen. Daß der Blick nicht mehr staunt, der einen Lederkopf schaut. Es wiederholt sich zu häufig, daß Lederköpfe vorbeigehn. Sie sind in den Straßen – in Häusern, man achtet ihrer nicht mehr. Die Zahl ist groß. Da verliert sich mein Schrecken. Du bist nur einer von vielen – soll das nicht beschwichtigen?!

FELDHAUPTMANN. Kann es dir nützen?

TOCHTER. Bricht nicht die äußerste Verwirrung an – in mir?! Es trägt den Lederkopf ein zweiter – dritter – zehnter – mehr: zu vielen sind sie da. Was unterscheidet dich von allen? Du zeigst kein Antlitz, das ich wieder kenne. Die andern sind verhüllt wie du. Ihr seid ein Schwarm, der kopflos hundertköpfig mich überfällt!

FELDHAUPTMANN. Kein Lederkopf berührt dich in der Nacht.

TOCHTER. Willst du entlaufen – dem Eid des Basileus?

FELDHAUPTMANN. Der Hochzeit, die dich schändet.

TOCHTER. Ich will sie abends mit dir halten. Ich stürze nicht vom Sitz am Tisch bei dir. Ich gehe mit dir in meine Hochzeitskammer. Ich gebe mich dir – liebend – ohne Furcht vorm Tausch, der mich verstrickt mit andern Lederköpfen. Ich kann dich erkennen, wenn dir keiner gleicht mit einem Lederkopf auf seinen Schultern!

FELDHAUPTMANN. Der Basileus befiehlt, daß man den Trupp verstümmelt.

TOCHTER. Du sollst es hindern. Es ermächtigt dich, mir mein

Entsetzen zu verbieten. Ich bin gefügig, wie du es wünschst. Ich will mit stillen Fingern noch das Leder streicheln, das dich verdeckt. Ich habe gute Worte für deinen Schmerz, der damals dich zerriß. Ich küsse auch den lippenlosen Mund durch deine Kappe. Verlockt es dich?

FELDHAUPTMANN. Es jagt mich weiter von dir weg – was du mir anbietest!

TOCHTER. Bewahrst du nicht den Trupp vor der Verstümmelung?!

FELDHAUPTMANN. Es schenkt mir das Gesicht nicht, das du suchst!

TOCHTER. Mit neuer Bildung dringt es durch – es strahlt von Licht. In Blendung schließe ich die Augen – und sehe dich: wie du die Macht zerschlägst, die mit Zerstörung herrscht!

FELDHAUPTMANN *nach langer Pause*. Wann will der Basileus die Strafe an den Meuterern vollziehn?

TOCHTER. Am Abend, während wir die Hochzeit feiern!

FELDHAUPTMANN. So wird es Zeit, die Gäste für den Abend einzuladen. *Er geht nach links – ab.*

TOCHTER *sieht ihm nach*.

DRITTER AKT

In der Halle sitzt der Basileus an einem erhöhten Tisch allein; bei ihm steht der Stadthauptmann.
An einem tieferen Tisch sitzen sich der Feldhauptmann und die Tochter gegenüber.

BASILEUS. Ihr seid das seltsamste Liebespaar, das je an einem Hochzeitstisch gesessen ist. Ihr trinkt nicht – ihr sprecht nicht. Ihr bohrt die Blicke in das Tischtuch – rot ist es. Das ist eine Farbe, die immer fesselt. Weil sie an Blut erinnert. Macht euch das stumm?

Feldhauptmann und Tochter rühren sich nicht.

BASILEUS. Ein Mädchen kann darüber erschrecken, daß es die Sprache einbüßt – *Zur Tochter.* – finde ich darin den Grund deiner Schweigsamkeit? *Zum Feldhauptmann.* – Aber wie kann es meinem Feldhauptmann die Laune verderben? Weil es nicht Blut ist – sondern nur ein rotes Laken auf einer Tischplatte? Es soll dich nicht grämen: Ich schicke dich bald wieder in Kriege – blutiger als alle, die ich früher führte. Denn ich habe einen Feldhauptmann, der mir mit unübertrefflichem Eifer dient. Trinke mit mir, mein unübertrefflicher Feldhauptmann! *Er trinkt.*
FELDHAUPTMANN *trinkt nicht.*
BASILEUS *zum Stadthauptmann.* Warum trinkt er nicht? Hat er keinen Wein? Bist du nachlässig in deinem Amt?
STADTHAUPTMANN. Sein Glas ist noch voll.
BASILEUS *zum Feldhauptmann.* Schmeckt dir's nicht? Oder macht es dir Mühe, durch den Kappenschlitz zu trinken? Verfehlst du deinen Mundspalt und der Rotwein rinnt dir unten aus der Kappe über den Rock – du besudelst dich scheckig? – – Vielleicht bist du gewöhnt, die Flüssigkeit durch einen hohlen Strohhalm einzusaugen. Hier willst du es nicht vorführen. Es könnte zum Lachen reizen: ein Krieger, der mit einem Strohhalm hantiert!
FELDHAUPTMANN *schweigt.*
BASILEUS *nach einer Pause.* Ihr habt recht. Es ist eure Hochzeit. Ihr seid zu keiner Gegenrede verpflichtet. Ich muß für eure Unterhaltung sorgen! *Zum Feldhauptmann.* Dir will ich eine Geschichte erzählen – sie wird dich die Nacht, die be-

vorsteht, heißer heranwünschen lassen. Deiner Braut bangt vor dir. Sie hat es mir hinter deinem Rücken anvertraut. Leichtsinnig, wie Weiber sind, entlockte sie dir erst dein Geheimnis – dann verfluchte sie in meine Ohren ihre Neugier. Nun wußte sie, was hinter deiner Lederkappe steckt: du bist nicht kriegerisch bemalt – du bist mörderisch verstümmelt. Nie kannst du den jämmerlichsten Rest von einem Menschenhaupt zeigen. Wurde mir nicht übel – in meinem Zelt, als du dich mir vorstelltest? Andern werden die Knie brechen. Darum mußt du die Kappe tragen – bei Tag, bei Nacht. Das mißfällt meiner Tochter. Mit Wut und Tränen setzte sie mir zu: den Lederkopf nicht zu ihr zu lassen. Sie stampfte mit den Füßen – sie drohte mit ihren Fingern: erwürgen will sie dich an ihrer Seite. Bereite dich auf den Kampf vor, Feldhauptmann – es ist der schönste Streit, der in einem Hochzeitsbett ausgefochten wird, wenn die Frau sich gegen den Mann wehrt. Du wirst das widerspenstigste Liebchen in deinen Armen halten – macht dich die Aussicht auf dies Nachtspiel nicht lustiger?

FELDHAUPTMANN *hebt langsam den Kopf nach ihm.*

BASILEUS. Da kommt Bewegung in dich. Die Starrheit löst sich. Es hätte mir gleich zu Anfang einfallen sollen. Wir hätten nicht das halbe Fest wie einen Leichenschmaus vertrödelt!

FELDHAUPTMANN. Sitzt nicht deine Tochter wie tot am Tisch?

BASILEUS. Erwecke sie. Mit einem Kuß. Steh auf – begib dich zu ihr und küsse sie. Mit deinen Lederlippen küsse ihren fleischigen Mund. Wir wollen die Wirkung erleben!

FELDHAUPTMANN *bleibt sitzen.*

BASILEUS. Warum erhebst du dich nicht? Warum erfüllst du mir nicht meinen Wunsch?

FELDHAUPTMANN *stumm.*

BASILEUS. So will ich ihr befehlen. Sie ist meine Tochter. Vätern schulden Töchter Gehorsam auch an ihrem Hochzeitsabend! *Zur Tochter.* Du störst die Hochzeitsfeier, wie du verstockt zur hölzernen Puppe hockst. Es ärgert den Feldhauptmann – versöhne ihn mit einem Kuß. Bringe ihm den Kuß – der Feldhauptmann erwartet deinen Kuß.

TOCHTER *regt sich nicht.*

BASILEUS. Soll ich heruntersteigen und dich zu ihm führen – bei deinen Armen, an denen ich dich vorwärts stoße?

FELDHAUPTMANN. Ich – habe keinen Mund für ihren Kuß.

BASILEUS *starrt ihn an.* Willst du verzichten? Willst du den Widerstand meiner Tochter unterstützen – gegen mich?!

FELDHAUPTMANN *schweigt.*

BASILEUS. Habt ihr es vorher unter euch ausgemacht – mir den Possen zu spielen? Ihr wolltet nicht trinken, ihr wollt euch nicht küssen – ihr werdet auch später nicht beieinander liegen! – – Jetzt habt ihr euch verraten. Es ist eine schlechte List, die du dir überlegt hast, Feldhauptmann. Damals warst du klüger, als du dir das Gesicht zerschnittest, um den dummen Feind zu übertölpeln. Da verlor er eine ganze Stadt mit Häusern und Mauern. An mir zerschellt dein Witz. Mein Eid steht wie ein fester Turm in deinem Angriff. Die Hochzeit wird sich vollenden. Begann sie schon? Wenn niemand trinkt? *Zum Stadthauptmann.* Trinke du mit mir. Da steht dein Glas. Ich habe es für dich mit besonderer Sorgfalt gefüllt!

STADTHAUPTMANN *tastet nach dem Glas.*

BASILEUS. Zittert dir die Hand beim Zugriff? Beherrsche dich – trink alles. Verschüttest du einen Tropfen –

STADTHAUPTMANN *trinkt.*

BASILEUS *trank ebenfalls.* – lebst du zu lange!!

STADTHAUPTMANN *läßt das Glas fallen.*

BASILEUS. Wie schmeckt es? Säuerlich? Mit einem Schuß von Schierling? Er genügt, um einen Klotz von Kerl zu fällen. Du bist ein Wicht!

STADTHAUPTMANN. Hat mich – der Wein vergiftet??

BASILEUS. Hatte ich dir nicht das Ende deiner Tage versprochen, wenn du zu langsam dachtest? Ich kam dir zuvor – und hatte früher als du die Strafe für die Meuterer im Hof erfunden, wie noch nicht gestraft wurde. Besinnst du dich nicht?

STADTHAUPTMANN *ächzt.*

BASILEUS. Dir schwindet das Gedächtnis – du stirbst. Stirb nicht hier. Du hast einen elenden Tod. Schleppe den Krampf deiner Eingeweide aus dem Tor – dazu reichen deine Kräfte!

STADTHAUPTMANN *wankt nach dem Tor links – ab.*

BASILEUS. – – – Ich ließ ihm noch Gelegenheit, sein Leben zu retten. Warum hat er es verwirkt? Es gab hier einen Vorfall, den meine Trompeten störten. Gegen Trommeln bliesen sie siegreich. Wo rühren sich Trommeln, Feldhauptmann?

FELDHAUPTMANN. Vorm Trupp, der marschiert.

BASILEUS. Das ist dir geläufig. Da antwortest du schnell. Wohin marschiert der Trupp hinter seinen wirbelnden Trommeln?

FELDHAUPTMANN. Ins Feld zu dir, Basileus

BASILEUS. Es ist die Regel. Wer kennt es anders? Wenn aber die Regel durchbrochen wird – und ein Trupp den Marsch zum Basileus verweigert und unter Trommellärm hier eindringt, um den Stadthauptmann zu erschlagen, der den Befehl zum Ausmarsch schickte?

FELDHAUPTMANN. So wirst du den Trupp töten.

BASILEUS. Ich werde nicht töten und dennoch fürchterlich strafen. Der Einfall hat dem Stadthauptmann das Leben gekostet. Wäre er darauf gekommen – ich hätte ihm reinen Wein kredenzt. Jetzt mußte er seinen Frevel vom Morgen büßen. Willst du ihn kennen?! – – – Er bot den Meuterern meine Tochter zum Besitz für jeden an, wenn sie sein Dasein schonten! – – – Verging er sich nicht an meinem Eid, den ich dir geschworen hatte? Wie konnte ich dir noch meine Tochter geben, die unterm Druck von hundert Schändungen schmählich verhauchte?!

FELDHAUPTMANN. – – – Du beludst deinen Eid mit übermäßigen Verheißungen.

BASILEUS. Als ich den Rang des Feldhauptmanns und die Tochter des Basileus aussetzte?

FELDHAUPTMANN. Es war zuviel Lohn für eine Tat, die keinen Preis verdient.

BASILEUS. Die Stadt, die fiel, ist das nicht wert? Nachdem sie in allen Jahreszeiten dreimal – drei wüstenheiße Jahre lang – meinem Willen widerstanden hatte? Mit Trotz, der mich verachtete? Hinter Mauern, die ihre Quadern mit Blut meiner Krieger stärkten? Starb nicht schon mein Heer von Fliegenstichen in seinen stinkenden Zelten? Es bereitete sich die elendeste Niederlage vor. Ich erlitt sie nicht – ich übermannte den Feind – ich räucherte ihn aus und verließ bei Morgengrauen nur rauchende Trümmer. Ist das kein Sieg, der jeder Belohnung würdig wurde?

FELDHAUPTMANN. Du bezahltest einen Schutthaufen zu hoch, Basileus.

BASILEUS. Versperrt er mir den Weg? Sind Steine, die herumliegen, ein Hindernis? So werde ich sie abräumen lassen, um meine Heerstraße zu ebnen. Es ist eine Arbeit, die die Gefangenen verrichten sollen, die du herführtest. Das wird ihre Verdammnis: die Trümmer ihrer Stadt in die Wüste zu tragen und unbehaust in der Wüste zu verenden! *Zur Tochter.* Schläfst du nicht besser bei deinem Lederkopf, wenn du denkst, daß andre bei Steinen in der kahlen Wüste nächtigen? *Zum Feldhauptmann.* Ich rate dir, sie später daran zu erinnern. Es wird euch wohlergehn auf eurem Lager!

FELDHAUPTMANN *will aufstehen.*

BASILEUS. Willst du schon weggehn und die Gefangenen in die Wüste schicken? Laß dir Zeit bis morgen, Feldhauptmann, nichts eilt, was ich befehle – es erfüllt sich alles. Die Stadt fiel – es werden Städte fallen, die jetzt noch mit Lichtern in den Fenstern blinken. Dann wird es dunkel!

FELDHAUPTMANN. Warum muß es dunkel werden, Basileus?

BASILEUS. Weil ich zerstöre. Bin ich sonst der Basileus? Ich sitze hier und trinke Wein. Ihr trinkt nicht. Es säuert meinen Wein nicht. Es dringt von eurem Tisch nach meinem Tisch über euren kein Herzklopfen, das hinter eurer Brust stößt. Ich höre keinen Laut. Ich bin gesprächig – aber taub. Die Taubheit bringt die Macht. Ich bin mächtig, wenn ich die Ohren vor allen Stimmen verschließe, die aus der Tiefe hallen. Wer ruft da unten? Ich gebiete Stille. Man duckt sich schweigend. Wagt wer Widerrede? Ich töte ihm den Hauch im Mund. Dem einzelnen – den vielen, die in Städten wohnen – dem Volk in Ländern – über alle Erde zieh ich den Mantel meiner Macht, der Luft erstickt, die ich allein in meinen Lungen atme. Die Macht ist Leben – wer erfaßte je genug von seinem Leben?!

FELDHAUPTMANN. Ich will nicht mehr deinen Eid behalten, Basileus!

BASILEUS. Du schüttelst ihn nicht ab. Er haftet an dir – wie deine Kappe. Zerrst du sie vom Stumpf deines Kopfs? Versuche es!

FELDHAUPTMANN *schweigt.*

BASILEUS. Du tust es nicht. Du hast Angst. Vor einem Spiegel. Vor einer schillernden Kachel. Vor einem blanken Kopf, der dich dir abbildet. Fürchtest du dich sehr?

FELDHAUPTMANN. Den Anblick meiner Schändung ertrüge ich selbst nicht mehr!

BASILEUS. Fürchte dich doppelt vor meiner Wut, die über dich kommt, wenn du an meinem Eid rüttelst. Mit offenem Widerspruch oder mit heimlichem Betrug. Ich muß ihn furchtbar rächen. Ich schwor – das gilt. Mein Schwert und mein Wort – sie stützen den Turmbau meiner Macht. Greife nach dem Schwert bei meiner Hüfte – ich schlage deine Hand ab. Verachte mein Wort, das ich verpfändete – du verstummst für immer. Mein Ja oder Nein ist Tod oder Leben – was gibt es ein drittes? Erfindest du es? Willst du mich belehren? Wie ich mir selbst mein Schwert entwinde – wenn ich Zweifel an meinem Wort zulasse? Ein Schwert hat seine Schneide, sie haut durch Fleisch, das stirbt – mein Eid übt über hundert Schwerter größere Gewalt: ihr lebt, wie ich es schwor – vermählt an diesem Abend!

FELDHAUPTMANN *steht auf.*

BASILEUS. Jetzt sollst du sitzen bleiben. Vorhin erlaubte ich dir um den Tisch zu gehn, als ich den Kuß von dir für sie verlangte. Nun dulde ich keine Störung. Die Zeit wird spät – es muß sich noch ereignen, was eure Hochzeitsfeier mit unauslöschlichem Vorfall auszeichnen soll! *Er klatscht in die Hände.*

FELDHAUPTMANN. Was wird geschehn?

BASILEUS. Weißt du es nicht! Hat sie nicht geschwatzt? Verschwieg sie, was ich unternehmen will – um ihren Abscheu vor deinem Lederkopf zu schwächen?

FELDHAUPTMANN. Nichts kann mir das Gesicht wiedergeben!

BASILEUS. Mit keinem Wachstum der Natur. Du bleibst ein Lederkopf bis an deiner Tage Ende. Kränkt es dich auch?

FELDHAUPTMANN. Mit ungeheurer Last von Reue, Basileus!

BASILEUS. Sie soll dir leichter werden. Euch beiden wird geholfen – dir und ihr. Sie wird den Schreck vor einem Lederkopf verlieren – du findest Trost bei deinesgleichen!

FELDHAUPTMANN. Wo habe ich Menschen meinesgleichen?

BASILEUS. Wo ich bestrafte. Mit Verstümmelung, wie du sie dir zufügtest!

FELDHAUPTMANN. Wen trifft die Strafe?

BASILEUS. Im Hof die Meuterer!

FELDHAUPTMANN *schweigt.*

BASILEUS. Verfahre ich zu milde? So bin ich gnädig an diesem Hochzeitsabend! *Er klatscht in die Hände.* – – – Ich klatschte in die Hände, wo bleiben meine – –

FELDHAUPTMANN *rasch.* Entschuldige dem Trupp im Hof das Vergehen!

BASILEUS *verblüfft.* Spricht mein Feldhauptmann? Bist du betrunken – vom Weinrauch? Stimmst du für Meuterei im Krieg?

FELDHAUPTMANN. Dein Krieg zerstört, was menschlich ist – wie mein Gesicht zerstört ist!

BASILEUS. Du brauchst es nicht! – Du nicht und keiner neben dir. Habt ihr Gesichter? Ich sehe sie nicht an. Ihr seid der Schwarm, der zwischen meinen Knien wimmelt. Ein Menschenheerwurm, der mit Millionen Füßen schlurft – dicht überm Boden – und das Kraut im Staube frißt. Das wälzt sich alles unter mir – ich unterscheide Augen, Mund und Nase nicht – wie du nicht Mund und Augen und eine Nase hast. Du bist ein Lederkopf. Da wird es deutlich. Verlöscht ist das Gesicht. Warum soll es sich zeigen? Will ich euch kennen? Erhebt ihr Anspruch auf Bezeichnung? Ihr sollt euch selbst nicht kennen. Seid jedermann und niemand, die ihr wart und bleibt – mit Lederköpfen. Ich will Lederköpfe schaffen nach deinem Vorbild, Feldhauptmann, der mir als Lederkopf am besten diente – ein Volk von Lederköpfen ist bei dir versammelt, die ich in meine Kriege schicke, die verwüsten, wo Menschen mit Gesichtern übrig sind. Ich fange meine Schöpfung der Lederköpfe an. Zum Hof! *Er klatscht in die Hände. Nach einer Pause.* Ich klatschte wieder – – niemand – – –

FELDHAUPTMANN. Du sollst mir die Erlaubnis geben, daß ich die Meuterer verstümmle!

BASILEUS. Mit eigner Hand?

FELDHAUPTMANN. Du wirst es mir gewähren!

BASILEUS. Wenn du mich bittest – es ist deine Hochzeit – ich bin zufrieden.

FELDHAUPTMANN. Gib mir dein Messer, Basileus!

BASILEUS. Hast du keins?

FELDHAUPTMANN. Bei meiner Hochzeit trage ich kein Messer.

BASILEUS. Ich trenne mich nie von ihm.

FELDHAUPTMANN. Du empfängst es später wieder!

BASILEUS. Es wird mir Flecken machen. Doch ist es Blut. *Er reicht ihm sein Dolchmesser hin.* Bedarfst du keiner Hilfe?

FELDHAUPTMANN. Nein, Basileus!

BASILEUS. Du bist geübt, du kennst die Schnitte. Wird nicht dein Arm erlahmen – bei soviel Köpfen?

FELDHAUPTMANN. Ich habe große Kraft, Basileus!

BASILEUS. So tu es eilig! *Er trinkt.*

FELDHAUPTMANN *rechts ab.*

BASILEUS *zur Tochter.* – – – Für mich hat sich der Feldhauptmann entschieden. Da erlebst du es. Er läßt dich am Tisch
sitzen. – Und geht in den Hof. Habe ich es von ihm verlangt? Habe ich eine Belohnung ausgesetzt? Entbrannte wieder ein Wettstreit, in dem jeder gewinnen will – den Rang
eines Feldhauptmanns und die Tochter des Basileus? Die
Preise sind vergeben – ich bot keinen neuen an. Es ist nicht
einmal rühmlich, den Henker zu machen. Aber er drängte
sich zu dem Amt. Warum zeigte er diesen Eifer? – – Um
seine Unterwerfung zu beweisen! – – Sie ist vollständig –
wie deine Niederlage keinen Ausweg kennt. Du bist verwie-
sen mit deinem Zittern und Greinen, mit dem du früher
seine Ohren fülltest, bis ihm der Willen schwankte und er
sich vermaß, um meinen Eid zu feilschen! – – Hast du verstanden, wie er dich belehrt? Er läßt dich an deinem Hochzeitstisch allein. Es ist nicht mehr wichtig, was sich bei seiner
Hochzeitsfeier zuträgt. Ob du redest oder schweigst – ob du
liebst oder leidest – trinke nicht oder trinke – gib Küsse oder
verwehre sie: mein Feldhauptmann sieht, wie mein Auge
zuckt – und im Sturmwind meiner bewegten Braue sind
deine Weiberworte verblasen – wie Wollflocken, unauffindbar am Rande der Erde! – – – Ich durchschaue meinen Feldhauptmann. Er hat mich geärgert – anfangs stumm, später
mit Widerspruch. Das ist ein Vergehen, das seine Vergeltung
sucht. Ich hab sie erlassen, weil Hochzeit ist. Aber er duldet
nicht, daß einer den Basileus beleidigt. Weder er noch irgendeiner. So bestimmt er sich die Strafe selbst. Darum ist er in
den Hof gegangen. Zu den Meuterern, die er verstümmelt.
Ich wollte es durch Schinder besorgen lassen. Weil es ein
schmutziges Handwerk ist. Ich würde es meinem gefangenen
Feind nicht zumuten. Der Feldhauptmann tut es. Kann er
sich tiefer unter meine Herrschaft ducken – als mit dieser
Tat, mit der er dich vergißt und meine Macht bestätigt?! – –
– Du mußt jetzt Wein trinken. Wein besiegt das Blut, wenn
es dir in den Hals springt – erwürgend – beim Schrei des
ersten, den das Messer schneidet. Schreit schon der erste? *Er
horcht.*

Stille.

BASILEUS. – – – Warum läßt er sich Zeit? Sind Vorbereitungen zu treffen? Er hat das Messer – und Gesichter sind wei-

ches Fleisch. Er könnte zwanzig schon verstümmelt haben!
Er lauscht wieder.

Stille.

BASILEUS. Oder schreien sie nicht – weil sie ohnmächtig zusammenbrechen, setzt er das Messer an? Man müßte den Fall
der Körper auf die Steinfliesen hören – es vollzieht sich
nichts geräuschlos, was schrecklich ist. Warum hören wir
nichts? *Er lauscht.*

Stille.

BASILEUS. Mit keinem Lärm verkündet sich, was im Hof geschieht? Es ist die lautloseste Hinrichtung, die ich je erlebt
habe. Ein Fliege summt mehr. War das ein Ächzen? *Zur
Tochter.* Es kommt von dir. Du bist weiß wie Mondlicht.
Wäre es dir nicht lieber, daß man schrie? – – Ich werde befehlen, daß alle schreien, die verstümmelt werden! *Er
klatscht in die Hände.*
TOCHTER *steht auf.*
BASILEUS. Dir gilt der Befehl nicht. Ist niemand hier, der in
den Hof läuft und sagt, was ich will?! – – Ich klatsche noch
einmal! Wer kommt?

Der Feldhauptmann kommt rechts.

BASILEUS. Du bist es, den ich herbeirufe? Unterbrichst du deine blutige Beschäftigung? Es ist ein Irrtum. Das Zeichen galt
nicht dir. Es sollte wer dir ausrichten, daß eine Stille herrscht,
die unerträglich ist – für meine Tochter. Sie wird gleich weinen. Warum bleibt alles still? Begannst du noch nicht?
FELDHAUPTMANN. Ich begann –
BASILEUS. Betäubt der Schmerz? So warst du ungeschickt.
Verfahre langsamer – der Rest soll schrein. Geh wieder in
den Hof!
TOCHTER *mit unterdrücktem Schrei der Angst.* Die Lederköpfe – – – –
FELDHAUPTMANN *mit rascher Wendung zu ihr – die Arme
hebend.* – – wandeln!!!!
BASILEUS *mit schrägem Kopf wegsehend – lauschend.* Wer
geht mit Schritten, die ich höre – aus dem Hof??

FELDHAUPTMANN *zu ihm.* Die Lederköpfe kommen zu dir, Basileus!!!!

Mit erster breiter Reihe taucht der Trupp auf: Lederkappen verdecken die Köpfe.

BASILEUS *sieht hin.* – – – – – – – – Wandeln sie – – – – ohne Schwäche in den Knien – – – – in voller Reihe – – – – wie frische Krieger in die Schlacht??
FELDHAUPTMANN *zur ersten Reihe.* Rückt vor – vor neuer Reihe, die nachdrängt!!

Die erste Reihe rückt vor – die zweite folgt.

BASILEUS. – – – – – – Die zweite Reihe wankt wie die erste nicht – – – –
FELDHAUPTMANN *zu den Reihen.* Stockt nicht im Tor – vor Reihen – – Reihen – – Reihen!!!!

Der ganze Trupp hat das Tor durchschritten – langsam vordringend umstellt er die höher gelegenen Tische.

BASILEUS *umblickend.* Der ganze Trupp – – – –
FELDHAUPTMANN. Der ganze Trupp von Lederköpfen besucht dich, Basileus!!
BASILEUS. – – – – Sind alle überkräftig? Übermannte keinen der Schmerz der Verstümmlung?
FELDHAUPTMANN. Sie fühlten keinen Schmerz!!
BASILEUS. Tropft nicht ein Rest von Blut aus ihren Lederkappen?
FELDHAUPTMANN. Kein Tropfen Blut fließt mehr!!
BASILEUS. – – – – Es ist auch an deinen Händen keine Blutspur zu entdecken. Das bleibt verwunderlich. Du müßtest auch in blutbespritzten Kleidern schreiten, vollbrachtest du das Werk der Schändung auf eine natürliche Weise. Wie hast du es vollbracht?
FELDHAUPTMANN. Willst du es ansehen, Basileus?!
BASILEUS. Mit meinen Augen. Verhülle deine, Tochter. Willst du nicht lieber weggehn?
TOCHTER. Ich fürchte mich nicht mehr!!
BASILEUS. Vor Ungesichtern?!
FELDHAUPTMANN. Du sollst dich fürchten, Basileus!!
BASILEUS *lachend.* Vor –

FELDHAUPTMANN *zum Trupp*. Hebt ab die Kappen!!!!

Von unverletzten Köpfen werden die Lederkappen abgezogen.

BASILEUS *starrt rundum*. – – – – – – – – Gesichter – – – – da
sind Gesichter – – – – unverstümmelt – – – – von keinem
Schnitt geritzt – – – – Nase – – – – Ohren – – – – der Mund
mit Lippen – – – – und beide Augen, die glotzen – – – – zum
Basileus – – – – der in die Hände klatscht – – – – nach seinen
Wachen. *Er tut es*. – – – – – – Kommen keine Wachen?? –
– – – Ich klatschte immer schon vergeblich an diesem Abend
nach meinen Wachen. Sind meine Wachen –
FELDHAUPTMANN. Entwaffnet, Basileus!!
BASILEUS. Von dir? – – – – und diese unversehrt hereinge-
schickt zu mir??
FELDHAUPTMANN. Es kommen andre noch!!

Aus der Ferne rücken Trommeln rasch heran.

BASILEUS. Wer kommt mit Trommeln?
FELDHAUPTMANN. Die Gäste, die ich einlud – das Volk im
Aufbruch. Was willst du ihm sagen??
BASILEUS. Ich – will ihm sagen – – – – Laßt mich ihm be-
gegnen!! *Er will die Reihen durchbrechen, um zum Tor links
zu gelangen.*

Der Trupp erhebt die bisher verborgen gehaltenen Peitschen.

BASILEUS *zurückweichend*. Mit Peitschen vor mir – – – –??
Bei seinem Tisch stehend – eine Hand krampfend. Bin ich
ohne – –??
FELDHAUPTMANN *folgt ihm*. Dein Messer, Basileus! – – Was
sagst du, wenn du stirbst??
BASILEUS *nimmt das Messer – keuchend*. Ich töte – – – –
FELDHAUPTMANN *dicht vor ihm – die Arme weit ausbrei-
tend*. Du tötest – – du tötest immer – – – – vernichte des
Menschen Fratze, die ich auf meinen Schultern trage – – um
dich zu vernichten!!!!
BASILEUS *stößt zu*. In deine Brust!!
FELDHAUPTMANN *fällt*.

Der Trommellärm ist in größter Nähe überlaut.

Der Trupp erschlägt mit Peitschen den Basileus.
Der Trommellärm bricht ab.

TOCHTER *steht auf dem Tisch des Basileus und rafft das rote Tuch des andern Tisches um ihre Nacktheit.* Mit den Gefangenen in die Wüste, um aufzubaun, was in Zerstörung liegt!!!!

Mächtiger Marschrhythmus der Trommeln setzt ein.

[1927/28; 1928]

HELLSEHEREI

Gesellschaftsspiel in drei Akten

PERSONEN

VIKTOR
VERA
DIE DAME
SNEEDERHAN
ZOFE

Die drei Akte spielen sich im Salon bei Viktor und Vera ab. Drei Türen: eine links, eine rechts – hinten eine mit halbhohen Glasscheiben, die zur Diele führt.

ERSTER AKT

DIE DAME *in Hut und Handschuhen – wartet im Salon. Sie hat das Grammophon in Bewegung gesetzt, dem sie – auf einer Sesselkante wippend – zuhört. Die Platte läuft ab. Die Dame streift einen Handschuh zurück, zündet sich eine Zigarette an. – In der Diele erscheint Vera mit der Zofe. Vera nimmt mit hastigem Griff den Hut ab – zieht die Handschuhe aus und gibt alles der Zofe. Die Zofe sagt etwas zu Vera – Vera öffnet rasch die Glastür.*

VERA *eintretend.* Du bist hier?

DAME. Überrascht dich das?

VERA. Warum soll es mich nicht überraschen?

DAME. Weil – mein Wagen unten steht. Er signalisiert mich mit seinem Rot von weitem.

VERA. Ich habe nichts gesehen. Wartest du schon lange?

DAME. Ein halbes Dutzend Grammophonplatten und eine halbe Zigarette.

VERA. Du mußt mich entschuldigen –

DAME. Ich hatte mich nicht angemeldet. Ich war mit dem Wagen unterwegs. Das Wetter ist schön. Ich fuhr bei euch vor –

VERA. Ich kann dich jetzt nicht begleiten.

DAME. – um Viktor abzuholen.

VERA. Hat denn Viktor Zeit?

DAME. Für berufliche Interessen?

VERA *wie sich erinnernd.* Du baust –

DAME. Sobald ich mich für das Grundstück fest entschieden habe. Wir wollen es heute nochmal besichtigen – hält Viktor den Platz für günstig, kann morgen mit der Ausschachtung begonnen werden.

VERA. Viktor freut sich sehr darauf, dir deine Villa zu bauen.

DAME. Ich halte ihn für den besten Architekten, den ich finden kann.

VERA. Soll ich im Büro bei ihm anläuten?

DAME. Er muß doch jeden Augenblick kommen – zum Essen.

VERA. So spät ist es schon?

DAME. Mittag.

VERA. Dann esse ich keinen Bissen.

DAME. Du protestierst ja förmlich.

VERA. Gegen die infame Unsitte zu essen, nur weil es Zeit ist. Mein Appetit ist noch nicht da – ich werde essen, wann ich hungrig bin. Alles andere ist ein Frevel gegen die Naturgesetze. Wir sind Parasiten, wenn wir das vergessen – und keine Menschen!

DAME. Seit wann bist du nervös, Vera?

VERA. Bin ich nervös, weil ich mal richtiges sage?

DAME *bei ihr – ihr übers Haar streichend*. Du bist sonst nicht nervös. Blonde Frauen sind nie nervös – sie haben nur manchmal Ärger, den sie nicht verbergen können. Willst du es mir nicht erzählen?

VERA. Ich habe mich nicht geärgert –

DAME. Doch. Sehr. Du bist sogar gründlich verwirrt. Du siehst mein rotes Auto nicht vor der Tür – du konzentrierst mühsam deine Gedanken auf meine Interessen. Es ist dir an diesem Vormittag etwas passiert, das mehr als Ärger ist. Glaube mir, ich habe Erfahrungen. Darum ist es besser, wenn du dich aussprichst – gleich, ehe es sich einfrißt – wie Blutvergiftung. Willst du dir nicht Luft schaffen?

VERA *sie umschlingend*. Wenn du hier bleibst – mittags!

DAME. Warum soll ich durchaus bleiben?

VERA. Bleibst du nicht?

DAME. Ich bleibe. Ich wollte sowieso bei euch frühstücken. Warum erhält es jetzt solche Wichtigkeit?

VERA. Weil – Viktor nichts merken darf!

DAME. Wovon?

VERA. Von meinen Tränen – die alles verraten!!

DAME *nach einer Pause*. Was – hast du denn getan, Vera?

VERA. Was soll ich getan haben? Ich liebe Viktor. Wie sollte es mir einfallen, mir selbst in den Finger zu schneiden und mein Blut auslaufen zu lassen – bis zum Tode? Will ich denn sterben? Ich will leben. Darum soll er es nicht wissen – und ich will es nicht wissen!!

DAME *vorsichtig*. Hat – Viktor etwas getan?

VERA *aufstehend. Schroff*. Nein.

DAME *sich eine Zigarette anzündend*. Trotzdem bin ich jetzt unentbehrlich, um mit Konversation einen Abgrund zu überbrücken, in dem du ins Bodenlose saust – mit Viktor allein am Tisch.

VERA. Ich könnte mich nicht beherrschen – er würde fragen, und ich würde bekennen.

DAME. Du hast dich vorzüglich in der Gewalt – du weckst meine Teilnahme und kontrollierst deine Konfidenzen. Wir werden in glänzender Stimmung zu dritt sein. *Nach der Glastür lauschend.* Ist das Viktor?

VERA *erschreckt.* Noch nicht!

DAME. Deine Zofe. *Zu Vera.* Du zitterst wirklich, Vera!

VERA. So werde ich zittern – nachher – beim Anblick Viktors – –!

DAME. Ich will Viktor schon unten erwarten und schnurstracks mit ihm zum Grundstück fahren. Du beruhigst dich inzwischen. Abends treffen wir uns im Theater.

VERA. Nein. Das wird auffallen. Er wird mich jetzt sehen wollen. Deine Ausflüchte machen ihn stutzig. Nichts darf auffallen. Heute nicht. Niemals. Versprich mir das, wenn du mich lieb hast.

DAME. Ich bin deine Freundin. Vera.

VERA *rasch.* Der Ring ist fort!

DAME *fast lachend.* Nur einen Ring hast du verloren?

VERA. Du kennst ihn doch. Den Ring mit dem blauen Saphir in der altertümlichen Fassung.

DAME. Das war dein schönster Ring.

VERA. Viktors Geschenk an unserm Hochzeitstag. Er steckte ihn mir an den Finger mit Worten, die Gott in Ewigkeit nicht vergessen kann. Es war die feierlichste Handlung des ganzen Tages. Auch für ihn. Er sprach es doch aus. Wir standen allein im Zimmer. Er sagte mit ganz stiller Stimme: von nun an gibt es in der Welt nur dich und mich – ein Bündnis zwischen zwei Menschen ist mehr als die Versammlung aller Lebenden und Gestorbenen. Heilig will ich es halten. Amen. Ich wiederholte das Amen, wie nie ein Priester so gebetet hat – gläubig!

DAME. *Der* Ring ist dir abhandengekommen?

VERA. Spurlos verschwunden. Wie vom Erdboden verschluckt. Ich trug ihn – und plötzlich trug ich ihn nicht mehr. Der Finger war nackt – kein Ring hinter dem Gelenk. Die Stelle leer!

DAME. Heute vormittag ereignete sich der Verlust?

VERA *erstaunt.* Heute vormittag??

DAME. Du bist doch deswegen so verstört.

VERA. Seit Wochen fehlt er mir. Ich kann sogar den Tag genau feststellen, an dem ich ihn verlor. Es war, als der Präsident des Architektenklubs die große Gesellschaft gab. Viktor war an jenem Abend behindert und ich mußte allein gehn. Neunter März. Das Datum hat sich mir eingeprägt!

DAME *nach kurzem Besinnen.* Und – auf dem Ball – –

VERA. – trug ich den Ring, wie Viktor es wollte, der immer meinen Schmuck zu meinem Kleid bestimmt. Er hat ein gutes Auge für Wirkung. Oft probiert er stundenlang neue Kombinationen. Ich komme mir dann wie ein Kunstwerk vor, an dem er schafft.

DAME. Ich wünsche dir, daß er es nie vollendet.

VERA. Weil er mich dann weniger liebhaben wird?

DAME. Weniger –? *Abbrechend.* Als du die Gesellschaft verließt, war der Ring –

VERA. Als ich die Gesellschaft in Hast und lange vor Schluß verließ, streifte ich in der Garderobe den Handschuh über den Ring – denn ich weiß es, weil ich ihn einen Augenblick betrachtete – mit einem Gefühl, das aufquoll – gemischt aus Angst – aus Zorn – aus Schreck – aus allem, was schrecklich ist, wenn sich Enttäuschung in einem festsetzen will – –!

DAME. Was verursachte dir diese Empfindung, die du schilderst, während des Präsidentenballs?

VERA. Ein Gast nahm die Abwesenheit Viktors zum Anlaß alberner Sticheleien, die Viktor verdächtigten: moderne Ehen – jeder geht seinen Weg – Madame allein auf dem Ball – Monsieur nicht allein im Hotel – das Leben ist zu kurz für Spezialisierungen – man muß es intuitiv erfassen. Ich habe mir jeden Satz gemerkt, so pulste er in meinem Blut.

DAME. Belanglose Ballgespräche, Vera.

VERA. Ich wollte auch nichts ernst nehmen. Es gelang mir nicht. Schließlich drehten sich mir die Lampen unter der Decke. Ich wußte: es ist gemein, Viktor mit dem geringsten Verdacht zu beleidigen – dennoch fuhr ich frühzeitig nach Haus –

DAME. – um Viktor vorzufinden?

VERA. Er war noch nicht nach Haus gekommen!

DAME. Damit hieltest du ihn für überführt?

VERA. Ich dachte gar nichts. Ich war zu Haus – ich atmete wieder. Ich ging ins Schlafzimmer – und vorm Ausziehen wollte ich den Ring abstreifen. Es war kein Ring mehr da. Viktors Hochzeitsgeschenk verschwunden!

DAME. So – hast du den Ring auf dem Weg vom Ball bis zu dir verloren.

VERA. Ich suchte in allen Zimmern – ich suchte auf der Treppe – vor der Tür bis zur Stelle, wo ich aus dem Auto gestiegen war: nichts vom Ring. Ich habe die halbe Nacht geforscht – bis ich Viktors Ankunft hörte. Da entschloß ich mich, das leere Etui hinzustellen und nichts zu sagen. Ich tat, als schliefe ich – und beobachtete: Viktor öffnete den Deckel nicht und schloß das Kästchen ohne Inhalt in den Wandtresor ein.

DAME. Seitdem hast du vor Viktor geschwiegen?

VERA. Ich wollte ihn nicht aufregen. Ich wollte mich nicht aufregen. Die Erinnerung an jenen Abend wäre heraufbeschworen. Ich konnte nicht sprechen. Der Ring mußte sich doch auch wieder anfinden. Ich konnte ihn doch nur verlegt haben. Wie einen Handschuh, der mir auch am andern Morgen fehlte und weiter fehlt. Ich mußte in der Erregung jenes Abends alle Dinge verhext haben: Handschuh – Ring. Eins wie das andre ist bestimmt in der Wohnung – so dachte ich – und suchte, wie man nur suchen kann – – heute denke ich anders – – – – und denke nichts mehr!!

DAME. Ist dir heute der endgültige Verlust des Rings klar geworden?

VERA. Nachdem mir heute gesagt wurde, wo der Ring sich befindet – habe ich ihn endgültig verloren!

DAME *verblüfft*. Der Ring ist gefunden – – er wird irgendwo aufbewahrt – – du willst ihn nicht abholen?

VERA. Ich weiß es schon wieder nicht mehr. Ich könnte ihn mir gar nicht mehr verschaffen, weil ich die Spur ausgelöscht habe, die zu ihm führt. Er war zu erreichen, jetzt kann ihn keiner mehr aufspüren.

DAME. Willst du das auch Viktor sagen?

VERA. Nur dir, die meine Freundin ist.

DAME. Wer – hat den Ring?

VERA. Ein kleiner Juwelier in einer Nebenstraße.

DAME. Wie kommt er dahin?

VERA. Der Finder brachte ihn hin.

DAME. Zum Verkauf?

VERA. Zur Abschätzung.

DAME. Um ihn später zu veräußern?

VERA. Er hat seinen Fund bereits vergessen.

DAME. So lange liegt der Ring schon bei dem Juwelier?

VERA. Er wurde gefunden wenige Minuten nach meiner Rückkehr von dem Ball – auf der Bordschwelle, wo ich aus dem Auto gestiegen war. Um den Schofför zu bezahlen, zog ich den Handschuh ab – und da es mit Hast geschah, streifte ich den Ring mit herunter. Mir entfiel unbemerkt der Handschuh – im Handschuh der Ring. Ich stürmte ins Haus.

DAME. Indessen hob jemand auf, was du verloren hattest.

VERA. Ein junger Mann – am Arm sein Mädchen – schlendert durch die Straße. Plötzlich kreischt seine Begleiterin: was weißes – und zeigt nach meinem Handschuh. Der Kavalier bückt sich – schwenkt mit Fingerspitzen den Handschuh und witzelt: solange nicht paarweise offeriert, dankend abgelehnt – und läßt den Handschuh los. Der Aufschlag aufs Straßenpflaster klingt hart. Er macht das Mädchen stutzig, das sagt: da muß etwas im Handschuh sein. Es bemächtigt sich des Handschuhs wieder – tastet – stülpt um und entnimmt den Ring. Kavalier und Mädchen werden sich nicht einig über den Charakter des Rings – nichts verstehen sie von Stein und Fassung – und der Kavalier will am nächsten Morgen den Ring einem Juwelier zeigen, um erst einmal zu wissen, was man da gefunden hat. Das geschieht: der Kavalier betritt den Laden – nur die Tochter des Juweliers ist anwesend – ihr Vater ist krank. Sie wird ihm den Ring zeigen. Der Kavalier ist einverstanden – vergißt aber zwischen späteren Zerstreuungen das Wiederkommen – die Tochter zeigt dem Juwelier, der schwerer erkrankte, den Ring nicht – alles geriet in Vergessenheit: der Ring ruht in seinem Papierwickel in einer Schrankecke des Juwelierladens unbeachtet und unversehrt!

DAME. Das hast du – mit diesen Details – feststellen können?

VERA. Sogar die Krankheit des Juweliers weiß ich – Ischias. Der Kavalier trägt steifen Hut. Das Mädchen betrügt ihn.

DAME. Hast du die Polizei zu Hilfe gerufen?

VERA. Eher hätte ich es Viktor gestanden.

DAME. Wer hat dich denn orientiert?

VERA. Das war ein Einfall – der mir gleich lächerlich erschien – und ich fand ihn noch komisch, während ich ihn ausführte. Ich ging zum Hellseher.

DAME *belustigt*. Bei einem –

VERA. Bei einem sogenannten Hellseher war ich heute morgen. Von Experimenten, die geglückt sind, liest man in den Zeitungen. Vielleicht habe ich Glück – und der Ort, wo der Ring in der Wohnung verborgen ist, wird offenbar. Natürlich glaubte ich an nichts – aber ein Versuch kostete zehn Mark – und die zehn Mark habe ich bezahlt.

DAME. Daraufhin verfiel der Mann sofort in Trance.

VERA. Ich mußte ihm in einem klaren Satz den Vorfall, der mich beschäftigte, aufschreiben.

DAME. Also?

VERA. Ich verlor meinen Ring am neunten März abends.

DAME. Weiter nichts?

VERA. Und dann mit aller Konzentrierung, deren ich fähig bin, an den Ring denken.

DAME. Das fiel dir nicht schwer.

VERA. Nein. Ich unterstützte großartig die Arbeit des Magikers. Er lobte mich hinterher als Medium von besonderer Disposition.

DAME. Und wie entpuppte sich das Resultat seiner Hellseherei?

VERA. Wie ich dir erzählte.

DAME. Die Kenntnis – hast du von ihm? –

VERA. Detailliert bis in die Form von Hut – und Ischias!

DAME. Das ist ja Spuk am hellichten Tage, den der Mann zaubert. Hat dir denn nicht gegraust?

VERA. Dann – hat mir gegraust, als er mir eine zweite Frage beantwortete, zu der ich mich hinreißen ließ, weil er mich anflehte, weiter mit mir experimentieren zu lassen. Kostenlos diesmal – um der Sache willen. Er pries mich doch als selten tüchtiges Medium. Ich muß von Sinnen gewesen sein, als ich es aufschrieb.

DAME. Was?

VERA. Ich vermißte meinen Mann am neunten März abends.

DAME. Die – Auskunft?

VERA. Er bedeckte die Augen – ich konzentrierte mich fast schmerzhaft. Er spricht rasch, was er spricht: ich sehe einen Mann – und tatsächlich beschreibt er Viktor, wie er aussieht! – er ist in einem großen Haus – in einem Zimmer – zuerst allein – noch allein – jetzt teilt sich ein Vorhang – eine Frau tritt heraus – in einem dünnen Überwurf – bestickt mit Papageien – die Dame dreht sich um, um den Vorhang hinter sich wieder zu schließen – ich kann ihr Gesicht nicht sehen –

der Mann erhebt sich vom Diwan, auf dem er ruhte – er nähert sich der Frau – er umfängt sie rückwärts – er küßt sie auf den Nacken – – – – *Sich schüttelnd.* Da zerriß ich die Kette – die seine Gedanken mit meinen Gedanken verband – ich sprang vom Stuhl auf und flüchtete aus der Tür vor dem Hellseher, wie vor dem Teufel, dem ich mich ausgeliefert hatte!!

DAME *nach einer Pause.* Du bist doch nicht gewillt, diesen Scharlatan ernst zu nehmen?

VERA *heftig.* Nur mit Beweisen!

DAME. Wie soll er sie beibringen?

VERA. Wenn der Ring gefunden wird!

DAME. Wo?

VERA. Beim Juwelier!

DAME. Das – würde dir die Bestätigung der zweiten Vermutung des Hellsehers bedeuten.

VERA. Ich würde alles wissen.

DAME *wieder nach einer Pause.* Willst du nichts wissen?

VERA. Von Viktor?!

DAME. Ich meine es ganz unpersönlich. Als Prinzipienfrage. Nimm einmal an: ein Mann betrügt seine Frau. Die Frau erfährt es nicht.

VERA. Soll sie es denn erfahren, um sich zu töten?!

DAME. Man kann sich scheiden lassen.

VERA. Die Frau mit der brennenden Liebe zu ihrem Mann im Herzen?!

DAME. Ihre Leidenschaft würde sich abkühlen.

VERA. Bei unpersönlichen Menschen, von denen du redest. Aber es sind keine Menschen. Mensch bin ich. Ich liebe Viktor, wie nur ich Viktor liebe. Das ist ein Tempel, in dem ich bete. Draußen rumort die Gasse. Sie darf ihren Unrat nicht über die Schwelle wälzen. In Tempel nicht. Das wird von Urzeiten an verwehrt. Ein schriller Ton zerbricht die Kuppel, die uns beschützt – Viktor und mich. Ich stemme mich mit aller Wucht gegen Angriff und Niederlage. Es existiert kein Draußen – für mich und Viktor nicht!

DAME. Ich bewundere deine Kraft, die Wirklichkeit abzulehnen – wie nicht vorhanden.

VERA. Was ist denn wirklich. Hier die Tapeten sind wirklich, dahinter ist roher Stein. Wohnt man zwischen kahlen Mauern? Man schmückt sich seine Wohnstätte – und seine Liebe, um leben zu können – inmitten dieser Wirklichkeit, die grausamer ist zehnmal als der Tod, wenn man sie zuläßt!!

DAME. Das geschieht hier auf Kosten des Rings.

VERA. Er taucht nicht mehr auf. Er kann nicht wieder zum Vorschein kommen. Davor habe ich mich geschützt.

DAME. Könnte dich nicht die Neugier eines Tages reizen, dich doch zu vergewissern, ob dein Hellseher richtig gesehen hat?

VERA. Erst müßte ich die Papierschnitzel wiederfinden, die ich aus dem Fenster des Autos streute – in der Fahrt. Eins ist so unmöglich wie das andere.

DAME. Was hast du zerrissen?

VERA. Was ich aufschreiben mußte, was der Zaubermann sprach. Er verlangte es. Man erhält sein Urteil schriftlich. Meins flog in alle Winde.

DAME. Du erinnerst dich auch an nichts?

VERA. Ich könnte ohne schriftlichen Wegweiser den Laden des obskuren Juweliers nicht finden!

DAME. Also der Ring ist weg. Wie wirst du Viktor den Verlust erklären?

VERA. Überhaupt nicht. Ich habe ihm das Kästchen hingestellt – er hat es eingeschlossen. Er soll mir sagen, wo mein Ring geblieben ist.

DAME. Vielleicht ist es das beste zu leugnen.

VERA. Willst du mich verraten?

DAME. Wenn du dich nicht selbst verrätst, erfährt er die Wirklichkeit nie.

VERA *vor sich hin.* Weil das – das Schrecklichste ist.

DAME. Was?

VERA. Die Wahrheit.

DAME *küßt sie kopfschüttelnd. Nach der Glastür hin.* Viktor!

VERA. Jetzt kann er mir nichts anmerken, ich habe schon alles gebeichtet – dir!

VIKTOR *hinter der Glastür – gibt der Zofe Hut und Mantel. – Eintretend – mit einem umfangreichen Paket. Zur Zofe.* Nein – das Paket kommt mit herein. *Er legt es auf einen Sessel – küßt Vera, klopft auf das Paket.* Für dich. *Die Dame begrüßend.* Beim Einbiegen in die Straße versetzte es mir einen Ruck: alles sieht anders aus. Was ist geschehen? Ein roter Fleck – weithin leuchtend – kontrastiert fabelhaft mit der Umgebung. Lackglänzender – sattester Ton. Vor schiefergrauen Häuserwänden. Die Straße war mit einem Schlage schön. Dank für die Offenbarung.

DAME. Weil mein Auto vor der Tür hält?

VIKTOR. Natürlich ist es Ihr Auto. Das ist eine rein sachliche Erwägung, die nebenher lief. Aber der künstlerische Effekt wurde ebenfalls erzielt. Die ganze Straße hatte ihren Akzent erhalten. Prächtig sitzend. Wißt ihr nicht das Geheimnis großer Kunstwerke? Sie haben einen Punkt, der allem übrigen widerspricht. Ins Gelb eines Gemäldes prallt ein Schwarz. Das sammelt die Bildenergien – und gießt sie aus. Erst durch das Schwarz wird das Gelb gelb. Unwiderstehlich. Es hat eben seinen Akzent bekommen. *Zu Vera.* Habe ich mich sehr verspätet? – Seid ihr zusammen gekommen? – Habt ihr Besorgungen gemacht?

VERA *zögert.* Ja.

VIKTOR. Ich auch. Das hat mich nämlich aufgehalten. Anfangs war nichts zu finden, was taugte. *Die Verschnürungen des Pakets lösend.* Wo wart ihr denn?

VERA. Im – Seidenhaus.

VIKTOR *sich aufrichtend.* Wo? – Da war ich doch auch. Ich habe euch nicht gesehen!

DAME. Das Geschäft hat mehrere Etagen.

VIKTOR *zu Vera.* Hast du etwa selbst –?

VERA. Nein – ich habe nichts gekauft.

DAME. Vera war mir behilflich. Ich suchte Brokate.

VIKTOR. Die lagern allerdings in einer andern Abteilung. Mein Interesse gehörte den weißen Seiden. Zweiter Stock rechts. Ein Verkäufer von seltener Beschränktheit. Er war nicht davon abzubringen, daß man zu Brautkleidern einheitlichen Stoff nimmt. Nicht stumpf und blank durcheinander. Von einer Braut ist hier gar keine Rede, brüllte ich zuletzt – da feixte der Bursche wie ein Seehund. Warum? – Gott weiß es. *Er entrollt die Stoffe.* Daraus wird dein Gewand gefertigt!

VERA. Für – das Kostümfest im Architektenklub?

VIKTOR. Zweckhaft in diesem Sinne, mein Kind. Verwunderung?

VERA. So weiß – –

VIKTOR. Nichts als weiß. Schlohweiß. Schneeflockenweiß. Farbe in Farbe. Nur oben stumpf – unten schillernd. Das ist meine Komposition eines Kostüms zu deiner Zierde und mir zur Freude. Kannst du dir keine Wirkung vorstellen?

VERA. Sehr eintönig – –

VIKTOR. Protestiere nur – um so größer wird meine Genugtuung, wenn ich dich überzeugt habe. Den Erfolg soll uns unsere Freundin bestätigen – es paßt sich gut, daß wir nicht allein sind. Von einer Überumpelung deines persönlichen Geschmacks kann also nicht die Rede sein. Drapiere dich bitte mit diesem Stoffe oberhalb. Ich helfe dir. *Er legt ihr den Stoff um.* Das wäre einmal – und nun für den Rock den zweiten Stoff breit gespannt – in Krinolinenform, wenn du ihn gütig mit den Händen ausbreiten willst.

VERA. Was soll es denn werden?

VIKTOR. Nach Art des Velázquez. Kopie seiner berühmten Prinzessin. Aber in schierem Weiß.

VERA *steht wie angegeben.* Das gefällt dir?

VIKTOR *zurücktretend. Zur Dame.* Nun? Die Kritik.

DAME *wiegt den Kopf.*

VIKTOR. Ein bißchen langweilig. Leblos.

DAME. Monoton.

VIKTOR. Das ist der Ausdruck, den ich suchte. Vernichtend gleichförmig. Ein Schlag ins Wasser – keine Resistenz. Falsch. Warum verfehlt?

DAME. Weil Ton in Ton sich schlägt.

VIKTOR. Richtig. Nun denkt daran, was ich vom Auto in der Straße sagte, das ihr den Akzent gibt. Was da grau ist, das ist hier weiß. Wesenlos ohne Kontrast. Hier muß er von den Händen kommen – vom Schmuck – von einem Ring. Blau muß das Weiß beleben, dann lebt es auf. Du mußt den alten Ring mit dem blauen Saphir zum weißen Kleide tragen!

VERA *starrt ihn an.*

VIKTOR. Damit entschleiere ich euch das Geheimnis dieses Kostüms. Ich habe es aus dem blauen Ring entwickelt. Er sollte einmal in seiner ganzen Eigenart zur Geltung kommen. Hell ströme alles Weiß nach ihm hin, um selbst wieder aus dieser Quelle gespeist zu werden. Ich verspreche mir eine phantastische Wirkung von meiner Komposition. Ich will den Ring holen.

VERA *bestürzt.* Nach dem Essen, Viktor –

VIKTOR. Es läßt mir keine Ruhe. Ich fühle mich blamiert vor unserer Zuschauerin – der Ring soll mich in ihrer Achtung rehabilitieren. *Zu Vera.* Bewege dich nicht.

VERA. Ich falle um, Viktor – ich bin so hungrig – –

VIKTOR. Es dauert fünf Minuten noch.

VERA *zur Dame.* Willst du nicht –

VIKTOR. Für dich probieren? Ausgeschlossen. *Zur Dame.* Zu

ihrem dunklen Teint paßt alles nicht, was für Veras Blond gedacht ist.

DAME. Vera fühlt sich angestrengt.

VIKTOR. Wovon?

DAME. Sie hat den aufregendsten Vormittag hinter sich.

VIKTOR. Im Seidenhaus.

DAME. Bin ich nicht schwierig, wenn ich mich auf etwas kapriziere?

VIKTOR. Brokate.

DAME. Und fünf Minuten könnten meine Entschlüsse entscheidend beeinflussen.

VIKTOR. Worin?

DAME. Weil Launen wechseln – und mir gefiele das Grundstück nicht mehr.

VIKTOR *betroffen.* Das – werden Sie doch nehmen?

DAME. Wenn Sie sich Zeit lassen – ich wollte mich von Ihnen bestimmen lassen. Das Auto wartet unten.

VIKTOR *besinnt sich, läuft zur Tür links – reißt sie auf.* Ist angerichtet? Nein. *Auf Vera zeigend.* Sie ist nicht umgesunken. Vor Tisch ist alles erledigt – ich hole den Ring! *Schon Schlüsselbund aus der Tasche kramend – rechts ab.*

VERA *steht wie versteinert.*

DAME *achselzuckend.* Ich habe es nicht aufhalten können.

VERA *erwacht – stampft mit dem Fuß auf.* Und mir – entreißt er keine Silbe!

VIKTOR *kommt zurück – mit dem geöffneten leeren Etui.* Hatte ich dir den Ring herausgegeben?

VERA. Was – für einen Ring?

VIKTOR. Aus diesem Etui?

VERA. Ist er nicht drin?

VIKTOR. Hier ist es – leer.

VERA. Das ist – leer.

VIKTOR. Trägst – du ihn denn nicht?

VERA. Bitte – meine Hände.

VIKTOR. In – deinem Toilettentisch?

VERA. Das erlaubst du doch nicht.

VIKTOR. Es soll also heißen – der Ring ist – – *Er stockt.*

VERA. Kann ich jetzt die Stoffe herunternehmen?

VIKTOR *umklammert seine Stirn – denkt nach.*

VERA *legt die Stoffe in einen Sessel.*

DAME. Vermissen Sie – etwas von Wert?

VIKTOR *wie abwesend.* Abgesehen vom Wert – – der Wert fällt durchaus ins Gewicht – – er hat den Wert, der einen Dieb reizen konnte – –

VERA. Wer soll denn bei uns stehlen?

VIKTOR *immer grübelnd.* Wer kann ihn hier gestohlen haben – –?

VERA. Das Hauspersonal willst du doch nicht verdächtigen.

VIKTOR *aufblickend.* Warum nicht das Hauspersonal? Wenn man sich meiner Schlüssel bemächtigt hat?

VERA. Läßt du sie jemals von dir?

VIKTOR. Dann ist Einbruch gegeben. Dann ist jemand hier eingedrungen und hat mit einem Werkzeug den Tresor geöffnet!

VERA. Die Wohnung ist nie unbewacht.

VIKTOR. Im Bunde mit der Köchin oder mit der Zofe!

VERA. Für beide lege ich die Hand ins Feuer.

VIKTOR *spöttisch.* Wer ist denn ehrlich?

VERA. Wer nicht stiehlt.

VIKTOR. In diesem Fall?

VERA. Die Zofe und die Köchin.

VIKTOR *heftig.* Aber nicht der Dieb, der den Schrank geplündert hat.

VERA. Fehlt denn mehr?

VIKTOR. Warum soll mehr fehlen?

VERA. Weil du von plündern sprichst.

VIKTOR. Genügt dir nicht der Raub dieses Rings, den ich dir zu unserer Hochzeit schenkte?

VERA. Du hast ihn schlecht bewacht, Viktor.

VIKTOR. Du hast recht, ich trage die Schuld. Mache mich verantwortlich. Stoße mich auf meine Pflicht. Ich muß dir den Ring wieder beschaffen. *Er geht ans Telefon.*

VERA. Wem telefonierst du?

VIKTOR. Amtlicher Stelle – die Kriminalpolizei. Es handelt sich um ein Verbrechen, auf dem Zuchthaus steht – die Polizei tritt in Aktion.

VERA. Die Kriminalpolizei willst du ins Haus lassen?

VIKTOR. Um Fingerabdrücke zu nehmen. Fürs Auge unsichtbar wird der Dieb Spuren hinterlassen haben. Die führen zur Entdeckung.

VERA. Es hat kein Dieb den Ring gestohlen!!

VIKTOR. Wo ist sein Verbleib?

VERA. Ich habe – ihn verloren.

VIKTOR. – – Warum lügst du zuerst?

VERA. Weil – ich mich schämte.

VIKTOR. – – Wann verlorst du ihn?

VERA. Auf – dem Präsidentenball.

VIKTOR. Während des Balls?

VERA. Oder nach dem Ball.

VIKTOR. Du besinnst dich nicht genau?

VERA. Wenn man etwas verliert, merkt man es doch nicht.

VIKTOR. Aber nachher zu Haus warst du dir klar – und stelltest mir das leere Kästchen hin, das ich einschloß?

VERA. Weil ich mich so schämte.

VIKTOR. – – Was hast du in späterer Zeit unternommen, um den Ring wiederzuerlangen?

VERA. Nichts.

VIKTOR. Nichts? Nichts, Vera? Du hast dich über den Verlust dieses Ringes getröstet, als handele es sich um eine Bagatelle? Du läßt den Ring ins Dunkle treiben, aus dem es keine Wiederkehr gibt?

VERA. Ja.

VIKTOR. Verlangst du dieselbe Gleichmütigkeit von mir?

VERA. Wenn du mich liebst, Viktor – ja!

VIKTOR. Ich fange an – an deiner Liebe zu zweifeln, wie du ein Erinnerungsstück preisgibst, das ohnegleichen ist.

VERA. Ich gebe den Ring um meiner Liebe willen preis!!

VIKTOR *zuckt die Achseln.* Was verloren, kann wiedergefunden werden. Es soll wiedergefunden werden. Bin ich ein Krösus, der Ringe verschenkt, jedem, der sie findet? Man soll sich täuschen. Es wird gefahndet – mit allen Mitteln und Schlichen. Und sollte ich stückweis den Ring zusammensuchen – ich lasse nicht ab, bis ich das letzte Stäubchen gesammelt habe. *Zu Vera.* Dann schmiede ich ihn neu und schenke ihn dir zum zweiten Mal! *Durch die Glastür rufend.* Meinen Mantel und Hut!

DAME *an Viktor herantretend.* Muß ich auf Ihre Begleitung im Auto verzichten?

VIKTOR. Indes ihr eßt, erledige ich, was dringend notwendig ist. Ich bin zur Zeit zurück. *Er geht in die Diele. Die Zofe hilft ihm in den Mantel. Viktor ab.*

VERA. Viktor!!

Vorhang.

ZWEITER AKT

Aus der Tür links: Vera – unbeherrscht in Erregung, ratlos um sich blickend. Dann setzt sie sich an den Schreibtisch – schreibt hastige Briefzeilen. – Die Dame kommt von links – zündet sich eine Zigarette an.

DAME. Du hast wenig gegessen.

VERA. Nichts.

DAME. Dein Aufbruch von Tisch geschah fluchtartig.

VERA. Ja.

DAME. Die Zofe wird denken, wir haben uns gestritten.

VERA. Was sollte uns auseinanderbringen?

DAME *schweigt.* – Warum liefst du plötzlich wie aufgescheucht weg?

VERA. Viktor könnte zurückkommen.

DAME. Willst du ihm hier entgegentreten?

VERA. Hier nicht und – *Ihre Stimme erstickt.*

DAME *tritt hinter Vera.* Schreibst du?

VERA *nickt.*

DAME. Was schreibst du denn?

VERA *beugt den Oberkörper beiseite.*

DAME. Soll ich lesen?

VERA *nickt wieder.*

DAME *las – zieht Veras Kopf an ihre Brust.* Einen Abschiedsbrief – und Tränen machen die Interpunktion. Arme – kleine Vera.

VERA *schließt den Brief – hält ihn der Dame hin.* Willst du ihn überreichen?

DAME. Mich betraust du mit der delikaten Mission?

VERA. Er soll nicht lügen können, daß er ihn gefunden hat. Ich habe einen Zeugen, der ihn überführt.

DAME. Wird er denn lügen wollen?

VERA. Um mich nicht zu verlieren? Es würde ihm seine Puppe fehlen, an der er seine neuen Einfälle probiert. Er braucht ein Spielzeug, das sich drehen und biegen läßt – widerspruchslos. Das bin ich.

DAME. Du unterschätzt deine Bedeutung für ihn.

VERA. Seit heute Mittag keinen Strich zu tief. Was setzte er meinen Bitten entgegen? Spott.

DAME. Er war sehr erregt.

VERA. Ich weniger? Hielt ich mit einer Äußerung zurück, die

nicht den Ernst meines Begehrens deutlich machte? Ein Tauber hätte von meinen zuckenden Lippen meine flehenden Worte gelesen. Er hörte mit seinen gesunden Ohren nichts.

DAME. Du mußt dich in seine Lage versetzen.

VERA. Welche?

DAME. Arglos geht er hin – öffnet den Wandtresor – entnimmt ihm das betreffende Kästchen – klappt es auf und sieht es leer.

VERA. Nun?

DAME. Soll er sich nicht erschrecken?

VERA. Verarge ich es ihm?

DAME. Zuerst glaubte er an Diebe – dann gibst du den Verlust zu.

VERA. Ehrlicherweise.

DAME. Die Unterlassung jeglicher Nachforschung deinerseits mußte bei ihm auf Verständnislosigkeit stoßen.

VERA. Ich würde mich selbst wundern, wenn er anders dächte.

DAME. Was wirfst du ihm also vor?

VERA. Taubheit für mich – Blindheit für mich – Interesselosigkeit für mich. Er läßt mich bitten und tut nicht, um was ich ihn bitte. Da ist die Geschichte mit dem Ring. Sie verdient keine Wichtigkeit mehr – mag er ihn finden oder nicht – es entscheidet, daß ihn meine Erschütterung kalt läßt. Er liebt mich nicht.

DAME. Er liebt dich so, wie –

VERA. Er hat mich nie geliebt.

DAME. Kind –

VERA. Nicht so, wie ich geglaubt habe, als ich mich von ihm lieben ließ. Wenn ich heute von ihm weggehe, wird morgen die Lücke ausfüllen – eine andere, die ihn gewähren läßt, wie er es vorhat. Aber ich würde ihr raten, ihm Widerstand zu leisten und sich nicht wie Wachs in seinen Händen formen zu lassen – nach seinem Bilde, das ihm vorschwebt. Dann wird sie glücklich an seiner Seite. – Lachst du?

DAME. Du sprichst eine Wahrheit aus, die ich –

VERA. Die du?

DAME *abbrechend – sich zu ihr setzend.* Vera – wie willst du denn ohne ihn leben?

VERA *versinkend.* Kann – ich denn ohne ihn leben??

DAME. Du wirst es überwinden.

VERA. Daß er mit einer Dame – die aus einem Vorhang tritt – in einem Papageienmantel – – – –

DAME. Wer weiß denn das?

VERA *aufblickend*. Glaubst du, daß er den Ring nicht finden wird?

DAME *schüttelt lächelnd den Kopf*.

VERA. Doch?

DAME. Nein.

VERA. Er will doch suchen – und schwor zu suchen, bis er ihn stückweise wiederhat.

DAME. Wenn dein Verbot bestehen bleibt –

VERA. Ich verbiete es!!

DAME. So bleibt der Ring verschwunden!

VERA *erstaunt*. Hast du die Macht – –

DAME. Um den Preis meiner Villa – die er nicht bauen wird, wenn er sich deinem Wunsche widersetzt.

VERA. Das – willst du für mich tun?

DAME. Beauftragst du mich?

VERA. Hundertmal! – Bist du ganz sicher, daß deine Drohung bei ihm wirkt?

DAME. Ich – bin nicht Wachs, das man nach seinem Willen formt.

VERA *an ihrem Hals*. Womit kann ich dir diesen Dienst vergelten?

DAME. Womit?

VERA. Mit Freundschaft – bis über den Tod hinaus.

DAME. Das Leben dauert schon manchmal viel zu lang.

VERA *loslassend*. Wo bleibe ich, wenn du mit Viktor sprichst?

DAME. Hier darfst du natürlich nicht sein.

VERA *sich umblickend*. Wohin – –?

DAME *drückt einen Klingelknopf*. – Die Zofe kommt. Verschnüren Sie das Paket und tragen Sie es in mein Auto.

ZOFE *trägt Seide und Umhüllung hinaus*.

VERA. Ins Seidenhaus zurück?

DAME. Du fährst ins Schneideratelier und läßt das Kostüm anfertigen, wie Viktor angegeben hat.

VERA. Daran soll ich jetzt denken?!

DAME. Woran willst du denn denken, wenn du Viktor wiedersiehst?

VERA *nachdenklich*. Dann ist ja alles vergessen –

DAME. – bis auf die Vorbereitung zu eurem großen Kostümfest!

VERA *läuft in die Diele – klatscht in die Hände*. Meine Sachen!

Die Zofe hilft ihr beim Anziehen.

VERA *kommt zurück.* Was wird mit dem Brief?

DAME. Soll er ihn nicht mehr lesen?

VERA. Ich gehe doch nicht fort!

DAME. Dann hat er seinen Zweck verfehlt. *Sie steckt ihn in die Tasche.*

VERA *geht weg – kehrt um.* Sprich nicht zu heftig mit ihm.

DAME *lachend.* Ich will nicht schrein.

VERA. Ich meine – laß Vorwürfe beiseite.

DAME. Ich soll ihm mildernde Umstände zubilligen.

VERA. Beschränke dich auf diesen Satz: der Ring oder die Villa.

DAME. Wenn ich es ihm damit plausibel machen kann?

VERA. Du willst ihm doch nicht erklären –

DAME. Was?

VERA. Warum ich den Ring nicht wiedersehen will?

DAME. Ich bin noch klüger, als du ahnst.

VERA. Gottseidank! *Aufatmend rasch ab.*

DAME *wartet – setzt das Grammophon in Bewegung.*

VIKTOR *kommt hinter der Glastür – legt ab. Tritt ein.*

DAME *beachtet ihn flüchtig.*

VIKTOR. Ihr Auto – an mir vorbei?

DAME *nickt.*

VIKTOR. Ohne Sie?

DAME *verneint.*

VIKTOR *geht nach links – öffnet – sieht hinein – schließt.* Wo ist Vera?

DAME. Im Auto – an Ihnen vorbei.

VIKTOR. Wohin?

DAME. Ins Schneideratelier – zur Kostümprobe.

VIKTOR *ausbrechend.* Daran ist doch vorläufig gar nicht zu denken!

DAME *legt – auf das Grammophon deutend – den Finger auf den Mund. Die Platte läuft ab.* Noch eine Platte?

VIKTOR. Wenn ich bitten darf –

DAME. Wenn mir's beliebt!

VIKTOR. Jetzt?

DAME *das Grammophon schließend.* Sie sehen, auch ich bin folgsam. Wie es den Herren der Schöpfung zukommt. *Sie hält ihm die Hand hin, die er küßt.* Ja, Vera läßt sich das Kostüm zurechtmachen.

VIKTOR *sarkastisch*. Dann wird es ein Wettlauf, wer seinen Anteil zuerst schafft: sie das Kleid oder ich den Ring.

DAME. Man müßte Wetten aufnehmen.

VIKTOR. Die ich bestimmt gewinne!

DAME. Die Sie totsicher verlieren!

VIKTOR. Er ist so gut wie zur Stelle gebracht. Mit neunundneunzig Prozent Wahrscheinlichkeit – also unter Garantie. Ich habe das beste Detektivbüro mit den Nachforschungen betraut. Da findet nun eine großzügige Fahndung statt. Erstens: sämtliche Pfandleihen werden abgesucht, da der Finder seinen Fund versetzt haben kann – meist geschieht das nämlich, weil es die einfachste Form des Absatzes ist. Zweitens: in die Zeitungen wird ein Inserat gedruckt – und die nicht kärgliche Belohnung wird locken. Drittens: an die Plakatsäulen wird ein Anschlag geheftet mit genauer Beschreibung des Objekts – einprägsam jedermann, der passiert. Die Stadt wird mit einem Schlag überschwemmt mit Aufrufen nach dem Ring. In einer halben Stunde geht der Tanz los!

DAME. Ich fürchte, daß alle drei Unternehmungen zur Wirkungslosigkeit verdammt sind.

VIKTOR. Dann wird die vierte, die ich vergessen habe, keine Niete sein: der spitzbübische Finder kann den Ring verkauft haben. Wo verkauft man Juwelen? Beim Juwelier. Also die Juweliere werden auch unter die Lupe genommen. Vom Grossisten bis zum Kleinhöker in den Nebenstraßen wird Laden für Laden abgeklappert!

DAME. Dann allerdings werden Ihre Bemühungen von Erfolg gekrönt sein.

VIKTOR. Der Chef des Büros ist seiner Sache ganz sicher. Der Ring ist nicht wertvoll genug, um ihn zu zerstören – Stein aus Fassung – er wird komplett vorhanden sein. Da oder da. Wie es sich zeigen wird.

DAME. Ich empfehle Ihnen, Ihre Recherchen auf die Juweliere zu beschränken.

VIKTOR. Wieso vermuten Sie, daß ausschließlich Juweliere – –?

DAME. Ich vermute nicht – ich weiß.

VIKTOR. Daß die Juweliere – –?

DAME. Daß' *ein* Juwelier den Ring bei sich verwahrt.

VIKTOR. Welcher?

DAME *zuckt die Achseln.*

VIKTOR. Kennen Sie den Juwelier, wo – –?

DAME *zuckt wieder die Achseln.*

VIKTOR. Warum nennen Sie ihn mir nicht?

DAME. Weil es nebensächlich ist – denn Sie werden den Ring dort nicht abholen.

VIKTOR *starrt sie an.* Weshalb – – werde ich – – nicht den Ring – – holen – –??

DAME. Weil Vera es nicht wünscht.

VIKTOR. Vera weiß – –??

DAME. Vera weiß, was ich weiß, denn ich weiß es von ihr.

VIKTOR. – – – – Macht sie sich einen Spaß – – mit meinem Ärger??

DAME. Es ist sehr reichlich ernst damit. Sie können es lesen. *Sie gibt ihm den Brief.*

VIKTOR *reißt ihn auf – liest – blickt auf.* Kein Wort verstehe ich. Verstehen Sie das?

DAME. Ich kenne den Brief.

VIKTOR *liest wieder.* Ich gehe aus dem Hause, wenn du –

DAME. Wenn Sie die Suche nach dem Ring nicht einstellen.

VIKTOR *erschreckt.* Ist sie deshalb im Auto weggefahren – –?

DAME. Nein. Es stimmt. Sie fuhr zur Anprobe – und kommt zurück, weil Sie nicht weitersuchen werden. Ich konnte es ihr versprechen. Der Brief ist erledigt. *Sie zerreißt ihn.*

VIKTOR *nach einer Pause.* Was hat sich um Himmelswillen mit dem Ring zugetragen – der faßbar ist und nicht mehr angefaßt werden darf?!

DAME. Es ist nicht sehr verwickelt – es ist nur komisch, Viktor. Man hat auf dem Umwege über den Ring Ihren Besuch bei einer Dame in einem Papageienmantel entdeckt, den Sie gelegentlich – oder genau am neunten März abends, während Ihre Frau auf dem Präsidentenball tanzte, ausführten. Das ist durch den Ring offenbar geworden. Stimmt es?

VIKTOR *glotzt – nickt.*

DAME. Da das stimmt, wird auch der Ring beim Juwelier sein. Also ist es gefährlich, den Ring zu entdecken, weil dann auch das andere stimmt – für Vera, die die Wissenschaft nicht verträgt.

VIKTOR *verzweifelt.* Fünf Worte der Erklärung – – – –

DAME. Zehn werden nötig sein. Ein wenig Spuk muß hingenommen werden. Was ist ein Hellseher? Zuweilen ein sehr peinlicher Herr. Man sollte ihm die Zauberei verbieten. Als

Störung der privaten Ruhe. Man soll nicht alles sichtbar machen – erst einen Ring und dann –

VIKTOR. Erfuhr es Vera??

DAME. Nachdem ihr die Auffindung des Rings und seine Niederlegung beim Juwelier geschildert war –

VIKTOR. Durch Hellseherei????

DAME. Sie wußte sich nicht mehr zu helfen und ging heute vormittag hin.

VIKTOR. Ihr wart doch im Seidenhaus?

DAME. Das war Lüge. Vera schwindelte vor der Wahrheit. Ich wollte Sie zum Grundstück entführen.

VIKTOR. – – – – Ist denn Vera fest überzeugt von der Fähigkeit dieses Mannes – Dinge zu sehen, die zeitlich und örtlich weit weg sind?

DAME. Sie hat nicht nachgeprüft – und will es auch nicht, um nicht an die andere Aussage des Magikers glauben zu müssen.

VIKTOR. Das ist – –??

DAME. Daß Sie den Papageienmantel zu umarmen versuchten.

VIKTOR *stöhnend.* Es liegt eine unausweichliche Logik darin –: eins existiert nicht ohne das andere. Gewinn hier schafft Verlust dort. Vera flieht – erscheint der Ring. – – Wird man Vera nicht überreden können?

DAME. Kann man den Beweis, der ein fester Ring ist, zertrümmern?

VIKTOR *ächzend.* In einer halben Stunde – –

DAME. Sie werden die Jagd abblasen – und mich nach dem Grundstück begleiten.

VIKTOR. Wie wird es Vera aufnehmen, wenn ich plötzlich eine Sinnesänderung vorgenommen habe – –? Muß sie nicht Verdacht schöpfen?

DAME. Da ich Ihnen drohte, mir meine Villa nicht bauen zu lassen, falls Sie Veras Wunsch nicht respektieren, mußte Ihnen die Entscheidung leicht fallen. Oder nicht?

VIKTOR. Es ist mein Traum – Sie hier ansässig zu machen.

DAME. Sie dürfen mit seiner Erfüllung rechnen, nachdem Sie die Bedingung kennen.

VIKTOR. Veras Frieden.

DAME. Ohne ihn verfliegt der Traum.

VIKTOR *küßt ihre Hand. Auffahrend.* Kommt Vera?

DAME *nickt.* Sie werden essen und eintreten – sehr heiter und etwas demütig.

VIKTOR. In Ihren Händen bin ich Wachs.

DAME. So kann ich noch formen, bis Sie mir gefallen.

VIKTOR *links ab.*

VERA *kommt in der Diele – legt ab. Eintretend.* Ist Viktor –

DAME. Beim Frühstück.

VERA *freudig.* Er kann essen?

DAME. Nach guten Taten füttert man sich. Helden sind hungrig.

VERA. Hat er –

DAME – sich selbst überwunden. Er begrub den Zwist in einer Brust voll – Kalkulationen.

VERA. Das ist – ein kaufmännischer Ausdruck.

DAME. Er erfaßte die Situation als nüchterner Geschäftsmann. Er errechnete einfach die bessere Chance – Ring gegen Villa. Das Exempel war klar zugunsten der Villa zu lösen.

VERA. Seit wann – rechnet Viktor so geschäftlich?

DAME. Seitdem ich ihn darauf gestoßen habe, diese Rechnung vorzunehmen, um mein Versprechen dir gegenüber zu erfüllen.

VERA *zögernd fragend.* Das ist dir gelungen –

DAME. Sein Anblick wird dich überzeugen.

VERA – ohne Andeutung von Gefahren, die im Hintergrund lauern, wenn sich der Ring auffindet – beim Juwelier?

DAME. Sollte ich dich in den Augen deines Mannes lächerlich machen – mit deinem Hellseher?

VERA *zaghaft.* Es ist so wenig lächerlich –

DAME. Wie Viktors Entschluß von der Suche nach dem Ring ein für allemal abzustehen.

VERA *verzückt.* Wahr und wahrhaftig?

DAME. Bei der Jungfrau Maria!

VERA *stürmisch küssend.* Ich danke dir – du hast mir Viktor wiedergegeben!

VIKTOR *kommt von links, einen Apfel essend. Mit aufgetragenem Gleichmut.* Nun – wie wird es?

VERA *sieht ihn an.*

VIKTOR. Du kommst doch vom Kostümschneider. Macht er es ordentlich? Ist meine Assistenz vonnöten?

VERA *freudig.* Ich habe ihm alles genau erklärt – als Velázquezprinzessin.

VIKTOR. Da kann er nicht irren. Hast du dich versöhnt?

VERA. Mit wem?

VIKTOR. Mit wem? Mit dem schieren Weiß, in das du dich hüllen sollst.

VERA. Hast du dich versöhnt?

VIKTOR. Mit wem?

VERA. Mit wem? Mit dem schieren Weiß, dem der Akzent fehlt.

VIKTOR. Wieso Akzent?

VERA. Der blaue Ring an der gespreizten Hand!

VIKTOR *sich an die Stirn schlagend.* Die Ringgeschichte – die war mir entfallen. Gut, daß du mich erinnerst. Du bist doch orientiert. *Auf die Dame weisend.* Madame stellte mir die Alternative. Ein Architekt will bauen oder er stirbt. Die Baukunst kommt ohne Opfer nicht weiter. Dahin gehört der Ring. *Er telefoniert.* Neunundzwanzig-null-neunundvierzig. *Zu Vera.* Hör' zu – ich habe keine Heimlichkeiten. *Ins Telefon.* Architekt Viktor — Derselbe. Mich gleich an der Stimme erkannt? Dafür sind Sie ja Detektiv. Was neues? Allerdings eine wichtige Neuigkeit meinerseits. Ich benötige Ihre Dienste nicht mehr. Was? Nein ich verzichte auf Recherchierung. Jawohl, ich ziehe den Auftrag zurück. Warum? Es – lohnt sich nicht. Die Kosten sind zu hoch. Es wächst doch ins Uferlose. Sie garantieren den Erfolg. Gerade deshalb nicht. Ihnen unverständlich! Sie wollen doch suchen, bis Sie ihn haben – Daran bezahle ich mich arm. Deshalb fürchte ich Ihre Garantie. Es sind bereits Kosten entstanden? Andere Aufträge zurückgestellt? Die Konsultation? *Die* Kosten will ich bezahlen – schicken Sie mir die Rechnung! *Er hängt ab. Zu Vera.* Zugehört? Alarm kassiert – vom Ring kein Wort mehr!

VERA *bei ihm.* Hast du es auch etwas mir zuliebe getan?

VIKTOR. Was soll ich darauf antworten?

VERA. Und nicht nur aus Geschäftssinn – für ihre Villa?

VIKTOR. Für dies und das – und schließlich doch für häuslichen Frieden.

VERA. Wirklich?

VIKTOR. Das kannst du mir glauben.

VERA *küßt ihn.*

DAME *Handschuh überstreifend.* Wirst du mir jetzt Viktor überlassen?

VERA. Ich fühle mich so befreit, daß ich allein sein kann!

DAME. Wir werden uns also Zeit nehmen können?

VERA. Wie Viktor will.

DAME *zu Viktor.* Wie wollen Sie?

VIKTOR. Eine gründliche Besichtigung – kann sich hinziehen.

DAME. Ich wäre einverstanden. Wir gehen.

VERA *folgt beiden in die Diele.* Fahrt vorsichtig. Um Himmelswillen, Viktor, erlaube nicht das rasende Tempo. Ich ängstige mich halb zu Tode inzwischen.

DAME. Hast du dich heute nicht schon genug geängstigt?

VERA. Das ist mir unter die Erde gesunken – was kann mir eigentlich noch passieren?

DAME. Man soll es nicht berufen, trotzdem –

VERA. Trotzdem bin ich vor Übermut verrückt. Fahrt wie ihr wollt! *Sie schlägt die Glastür zu. – Viktor und die Dame in der Diele ab. – Von unten schallende Autosignale.*

VERA *läuft im Zimmer hin und her – rauft das Haar – wirft sich ins Sofa – schlenkert mit den Beinen.*

ZOFE *kommt durch die Glastür.* Ein Herr wünscht gnädige Frau zu sprechen.

VERA. Mich?

ZOFE. Ja, gnädige Frau.

VERA. Hat er nicht seinen Namen genannt?

ZOFE. Nein, gnädige Frau.

VERA. Wie sieht er denn aus?

ZOFE. Wie – kein Herr.

VERA. Wie was?

ZOFE. Mehr ein Mann.

VERA. Der mich sprechen will?

ZOFE. Ich weiß nicht, ob gnädige Frau ihn vorlassen soll.

VERA. Schicken Sie ihn weg.

ZOFE *ab.*

VERA *räkelt sich wieder – summt.*

ZOFE *kehrt zurück.* Der Mann – muß mit gnädiger Frau sprechen.

VERA. Wenn er aber so fürchterlich ist, wie Sie schildern?

ZOFE. Vielleicht betrachten ihn gnädige Frau durch die Glastür.

VERA *steht auf – tritt an die Glastür. Mit einem Ruck fährt sie zurück. Hauchend.* Sneederhan –!

ZOFE. Soll ich nun –

VERA *stammelnd.* Hereinführen.

ZOFE *ab. In der Diele erscheint Sneederhan: er trägt langen grauen vernutzten Rock, schwarze Stiefel, Zwirnhandschuhe – Vollbart, Brille. – Zofe läßt Sneederhan eintreten.*

VERA *steht gebannt.*

SNEEDERHAN *verweilt an der Tür und betrachtet Vera aus blitzenden Brillengläsern. Dann stelzt er auf Vera zu, streckt ihr die Zwirnhand hin.* Nochmals Dank. Es war die schönste Sitzung meines Lebens. Sie stellten sich mir hemmungslos zur Verfügung. Ich spielte förmlich auf der Klaviatur Ihrer Gedanken – jede Taste gab nach und stemmte Bild um Bild aus dem Nichts. Ich buche großen Erfolg. Mit Ihrer Unterstützung. Dankbaren Herzens. *Er zieht die Handschuhe aus und legt sie auf einen Tisch ab. Zu Vera zurückkehrend – sachlichsten Tonfalls.* Sind nachträglich Ermüdungserscheinungen bei Ihnen aufgetreten? Kopfweh – unruhiger Puls? Beobachteten Sie Erscheinungen dieser Art?

VERA *sich erholend.* Sind Sie hergekommen, um sich nach meinem Befinden zu erkundigen?

SNEEDERHAN. Die Arbeit ruht nicht. Mitten in strudelnder Wirrnis wird das Ziel nicht aus den Augen verloren. An diesem Felsen nagt ein Meer von Gischt vergebens. – Wie fühlen Sie sich?

VERA *ironisch.* Wunderbar!

SNEEDERHAN. Ich habe es nicht anders erwartet. Spielend bewältigen Sie alle Exerzitien. Prädestiniert. Die Ausnahmeerscheinung ist erwiesen. Sind Sie von meinem Lobeshymnus entzückt?

VERA. Hingerissen!

SNEEDERHAN. Ich applaudiere selten. Aber hier schaltete sich von Hirn zu Hirn Kontakt ein, der störungslos leitet. Die Welt hat keine Geheimnisse vor uns. – Kann man von den reichlich vorhandenen Sitzgelegenheiten Gebrauch machen?

VERA. Wollen Sie Ihre Experimente hier mit mir fortsetzen?

SNEEDERHAN *läßt sich in einem Sessel nieder – bedeutet Vera ebenfalls niederzusitzen.* Es wäre mir in diesem von Möbeln überschwemmten Boudoir unmöglich. Mein Raum muß kahl sein, wie er ist. Entsinnen Sie sich?

VERA. Natürlich.

SNEEDERHAN. Es liegen ja auch nur wenige Stunden zwischen Ihrem Besuch bei mir – und meinem bei Ihnen.

VERA. Ich rate den Grund nicht. Wollen Sie ihn mir nicht mitteilen?

SNEEDERHAN. – – – – Haben Sie den Ring?

VERA *verstummt.*

SNEEDERHAN. Nun – antworten Sie. Haben Sie ihn?

VERA *sich sammelnd – kräftig.* Ja!

SNEEDERHAN *nickt.* Das war selbstverständlich, daß ich keinen Fehlblick getan hatte.

VERA. Nein!

SNEEDERHAN. Was?

VERA. Daß Sie alles richtig gesehen haben!

SNEEDERHAN *erregt.* Es hat sich bestätigt: mit dem Finder, der den Handschuh vom Straßenpflaster aufgriff – im Handschuh den Ring entdeckt – in Morgenfrühe zum Juwelier spaziert und seinen Ringfund hinterläßt auf Nimmerwiederkehr? – So hat es sich erwiesen?

VERA. Genau so!

SNEEDERHAN *stutzend.* Wie konnten Sie das feststellen. Es ist doch die Vorgeschichte, die schwerlich nachzuprüfen wäre?

VERA. Weil – doch das übrige stimmt!

SNEEDERHAN. Im Rückschluß wird es Ihnen zur Realität?

VERA. Vollständig.

SNEEDERHAN *händereibend.* Es häufen sich die Argumente. – Dann folgten Sie der Marschroute, die ich Ihnen spezialisierte: die graue Straße abwärts – quer über den Platz mit Richtung nach links – bei der Bedürfnisanstalt rechts –

VERA *fast schreiend.* Nein – links!!

SNEEDERHAN *aus tiefem Staunen.* Nicht rechts von der Bedürfnisanstalt?

VERA. Und über keinen Platz – und durch keine lange Straße – und überhaupt nicht in der Stadt!!!!

SNEEDERHAN. Jetzt – haben Sie mich völlig verwirrt. Das Dunkel schießt von allen Seiten zusammen – auslöschend die Erinnerung. Ich sehe nichts mehr.

VERA. Habe ich die Marschroute verschüttet?!

SNEEDERHAN. Kreise schwirren in Kreisen – die Nebelsphäre hat es aufgeschluckt. – Warum haben Sie das getan?

VERA. Weil – ich nichts wissen will!!

SNEEDERHAN *sich aufraffend.* Doch Erregungszustände. Die übliche Reaktion. Verweilen wir dabei nicht. Nur wichtig ist, daß sich der Ring gefunden hat.

VERA. Für Sie?

SNEEDERHAN. Von unschätzbarem Wert. Ich lege ein Beweisstück auf den Richtertisch, das die gegen mich erhobene Anklage niederschlägt.

VERA. Sind Sie angeklagt?

SNEEDERHAN. Von einem Ignoranten von Staatsanwalt. In seinen Augen ist mein Treiben Schwindel. Ich nehme Geld und gebe Sand dafür. Mißbräuchlich benutze ich die Vertrauensseligkeit meiner Mitmenschen. Ich würde lachen, wenn nicht die Unwissenheit meines Gegners traurig stimmte. Aber er hat die Macht, er kann mich ins Gefängnis werfen – und so muß ich mich wehren. Mit Zeugen, die für mich sprechen. *Sich gegen Vera vorbeugend.* Ich werde Sie im Gerichtssaal als Zeugen auftreten lassen!

VERA *fährt zurück*. Das – können Sie nicht!!

SNEEDERHAN. Überwältigt Sie kein Gefühl der Freude, der Wahrheit zum Siege zu verhelfen?

VERA. Ich – komme nicht!!

SNEEDERHAN *lächelnd*. Angst vor Gerichtspersonen in schwarzen Talaren und Baretts? Es steckt nichts Fürchterliches dahinter. Nur Menschen wie wir alle.

VERA. Ich – verweigere die Aussage!!

SNEEDERHAN. Das wird der hohe Gerichtshof Ihnen kaum erlauben. Zeugen müssen reden.

VERA. Wann – findet die Verhandlung statt?

SNEEDERHAN. Mitte April.

VERA. Da – sind wir verreist, Viktor und ich. Im Ausland!

SNEEDERHAN. Wer nicht erscheint, den holt die Polizei.

VERA *mit versagender Stimme*. Die – Polizei – –?

SNEEDERHAN. Deshalb kommen Sie pünktlich und erfüllen Sie eine Pflicht, die Ihnen der Zufall zugeschoben hat. Oder eine Fügung des Schicksals, die ich mit weise bezeichnen muß. Denn fünf Minuten nach Ihrem Aufbruch von mir erhielt ich die Anklage zugestellt. Es roch noch Ihr Parfüm – wir hatten eben die Sitzung vollendet, die keine Antwort auf die Anwürfe des Staatsanwalts schuldig bleibt. Mit diesem einen über alle Begriffe herrlich gelungenen Experiment entkräfte ich jede Beschuldigung. Es stocke der Menge Atem im weiten Gerichtssaal – wenn Sie die Hand erheben und von dem durch meine Geistesmacht wiedergefundenen Ring ein Schein von überirdischem Erkenntnislicht in aller Augen bricht!

VERA. – – – – Ich – – muß Sie enttäuschen. Ich – – habe den Ring nicht.

SNEEDERHAN. Pardon – was haben Sie nicht?

VERA. Den Ring – den ich emporstrecken soll!

SNEEDERHAN. Sie – tragen ihn jetzt nicht –?

VERA. Nie wieder – denn er bleibt verschwunden, wie er von mir verloren ist.

SNEEDERHAN. Was – wollen Sie damit sagen?

VERA. Daß Sie mich einen falschen Weg geschickt haben, der nicht zum Ziele führte!

SNEEDERHAN. Befolgten Sie genau meine Weisungen?

VERA. Bei der Bedürfnisanstalt links – oder rechts – oder geradeaus. Nirgends hatte ein Juwelier einen Laden!

SNEEDERHAN. – – Wo haben Sie den Zettel?

VERA *fast höhnisch.* Zerrissen!

SNEEDERHAN. Warum?

VERA. Aus Wut – daß ich den Unsinn geglaubt hatte, den Sie mir offerierten!

SNEEDERHAN *sieht vor sich hin – nickt – wendet die Brillengläser wieder Vera zu.* Es kontrastiert mit Ihrer ersten Aussage – Sie hätten Ihren Ring wieder.

VERA. Wird hier schon Gericht gehalten? Sind Sie der Richter? Dürfen Sie mich vernehmen?

SNEEDERHAN. Ich maße mir keine Befugnisse an, die ich im Prinzip verdamme –

VERA. Und ich verdamme im Prinzip, daß fremde Leute sich in die Privatangelegenheiten einmischen!

SNEEDERHAN. Hier liegt ein öffentliches Interesse vor.

VERA. Wer wagt das zu behaupten?

SNEEDERHAN. Der Staatsanwalt. Er interessiert sich für jeden Schwindel – *Mit Nachdruck.* – für jeden Schwindel, der sich als Schwindel erweist. Vielleicht greift sein Interesse hier auf einen Zeugen über, der seinen Zeugeneid verletzt. Langjährige Gefängnisstrafe. *Aufstehend.* Ich will nicht vorgreifen.

VERA *ausbrechend.* Kann denn der Ring gefunden werden??!!

SNEEDERHAN *lächelnd.* Bei Ihnen?

VERA. Bei Juwelieren?!

SNEEDERHAN. Mit Mitteln des Gerichts? Binnen vierundzwanzig Stunden sind alle Juweliergeschäfte abgesucht. Geschieht's vergeblich – so fällt mein Kopf. *Sich aufrichtend.* Er wird nicht fallen! *Durch die Glastür ab.*

VERA *stiert fassungslos ins Nichts. – Von unten dasselbe schallende Autosignal. – Vera erzittert. – Hinter der Glastür wird der vorsichtig spähende Kopf Viktors sichtbar. Nach kurzer Beobachtung Veras stößt Viktor resolut die Glastür auf.*

VIKTOR *mit übertriebener Geschäftigkeit*. Für zehn Minuten zurück. Fabelhafter Eindruck vom Grundstück. Wir bauen. Ich hole die Pläne – sie fährt voraus – ich soll ins Hotel kommen. *Er trägt Hut und Mantel in die Diele – kommt wieder – kramt aus einer Tischlade Papierrollen*. Da sind die Pläne. *Sich umsehend*. Übrigens besucht mich jetzt ein Unternehmer, der sich um einen Auftrag bewirbt. Zehntausend Ziegelsteine. Ein hübscher Posten, was? *Bei Vera*. Fehlt dir was? Du bist doch – *Abbrechend*. Ich will den Lieferanten nicht warten lassen. Bleibst du im Wintergarten? Nachher suche ich dich im Wintergarten. *Er führt sie nach rechts*. VERA *ab*.

VIKTOR *verschließt aufatmend die Tür hinter ihr. Dann geht er schnell in die Diele – winkt nach links und tritt mit Sneederhan ein*. Woher kennen Sie mich? Sie sprechen mich auf der Treppe an.

SNEEDERHAN. Ich kehrte ins Haus zurück, als die Dame Sie mit Viktor rief.

VIKTOR. Daraus schließen Sie?

SNEEDERHAN. Mit einer Art von Eingebung, daß Sie es sind, mit dem ich sprechen will.

VIKTOR *obenhin*. In einer Sache – mit einem Ring, ich verstand nicht gut.

SNEEDERHAN *forschend*. Doch bewilligten Sie mir unverzüglich Zutritt?

VIKTOR. Zuerst einmal: mit wem habe ich das Vergnügen?

SNEEDERHAN. Sneederhan.

VIKTOR *fragend*. Bitte?

SNEEDERHAN. Ich verhalf Ihrer Frau zur Wiedererlangung ihres abhandengekommenen Juwels.

VIKTOR *überraschend*. Sind Sie – der Juwelier?

SNEEDERHAN *lächelt*.

VIKTOR. Bringen Sie den Ring? Er muß sofort verschwinden. Geben Sie ihn mir. Wie belohne ich Sie? *Er faßt nach der Brieftasche*.

SNEEDERHAN. Der Satz sagt vieles, ich werde ihn mir merken müssen. Verschwinden – – Ich bin der Hellseher Sneederhan, den Ihre Frau am Vormittag konsultierte.

VIKTOR. Das war ein unüberlegter Schritt.

SNEEDERHAN. Es gewinnt den Anschein. Nun ist die Lawine im Rollen, die meist ein winziges Steinchen zum Niederbruch bringt.

VIKTOR. Sie strotzen ja förmlich von furchterregenden Metaphern. Wo rollt Lawine?

SNEEDERHAN. Der Arm der öffentlichen Gewalt hat sich nach meiner Person ausgestreckt – und die ringgeschmückte Hand Ihrer Frau schlägt ihn nieder.

VIKTOR. Sie setzen besondere Gaben bei mir voraus, die mir mangeln.

SNEEDERHAN. Zum Verständnis meiner Warnung, die ich ausstoße, wird es reichen: die Frau des Hauses ist im Begriff einen irreparablen Fehltritt zu tun.

VIKTOR. Was – sagen Sie da?!

SNEEDERHAN. In juristischer Beziehung: sie bereitet offenkundigen Meineid vor.

VIKTOR. Wen – belügt sie?

SNEEDERHAN. Den Richter, der sie über den Verbleib ihres Ringes vernehmen wird.

VIKTOR. Hat – wer gestohlen?

SNEEDERHAN. Unterschlagen.

VIKTOR. Wer?

SNEEDERHAN. Die Besitzerin.

VIKTOR. Den eignen Ring?

SNEEDERHAN *gemächlich*. Und so entledige ich mich der Handschuhe – und Sitzgelegenheiten – erfüllen sie hier nicht ihren Zweck?

VIKTOR *weist auf einen Sessel – setzt sich selbst*.

SNEEDERHAN. Was wissen Sie vom Ring?

VIKTOR *leicht konsterniert*. Daß meine Frau ihn gelegentlich verlor – vergeblich suchte – und heute morgen sich einreden ließ –

SNEEDERHAN. – sich offenbaren ließ, wo sich das Schmuckstück aufhält. Ich leistete die Offenbarung.

VIKTOR. Ich sollte eigentlich nichts davon wissen –

SNEEDERHAN. Es wird in Kürze jedermann erfahren, wenn die Prozeßberichte die Spalten der Zeitungen füllen.

VIKTOR. Worüber wird denn verhandelt?

SNEEDERHAN. Über Sneederhan, den Gauner, Schwindler, Scharlatan – der den Leuten das Geld haufenweise aus den Taschen zieht – mit Jux, den er treibt: Hellseherei. Auf den

Scheiterhaufen mit ihm. – Verbrennt die Galileis. Laßt nicht vom alten Brauch!

VIKTOR. Hat man Sie angepackt?

SNEEDERHAN. Weil ich Bezahlung nehme. Zehn Mark die Sitzung. Heißt das Profit? Wohne ich in Palästen? Bin ich gekleidet wie ein Geck? Ein Prasser ich? Ich könnte Tausende verdienen – ich bin ein Mann der Wissenschaft. Ich forsche – bin bemüht. Da ist die Sache – die Sache bin ich.

VIKTOR. Man darf doch zweifeln –

SNEEDERHAN. Aus Zweifel der Fortschritt. Nun stellt mich auf die Probe. Von mir begrüßt trifft mich die Anklage. Ich werde mich verteidigen – und in die Öffentlichkeit mein Material schleudern – überwältigend!

VIKTOR. Sind Sie Ihrer Sache so sicher?

SNEEDERHAN. Seit heute morgen. Es war ein wunderbares Arbeiten mit Ihrer Frau. Ein Medium von ungeahnter Intensität. Ich fühlte Kräfte in mir freiwerden, von deren Bestand ich vorher nichts geahnt hatte. Ich entdeckte mich selbst – überzeugend! – Schade, daß sie das zweite Experiment störte.

VIKTOR. Ihr genügte gewiß das erste.

SNEEDERHAN. Vielleicht brach Übermüdung durch nach soviel Konzentration. Wer will es erforschen.

VIKTOR. Es hat niemand Interesse daran.

SNEEDERHAN. Doch gelang der erste Versuch vollkommen. Ich legte den Weg nach dem Ring frei – sie konnte schlafwandelnd ihn beschreiten – und schritt! – Warum versteckt sie den Ring vor mir?

VIKTOR. Sie haben mit Vera gesprochen??

SNEEDERHAN. Vor Ihnen – hier – nur wechselten wir die Sessel.

VIKTOR. Natürlich hat sie nicht den Ring geholt. Sie log mit keiner Silbe!

SNEEDERHAN. Sie wird ihn später holen?

VIKTOR. Auch später nicht.

SNEEDERHAN *eindringlich*. Warum?

VIKTOR. Nie – Herr Sneederhan!

SNEEDERHAN *nach einer Pause mit rauher Stimme*. Sind Sie mein Feind?

VIKTOR. Ich kenne Sie so wenig.

SNEEDERHAN. Nicht der Person – der okkulten Wissenschaft?

VIKTOR. Das ist mir ein zu fremdes Gebiet, um mir ein ablehnendes Urteil zu bilden.

SNEEDERHAN. Doch bohrt in Ihnen der Vernichtungswille – und schießt heraus und schlägt mir an die Stirn?

VIKTOR. Was sollte mich dazu bewegen?

SNEEDERHAN *fanatisch*. Die dunklen Mächte leben nicht?! Sie sind das Leben – und ihr trüber Spiegel ist das, was wir das Leben nennen. Ihr sollt sie kennen lernen – wie's euch aus eurem Trott des Alltags reißt, wenn ich die Echtheit der Magie enthülle. Es ist ein Ring nur – aber mit seinem Stein wird er zum Stern, der alle Finsternis auslöscht. Beschafft den Ring – es stehen Welten auf dem Spiel!!!!

VIKTOR. Sie schreien entsetzlich. Im Nebenzimmer –

SNEEDERHAN *höhnisch*. – – sitzt Ihre Frau –

VIKTOR. – und flucht dem Ring, den Sie entdeckten!!

SNEEDERHAN *verstummt*.

VIKTOR *tritt zu ihm*. Sie sind ein Geisterseher – aber doch auch ein Mensch von Fleisch und Blut. Es funktionieren doch gleichzeitig sämtliche Organe – Verstand und Gefühl. Fühlen Sie denn nicht, daß hier etwas vorgeht – das seine Orientierung aus anderer Richtung empfängt? Der Vorgang ist doch seltsam genug: eine Frau verliert ein Schmuckstück – ein ihr sogar sehr wichtiges Stück – findet es und will es nicht wiederhaben. Das muß doch seinen besonderen Grund haben. Hier ist er also gegeben. Bedecken wir die Angelegenheit mit Schweigen. Es wird das beste – für alle. Auch für Sie, Herr Sneederhan. Sie riskieren sehr viel. Angenommen – Ihre Prognose stimmt nicht. Sie sind verklagt. Man schiebt Ihnen Schwindeleien zu. Sie bieten Beweis an. Aber der Ring wird mit keinem Aufwand von Recherchierung gefunden. Der Juwelier weiß von nichts. Sie sind blamiert – und mehr: der Verurteilung ausgeliefert. Man straft da schwer. – Ich will Ihnen helfen. Machen Sie sich vor Ihrem Prozeß aus dem Staube. Flüchten Sie ins Ausland. Ich schenke Ihnen die Reise. Draußen sehen Sie sich nach einem handfesten Gewerbe um und hängen die Hellseherei an den Nagel. Es ist nämlich des Teufels Kunst, die Sie da betreiben. Die Menschheit ist schon geplagt genug, sie will gar keinen weiteren Einblick in menschliche Schwächen. Weichen Sie der Lawine aus. Wann reisen Sie? *Die Brieftasche ziehend*. Wieviel?

SNEEDERHAN *ruhig*. Was ist ein Schuft?

VIKTOR. Wer?

SNEEDERHAN. Wer seinem Gott nicht jederzeit bereit ist sich selbst zum Opfer zu bringen – und seinen Nächsten.

VIKTOR. Wen wollen Sie noch opfern?

SNEEDERHAN. Die zwei, die ein Geheimnis haben, das mir den Ring verbirgt. Das Gericht soll es euch entlocken. Ich schwöre es!!

VIKTOR. Sind Sie – ein Mörder?!

SNEEDERHAN. Wenn forschen morden heißt – bin ich ein Mörder!! *Er nimmt seine Zwirnhandschuhe – durch die Glastüre ab.*

VIKTOR *starrt ihm nach. Nach langer Ratlosigkeit telefoniert er.* Palasthotel – – die Nummer – – *Sich an die Stirn schlagend.* Um Gotteswillen die Nummer – –

Vorhang.

DRITTER AKT

Viktor wartet mit kaum bezähmbarer Ungeduld: mal, um sich abzulenken, entrollt er die auf dem Tisch liegen geblie-benen Baupläne – mal späht er in die Diele. Dann, am Ende seiner Kräfte, rafft er den Hörer vom Telefonapparat – will telefonieren: da schallt unten das Autosignal.

VIKTOR *stürmt zur Glastür – besinnt sich halbwegs – bleibt. – In der Diele die Dame und die Zofe. Zofe öffnet die Glastür. Dame tritt ein. Zofe ab.* Gottseidank, daß Sie gekommen sind!

DAME. Es klang ja wie ein Hilferuf, den Sie durchs Telefon ausstießen.

VIKTOR. Nicht mehr und nicht weniger. S. O. S. in höchsten Nöten. Die Wogen schlagen bereits über Deck. Die Kata-strophe unabwendbar! – Worüber lachen Sie?

DAME. Ich freue mich, daß Sie so verzweifelt sind.

VIKTOR. Das macht Ihnen Spaß?

DAME. Es steht Ihnen gut zu Gesicht. Ich möchte Sie wie ein Kind jetzt mitleidig streicheln.

VIKTOR *tritt unwillkürlich einen Schritt zurück.*

DAME. Erlauben Sie es nicht? Ich werde meine Zärtlichkeiten Ihnen nicht aufdrängen. – *Kühl.* Warum sind Sie nicht zu mir gekommen, wenn Sie meinen Rat – oder Tat so dringend brauchen?

VIKTOR. Ich wollte nicht gesehen werden –

DAME. Wenn Sie mich im Hotel besuchen?

VIKTOR. Zu Mißverständnissen kann es Anlaß geben –

DAME. Die Sie nun zu vermeiden wünschen –

VIKTOR. In dieser Situation mit allem Nachdruck!

DAME *nach einer Pause – ruhig.* Ich kenne keine Situation, die sich verändert hat.

VIKTOR. Seit unsrer Trennung – Sie fuhren im Auto voraus, ich sollte die Pläne holen – vollzog sich Umsturz – ein Erd-beben erschütterte die Ordnung der Dinge, die kaum ge-ordnet waren: – Vera muß mir verlorengehn!

DAME. Ist – Vera nicht hier?

VIKTOR. Nein.

DAME. Auf und davon – für immer?

VIKTOR. Beim Schneider. Ich schickte sie weg – unter dem Vorwand, das Kostüm im Zuschnitt zu meiner Begutachtung herzubringen – aber es ist nur Galgenfrist, die mir gewährt ist. Die Schlinge strafft sich schon um meinen Hals.

DAME. Wer will Sie henken?

VIKTOR. Ein Mensch mit Namen Sneederhan. Ein Besessener – ein Amokläufer – ein tanzender Derwisch, Schaum vorm Munde – ein Mörder!

DAME. Welche Rolle geben Sie ihm – in unsrer Komödie?

VIKTOR. Die des Störenfrieds par excellence. Mit keinem Mittel von der Szene zu vertreiben. Er wird uns alle als Leichen auf die Butter legen.

DAME. Kommt hier kein happy end in Frage?

VIKTOR. Im Märchen vom gordischen Knoten, den man zerhaut. Die Zeiten sind vorbei. Die Tagesordnung gestattet keine Extravaganzen. Beweise gelten. Der Ring beweist – was dieser Sneederhan gesehn hat!

DAME. Er ist – der Hellseher, der auf der Bildfläche erscheint.

VIKTOR. Bereits erschien. Leibhaftig zweimal hier. Zuerst um Vera nach dem Erfolg seiner Vision zu fragen – und noch einmal, um mich vor Veras Meineid zu warnen!

DAME. Wo soll sie schwören?

VIKTOR. Bei Gericht. Wenn über diesen Sneederhan verhandelt wird, den sich der Staatsanwalt gelangt hat – als Bauernfänger mit seiner Schwarzkunst. Doch wehrt er sich mit Zähnen und Krallen gegen die Verurteilung. Als Glanzstück seiner Rechtfertigung erzählt er – die wunderbare Auffindung von Veras verschwundenem Ring. Vera wird als Zeuge vorgeladen!

DAME. Allerdings – eine Verwicklung, die nicht vorauszusehen war.

VIKTOR. Doch in den Konsequenzen keinen Zweifel offen läßt. Beschafft nicht Vera selbst vorher den Ring –

DAME. Das kann sie nicht, sie vernichtete die Spur.

VIKTOR. – so wird das Gericht ihn zur Stelle schaffen. Der Ring taucht auf – und meine schöne Welt geht unter. *Er sinkt in seinen Sessel.*

DAME *bei ihm – sein Haar streichelnd.* Viktor – Sie könnten sich nie von Vera trennen?

VIKTOR. Nie! Was Vera mir ist – was Vera mir geworden ist, seitdem es in den Bereich der Möglichkeit rückte – oder der Unmöglichkeit, weil dann der Boden schwankt, auf dem ich baue – mich! – auf diesem Fundament von Hingabe und

Vertrauen, das ich täuschte – ich könnte keine grade Linie mehr auf dem Papier ziehn!

DAME. Bereuen Sie?

VIKTOR *schüttelt den Kopf – küßt ihre Hand.*

DAME. Sie haben auch nichts zu bereuen. Weil sie den Papageienmantel einmal an sich drückten, der sich Ihnen versagte? Bedrückt es Sie so sehr?

VIKTOR *verzagt aufblickend.* Verlöscht nicht jede Hoffnung?

DAME. Ich würde mich einem Skandal nicht aussetzen und vorher die Stadt verlassen.

VIKTOR. Das dürfen Sie nicht!

DAME. Ich könnte mir nicht die Villa von Ihnen bauen lassen.

VIKTOR. Ich muß sie bauen!

DAME *nähert ihr Gesicht dicht seinem.* Warum müssen Sie?

VIKTOR. Weil Sie es mir versprochen haben.

DAME. Was habe ich versprochen?

VIKTOR. Alles.

DAME. Wenn – unsere Villa gebaut ist.

VIKTOR. Unsere – Villa – – – –

DAME. Ich will, daß sie gebaut wird – – *Sich aufrichtend.* – – und da ich will, geschieht alles so, wie ich will.

VIKTOR *sich an die Schläfe fassend.* In Unrast verwirren sich die Pläne – ich kann nur arbeiten –

DAME. Wenn nicht das Fundament gestört wird.

VIKTOR. Veras Glauben!

DAME. Was soll ihn trüben? Die Ringfabel? Wer glaubt daran? Sie? Es kann doch nicht Ihr Ernst sein. Der Staatsanwalt wird recht behalten. Verlassen Sie sich auf ihn. Erwarten Sie den Prozeß mit wiedergewonnener Gemütsruhe. Vera wird hingehen und aussagen – die Wahrheit. Sie hat von Anfang an mißtraut und schon beim Weggang vom Magier den Zettel mit dem Lageplan des vermeintlichen Fundorts zerrissen. So hat sie den Ring nicht. Basta.

VIKTOR. Wenn das Gericht sucht – –?

DAME. So soll es suchen – und den Schwindel endgültig entlarven. Nichts wird gefunden – auf diese Weise nichts, wie es der Zaubermann betreibt.

VIKTOR. Ich habe ihn bestechen wollen – ins Ausland zu verreisen.

DAME. Aus Mitleid mit dem armen Kerl. Es kann Sie nicht verdächtigen.

VIKTOR. Meinen Sie?

DAME. Der Ring geht Sie nichts an. Und Vera bleibt entschlossen, ihn nicht zu finden. Wer läßt sich so ins Bockshorn jagen? Menschen von heute, die an den Wolf glauben. – Kommt noch der Wolf zu euch?

ZOFE *kommt.* Herr Sneederhan wünscht die Herrschaften zu sprechen.
VIKTOR. Wen??
ZOFE. Die gnädige Frau –
VIKTOR. – und mich?! *Er sieht hilflos die Dame an.*
DAME. Herr Sneederhan soll eintreten.
ZOFE *ab.*

VIKTOR. Man soll ihn doch nochmal empfangen?
DAME. Um ihn für alle Zeiten abzuschütteln.

SNEEDERHAN *erscheint hinter der Glastür – gestikuliert beim Anblick der Dame fragend – die Zofe zuckt die Achseln – Sneederhan entschließt sich einzutreten.* Die Damen haben gewechselt?
DAME. Der Herr ist derselbe geblieben. Genügt es Ihnen nicht, Herr Sneederhan?
SNEEDERHAN. Mein Name ist Ihnen geläufig –
DAME. – und alles, was sich um Ihre magische Person dreht. Der Griff des Staatsanwalts nach Ihnen hat mich am meisten interessiert.
SNEEDERHAN *breit lächelnd.* Der Staatsanwalt – ich stecke gottlob nicht in seiner Haut.
DAME. Was wird ihm denn passieren?
SNEEDERHAN. Blamage.
DAME. So sicher, Herr Sneederhan?
SNEEDERHAN. So skeptisch, schöne Dame?
DAME *sieht Viktor an.*
VIKTOR. Berufen Sie sich auf nichts, was ich zu Ihnen geäußert habe. Ich ließ mich hinreißen, um Ihrem Unsinn mit Unsinn zu entgegnen. Das Gespräch fand ohne Zeugen statt. Wer sind Sie? Was wollen Sie?
SNEEDERHAN. Auch meinerseits keine Repetitionen. Bis auf die unserer Bekanntschaft. Das gehört zur Sache, die auf dem Marsche ist, ein fröhliches Ende zu nehmen.
VIKTOR. Das klingt sehr verheißungsvoll. Worin besteht die Lösung?

SNEEDERHAN. Der Ring ist gefunden!

VIKTOR. Das – nennen Sie ein fröhliches Ende??!!

SNEEDERHAN. *Mit mildem Ausdruck.* Triumph der okkulten Mächte sollte ich es titulieren. *Großes Lachen entzünden.* Der Weise lächelt nur. *Sich umblickend.* Sitzgelegenheiten –? *Er rückt sich einen Sessel in die Nähe von Viktor und der Dame.* Es grenzt ans Wunderbare, so wirklich ist es. Versteht ihr das? Die Welt von innen schauend? Den Kosmos spiegelnd? Termini technici einer Wissenschaft, die kommt. Vorstrahlend Anfänge – Morgenrot. Gegrüßt! – Nun das: wie vor den Kopf geschlagen schritt ich heim – mein Experiment mißglückt. Mein bestes Experiment, das ich bisher geschaffen – verfehlt. Oder nicht verfehlt? Wie war es? Man legte hier nicht mehr Wert darauf, sich des Rings, den ich entdeckte, wieder zu bemächtigen. War's anders? Nebensächlich. Der Zettel, der die Wege wies, stieb in Schnitzel in alle Winde. Dahin – und doch nicht vernichtet!

VIKTOR. Konnten Sie die Schnitzel sammeln –?

SNEEDERHAN. Bei mir in meinem kahlen Raum lockerte sich der Ring um meine Stirn – er gab Besinnung frei – und da besann ich mich, daß ich nie ohne Durchschlag schreiben lasse. Es wird mein Material, aus dem ich jenes bedeutungsvolle Buch füge, das das eroberte Gebiet sichert. Die Pflicht gebietet Sorgfalt, ich übte sie.

VIKTOR. Den Durchschlag nahmen Sie –?

SNEEDERHAN. Als Führer und er bestand die Probe. Ich hatte zu klar gesehen – und wenn es Ihre Frau auch bestritt, doch rechts von der Bedürfnisanstalt. Links öffnet sich gar keine Straße. Rechts – immer rechts – rechts auch der Juwelier – und krank – und eine Tochter, die im Bündel mit dem Handschuh den Ring verkramte – und wiederfand – und mir vorwies: blauer Saphir in altertümlicher Fassung. Der Handschuh Weite achtunddreißig – zwei Knöpfe – weiß Glacé!

VIKTOR. – – – – Haben Sie den Ring bei sich??

SNEEDERHAN. Mit welchem Recht wird er mir ausgeliefert? Bin ich sein Besitzer? Ich stellte ihn fest. Sehr fest.

VIKTOR. Wie – fest?

SNEEDERHAN. Die Abholung darf nur in meiner Begleitung erfolgen. Sie kann es auch nur. Ich weiß allein den Weg. Ist Ihre Frau zugegen?

VIKTOR. Was – soll meine Frau?

SNEEDERHAN. Mit mir zum Juwelier gehen und ihren Ring in

Empfang nehmen. Ein Protokoll über die Aushändigung wird unter Zeugenschaft des Juweliers und seiner Tochter an Ort und Stelle aufgesetzt. Für Gerichtszwecke. Kann Aufbruch gleich erfolgen?

VIKTOR. Meine Frau – ist nicht da.

SNEEDERHAN. Kommt längeres Warten in Frage?

VIKTOR *zur Dame.* Wollte Vera nicht verreisen?

SNEEDERHAN. Reisen, von denen der Ehemann nichts genaues weiß?

VIKTOR. Ich irrte mich – sie reist erst morgen.

SNEEDERHAN. So kann vorher die Angelegenheit erledigt werden.

VIKTOR. Heut ist sie so beschäftigt. Wenn Frauen reisen!

SNEEDERHAN. Und nach der Reise – wann?

VIKTOR. Sie bleibt zehn Wochen weg – zwölf!

SNEEDERHAN. In vierzehn Tagen ist mein Termin.

VIKTOR. So werden Sie sich ohne meine Frau behelfen müssen.

SNEEDERHAN. Wenn sie es wünscht.

VIKTOR. Sie wollen sie befragen?

SNEEDERHAN. Ich werde warten. Hier – oder an der Haustür.

VIKTOR. Und – wenn sie ablehnt?

SNEEDERHAN. Dann wird der Staatsanwalt sich um die Wahrheit kümmern.

VIKTOR *verstummt.*

SNEEDERHAN *streckt sich gemächlich im Sessel lang.*

DAME *zündet sich eine Zigarette an. Nach erheblicher Pause beginnend.* Herr Sneederhan – bei Ihnen muß ich mich entschuldigen. Man hat Sie mir falsch geschildert. Daher meine feindselige Voreingenommenheit gegen Sie. Sie ist mit Stumpf und Stiel ausgerottet.

SNEEDERHAN. Sehr schmeichelhaft – für Sie.

DAME. Natürlich – nur für mich. Denn ich bin fähig, mich belehren zu lassen. Wie eine Schülerin zu Füßen ihres Meisters saß ich stumm. Entging Ihnen meine Ergriffenheit?

SNEEDERHAN. Ich streifte kaum den Kern der Dinge.

DAME. Genug um mich zu überwältigen. Sie haben sich in Ihrer Wissenschaft ein hohes Ziel gesteckt. Nichts wird Sie aufhalten – nichts soll Sie aufhalten.

SNEEDERHAN. Bricht sich die Einsicht Bahn?

DAME. Sie tötet Widerspruch. Es wäre Sünde, sich länger zu

sträuben. Ich unterstütze Ihren Anspruch auf den Ring, der abgeholt wird. Heute. Jetzt.

VIKTOR *starrt die Dame an.*

SNEEDERHAN *betrachtet mit überlegenem Lächeln Viktor.*

DAME *zu Viktor.* Sie sehen mich entschlossen, ins andere Lager zu desertieren. Ein Entschluß, der unverrückbar feststeht. Man darf nicht einen Mann der Wissenschaft mit seinen privaten Ressentiments konterkarieren.

VIKTOR *stammelnd.* Sie wollen – –

DAME. Mich für Sneederhan einsetzen, der seinen Prozeß gewinnen soll. Ohne Winkelzüge. Dank Veras Geständnis. Klipp und klar bezeugt – mit dem Ring an ihrem Finger.

VIKTOR. Vernichtet es nicht alles, was – –??

DAME. Das kann im Augenblick nicht diskutiert werden.

VIKTOR *verzagend.* Sie haben recht – – es hätte keinen Zweck mehr.

DAME *zu Sneederhan.* Es wird Ihnen nicht viel daran liegen, wer mit Ihnen geht. Muß es meine Freundin sein?

SNEEDERHAN. Nur die Eigentümerin kann die Herausgabe erwarten.

DAME. Oder ihr Stellvertreter, der gleiche Befugnis hat.

SNEEDERHAN. In diesem Falle?

DAME. Der Ehemann.

VIKTOR *auffahrend.* Ich soll mich selbst – –??

DAME. Zu diesem kurzen Ausflug bequemen. *Zu Sneederhan.* Ist es weit, wohin Sie sich begeben müssen?

SNEEDERHAN. Ein Fuhrwerk legt die Strecke in Minuten zurück.

DAME. Mein Auto unten. *Zu Viktor.* Präparieren Sie sich. Sie brauchen Ausweispapiere. Ein Protokoll wird aufgenommen. Es kommt zu den Akten. Das Gericht rügt Fehler. Ist das Ihr Paß?

VIKTOR *zog willenlos seine Brieftasche aus der Brusttasche – weist ihren Inhalt vor.* Und Mitgliedskarte des Architektenklubs.

DAME *zu Sneederhan.* Genügt es Ihnen?

SNEEDERHAN. Er kann sich legitimieren.

DAME. So wird der Juwelier sich auch nicht sträuben, den Ring herauszugeben. *Zu Viktor.* Herr Sneederhan erhob sich.

SNEEDERHAN *vor sie hintretend.* Ich habe ein paar Abschiedsworte an Sie zu richten. Selten ist es, daß sich ein Mensch verwandelt. Dazu noch eine Frau. Aus Vorurteil zu Urteil vordringt, das prüft und zustimmt. Man steigt nicht gern von seiner Barrikade und reicht dem Feind die Hand. Die tiefste Feigheit macht die größten Helden. Hier fiel ein Bollwerk. Ohne Furcht vor Schmach der Kapitulation. Vor mir. Ich recke meinen Wuchs, um hoch mein Haupt zu tragen. Doch unvergeßlich bleibt mir die Besiegte. Die schöne Dame, die ich hinterlasse – als meine jüngste Schülerin! *Er geht in die Diele und steht dort abgewandt.*

DAME *zu Viktor.* Worauf warten Sie?

VIKTOR. Auf eine Erklärung – –

DAME. So neugierig?

VIKTOR. Die Villa versinkt in einem Abgrund – klaftertief!

DAME. Verzichten Sie?

VIKTOR. Zerreißen Sie nicht alle Pläne?

DAME. Ich ändere meine Wünsche nicht so rasch – und steige nie von Barrikaden.

VIKTOR *hoffnungsvoll.* Wir –

DAME. Wir werden sehen. *Kurz.* Sie müssen fort.

VIKTOR *geht in die Diele – nimmt Hut und Mantel – mit Sneederhan ab.*

DAME *vertieft sich in die Pläne.*

VERA *kommt in der Diele – legt ab – läßt von der Zofe einen umfangreichen Karton ins Zimmer tragen. Zofe ab. Vera tritt ein.*

DAME. Was ist das?

VERA *zerstreut.* Im Karton? Das Kostüm – zur Probe.

DAME. Wird es ihm gefallen?

VERA. Wem?

DAME. Viktor.

VERA. Was?

DAME. Dein Kostüm.

VERA. Er hat es selbst entworfen.

DAME. Aber die Ausführung.

VERA. Wird es denn ausgeführt werden?

DAME. Er zweifelt nicht daran.

VERA *spöttisch.* Er nicht – – *Abbrechend.* Warum bist du hier?

DAME. Warum soll ich nicht hier sein?

VERA. Ohne rotes Auto?

DAME. Das fährt in entlegenen Straßen.

VERA *abwesend*. Das fährt – –

DAME. Erst durch eine lange Straße – – dann quer über einen Platz – und bei der Bedürfnisanstalt biegt er rechts ab. Rechts – nicht links.

VERA *horcht auf*. Bei der – –??

DAME. Die Route, Vera, die ihm vorgezeichnet ist. Jetzt hält es vor dem Juwelierladen.

VERA. Vor – –??

DAME *ihre Uhr anschauend*. Es stimmt mit der Zeit. Sie sind da.

VERA. Wer – –??

DAME. Viktor mit Sneederhan.

VERA *gequält lächelnd*. Du würdest so nicht scherzen, wenn du wüßtest, was inzwischen vorgefallen ist! – Ich habe doch auch meinen Zettel zerrissen.

DAME. Deinen – Sneederhan hat seinen und orientiert sich nach dem Durchschlag, den er rettete.

VERA *außer sich*. Sind sie dem Ring auf der Spur – – und Viktor versprach, ihn nie zu suchen??!!

DAME. Er wurde gezwungen, sein Wort zu brechen.

VERA. Was kann ihn zwingen?!

DAME. Die Drohung Sneederhans, dich vor Gericht zu ziehn und deinen Meineid zu entlarven.

VERA. Hat er mich Viktor verraten?!

DAME. Vollkommen. Und Viktor war verpflichtet, dich vor Gefahren zu schützen, in die du dich bewußt begibst.

VERA *sich den Kopf haltend*. Kann denn der Ring tatsächlich so gefunden werden??!!

DAME. Er ist gefunden. Dein Sneederhan hatte Erfolg. Jetzt nimmt ihn Viktor unter Protokoll in Empfang.

VERA *ausbrechend*. Und ich probiere unterdes mein Kostüm fürs Fest – – das nie erlebt wird!!

DAME. Ihr werdet es beide besuchen.

VERA. Können Tote tanzen?!

DAME. Wer ist denn tot?

VERA. Mein Herz, das nicht mehr klopft – das ausgeschlagen hat – –!!

DAME. Wovon vergeht sein Schlag?

VERA. Weil wahr auch ist, was wahr sein muß – wie wahr es mit dem Ring ist, der sich findet!!!!

DAME *nach einer Pause – ruhig*. Es ist nicht wahr.

VERA. Es soll nicht wahr sein – weil ich die Wahrheit fürchte!

DAME. Die Wahrheit ist es nicht.

VERA. Wie willst du mich widerlegen?

DAME. Weil ich die Wahrheit kenne.

VERA. Der Papageienmantel – –??!!

DAME. Bin ich!

VERA *verstummt. Ungläubig.* Du –?

DAME. Du kannst dich überzeugen, daß ich den dir beschriebenen Mantel besitze. Komm' ins Hotel.

VERA. Bei dir war Viktor – –?

DAME. An jenem neunten März, als er dich allein auf den Präsidentenball gehen ließ. Ich wünschte eine Besprechung der Pläne für den Villenbau. Viktor zog das Geschäft dem Vergnügen vor.

VERA. Mir sagte er nichts – –

DAME. Soll der Mann seine Frau mit Berufsangelegenheiten langweilen? Viktor ist rücksichtsvoll. Es konnte dich stören, daß er arbeitet, während du tanzt.

VERA. Das – sehe ich ein. Viktor ist schweigsam. Ich verstehe auch nichts von Bauplänen.

DAME. Das leitet sein Benehmen dir gegenüber.

VERA. Irrst – du dich auch nicht im Datum?

DAME. Der neunte März. Ich habe es schriftlich. Lies die Verabredung mit Viktor. *Sie nimmt ein Notizbuch aus der Handtasche und öffnet es.* Nun?

VERA *liest.* Am neunten März.

DAME. Abends. Bei mir.

VERA. Hast du es auch nicht nachträglich eingetragen, um mich zu beruhigen?

DAME. Es fände keinen Platz zwischen den andern Notizen. Ich fälsche nicht.

VERA. Verzeih'. *Noch lesend.* Wer ist denn Alfred – am zehnten!

DAME. Das ist – *Das Buch zuklappend und einsteckend.* Nicht indiskret sein!

VERA. Ich bin so wirr.

DAME. Jetzt glätten sich die Wogen?

VERA *grübelnd.* Doch – – küßte er dich auf den Nacken?

DAME. Was tat er?

VERA. Er sah es doch – und hätte mehr gesehen, wenn ich nicht weggelaufen wäre.

DAME. Wer sollte mehr gewagt haben?

VERA. Viktor.

DAME. Dein Viktor? Meiner besten Freundin Mann erlaube ich von seiner Frau sich zu entfernen, die ihn liebt – die er liebt? Ich stemme mich selbst gegen jeden Anschlag, der euch trennen sollte. Ihr beide gehört zusammen wie das Blatt zum Baum. Wer schüttelt, schüttelt sich den Arm lahm – kein Blatt fällt abwärts. Ich habe Viktor lieb, ich sage es – weil er ein frischer Junge ist und dein Mann. Versteh' mich doch: wäre in mir ein anderes Gefühl als das einer guten Kameradschaft – müßte ich es nicht mit aller Heimlichkeit vor dir verbergen – und nicht dir diesen neunten März enthüllen, der Viktor bei mir sah? Was hältst du davon?

VERA *umschlingt sie*. Daß es mein Glück ist, daß Viktor bei dir war!

In der Diele Viktor – spähend ins Zimmer.

DAME *winkt ihm über Veras Kopf hinweg bedeutungsvoll zu*.
VIKTOR *legt draußen ab – tritt ein, seine Hand in der Rocktasche vergrabend*.

DAME. Ich habe unser großes Abenteuer gebeichtet. Mein Partner soll reden. Vera verlangt Geständnisse. Wo befanden Sie sich am neunten März? Abends?

VIKTOR *stammelnd*. Vera – –!

DAME *verläßt Vera – tritt dicht vor Viktor – fixiert ihn*. Das ist die törichtste Antwort, die Sie vorbringen können! *Verändert*. Nicht auf dem Präsidentenball? Sie sagten ab, um sich anderweitig ein Rendezvous zu geben.

VIKTOR *erschüttert zu Vera*. Ist denn wirklich alles vorbei – –??

DAME *scharf*. Vorbei ist alles – *Beherrscht*. – wenn Sie sich nicht besinnen können, daß Sie mich an dem fraglichen Abend im Hotel aufsuchten. Wenn Sie sich nicht darauf besinnen wollen, dann habe ich gelogen. Als Lügnerin möchte ich nicht länger hier verweilen. Dann – lebt wohl.

VIKTOR *verwirrt*. Ich soll – –

DAME. Sie sollen wiederholen, was ich zu bekennen für nützlich hielt. Unser harmloses Tête-à-tête am neunten März. Oder verlief es nicht harmlos, wie ich es Vera schilderte?

VIKTOR *begreift*. War das – der neunte März? In Abendstunden? Zur Zeit des Präsidentenballs? Ich ging nicht hin. *Zu Vera*. Wie sagte ich dir, weshalb ich verhindert war?

DAME. Sie sagten gar nichts, wie Sie nie etwas sagen – wenn Sie geschäftliche Besprechungen vorhaben.

VIKTOR. Dann sagte ich natürlich nichts!

DAME. Mir brachten Sie die Baupläne und wir studierten sie eingehend. Ich gähnte häufig.

VIKTOR. Wie Sie damals gähnten!

DAME. Bald schickte ich Sie weg – ich war ermüdet.

VIKTOR. Ich blieb noch in der Bar und – *Er stockt.*

VERA. Und?

VIKTOR. Du schliefst, als ich nach Hause kam!

DAME *halblaut.* Bravo.

Pause.

VIKTOR *das Schweigen brechend.* Warum wird so gefragt?

DAME. Weil Vera Dinge mit dem Ring verknüpft – die Sie nicht mehr zu wissen brauchen. Es war ein Schatten, der vorbeizog. *Vera streichelnd.* Zog er vorbei?

VERA *nickt eigentümlich.*

DAME *zu Viktor.* So öffnen Sie die Faust!

VIKTOR. Die Welt ist voller Wunder: Handschuh samt Ring dem Chaos abgerungen. Gelobt sei Sneederhan! *Er schwenkt die Gegenstände.* Es ist dein Ring, Vera! *Er präsentiert ihn auf den Händen.*

VERA *sieht ihn an.* Es ist der Ring. *Sie berührt ihn nicht.*

VIKTOR. Dein Gang zu Sneederhan war der genialste Einfall. Der Mann hat Zauberkräfte. Ich habe bis zum letzten Moment gezweifelt – aber ich wurde bekehrt, als alles sich so verhielt, wie er geweissagt hatte. Phantastisch. Jetzt ist der arme Kerl in einem Prozeß verwickelt, bei dem du ihm helfen sollst. Er läßt dich als Zeugen laden. Und wirklich: du kannst bekräftigen, daß er nicht irrt.

VERA. Irrt er sich nie?

VIKTOR. Zu fünfzig Prozent bestimmt. Das gibt er auch unumwunden zu. Die Medien lassen ihn zumeist instich.

VERA. Ich war ein gutes Medium.

VIKTOR. Der Ring beweist es. Willst du ihn nicht aufstecken?

VERA. Noch nicht.

VIKTOR. Er paßt auch nicht zum Kleid. *Er legt ihn auf den Tisch, nimmt die Pläne auf. Zur Dame.* Was wird mit unseren Plänen?

DAME. Ich wollte heute mich entscheiden.

VIKTOR. Wo setzen wir uns hin?

DAME. Am besten ins Hotel.

VIKTOR. Sie sind die Auftraggeberin – wie Sie bestimmen.

DAME *zu Vera*. So nüchtern spricht er, wenn es sich um Geschäfte handelt. *Zu Viktor*. Wir fahren.

VERA *nach dem Karton sehend*. Es – ist das zugeschnittene Kostüm hier. Du sollst es nicht begutachten. Das Atelier will weiter arbeiten. *Zur Dame*. Du mußt mir helfen – Viktor läßt uns allein. Warte im Wintergarten, bis ich dich rufe. Es dauert auch nicht lange. Wir sind bald fertig! *Sie schiebt Viktor zur Tür rechts hinaus – verschließt hinter ihm. Dann beginnt sie sofort ihr Kleid auszuziehn. Während sie den Karton aufmacht, spricht sie*. Wie findest du mich?

DAME. Worauf bezieht sich deine Frage?

VERA. Wie ich gewachsen bin?

DAME. Du hast tadellose Figur.

VERA. Entdeckst du keine Fehler?

DAME. Du bist, wie du bist – vollendet.

VERA. Wirklich?

DAME. Von beneidenswerter Frische ist dein Fleisch.

VERA. Ohne Schmeichelei?

DAME. Ich mache keine Komplimente – ich konstatiere, was da ist.

VERA. Dann bin ich beruhigt.

DAME. Weshalb fragst du?

VERA *hat dem Karton das weiße Kostüm entnommen*. Weil ich wissen mußte, ob ich reizvoll genug bin – einem Mann soviel zu geben, wie er sich wünscht.

DAME. Viktor?

VERA. Nur Viktor.

DAME *verstummt*.

VERA *beginnt, sich das Kostüm überzustreifen*. Wenn du mir jetzt behilflich sein willst – – Es ist noch nichts genäht, du mußt die Stecknadeln verwenden. Verletze dich nicht.

DAME *schon hantierend*. Ich gebe acht, um auch dich nicht mit Nadelstichen zu verletzen.

VERA. Ich habe die geringeren Verletzungen zu befürchten.

DAME. Hast du mehr Angst um mich?

VERA. Es würde dich besudeln.

DAME. Ein Tröpfchen Blut?

VERA. Die unsauberen Gedanken, die in meinem Kopfe nisten.

DAME. Woran denkst du?

VERA. An Viktor und den Papageienmantel.

DAME. Das – fällt dir ein??

VERA. Schon zürnst du. Ich weiß, es ist nichts geschehn. Es verlief alles – so harmlos. Du hast kein Wort zu wenig gesagt. Viktor hat alles bestätigt. Es konnte nichts geschehen sein, was mich kränken könnte.

DAME. Ich garantiere es dir.

VERA. Für die Vergangenheit übernimmst du die Bürgschaft – aber die Zukunft kann keiner vorausbestimmen.

DAME. Was soll denn da geschehen?

VERA. Da könnte es geschehen – da muß es sogar geschehen.

DAME. Daß Viktor – –??

VERA. Daß du dich mit Viktor triffst – heimlich – – und ich habe Schuld an eurem Verhältnis.

DAME. Jetzt habe ich mich wirklich gestochen!

VERA. Tut es weh? Das andre schmerzt noch mehr, wie ich dich immer mit meinem Argwohn beleidigen werde, solange ich dich neben Viktor sehe.

DAME. Mein Gefühl für Viktor kennst du.

VERA. Kameradschaft heute – morgen Leidenschaft.

DAME. Vera!

VERA. Bestimmt. Ich führe euch zusammen. Ob ihr wollt oder nicht. Ihr werdet es mir von den Augen ablesen, was ich denke, wenn ich euch sehe. Es liegt eine unheimliche Macht in solchen Dingen – stärker als euer Widerstand. Ihr müßt euch treffen.

DAME. Warum denkst du es denn?

VERA. Weil sich der Ring gefunden hat – wird alles sich so finden wie der Ring!

DAME. Das sind doch Hirngespinste.

VERA. Aber folgenschwere. Oder müßte ich mich nicht töten, wenn ich euch einander in die Arme getrieben habe – mit meinen Hirngespinsten? Daß ich aus meiner besten Freundin eine Betrügerin mache – aus meinem Mann einen Betrüger? Mich würde die Scham ersticken – ich würde bald atemlos am Boden liegen. Ihr hättet recht, mich mit den Füßen wegzustoßen – wie eine Verbrecherin, die alles Unheil anrichtete. Denn ihr wollt euch doch nicht lieben?

DAME *unsicher*. Ich lehne deine Verdächtigungen ab –

VERA. Das hilft dir nichts. Ich hänge sie dir an. Nicht abzuschütteln. Wann triffst du dich mit Viktor?

DAME. Es besteht keine Verabredung –

VERA. Noch nicht. Doch bald, weil ich dich immer fragen werde: wann. Dann fällt's dir ein, dann zappelst du im Netz und bist dem Betrug rettungslos ausgeliefert. Willst du mich mit Viktor betrügen?

DAME. Ich will mit Viktor nicht –

VERA. Tu's nicht. Es könnte auch mit deinem Alfred vom zehnten März kollidieren. Obwohl du Buch führst, könnte dir ein Versehen passieren. Du verlörst beide. So behältst du Alfred. Einverstanden?

DAME. Du sprichst in einem Ton –

VERA. Der viele Worte überflüssig macht!

DAME. Was – verlangst du von mir?

VERA. Daß du auf deinen Bauherrn für deine Villa verzichtest.

DAME. Das heißt?

VERA. Was heißt es also?

DAME. Wir trennen uns?

VERA *drückt die Klingel.*

ZOFE *kommt.*

VERA. Die Dame wünscht hinausgeleitet zu werden.

DAME *betrachtet Vera – blickt nach der Tür rechts – zuckt die Achseln – ab.*

ZOFE *folgt ihr – ab.*

VERA *geht zum Tisch – zerreißt die Pläne, dann schließt sie die Tür rechts auf – klingelt wieder.*

ZOFE *kommt.*

VERA. Mein Mann. Im Wintergarten.

ZOFE *rechts ab.*

VERA *stellt sich auf; mit den gespreizten Fingern rafft sie den weiten Rock auseinander.*

VIKTOR *kommt von rechts.*

VERA. Wie findest du mich?

VIKTOR *sich umblickend.* Bist – du allein?

VERA. Gefalle ich dir?

VERA. Wo ist – – *Er öffnet die Tür links – sieht hinein.*

VERA. Entspricht es deinen Wünschen?

VIKTOR. Was?

VERA. Das Kostüm?

VIKTOR. Ist sie gefahren – ohne mich?

VERA. Es fehlt nur der Akzent – das Blau des Rings. Bringe ihn mir vom Tisch.

VIKTOR *geht hin – entdeckt die zerrissenen Pläne.* Was ist das?

VERA. Deine Pläne – zerrissen.

VIKTOR. Wer tat das?

VERA. Wer kann es hier getan haben?

VIKTOR. – – – – Vera????

VERA. Du hättest anders nicht mein Kostüm vollenden können. Willst du es jetzt vollenden?

VIKTOR *nimmt den Ring – tritt mit Unsicherheit vor Vera.* Das will ich doch vollenden – mit dem Ring.

VERA. Hier ist mein Finger.

VIKTOR. Empfängst du ihn – wie damals?

VERA. Soll ich ihn so empfangen?

VIKTOR. Wie niemals, Vera, so ein Ring gefunden war! *Er zieht Vera an sich. – In der Diele geht die Zofe von rechts nach links vorüber – kommt mit einem Brief zurück.*

VIKTOR. Für mich?

ZOFE. Für gnädige Frau. *Ab.*

VERA *nimmt den Brief – öffnet – liest.*

VIKTOR. Was bekommst du für große gelbe Briefe zugeschickt?

VERA. Vom Gericht. Meine Vorladung als Zeuge.

VIKTOR. Wirst du nun schwören?

VERA. Mit Inbrunst, Viktor, jeden Eid für Sneederhan!

Vorhang.

[1928/29; 1929]

ZWEI KRAWATTEN

Revuestück in neun Bildern

PERSONEN

BALLGAST	ERSTER REPORTER
JEAN	ZWEITER REPORTER
DAME	DRITTER REPORTER
MABEL	VIERTER REPORTER
CHARLES	ERSTER HERR
ERSTER KELLNER	ZWEITER HERR
KLAVIERSPIELER	DRITTER HERR
KNEIPGAST	VIERTER HERR
KNEIPWIRT	FÜNFTER HERR
TRUDE	SECHSTER HERR
BANNERMANN	SIEBENTER HERR
KAPITÄN	SENATOR
STEWARD	KONTROLLÖR
HEIZER	ZUGFÜHRER
ADVOKAT	ZWEITER KELLNER
SCHREIBER	NEBENMANN
FRAU ROBINSON	

BALLGÄSTE, PASSAGIERE OBEN, PASSAGIERE UNTEN, MATROSEN, DIENER, TÄNZERINNEN

ERSTES BILD

*Der Vorhang öffnet sich vor leerer Bühne, die das Treppen-
haus eines luxuriösen Vergnügungsetablissements zeigt.*
*Auf dem obersten Treppenabsatz erscheint der Kellner Jean
– auf hochgespreizten Handflächen Tablett mit Sektgläsern
und Sektkühler mit Sektflasche meisterhaft balancierend.*
*Bei seinem ersten Schritt die Stufen abwärts setzt die Orche-
stermusik ein, um Jeans Niedergang von Stufe zu Stufe mit
anwachsender Stärke zu begleiten – bis zum jähen Abbruch,
als Jean unten ist und aus links hastig aufgestoßener Tür ein
Ballgast tritt.*

BALLGAST *mit sichtlicher Verwirrung beim Anblick Jeans.*
Kellner – wo bleibt der Sekt?
JEAN. Bestellten der Herr bei mir?
BALLGAST. Kellner sind Kellner – sieht einer wie der andre
aus. *Dabei blickt er sich suchend im Raum um.* Man merkt
sich die Gesichter nicht.
JEAN. Wo hat der Herr seinen Tisch?
BALLGAST. Ich habe keinen Tisch – ich promeniere.
JEAN. Bedaure – Service nur am Tisch. *Er eilt links ab –
drückt mit dem Ellbogen die Türklinke nieder: Tanzmusik
schallt herein.*
BALLGAST. Kellner!
JEAN. Der Herr?
BALLGAST. Wohin führt die Treppe?
JEAN. Für Kellner. Für Gäste verboten.
BALLGAST *zischend.* Verdammt!

*Jean ab – die Tür halb offen lassend, durch die eine Dame
hereinsieht und rasch eintritt.*

DAME. Hier bist du? Ich suche dich in allen Sälen.
BALLGAST *hinter ihr die Tür schließend.* Du suchst mich nicht
allein.

DAME. Wer sucht dich noch?

BALLGAST. Die Kriminalpolizei.

DAME. Um Himmels willen – du hast doch nichts ver-verbrochen?!

BALLGAST. Schrei' nicht. Hier können Kellner kommen.

DAME. Bist du denn – ein Verbrecher?

BALLGAST. Was ich bin – das kannst du erfahren, wenn sie mich fassen. Aber sie sollen mich nicht fassen.

DAME. Wir fahren sofort nach Hause.

BALLGAST. Im Auto über die Dächer? Es ist nicht eine Tür ohne Bewachung – im nächsten Augenblick patrouillieren sie im Saal und entdecken mein nicht unbekanntes Profil. Das wäre ein Fang!

DAME *schluchzend*. Ich habe nichts gewußt.

BALLGAST. Für nachträgliche Konfessionen keine Zeit – ich bin ein Gauner. Erledigt. Wie komme ich hier heraus?

DAME. Entsetzlich – wenn du nicht fliehen kannst. Versuche über die Treppe.

BALLGAST. Für Kellner. Für Gäste verboten. *Nach der Tür, deren Klinke benutzt wird, sehend.* Wer kommt?

DAME. Was wird aus mir?

BALLGAST. Man kommt.

DAME. Die Kriminalpolizei?!

Jean kommt.

BALLGAST *lächelnd*. Kellner.

Während Jean die Tür noch offen hält, dröhnt der Schall von mächtigen Gongschlägen herein. Die Tanzmusik verstummt.

DAME *verängstigt*. Was – bedeutet – das?

JEAN. Der Hauptgewinn der Tombola ist gezogen.

BALLGAST. Großartig. Darum mußt du dich kümmern. Vielleicht bist du diejenige, welche – *Er führt die Dame zur Tür.*

DAME. Du hast das Los –

BALLGAST. Geh' schon voran. *Er schiebt sie aus der Tür.*

JEAN *steigt die Treppe hoch.*

BALLGAST *sieht ihm nach – ruft dann.* Kellner – wollen Sie tausend Mark verdienen?

JEAN *steht still*. Pardon?

BALLGAST *zieht den Geldschein aus der Tasche.* Auf einen Schlag diesen Tausender?

JEAN *herunterkommend.* Wofür?

BALLGAST. Für eine schwarze Krawatte!

JEAN. Woher sie nehmen?

BALLGAST. Von Ihrem Hals.

JEAN. Ich habe keine zweite.

BALLGAST. Sie kriegen meine weiße. Für tausend.

JEAN. Tausend??

BALLGAST. Barzahlung. Vorwärts. Es eilt der Tausch. So – losgeknotet. Eins – zwei – drei und hurtig fertig! *Er hat sich die schwarze Krawatte umgebunden.*

JEAN *betrachtet den Geldschein – unbeweglich.*

BALLGAST *ihm die weiße Krawatte umbindend.* Darf ich den Herrn bedienen? Zum Frack die weiße Binde – vorschriftsmäßig für den Herrn, der einen Ball besucht. Ins Knopfloch auch die weiße Chrysantheme. Und in die Tasche die Ballkarte – und was noch? – das Los der Tombola, das jeder kaufen muß – aus schönsten Händen! *Zurücktretend.* Sie sind komplett, mein Herr – ganz Kavalier – – und ich der Kellner, bei dem Sie Ihren Sekt bestellten. Ich hole ihn – ich laufe – *Die Treppe in Sprüngen nehmend.* – treppauf, wo nur die Kellner laufen dürfen – und weiter über Dächer aus der Falle! *Oben ab.*

JEAN *träumerisch.* Er hat mir tausend Mark bezahlt für eine schwarze Krawatte, die achtzig Pfennig kostet – mit Rabatt vom Kellnerverein – gebraucht dazu – und schenkte mir noch seine weiße Krawatte, die neu ist – *Er tastet nach der weißen Krawatte und berührt dabei die Chrysantheme.* – und seine Blume steckte er mir an, die ihren Preis hat – sie nennt sich Chrysantheme. *Er faßt sich in die linke Brusttasche.* Dies gab er mir – Ballkarte für den Herrn. *Er steckt sie zurück – holt aus der rechten Tasche das Los.* Sein Los der Tombola. Das hat die Nummer drei drei drei – dreihundertdreiunddreißig. Aus schönsten Händen kauft man das. Wer kauft? Wer Kavalier ist. *Sich zusammenraffend.* Du bist Kellner, Jean. Es kommen Gäste, Jean, du mußt bedienen!

Der Tür links hatte sich von außen Lärm genähert – man öffnet: die Tanzmusik spielt wieder – an der Spitze eines Trupps von Ballgästen kommt Mabel.

MABEL. Ich muß finden, wer das größte Gewinn gezogen hat!

CHARLES. Hier ist doch das Treppenhaus.

MABEL. Da steht noch ein Gentleman.

CHARLES. Versuche dein Glück.

MABEL *zu Jean tretend*. Mein Herr – verzeihen Sie meine Annäherung: kann ich haben das Los, wo Sie halten bei Ihrer Hand?

JEAN *eifrig*. Zu dienen.

MABEL. Will ich lesen die Nummer – *Lachend*. Three – and three – and three!! – Three cheers for the gentleman who has drawn the first prize!

EIN BALLGAST. Hier ist der glückliche Gewinner entdeckt!

ANDRE BALLGÄSTE. Wo? – Wer? – Da steht er. – Lassen Sie mich den Glückspilz auch betrachten. – Fescher Kerl. – Der hat's gewiß nicht nötig, gratis zu reisen. – Fabelhafte Figur. – Bißchen protzig mit der Chrysantheme wie'n Blumenbeet. – Neidisch sind wir alle. – Die Amerikanerin macht sich mächtig an ihn ran. – Vergnügte Hochzeitsreise. – Die reisen zusammen nach Amerika!

MABEL *zu Jean*. Wann werden Sie reisen auf Ihr Los in unser Land?

JEAN. Verzeihung, meine Herrschaften – es ist ein Zufall, wenn ich –

EIN BALLGAST. Lotterie ist immer ein Zufall, damit verkünden Sie keine besondere Weisheit.

MABEL. Sekt soll kommen!

JEAN. Sofort! *Er eilt weg.*

MABEL. Wohin wollen Sie laufen? Wir wollen erst Sekt trinken zusammen – und dann machen wir einen Tanz hier, wo ich habe Sie gefunden! *Zu Charles*. Charles, please go for champagne!

CHARLES *links ab*.

MABEL. Sie müssen in unser Gesellschaft sein – das sind alle meine Freundinnen und Freunde. Haben Sie keine Dame auf dem Ball?

JEAN. Selbstverständlich nicht.

MABEL *zu ihrer Umgebung*. Warum sagt er: selbstverständlich?

EIN BALLGAST. Wo Miß Mabel ist, herrschen keine anderen Göttinnen.

MABEL *zu Jean*. Sie sind ein wirklicher Gentleman. Wundervoll. Sie haben meinen großen Gefallen. *Sie reicht ihm die Hand.*

JEAN *nimmt sie zögernd.*

Charles kommt wieder: hinter ihm Kellner mit Sekt. Eine Musikkapelle folgt.

CHARLES. Da ist Sekt – und da ist Musik, liebe Kusine.

MABEL. Erst wollen wir trinken auf eine Reise nach Amerika vom Gentleman –

CHARLES. – und unsrer Mabel.

MABEL. Wirst du bleiben in Europa?

CHARLES. Falls du in andrer Begleitung reist!

JEAN *nimmt ein Glas – gedämpft zum Kellner.* Franz, kennst du mich nicht?

DER KELLNER *sieht befremdet auf.* Wie meinen der Herr?

JEAN *nickt – trinkt – schmettert das leere Glas auf den Boden.* Dann muß es wohl so sein, wie es nicht anders sein soll!!

Die Musik beginnt – Jean fordert Mabel zum Tanz auf. Die beiden tanzen allein, während die anderen in die Hände klatschen.

ZWEITES BILD

Kellnerkneipe: zwei hochgelegene niedrige Fenster links, darunter ein Podest mit Klavier – hinten steiler Treppenschacht – rechts Schanktisch – mitten zwei Tische.
Hinterm Schanktisch der Kneipwirt – am Klavier der Klavierspieler: ein kümmerlicher Alter in verschlissenem Gehrock – am ersten Tisch ein Kneipgast: baumstarker Kerl in kraßbuntem Sweater – am zweiten Tisch Trude, ein junges Mädchen.

KLAVIERSPIELER *klimpert eine Weile – dann singt er krächzend.* Einmal wollte auch ich – da war es noch Zeit – –

KNEIPGAST. Mensch, hör' bloß auf!

TRUDE. Lassen Sie ihn doch singen.

KNEIPGAST. Wenn's ein richtiges Lied wäre, mit gusto meinerseits – aber haben Sie schon mehr gehört als den ganzen Abend: einmal wollte auch ich – da war es noch Zeit?

TRUDE *zuckt die Achseln.*

KNEIPWIRT. Es gibt so Lieder ohne Ende.

KNEIPGAST. Verfluchte Lieder sind das – bei denen man sich alles denken kann!

TRUDE. Ich finde es sehr schön, sich selbst den Text zur Musik auszudenken.

KNEIPGAST. Dann haben Sie wohl noch keine schlechten Erfahrungen mit dem Leben gemacht, Fräulein?

TRUDE. Vielleicht nicht – vielleicht doch.

KNEIPGAST. Mir fällt verdammt viel Dreck ins Schnapsglas, wenn einer am Tischbein wackelt!

KNEIPWIRT *sich umwendend.* Der Protest dieses Gastes ist vollkommen berechtigt.

KNEIPGAST. Wer recht hat, bin allemal ich!

KLAVIERSPIELER. Ich improvisierte – schattenhaft gestreift von einem Ereignis, das ich nicht kenne – erst in Tönen, dann mit diesen abgebrochenen Worten, die auf Widerspruch stießen –

KNEIPGAST. Wieviel hast du denn gesoffen, alter Kunde?

KLAVIERSPIELER. Mit Zurückhaltung an diesem Abend, mein Herr. Durchaus gemäßigter Genuß, obwohl Getränke mir gratis zur Verfügung stehn. *Sehr verlegen.* Es hat mich was gestreift – –

KNEIPGAST. Sag' endlich, was du einmal wolltest – oder ich schmeiss' dich jetzt krachend ins Akkordion!

KLAVIERSPIELER *duckt sich über die Klaviatur – spielt und singt*. Einmal wollte auch ich – mich heben lassen aufwärts – von glitzernden Flügeln – über sechs Tage der Not – ins siebente Glück ohne Not – ich wünschte es heiß – da war es noch Zeit. Danach verging die Zeit – ich verspielte im Kino den Atem – meine Finger zerbrach ich auf den ewigen Tasten – ich hörte halbtaub – ich wünschte so müde – war da es noch Zeit? *Er spielt weiter*.

KNEIPWIRT *summend*. Einmal wollte auch ich – mich Montags nicht in der Bierstube einfinden, wo es dumpf roch – und Zigarettenreste den Boden beschmutzten – ich wollte aufwachen und Chef eines Grandhotels sein – der immer alle Zimmer besetzt hat – mit prima Gästen – ganz international – ich wünschte es heiß – da war es noch Zeit. Danach verging die Zeit – ich konditionierte in zweitklassigen Häusern – es verfiel meine Kluft – ich wurde zu langsam – ich verlor jede Hoffnung – war da es noch Zeit?

KLAVIERSPIELER *spielt weiter*.

KNEIPGAST. Einmal wollte auch ich – ich lernte Schofför – ich fuhr wie kein zweiter – alle Marken der Welt – ich wußte Bescheid – und hatte im Kopf eine feine Erfindung – da war es noch Zeit. Danach verging die Zeit – ich soff den verbotenen Fusel – und fuhr nicht mehr sicher – der Wagen zerschellte – zwei Tote – war da es noch Zeit?

KLAVIERSPIELER *spielt weiter*.

TRUDE *leise*. Einmal will auch ich – – was will ich einmal – – –?

KLAVIERSPIELER *sich nach ihr umdrehend – mit überlaut krächzender Stimme*. Was willst du einmal?

TRUDE *lachend*. Können Sie mir das verraten?

KLAVIERSPIELER *bei vollen Akkorden*. Auf glitzernden Flügeln das Glück.

Durch die niedrigen Fenster bricht greller Lichtschein in den Keller.

KNEIPWIRT. Was hat denn das zu bedeuten?

KNEIPGAST. Das ist Autolicht.

KNEIPWIRT. Woher kommt hierher nachts ein Auto vorgefahren?

KNEIPGAST *auf das Podium tretend, um hinauszuspähn*. Direkt vorm Keller. Mit dem Sucher verschaffen sie sich Orientierung.

KNEIPWIRT *ebenfalls auf dem Podium.* So eine Maschine!

KNEIPGAST. Rolls Royce – gar nichts zu mäkeln.

KNEIPWIRT. Steigen die hier aus?

KNEIPGAST. Mit Richtung auf geradezu!

Das Autolicht verschwindet.

KNEIPWIRT. So was stimmt nicht –

KNEIPGAST *stößt ihn vom Podium.* Markier' nicht den Däm-
lichen – *Dem Klavierspieler auf die Schulter schlagend.* –
Spiel', Kantor, was der Wimmerkasten hergibt – hier ist
voller Nachtbetrieb im Gange! *Er führt einen klotzigen
Tanz auf.*

*Den Treppenschacht kommen Mabel im Pelz – Charles und
Jean mit Zylinder und Frackumhang herunter.*

JEAN *zu Mabel und Charles.* Da sind wir!

MABEL. Das ist – wundervoll!

JEAN. Ich empfehle diesen Tisch – den einzigen, der frei ist –
jedenfalls wollen wir die Dame am anderen Tisch nicht in-
kommodieren. *Er fixiert Trude. Die drei setzen sich.*

JEAN *klatscht in die Hände.* Bedienung! *Zu Mabel und
Charles.* Bier nach so viel Sekt? – Also Bier. Drei Bier.

TRUDE *starrt ihn an.* Jean – – –??

JEAN *grüßt sie belustigt mit Zylinderschwenken.*

CHARLES *zu Mabel.* Fürchtest du dich denn nicht in dieser Kaschemme?

MABEL. Was ist – Kaschemme?

JEAN. Wo's lebensgefährlich zugeht, wenn's erst mal losgeht.

MABEL. Lassen Sie es losgehn.

CHARLES. Genügt dir das noch nicht?

MABEL. Unser neuer Freund hat uns versprochen, daß wir
nach dem Ball noch finsteres Berlin sehen sollen. Er muß sein
Versprechen halten.

JEAN. Davon wird nichts zurückgenommen!

KNEIPWIRT *stellt die Gläser hin – starrt Jean an.* Jean – –!

MABEL. Kennt man Sie hier?

JEAN. Als Fürchtenichts in jeder Lebenslage! *Er steht auf,
tritt zum andern Tisch, wo der Kneipgast Trude mit Gewalt
zum Tanzen zwingen will.*

KNEIPGAST. Mädel – jetzt tanz', oder es setzt was!

JEAN. Lass' sie in Ruhe!

KNEIPGAST. Gehört das Mädel dir?

JEAN. Gehört sie dir?

KNEIPGAST. Woll'n wir uns um das Mädel streiten?

JEAN. Los! *Er wirft den Umhang ab – zieht den Frack aus und setzt sich in Positur.*

CHARLES. Das geht doch viel zu weit.

MABEL. Es wird ein spannendes Match. Ich wette auf den Gentleman.

Jean und der Kneipgast kämpfen unter atemloser Stille – Jean boxt den Kneipgast zu Boden.

MABEL. Knockout!!

Händeklatschen.

JEAN *zieht sich den Frack wieder an – zu Mabel.* Verzeihen Sie – ich will mit dem Mädel ein paar Worte reden. Lassen Sie sich vom Klavierspieler etwas vorspielen, er hat mal bessere Zeiten gesehn.

Mabel und Charles betreten das Podium.
Der Klavierspieler spielt gedämpft.

JEAN *setzt sich zu Trude. Flüsternd sprechend.* Was fällt dir auf?

TRUDE. Wie siehst du aus? – – die weiße Krawatte – –??

JEAN. Und außerdem?

TRUDE. Die Blume – – der Zylinder – – der Umhang – –: bist du denn kein Kellner mehr?

JEAN. Den hab' ich mit der schwarzen Krawatte abgelegt. Ich wollte nicht – ich mußte. Das ist alles nicht zu erzählen. Mit einmal war ich Gast auf dem Ball. Mich bedienten die Kellner. Den Sekt zechte ich, den ich sonst servierte. Was sagst du dazu?

TRUDE. Die feinen Leute, mit denen du kommst?

JEAN. Mit denen fahre ich nach Amerika. Das heißt: mit dem Herrn nicht, der bleibt in Europa – ich begleite an seiner Stelle die Dame.

TRUDE. Warum reist du denn nach Amerika?

JEAN. Weil ich doch das Los für eine Reise nach Amerika gewonnen habe!

TRUDE. Darum bist du kein Kellner mehr?

JEAN. Das gewann ich nachher, als ich schon der Gentleman war! Frag' mal nichts – es geht seinen Weg. Ich bin nur noch mal gekommen, um von dir Abschied zu nehmen. Unter dem Vorwand, ihnen einen Berliner Keller zu zeigen, brachte ich meine Gesellschaft hierher. Dich wollte ich sehn vor dem grossen Start. Morgen per Auto nach Hamburg – dann zu Schiff. Freust du dich nicht?

TRUDE. Muß ich – mich freuen?

JEAN. Wenn ein Mensch Glück hat? Das ist eine so große Rarität auf dieser grauen Erde, daß die Hunde vor Vergnügen auf ihren Schwänzen pfeifen müssen.

TRUDE. Und – was wird aus mir?

JEAN. Es ist doch nicht aller Tage Abend. Erst muß doch mal einer – *Summend.* Einmal möchte auch ich – was weiß ich von mir? – wer wird denn geboren – und ist so und so – und ändert nichts mehr – und läßt sich lebendig begraben – vor seiner Zeit? Es ist ja noch Zeit – es ist noch gar nichts entschieden – ob das so oder so kommt – wer läßt sich verblüffen? – und überlegt – und verpaßt seine Zeit? Verwahre mein bißchen Hab' und Gut, das ich oben zurücklasse. Wert hat es nicht, aber die Erinnerung – – *Aus der Tasche den Geldschein ziehend.* Hier hast du doch, was Wert hat!

TRUDE. Tausend Mark??

JEAN. Für dich – und keine Silbe mehr davon. Einmal will auch ich – jetzt ist es noch Zeit – –

MABEL *hatte beobachtet, wie Jean das Geld hingab. Zu Charles.* Charles – unser Freund bezahlt für uns – er hat dem Mädel tausend Mark gegeben. Ersetze ihm sofort den Betrag. Es war für unser Vergnügen!

CHARLES *tritt zu Jean und reicht ihm Geld.* Unter keiner Bedingung, lieber Freund –

JEAN *kassiert mit Verbeugung ein.* Danke gehorsamst dem Herrn!

CHARLES *legt für das Bier Geld auf den Tisch.* Wir können aufbrechen. *Er läßt Mabel und Jean vorausgehn – folgt. Die drei ab.*

KNEIPWIRT *tritt zu Trude.* Was ist mit Ihrem Jean?

TRUDE. Er reist nach Amerika – und wird sich in die feine Dame verlieben.

KNEIPWIRT. Als Kellner?

TRUDE *schüttelt den Kopf.* Als Gentleman – der mir tausend Mark zurückläßt.

KNEIPWIRT. Auf einen Schlag – tausend??

TRUDE *nickt.*

KNEIPWIRT. Was machst du mit tausend?

TRUDE *blickt auf.* Ich reise – – nach Amerika!

Der Klavierspieler intoniert: »Einmal wollte auch ich – da war es noch Zeit«.

DRITTES BILD

Das Schiff führt in die Tiefe der Bühne: vorne das untere Deck – hinten das obere Deck – darüber noch der Aufbau der Kapitänsbrücke. Auf dem unteren Deck zwischen Taurollen, Maschinenteilen usw. hocken schlafend – mit Mützen, Tüchern sich gegen die pralle Mittagssonne schützend – die Passagiere der niederen Klasse. Auf dem oberen Deck unter dem Sonnensegel ruhen die Passagiere der ersten Klasse, in langen Liegestühlen. Auf der Brücke späht der Dickwanst von Kapitän aus langem Fernrohr in die Fahrtrichtung – ein Matrose neben ihm bedient das Steuerrad.

Zuerst ist der stampfende Rhythmus der arbeitenden Schiffsmaschine der einzig vernehmbare Laut – dann erhebt sich in gleichem Takt das Atmen aller schlafenden Passagiere zu stärkerem Geräusch – bis auch der Kapitän rhythmisch sein Fernrohr von links nach rechts wirft und der Matrose das Steuerrad ruckweis hin und her dreht. Nach einem Fortissimo ebbt der Schlaflärm zu tiefer Stille ab.

Aus der Lukentür im unteren Deck steigt der Rechtsanwalt Bannermann – gefolgt von einem Steward.

BANNERMANN *hochrot – laut.* Eine ehemals rote Aktenmappe – genau wie ich sie Ihnen beschrieben habe. Oder verlangen Sie, daß ich zur Abwechslung einen anderen Gegenstand zum Verlust anmelde? Auch damit könnte ich dienen, wenn es Sie aufheitert – die Geduld habe ich verloren. Vielleicht stolpern Sie darüber, dann heben Sie sie bitte auf, wenn Ihnen die Kniebeuge nicht zu anstrengend ist!

STEWARD. Wo ist Ihnen denn Ihre Mappe abhanden gekommen?

BANNERMANN. Das will ich Ihnen genau verraten. Beim Schwimmen. Mir wurde es zu heiß hier auf Deck – ich riß mir meine Bekleidung vom Leibe und schoß gewandt im Hechtsprung übers Geländer. Nur mit der Mappe unterm Arm. Nach stundenlangem Schwimmbad ermüdete mein rechter Arm und konnte die Mappe nicht mehr halten – da sehen Sie hin: da tanzt sie auf den Wogen des Atlantischen Ozeans!

STEWARD *lächelnd.* Dann wird sie wohl nicht zu retten sein.

BANNERMANN *klopft ihm auf die Schulter.* Das sagen Sie, mein Lieber, in Ihrer engelhaften Ahnungslosigkeit. Aber wäre es wirklich der Fall und ich flüsterte dem Kapitän ein

Wörtchen: er würde auf der Stelle mit seinem ganzen großen Dampfer beidrehn und sämtliche Rettungsboote flottmachen!

STEWARD. Seit wann vermissen Sie diese kostbare Mappe?

BANNERMANN. Seit wann – hier steht doch die Zeit still. Hier ist doch morgens wie abends – auf so 'nem Floß. Wasser – Wasser – Wasser und einmal Luft drüber. Ich weiß nicht: wo und wann und wie. Ich gebe nur zu Protokoll: daß ich eine ehemals rote Ledermappe verloren habe und unter allen Umständen wiederzufinden wünsche!

STEWARD. Es wurde überall gesucht, wo eine Möglichkeit bestand –

BANNERMANN. Wo sind wir? Auf 'nem Schiff. Das Schiff ist vom Meer umgeben. Einem Diebe gelänge kein Entweichen – also muß sie im Schiff sein. Oder es ist kein Schiff – dann ist der ganze Seeverkehr Schwindel. Ich dringe auf sofortige Rückerstattung des Fahrgeldes. Entschädigung für Zeitverlust selbstverständlich. Oder fahre ich zum Vergnügen nach Amerika? In das Land ohne Freuden? Sehe ich wie ein Abstinent aus? Ich reise in Geschäften – ich verfechte Ansprüche – mir sind die Akten anvertraut – mir, dem Rechtsanwalt Bannermann aus Berlin – und hier auf allerhöchster See soll was verschwinden können, wo die Welt klein wie 'ne Nußschale ist? Lachhaft!

STEWARD. Sie stören die Mittagsruhe der Passagiere.

Bannermanns Redeschwall hat die Schläfer geweckt: unten und oben beginnt man auf Bannermann aufmerksam zu werden. Man fragt: »Was ist denn los?«
Auch der Kapitän dreht sein Fernrohr nach Bannermann.

BANNERMANN *ungeniert*. Das geht mich einen Dreck an, wer hier nicht schlafen kann. Habe ich meine Mappe verloren oder habe ich sie nicht verloren?

STEWARD. Man wird das ganze Schiff durchsuchen.

BANNERMANN. Darauf lege ich Wert – darauf möchte ich auch nicht verzichten!

STEWARD. Sie werden Ihre Mappe wiederbekommen. *Er steigt durch die Luke wieder hinunter.*

BANNERMANN *ihm nachrufend*. Von ehemaligem Rot – damit Sie sie gleich erkennen!

Die Passagiere der ersten Klasse dehnen sich und gähnen – im Chor: »Wir können nicht mehr schlafen – wir wollen wieder essen – wir schlafen und wir essen – bis nach Amerika.« Sie entfernen sich nach hinten – ab.

Der Kapitän verläßt die Brücke und übergibt das Kommando samt Fernrohr einem jüngeren Offizier.

Am Gitter oben sind nur zwei Passagiere zurückgeblieben: Mabel und Jean. Unten zog ein Mädchen ein Tuch vom Gesicht: es ist Trude.

TRUDE *erblickt Mabel und Jean – zieht Bannermann, der bei ihr steht, neben sich nieder, um sich hinter seiner Breitseite zu verbergen.* Setzen Sie sich rasch. Bleiben Sie so sitzen. Ich bitte Sie.

BANNERMANN. Was denn – warum denn?

TRUDE *hastig.* Später alles.

BANNERMANN. Ich wünsche keine Bordbekanntschaft.

TRUDE. Ich belästige Sie nie wieder.

BANNERMANN. Ekelhaft. *Er trocknet sich den Schweiß.*

MABEL. Haben Sie keine Lust, wieder zu essen wie die andern?

JEAN. Ich habe auch nicht geschlafen vorhin wie die andern.

MABEL. Macht Sie die Seefahrt nicht müde?

JEAN. Sehr munter.

MABEL. Auch nicht hungrig?

JEAN. Ich kriege schon Appetit.

MABEL. Wonach?

JEAN *legt seine Hand auf ihre.* Nach – – – –

TRUDE *seufzt tief.*

BANNERMANN. Fehlt Ihnen was?

TRUDE. Ja.

BANNERMANN. Das ist ja – ekelhaft!

MABEL *sah Jean an – wendet sich ab – sieht nach unten.* Jetzt unterhalten sich die armen Passagiere!

Eine Musikbande hat mit primitiven Instrumenten zu spielen begonnen.

MABEL *nach dem Spiel.* Werfen Sie den Leuten ein Geschenk hinunter.

JEAN *tut es.* Ihr könnt es zu was bringen, wenn ihr euch anstrengt! *Mabel und Jean entfernen sich oben.*

TRUDE *hat sich aufgerichtet und sieht ihnen nach.*

BANNERMANN. Beehren Sie die beiden mit Ihrem Blick? Das ist das widerwärtigste Paar, das hier an Bord flaniert. Mir sind sie vom ersten Tage an ein Dorn im Auge. So was Protziges. Die andern sind schon – *Wegwerfende Geste.* – aber die zwei: zum spein. Die übrigen da oben fressen und schlafen bloß, das stört keinen – aber die beiden poussieren noch, daß sich einem die Nase krümmt. Wäre mir nicht schon von der Seekrankheit schlecht, dabei käme mir das Kotzen!

TRUDE. Es ist – –

BANNERMANN. – ein Skandal, wie sich das aufführt. Am Lande läßt sich das nicht kontrollieren, aber hier unter aller Augen – – Legen Sie sich nicht so ins Zeug – schonen Sie Ihre Pupille: Verachtung für die oberen Zehntausend. Wenn Sie mir einen Gefallen tun wollen, Fräulein, dann setzen Sie sich wieder – hier – – *Er klopft auf die Stelle, wo Trude vorher gesessen hat* – – *und klopft auf seine gesuchte Ledermappe.* Worauf haben Sie denn gesessen????

TRUDE. Das drückte auch –

BANNERMANN. Wenn man sich mit seinem Allerwertesten auf ein Schloß von einer Ledermappe niederläßt, dann wird es wohl drücken!

TRUDE. Gehört sie Ihnen?

BANNERMANN. Ob das mein Eigentum ist – gesucht und nie geahnt unter Ihnen. Das will ich Ihnen nie vergessen. Rechtsanwalt Bannermann aus Berlin. Bürostunden neun bis vierzehn. Jederzeit, wenn Sie was drückt.

TRUDE. Jetzt das nicht mehr.

Oben kehrten Mabel und Jean zurück.

MABEL. Der Kapitän sagt, wir kommen gleich nach Amerika.

JEAN. Ich habe nie gewußt, daß Amerika derartig in der Nähe liegt!

MABEL. Sind wir nicht viele Tage gereist?

JEAN. Kaum einen.

MABEL. Ist Ihnen die Reise so schnell vergangen?

JEAN. Ja – und leider.

MABEL. Kehren Sie gleich mit diesem Steamer nach Europa zurück?

TRUDE *aufatmend.* Ja!

BANNERMANN. Was juchzen Sie denn?

JEAN. Ich werde – müssen.

MABEL. Finden Sie keine Gesellschaft in Amerika?

TRUDE *wie vorher.* Nein!

BANNERMANN. Was greinen Sie denn?

JEAN. Ich möchte – mir Gesellschaft suchen.

MABEL. Soll ich Sie einladen?

JEAN. Schon angenommen!

MABEL. So kommen Sie mit mir in das Haus meiner Tante nach Chikago!

JEAN *küßt ihre Hand. Mabel und Jean entfernen sich wieder.*

TRUDE *sinkt nieder – verbirgt das Gesicht in den Händen.*

BANNERMANN *der seine Ledertasche aufgeschlossen hatte und darin kramte, wird aufmerksam.* Kindchen – Kindchen, was ist Ihnen denn unter die Haut gefahren? Um Himmels willen, was ist denn los? Wir kommen in Amerika an und Sie weinen. Mit Tränen kann man doch Amerika nicht erobern. Dazu gehört was andres – nämlich so was! *Er zeigt ihr ein Dokument.* Wenn Ihnen Ihre tränenverschleierten Augen Einsicht erlauben – lesen Sie mal solche Zahlen. Vierzig Millionen Dollars. Ein Häppchen, was? Die will ich einem Erben verschaffen, der noch nichts von seinem Mammon ahnt. Der könnte hier das ganze Schiff mit Stumpf und Stiel sich kaufen und solo auf dem Ozean herumgondeln. Kein Laffe da oben störte ihn. Nun lachen Sie mal. Wenn Sie auch damit nichts zu tun haben, aber es ist doch großartig, wie sich die andern ärgern werden, die nichts zu erben kriegen. So was macht Laune eine Sache anzufassen. Wer das Geld nachher hat, ist mir völlig schnuppe!

TRUDE *schluchzend.* Ich möchte kein Geld – ich möchte Jean.

BANNERMANN. Wer ist denn Jean?

TRUDE. Der Laffe da oben.

BANNERMANN. Den kennen Sie?

TRUDE. Durch und durch.

BANNERMANN. Dann streichen Sie die werte Bekanntschaft mit dem Hallodri durch, denn der steckt bis über die Ohren in den Augen der Miß!

TRUDE. Ich hole ihn aus Amerika zurück!

BANNERMANN *seine Mappe wieder verschließend.* Vor Unbesonnenheiten soll Sie der Teufel – und Bannermann schützen!

Der Kapitän hat die Brücke wieder bestiegen und übernimmt vom Offizier Kommando und Fernrohr.

KAPITÄN. Wir kommen nach Amerika!!

Das obere Deck bevölkert sich mit seinen Passagieren – in Reisekleidern und Handkoffern.

DIE PASSAGIERE OBEN. Ist das Amerika??

Matrosen besetzen die Reeling und die Messingtreppen, die vom unteren Deck nach dem oberen führen.

MATROSEN. Das ist Amerika!!
DIE PASSAGIERE UNTEN *ihr Gepäck aufnehmend.* Es erwartet uns keiner und wir sind da!!
DIE PASSAGIERE OBEN. Wir schlafen und essen auch in Amerika!!

Aus der Ecke des unteren Decks steigen die Schiffsheizer halb herauf – nackt und berußt.

HEIZER. Wir heizen von Europa bis Amerika!!
DIE PASSAGIERE OBEN. Wir schlafen – wir essen!!
DIE PASSAGIERE UNTEN. Es erwartet uns keiner!!
MATROSEN. Wir fahren –!!
HEIZER. Wir heizen –!!
MATROSEN und HEIZER. Wir sind niemals da!!
DIE PASSAGIERE UNTEN. Es erwartet uns keiner!!
DIE PASSAGIERE OBEN. Wir schlafen und essen!!!
ALLE. Das ist Amerika!!!

Am Vordermast geht die amerikanische Flagge hoch.
Ganz dicht ist die Silhouette New Yorks mit seinen Wolkenkratzern herangerückt.

VIERTES BILD

Die Bühne ist durch eine Wand geteilt: links das Büro eines New Yorker Advokaten, mit Aktenregalen bis unter die Decke umstellt – rechts das Wartezimmer, das nur eine Holzbank aufweist.
Im Büro der weißhaarige Advokat und sein Schreiber.
Ins Wartezimmer treten Rechtsanwalt Bannermann und Trude, Jeans Geliebte aus Berlin, die Bannermanns Ledermappe trägt.

BANNERMANN *keuchend*. Wenn ich geahnt hätte – wenn mir ahnungsweise ein Schimmer vorgeschwebt hätte – wenn mir einer gesagt hätte – – aber davon reden die Leute ja nicht. Kein Wort, wie tief die Straßen liegen – bloß wie hoch die Häuser sind. Schauderhaft. Ich wollte, ich hätte niemals den verwünschten Dampfer verlassen, um diese verdammte Stadt zu betreten, die das mythische Labyrinth in neuer Auflage ist. Das hört ja nirgends auf – das kribbelt von Menschen, da bist du glatt für deinen Nächsten auf Nimmerwiedersehen verloren, wenn du dich in den Strom stürzt, der dich vielleicht an sehr unwillkommene Ufer spült. Mir fallen fürchterliche Geschichten ein. Der Himmel bewahre uns – na, ich will keinen geschwänzten Satan an die Wand malen. Jedenfalls haben Sie jetzt einen Begriff von der Größe New Yorks – drei dicke Kreuze! – gekriegt – und sind mir ein bißchen dankbar, daß ich Sie in mein Kielwasser gelotst habe. Was, Kindchen?
TRUDE. Schrecklich groß ist diese Stadt.
BANNERMANN. Und hier wollen Sie ohne Kenntnis der landesüblichen Sprache – nur mit den heimischen Naturlauten ausgerüstet, den ominösen Jean suchen?
TRUDE. Ich kann ihn doch nicht instich lassen!
BANNERMANN. Was heißt denn das nun wieder? Ist dieser Gentleman, der mit der millionenschweren Miß reist, etwa auf Sie angewiesen? Können Sie ihm den entsprechenden Mammon servieren, um ihn von diesem Goldmagneten loszueisen?
TRUDE. Mit Geld nicht.
BANNERMANN. Was hätten Sie dann in Zahlung zu geben?
TRUDE. Mein – Herz.
BANNERMANN. Wissen Sie, wo wir sind? In Amerika – nicht

am Rhein oder in Heidelberg. Also: Respekt vorm Dollar! – Geben Sie mir mal die Mappe und warten Sie hier, bis ich mich mit meinem amerikanischen Kollegen besprochen habe.

TRUDE. Ich kann nicht warten.

BANNERMANN. In Dreiteufelsnamen – warum denn nicht?!

TRUDE. Wenn Jean etwas passiert – –

BANNERMANN. Was soll ihm denn passieren? Wo soll es ihm passieren?!

TRUDE. Wenn es herauskommt – –

BANNERMANN. Wo – was und wie – warum – weshalb – wobei?!

TRUDE. Daß es nur Jean ist – und nicht der Gentleman – –

BANNERMANN. Wenn er kein Gentleman ist – – Warum soll er denn der Gentleman nicht sein, wie er sich aufspielt?

TRUDE. Ich verrate es keinem.

BANNERMANN. Aber Sie nehmen ihn mit offenen Armen wieder auf, wenn – es passiert ist?

TRUDE. Dann muß ich ihn doch schützen –

BANNERMANN. Vor der Polizei?

TRUDE. Vor der Verzweiflung!

BANNERMANN *ironisch.* Du bist die Ruh', du bist der Frieden – Raum ist in der kleinsten Hütte. Der Junge wird Ihnen was husten. Hören Sie mal genau zu. Sie wollen ja mit dieser Geschichte nie richtig herausrücken. Jetzt lichte ich selbst das Dunkel auf dem Wege des Indizienbeweises, der immer Klarheit bis zum Schafott macht; der Kerl hat Sie in Europa sitzen lassen. Ihnen hat er sich drüben, weil Sie hübsch sind, als Ihresgleichen genähert. Als Chauffeur – als Kellner. In Wahrheit ist er ein Krösus, der mit Amerikanern in Luxuskabinen segelt. Im Zuchthaus strafwürdiger Verliebtheit sind Sie ihm über den Ozean gefolgt, um hier Ihr Debakel zu erleben. Was ich nicht zulasse. Zufällig bin ich aus der Versenkung aufgetaucht, zufällig setzen Sie sich auf meine Ledermappe – wie immer hat nur der Zufall Sinn. Denn die Berechnung ist verabscheuungswürdig. Ihr verflossener Liebhaber ist so ein Rechner. Dem Höchstgebot zuletzt die Palme. Sie sind ein bettelarmes Luder – wo sind da die Chancen? *Auf die Mappe klopfend.* Wer das hat, der kann antreten und in der Auktion mitbieten. Der schöne Jean wird ausgespielt. Sie verfügen nicht einmal über die Mittel, festzustellen, wohin er eigentlich vom Dampfer weg in dem klotzigen Auto mit der Miß abgesaust ist.

TRUDE. Doch, nach Chikago.

BANNERMANN. Haben Sie noch nicht von New York genug? Wollen Sie sich von den Straßenräubern in Chikago niederknallen lassen? Oder von gedungenen Mördern Ihres Jean, dem Sie lästig sind?

TRUDE. Ich habe ja Angst – –

BANNERMANN. Die wird Sie retten. Um Himmels willen – ängstigen Sie sich, soviel Sie können! – Mein liebes Kind, zu solchen Unternehmungen, wie Sie planen, gehört Geld. Einen Menschen suchen, dessen Aufenthalt sehr unbestimmt ist – das kostet ein Vermögen. Sie haben keins – also schlagen Sie sich den Filou aus dem Kopf. Der Kerl ist es nicht wert, daß Sie bereuen, daß Sie nicht von Reichtum strotzen!

TRUDE. So muß ich Jean verlieren?

BANNERMANN. Aus Mangel an Barmitteln. So was entscheidet immer. Sie bleiben bei mir und tragen meine Mappe, die ich sonst wer weiß wo schon hundertmal liegengelassen hätte. Schluß mit allen romantischen Träumen wie Käthchen von Heilbronn – Sie gehören zu dieser Mappe wie der Stuhl zum Tisch. Da ist die Bank, wo Sie sitzen und warten. Gehorsam? Sehn Sie mich an. – Abgemacht! *Er geht ins Büro.*

Trude setzt sich auf die Bank.

BANNERMANN *auf den Advokaten zugehend.* Werter Herr amerikanischer Kollege, ich brauche Ihnen über Ihr Land keine Schmeicheleien zu sagen –

ADVOKAT. Ich kenne Amerika nicht, ich kenne nur mein Büro.

BANNERMANN. Dann lassen Sie sich gelegentlich von den Eigentümlichkeiten Ihrer Heimat erzählen. Mir gefällt sie nicht.

ADVOKAT *zum Schreiber.* Akt fünftausendeins.

Der Schreiber erklettert eine Leiter und holt ein Aktenbündel.

BANNERMANN *schloß seine Mappe.* Erbschaftssache. Nebenerben gefunden – Haupterben unbekannt.

ADVOKAT *blätternd.* So weit war unsre Korrespondenz gediehen.

BANNERMANN. Es melden in Europa siebenhundertdreißig Personen ihre Erbberechtigung an.

ADVOKAT. Namensverzeichnis in meinem Besitz.

BANNERMANN. Diese siebenhundertdreißig Personen haben sich zu einem Erbverein zusammengetan, um die Suche nach dem Haupterben zu finanzieren.

ADVOKAT. Der Verein tritt als juristische Person auf.

BANNERMANN. Selbstverständlich mit der Hoffnung, daß kein Haupterbe existiert.

ADVOKAT. Der das gesamte Erbe von vierzig Millionen Dollar erhalten würde.

BANNERMANN *kichernd*. Womit die übrigen siebenhundertdreißig Vereinsbrüder ohne einen Cent ausscheiden müßten.

ADVOKAT. Wie es dem Willen der Erblasserin entspricht.

BANNERMANN. Unweigerlich.

ADVOKAT. Wie steht es mit dem Haupterben?

BANNERMANN. Ganz faul, verehrter Herr amerikanischer Kollege, verdrießlich faul. Ein Individuum, das aus dem Dickicht nicht hervorbrechen will. Ein fetter Köder – vierzig Millionen wird ihm in die Sonne gelegt, und er rührt sich nicht. Was soll man tun?

ADVOKAT. Was in den Akten steht.

BANNERMANN. Die habe ich studiert – die habe ich verwertet, damit habe ich siebenhundertdreißig eventuelle Erben zusammengetrommelt, bloß keinen direkten Nachkommen vom Stamm der Schumann, welche erben, wenn andre sterben.

ADVOKAT. Der Erbe könnte nur in Deutschland sein.

BANNERMANN. Das weiß ich.

ADVOKAT. Warum sind Sie dann herübergekommen?

BANNERMANN. Das weiß ich nicht.

ADVOKAT. Ich würde nichts ohne ersichtlichen Grund tun.

BANNERMANN. Bevor die siebenhundertdreißig die Beute in ihre heißhungrigen Mägen schlingen, versuche ich eine letzte Recherchierung von hier aus.

ADVOKAT. Ich habe nur Akten.

BANNERMANN. Vielleicht existieren irgendwo Hinweise – daß einem plötzlich die Augen aufgehn. Knatternd fallen die berühmten Schuppen. Kann man nichts sehen?

ADVOKAT *zum Schreiber*. Anhang zum Akt fünftausendeins.

Der Schreiber holt einen zweiten Band aus oberstem Regal.

BANNERMANN. Was enthält denn das?

ADVOKAT. Photographien.

BANNERMANN *achselzuckend.* Photographien – Wie sieht denn so was aus, das vierzig Millionen Dollar hinterläßt? *Er beginnt Photographien zu betrachten.*

Trude war nebenan aufgestanden.

TRUDE.

Ich soll hier warten
auf dieser harten
Wartezimmerbank.

Er sagt, ich muß mich fürchten,
weil die Menschen mir fremd sind,
die in den Straßen hastig gehn,
als wäre schon viel geschehn,
was ich alles nicht kenne.
Es ist nicht wahr,
daß einer sich fürchten muß,
weil er allein ist:
das Herz ist in ihm.

Ich kann nicht warten
auf dieser harten
Wartezimmerbank.
Er spricht von Millionen,
die so großen Wert besitzen,
daß einer mit diesen Millionen
einen Menschen kauft
wie ein Pfund Bohnen,
das man ißt und verdaut.

Es ist nicht wahr,
daß einer das fürchten muß,
weil er so arm ist:
das Herz ist in ihm.

Ich will nicht warten
auf dieser harten
Wartezimmerbank.

Der Dampfer ist nicht gesunken
und die Seekrankheit erwürgte mich nicht,
ich kann immer noch gehn.
Aber wenn ich noch bleibe,
dann wird es geschehn:
ich habe kein Geld mehr
und auch keinen Mut mehr,
dann ist mein Herz leer –
da ist es um ihn und um mich geschehn.

Gegen die Tür links.
Ich durfte nicht länger warten
auf der harten
Wartezimmerbank.
Rechts ab.

BANNERMANN *betrachtet mit immer stärker werdender Aufmerksamkeit die Photographien – sich dabei über die Augen
streichend.*
ADVOKAT. Ist Ihnen etwas, Herr Kollege?
BANNERMANN. Also – also – – das ist doch – – auf den ersten
Blick – – mit wachsender Augenscheinlichkeit – – das hat
doch dokumentarischen Wert – – mehr als zehn dicke Akten-
faszikel beweist es – – ich schließe hiermit jeden Irrtum
aus – –
ADVOKAT. Sie geraten ja sichtlich in Erregung?
BANNERMANN *zum Schreiber.* Holen Sie mal rein, was draußen ist!!

*Schreiber ins Wartezimmer ab, wo er auf der Bank das von
Trude zurückgelassene Handtäschchen findet.*

ADVOKAT. Was befindet sich denn draußen?
BANNERMANN. Sie werden gleich sehen – und mir beipflich-
ten. Vorher betrachten Sie mal dies Bild!
ADVOKAT. Die Frau Gertrud Schumann in jüngeren Jahren.
BANNERMANN. So um die zwanzig rum.
ADVOKAT. Was soll ich damit anstellen?
BANNERMANN. Vergleichen – zustimmen – protokollieren,
daß der Erbe existiert!

*Der Schreiber kehrt zurück und gibt Bannermann das Hand-
täschchen.*

ADVOKAT. Woher nehmen Sie ihn?
BANNERMANN. Vom Schiff – in Ihr Wartezimmer: ein junges
Mädchen, das förmlich aus dieser Bildergalerie in die Wirk-
lichkeit gesprungen ist!!
ADVOKAT. Heißt die Person –
BANNERMANN. Sie heißt – ich weiß nicht, wie sie heißt. Ich
frage Fräuleins, die mir in den Weg laufen – die auf meiner
Mappe sitzen – nicht nach ihrem Namen!
ADVOKAT. Es wäre wichtig, bevor wir –
BANNERMANN *bemerkt das Handtäschchen – öffnet es.* Da hat
sie ihre Papiere. Paß – auf – – *Er reicht ihn überwältigt dem
Advokat.*
ADVOKAT. In Übereinstimmung mit unsrer Erblasserin – –
Gertrud Schumann.
BANNERMANN. Das Paßphoto?
ADVOKAT. Von unübertrefflicher Ähnlichkeit!
BANNERMANN *zum Schreiber.* Wo bleibt sie??!!
SCHREIBER. Wer?
BANNERMANN. Das Millionenmädel, das im Wartzimmer
sitzt??!!
SCHREIBER. Es sitzt niemand im Wartezimmer.
BANNERMANN *stürzt zur Tür – überblickt das leere Warte-
zimmer. Zum Advokaten, stammelnd.* Sie ist weggegangen
– – ohne Papiere – – ohne Geld – – in diesen Strom von
Menschen – – der New York überschwemmt – – –
ADVOKAT *ebenfalls in Erregung geraten.* Wann ist sie ge-
gangen?
BANNERMANN. Während wir redeten.
ADVOKAT. Dann kann sie nicht weit sein. Jetzt verlasse ich
zum erstenmal mein Büro – wir wollen die Millionenerbin
suchen!!
BANNERMANN *wirft noch das Handtäschchen auf die Bank –
mit dem Advokaten und Schreiber rechts ab.*

Trude kommt zurück.

TRUDE *nimmt ihr Handtäschchen von der Bank auf.* Fast hätte
ich meine Papiere und mein Geld vergessen. *Ab.*

Bannermann, Advokat und Schreiber kommen wieder – erschöpft.

ADVOKAT *nach einer Pause.* Ist das nicht beinahe tragisch?
BANNERMANN *kopfnickend.* So kurz vorm Ziel – – – – – –

FÜNFTES BILD

Gartenfront des Palastes der Frau Robinson: greulich ge-
drehte Säulen stützen das Dach über einer Terrasse, die der
Hauswand – mit drei hohen Glastüren – vorgelagert ist. Von
der Terrasse führen breite Stufen, die in halber Höhe von
einem Absatz unterbrochen werden, in Parkanlagen hinab.
Oben wird die mittlere Glastür von zwei livrierten Dienern,
die Neger sind, geöffnet. Frau Robinson kommt und steigt
rasch die Stufen hinunter.

FRAU ROBINSON.

> Wie sich die Preise auf dem Markt gestalten
> – verstehen Sie: es handelt sich um Vieh! –
> ist nicht bestimmt in Gottes Rat.
> Da hat
> durchaus der Mensch die Hand im Spiel –
> und er ist schwach,
> doch eisern im Kalkül.
> Der Mensch hat Hunger.
> Alles ist Geschäft.

> Die Herden, die auf grünen Wiesen weiden –
> – Sie raten schon: ich schlachtete sie en gros! –
> da hat Natur nur als Verwertung Sinn.
> Ich bin
> kein Freund von falscher Schwärmerei,
> hier gilt Profit –
> was fällt denn ab dabei?
> Der Mensch hat Hunger.
> Alles ist Geschäft.

> Sie essen gern sich satt – Sie müssen essen! –
> denn das Bedürfnis ist rudimentär,
> der Mensch ist erst mal leerer Bauch.
> Wenn auch
> der Trieb nach Höhrem ihn beseelt –
> der Preis dafür?
> er wird von mir gestellt.
> Der Mensch hat Hunger.
> Alles ist Geschäft.

Sie will die Stufen wieder hinaufgehen.

Reporter kommen links vorne.

REPORTER *Bleistift und Notizbuch schwingend.* Reporter!

FRAU ROBINSON. Natürlich Reporter – wir sind in Chikago.

ERSTER REPORTER. Die Liste der Gäste haben wir uns bereits verschafft.

ZWEITER REPORTER. Die Toiletten der Damen sind durch direkten Telephonanruf bei den Trägerinnen ermittelt.

DRITTER REPORTER. Absagte im letzten Augenblick Familie Mitchman – Vater, Mutter, Tochter – ihr Terrier ist im Begriff zu werfen.

VIERTER REPORTER *triumphierend.* Hat schon geworfen – vier Rüden und zwei Hündinnen!

FRAU ROBINSON. Sie wissen also mehr als ich – was kann ich Ihnen verraten?

ERSTER REPORTER. Miß Mabel kehrte aus Europa zurück.

ZWEITER REPORTER. Gestern nacht.

DRITTER REPORTER. Via New York.

VIERTER REPORTER. Mit einem Herrn.

FRAU ROBINSON. Genau so ist es, wie Sie sagen. Was fragen Sie mich noch?

DIE VIER REPORTER. Wer ist der Herr????

FRAU ROBINSON. Darüber soll ich orientiert sein?

ERSTER REPORTER *verblüfft.* Er wohnt doch bei Ihnen!

FRAU ROBINSON. Warum soll er nicht?

ZWEITER REPORTER. Wie führte ihn Miß Mabel ein?

FRAU ROBINSON. Als Mann, der Glück hat!

DRITTER REPORTER. Daraufhin öffneten Sie ihm Ihr Palais?

FRAU ROBINSON. Ganz Amerika reißt alle Türen vor jedem auf, der Glück hat. Der Präsident knautscht ihm die Pfote. Warum soll ich nicht?

VIERTER REPORTER. Worin besteht dies märchenhafte Glück, das ihn zum Mittelpunkt dieses Nachmittagsfestes macht?

FRAU ROBINSON. Schlicht und klar gesprochen: er braucht sich hier von Ihnen nicht bis auf das Loch im Taschenfutter ausfragen zu lassen. Darin hat er Glück!

Die Reporter ziehen sich zurück. Unten ab.

FRAU ROBINSON. Diese verdammten Schnüffler –!

Ein Reporter kommt zurück.

REPORTER. Noch ein Detail, das meinen Kollegen gottlob entgangen ist: was hat es für eine Bewandtnis mit der Ankunft von Senator MacCarton?

FRAU ROBINSON *erschreckt*. Wer ist angekommen?

REPORTER. Vier Uhr dreizehn mit dem Pullmanzug von Washington Senator MacCarton, um sich hierher zu begeben, wie mir vom Bahnhof durchtelephoniert wurde.

FRAU ROBINSON. Das ist so entsetzlich – daß ich Sie für diese Nachricht persönlich rechts und links backpfeifen möchte!!

REPORTER *sich zurückziehend*. Mir genügt es. *Notierend.* Unliebsame Störung des Festes durch unverhofftes Eintreffen von –

FRAU ROBINSON. Wenn Sie das veröffentlichen – –!!

REPORTER. Front page – auf der ersten Seite! *Unten ab.*

Mabel erscheint auf der Terrasse.

MABEL *bei Frau Robinson – sie umarmend*. Es ist doch schöner hier als in Europa. So viel Geld haben wir, daß wir uns die Unterhaltung kaufen können. In Europa muß man schrecklich viel reden – die Leute haben so viel Geist! – manchmal reicht es knapp, daß wir nice und wonderful antworten.

FRAU ROBINSON. Hat dich denn dein Reisebegleiter mit solchen albernen Sachen verschont?

MABEL. Oh, er ist so taktvoll. Er hat nicht einmal von Goethe und Beethoven gesprochen.

FRAU ROBINSON. Wovon denn?

MABEL. Vom Essen.

FRAU ROBINSON. Dann hat er sich in dich vergafft. Flirt macht dumm und gefräßig.

MABEL. Er ist ein großer Junge, der staunen wird, was wir ihm in unsrem Lande vorsetzen. Du hast wundervolle Attraktionen engagiert!

FRAU ROBINSON. Mein liebes Kind – es steht augenblicklich in Gottes Hand, ob unser Programm zur Durchführung kommen kann. Wenn der Herr des Himmels in seiner unerschöpflichen Gnade unsern MacCarton nicht im Auto auf der Fahrt hierher verunglücken läßt, dann ist es Essig mit dem Pläsier.

MABEL. Fällt alles ins Wasser?

FRAU ROBINSON. Im wahrsten Sinne des Worts. Das abstinenteste Monstrum der Vereinigten Staaten – und ich habe eine Pfirsichbowle angerichtet – hundertprozentig Alkohol! Der grämlichste Mucker von U.S.A. – und Tänzerinnen, Akrobaten lauern im Hintergrund – – und das im feinsten Hause von Chikago!

MABEL. Was soll denn nun werden?

FRAU ROBINSON. Natürlich – die Gäste sind pünktlich!

Aus den drei Türen oben dringen schrittweise die Gäste – alle hellsommerlich gekleidet – vor.
Orchestermusik setzt ein.

DIE GÄSTE *im Chorgesang.*

> Wir sind die bewußten,
> die in den Zeitungen stehn,
> wenn sie, weil sie es deshalb mußten,
> in Gesellschaft gehn.
> Morgen soll es der Zeitungsleser lesen,
> wo wir gewesen.

DIE DAMEN *an ihren Kleidern zupfend.*

> Was wir so tragen
> mal für einen Tag,
> ohne selbst groß hinzusehn –
> das wird morgen ausführlich in den Zeitungen stehn.

DIE HERREN.

> Das lohnt schon der Mühe –
> falls es gut abgeht –
> daß man in Geschäften nicht zu schüchtern ist
> – und was riskiert! –
> bis der Name regelmäßig in den Zeitungen steht.

ALLE GÄSTE.

> Wir sind immer wo
> und müssen erst lesen
> am andern Morgen in der Zeitung,
> wo wir gestern gewesen.

Inzwischen erschien Jean oben auf der Terrasse. Die Gäste haben sich links und rechts die Stufen hinunter postiert.

JEAN *singt.*

Aber es stand noch in keiner Zeitung
mein werter Namen –
und doch bin ich hier.
Fragen Sie jeden, wen Sie wollen,
und Ihre Frage soll einfach lauten:
wer kommt nicht vorwärts
und bleibt dabei zurück?
–: so ein Kerl ohne Glück.

Wenn Sie mich fragen –
ich bin orientiert,
besser, als Sie es ahnen
aber es kommt nicht dazu –
und es fragt mich schon keiner,
wieso ich hier.
Ich kam vorwärts
und blieb dabei nicht zurück:
denn ich hatte mal Glück.

Er steigt die Stufen hinunter und nähert sich Mabel.

Sagen Sie mir,
wem kann man vertraun?
Wenn Sie auch Häuser hier
bis in die Wolken baun,
drinnen verkrachen die schönsten Geschäfte.
Darauf kann man nicht baun.
Dabei kommt man nicht vorwärts,
dabei bleibt man zurück –
Sie werden mit einem Blick
die Situation überschaun:
der Kerl hat Glück!

Er hält Mabels Arm und klopft sich mächtig auf die Brust.

Orchester verstummt.

FRAU ROBINSON. Mein junger Freund, wenn Sie es mir überlassen hätten, Sie der Gesellschaft mit einigen dürren Worten

vorzustellen, dann hätten wir weniger von der kostbaren Zeit eingebüßt, die unserm Vergnügen bis zur Ankunft einer gewissen Person vergönnt ist.

Ein Diener kommt die Stufen herunter und macht flüsternd Frau Robinson eine Mitteilung.

FRAU ROBINSON. Mabel – er hat so viel von Glück gejodelt, daß das Unglück auf dem Fuße folgen mußte: er ist da! *Sie eilt hinauf – oben ab.*

DIE DAMEN *auf Mabel einstürmend.* Du mußt uns von ihm erzählen!
DIE HERREN *ziehn Jean zu sich hinüber.* Sie müssen uns von sich erzählen!

Mabel im Schwarm der Freundinnen läßt sich auf dem oberen Treppenteil rechts nieder: deutlich ist aus ihren Bewegungen zu erkennen, daß sie den Ball und den Boxkampf in der Kellerkneipe schildert.
Jean hat sich inmitten der Herren auf dem unteren Treppenteil links niedergelassen.

ERSTER HERR. Wo hatten Sie das Glück, Miß Mabel kennenzulernen?
JEAN. Auf einem Ball.
ZWEITER HERR. An Bord?
JEAN. Drüben auf dem Kontinent.
DRITTER HERR. Sie planten selbst eine Reise nach Amerika?
JEAN. Ich plante gar nichts.
VIERTER HERR. Sie folgten einer Laune?
JEAN. Ich folgte einer Laune – des Schicksals, wie Sie es nennen wollen.
FÜNFTER HERR. Und konnten nach Belieben – Herr Ihrer Zeit – aufbrechen?
JEAN. Es klappte wie geschmiert.
SECHSTER HERR. Sie reisen viel?
JEAN. Ich wechsle oft den Platz.
SIEBENTER HERR. Haben Sie Besitzungen – verstreut über Erdteile?
JEAN. Ich hause – in Hotels.
ERSTER HERR. Das schönste Leben, das man sich wünschen

kann. Ich schwärme für den Aufenthalt in Hotels. Ein riesiger Apparat – und alles zu meiner Verfügung. Ich drücke auf den Knopf – und bin bedient!!

JEAN. Und kommt der Kerl von Kellner nicht im Laufschritt, um die verehrten Befehle in Empfang zu nehmen – so macht man beim Direktor Krach. Da fliegt der Kellnerkerl! *Er klopft dem Herrn kräftig auf den Schenkel.* Das ist ein Leben, was?

ERSTER HERR *reibt sich den Schenkel.* Das war ein Hieb, an den ich denken werde.

ZWEITER HERR. Auf mich wirken Hotels ermüdend. Es ist das ewige Einerlei. Ich setze Fett an.

JEAN. Es fehlte mir nicht an Bewegung, Herr.

ZWEITER HERR. In einem Hotel? Wo alles so bequem ist?

JEAN. Treppauf – treppab. Kaum ist man unten, muß man oben wieder sein!

DRITTER HERR. Benutzen Sie denn nicht den Fahrstuhl?

JEAN. Der Fahrstuhl – ist mir verboten.

VIERTER HERR. Von Ihrem Arzt?

FÜNFTER HERR. Ist Treppensteigen so gesund?

JEAN. Wer's aushält, meine Herrn, ich möchte es nicht allgemein empfehlen.

SECHSTER HERR. Ich reise auch viel. Sind wir uns nicht schon irgendwo begegnet?

JEAN. An Sie erinnere ich mich nicht. Nur den Hotelgast vergesse ich nicht, der irgendwie auffällt.

SECHSTER HERR. Wie fällt man auf?

JEAN. In erster Linie durch Trinkgeld.

SECHSTER HERR. Was merken Sie vom Trinkgeld, das einer gibt?

JEAN. Ich – merke alles. Ich beobachte. Es macht mir Vergnügen. Wenn man allein reist, interessiert man sich für die intimsten Vorgänge im Hotel. Zum Beispiel: wer eine Frau mit ins Hotel bringt, die nicht seine Frau ist – –

Auf der Terrasse erscheinen die Diener mit Tabletts voller Gläser, die von den Gästen in Empfang genommen werden.

MABEL. Wir müssen uns beeilen, meine Freunde, mit der Pfirsichbowle!

DIE GÄSTE. Warum müssen wir uns beeilen?

MABEL. Weil sie uns gleich verboten wird – wie alles, was jetzt auftritt!

*Die Gesellschaft – trinkend – macht Tänzerinnen Platz, die
oben auftreten und die Stufen heruntertanzen.
Orchestermusik.*

DIE GÄSTE *fangen an zu singen.*

> Uns hat es nicht geschmeckt,
> als es erlaubt war,
> denn dann ist alles fade.
> Wir sind wie die Kinder.
>
> Man soll uns noch manches verbieten –
> es kommt auch dazu –
> dann verliert sich die Ruh'
> und wir sündigen wieder –
> und sind keine Kinder.
>
> Wenn es erlaubt ist,
> macht es ja keinen Spaß –
> früher waren wir manchmal trocken,
> jetzt sind wir immer naß –
> wie Kinder.

*Der Tanz der Tänzerinnen und der trunkene Gesang der Ge-
sellschaft hat sich zu wilder Bewegtheit und heftigstem Lärm
gesteigert.
In dies Bacchanal tritt oben Senator MacCarton – in Schwarz
gekleidet – ein. Neben ihm Frau Robinson.
Tanz und Gesang sind beendigt.*

FRAU ROBINSON *ängstlich zum Senator.* Wollen Sie nicht Ma-
bel und ihren Gast, den sie aus Europa mitgebracht hat, be-
grüßen?
SENATOR *verharrt regungslos.*
FRAU ROBINSON. Mabel, präsentiere deinen Freund dem
Herrn Senator!

Mabel führt Jean hinauf.

SENATOR *blickt Jean an – stutzt.*
JEAN *sieht den Senator an – stutzt ebenfalls.*
FRAU ROBINSON *aufmerksam.* Sind sich die Herrn – –?

SENATOR *zu Frau Robinson.* Sie irren. – Versammeln Sie sofort Ihre Gäste im Konzertsaal und lassen Sie die Orgel spielen. Es soll die Atmosphäre von dem wüsten Tumult, der hier regierte, reinigen.

FRAU ROBINSON *klatscht in die Hände.* Bitte, meine Herrschaften, zur großen Orgel alle in den Saal!

Alle oben ab.

SENATOR *Frau Robinson festhaltend.* Wir bleiben. *Mit ihr die Stufen herunterschreitend.* Wie konnten Sie sich hinreißen lassen, mir dies Schauspiel zu bieten, das allen Gesetzen hohnspricht?

FRAU ROBINSON. Wenn ich hätte ahnen können –

SENATOR *scharf.* Daß ich zur Kontrolle meines Wahlkreises unterwegs bin?

FRAU ROBINSON. – ich hätte bestimmt Einschränkungen der Vergnügungen vorgenommen.

SENATOR. Nichts durfte stattfinden, wenn die würdige Repräsentation eines Hauses wie dieses nicht in Frage gestellt werden soll. Was führen Sie zu Ihrer Entschuldigung an?

FRAU ROBINSON. Diesen Europäer, den meine Nichte über den Ozean gelotst hat.

SENATOR. Tragen Sie willig dem Geschmack jenes betrunkenen Sündenkontinents, der sich Europa nennt, Rechnung?

FRAU ROBINSON. Nein – unserm.

SENATOR. Was heißt das?

FRAU ROBINSON. Soll ich es auf Unterhaltung ankommen lassen, wo einer spricht, was der andre nicht versteht?

SENATOR. So veranlassen Sie Ihre Gäste, woher sie auch kommen mögen, zu harmonischem Schweigen.

FRAU ROBINSON. Das nächste Mal, Herr Senator MacCarton.

SENATOR. Ich fürchte sehr, daß sich dieses nächste Mal nicht mehr ereignen wird.

FRAU ROBINSON. Wieso?

SENATOR. Ihr Palais gehört auf die Liste jener Häuser, in denen – ich wage es nicht auszusprechen.

FRAU ROBINSON. Eine Bowle gebraut wurde?

SENATOR. Ein Wort, das mich zittern macht!

FRAU ROBINSON. Sie war durch frische Pfirsiche gemildert.

SENATOR. Welch ein Vergehen an der natürlichen Frucht! *Heftig.* Doch die Wirkung dieser –

FRAU ROBINSON. Pfirsichbowle.

SENATOR. – entbehrte völlig der Harmlosigkeit. Oder nennen Sie das dezent, wie sich der Chor an den geschwungenen Beinen der Tänzerinnen begeisterte?

FRAU ROBINSON. Es war kein Anlaß zur Traurigkeit.

SENATOR. Alkohol und Tänzerinnen. Für mich war es ein Anblick von fast antiker Gemeinheit. Ich werde das Material verwerten. Im Hinblick auf diese Erfahrung hier werde ich im Kongreß ein verschärftes Gesetz einbringen.

FRAU ROBINSON. Im Kongreß wollen Sie mich bloßstellen?

SENATOR. Schonungslos – um der Mission willen, die unser Land in der Welt zu erfüllen hat! *Er steigt die Stufen hinan.*

Oben kommt Jean.
Jean und der Senator begegnen sich auf halber Treppe – sehen sich an – gehen aneinander vorbei – blicken sich nacheinander um.
Senator oben ab.

JEAN *bei Frau Robinson.* Ich kann das Gebrumm der Orgel nicht hören, meine Ohren sind zu schwach.

FRAU ROBINSON *stöhnend.* Ein Glas Bowle.

JEAN. Sofort serviert. *Er will fort.*

FRAU ROBINSON. Sie sind doch kein Kellner!

JEAN. Pardon.

FRAU ROBINSON. Übrigens verzichte ich dankend. Dabei soll einem nicht der Geschmack vergehn.

JEAN. Was ist denn los?

FRAU ROBINSON. Der Teufel ist los. Eben sind Sie ihm leibhaftig auf der Treppe begegnet.

JEAN. Wer ist der Herr?

FRAU ROBINSON. Das ist Herr MacCarton – Senator in Washington. Alkohol- und Weiberfeind – hundertprozentig. Sie sehen ja, was er hier angerichtet hat. Er kam und trocknete.

JEAN. Wie war der Namen?

FRAU ROBINSON. Mac Carton.

JEAN *nachdenklich.* Mekkerten – – den Namen kenne ich nicht – – aber das Gesicht – – der Gang – – die Hände auf dem Popo – – – –

FRAU ROBINSON. Er ist oft bei euch in Europa.

JEAN. An jeden erinnere ich mich nicht – – nur wer irgendwie auffällt – – –

FRAU ROBINSON. Der fällt schon jedem auf die Nerven, der seine Nähe genießt.

JEAN. Das ist doch der von dreiunddreißig – – in Nizza – – verheiratet mit einer Blondine – noch jung?

FRAU ROBINSON. Der verheiratet? Er verklagt Sie wegen Verleumdung!

JEAN. Und knochentrocken?

FRAU ROBINSON. Ohne Gnade für andre!

JEAN. Was werden Sie mir zahlen, wenn ich in zehn Minuten diesen Mister Mekkerten dazu kriege, die Fortsetzung des unterbrochenen Festes mit Nachdruck zu verlangen?

FRAU ROBINSON. Ich werde Ihnen nichts zahlen, junger Mann.

JEAN. So billig mach' ich's nicht.

FRAU ROBINSON. Sie können sich nehmen, was Ihnen beliebt!!!!

In Parodie der Oper treten Jean und Frau Robinson an die Rampe vor und singen das Folgende.

JEAN. Er ist's.

FRAU ROBINSON. Er sagt, daß er es sei.

JEAN. Ich seh's am Gang.

FRAU ROBINSON. Zu sehn ist da nicht viel.

JEAN. Er hält die Hände so.

FRAU ROBINSON. Ich frage: wo?

JEAN. Und das Gesicht –

FRAU ROBINSON. Er muß ja wohl eins haben.

JEAN. Vergißt man nicht –

FRAU ROBINSON. Das sagt er so.

JEAN. Wenn man das einmal sah –

FRAU ROBINSON. Hat er es schon gesehn?

JEAN. Kann man es nicht vergessen.

FRAU ROBINSON. Bleibt Irrtum ausgeschlossen?

JEAN. Er ist's.

FRAU ROBINSON. Wer soll es sein?

JEAN. Bald wird ein Engel fallen –

FRAU ROBINSON. Zerbrich dir nicht die Flügelein.

JEAN. – und an den Krallen –

FRAU ROBINSON. Wenn Engel fallen.

JEAN. – siehst du das Teufelein!

Der Senator kam oben zurück und stieg – dem Gesang zuhörend – die Stufen langsam hinunter.

SENATOR. Man singt – es scheint, daß man hier mit keinem Mittel die gute Laune verscheuchen kann.

FRAU ROBINSON. Sie müssen sich schon selbst bemühen.

SENATOR *sarkastisch.* Das wäre auch mein Amt.

FRAU ROBINSON *oben ab.*

SENATOR *zu Jean.* Ich habe meinen Aufbruch aus diesem verruchten Hause, an dem ich übrigens ein Beispiel zu statuieren gedenke, wie man Vergehen gegen die höchsten Verordnungen unsres Staates straft –

JEAN. Ein Satzungetüm, das Sie fabrizieren.

SENATOR. – verzögert – um Ihretwillen, junger Mann. Haben wir uns nicht schon gesehn?

JEAN. Ja, haben wir uns nicht schon gesehn?

SENATOR. Da ich kein Trinker bin, kann ich mich einigermaßen auf mein Gedächtnis verlassen –

JEAN. Hatten Sie damals nicht doch zuviel getrunken?

SENATOR *entrüstet.* Ich habe noch niemals einen Tropfen –

JEAN. – getrunken, ohne die ganze Flasche zu leeren.

SENATOR. Wie kommen Sie zu dieser mehr als dreisten –

JEAN. Kenntnis Ihrer kleinen Passionen für Sekt und Blondinen.

SENATOR *verstummt. Dann ganz kleinlaut.* Es war in Nizza –

JEAN. Zimmer dreiunddreißig.

SENATOR. Dem Kellner gab ich immer ein riesiges Trinkgeld.

JEAN. Wenn er im Zimmer hinter verschlossener Tür Sekt flaschenweise servierte.

SENATOR. Hat er doch geschwatzt?

JEAN. Nie.

SENATOR. Woher wissen Sie?

JEAN. Zufallssache – wenn man in Hotels lebt.

SENATOR. Haben Sie mich beobachtet?

JEAN. Weil Sie so zärtlich waren zu dem Mädchen – und immer stockbetrunken.

SENATOR. Es war wundervoll!

JEAN. Ist so was nicht wundervoll?

SENATOR. Es taucht vor meinem inneren Auge mit allen Einzelheiten auf –

JEAN. Schwelgen Sie!

SENATOR. Auch dieser höfliche Kellner –

JEAN. Bei dem Trinkgeld!

SENATOR. – dem Sie verdammt ähnlich sehen. Ich möchte

schwören, daß Sie es selber waren, der immer Sekt brachte –

JEAN. Nun merken Sie es, wie bezecht Sie waren, daß Sie mich heute noch nicht von einem Zimmerkellner unterscheiden können!

SENATOR. Es soll gut sein. *Sachlich.* Was kann ich für Sie tun?

JEAN. Bezahlung?

SENATOR. Wie viel?

JEAN. Sie haben nicht genug.

SENATOR *erschreckt.* Um Himmels willen, Sie werden mich doch nicht –

JEAN. Kompromittieren? Was hätte ich davon? Mehr, als Sie träumen können, fällt mir in den Schoß.

SENATOR. Wer zahlt für mich?

JEAN. Frau Robinson – wenn Sie das Fest nicht weiter stören.

SENATOR. Ich laufe hier aus dem Park.

JEAN. Was Sie verboten haben, müssen Sie auch wieder er-lauben. Frau Robinson erwartet Ihr Signal.

SENATOR. Ich kämpfe furchtbar.

JEAN. Sieger bleibt?

SENATOR. Wer sich selbst überwindet!

JEAN. Tapfrer Junge!

Aus den Türen oben: Frau Robinson und Mabel, dahinter die Gäste.

SENATOR. Liebe Freunde, ich habe hier einen alten guten Be-kannten aus Europa wiedergefunden – das ist ein Wieder-sehn, das mit keiner Orgel gehörig gefeiert werden kann. Ich vertraue auf die erprobten Talente unsrer verehrten Frau Ro-binson, der Fleischfürstin von Chikago, daß sie auch ein Fest zu Ende führen kann, wie es begonnen hat. Genau so wün-sche ich die Fortsetzung – ich, der Senator MacCarton!!

Zum Finale gruppiert sich das ganze Esemble auf den Stufen. Vorn unten: MacCarton, Frau Robinson, Mabel und Jean.

TUTTI *fortissimo nach Meistersingerart.* Ist's wahr??!!
SENATOR.

    Ich habe eine Sinnesänderung vorgenommen,
    sie fiel mir schwer,

doch aus dem Hin und Her –
ist es vielleicht noch niemals vorgekommen,
                daß unterm Druck der Dinge,
wie sie liegen,
wir plötzlich eine andre Meinung kriegen?

FRAU ROBINSON *auf Jean zeigend.*

     Es ist gekommen, wie er's angekündigt:
     der Mann bleibt stumm.
     Wieso? Warum?
     Es geht mich gar nichts an.
Neben Jean.
     Ich habe diesem Gentleman versprochen,
     was ihm beliebt.
     Sie sind in dieser Stunde – ja, mein Herr:
     auf meine Kosten
     Multimillionär.

MABEL.

     Wundervoll, wie er Karriere macht
     schon am ersten Tag:
     Money macht er.
     Ich lasse mich von Money bezaubern
     und von einem, der es hat.
     Wenn ich sein Konto betrachte,
     da werden mir die Knie matt.
     Es darf nur nicht zu wenig sein –
     im Gegenteil recht erheblich.
Neben Jean.
     Verraten Sie mir Ihr süßes Bankgeheimnis
     sonst ist alles bei mir vergeblich!

JEAN.

     Man muß sich mit mir gut stellen,
     denn ich weiß allerlei,
     was hinter Türen passiert.
     Ich lief tausend Treppen,
     aber jetzt kam ich an.
     Einmal will auch ich mich nicht bücken,

jetzt drücke ich auf den Knopf:
bim! –
da fragt alle Welt –
Tanzend.
    – was dem Herrn – was dem Herrn – was dem Herrn
                                gefällt!!

TUTTI.

    Man muß sich mit ihm gut stellen,
    er hat den Senator zum Freund.
    Da kann er uns nützen,
    da soll er uns schützen –
    wenn man zuviel riskiert! –
    Man muß sich gut mit ihm stellen!!!!

Die Diener servierten inzwischen von neuem – die Tänzerinnen tanzen.

SECHSTES BILD

Im Eisenbahnwagen: vom Mittelgang, der zur Tiefe führt, rechts und links Holzbänke, nicht übermäßig mit Reisenden besetzt, die schlafen.
Trübe Beleuchtung.
Geräuschmusik: der fahrende Zug.
Aus der Tür hinten: der Kontrollör; zuerst auf der linken Wagenseite jeden Fahrgast weckend, verlangt er ihm die Fahrkarte ab, die er locht und zurückgibt. Der Fahrgast verfällt sofort wieder in tiefen Schlaf.
Der Kontrollör ist nach vorn gekommen, wo er auf der vordersten Bank links einem Mädchen – es ist Trude – auf die Schulter klopft.
Sobald gesprochen wird, verstummt die Geräuschmusik.

TRUDE *schläft.*
KONTROLLÖR. Hallo – Sie, wachen Sie schon ein bißchen auf.
TRUDE *öffnet die Augen.*
KONTROLLÖR. Sie schlafen ja wie ein Stein.
TRUDE *verwirrt.* Sind wir schon –
KONTROLLÖR. In Chikago? Da treffen wir morgen ein. Jetzt ist immer noch heute nacht. Die Fahrkarte.
TRUDE. Sofort. *Sie sucht in ihrem Handtäschchen.*
KONTROLLÖR. Die hat sich wohl verkrümelt?
TRUDE. Aber ich hatte sie doch in das Täschchen gesteckt!
KONTROLLÖR. Ich kontrolliere die rechte Seite. Inzwischen können Sie suchen.
TRUDE *sucht in allen Taschen – auf dem Sitz – unter der Holzbank.*

Die Geräuschmusik rumort dazu.

KONTROLLÖR *von seinem rechtsseitigen Kontrollgang zu Trude zurückkehrend.* Nun – haben Sie Ihre Fahrkarte gefunden?
TRUDE *stammelnd.* Ich kann sie doch nicht verloren haben.
KONTROLLÖR. So was passiert nicht.
TRUDE. Sie muß mir weggefallen sein.
KONTROLLÖR. Aus dem verschlossenen Täschchen?
TRUDE. Vielleicht habe ich sie auch in der Hand gehalten.
KONTROLLÖR. Mit einmal in der Hand?

TRUDE. Und da ist sie mir, wie ich schlief und der Zug ruk-
kelte, entglitten.

KONTROLLÖR. Haben Sie noch nicht auf dem Boden gesucht?

TRUDE. Doch.

KONTROLLÖR. Keine Spur von der entglittenen Fahrkarte?

TRUDE. Nirgends.

KONTROLLÖR. Dann muß ich Sie dem Zugführer vorführen.

TRUDE. Warum?

KONTROLLÖR. Weil mit blinden Passagieren in Amerika wenig Federlesen gemacht wird. Kommen Sie mit. *Er führt
Trude durch den Waggon hinten ab.*

Geräuschmusik.
*Bannermann zwängt sich hinten mit einem dicken verschab-
ten Handkoffer durch die Waggontür – gefolgt von einem
Kontrollör.*

KONTROLLÖR. Das dürfen Sie nicht.

BANNERMANN *ächzend.* Was darf ich nicht?

KONTROLLÖR. Es ist nicht erlaubt.

BANNERMANN. Was ist nicht erlaubt?

KONTROLLÖR. Nachts durch den Zug laufen – und mit dem
Lärm, den Sie dabei machen.

BANNERMANN. Das ist ein sehr gelinder Lärm, den zu fabrizieren ich mir gestatte – im Vergleich zu dem Schnarcher, der
sich in Orkanen an meiner Seite austobte.

KONTROLLÖR. Es sind natürliche Geräusche, die man keinem
verbieten kann.

BANNERMANN. Meine sind auch nicht künstlich. Ich protestiere bis zum letzten Hauch gegen jede Ruhestörung, die
gegen mich losgelassen wird, wenn ich schlafen will.

KONTROLLÖR. Jeder Reisende hat das Recht –

BANNERMANN. Wollen Sie mich alten Fuchs juristisch belehren? Mitternachts auf dem Schienenstrang von New York
nach Chikago? Abgelehnt. Ich weiß genügend, daß man in
einem Eisenbahnwaggon, der sich in voller Fahrt befindet,
nicht die Stille eines idyllischen Waldtals verlangen kann –
aber, Herr, es besteht ein Unterschied zwischen Möglichem
und Unmöglichem. Ich wäre bereit, das reine Schnarchen als
einen unfreiwillig produzierten Radau in Kauf zu nehmen –
aber der Mann schnarcht für die Nase unerträglich. Sein
Frauchen ist mit infernalischem Gestank verbunden. Was

haben Sie dagegen einzuwenden, gestrenger Herr Kontrollör?

KONTROLLÖR. Die Fahrdienstordnung gibt mir keine Handhabe –

BANNERMANN. Gegen solche Stänker einzuschreiten? Dann halten Sie für die übrigen Fahrgäste Gasmasken bereit. Der ganze Waggon ist verpestet. Ich wäre erstickt, wäre ich den Bruchteil einer Sekunde länger drin geblieben.

KONTROLLÖR. Hantieren Sie wenigstens etwas vorsichtiger mit Ihrem Handkoffer.

BANNERMANN. Ich bin kein Kunstläufer auf dem rollenden Band. Bringen Sie den Zug zum Stehn, wenn ich nirgends anecken soll.

KONTROLLÖR. Geben Sie mir Ihren Koffer.

BANNERMANN. Das möchte Ihnen so passen. Nein, mein Lieber, von diesem Koffer trennen mich nur noch Katastrophen. Und wenn euer Präsident in Washington auf Knien mir seine Hilfe anböte, glatt abfallen würde er. *Bei der vordersten Bank rechts.* Auf diese Bank von Holz – *Er läßt sich nieder und blickt sich um.* – und weit und breit kein angriffswütiger Gaskrieger zu wittern. Endlich Ruhe – – – – *Er nickt ein.*

KONTROLLÖR *achselzuckend ab.*

Geräuschmusik.
Durch die Tür hinten: Zugführer, Kontrollör, Trude.

ZUGFÜHRER *bei der vordersten Bank links. Zum Kontrollör.* Suchen Sie nochmal unter der Bank.

KONTROLLÖR *tut es – richtet sich auf – schüttelt den Kopf.*

ZUGFÜHRER *zu Trude.* Auch nicht in Ihrem Täschchen?

TRUDE *schüttelt unter Tränen den Kopf.*

ZUGFÜHRER. Wieviel Geld haben Sie?

TRUDE. Nichts.

ZUGFÜHRER. So?

TRUDE. Für die Karte gab ich das letzte aus.

ZUGFÜHRER. Was wollen Sie denn in Chikago?

TRUDE *scheu.* Nichts.

ZUGFÜHRER. Wer erwartet Sie denn in Chikago?

TRUDE. Niemand.

ZUGFÜHRER. Warum sind Sie denn in New York in den Zug gestiegen?

TRUDE. Weil ich abreisen wollte.

ZUGFÜHRER. Der Grund?

TRUDE. Es hat schon – seinen Grund.

ZUGFÜHRER. Getürmt?

TRUDE. Ich konnte nicht länger warten –

ZUGFÜHRER. Wo?

TRUDE. – auf der harten –

ZUGFÜHRER. Wie?

TRUDE. Wartezimmerbank.

ZUGFÜHRER. Das werden Sie auch nicht brauchen – hier zu warten auf der harten Holzbank, bis der Zug in Chikago ankommt. Wir entledigen uns nämlich unterwegs solcher Fahrgäste, wie Sie einer sind. *Zum Kontrollör.* Ziehen Sie die Leine.

TRUDE. Was wollen Sie denn mit mir tun?

ZUGFÜHRER. Da wir höflich genug sind, blinde Passagiere nicht einfach aus dem fahrenden Zug zu werfen –

TRUDE. Ich bin doch kein blinder Passagier!

ZUGFÜHRER. Der typische Tramp sind sie – in Weiberröcken. Losfahren und nun das Glück versucht – mit schönen Augen – na und sonstwas. Sie haben falsch getippt bei dem da.

KONTROLLÖR *lacht.*

TRUDE. Ich hatte mir doch die Fahrkarte richtig gekauft.

ZUGFÜHRER. Den Schwindel sollen wir Ihnen glauben? Wo Sie zugeben, keinen Cent im Besitz zu haben und in Chikago keine Maus zu kennen? Reden Sie uns nichts ein. *Zum Kontrollör.* Ziehen Sie die Leine.

TRUDE. Was geschieht mit mir??

ZUGFÜHRER. Ich bringe den Zug zum Stehen und Sie steigen aus.

TRUDE. Auf freier Strecke – – in der Nacht??

ZUGFÜHRER. Es ist die übliche Methode. *Zum Kontrollör.* Los – die Leine.

TRUDE *fällt dem Kontrollör in den Arm.* Erbarmen Sie sich – es ist nicht alles so, wie Sie glauben – es ist alles so, wie ich sage. Ich habe die Wahrheit gesagt – ich habe nicht gelogen – ich kann nicht lügen. Ich habe mich mit dem letzten Gelde aufgemacht – ich habe mich doch aufmachen müssen – ich mußte nach Chikago reisen – ich muß doch nach Chikago kommen – jetzt dürfen Sie mich nicht aus dem Zug schicken – in die Nacht von Amerika, wo ich ihn nicht finde – – – – Ziehen Sie nicht – – ziehen Sie um aller Barmherzigkeit willen nicht die Leine, lieber Kontrollör!!!!

BANNERMANN *erwacht.* Was ist denn los? Zum Teufel – hat diese Nacht denn alle Furien entfesselt? Was kreischt das Weib? Wird im Wagen ein Kind geboren?!

ZUGFÜHRER. Verzeihen Sie, mein Herr, es handelt sich um –

BANNERMANN. Um meine Ruhe, Herr. Um nichts weiter!

ZUGFÜHRER. Wir entdeckten einen blinden Passagier.

BANNERMANN. Das ist ja Blödsinn. Freiwillig kriecht doch keiner in diesen Ratterkasten.

ZUGFÜHRER. Die Person sträubt sich, den Zug zu verlassen.

BANNERMANN. Sie soll Gott danken, daß sie hier herauskommt und frische Luft schnappt. Verschaffen Sie ihr möglichst rasch das Vergnügen – vor allen Dingen um meiner Ruhe willen!

TRUDE *wirft sich zu Füßen nieder.* Sie dürfen nicht so reden – – es ist doch mein – – – – *Sie stockt.*

BANNERMANN *starrt Trude an. Dann gewinnt er seine Fassung. Zum Kontrollör.* Hände weg – von der Leine!! *Zum Zugführer.* Diese Dame steht unter meinem Schutz!! Was ist sie Ihrer Aktiengesellschaft schuldig? – Bis Chikago Holzklasse – was? – Da ist der Happen – der Überschuß ist Trinkgeld!

ZUGFÜHRER *sieht erstaunt die Fülle der von Bannermann erhaltenen Geldscheine an.* So viel – –??

BANNERMANN. Jeder zahlt, wie er kann. Man kann, mein Herr. Sie können verschwinden – bis Chikago auf Nichtwiederstören. Telegraphieren Sie dringend nach Chikago nach einem Riesenluxusauto – für diese Dame. Sie kauft es drahtlich glatt per Kasse!

Zugführer und Kontrollör hinten ab.

TRUDE *verwundert.* Sie fahren –

BANNERMANN. Weil Sie hier fahren!

TRUDE. Wußten Sie denn das?

BANNERMANN. Wer sucht, der findet immer.

TRUDE. Mich suchten Sie?

BANNERMANN. Wie eine Stecknadel – um sie zu vergolden!

TRUDE. Was ist Ihnen denn an mir gelegen?

BANNERMANN. Und wer trägt die Mappe? Diese Mappe, auf die Sie sich auf dem Schiff setzten – ahnungsvoll dieselbe schon in Besitz nahmen, bevor noch gewisse Anrechte sich erwiesen, die zur alleinigen Erbin jener erwähnten vierzig Millionen Dollars eine gewisse Gertrud Schumann machen – – *Dabei packt er seinen Koffer aus, schleudert Wäsche usw. auf den Boden um die Mappe vom Koffergrunde hervorzuholen.*

TRUDE. Kennen Sie denn jetzt meinen Namen?

BANNERMANN *umarmt sie.* Sie sind es – *Er legt ihr die Mappe in den Schoß.* – hier sind Ihre Millionen!

TRUDE *aufatmend.* Kann ich – – ihn nun weiter suchen?

BANNERMANN. Wen?

TRUDE. Jean.

BANNERMANN *böse.* Umkehren sollen Sie. Raus aus diesem Lande. Von diesem Bengel weg, dessen Protektion Sie nicht mehr nötig haben. Schmettern Sie ihm ein Kabel: von dir genug – selbst genug. Platzen soll er, wenn er Ihre veränderte geschäftliche Lage erfährt. – Ich lasse auf der nächsten Station bremsen. Sie können das bezahlen. Keinen Schritt weiter ins Innere dieses Kontinents!

TRUDE. Das darf ich nicht.

BANNERMANN. Also kein Kabel – bloß Schluß mit der Jagd nach Ihrem Jean.

TRUDE. Ihm folge ich bis an der Welt Ende.

BANNERMANN. Millionenschwer und mutterseelenallein unter Cowboys? Man lyncht Sie an der nächsten Ecke. Haben Sie denn noch nicht genug von den Gefahren, denen ich Sie eben entrissen habe? Einmal sind Sie mir schon durch die Lappen gegangen, jetzt lasse ich Sie bis Europa nicht mehr aus den Augen, mein Goldschatz.

TRUDE. Dann müssen Sie mir Jean finden helfen.

BANNERMANN. Ich soll den Spürhund machen hinter diesem Lümmel her??

TRUDE. Sonst nehme ich nichts an. *Sie gibt ihm die Mappe zurück.*

BANNERMANN. Das ist eine so fürchterliche Zumutung –

TRUDE. Nun – die Bedingung ist es!

BANNERMANN. Sie treffen mich im Innersten – wo der Abscheu vor den anderen geldgierigen Erben haust. Die sollen sich wundern – die sollen mal gewaltig das Maul aufreißen – der ganze Erbverein soll explodieren: ich muß den echten Erben bringen – und hängt ein Jean daran, egal – wenn sich nur alle andern picklig ärgern!

TRUDE *seufzend.* Wären wir doch schon in Chikago!

SIEBENTES BILD

Runder Spiegelsaal: die zahlreichen Spiegel sind zugleich Türen. Nur im Vordergrund rechts eine niedrige dunkle Holztür.
Kurzes Orchestervorspiel: hastig quirlendes Tempo.
Aus einer Spiegeltür Jean und erster Herr – beide, wie alle später auftretenden Herren, im Frack.
Der folgende Dialog wird in raschem Parlando gesungen.

ERSTER HERR. Nur einen Augenblick, mein Herr.

JEAN. Was haben Sie mir denn zu sagen?

ERSTER HERR. Ich mache das Geschäft mit Ihnen!

JEAN. Wir sind auf einem Ball!

ERSTER HERR. Business as usual. Sie haben was davon. Zwanzig Prozent, wenn Sie vermitteln.

JEAN. Wo?

ERSTER HERR. In Washington.

JEAN. Da bin ich nicht bekannt.

ERSTER HERR. Sie hätten keinen Freund in Washington? Dreißig Prozent!

JEAN. Ich kann für vierzig Ihnen nichts besorgen.

ERSTER HERR. Dann fünfzig. Halbpart. Handschlag. Die Sache selbst – wir reden noch davon. Sie helfen mir bei einer Transaktion! *Durch dieselbe Spiegeltür ab.*

JEAN *bleibt verwirrt zurück – will dann durch eine andre Spiegeltür ab, aus der ihm der zweite Herr entgegentritt.*

ZWEITER HERR. Ich suche Sie in allen Räumen.

JEAN. Begann der Tanz?

ZWEITER HERR. Wer spricht davon? Ich brauche Ihre Hand.

JEAN. Wobei?

ZWEITER HERR. Bei einer Transaktion mit Basis: Washington.

JEAN. Wir sind in Florida.

ZWEITER HERR. Ein Kabel an den Freund im Senat. Sie unterschreiben. *Er hält ihm Formular und Bleistift hin.*

JEAN. Ich schreibe nicht.

ZWEITER HERR. Sehr klug. Ich habe Sie nicht informiert. Wir teilen den Gewinn. Sind Sie zufrieden?

JEAN. Nein – ich sträube mich.

ZWEITER HERR. Zwei Drittel dann für Sie. Mir bleibt am Rest genug. Die Unterschrift.

JEAN *unterschreibt.*

ZWEITER HERR. Das wird gefunkt und trifft noch heute ein!
Durch die Spiegeltür ab.

JEAN *sucht Ausgang durch eine andre Spiegeltür.*

Dritter Herr tritt ihm daraus entgegen.

DRITTER HERR. Sie sind allein? Das trifft sich ausgezeichnet.

JEAN. Ich wollte eben zu den Damen gehn.

DRITTER HERR. Die haben Zeit – die laufen nicht davon. Jetzt
reden wir.

JEAN. Was wünschen Sie von mir?

DRITTER HERR. Wir haben eine Chance. Sie tun doch mit?

JEAN. Wobei?

DRITTER HERR. Bei einer Transaktion – die uns entführt nach
Washington!

JEAN. Hier aus Miami weg?

DRITTER HERR. Ich setzte meine Yacht schon unter Dampf.
Wir starten gleich und sichern uns die Sache.

JEAN. Von der ich nichts verstehe.

DRITTER HERR. An Bord Details. Sind Sie in zehn Minuten
fertig?

JEAN. Ja – ich bin fertig.

DRITTER HERR. Topp! *Durch die Spiegeltür ab.*

JEAN *will sich durch eine andre Spiegeltür entfernen.*

Vierter Herr tritt ihm entgegen.

VIERTER HERR. Sie waren nirgends – aber hier sind Sie!

JEAN. Kann Sie das interessieren?

VIERTER HERR. Mehr als Sie augenblicklich ahnen.

JEAN. Man hielt mich auf – ich muß mich bei Frau Robinson
entschuldigen.

VIERTER HERR. Es kommt nicht mehr dazu.

JEAN. Was ist geschehn?

VIERTER HERR. Wir machen uns davon.

JEAN. Weshalb?

VIERTER HERR. Weil eine Transaktion uns ruft nach Washington.

JEAN. Ich bin bereits versagt.

VIERTER HERR. Soll Sie Miß Mabel halten? Es wird Miß Mabel mächtig imponieren, wenn Sie um einer Chance willen sich absentieren.

JEAN. Liegt Ihre Yacht schon unter Dampf?

VIERTER HERR. Zu langsam. Mein Flugzeug auf dem Dache des Hotels. Ich warte oben. Folgen Sie mir unbemerkt. *Durch die Spiegeltür ab.*

JEAN *reißt eine Spiegeltür auf – ein Herr steht dahinter.* Wir sprechen noch davon –

DER HERR. Von einer Transaktion –

JEAN. In Washington! *Er schlägt die Tür zu – öffnet die nächste und so reihum, wobei sich immer derselbe Dialog entwickelt.* Wir sprechen noch davon – von einer Transaktion – in Washington!!

JEAN *tritt erschöpft in die Mitte des Saals.*

Hinter allen Türen
stehen sie,
wenn ich eine öffne,
schreien sie:
Transaktion.
Sicher sind es nicht Geschäfte,
die auf graden Beinen stehn.
Jetzt muß ich mit diesen Brüdern
ihre krummen Wege gehn –
und in Washington
jagt man mich wie einen Hund davon,
weil ein Schwindel doch nicht ewig währt.

Handschlag – Kabel – Dampfyacht – Flugzeug,
was soll gelten?
Bin ich einmal oder zehnmal da?
Will mich einer schelten,
weil ich jedem, der mich bittet,
sage: ja?
Setzen Sie sich mal an meine Stelle,
und Sie werden handeln so wie ich.
Schließlich ist es keine Bagatelle:
Kellner erst –
und was noch kommt, das läppert sich.
Doch in Washington

jagt man mich wie einen Hund davon,
weil ein Schwindel doch nicht ewig währt.

Wenn mir einer eine Chance gäbe –
und sie gibt mir keiner,
weil es rein geschäftlich nicht zu machen ist:
ich verzöge mich.
Aber hier bin ich in festen Händen,
keine Tür ist frei –
und Gewalt?
Wie soll das enden?
Wie es enden soll? –:
in Washington
jagt man mich wie einen Hund davon,
weil ein Schwindel doch nicht ewig währt!
Durch eine Spiegeltür links ab.

Orchester schweigt.
Aus einer Spiegeltür rechts: Trude – in großer Abendtoilette
– und Bannermann im Frack.

BANNERMANN. Einfach ekelhaft, liebes Kind.

TRUDE. Was gefällt Ihnen denn schon wieder nicht?

BANNERMANN. Dies ganze Getue – wegen des Abendbrotes muß ich mich in einen Frack zwängen. Hemd mit steifer Brustplatte. Ich dampfe wie in einem Panzerwagen.

TRUDE. Wir sind im feinsten Hotel von Miami.

BANNERMANN. Für Sie ist alles schon so selbstverständlich –

TRUDE. Worin liegt das Besondre? Äußerlich hat sich etwas verändert. Weiter doch nichts.

BANNERMANN. Bei mir in diesem steinharten Kragen, der auch viel zu eng ist!

TRUDE. Ertragen Sie die kleinen Übel, bis ich Sie davon erlöse.

BANNERMANN. Na, endlich wird ja der Junge sich stellen lassen. Jean – das mystische Wesen, hinter dem die Damen her sind – das heißt: wenn sie genug Geld haben.

TRUDE. Das habe ich doch jetzt.

BANNERMANN. Gott sei Dank, Sie haben es – und nicht die andern!

TRUDE. Nun kann ich ihm doch dasselbe bieten – oder mehr noch.

BANNERMANN. Als wer?

TRUDE. Als die Amerikanerin, mit der er sich hier verloben soll.

BANNERMANN. Das haben wir alles mit Hilfe von geradezu verschwenderischen Ausgaben herausgekriegt: daß sich der edle Ritter samt Tante Robinson und Nichte Mabel und dem kompletten Hofstaat hierher begeben hat, um – Ja, soll denn hier eine öffentliche Versteigerung vorgenommen werden? Wer am meisten bietet, hat ihn? So ein Kerl ist das?

TRUDE. Es ist – Jean.

BANNERMANN. Fräulein, rütteln Sie doch nicht an sämtlichen Fundamenten menschlicher Beziehungen. Der Knabe ist käuflich – bei gehöriger Offerte Gegenliebe. – So was verfolgen Sie bis an den Südrand der Vereinigten Staaten?

TRUDE. Er liebt doch das Geld, sonst hätte er sich nicht mit der Amerikanerin eingelassen.

BANNERMANN. Vor dieser Logik kapituliere ich. Mein Gemüt ist solchen Empfindungen nicht zugänglich. Machen Sie das bitte mit sich selbst ab. Jedenfalls sind wir am Ziel und diese Jagd hat ein Ende. Ich habe den Überwachungsdienst aufgelöst. Zum Halse hingen mir schon diese Detektive raus, die immer neue Spesen entdeckten, die sie machen mußten. Einmal und nicht wieder. Meine Kräfte reichten genau bis hierher. Wenn uns hier der Junge nochmal durch die Lappen geht – – – –

TRUDE. Jetzt spreche ich ihn mitten in seiner Gesellschaft an!
Beide durch eine Spiegeltür ab.

Aus einer andren Spiegeltür: »Jean«.

JEAN. War das nicht – – Trudes Stimme? – – Ich habe so sprechen hören – – es war hier – – als redete sie – – mit ihrer Stimme – – die ich gleich erkannte – – durch Türen – – wie nur eine spricht – – die Trude ist! – – – – Wie kann denn Trude hier sein? – – Hier – in Miami – im feinsten Hotel der Erde? – – – – Unsinn, Jean, so was funktioniert nicht zweimal, daß einer herausgerissen wird – – und nicht weiß, wo ihm der Kopf steht. Um meinen Verstand scheint es geschehen zu sein. Ich höre Stimmen, wo keine Menschen sprechen. Keine Seele ist hier! – – – – Dennoch hörte ich – – zum erstenmal wieder – – diese Stimme – die schlummerte – – und nun in meinem Ohr erwachte – – in diesem gefährlichen Moment, wo alles zur Entladung drängt – – – – um mir eine Chance zu geben. – – – – Welche Chance????

Aus einer Spiegeltür: Frau Robinson.

FRAU ROBINSON. Wollen Sie mich erschrecken? Sie gehen neben mir – plötzlich gehen Sie nicht mehr neben mir. Als hätte Sie der Parkettfußboden verschlungen, sind Sie weg. Ich seh' nicht hin und rede weiter – die Leute kichern: die Robinson hat einen Knall, sie quatscht schon mit sich selbst. Haben Sie für Ihre geräuschlose Entfernung von meiner Seite eine Erklärung?

JEAN. Ich bemerkte gar nicht –

FRAU ROBINSON. – daß Sie noch in eine Konversation mit mir verwickelt waren. Die einen sehr wichtigen Gegenstand behandelte. Also worum handelt es sich? Losgeschossen, junger Freund.

JEAN *abwesend.* Wovon war doch die Rede?

FRAU ROBINSON. Das hat er nicht präsent, was längst die Papageien im Urwald von den Palmen flöten!

JEAN. War's eine Waldgeschichte?

FRAU ROBINSON. Getroffen. Nur ist der Wald ein Garten. Nämlich der Hotelpark. Aber auch mit Palmen – direkt an Floridas Küste. Da sitzt ein Mädchen –

JEAN. Sitzt da ein Mädchen??

FRAU ROBINSON. Eine Miß Mabel, zu der ich Sie führen wollte – – als Sie vorhin so plötzlich entwichen.

JEAN. Ich fühlte mich nicht in der Stimmung –

FRAU ROBINSON. Wozu? Um meine Nichte anzuhalten? Dabei ist Ihre Stimmung völlig überflüssig. Wenn Mabel Sie erwählt – und ich die Erlaubnis zu der Verbindung gebe, dann ist das eine Transaktion. Was für die Börse. Eine Kombination, die heute schon in Wallstreet gehandelt wird. Mit festen Kursen. Wir haben uns entschieden. Mabel hat einen Mann, der in Washington nicht ohne Freunde ist. So – und jetzt wird das Geschäft perfekt gemacht. Diesmal halte ich Sie fest. Wie würde Mabel lachen, wenn ich ihr sagte: Sie hatten keine Stimmung für den Abschluß. *Beide ab.*

Trude und Bannermann kommen.

BANNERMANN. Wenn Sie Ihre Gangart nicht mäßigen –

TRUDE. Aber ich habe ihn doch noch nicht gefunden!

BANNERMANN. Also war dies scharfe Tempo völlig überflüssig. Wenigstens protestiere ich gegen jeden weiteren Rekordversuch. Jetzt lassen wir die Dinge hübsch gemütlich an uns herankommen.

TRUDE. Bis es zu spät ist!

BANNERMANN. Wieso denn – zu spät? Es ist genau neun Uhr dreizehn, also der Abend fängt erst an.

TRUDE. Er gibt der Miß sein Wort!

BANNERMANN. Vor elf auf keinen Fall.

TRUDE. Warum vor elf nicht?

BANNERMANN. Beweisen Sie mir mal das Gegenteil.

TRUDE. Sie wollen nur meine Unruhe beschwichtigen. Ich gehe hier in entsetzlicher Angst herum.

BANNERMANN. Dabei haben Sie nicht das geringste zu fürchten, nachdem wir festgestellt haben, daß Ihre Gegnerin nur achtunddreißig Millionen zu bieten hat – Sie hingegen vierzig.

TRUDE. Er weiß es doch nicht!

BANNERMANN. Dann könnte er vielleicht aus Unwissenheit mit den achtunddreißig vorliebnehmen!

TRUDE. Wir müssen der Entscheidung zuvorkommen. Wo kann er sich aufhalten?

BANNERMANN. Da ich bei diesem subtropischen Klima in Auflösung begriffen bin, könnte ich mir vorstellen, daß er – –

TRUDE. Jetzt lebe ich mit ihm unter demselben Dach und er ist mir unerreichbarer denn je. Wir wollen ihn in seinem Zimmer suchen. *Beide ab.*

Jean kommt zurück.

JEAN. Es ist hier gesprochen – – wieder mit der Stimme – – die ich wieder hörte – – durch schallsichere Wände – – wie sich ein Schuß Bahn bricht – – der ins Herz trifft! – – – – Aus Millionen höre ich die eine heraus – – – – höre ich sie? – – – – Halluzinationen, Jean – – aber du hast sie! – – Stelle dich vor die vollendete Tatsache – – du hast vernommen. – – Woher?? – – Ganz nebensächlich. – – Halte dir die Ohren zu – – du hörst doch! – – Es schwillt sogar zum Orkan – – der braust mit ihrer Stimme: – – Trude!!!! – – – – Kann sie mich hören – – so wie ich sie höre???? – – – – Dann muß ich ihr näher kommen, damit sie mich hört – – – dann muß ich

– – – – aus diesem Hotel entkommen – – – – und muß mit dem nächsten Dampfer, der fährt – – *Sich umblickend.* Wie kann ich entkommen????

Frau Robinson kommt.

FRAU ROBINSON. Ein Affront sondergleichen. Vor Zeugen eine Aufführung Ihrerseits, wie sie der letzte Gentleman in Amerika nicht peinlicher liefern könnte. Sind Sie verrückt?
JEAN. Die schwüle Luft –
FRAU ROBINSON. Im Freien weht eine erquickende Brise – hier drin ist es zum Ersticken.
JEAN. Ich –
FRAU ROBINSON. Schweigen Sie. Beschaffen Sie mir erst eine Erfrischung. Ich kriege meinen Anfall.
JEAN. Wo? *Er sieht sich suchend um – läuft nach der Holztür rechts vorn, wo er einen Klingelknopf drückt. Zu Frau Robinson.* Hier kommt Bedienung.
FRAU ROBINSON. Bis ich verreckt bin.

Ein Kellner aus der Holztür.

JEAN. Das ist der Kellner! – Was?
FRAU ROBINSON *mit Geste.* Der Mann weiß schon!
JEAN. Sehr eilig!
KELLNER *verbeugt sich – ab.*

FRAU ROBINSON *böse.* Das war das zweitemal an diesem Abend, daß Sie mir den Streich spielen – dasein und wegsein. Aber diesmal ist es öffentlicher Skandal. Die Gesellschaft ist versammelt – Mabel hat einen Kakteenhintergrund gewählt – ein Wunder, daß sie nicht vor Schreck in die Stacheln gesaust ist! – Sie treten mit mir auf – ich erkläre die Situation, obwohl sie keinem unklar ist – man schweigt erwartungsvoll, was Sie sagen werden – es herrscht Totenstille –
JEAN. Und in der Totenstille hörte ich –
FRAU ROBINSON. – wohl die Backpfeife, die ich Ihnen in Gedanken stach, als Sie den Schnabel nicht auftaten, um die paar Töne zu flüstern, die in solchen Fällen seit Adams Zeiten üblich sind: meine Aktien sind deine Aktien! – nichts, keine Silbe – und Abmarsch aus der Gruppe, als wäre der Satan hinter Ihnen her. Ist das ein Benehmen?

JEAN. Ich komme ja wieder – –

FRAU ROBINSON. Ich hole Sie auch nicht, mein Lieber. Sie werden allein zurückkehren. Ich lasse Ihnen fünf Minuten Frist. Dann reparieren Sie die Blamage. In fünf Minuten sind Sie draußen – oder wir sind alle hier drin. Hier gibt es kein Entweichen – hier postiere ich an alle Türen meine kräftigsten Gäste: dann werden wir ja sehen, ob in Amerika ein Mann eine Dame ungestraft beleidigen darf. In der Beziehung haben wir hier seltsame Sitten. Es würde einigermaßen entschädigen für –

JEAN. Tot oder lebendig –

FRAU ROBINSON. Dazwischen bliebe Ihnen auch nur die Wahl! *Ab.*

JEAN *sieht ihr konsterniert nach.*

Der Kellner kommt aus der Holztür mit Tablett: Glas und Flasche.

KELLNER *sieht sich um.*

JEAN. Die Dame –? Schon wieder fort. Der Anfall legte sich – – – –

KELLNER *geht wieder zur Holztür zurück.*

JEAN *ihm nachrufend.* Hallo!

KELLNER *sich umwendend.* Der Herr?

JEAN. Wollen Sie – tausend Dollars verdienen?

KELLNER. Womit kann ich – – –??

JEAN. Mit einem Tausch – nicht einmal Kauf, denn ich lasse Ihnen meine weiße für Ihre schwarze Krawatte!

KELLNER. Ein hoher Preis für – –

JEAN *gibt ihm die Geldnote.* Mir tausend wert. Sie nehmen. Also los: erst ich – – schwarz für mich. *Er wechselte die Krawatten.* Die weiße Blume – Chrysantheme – mir eingetauscht – – gegen ein Tablett mit Glas und Whiskyflasche! – – Komplett?

KELLNER. Wo wollen Sie hinaus?

JEAN. Durch diese Tür.

KELLNER. Für Kellner. Für Gäste verboten!

JEAN. Bin ich kein Kellner?

KELLNER. Wie ein Kellner – – – –

JEAN. Der sich empfiehlt, wie üblich, durch die Holztür!! *Durch die Holztür ab.*

KELLNER *betrachtet die Geldnote in seiner Hand – blickt scheu herum: dann entschließt er sich zu raschem Aufbruch.* Ich huste auf den Dienst – mit tausend Dollars in der Tasche!

Alle Spiegeltüren werden gleichzeitig geöffnet: Frau Robinson mit Mabel und ihren Gästen dringt ein.

FRAU ROBINSON. Mit der Stoppuhr fünf Minuten. Fair play. Danke, mein Herr. *Sie gibt einem Gast die Uhr zurück.* Ladies and Gentlemen, Sie wundern sich gewiß, daß ich Sie aus dem Park, wo eine kühle Brise fächelt, in diesen Saal, wo die reinste Barockofentemperatur herrscht, weggeführt habe. *Zu Mabel.* Wundere dich nicht, mein Kind, wenn sie jetzt erst einmal deinen zukünftigen Ehemann vor deinen Augen windelweich prügeln! *Zu den anderen.* Es muß nämlich an der Hauptperson dieser Veranstaltung eine Exempel statuiert werden. *Zu Mabel.* Er hat ja mit der Stänkerei angefangen, indem er dich wie einen Klotz im Kraut sitzen ließ! *Zu den anderen.* Miß Mabel ist eine schwere Beleidigung widerfahren: auf meine einladenden Worte, sich mit meiner Nichte zu verloben, gab er Gas und schaltete mit Höchstgeschwindigkeit seinen Rückwärtsgang ein. *Zu Mabel.* Weine nicht, mein Herzchen! *Zu den andern.* So was ist ungezogen und dafür setzt es Hiebe. *Zu Mabel.* Ruf' halt, wenn's dir genug erscheint. *Zu den andern.* Also vorwärts die Herren – ich gebe Ihnen den Mann frei!

EIN HERR. Ich möchte bemerken, daß die für die Züchtigung vorgesehene Person hier nicht anwesend ist!

FRAU ROBINSON *erholt sich von dem Schreck.* Er kann nicht weit sein – wir holen ihn noch ein!! *Alle ab.*

Trude und Bannermann kommen.

TRUDE. Kein Jean – –

BANNERMANN. Jetzt sind wir mit dem Fahrstuhl bis unters Dach gesaust – vielleicht inspizieren wir noch die Kellergewölbe. Übrigens scheint mir Feuer ausgebrochen zu sein.

TRUDE. Brennt es?

BANNERMANN. Oder Wasserrohrbruch. Die Leute schwirren doch wie aufgescheuchte Hummeln herum. Einer hat mir in den Bauch gestoßen – bei dem revanchiere ich mich noch.

TRUDE. Es hat sich wirklich aller eine Aufregung bemächtigt.

BANNERMANN. Es wird zum Programm gehören.

TRUDE. Zu welchem Programm?

BANNERMANN. Einer solchen solennen Verlobung.

TRUDE. Sie darf nicht stattfinden.

BANNERMANN. Sie ist in schönstem Gange. Da kommen alle lieben Gäste zu uns!

TRUDE. Mit Jean??

BANNERMANN. Ich sehe keinen dieses Namens.

TRUDE. So sagen Sie der Dame alles.

BANNERMANN. Was?

TRUDE. Daß Jean mir einzig und allein gehört.

BANNERMANN. Und Ihren vierzig Millionen!

Die ganze Gesellschaft kehrt zurück.

FRAU ROBINSON. Tröste dich, Mabel. Es ist nicht aller Tage Abend. Er wird noch in Kniebeuge vor dir um Gnade winseln. Dann gnade ihm Gott!

TRUDE *stößt Bannermann.* Reden Sie!

BANNERMANN *geht zu Frau Robinson.* Meine verehrte Dame, gestatten Sie, daß ich Ihr Gespräch mit diesem Fräulein unterbreche.

FRAU ROBINSON. Wieso mischen Sie sich ein?

BANNERMANN. Auftraggemäß. Im Namen meiner Mandantin fordere ich den Bräutigam zurück!

FRAU ROBINSON. Er fordert – –! Mabel, verteidige dich selbst. Singe!

BANNERMANN. Ältere Ansprüche werden geltend gemacht, deren Berechtigung unanfechtbar ist.

FRAU ROBINSON. Singe!

Das folgende Duett wird gesungen.

MABEL *gegen Trude vorrückend.* Sind Sie berechtigt?

TRUDE. Wie Sie eben hörten.

MABEL. Das soll mich kümmern?

TRUDE. Ich lasse nicht von ihm.

MABEL. Sie sind so frech mir ins Gesicht zu sagen –

TRUDE. Daß ich ihn liebe!

MABEL *spöttisch.* Das ist Ihre Chance?

TRUDE. Die Liebe meines Herzens gibt ihn mir!

MABEL *zur Gesellschaft.* Sie spricht von Liebe!

CHOR. Ha ha – sie spricht von Liebe!

MABEL. Von Liebe spricht sie!

CHOR. Ha ha – von Liebe spricht sie!

MABEL. Sie hat nur Liebe!

CHOR. Ha ha – sie hat nur Liebe.

TRUDE *sprechend*. Lieben Sie ihn denn nicht?

MABEL *singend*. Sie spricht von Liebe!

CHOR. Ha ha – sie spricht von Liebe!!

FRAU ROBINSON *sprechend*. Mein gutes Kind, Sie haben kaum Aussicht Ihre Ansprüche durchzusetzen – Mabel offeriert Ihrem Freund dreißig Millionen Dollars. Sie werden einsehen, daß vor diesem Argument Ihre Ansprüche in nichts zerstäuben!

BANNERMANN *sprechend*. Diesem fundamentalen Irrtum möchte ich mit der bündigen Erklärung entgegentreten – daß Trude mit dem Angebot von vierzig Millionen um den Zuschlag nicht besorgt zu sein braucht!

Stille.

FRAU ROBINSON *singend*. Das übertrifft, was wir zu bieten haben.

CHOR. Es übertrifft, was wir zu bieten haben.

FRAU ROBINSON. Drum treten wir zurück.

CHOR. Drum treten wir zurück.

FRAU ROBINSON. Man muß dem Menschen seine Chance lassen.

CHOR. Man muß dem Menschen seine Chance lassen.

FRAU ROBINSON. Denn seine Chance ist des Menschen Gott.

CHOR. Denn seine Chance ist des Menschen Gott.

FRAU ROBINSON. Wer sie nicht nutzt –

CHOR. Wer sie nicht nutzt –

FRAU ROBINSON. Wer dumm verdutzt –

CHOR. Wer dumm verdutzt –

FRAU ROBINSON. Sich scheut und schämt.

CHOR. Sich scheut und schämt –

FRAU ROBINSON. Mit beiden Beinen in die beßre Sache einzusteigen –

CHOR. Mit beiden Beinen in die beßre Sache einzusteigen –

FRAU ROBINSON. Wir ächten ihn mit Hohn und Spott!

CHOR. Wir ächten ihn mit Hohn und Spott!

BANNERMANN *sprechend – zu Trude*. Von der Macht des Geldes haben wir eben einen überwältigenden Eindruck erhalten. Der Triumph Ihrer vierzig über die popligen dreißig der gegnerischen Partei ist vollständig. Der Mann gehört uns.

TRUDE. Mein Jean – – – –

BANNERMANN *zu Frau Robinson.* Wenn Sie nun noch so liebenswürdig sein würden uns das erledigte Streitobjekt in figura auszuliefern, so wäre damit Ihrer edlen Selbstüberwindung die Krone aufgesetzt. Wo ist unser Mann?

FRAU ROBINSON. Aber den haben Sie sich doch schon geholt!

BANNERMANN. Wir?

FRAU ROBINSON. Mit Ihren vierzig – um derentwillen er von unsern dreißig weglief!

BANNERMANN. Er weiß doch gar nicht, daß wir da sind und vierzig Millionen mitbringen!

FRAU ROBINSON. Dann ist er hinter einer noch größeren Chance her!!

TRUDE. Ist – – er – – weg – –????

BANNERMANN *stammelnd.* Noch größere Chance – – – –????

DIE GANZE GESELLSCHAFT *tritt an die Rampe vor – singt.*

Man muß dem Menschen seine Chance lassen –
denn seine Chance ist des Menschen Gott.
Wer sie nicht nutzt –
und dumm verdutzt,
sich scheut und schämt
mit beiden Beinen in die beßre Sache einzusteigen:
der hat in dieser Welt davon nur Hohn und Spott!!

BANNERMANN *stützt Trude und redet ihr gut zu.*

ACHTES BILD

Das Schiff auf der Rückfahrt; wieder ist das obere Deck mit in Liegestühlen schlafenden Passagieren der ersten Klasse besetzt – das untere Deck mit den Passagieren der niederen Klasse zwischen Maschinenteilen, Taurollen usw.; der dicke Kapitän neben seinem Matrosen lugt auf der Kommandobrücke durch das Fernrohr aus.
Die Maschine stampft – die Passagiere atmen rhythmisch.
Oben erscheinen Stewards, die Gongs schlagen.

DIE PASSAGIERE OBEN *erwachend.* Was ist denn los? *Aufstehend.* Wir sollen nicht mehr schlafen – wir müssen wieder essen.

Langsam leert sich das obere Deck – nur zwei Passagiere bleiben in ihren Liegestühlen zurück: Trude und Bannermann.

BANNERMANN *sich ächzend halbhoch aufrichtend. Er trägt fabelhaften Knickerbockeranzug.* Es ist mal wieder so weit. Die Verdauungspause hat ihr vorzeitiges Ende gefunden. Wenigstens ich fühle mich auf keine Weise von den kaum völlig verschluckten Speisemengen befreit. Auch die Darmtätigkeit der oberen Zehntausend scheint Ausnahmegesetzen unterworfen zu sein, die der misera plebs contribuens nicht zukommen. Ich jedenfalls könnte sofort den verlockendsten Angeboten des Menüs gegenüber – *Er macht eine würgende Geste. Zu Trude.* Aber Sie müssen aufstehen, Fräulein Trude, Sie gehören jetzt dazu und haben sich die entsprechenden Sitten und Gebräuche a tempo anzueignen. Im Augenblick ist essen an der Reihe.
TRUDE. Ich mag nichts essen.
BANNERMANN. Davon kann gar nicht die Rede sein. Abgesehen davon, daß alle Diners, Lunchs pränumerando bezahlt sind – Sie sollen mir nicht schwach werden. Ich will Sie doch lebendig im Heimathafen ausladen.
TRUDE. Was liegt mir noch daran.
BANNERMANN. Nun machen Sie mal Schluß mit Ihren Zuständen. Mir liegt sehr viel daran, Sie im Volbesitz Ihrer fünf Sinne einem wutschnaubenden Erbverein präsentieren zu können. Wollen Sie mich um den Spaß in letzter Minute bringen?

TRUDE. Ich kann mich über nichts mehr freuen.

BANNERMANN. Sie haben ja kein Gemüt. Eine ganz hartge-
sottene Natur sind Sie. Und undankbar obendrein.

TRUDE. Was nützt mir jetzt alles Geld?

BANNERMANN. Lassen wir doch das. Mir sind Sie Anerkennung schuldig. Alles was ich um Ihretwillen mit mir habe
anstellen lassen – sehen Sie mich doch mal an: in Pluderho-
sen. Unten Storchbeine. Aber ich lasse diesen sträflichen
Humbug mit meiner Menschenwürde treiben –

TRUDE. – um sich an den langen Gesichtern der andern Erben
zu weiden!

BANNERMANN. Na ja – na ja, aber es fällt doch auch für Sie
einiges ab. Eine Hand wäscht die andre. Also Schluß mit
dieser Melancholie – die Welt hat noch tausend Freuden für
Sie.

TRUDE. Nicht ohne Jean.

BANNERMANN. Erbarmen, junges Weib – ich kann den Name nicht mehr hören. Der kalte Schweiß bricht mir aus,
wenn ich an die Jagd in Amerika denke.

TRUDE. Wir hätten ihn nicht allein lassen sollen.

BANNERMANN. Das beste, was wir tun konnten, haben wir
getan: ihn lassen, wo er ist. Bei seinen Chancen. Mit andren
Worten: bei seinen Schwindeleien. Oder zweifeln Sie wieder?

TRUDE. Ich will nicht daran glauben.

BANNERMANN. Dann werden Sie sich an die Tatsache gewöhnen müssen.

TRUDE. Sie wissen doch auch nichts Bestimmtes.

BANNERMANN. Aber es genügt zu überlegen: was muß ein
Mensch auf dem Kerbholz haben, wenn er von dreißig Millionen wegläuft, als wären sie Pappe? Nennen Sie mir einen
plausiblen Grund. Jawohl, die waren ihm piepe – samt
Braut, die ganz manierlich war. Die Freiheit war ihm noch
lieber. Wir hätten ihn nach Sing-Sing bugsiert – mit Fahndung in den Zeitungen, wie Sie es vorhatten. Der Filou hält
sich versteckt – und tut wohl daran sich verborgen zu halten!
Das sind juristische Deduktionen, von denen Sie nichts verstehen. Aber am Faktum wird nichts geändert. Schlagen Sie
sich den Windhund aus dem Kopf. Johannes ging und kehrt
nicht wieder.

TRUDE. Hätten Sie mich doch damals aus dem fahrenden Zug
werfen lassen!

BANNERMANN. Das ist krankhaft. Gemütsdepression. Dage-

gen muß unverzüglich eingeschritten werden. Ich schrecke
vor nichts zurück – Ihr kostbares Leben muß erhalten bleiben! – ich mache mich zum vollendeten Hanswurst – ich
singe Ihnen was vor:

Es betrifft: – wir haben viel gesehen –
wundervoll war's in Amerika.
Vorher kann man vieles nicht verstehen,
hinterher begreift man: man war da.
Ja, man war einmal an Ort und Stelle –
und es hat uns so gefehlt –
und jetzt wird erzählt:
wozu mir der Atem fehlt.

Es betrifft: – wir haben viel gesehen –
wer zuhaus sitzt, macht sich gar kein Bild:
was für Dinge auf der Welt geschehen,
wie man tritt und der getretne brüllt!
Ja, man war einmal an Ort und Stelle –
und es hat uns so gefehlt –
und jetzt wird erzählt:
wozu mir der Atem fehlt.

Es betrifft: – wir haben viel gesehen –
das erweitert doch den Horizont:
trotzdem können viele nicht verstehen,
was vorbei ist und nie wieder kommt.
Ja, man war einmal an Ort und Stelle –
und es hat uns so gefehlt –
und jetzt wird erzählt:
wozu mir der Atem fehlt.

Es betrifft: – wir haben viel gesehen –
man gewöhnt sich und man gibt sich kalt:
jedem kann es en passant geschehen,
daß man ihm eins auf die Jacke knallt.
Ja, man war einmal an Ort und Stelle –
und es hat uns so gefehlt –
und jetzt wird erzählt:
wozu mir der Atem fehlt.

Zu Trude. Nun?

TRUDE. *Müde.*
BANNERMANN *sinkt in seinen Liegestuhl.* Hoffnungslos. *Beide schlafen ein.*

Auf dem unteren Deck richtet sich ein Mann zum Sitzen auf und fächelt sich mit seiner Mütze Luft zu: es ist Jean, der sehr einfach gekleidet ist.

JEAN *seinen Nebenmann anstoßend.*
NEBENMANN. Was?
JEAN. Wie lange reisen wir schon?
NEBENMANN. Weißt du es nicht?
JEAN. Manchmal weiß ich es – und manchmal weiß ich es nicht mehr.
NEBENMANN. Du hast wohl keine Eile?
JEAN. Nein.

Pause.

JEAN. Was ist das: wenn man zuerst Eile hat und nachher keine mehr?
NEBENMANN. Was soll denn das sein?
JEAN. Das schlechte Gewissen.
NEBENMANN. So?

Pause.

JEAN. Du denkst wohl, ich will dir die Zeit mit Rätseln vertreiben?
NEBENMANN. War es keins?
JEAN. Aber ein wirkliches, das ich erlebt habe.
NEBENMANN. Mach' dir nichts draus.

Pause.

JEAN. Das sagst du so. Aber wer es hat, den läßt es nicht schlafen und essen. Wer erwartet dich denn, wenn wir ankommen?
NEBENMANN. Mich? Niemand.
JEAN. Vielleicht ist das das beste. Wo keiner ist, kann man auch keinen kränken. Wenn aber nun jemand da ist, dem man ganz unüberlegt einen Streich gespielt hat – und der

Streich kann ihm das Leben kosten?

NEBENMANN. Hast du so was gemacht?

JEAN *nickt.*

NEBENMANN. Wenn's doch aber ohne Überlegung geschehen ist?

JEAN. Meinst du, daß es dann der andre leichter nimmt?

NEBENMANN. Bestimmt.

JEAN. Das leuchtet mir nicht ein.

NEBENMANN. Du wirst ja sehn.

JEAN. Davor fürchte ich mich eben. Ich bin doch damals von ihr weggegangen –

NEBENMANN. Aha – ein Mädchen.

JEAN. Sie wartete immer auf mich, bis ich nachts von meinem Dienst zurückkam –

NEBENMANN. Was bist du denn?

JEAN. Kellner.

NEBENMANN. Na – und?

JEAN. Wir wohnten schon zusammen – –

NEBENMANN. Sie glaubte, daß du sie heiraten würdest?

JEAN. Das will ich doch noch.

NEBENMANN. Will sie nicht mehr?

JEAN. Ich ließ sie sitzen – – mit tausend Mark.

NEBENMANN. Das hättest du nicht tun dürfen.

JEAN. Sie brauchte doch Geld.

NEBENMANN. So was kann leicht mißverstanden werden – wenn man aufsteht und bezahlt.

JEAN. Denkst du daran?

NEBENMANN. Woran denkst du?

JEAN. Daß – einmal die tausend Mark zu Ende gegangen sind und die Armut kam.

NEBENMANN. Sicher.

JEAN *fällt auf die Seite.*

NEBENMANN. Was hast du denn?

JEAN. Ich werde sie nicht wiedersehen.

NEBENMANN. Warum denn nicht?

JEAN. Sie hat doch nichts – um solange zu leben – bis ich um Verzeihung bitten kann.

NEBENMANN. Die Reue kommt immer zu spät.

JEAN *singt dazu.*

> Ich habe nichts vergessen –
> ich konnte und wollte es nicht.

Manchmal nur fuhr der Wind drüber hin –
Wind, der alles verwirrt –
und man irrt
und weiß nicht mehr,
wie alles gewesen.

Wo wir beieinander gelegen –
und es war still wie im Tod –
kaum daß wir uns bewegen –
da wissen wir mehr vom Leben
als mitten im Tag,
der es verwirrt
und man weiß nicht mehr,
wie alles gewesen.

Ich habe nur eins vergessen –
und das war wichtig zu sagen.
Mich verwirrte der Wind.
Weht er nicht so oder so –
wer kennt das wohin?
Da mußt du noch eilig dich umdrehn
und darfst vom andern nicht weggehn –
du beschwörst ihn mit dringenden Worten:
zu warten!

TRUDE *singt mit halber Stimme aus dem Schlaf.*

Ich konnte nicht länger warten –
ich mußte aufstehn
von der harten
Wartezimmerbank
und allein weggehn.

JEAN.

Ich konnte da drüben nicht warten –
es hätte sich alles verwirrt.
Wohin weht der Wind?

TRUDE.

Ich habe nichts vergessen –

ich konnte und wollte es nicht.
Niemals verweht es der Wind.

JEAN und TRUDE.

Ich habe nichts vergessen –
ich konnte und wollte es nicht – –
und der Wind,
wie der sich dreht,
nichts verweht!
Die Stimmen verhauchen. Die Mandoline verklingt.

NEUNTES BILD

Hintergrund: die schwarze Längswand des Dampfers.
An die Reeling oben gedrängt: die Passagiere – Tücher und
Hüte schwenkend.

PASSAGIERE *Chorgesang.*

> Das Schiff legt an
> am Peer –
> und wir
> verlassen Kahn und Ozean,
> wo wir,
> der eine so – der andre so,
> wie die Moneten es erlauben,
> in den verschiednen Klassen,
> doch in der gleichen Zeit
> uns übersetzen lassen.
> Ahoi!!
>
> Fünf Tage auf dem Wasser,
> und das ist noch zuviel –
> die Erde macht sich klein –
> weil wir,
> wir wissen nicht wofür –
> um Zeit zu sparen –
> wofür? –
> am liebsten mit dem Winde um die Wette fahren.
> Ahoi!!

Die Passagiere oben treten zurück.

In der Mitte der Schiffswand haben Matrosen eine Tür ge-
öffnet und schieben den Laufsteg hinaus.
Bannermann und Trude betreten den Steg.

BANNERMANN. Es scheint merkwürdigerweise Leute zu geben,
die sich von diesem Floß nicht trennen können. Es ist nicht
gottgewollt, daß der Mensch in See sticht. Das widerspricht
der ganzen Schöpfungsgeschichte. Mühselig hat unser Vater
im Himmel der Feuchtigkeit die fünf mickrigen Erdteile abgerungen – aber von der weiteren Benutzung der Wasser-
flächen steht kein Sterbenswörtchen im Buch. Ich bin direkt

von dankbaren Empfindungen beseelt, daß ich wieder festen Boden betreten darf.

TRUDE *zögert.*

BANNERMANN. Was ist denn nun? Woran hängen Sie denn fest?

TRUDE. An nichts.

BANNERMANN. Also dann kürzen Sie den Aufenthalt auf der Brücke ab. Das Ding ist sowieso nicht aus Stahl und Beton gebaut. Auch die Befestigung trägt rein provisorischen Charakter. Es ist durchaus nicht ausgeschlossen, daß zuletzt noch die ganze Geschichte ins Wasser fällt. Dann sind Erben feil wie Datteln. Ich würde mich noch unter Wasser aufhängen.

TRUDE. Ich habe doch so ein schlechtes Gewissen –

BANNERMANN. Damit werden wir geboren. Hier auf der Brücke nimmt es Ihnen keiner ab. Vorwärts, Millionärin.

TRUDE. Wenn ich unten ankomme, ist mir – als hätte ich Jean endgültig verloren.

BANNERMANN. Den haben Sie schon oben hinter sich. Der macht jetzt Wildwest unsicher. Europa war nicht sein Geschmack. Meiner ist's auch nicht. Aber wo man Ärgernis verbreiten kann, da soll man Wurzel schlagen. Kommen Sie mit mir zu den Erben.

TRUDE. Mit jedem Schritt abwärts schwillt meine Angst.

BANNERMANN. Unsinn. Es braucht Sie keinerlei Furcht zu befallen. Die Lektüre Ihres Bankkontos wird sie von der falsch angewandten Sentimentalität heilen. In gewisser Höhe hat das Kapital nämlich etwas Rührendes. Es macht völlig hilflos. Man hat mehr Geld, als es zu kaufen gibt. Zum Kinde wird man.

TRUDE. Nun sagen Sie doch selbst, daß es für Geld nicht alles zu kaufen gibt.

BANNERMANN. Jetzt habe ich Sie wenigstens von der Brücke herunter. So – nun stampfen Sie mal fest auf – mit beiden Füßen – vollführen Sie einen richtigen Hopser: das ist Grund und Boden. Heimgekehrt – und wie!

TRUDE. Ja – wie – – – –

BANNERMANN. Kindchen – Kindchen, es kann nicht alles auf einmal sein. Ich will mich nicht verhärten – Sie hätten gern noch was fürs Herz von drüben mitgebracht. Es hat sich nicht einrichten lassen. Tropfen Sie mal nicht so aus den Augen – ich kann so was nicht sehn. Bei Ihnen nicht. Es wird schon noch werden. Aber nehmen Sie sich Zeit. Und hier gebe ich Ihnen einen gewichtigen Rat – merken Sie sich: nicht den ersten besten. Es werden viele Mäuler nach Ihrem Gelde schnappen – stoppen Sie den Ansturm. Prüfen Sie – wählen Sie mit Bedacht – überstürzen Sie um Himmels willen nicht die Entscheidung. Es muß Sie lieben um Ihrer selbst willen – sonst 'raus aus dem Tempel. Wollen Sie mir das schwören: nicht den ersten besten, der hergelaufen kommt!

TRUDE *gibt ihm die Hand.*

BANNERMANN. An Eides Statt! – Jetzt stehn wir hier im Wege. Des Herrgotts Zoo scheint sich endlich zum Verlassen der Arche Noah entschlossen zu haben. Da kommt was.

Jean betritt den Steg.

BANNERMANN. Der scheint sich auch nicht in rosigster Laune wieder in die Heimat zu trudeln.

TRUDE *sieht hin – läßt, was sie in Händen hat, fallen – läuft den Steg hinauf und wirft sich wortlos an Jeans Brust.*

JEAN *blickt verständnislos auf Trude nieder.*

TRUDE *drückt – ohne Kraft zu sprechen – das Gesicht fest auf seine Brust.*

BANNERMANN. Was ist denn – –??

JEAN *zu Bannermann.* Können Sie mir sagen –?

BANNERMANN. Das Frauenzimmer ist mannstoll geworden. Vor einer Minute schwört sie mir noch – nicht den ersten besten – –

TRUDE *richtet sich auf.* Es ist doch nicht der erste beste – – es ist doch Jean!!

BANNERMANN. So was ist Jean – – – –

JEAN *zu Trude.* Kennen Sie mich –?

TRUDE. Erkennst du mich nicht?

JEAN *sich über die Augen fahrend.* Wie Trude – – – –

TRUDE. Die ich bin!!

JEAN *betrachtet sie staunend.*

BANNERMANN. Und hinter so was her durchquert man halb Amerika – – – – *Er setzt sich auf seinen Handkoffer.*

JEAN. Wie siehst du denn aus –?

TRUDE. Wie denn?

JEAN. So schick –!

TRUDE. Fällt dir nichts weiter auf?

JEAN. Daß – du mich vom Schiff abholst –!

TRUDE. Es ist viel wunderbarer!

JEAN. Was denn noch?

TRUDE. Daß wir auf demselben Schiff gereist sind!

JEAN. Ich habe dich nicht gesehn.

TRUDE. Und wo warst du?

JEAN. Im – Zwischendeck.

TRUDE. Da reiste ich in erster Kajüte!

JEAN. Wovon kannst du denn – Reisen nach Amerika und zurück bezahlen?

TRUDE. Die erste Fahrt von deinen tausend Mark – da fuhr ich im Zwischendeck.

JEAN. Ich reiste hin in erster Kajüte.

TRUDE. Da sah ich dich!

JEAN. Du – folgtest mir?

TRUDE. Wohin du gingst?

JEAN. Und – kamst zu Geld?

TRUDE. Warum hast du keins?

JEAN. Weil ich einmal – ist das kein Irrtum mehr? – deine Stimme zu hören glaubte – und lieber arm und dreckig – – – –

BANNERMANN *erhebt sich von seinem Koffer.* Davon kann gar nicht die Rede sein. Was heißt hier: arm und dreckig. Sie haben ein vierzigmillionenschweres Mädchen am Hals, junger Mann. Wenn Sie unter der Last dieses Gewichts zusammenbrechen und den übrigen Passagieren die Brücke verrammeln –

Oben an der Reeling sind die Passagiere wieder erschienen.

PASSAGIERE *singend.* Was ist denn los?

BANNERMANN. Was soll hier groß los sein. Da wundert sich einer, daß er vierzig Millionen serviert kriegt – aus schönsten Händen. Es ist eben ein Erbfall eingetreten. Ich habe alles in meinen Akten. Damit ist die Sache für mich erledigt. So – und nun ziehe ich mir meinen alten Anzug wieder an und schächte den Erbverein!

TRUDE. Sie dürfen noch nicht gehn.

BANNERMANN. Was ist denn noch los?

TRUDE. Das Finale.

Orchestermusik beginnt.

JEAN *zu Trude.* Du hast geerbt?

TRUDE. Für dich und mich.
JEAN. Es war schon immer so.
TRUDE. Wenn zwei sich lieben –
JEAN. Dann sind sie anfangs ohne Trost geblieben –
TRUDE. Doch später fiel das Glück in ihren Schoß.
JEAN und TRUDE. Wenn sie sich lieben.
PASSAGIERE. Jetzt geht es los!

JEAN.

Ich bin bereit mich nicht zu wundern,
denn was geschehn ist, ist geschehn.
Zumeist bereits, wenn wir am Anfang stehn –
und scharf aufs Ziel die Linse richten,
ist es vorauszusehn:
es wird schon gehn!

TRUDE.

Man kann vom Schicksal manches nicht verlangen –
und manchmal ist es gar nicht zu verstehn.
Ich war vor Angst in jedem Bild halbtot
und lebe doch.
Es war vorauszusehn:
es wird schon gehn!

BANNERMANN.

Ich mache mir aus solchen Sachen was,
wo andre sich die Haare raufen:
wie wird es gehn?
Ich mußte happig laufen,
ich wollte längst schon gehn,
um mich gehörig zu verschnaufen.
Es war vorauszusehn:
es wird schon gehn!

*In der Schiffswand öffnet sich eine zweite Tür: darin steht
der Senator.*

SENATOR.

> Wenn einer so wie ich bloß bis zur Mitte –
> man wird verstehn! –
> so läßt es eben einem keine Ruh.
> Man möchte doch –
> verbieten Sie es bitte! –
> mit seinen eignen Augen sehn:
> wie wird es gehn?

Eine andre Tür in der Schiffswand öffnet sich: für Frau Robinson.

FRAU ROBINSON.

> Das Recht hat dazusein, wer vorher war.
> Wie man das macht, das bleibt privat –
> ich kann hier stehn.
> Natürlich ist es Neugier, man ist Weib
> und würde lieber sich den Hals umdrehn,
> als nicht zu sehn:
> wie wird es gehn?

Eine andre Tür in der Schiffswand öffnet sich: Mabel steht darin.

MABEL.

> Ich war ja völlig damit einverstanden
> und eigentlich nicht mehr im Spiel.
> Wenn diese beiden zueinander fanden –
> so mit Gefühl
> und einigem Geld:
> das lohnt sich doch,
> da hat man was gesehn:
> so kann es gehn!

JEAN *zu Trude.*

> Kann es so gehn?

ALLE.

Wir sind bereit uns nicht zu wundern,
denn was geschehn ist, ist geschehn.
Zumeist bereits, wenn wir am Anfang stehn –
und scharf aufs Ziel die Linse richten –
ist es vorauszusehn:
es wird schon gehn!!

Das Schiff hat über die Masten geflaggt.

[1929]

ÄCHTUNG DES KRIEGERS

[PERSONEN

KEPHALOS
POLEMARCHOS
SOKRATES
KELLOGOS]

KEPHALOS. Dem Sokrates bist du begegnet?

POLEMARCHOS. Am Peiraius. Er befand sich unter den Zuschauern, die den Exerzierplatz mit einer dichten Mauer umsäumten. Ganz Athen war auf den Beinen.

KEPHALOS. Was gab es am Peiraius zu sehn?

POLEMARCHOS. Es stellten sich die Truppen zum ersten Mal in ihren neuen Rüstungen auf.

KEPHALOS. Welchen Eindruck machten sie?

POLEMARCHOS. Den hinreißendsten. Mit den Farben gold und rot wird ein bezauberndes Spiel getrieben. Bei den Mannschaften ruht alle Verzierung auf dem brennenden Gelb des Messing, während die Abzeichen der Offiziere dem strahlendsten Silber der Beinschienen und Brustpanzer übergelegt sind.

KEPHALOS. Wurden Bewegungen ausgeführt?

POLEMARCHOS. Es kam zu einem Parademarsch rund um den Platz, der zu den schönsten Schauspielen gehört, die ich in meinem Leben gesehn habe. Es wird schwer sein, in einem Theater ähnliche Wirkung zu erzielen. Die Menge raste im Beifall, da hinter paukender Musik und unter wehenden Fahnen die Truppe vorstampfte.

KEPHALOS. Wie bemerktest du Sokrates?

POLEMARCHOS. Er war der einzige, der seine Ruhe vollkommen bewahrte. Er stand in einer Reihe vornan und hob sich in seinem klumpigen Mantel von erdigem Braun förmlich feindselig von den hellen Festgewändern der Athener ab. Bevor ich ihn erkannte, hatte mich die Lust gepackt zu ihm hinzulaufen und ihn für seine Gleichgültigkeit in aller Öffentlichkeit zu züchtigen.

KEPHALOS. Aber dann erkanntest du Sokrates und begrüßtest ihn mit einem Freudenausbruch.

POLEMARCHOS. Wie sollte es anders sein. Ich wüßte keinen Jüngling in Athen, der ihn nicht als seinen erhabensten Lehrer verehrte.

KEPHALOS. Uns Alten jedoch verursacht er Kopfschmerzen.

POLEMARCHOS. Es liegt nicht an ihm, wenn er dir oder in den väterlichen Häusern meiner Freunde unwillkommen ist.

KEPHALOS. Habe ich das gesagt, daß ich mich seinem Eintritt widersetze? Wo ist Sokrates? Denn natürlich habt ihr euch seiner bemächtigt und gedenkt die Nacht mit ihm zu verbringen. Willst du dem Gastmahl, das ich dem Kellogos von Sparta gebe, fernbleiben, um in Gesellschaft des Sokrates zu sein? Wo habt ihr euch mit ihm verabredet?

POLEMARCHOS. Jeder von uns Jünglingen lud den Sokrates zu sich ein. Er erkundigte sich, welche Gäste er bei diesem oder jenem anträfe. Als er hörte, daß du den Kellogos von Sparta bewirtest, entschied er sich für mich. Dabei lächelte er seltsam.

KEPHALOS. So führe ihn und deine Freunde ein – ich kann meinem Gastfreund aus Sparta keine größere Ehre erweisen, als ihm den Abgott der griechischen Jugend zur Seite zu setzen.

KEPHALOS. Warum hast du, Sokrates – wie mir mein Sohn Polemarchos berichtet – heute auf dem Exerzierplatz am Peiraius von jeder Beifallsbezeugung für die in schimmerndem Glanz defilierende Truppe abstandgenommen?

SOKRATES. Dein Freund Kellogos von Sparta hat mir das Vergnügen verdorben.

KEPHALOS. Willst du dich gegen diesen Vorwurf nicht wehren, Kellogos?

KELLOGOS. Ich habe dir, Sokrates, bei der Truppenschau weder die Aussicht verdeckt noch die Ausrüstung der Truppe bemängelt. Denn ich war auf dem Platze nicht anwesend, da ich zur selben Zeit im Rat von Athen den Pakt unterschrieb.

SOKRATES. Was ist das für ein Pakt?

KELLOGOS. Jenes von mir entworfene Abkommen, das die Ächtung des Krieges festlegt.

SOKRATES. Warum willst du den Krieg ächten, Kellogos?

KELLOGOS. Fragst du mich das, Sokrates?

SOKRATES. Man kann den Krieg furchtbar nennen und ihn mit allen Mitteln vermeiden wollen. Aber so ist er eine großartige Furchtbarkeit – dem Blitze gleich, der aus des Gottes Wolke mit Vernichtung niedersaust. Man baut solchem blitzgewaltigen Gott Altäre, um seinen Zorn zu beschwichtigen – und zu verehren. Doch du gebrauchst das Wort: ächten. Bist du dir über seine Bedeutung klar?

KELLOGOS. Ich bezeichne den Krieg als eine Handlung, die von nun an der allgemeinen Verachtung preisgegeben werden soll.

SOKRATES. Du beraubst ihn wahrhaftig aller Glorie. Du läßt

kein gutes Haar an ihm. Kann man eine Sache tiefer in den Kot treten, als daß man sie verächtlich macht? So wie man sich mit Ekel von einem viehisch besoffenen Tagedieb abwendet oder seine Tochter vor einem syphilitischen Hurenkerl schützt, – so willst du den Krieg von der Menschheit fernhalten. Als einen Unflat, der unsere reinlichen Wohnsitze besudelt. Stößt du den Krieg zum Unrat, den ein gesitteter Mensch nicht einmal mit Handschuhen anfaßt?

KELLOGOS. Du sprichst dem Krieg das härteste Verdammungsurteil, dem ich mit Freuden beipflichte.

SOKRATES. So bewundere ich deine gerechte Strenge und die meiner athenischen Mitbürger, die heute mit dir den Pakt unterschrieben.

KEPHALOS. Ein Lob aus Sokrates' Munde hat noch niemand in Athen vernommen. Du bist der erste, Kellogos, dem Sokrates unumwunden zustimmt. Wir trinken zu deiner Ehrung, Kellogos. – – – Warum hast du nicht getrunken, Sokrates?

SOKRATES. Als ich in den Becher blickte, war der Wein durchsichtig bis auf den Grund. Ich schämte mich etwas vor dieser Klarheit und stellte den Becher weg.

KEPHALOS. Woher entstand deine Beschämung?

SOKRATES. Im Schauder vor der Unklarheit des Denkens in menschlichen Köpfen.

KEPHALOS. Doch nicht in deinem, Sokrates?

SOKRATES. In Kellogos' Kopf.

POLEMARCHOS. Das ist nun Sokrates' Art, mit einem Ja uns aus der dunklen Höhle zu locken, um unterm Sonnenlicht uns mit der Schlinge seines Nein zu fangen.

SOKRATES. Du übertreibst, Polemarchos. Ich plane nicht, dem Kellogos nachträglich zu widersprechen. Ich setze keinen Schritt zurück. Im Gegenteil – im Gegenteil – ich will vorwärts mit ihm gehn. Ermüde nicht, Kellogos, es kommt zu keinem Marathonlauf, auf dem ich dich über Stock und Stein mit mir reiße. Ein winziger Schritt nur muß noch von dir getan werden, damit du deinen Vorsatz erreichst. Um eines Buchstaben Länge bist du hinter dem Ziel geblieben.

KELLOGOS. Wo fehlt ein Buchstabe?

SOKRATES. In deinem Pakt.

KELLOGOS. Welcher?

SOKRATES. Das R.

KELLOGOS. Das rate ich nicht, Sokrates.

SOKRATES. Ich habe die Ächtung des Kriegers beschlossen. Wie könnt ihr eine Sache ächten, wenn ihr die Träger dieser Sache mit Ehren überhäuft?

KELLOGOS. Wen meinst du?

SOKRATES. Eure Krieger. Habe ich nicht vor ein paar Stunden mit angesehen, wie diese Verwalter einer verachteten Sache einherziehn? Auf öffentlichen Plätzen – bei schmetternder Musik und mit prangenden Fahnen? Es sprühte von verzierten Rüstungen und Helmen auf Leibern von bestem Wuchs, der sich im Volk vorfindet. Die Zuschauer verfielen in Rausch. Ist das ein guter Rausch, der entbrennt, wo ihr die Ächtung verkündet?

KELLOGOS. Du verlangst die Ächtung des Kriegers?

SOKRATES. Ich sage nicht, was ich verlange. Was den Menschen helfen kann, werden die Menschen nie erleben. Ich wünsche nur, daß einer auch das zu Ende denkt, was er zu denken begonnen hat. Du hast mit deiner Ächtung des Krieges eine mächtige Lawine ins Rollen gebracht, aber auf halber Halde stockt der Ablauf. Durch deine Schuld. Du hast das R vergessen, das alles reinigt. Dein Krieger bleibt ein Ehrenmann – doch der Krieg ist Verbrechen. So nenne deine Ehrenmänner auch Verbrecher. Verscheuche sie von den Plätzen – führe wie lichtscheues Gesindel sie durch Nebenstraßen im Morgengrauen, bevor das gute Volk zur Arbeit aufsteht. Lass' sie in Lumpen laufen – mit schwarzen Pestmarken – ein Abscheu für Kinder schon: rennt weg – ein Krieger! Schafft das: dann ist geächtet, was geächtet werden muß – der Krieg im Krieger.

KEPHALOS. – – – – Willst du weggehn, Sokrates!

SOKRATES. Um nüchtern zu bleiben. Denn ich würde an diesem Abend mich unmäßig betrinken, weil ich bei keinem Dinge den Zustand der Halbheit liebe. Kellogos hat mich bestärkt. Aber den Anblick eines sinnlos betrunkenen Sokrates will ich ihm ersparen, um ihn nicht in Grund und Boden zu beschämen. Er ist dein Ehrengast, Kephalos.

POLEMARCHOS. Sollen wir Jünglinge dich begleiten, Sokrates?

SOKRATES. Wohin?

POLEMARCHOS. Wohin brichst du auf?

SOKRATES. Zu neuen Irrtümern meiner Mitmenschen.

[1929]

DER SILBERSEE

Ein Wintermärchen in drei Akten

PERSONEN

OLIM, *der Landjäger*
SEVERIN
FRAU VON LUBER
FENNIMORE
BARON LAUR
DER DICKE LANDJÄGER
ALTER ARZT
JUNGER ARZT
KRANKENSCHWESTER
ERSTE VERKÄUFERIN
ZWEITE VERKÄUFERIN
ERSTER ⎫
ZWEITER ⎪
DRITTER ⎬ BURSCHE
VIERTER ⎭
EIN DIENER, ZWEI MÄDCHEN, LEUTE

ERSTER AKT

Im Wald am Ufer des Silbersees. Mondnacht. Um eine Lichtung sind fünf Mooshütten errichtet.
Erster und zweiter Bursche schachten inmitten der Lichtung eine Grube aus; bis zu den Hüften stehen sie mit dem Rükken gegeneinander in der Vertiefung und singen im Takt der Spatenstiche.

ERSTER BURSCHE. Gräbst du –
ZWEITER BURSCHE. Gräbst du –
ERSTER BURSCHE. Noch weiter?
ZWEITER BURSCHE. Noch weiter?
ERSTER BURSCHE. Wie tief –
ZWEITER BURSCHE. Wie tief –
ERSTER BURSCHE. Gräbt man –
ZWEITER BURSCHE. Gräbt man –
ERSTER BURSCHE. Ein Grab?
ZWEITER BURSCHE. Ein Grab?
BEIDE BURSCHEN *indem sie sich einander zukehren – zusammen.* Dem Toten ist es gleich.
ERSTER BURSCHE *wieder ausschachtend.* Doch uns –
ZWEITER BURSCHE. Doch uns –
ERSTER BURSCHE. Stört Totes. –
ZWEITER BURSCHE. Stört Totes.
ERSTER BURSCHE. So gräbt man –
ZWEITER BURSCHE. So gräbt man –
ERSTER BURSCHE. Noch tiefer –
ZWEITER BURSCHE. Noch tiefer –
ERSTER BURSCHE. Das Grab.
ZWEITER BURSCHE. Das Grab.
BEIDE BURSCHEN *wie vorher zusammen.* Uns ist es nicht gleich.
ERSTER BURSCHE *ausschachtend.* Ob Nacht –
ZWEITER BURSCHE. Ob Nacht –
ERSTER BURSCHE. Oder Tag –
ZWEITER BURSCHE. Oder Tag –

ERSTER BURSCHE. Bei Sonn' –

ZWEITER BURSCHE. Bei Sonn' –

ERSTER BURSCHE. Unterm Mond –

ZWEITER BURSCHE. Unterm Mond –

ERSTER BURSCHE. Wir schaufeln –

ZWEITER BURSCHE. Wir schaufeln –

ERSTER BURSCHE. Ein pechschwarzes Grab.

ZWEITER BURSCHE. Ein pechschwarzes Grab.

BEIDE BURSCHEN *zusammen*. Denn die Toten sind blind.

ERSTER BURSCHE *ausschachtend*. Es gräbt –

ZWEITER BURSCHE. Es gräbt –

ERSTER BURSCHE. Der eine –

ZWEITER BURSCHE. Der eine –

ERSTER BURSCHE. Dem andern –

ZWEITER BURSCHE. Dem andern –

ERSTER BURSCHE. Hilfreich und gut –

ZWEITER BURSCHE. Hilfreich und gut –

ERSTER BURSCHE. Wart' ab –

ZWEITER BURSCHE. Wart' ab –

ERSTER BURSCHE. Das Grab.

ZWEITER BURSCHE. Das Grab.

BEIDE BURSCHEN *zusammen*. Weil die Menschen so sind. *Sie graben noch eine Weile stumm weiter.*

ERSTER BURSCHE *stößt den zweiten an*. Hör' auf. Hier bricht das Grundwasser vor.

ZWEITER BURSCHE. Wahrhaftig. Von meinem Spatenblatt tropft es wie Sprühregen.

ERSTER BURSCHE. Wir haben den unterirdischen Seespiegel erreicht. Was jetzt noch kommt, ist Morast, den wir nicht aufwärts bringen.

ZWEITER BURSCHE. Es wird glitschig auf dem Boden der Grube.

ERSTER BURSCHE. Heb' dich heraus.

ZWEITER BURSCHE. Erst können.

ERSTER BURSCHE. Mit einem Schwung. *Er schwingt sich hinaus.*

ZWEITER BURSCHE. Wenn du noch über solche Kräft verfügst, hättest du gestern auf dein Fischviertel verzichten können.

ERSTER BURSCHE. Ich springe so leicht, weil ich nichts im Magen habe.

ZWEITER BURSCHE. Wenn es danach geht, kann ich bald als Vogel über den Wipfeln flattern, so leer bin ich inwendig. *Er klettert heraus.*

ERSTER BURSCHE. In der Hauptsache kommt es darauf an, daß die Länge stimmt. Sonst müssen wir ihm die Beine brechen oder den Hals knicken. Es wäre doch schade, wenn wir eine Schändung vornehmen müßten. Leg' dich an den Rand der Grube.

ZWEITER BURSCHE. Willst du mein Maß für ein Grab?

ERSTER BURSCHE. Bist du abergläubisch? Das ist was für Satte. Wer Hunger hat, hat keinen Glauben.

ZWEITER BURSCHE. Miß mit dem Spaten. Ich bin anderthalb Spaten groß.

ERSTER BURSCHE. Du hättest mir gestern dein Fischviertel lassen können, wenn noch Platz für Spuk in deinem Kopf ist. Ich phantasiere nur von Nahrungsmitteln. *Abmessend.* Es reicht. *Sich aufrichtend.* Wir wollen in den Wald rufen, daß wir fertig sind.

Die beiden treten an den Rand der Lichtung und rufen durch die hohlen Hände: »Hu – ho!«
Aus einiger Entfernung ertönt die Antwort: »Hu – ho!«
Die beiden Burschen rufen: »Wir sind fertig!«
Die Antwort schallt: »Wir kommen!«

ERSTER BURSCHE. Wir erwarten hier den Zug.

ZWEITER BURSCHE. Wir bilden das Gefolge.

ERSTER BURSCHE. Es muß wie bei einem richtigen Leichenbegängnis zugehn.

ZWEITER BURSCHE. Nur eine Träne könnte ich nicht vergießen.

ERSTER BURSCHE. Das wird von keinem verlangt.

ZWEITER BURSCHE. Er hat uns zu sehr geschunden.

ERSTER BURSCHE. Es war die höchste Zeit, daß er unter die Erde kommt.

Eine Trauermarschmusik hebt an.
Zwischen den Stämmen nähert sich der Trauerzug: voran schreitet Severin – ihm folgen zwei Burschen, die auf ihren hochgestreckten Armen eine Puppe in Menschengestalt, aus vergilbtem Schilf hergestellt, tragen.
Der erste und zweite Bursche schließen sich dem Zug an, der nun langsam die Lichtung mehrmals umschreitet und schließlich vor der Grube haltmacht.

SEVERIN. Ist dies das Grab?

ERSTER und ZWEITER BURSCHE. Das ist es.

SEVERIN. Es ist nicht sehr tief.

ERSTER BURSCHE. Weil Grundwasser kam.

SEVERIN. So modert er rascher. *Zu den Trägern.* Laßt 'runter. Stützt ihn auf euren Knien.

Die Träger knien hin und halten die Schilfpuppe zwischen sich.

SEVERIN *zu den andern.* Ihr präsentiert die Spaten.

Die beiden Burschen tun es.

SEVERIN *hinter der Schilfpuppe stehend.* Wir wollen den Hunger begraben! – Aus den steinernen Häusern der Stadt folgte er uns in den Wald und wohnte mit uns in den Mooshütten am Silbersee. Viele Wochen des Frühlings und Sommers. Bei Regen und Kälte drängte er sich ganz nah an uns, wir froren doppelt. In der arbeitslosen Langweile unsrer Tage und pfenniglosen Armut unsrer Taschen folterte er uns mit wilden Geschichten. Von den Dingen, die man essen kann, wenn man sie hat. Speckstücke wie Ziegelsteine, Buttermilch eimerweise – und diese Frucht aus Fabelland! *Er stockt.*

DRITTER BURSCHE. Was für eine Frucht?

SEVERIN *besinnt sich und fährt fort.* Jetzt sind wir seiner Zudringlichkeit überdrüssig. Jetzt gebieten wir Ruhe. Wir wollen es nicht mehr hören, daß die Bäcker in jeder Nacht backen, daß die Fleischer den Wurstvorrat räuchern – daß in der goldklumpigen Frucht der Saft reift –

VIERTER BURSCHE. Was für Saft?

SEVERIN *sammelt sich und zeigt auf die Schilfpuppe.* Er soll zur Grube fahren, wie er bleich ist und durchsichtig mit allen Rippen, die im Wind rasseln wie welkes Schilf. Das Grab bringt diesen Lügenmund zum schweigen. Es bäckt kein Bäcker, es räuchert kein Fleischer, es wächst keine Frucht – das ist Schwindel aus diesem Hungerleib, den wir mit ihm begraben. Versenkt den Leichnam!

Die Schilfpuppe ist in die Grube gelegt; eifrig schütten die fünf mit Spaten und Händen das Grab zu. Dann setzen sie sich auf den Grabhügel.

Eine Zeitlang herrscht Stille.

ERSTER BURSCHE *den zweiten anstoßend – halblaut.* Meinst du, daß es hilft?
ZWEITER BURSCHE *ebenso.* Die Einbildung kann viel ausrichten.
ERSTER BURSCHE. Was bildest du dir ein?
ZWEITER BURSCHE. Das Gegenteil von dem, was ich nicht habe.

Wieder Stille.

DRITTER BURSCHE *zum vierten – leise.* Versprichst du dir eine Wirkung?
VIERTER BURSCHE *nickt.* Wenn man nicht mehr davon spricht.
DRITTER BURSCHE. Aber wenn man dran denkt?
VIERTER BURSCHE. So denke nicht.

Stille.

ERSTER BURSCHE *wie vorher.* Weißt du auch immer, was das Gegenteil ist?
ZWEITER BURSCHE. Ich grüble darüber nach.
ERSTER BURSCHE. Zum Beispiel von Weichkäse?
ZWEITER BURSCHE *stöhnt und hält sich den Leib.*

Stille.

DRITTER BURSCHE *halblaut.* Beherrschst du alle deine Gedanken?
VIERTER BURSCHE. Ich strenge mich an.
DRITTER BURSCHE. Kannst du eine siedende Bratwurst wegdenken?
VIERTER BURSCHE *seufzt.*

Stille.

ERSTER BURSCHE *laut zu Severin.* Hast du gehört?
SEVERIN. Was?
ERSTER BURSCHE. Das Knurren.
SEVERIN. Was knurrt?
ERSTER BURSCHE. Hier knurrt's. Wo ich sitze. Von unten dringt's hoch. *Er preßt das Ohr auf den Grabhügel.*

VIERTER BURSCHE. Es knurrt auch hier. *Er lauscht ebenso.*
ZWEITER BURSCHE. Es knurrt auch hier. *Er lauscht ebenso.*
DRITTER BURSCHE. Hier knurrt es auch. *Er lauscht ebenso.*
DIE VIER BURSCHEN. Was ist das, Severin?
SEVERIN. Der Hunger knurrt. Seht an: der läßt sich nicht begraben. Wie ein Maulwurf gräbt er sich wieder aus. Schwupp – kriecht er in uns und da jammert er nach Atzung. Und sind wir ihm nicht willig, so beißt er uns, bis unsre Eingeweide schmerzen. Er ist ein strenger Herr, der uns von innen aus regiert – und wenn er es befiehlt, sind alle Mittel recht. Der Herr will fressen, laßt euch das nicht zweimal sagen. Der Weg zur Stadt ist weit – und krumm für Leute ohne Geld. Holt eure Rucksäcke – wenn's schon gewagt wird, soll es lohnen!

Alle laufen in ihre Mooshütten und kommen mit aufgeschnallten Rucksäcken und kleinen Kappen auf dem Hinterkopf zurück.

DIE FÜNF *erst auf der Stelle tretend und dann in die Lichtung ziehend.*

Der Bäcker backt ums Morgenrot
das allerfeinste Weizenbrot.
Doch wer sein Geld vergessen –
soll nicht essen.
Schnallt den Gürtel enger um ein Loch –
es geht noch.

Wo liegt das blanke Silbergeld,
für das man Weizenbrot erhält?
Wir haben's nicht vergessen –
nie besessen.
Schnallt den Gürtel enger um ein Loch –
es geht noch.

Die Arbeit schafft uns Geld zum Lohn,
dann kaufen wir uns Brot davon.
Doch haben wir das Essen –
längst vergessen.
Schnallt den Gürtel enger um ein Loch –
es geht noch.

Dabei vergeht die Lebenszeit,
man war doch da und war bereit.
Will einer sich beschweren –
wird er hören:
schnallt den Gürtel, bis das Leder bricht.
Das geht nicht!
Sie verschwinden zwischen den Stämmen.

Nebeneinander der Laden und die Straße davor.
Im geräumigen blitzblanken Laden sind die Regale bis unter die Decke mit Waren gefüllt.
Von der Ladentür führt zwischen zwei dickstämmigen Kastanien eine Steintreppe auf die Straße hinunter.
Sonniger Mittag.
Die beiden jungen Verkäuferinnen sortieren Waren.

ERSTE VERKÄUFERIN. Ich habe einmal eine Filiale selbständig geleitet.

ZWEITE VERKÄUFERIN. Das ist eine Verantwortung, die ich nie übernehmen würde.

ERSTE VERKÄUFERIN. Die Vorteile und Nachteile halten sich die Waage.

ZWEITE VERKÄUFERIN. Wo liegen die Vorteile?

ERSTE VERKÄUFERIN. In der Bemessung des Urlaubs kann man sich einige Freiheit erlauben.

ZWEITE VERKÄUFERIN. Das rechne ich zu den Nachteilen.

ERSTE VERKÄUFERIN. Wieso?

ZWEITE VERKÄUFERIN. Weil es die Direktion nicht lange mitansehn würde, daß ich erst gegen Geschäftsschluß den Laden betrete.

ERSTE VERKÄUFERIN. So habe auch ich meine Stellung verloren.

ZWEITE VERKÄUFERIN. Da siehst du die Gefahren der sogenannten Freiheit.

ERSTE VERKÄUFERIN *nach einer Pause.* Wer hat dir eigentlich dein Pflichtgefühl eingebläut?

ZWEITE VERKÄUFERIN. Niemand hat mir eins eingebläut. Ich bin nur nicht auf den Kopf gefallen wie andre.

ERSTE VERKÄUFERIN. Wer hat diesen Fall getan?

ZWEITE VERKÄUFERIN. Wer sich das Vergnügen verleidet.

ERSTE VERKÄUFERIN. Warum verleidet er sich's?

ZWEITE VERKÄUFERIN. Weil er es zeitlich übertreibt, so daß sich Langweile einstellen muß.

ERSTE VERKÄUFERIN. Deshalb arbeitest du so ausgiebig?

ZWEITE VERKÄUFERIN. Ich bin doch kein Dummkopf.

ERSTE VERKÄUFERIN *nach einer Pause.* Ich bin ein schwächerer Charakter. Ich schwinge mich nicht zu Entschlüssen auf, die mir die Überlegung zumuten sollte. Vielleicht denke ich auch nicht. Das führe ich zu meiner Entschuldigung an. Ich habe heute meinen kontraktlich zugesicherten freien Wochennachmittag, und wenn ich nach der Uhr hinsehe, sind es schon zwanzig Minuten über eins. Es wird sich zu einer halben Stunde runden und ich stehe noch hinter dem Ladentisch und sortiere die nicht mehr frischen Waren aus – die übrigens noch genau so frisch sind wie die neuen, die dafür eingestellt werden – und man könnte ebensogut die alten an ihrem Platz lassen und sich die ganze überflüssige Arbeit sparen!

ZWEITE VERKÄUFERIN. Das Prinzip der Firma, die an mehr als hundert Orten mehr als fünfhundert Filialen unterhält, bestimmt: täglich frische Waren. Es entspricht nur unsern Anweisungen, wenn wir noch genießbaren Vorrat als ungenießbar aussondern.

ERSTE VERKÄUFERIN. Was geschieht mit diesem durchaus noch brauchbaren Vorrat?

ZWEITE VERKÄUFERIN. Er wird vernichtet.

ERSTE VERKÄUFERIN. Hat das noch einen Sinn?

ZWEITE VERKÄUFERIN. Den tiefsten: mit Überangebot die Preise nicht zu senken.

ERSTE VERKÄUFERIN *schlägt sich an die Stirn.* Ich sagt' es ja: ich kann nicht richtig denken! *Sie beginnen neue Waren in die Regale zu stapeln.*

Vor dem Laden tauchen Severin und die vier Burschen auf.

ERSTER BURSCHE. Wie beurteilst du hier die Aussichten, Severin?

ZWEITER BURSCHE. Er wird sich auch diesmal nicht entschließen können.

DRITTER BURSCHE. Wir haben bereits zehnmal die Gelegenheit verpaßt.

VIERTER BURSCHE. Ich trotte keinen schritt weiter. *Er setzt sich auf die unterste Treppenstufe.*

ERSTER BURSCHE. Willst du dich hier breitspurig niederlassen?

VIERTER BURSCHE. Vorläufig bin ich noch ein ehrlicher Mensch und kann sitzen, wo ich will.

SEVERIN. Steh' auf. Hier scheint es sich ereignen zu sollen. Wir haben hinter den Bäumen ein geeignetes Versteck. Der Laden ist an die zwei Meter hoch gelegen. Man kann die Vorgänge im Innern nicht übersichtlich beobachten. Außerdem ist die Straße in der Mittagsstunde wie ausgestorben. Laßt uns ausspähn, wer sich im Laden aufhält. *Sie treten unter das Schaufenster.*

ERSTER BURSCHE. Kundschaft keine.

ZWEITER BURSCHE. Die kauft am Vormittag.

DRITTER BURSCHE. Und erst wieder nachmittags.

VIERTER BURSCHE. Dazwischen herrscht Geschäftsstille.

SEVERIN. Von außen ist keine Störung zu befürchten. Wir könnten gemächlich, wenn es nicht an der Schwierigkeit scheiterte es wegzuschaffen, den ganzen Laden ausräumen. Vorausgesetzt, daß wir drinnen nicht auf unüberwindlichen Widerstand stoßen.

ERSTER BURSCHE. Da unterscheide ich zwei weibliche Gestalten.

ZWEITER BURSCHE. Ganz junge Dinger.

DRITTER BURSCHE. Vor denen bangt mir nicht.

VIERTER BURSCHE. Die kneifen doch aus.

SEVERIN. Um die Nachbarschaft zu alarmieren. Damit wäre uns kein Gefallen getan. Auf jeden Fall sind zwei Verkäuferinnen eine Übermacht, die wir nicht bändigen können. Es läßt sich eine einschüchtern, aber ist die andre in der Nähe, schreit sie doch los. Es muß sich völlig lautlos abwickeln. Wir müssen warten, bis eine von ihnen den Laden verläßt.

ERSTER BURSCHE. Das kann eine Zeitlang dauern.

ZWEITER BURSCHE. Angesichts dieses Schaufensters läßt man sich nur schwer vertrösten.

DRITTER BURSCHE. Mir klopft das Herz bis in den Hals vor Ungeduld.

VIERTER BURSCHE. Am liebsten schlüge ich die Scheibe ein.

SEVERIN. Lenkt euch ab, indem ihr schon eure Wahl trefft. Dann verliert ihr später keine Zeit.

ERSTER BURSCHE *jene Waren, die die Verkäuferinnen auf den Ladentisch ausgeräumt haben, ins Auge fassend.* Ich würde nehmen, was auf dem Ladentisch gehäuft ist. Erstens liegt es bequem zur Hand und dann verspricht es keinen Fehlgriff zu tun. Denn zweifellos sind es bestellte Waren, die dem Käufer ins Haus geschickt werden sollen. Also ist es ausgesuchte Qualität.

ZWEITER BURSCHE. Es stimmt, was er sagt. Das beste vom besten – und sicher schon bezahlt. Wer so viel kauft, den wird es kaum kümmern, wenn die Lieferung etwas geringer ausfällt.

DRITTER BURSCHE. Oder müssen die Verkäuferinnen für den Schaden aufkommen?

VIERTER BURSCHE. So was müßt ihr Severin fragen.

SEVERIN. Verschwindet hinter die Bäume! *Sie verlassen das Schaufenster und verstecken sich hinter den Stämmen.*

Die Verkäuferinnen haben ihre Arbeit vollendet und kommen hinter dem Ladentisch hervor.

BEIDE VERKÄUFERINNEN *singen zweistimmig und sehr sanftmütig.*

> Wir sind zwei Mädchen, die an jedermann verkaufen –
> wir hätten kein Gefühl?
> Wenn uns gehörte, was wir nicht verkaufen,
> wir zierten uns nicht viel.
> Dann würden wir so gern verschenken,
> was hier unverkäuflich ist.
> Wir dürfen's nicht – nicht einmal dran denken,
> weil's Sünde ist:
> gegen die Konjunktur und Preisgestaltung,
> denn sie verlieren prompt
> die feste Haltung.

> Das hört man sonderbarerweise aus dem Munde
> von zwei Verkäuferinnen.
> Wir fragen selbst uns nach dem wahren Grunde,
> wir wollen uns so ernst besinnen.
> Wie ist das mit dem Notenumlauf und der Währung,
> sind wir, wo alles reichlich wächst, bankrott?
> Gibt es für diese Fragen keine Klärung?
> Wir bitten um Belehrung,
> reicht uns nicht solche Steine statt der Antwort Brot:
> wir dürfen's nicht – nicht einmal dran denken,
> weil's Sünde ist:
> gegen die Konjunktur und Preisgestaltung,
> denn sie verlieren prompt

die feste Haltung.
Du selbst kriechst schon dabei auf allen Vieren,
jedoch die Haltung darfst du – du nicht verlieren!

Die erste Verkäuferin streift den weißen Kittel ab und steht in ihrem Kleid da; sie holt den Hut aus einem Schrank, setzt ihn auf und zieht die Handschuhe an.

ERSTER BURSCHE *mit den andern die Vorgänge im Laden beobachtend – flüsternd.* Was tut sie?

SEVERIN. Sie entledigt sich des Kittels.

ZWEITER BURSCHE. Wozu?

SEVERIN. Das wird sich noch zeigen.

DRITTER BURSCHE. Der Hut wird aus dem Schrank gekramt.

SEVERIN. Den setzt sie auf.

VIERTER BURSCHE. Handschuhe bei dieser Hitze.

SERVERIN. Um auszugehn. Wir haben Glück, Burschen. Die räumt das Feld meilenweit. Vor Überraschung sind wir sicher. Die streicht ab und kehrt nicht wieder.

ERSTE VERKÄUFERIN. Wie gefällt es dir? Gelb mit Tupfen ist Mode.

ZWEITE VERKÄUFERIN. Du kommst zur Geltung.

ERSTE VERKÄUFERIN. Ich habe es etwas knapp gehalten.

ZWEITE VERKÄUFERIN. Hast du Absichten?

ERSTE VERKÄUFERIN. Entscheidende. Lass' dich nicht reizen, da liegt dein Pensum. Sei fleißig, Biene. *Sie nähert sich der Ladentür.*

SEVERIN. Drückt euch platt auf die Stämme und laßt euch nicht blicken!

Die erste Verkäuferin steigt die Stufen hinunter und geht in der Straße weg.

SEVERIN. Wir betreten geschlossen den Laden. Das Mädchen halte ich in Schach. Ihr versorgt euch indes und füllt auch meinen Rucksack. *Sie ersteigen die Steintreppe und treten in den Laden.*

VERKÄUFERIN. Was wünschen die Herren?

SEVERIN *vorm Ladentisch eindringlich zur Verkäuferin.* Wir wünschen – *Zu den Burschen. Los! – Wieder zur Verkäuferin. –* nicht gestört zu werden.

Die vier Burschen füllen ihre Rucksäcke.

VERKÄUFERIN. Was machen Sie denn? Sie dürfen sich hier nicht selbst bedienen. Das erschwert nachher die Abrechnung. Überhaupt sind das Waren, welche –

SEVERIN Hände weg! *Er packt ihre Hände.*

VERKÄUFERIN. Was wollen Sie denn von mir?

SEVERIN. Von Ihnen – nichts.

VERKÄUFERIN *begreifend.* Um Himmels willen –!

SEVERIN *drückt ihr eine Hand auf den Mund.* Kein Laut. Setzen Sie sich auf den Schemel hinter den Ladentisch. Wenn Sie sich rühren oder schrein –!

VERKÄUFERIN *stöhnt.* Mein Gott –!

ERSTER BURSCHE. Wir haben unsre Last verstaut. Jetzt gib uns deinen Rucksack.

SEVERIN *schnallt ihn los, ohne die Verkäuferin aus den Augen zu lassen.* Da.

VERKÄUFERIN *steckt geängstigt das Gesicht zwischen die Hände.*

ERSTER BURSCHE. Hier. Prall wie Polster. Huck' auf. Wir türmen.

Alle schultern ihre Rucksäcke.

SEVERIN *dabei den Kopf zurückwerfend und auf einem Zierständer eine Ananas gewahrend, stutzt.*

ZWEITER BURSCHE *stößt ihn an.* Marsch, marsch.

SEVERIN *rührt sich nicht.*

DRITTER BURSCHE. Siehst du was?

SEVERIN. Die Frucht – –!

VIERTER BURSCHE. Was murrt er?

SEVERIN *reißt den Rucksack herunter, schüttet den Inhalt aus und bemächtigt sich der Ananas, die er einpackt.*

ERSTER BURSCHE *auf die ausgeschütteten Waren am Boden weisend.* Was wird mit diesen Sachen?

SEVERIN. Ihr habt genug davon. Jetzt laufen wir, was uns die Beine tragen! *Sie stürmen aus dem Laden, hetzen die Steintreppe hinab und entfernen sich eilig in der Straße.*

VERKÄUFERIN *rafft sich auf, rennt auf die Straße und schreit.* Diebe – Räuber – Mörder. Man hat mich überfallen. Man hat den Laden geplündert. Diebe – Räuber – Mörder. Man hat mich mit dem Tod bedroht. Man hat mich gepackt und gepufft. Diebe – Räuber – Mörder. Es sind fünf in blauen

Anzügen und mit Kappen auf dem Hinterkopf. Es sind Diebe
– Räuber – Mörder. Haltet die Diebe – Räuber – Mörder!!

Landstraße mit Brücke.
Im Vordergrund der Straßengraben.
Olim und der dicke Landjäger lehnen am Brückenpfosten.

DER DICKE LANDJÄGER. *hat den Tschako abgenommen und*
wischt sich den Schweiß ab. Ich halte nichts von Strömun-
gen. Es ist wie mit der Eisenbahn. Die Hauptsache ist die
Sicherheit. Wer im Zuge sitzt, ist dem Transportmittel
höchst gleichgültig. Es befördert Rote und Schwarze und
Braune – und wenn es Grüne gäb, auch Grüne. In jeder Schat-
tierung wird das Reisepublikum aufgenommen und an den
Ort seiner Bestimmung gerollt. Nicht einmal bei Unglücks-
fällen werden Unterschiede gemacht. Demzufolge ist die Eisenbahn das Beispiel eines unpolitischen Instruments. Hast du
gegen diesen Vergleich etwas einzuwenden, Kamerad Olim?

OLIM *stumm.*

DER DICKE LANDJÄGER. Du könntest entgegnen, daß die Eisenbahn die Bewegung versinnbildlicht, während, wo wir auftauchen, sofort der Stillstand einzutreten pflegt. Auf unsern
Anruf nämlich. Aber das ritzt nur die Schale und verletzt
nicht den Kern. Auch die Polizei soll sich um nichts kümmern, woher sie ihre Befehle empfängt, und warum gestern
jene und heute diese Parole ausgegeben wird, darüber darf
es kein Kopfzerbrechen geben. Die Ziele von neulich gelten
jetzt nicht mehr. Du darfst dich durch die Farben, die die
Schießscheibe trägt, nicht irritieren lassen. Die Polizei muß
farbenblind sein. Willst du mir übermäßige Bescheidenheit
vorwerfen, Kamerad Olim?

OLIM *stumm.*

DER DICKE LANDJÄGER. Da ich den Stolz zu den natürlichen
Bedürfnissen rechne, die man ohne Beeinträchtigung des
menschlichen Gleichgewichts nicht schädigen darf, so suche
ich auch hier auf meine Kosten zu kommen. Ich habe mich
noch nie zurückgesetzt gefühlt. Es hat sich noch nichts in der
Welt ohne uns durchsetzen können. Wer keine Machtmittel
einzusetzen hat, der kann vom Ölberg herniedersteigen und
die Heilsbotschaft verkündigen – es nützt ihm nichts. Er
hätte sich vorher der Polizei versichern müssen. Dann wäre

es glatt gegangen. Ich weiß, daß ich einen Bruchteil dieses unentbehrlichen Machtmittels verkörpere – mir genügt es, um mich nicht nach einer privaten Meinung über die Zulässigkeit oder Unzulässigkeit von Zuständen gelüsten zu lassen. Stimmt's, Kamerad Olim? *Er setzt seinen Tschako auf.* OLIM *stumm. Beide dösen vor sich hin.*

Auf der Landstraße kommen laufend Severin und die vier Burschen.

SEVERIN *die andern aufhaltend.* Achtung – Landjäger! *Sie rutschen in den Straßengraben.*

ERSTER BURSCHE. Beinah den Grünen in die Arme.

ZWEITER BURSCHE. Ich wäre weiter gerannt.

DRITTER BURSCHE. Blindlings drauflos.

VIERTER BURSCHE. Wie ich.

SEVERIN. Seid leise. Der Wind geht nach den beiden.

ESTER BURSCHE *nach einer Pause.* Warum stehn die hier?

ZWEITER BURSCHE. Unsertwegen?

DRITTER BURSCHE. Können die eine Nachricht haben?

VIERTER BURSCHE. Schon?

SEVERIN. Zweifellos bewachen sie die Brücke. Aber das kann aus einem beliebigen Grunde geschehn. Einen besonderen Zweck hat es nicht, sonst spähten sie in die Gegend. So lehnen sie am Brückenpfosten und erwarten nichts Auffälliges. Uns gilt es nicht.

ERSTER BURSCHE. – – Weshalb hocken wir dann hier im Graben?

SEVERIN. Um zu beraten, wie wir an den Posten vorbeikommen – mit unsern dicken Lasten auf dem Rücken.

ZWEITER BURSCHE. Das können Kienzapfen sein.

SEVERIN. Wenn du dich so benehmen kannst – dann sind es Kienzapfen.

ZWEITER BURSCHE. Wie meinst du das?

SEVERIN. Daß du dich nicht verdächtig machst – mit Stolpern oder grüßt übertrieben.

DRITTER BURSCHE. – – Gibt es keinen andern Weg nach dem Silbersee?

SEVERIN. Durch den Fluß. Wer nicht untergeht, bleibt oben. Naß wird doch alles.

VIERTER BURSCHE. Eine verdammte Situation.

ERSTER BURSCHE. – – Ob wir verfolgt werden?

ZWEITER BURSCHE. Wer soll uns denn verfolgen?

DRITTER BURSCHE. Das Mädchen aus dem Laden?

VIERTER BURSCHE. Ihr sitzt der Schreck bleiern in den Beinen. Die klebt noch an ihrem Schemel hinter dem Ladentisch.

SEVERIN. Der Dicke regt sich. Duckt euch!

Der dicke Landjäger geht vor der Brücke hin und her.

DER DICKE LANDJÄGER. Innerhalb eines gegebenen Befehls kannst du natürlich nach Gutdünken handeln. Es wird sogar von dir verlangt. Blitzschnelles Erfassen der Lage und Gegenmaßregeln treffen ohne Kräfte am falschen Platz zu vergeuden, das ist die Aufgabe des bewaffneten Beamten. Wenn du von der Gewalt Gebrauch machen mußt, dann gebrauche sie. Dann ist der Schuß, der nicht locker sitzt, seines Pulvers nicht wert. *Er klopft schallend auf sein Revolverfutteral.* Wenn uns der Auftrag erteilt ist, in den Waldungen um den Silbersee eine Razzia zu veranstalten, und wir begeben uns nicht in das bezeichnete Gebiet, sondern postieren uns hier an der Brücke, so erfüllen wir zwar nicht den Wortlaut des Befehls, aber dem Sinne nach tun wir unsre Pflicht. Oder willst du an Schnelligkeit und Kenntnis des Terrains dich mit den Mooshüttenbewohnern messen? Da ist dir jeder einzelne zehnmal überlegen. Das sind wieder Wilde geworden, die bei der Zivilisation kein rechtes Unterkommen gefunden haben. Der Begriff des Eigentums hat bei ihnen an Klarheit verloren. Scheinbar verleitet die Berührung mit der Natur dazu, sich überall gleichberechtigt zu fühlen. Es wäre deshalb das beste, alle wieder in die Städte zu treiben, um in diesen übersichtlichen Konzentrationslagern die genauere Kontrolle ausüben zu können. Aber darüber mögen andre sich Gedanken machen. Wir ermitteln hier, ob gestohlenes Gut in die Wälder geschleppt wird. Aus der Stadt gibt es nur diesen Zugang zum Silbersee. Wenn wir also die Brücke besetzt halten, erforschen wir eindringlicher die Waldungen, als wenn wir die schlausten Überfälle an Ort und Stelle vollführten. Ist das logisch, Kamerad Olim?

OLIM *stumm.*

DER DICKE LANDJÄGER. Natürlich kannst du nicht den gesamten Verkehr stoppen, und auch Stichproben helfen dir nicht weiter. Du greifst daneben und der wirkliche Sünder zieht hohnlächelnd an dir vorbei. Das Ansehen deiner Amtsperson ist nicht gehoben. Ich lasse mich nicht darauf ein: glückt's oder glückt's nicht. Ich habe meine Theorie. Das Gesicht eines Menschen sagt mir gar nichts, ich lege die Entscheidung in die Füße. Die Gangart verrät den Missetäter. Von den groben Stolperern rede ich nicht, die fallen einem förmlich in die Arme. Schwieriger zu enträtseln sind schon die Läufer. Die übermäßig spitz auftreten, die sind zu packen. Die Humpler, die verstellt hinken – man pickt sie heraus. Am schwersten sind die normalen Gänger zu treffen. Da bedarf es langer Übung, um die Spreu vom Weizen zu sondern. Es ist Instinktsache und aus Dienstanweisungen nicht zu lernen. Ich könnte es dir nicht erklären. Doch du wirst die Resultate sehn. Überlaß mir die Beobachtung der Passanten und halte dich nur zu meiner Unterstützung bereit, wenn ich einen Widerstrebenden zwangsstelle. Er wird sich wundern, wie ich ihn schnappe, ohne ihn mir erst lange oben betrachtet zu haben. Wird das nicht lustig, Kamerad Olim?

OLIM *stumm.*

Der dicke Landjäger lehnt wieder am Brückenpfosten.

SEVERIN *lugt über den Grabenrand.* Ich dachte, er gäbe die Brücke frei und verzöge sich mit seinem Kollegen zum Teufel. Da stehn sie wieder wie angelötet.

Stille.

ERSTER BURSCHE. – – Hört ihr was?

SEVERIN· Was? *Sie lauschen.*

ZWEITER BURSCHE. – – Aus unsrer Richtung.

SEVERIN. – – Die sind hinter uns her. *Sie lauschen wieder gespannt.* Wir müssen weiter weiter!

DRITTER BURSCHE. Wie weiter?

SEVERIN. Wie man wandert. Ohne Hast – ein bißchen schlapp schon. Latscht mit der ganzen Sohle, als dächtet ihr nicht daran zu rennen. Aber wenn ihr hinter der Brücke seid, dann lauft und trennt euch. Um Mitternacht wieder bei den Mooshütten! *Sie klimmen aus dem Graben und überschreiten die Brücke, ohne angehalten zu werden.*

Das Geschrei der Verfolger dringt näher.

DER DICKE LANDJÄGER *hinhörend.* Das lärmt doch ungebühr-
lich.

Die Verfolger stürmen heran.

DER DICKE LANDJÄGER. Wo brennt's denn?
ERSTER VERFOLGER. Räuber haben in der Stadt geraubt.
ZWEITER VERFOLGER. Einen ganzen Laden haben die Räuber
ausgeraubt.
DRITTER VERFOLGER. Das Personal ist mit einer Pistole
bedroht.
VIERTER VERFOLGER. Die Verkäuferinnen sind mit Stricken
gefesselt und mit Knebeln erstickt.
FÜNFTER VERFOLGER. Aus der Ladenkasse ist das gesamte
Bargeld genommen.
SECHSTER VERFOLGER. Die ganze Ladeneinrichtung ist mit
Beilen zertrümmert.
SIEBENTER VERFOLGER. Es sollte eine Bombe explodieren.
DER DICKE LANDJÄGER *Ruhe gebietend.* Wer sind die Räuber?
ACHTER VERFOLGER. Fünf Burschen in blauen Anzügen und
mit Kappen auf dem Hinterkopf!
DER DICKE LANDJÄGER *stutzend.* Fünf – –
NEUNTER VERFOLGER. Sie sind hierher geflohen!
DER DICKE LANDJÄGER *hinblickend.* Und laufen schon. *Brül-
lend, indem er seinen Revolver aus dem Futteral zieht.* Halt
– halt – bei dreimal halt – wer nicht steht – halt! – ich
schieße! *Die Waffe versagt. Zu Olim.* Schiess' du!
OLIM *verschießt die sechs Patronen seines Revolvers.*
DER DICKE LANDJÄGER *die Wirkung beobachtend.* Das sprengt
die Kolonne – rechts und links stiebt das ins Gebüsch – –
einer fällt – – liegt still – – *Zu den Verfolgern.* Den holen
wir. *An der Spitze der Verfolger über die Brücke.*

OLIM *bleibt allein zurück und lädt seinen Revolver wieder.*

*Der dicke Landjäger kommt mit den Verfolgern, die Severin
tragen, zurück.*

DER DICKE LANDJÄGER *mit seinem Revolver beschäftigt.* Es
war eine Ladehemmung – der Defekt ist inzwischen be-
hoben.

Die Verfolger legen Severin vor Olim hin.

DER DICKE LANDJÄGER *auf den reglos liegenden Severin wei-*
send. Nimm den. Es war dein Treffer. Ich will versuchen
noch eine Kugel an den Mann zu bringen. *Er läuft über die*
Brücke weg.

Olim schiebt seinen Revolver ins Futteral.

Wachstube.
Am Tisch in der Mitte sitzt Olim und schreibt bei Lampen-
licht.

OLIM *mitlesend.* Maßgebend für unser Verhalten war die Erwägung, daß, wer den Silbersee erreichen oder sich von ihm
entfernen wollte, die Flußbrücke passieren mußte. Es dauerte auch nicht lange, als sich eine Kolonne von fünf männ-
lichen Personen näherte, die zu Beanstandungen anfänglich
keinen Anlaß gaben, obwohl vollgepfropfte Rucksäcke mit-
geschleppt wurden. Indem sie sich den Anschein harmloser
Touristen verliehen, täuschten sie uns. Doch die Verfolger
waren bereits hinter ihnen her. Da aus den einwandfreien
Bekundungen dieser Zeugen hervorging, daß in der Stadt
ein räuberischer Überfall auf einen Laden ausgeführt war,
und da ferner jene fünf Individuen, die als Urheber des verbrecherischen Unternehmens bezeichnet wurden, schon zu
laufen begannen, war es erwiesen, daß wir die Täter vor uns
hatten. Auf dreimaligen Anruf erfolgte kein Stillstand und
so feuerte ich die sechs Schüsse meines Revolvers ab und traf
einen von den Flüchtlingen. Die andern vier sind im Dickicht
des Waldes entkommen und trotz eifriger Nachforschungen
nicht aufzuspüren gewesen. *Er löscht und beschreibt einen*
zweiten Bogen. Nachdem ich mich des durch meinen Schuß
an der weiteren Flucht verhinderten Räubers bemächtigt
hatte, ordnete ich den Transport ins Krankenhaus an. Dort
lieferte ich ihn als Polizeigefangenen ein und verfügte seine
Unterbringung in einem gesicherten Haftraum. Die Aufnah-
mebescheinigung des diensttuenden Arztes füge ich hinzu.
Er heftet die Papiere zusammen. Stöhnend. Berichte – Berichte, das nachträgliche Beschreiben eines kriminellen Vor-
falls kann einem das Einschreiten bei frischer Tat verleiden.

Einen neuen Bogen zurechtlegend. Noch das Verzeichnis des sichergestellten Diebsguts. Ziffer eins bis hundert. *Er langt nach dem Rucksack auf dem Tisch. Schreibend.* Im konfiszierten Rucksack fanden sie vor: Nummer eins – – *Er stülpt den Rucksack um: die Ananas fällt heraus.* Hoppla – wäre das alles? Wahrhaftig – in keiner Falte steckt ein andres Stück. Ich krempie den leeren Balg vergeblich um. Der Bursche hat mir gefällig sein wollen und mich kein langes Register schreiben lassen. Ich knalle ihm dafür eins auf die Hosen. Undank ist der Welt Lohn. Mir tut's leid. Ach was – mir tut nichts leid. Kurz und bündig: eine Ananas. *Er notiert, will dann die Ananas in den Rucksack zurückstoßen – doch er zögert.*

Die graugestrichenen Wände ringsum durchtränken sich mit Helle: ein Chor erschimmert und richtet seine Blicke auf Olim.

CHOR.

Tut's dir nicht leid?

OLIM *die Ananas haltend.* Ein lächerlicher Einfall eine Ananas zu rauben. Ein Ergebnis, das in keinem Verhältnis zu seinen Folgen steht. Die Strafe trifft dich doch, als ob du zehn Laib Brot entwendet hättest. Im Gegenteil, sie fällt härter aus, da du dich an einem Genußmittel vergriffen hast. Es ist noch niemals notwendig gewesen sich über gewisse Untiefen der Ernährung mit Ananas hinwegzuhelfen – in einer Zeit, wo das geboten ist, möchte ich nicht leben: mir würde die Brotrinde nicht mehr munden, die dann den Überfluß darstellen soll. Verkehrte Welt. Was geht's mich an. *Wieder will er sich der Ananas entledigen.*
CHOR *eindringlich.*

Geht's dich nichts an?

OLIM *hält die Ananas fest.* Noch nie vorher habe ich eine Ananas gehalten. Die schwerste Frucht, die ich einmal getragen habe, war ein Kürbis. Aber das ist ein Kürbis. Man kann dergleichen nicht in einem Atem mit einer Ananas nennen. Das verbreitet Duft wie süßen Nebel – und man ist versucht mit allen Zähnen in das saftige Innere zu beißen. Aber darf ich es? Ich stelle mir die Frage noch – warum stellte er sie sich nicht mehr?

CHOR.

> Jetzt bist du auf dem Wege.
> Denke weiter nach.
> Lass' deine Gedanken nicht müde werden
> mitten auf halbem Wege.

OLIM. Wer seine regelmäßigen Mahlzeiten zu sich nimmt, soll sich vorsichtig über die Vergehen seiner Mitmenschen äußern. Es werden mancherlei Eingriffe in das Gemütsleben des Einzelnen vorgenommen und zu den schwersten Erschütterungen rechnet die des verminderten Rechtsgefühls. Ehe ein Mensch durch Stöße von außen vom graden Wege abgetrieben wird, hat er keine Hölle mehr vor sich. Die liegt durchwandert hinter ihm. War nicht alles Blut im Wachsgesicht dieses Burschen verbrannt? Hohläugiger Kopf – und ungeschickter Räuber. Erstürmt ein volles Magazin mit Mehl und Fett, er kann sich seinen Hunger für sieben Tage stillen – und steckt sich eine Ananas ein, die etwas schmeckt und gar nicht nährt. Das schilt sich Räuber?

CHOR.

> Wenn du nicht schiltst, so ergründe,
> wie das entsteht, was ist.
> Vieles erschließt sich dem Denken,
> was sich verbirgt, weil du siehst.

OLIM. Wegen einer Ananas sich einem Volltreffer aussetzen. Es ist die Grenze der Verwirrung erreicht. Das ist das beweiskräftigste Argument, das ich in der Hand stütze. Ohne die Ananas wäre es ein Fall wie jeder andre – der Richter walte! – aber durch die Ananas wird es rätselhaft. Das reizt zur Lösung. Zog dieser auf Raub aus, weil er ein Räuber ist? Er ist kein Räuber, weil er so raubte. So gegen die Notdurft – so wahllos dumm. Ein angestifteter Räuber ist er, der nie, wenn er – – *Er stockt.*

CHOR.

> Immer weiter dringe,

bis aus Wissen, das nichts gilt –
nur zu helfen,
dir der schön're Vorsatz quillt.

OLIM. Verfügte ich über die erforderlichen Mittel, so würde ich meinen Reichtum gebrauchen, um solche Delikte auf andre Weise zu verhindern. Es sollte mir nicht darauf ankommen, meine Schätze zu teilen und denen, die sich der Versuchung nicht mehr erwehren können, eine fette Mahlzeit zu kaufen. Doch ich habe kein Geld und bin ein armer Landjäger, der schießen muß, wo einer mit guten Gründen rennt.

CHOR.

Noch hast du das Geld nicht,
doch gehört es dir gleich.
Du bleibst nicht arm,
du wirst reich.

OLIM *die Ananas wägend*. Angenommen dies wäre ein Goldklumpen, dessen Besitz mir zugesprochen wäre. Ich tauschte ihn bei der Bank ein und stünde nun mit vollen Taschen da. Hell klimpern die Münzen – was kaufe ich mir? Nämlich nichts. Ich würde hingehn und meinen Vorsatz erfüllen. Da ich nicht alle hungrigen Mäuler stopfen kann und niemals stark genug bin eine bessere Weltordnung durchzudrücken, so widme ich mich einem einzelnen, nach dem ich hier nicht lange zu suchen brauche. Mein Mann ist durch einen Schuß gekennzeichnet. Den würde ich zu mir einladen und als meinen Bruder mit mir leben lassen. Am blauen Wunder hätt' ich meine Lust: wie er sich satt ißt und seine Hungersnot vergißt – und mit allen seinen Fähigkeiten eine Entwicklung nimmt, die den gerechtesten Charakter offenbart. Da schwärzt kein dunkler Rest die reine Seele. So wandelbar ist der Mensch, wenn ihn sein Nächster anleitet. Hätt' ich doch Geld!

CHOR.

Du hast Geld!
Der Chor verschwindet.

Ein stärker werdendes gelbes Licht füllt den Raum – durch die Tür stampft der dicke Lotterieagent in blauem Frack und goldner Weste herein.

LOTTERIEAGENT. Herr Olim? Ich sehe schon – man speist schon Ananas. Man leistet sich das teuerste – weil man schon weiß. Das läuft von Mund zu Mund wie Funkensprühn und weil man nachhinkt, macht es kaum noch Eindruck. *Er zieht ein Papier aus dem Frack.* Der Hauptgewinn. Ihr Scheck, Herr Olim. Ich gratuliere. Was zahlen Sie für einen Rat? Wie man sein Geld anlegt mit höchstem Nutzen? Sie wollen Ware sehn. Sie sind recht raffiniert.

Hast Geld du, lass' es nicht bei dir im Sack.
Geh' zu den Menschen und da sä' es aus.
Das ist ein Acker, der sich düngt mit Blut,
da wächst etwas, da kommt etwas heraus.
Das produziert die Krone des Gewinns:
Zins
und Zinzeszins.

Zuerst kommt das und dann kommt nichts danach,
Für dich schließt sich des Lebens Bilderbuch.
Du schlägst nur pünktlich den Kalender auf
und liest Termine und du liest genug.
Du kalkulierst die Krone des Gewinns:
Zins
und Zinseszins.

Trägst du ein Herz von Fleisch, härt' es zu Stein.
Du scheust dich, weil es dir nicht gleich gelingt?
Bleib' einmal hart vor einer großen Not,
bald siehst du zu, wenn wer ins Wasser springt.
Das garantiert die Krone des Gewinns:
Zins
und Zinseszins.

Bau' einen Turm von Quadern um dich 'rum,
du hörst nicht, wie sie draußen kläglich schrein.
Sei blind – sei taub, erlasse keine Schuld,
du büßt ja Geld und Geldes Nutzen ein.
Verleugne nie die Krone des Gewinns:
Zins
und Zinseszins.
Er erwartet eine Äußerung Olims; da sie nicht erfolgt, zieht er sich achselzuckend zurück und entfernt sich aus

der Wachstube, die ihre frühere Beleuchtung wieder erhält.

OLIM *hat sich vom Stuhl erhoben und betrachtet den Scheck.*

Die Wände erhellen sich und lassen den Chor sichtbar werden.

CHOR.

Was willst du tun?

OLIM *stammelnd.* Das ist viel Geld – das ist ungeheuer viel Geld. Allein die Zinsen – – von einem Kapital von – – bei richtiger Anlage – –

CHOR.

Willst du vergessen,
was du gelobt hast?

OLIM. Man muß sich beraten lassen – und bestehlen. Ich wäre mit meinem Scheck eine leichte Beute der Hyänen der Geldwüste. Da weht mir der Wind zu sengend, ich will in einem kühlen Schatten wohnen. Mit einem brüderlichen Freund bei meinem Herzen. Den ich mit einem Schuß verletzte, um ihn jetzt eifrig zu heilen!

CHOR.

Du hast dich zum Aufbruch entschlossen,
es wird dich manchmal gereuen.
Lass' deine Füße nicht müde werden
mitten auf halbem Wege.

Der Chor verschwindet.

OLIM. Wie befreie ich meinen lieben Freund aus der Haft? *Er zerreißt den Bericht.* Es war ein Irrtum. Ein verhängnisvoller Fehlschuß. Ein Unschuldiger wurde getroffen. Meine Blamage, die ich nicht überwinde. Ich quittiere den Dienst. Außerdem wäre es mir zu gefährlich als schwerreicher Landjäger durch die einsamen Wälder zu streifen. Man soll das Schicksal nicht herausfordern. Ich will mir einen Zivilanzug kaufen. *Er läuft aus der Wachstube.*

Krankenhauszimmer mit großem, vergittertem Fenster.
Im Bett liegt Severin.
Am Fenster sitzt die Krankenschwester und liest in einem Buch.

SEVERIN *phantasierend.* In einem Walde – – ist das ein grüner Wald! – – – oder ist es ein Gartenfest – – und das sind brennende Lampions?! – – Das ist doch rauschender Wald, wo Blätter klirren – – die Früchte unter den Zweigen hängen unbeweglich – – die sind schwer. – – Ananas. – – Ananasbäume. – – Ananaswald. – – Ich brauche nur die Hand zu heben und pflücke mir Ananasfrüchte. – – Warum pflücke ich keine? – – Weshalb strecke ich keinen Arm aus – den rechten nicht – den linken nicht – sind die lahm? – – Habe ich Angst? – – Sind es doch gelbe Lampen mit einer Kerze drin, die den Vorstadtgarten beleuchten – zur Blechmusik?! – – – Ich habe den Wald entdeckt, wo Ananas wächst. Man erreicht ihn in hundert Tagemärschen. Doch an keinem Tage darf man das geringste essen. Sonst verirrt sich der Weg und du stehst mitten in freiem Felde bei Kohl und Kartoffeln. Vom Fleisch und Saft der Ananas kriegst du nichts zu kosten. Das fällt dir erst nach langem Durst und Hunger zu. – – – – Ich muß meine Feigheit überwinden. Einmal im Walde soll ich nicht zittern. Ich habe die lange Wanderschaft hinter mir – ich habe nicht Brot und Wasser verzehrt – ich schlief, wo ich hinsank – ich vergoß auch Blut, ich brauche mich nicht zu fürchten. Ich kann hier ernten, so viel ich will. *Er streckt die Hand aus und zieht sie gleich wieder zurück.* Warum ist diese Frucht so heiß? Weil meine Finger so kalt sind? Ich wärme sie. *Er steckt sie kurze Zeit unter die Bettdecke und langt dann wieder hinauf.* Was denn – die glüht noch feuriger. Ich hole mir Blasen vom Anfassen. Soll ich denn Feuer – – – –?! *Staunend entsetzt.* Das sind doch Laternen! – – Die kann doch niemand essen – – die sind Papier und Feuer. – – Das entfacht sich zum Brande – – wenn ein Windzug fächelt – – und es entwickelt sich ein Orkan – – die Flammen fahren überallhin – und es verbrennt der ganze Ananaswald!! *Er sinkt erschöpft aufs Kissen zurück und liegt still.*

Der junge Arzt tritt ein und schließt die Tür hinter sich ab.

ARZT *tritt an das Fußende des Betts.*

SCHWESTER *klappt das Buch zu und steht auf.*

ARZT. Nun?

SCHWESTER. Unverändert.

ARZT. Noch nicht zur Oberfläche des Bewußtseins aufgetaucht?

SCHWESTER. Was er spricht, phantasiert er.

ARZT. Es könnte Zeit werden. Das Projektil haben wir ihm entfernt. Beckenschuß. In den Kopf ist's also nicht gegangen. Dennoch sträubt er sich hartnäckig, zu sich zu kommen. – Da er Polizeigefangener ist, müssen wir aufpassen. Vielleicht verrät er in seinen Delirien für den Staatsanwalt verwertbare Tatsachen. Was redet er so?

SCHWESTER. Ihm schwebt immer eine Ananas vor.

ARZT. Das war in der Narkose schon.

SCHWESTER. In aller Not ein Feinschmecker.

ARZT. Darauf weist das nicht hin. Das sind schon Hungerhalluzinationen, die aus diesem unterernährten Hirn aufsteigen. Wenn in der Wüste Reisende am Verschmachten sind, dann träumen sie nicht von einem Glas Wasser – ein ganzer See taucht in ihrer Einbildung auf, in den sie sich der Länge nach hineinwerfen, um ihn mit allen Poren auszusaufen. Fata Morgana der Erlösung aus Entbehrung im Überfluß. Diese Bewandtnis hat es mit der Ananas, von der er faselt. Und es entschuldigt ihn mehr, als es ihn anklagt.

SCHWESTER. Er hat doch gestohlen.

ARZT. Sehn Sie sich diese Leute an, was bleibt ihnen schließlich andres übrig. Ich durchfahre manchmal die Distrikte, in denen sie siedeln, mit dem Auto. Man faßt sich an den Kopf, daß so was heutzutage möglich ist. Sie hausen wieder in Hütten wie in der Steinzeit. Vier Pfähle und von Moos das Dach. Was innen ist, habe ich mir nicht anzuschaun gewagt. Ich fürchte nämlich, daß reine Neugier mit einem Steinbeilhieb bestraft wird. Die Sitten müssen ja verwildern. Die Kreatur, die – dabei allen Unbilden der Natur ausgesetzt – nur noch um die Beschaffung der allernotwendigsten Nahrungsmittel bemüht ist, muß auf Raub verfallen. Um natürlich in unsrer Zeit sofort zusammengeschossen zu werden. Wie dieser Mann, der noch nicht wieder weiß, was Morgen und Abend ist.

SCHWESTER. Em Ende simuliert er.

ARZT. Verständlich, aber nicht wahr. Warum soll er sich mit dem Erwachen beeilen? Was erwartet ihn? Strafe – und wieder Hunger. Und er steht doppelt belastet da. Hat er schon früher keine Arbeit gehabt, so liegen seine Aussichten jetzt unter dem Nullpunkt. Aus dem Zuchthaus – danke. Und Stufe für Stufe abwärts, bis ihn Elend und Grauen verschlingen. Ein Mensch weniger – vielleicht der beste unter uns, durch Umstände verhindert. Wenn das Schicksal hätte mit ihm gnädig verfahren wollen, so hätte es den Einschuß um einige Zentimeter höher angelegt. Aber auch das sollte nicht sein. Warum fragt man sich und harrt der Antwort vergebens. Wissen Sie eine, Schwester?

SCHWESTER. Ich weiß keine, Herr Doktor.

ARZT. Das sagen Sie so mit himmelblauem Augenaufschlag, als ob Sie wirklich nachgedacht hätten. Aber es steht Ihnen reizend. Haben Sie den Sonntag frei?

SCHWESTER. Erst den nächsten.

ARZT. Dann bleibt es bei der Verabredung. Autorundfahrt um den berüchtigten Silbersee, Besuch bei den Mooshüttenbewohnern – und bei mir. Einverstanden mit dem Programm?

SCHWESTER. Selbstverständlich.

ARZT. Vielleicht entlocken Sie bis dahin Ihrem Pflegling einige wüste Geheimnisse des neubarbarischen Lagerlebens. Belohnen Sie es mit einer Extraration. Nicht gerade Ananas. Die muß er sich aus dem Kopf schlagen. Im Augenblick und in der noch graueren Zukunft. *Er zieht den Zimmerschlüssel aus der Tasche.* Eine reichlich übertriebene Vorsicht – vergittertes Fenster, gesichertes Türschloß. Er wird uns nicht auf eigenen Beinen davonlaufen. Wer sollte ihn wegtragen?

Es klopft.

ARZT *schließt auf.*

Draußen steht Olim, der auf die eleganteste Manier mit Cut, Gamaschen, Glacés gekleidet ist.

ARZT. Sie wünschen?

OLIM *den grauen Zylinder lüftend.* Ist es hier richtig, daß in diesem Zimmer ein Bursche mit einer Schußverletzung liegt?

AZRT. Das ist hier.

OLIM. Im Bett dort –? *Er will ins Zimmer.*

ARZT *ihn aufhaltend.* Ich muß Ihnen den Zutritt verwehren. Der Mann ist Häftling.

OLIM. Er war es. *Er holt ein Papier aus der Brusttasche – tritt
ein.* Hier die Bescheinigung. Der Polizei ist ein Versehen unterlaufen. Es hat sich nichts herausgestellt, was ihn belasten
könnte. Im Gegenteil: der schußfreudige Beamte hat sich
freimütig zu seinem Fehlgriff bekannt. Das schaffte Klarheit
– und der Mann ist frei.

ARZT *las den Zettel und gibt ihn Olim zurück.* Da hat er im
Unglück Glück gehabt.

OLIM *besorgt.* Ist seine Verwundung schlimm – oder leichterer
Natur?

ARZT. Er wird davonkommen –

OLIM *freudig.* Davonkommen!

ARZT. Mit einem Hinkefuß.

OLIM *verzagt.* Mit einem Hinkefuß.

ARZT. Nach meiner Ansicht noch immer besser, als mit zwei
graden Beinen im Kerker.

OLIM *hoffnungsvoll.* Sie meinen das? Es wäre etwas schon geleistet, daß man ihn mit der Haft verschont –?

ARZT. Keinem bereitet es Vergnügen, sich einsperren zu lassen.

OLIM. Ein erster Schritt –

ARZT *nach dem Bett hin.* Das hat noch gute Weile.

OLIM. Von meiner Seite.

ARZT. Bitte?

OLIM. Es fuhr mir aus dem Munde.

ARZT. Sie interessieren sich für diesen Burschen?

OLIM. Ja. Ich habe Anlaß, es zu tun. Mit Recht sind Sie neugierig. Aber es steckt kein Geheimnis dahinter. Ich will ein
gutes Werk vollbringen. Das ist eine Laune, die sich der
Reichtum leisten kann. Mir stieg mein Geld zu Kopf und in
der goldnen Trunkenheit will ich mich mit Verschwendung
vergnügen. Von dem da las ich in der Zeitung – ein Pech-
vogel, der eine Ananas raubte.

ARZT. Er raubte eine Ananas?

OLIM. Statt Mehl und Fett.

ARZT. Dann ist er doch ein Räuber.

OLIM *hält ihm die Bescheinigung hin.* Er ist es nicht!

ARZT *schüttelt den Kopf.* Was haben Sie mit ihm vor?

OLIM. Ist er transportfähig?

ARZT. Mit einem Krankenwagen.

OLIM. Ich miete ihn vom Krankenhaus. Was ist zur Pflege
nötig?

ARZT. Ein guter Arzt.

OLIM. Der beste steht zur Verfügung. Sonst noch besondres?

ARZT. Das wichtigste –

OLIM. Was ist das?

ARZT. Ernährung.

OLIM. Ein Koch allein für ihn.

ARZT. Dann kann es ihm nicht mangeln. – Schwester, bestellen Sie den Krankenwagen. *Sich gegen Olim verneigend.* Mein Dienst ruft mich. *Ab.*

Schwester folgt ihm.

OLIM *setzt sich behutsam auf den Bettrand.*

SEVERIN *schlägt die Augen auf.* Wer sind Sie?

OLIM. Wer kann ich sein?

SEVERIN. – – Ich habe Sie noch nie gesehn.

OLIM. Du kennst mich nicht?

SEVERIN. – – Du sagst ja du zu mir.

OLIM. Wir wollen Freunde sein.

SEVERIN. – Warum bist du mein Freund?

OLIM. Wer so, wie du, darniederliegt, braucht einen Freund.

SEVERIN. – – Er kommt zu spät.

OLIM. Es ist noch Vormittag.

SEVERIN. – – Bis Abend bin ich tot.

OLIM. Du wirst nicht sterben.

SEVERIN. – – Heute noch.

OLIM. Und morgen nicht und übermorgen nicht, und danach lebst du wieder ganz gesund.

SEVERIN. – – Mit meinem steifen Bein?

OLIM. Das grämt dich nicht, du hast doch satt zu essen.

SEVERIN. – – Wie – satt?

OLIM. Mit den fünf Mahlzeiten des Tages fütterst du dich regelmäßig.

SEVERIN. – – Beschaffst du die?

OLIM. Wenn ich dein Freund bin.

SEVERIN *betastet Olims Anzug.* Du bist so fein –

OLIM. Wenn man den Freund besucht.

SEVERIN. Ich schäbig.

OLIM. Bald kleidest du dich auch wie ich.

SEVERIN. – – Es wird nicht gehn.

OLIM. Warum denn nicht?

SEVERIN. – – Ich kann mit meinem steifen Bein nicht gehn.

OLIM. Wohin willst du denn gehn?

SEVERIN. – – Um mir mein Essen bei dir abzuholen.

OLIM. Du wohnst doch bei mir!

SEVERIN. – – In einem steinernen Haus?

OLIM. Ich hab' ein Schloß!

SEVERIN. Und Geld für fünfmal Essen?!

OLIM. Um das, was war, abgründig zu vergessen! *Olim und Severin halten einander umschlungen.*

SEVERIN.

> Was soll ich essen in der Morgenfrühe,
> wenn der Magen von der Nacht so leer?

OLIM.

> Willst du Kaffee oder fette Brühe?
> Sage mir, was erlabt dich mehr.

SEVERIN.

> Ich will nur – ich weiß nicht, was ich wähle –

OLIM.

> Die Entscheidung steht bei dir.

SEVERIN.

> Dies und das nicht, wie ich mich auch quäle.

OLIM.

> Überleg' es dir.

SEVERIN.

> Später vormittags bedrängt's mich wieder,
> daß ich irgend was verzehren muß.

OLIM.

> Eine volle Platte setzt man vor dir nieder:
> kaltes Fleisch, Pasteten, Gallertguß.

SEVERIN.

Ich will nur – ich weiß nicht, was ich wähle –

OLIM.

Die Entscheidung steht bei dir.

SEVERIN.

Dies und das nicht, wie ich mich auch quäle.

OLIM.

Überleg' es dir.

SEVERIN.

Schon ist Mittag, und ich kann mich setzen
mit Vergnügen an den Mittagstisch.

OLIM.

Sollst mit guten Dingen dir den Gaumen letzen –
von Fasanenvogel bis Forellenfisch.

SEVERIN.

Ich will nur – ich weiß nicht, was ich wähle –

OLIM.

Die Entscheidung steht bei dir.

SEVERIN.

Dies und das nicht, wie ich mich auch quäle.

OLIM.

Überleg' es dir.

SEVERIN.

Und nach Vesper – es wird nichts vergessen –
noch das Abendbrot, so viel ist das!

OLIM.

Hier empfehl' ich Früchte dir zu essen –
halte dich an Ananas.

SEVERIN.

Ich will nur – ich weiß nicht, was ich wähle –

OLIM.

Die Entscheidung steht bei dir.

SEVERIN.

Dies und das nicht, wie ich mich auch quäle.

OLIM.

Überleg' es dir.

SEVERIN.

Ich will nicht von guten Dingen wählen –
was ich will, ist Regelmäßigkeit.

OLIM.

Keine Mahlzeit wird am Tag dir fehlen,
fünfmal steht der Tisch bereit.

SEVERIN.

Keine Fabelfrucht kann das ersetzen –

OLIM.

Diese Pünktlichkeit.

SEVERIN.

Es besänftigt sich das wilde Hetzen –

OLIM.

Mit der Zeit.

ZWEITER AKT

Im Hintergrund das schmiedeeiserne Parktor. Links Zier-
sträucher. Rechts die Schloßfassade.
Vorm Tor steht Fennimore und läutet die Schelle.
Diener kommt aus dem Schloß und geht nach dem Tor.
DIENER *durch die Gitterstäbe sprechend.* Sie suchen hier?

FENNIMORE. Ich habe eine Einladung von meiner Tante er-
halten und bin hier.
DIENER *mustert ihre dürftige Kleidung.* Wer ist die Tante?
FENNIMORE. Frau von Luber. Hier ist ihr Brief.
DIENER *betrachtet den Briefumschlag, gibt ihn zurück und*
öffnet kopfschüttelnd das Tor.
FENNIMORE *tritt mit ihrem zerbeulten Handkoffer ein.*
DIENER. Warten Sie noch. Ich werde anmelden. *Ins Schloß zu-*
rück.

FENNIMORE.

　Ich bin die arme Verwandte
　und gehöre zu andern dazu.
　Wollte sich doch keiner um mich kümmern.
　Aber das tun Onkel und Tante,
　und nichts freut sie, was ich tu'.
　　Das ist kein Leben, das ist nur Verdruß,
　　den man, was soll denn werden, tragen muß.

　Ich hab' einen Koffer voll Habe,
　den schleppe ich überall hin.
　Könnte ich mich doch seiner entledigen,
　weil ich mir die Finger wund schabe
　und nicht die kräftigste bin.
　　Das ist kein Leben, das ist nur Verdruß,
　　den man, was soll werden, tragen muß.

　Man will mich nicht dabehalten,
　weil ich überflüssig bin.
　Am liebsten würde ich doch selbst weglaufen
　und mein bißchen Dasein verwalten
　nach meinem eignen Sinn.

Das ist kein Leben, das ist nur Verdruß,
den man, was soll denn werden, tragen muß.

Manchmal kann ich das träumen,
ich wäre gar nicht verwandt.
Keiner dürfte mich holen und schicken –
ich brauchte mich nicht mehr zu ducken und bücken –
ich drückte dem Nächsten so freudig die Hand,
denn ich bin ja nicht mit ihm verwandt.
Ach, das wär' das Leben, das wär' ein Genuß,
wenn man vergessen könnte, daß man verwandt sein
muß.

*Aus dem Schloß Frau von Luber – rasch den Kiesplatz bis
zum Tor überschreitend und vor Fennimore haltmachend.*

FRAU VON LUBER. Du bist also Fennimore.

FENNIMORE *knicksend und händeküssend.* Ich bin sehr dankbar für die Einladung.

FRAU VON LUBER. Das wirst du zu beweisen haben. Du bist
mir als bescheiden empfohlen. Da Bescheidenheit die Quelle
aller Vorzüge ist, hoffe ich, daß sich auch der der Anstellig-
keit zu schöner Blüte entwickeln wird.

FENNIMORE. Ich werde mir redliche Mühe geben, alle in mich
gesetzten Erwartungen zu erfüllen.

FRAU VON LUBER. Der Wille allein macht's nicht. Man muß
auch von Natur zu seinen Aufgaben ausgestattet sein. Verbirgt sich etwas Widerwärtiges unter diesen abscheulichen
Kleidern?

FENNIMORE. Wie meinen Sie das, Frau Tante?

FRAU VON LUBER. Es scheint nicht, als ob krüppeliger Miß-
wuchs die Haltung beeinträchtigte. Auch in dieser Beziehung
lautete die Auskunft günstig. Wie verrutscht hängst du in
dem knappen Kostüm. Das schneidern wir zurecht, mein
Liebes. Was da ist, soll zur Geltung kommen. – Hübsches
Gesicht. Ein bißchen viel Vergißmeinnichtblau – aber das
lieben einfache Seelen.

FENNIMORE. Ist das das Schloß?

FRAU VON LUBER. Noch nicht. Ich habe dir vor deinem Eintritt ins Schloß noch einiges mitzuteilen, das dir den Zweck
deines Hierseins erklärt und gewisse Instruktionen, die ich
dir gebe, verständlich macht. Wir setzen uns auf eine abgele-

gene Bank. *Sie führt Fennimore nach einer Bank beim Ge-sträuch.*

FRAU VON LUBER. Du wirst hier einem Herrn Olim und einem Herrn Severin begegnen. Herr Olim ist der Besitzer des Schlosses, dem ich die Wirtschaft führe. *Höhnisch auf-lachend.* Ich Frau von Luber einem Herrn Olim! *Wieder sachlich.* Herr Severin ist krank und wird in einem Rollstuhl gefahren. Er hat einen Beinschaden, über dessen Herkunft nichts verlautet. Dieser Severin kommt also nicht für dich in Frage. Dagegen lenke deine Blicke auf Olim. Du wirst sehn, wie er sich in der Sorge um seinen Freund Severin wie um das eigne Leben martert. Dabei bedient er einen für jedes Opfer unempfänglichen Klotz. Je mehr sich Olim anstrengt, um so mürrischer quittiert sein Severin. Als ob es nie genug wäre, was dargereicht – was angenommen wird. Bis Olim sich das Hemd auszieht und läuft splitternackt aus dem Tor, dann ist der unersättliche Sauger vielleicht zufrieden – in seinem Besitz des Schlosses.

FENNIMORE. Wie schön der Park ist.

FRAU VON LUBER. Hier ist alles schön, mein Täubchen. Begehrenswert schön. Oder meinst du, daß ich für Lohn und Brot mich hier installiert habe? Ich verfolge mein Pläne – und wenn's ein Schloß zu verschenken gibt, so – *Abbrechend.* Das Mitleid, das ich mit Herrn Olim, der sich mehr und mehr in dieser unaufhörlichen Pflege aufreibt, empfinde, hat mich darüber nachsinnen lassen, wie ich diesem seine Gesundheit gefährdenden Zustand abhelfe. Ich bin auf das Mittel der Ablenkung verfallen. Ihm müssen wieder Augen für andre erfreuliche Erscheinungen des Daseins wachsen, bis sie ihm übergehn und er es beim Anblick nicht mehr bewenden läßt. Er trennt sich von des Freundes Seite und sucht sein Schäferstündchen hinter dichten Türen, durch die kein Krankenstöhnen dringt. Verstehst du deine Rolle hier?

FENNIMORE. So viele Vögel singen.

FRAU VON LUBER. Närrchen. Jetzt sind's die Lerchen, später sind es Nachtigallen. Seid ihr allein, so lasse dich nicht überrumpeln. Behalte deinen kühlen Kopf. Entlocke ihm auf eine Weise, die das Maß der Zärtlichkeit bestimmen soll, das Geheimnis dieses Schlosses. Denn es geht nicht mit rechten Dingen zu, daß der Schloßherr sich mit dem Eifer eines bezahlten Dieners dem unfreundlichsten Patienten widmet. Dahinter steckt etwas. Das muß man kennen. Dann setzt man die

Daumen an und preßt die Kehle, bis Gnade geseufzt wird –! *Fennimores Hand tätschelnd.* Natürlich alles zu Herrn Olims Besten, damit er die drückenden Sorgen los wird, indem er seinen Geist durch ein Geständnis befreit, und wieder ein Mensch ist, der am Leben Lust hat. Mach' es dir zur Pflicht, ihn aufzuheitern. Bist du in der Musik ausgebildet? Beherrscht du ein Instrument?

FENNIMORE. Ich spiele Harfe.

FRAU VON LUBER. Prächtig.

Diener tritt aus dem Schloß und sieht sich suchend um.

FRAU VON LUBER *lauscht. Zu Fennimore.* Man kommt. *Zum Diener.* Was gibt es?

DIENER. Herr Olim rufen dringend.

FRAU VON LUBER. Ich komme. *Zu Fennimore.* Geh' mit hinein. *Zum Diener.* Tragen Sie den Koffer des Fräuleins. *Sie gehen ins Schloß.*

In einer Galerie.
Olim geht vor einer Tür auf und ab.
Diener tritt mit Waschschüssel und Handtuch aus der Tür.

OLIM. Tölpel – kannst du nicht mit geringerem Krachen die Tür hinter dir schließen?

DIENER. Ich trage die Waschschüssel und bin behindert –

OLIM. Dann fordere mich zu dieser Handreichung auf. Im Dienste eines Kranken gibt es keinen Unterschied zwischen Herrn und Diener. – Wie weit ist es drinnen?

DIENER. Herr Doktor hat sich bereits gewaschen.

OLIM. Entferne dich.

Diener ab.
Olim nimmt seine unruhige Wanderung wieder auf.
Der Arzt kommt aus der Tür.

OLIM *an seinen Lippen hängend.* Was? – Wie?

ARZT *sich im Weißbart kramend.* Im gleichmäßigen Fortschritt keine Unterbrechung. Es war möglich den Verband heute zu kassieren. Die Wunde kann also als geheilt betrachtet werden. Mit dem Blasserwerden wird auch die Narbe so gut wie verschwinden. Am Heilungsprozeß ist nichts auszusetzen.

OLIM. Wird das Bein viel kürzer sein?

ARZT. Das steht durchaus noch nicht fest. Bei regelmäßigen orthopädischen Exerzitien wird sich die Schrumpfung auf ein Minimum reduzieren lassen. Ein kleiner Defekt wird bleiben.

OLIM. Doch groß genug, um ihm jetzt schon die Laune zu verbittern?

ARZT *verwundert.* Noch hat ihn ja kein Gehversuch über eine vorhandene Behinderung belehrt.

OLIM. Ich frage so anzüglich, weil mir vieles unklar ist. Wollen wir uns setzen? *Sie lassen sich in Sesseln nieder.*

OLIM. Wäre es nicht das normale, daß jemand, dessen kränklicher Zustand sich der Genesung nähert, in heitere Stimmung gerät – ja zum Übermut sich hinreißen läßt und schließlich mit Kissen und Decken um sich bombardiert? Ich entsinne mich solcher Krankenzimmerschlachten aus meiner Jugend.

ARZT. Es stimmt, daß das wiedererwachende Lebensgefühl zu solchen vergnüglichen Exzessen anleitet.

OLIM. Nun sehen Sie Ihren Patienten an.

ARZT. Um was zu entdecken?

OLIM. Daß er nicht lacht – daß er nicht spricht – daß er hinstarrt, wo nichts ist – daß von Personen um ihn herum nicht Notiz genommen wird und von dem unendlichen Wohlwollen nicht, das ihm hier entgegengebracht wird.

ARZT. Da ich nur mit den unteren Partien seines Körpers beschäftigt bin und zur Betrachtung seines Gesichtsausdrucks keinen Anlaß habe, kann ich nicht determinieren, was ich nicht bemerkt habe.

OLIM. Wie richtig in diesem speziellen Falle. Doch einmal allgemein: warum freut es einen Kranken nicht, wenn er aufopfernd gepflegt wird?

ARZT. Vielleicht geschieht doch nicht genug.

OLIM *verblüfft.* Wieso?

ARZT. Besteht für ihn ein Anlaß noch mehr zu verlangen, als angeboten wird?

OLIM. Kann man mehr leisten? Sein Arzt sind Sie – er wohnt im hellsten Zimmer, beim flüchtigsten Sonnenstrahl wird er im Park kutschiert. Luft, Licht, Medikamente – wo fehlt's daran?

ARZT. Die Ernährung?

OLIM. Er vertilgt es knapp, was aufgetragen wird. Fünfmal am Tage regelmäßig.

ARZT. Der Stuhlgang?

OLIM. Einmal am Tage regelmäßig.

ARZT. Sie kontrollieren alles selbst?

OLIM. Aus Wissensdrang. Ich will erfahren, wohin das führt, wenn einer satt zu essen hat, der vorher weniger reichlich sich beköstigen konnte. Das muß doch einen Einfluß haben und eine Entwicklung vorbereiten, die das Edelste im Menschen bloßlegt. Allein die Dankbarkeit – ist das nicht eine der schönsten Gaben, die man empfängt? Soll ich mich also – an irdischen Gütern reich, nun gierig nach Schätzen aus Menschenherzen – nicht anstrengen? – Und er krümmt keine Lippe und sammelt keinen Dank auf der Zunge – er stiert Löcher durch uns alle und unterscheidet uns nicht von Schrank und Tisch. Es ist ein Elend. *Er wischt sich die Augen.*

ARZT. – – – – Dann hat er einen Gram.

OLIM *aufhorchend.* Was ist – ein Gram?

ARZT. Eine Art von Unbefriedigtsein, das weniger aus dem Blut als aus den Gedanken stammt.

OLIM. Das nennt man Gram?

ARZT. Der Kranke denkt etwas, das ihn quält.

OLIM. Soso. Wie heilt man ihn davon?

ARZT. Bevor man nicht weiß, was es ist, kann man nicht die Sonde ansetzen und den giftigen Kern ausreißen.

OLIM. Weil es ein unbekannter Gram ist.

ARZT. Jedoch die Schmerzen kann man mildern.

OLIM *rasch.* Wie?

ARZT. Der Kranke soll sich nicht zuviel mit sich beschäftigen. Man lenkt ihn vom Gram ab.

OLIM. Auf welche Weise?

ARZT. Musik.

OLIM. Natürlich. Es ist im Schloß zu still. Bloß Vogelgezwitscher oder der Gärtner mit seiner Mundharmonika. Ein Instrument, das überdies zur Schwermut verleitet. *Nachdenklich.* Wer spielt hier ein andres Instrument, das zur Heiterkeit stimmt?

ARZT *steht auf.* Das überlasse ich Ihrer Erfindungsgabe. *Er entfernt sich.*

OLIM *ihm nachrufend.* Es wird mir einfallen – es wird mir einfallen – es wird mir einfallen – – – – *Er steht grübelnd da;
dann schwingt er eine Schelle.*

Diener kommt.

OLIM. Frau von Luber – laufen Sie – sie soll gleich her-
kommen.

Diener ab.
Olim horcht an der Tür und lächelt verschmitzt.
Frau von Luber kommt.

OLIM. Er hat einen Gram.
FRAU VON LUBER. Wenn ich Sie nur verstünde.
OLIM. Sein Gram läßt sich lindern, wenn wir ihm Musik vor-
spielen. Sind Sie musikalisch?
FRAU VON LUBER. Ich – ich nicht, Herr Olim.
OLIM *verzweifelt.* Ist keiner hier, der Töne zum erklingen
bringt?
FRAU VON LUBER. Doch, Herr Olim.
OLIM. Wer?
FRAU VON LUBER. Meine Nichte.
OLIM. Im Schloß?
FRAU VON LUBER. Sie traf vor zehn Minuten ein.
OLIM. Und spielt?
FRAU VON LUBER. Die Harfe.
OLIM. Die Harfe. Köstlich. Das ist ein Instrument von An-
sehn. Und sie beherrscht es völlig?
FRAU VON LUBER. Sie werden abends hören.
OLIM. Ein kleines Fest. Aus großem Anlaß: die Wunde heilte.
Es soll vom besten getafelt werden. Und zur Harfenmusik
von –
FRAU VON LUBER. Fennimore heißt meine Nichte.
OLIM. Ein feiner Name.
FRAU VON LUBER. Und ein frisches hübsches Mädchen.

Saal.
*Olim im Smoking und Frau von Luber im Schleppkleid
kommen.*
Diener schließt die Tür hinter beiden.

OLIM. Endlich ist es Abend. Die Lichter brennen. Selten ist mir ein Tag so langsam vergangen wie dieser, an dessen Ende sich etwas wie ein Anfang ereignen soll. Ein erstes Lachen auf seinen Lippen. Es kommt dem menschlichen Erwachen gleich, wie auch das Kind zuerst ein gramerfülltes Antlitz zeigt und dann zur Heiterkeit aufrückt. Die trennt es vom Tiere.

FRAU VON LUBER. Sie sind rührend in Ihrer Sorge um Herrn Severin.

OLIM. Ein Lob, das mir nicht zukommt. Oder ist es ein Verdienst seine Bemühungen zu steigern, wenn der Zustand des Kranken sich nicht bessert? Man verdoppelt – verzehnfacht seine Anstrengungen, da der Kranke das Maß zuerteilt. Was tue ich also mit freiem Willen? Der wäre zu rühmen.

FRAU VON LUBER. Sind Sie denn gezwungen Herrn Severin zu pflegen?

OLIM. Wenn ich den kleinen Finger für ihn rührte, mußte ich nicht bis zum Erlahmen des Arms bei ihm aushalten?

FRAU VON LUBER. Doch diesen ersten kleinen Finger regten Sie nicht freiwillig?

OLIM. Wie nichts im Leben, wo wir uns aus Überzeugung zu einer Handlung entschließen. Den Zwang übt das mitfühlende Herz aus und es ermahnt mit jedem Herzschlag zum Gehorsam.

FRAU VON LUBER. Wie übermenschlich edel gedacht. Wird Herr Severin es Ihnen auch danken können? Oder braucht er es nicht?

OLIM. Er kann des Dankes gar nicht entraten, da sich Gemütstiefen in ihm auftun, die vorher bedeckt waren. Diese Erschließung ist der Dank, der mir zufällt. Wie aus einer geöffneten Quelle überstäubt es mich perlweiß mit der Klarheit des makellosen Kristalls. Ich bade mich selbst zu größerer Reinheit darin. – Wie ist der Tisch gedeckt? *Sie treten an den Tisch.*

OLIM. Vier Gedecke?

FRAU VON LUBER. Wir sind doch jetzt vier.

OLIM. Wer ist der vierte?

FRAU VON LUBER. Meine Nichte Fennimore.

OLIM. Soll sie nicht musizieren, während wir essen?

FRAU VON LUBER. Sie wird sich in den Pausen zu uns setzen. Sie hat ihren Platz Ihnen gegenüber, Herr Olim.

OLIM. Sie soll vor Severin sitzen. Es ist höchste Zeit, daß er andre Gesichter sieht. Unser Mienenspiel kann ihm nichts neues bieten, wenn wir es noch so kraus in Lustigkeit verzerren.

FRAU VON LUBER. Auch Sie lebten lange einsam. Sie sollten endlich mehr an sich denken.

OLIM. Ich denke nur an mich und suche den Lohn für meine Leistungen im ungewöhnlichen Erfolg einer seelischen Entfaltung. Dem unterordnen sich alle Mittel. *Er wechselt die Tischkarten.* – Was wird gegessen?

FRAU VON LUBER. Hier das Menu.

OLIM *liest die Karte.* Zuviel Fleisch – zuviel Fisch. Wir füttern keinen siegreichen Schnelläufer, sondern einen Halblahmen im Rollstuhl. Auf noch ungeschmeidige Organe müssen die Gerichte abgestimmt werden. Früchte – Früchte und dreimal Früchte. In vielerlei Zubereitung – und dann roh. Das wird die zuträglichste Speisung. – Wein von der Mosel. Er regt an und betäubt nicht wie jene roten Gewächse von jenseits des Rheins.

FRAU VON LUBER *mit spöttischem Unterton zum Diener.* Befolgen Sie alle Befehle Herrn Olims.

OLIM. Und dort das Harfeninstrument. *Er tritt hin.* Welch' königlicher Aufbau. *Berührend.* Gefahr des Umsturzes besteht nicht? Es wäre schrecklich, wenn es einen Schrecken gäbe.

FRAU VON LUBER. Sie hält schon fest beim spielen.

OLIM. Und meistert wirklich dieses Klanggesträhn?

FRAU VON LUBER *eifrig.* Sie sollen eine Probe hören. *Sie will fort.*

OLIM *hält sie fest.* Ich zweifle nicht – und außerdem verstehe ich nicht das geringste von Musik. Ich lasse auch für mich nicht die Saiten zupfen – die Fröhlichkeit soll mit Fluten des Gelächters einen andern überschwemmen. Ich bringe Severin. *Er winkt dem Diener – mit ihm ab.*

Frau von Luber reißt auf der entgegengesetzten Seite eine Tür auf, hinter der Fennimore in einem rosa Kleid mit einem Mandelblütenkranz im Haar steht.

FRAU VON LUBER. Komm' herein. Ich konnte dich ihm nicht vorher präsentieren. Das ist ein schwer zu stellender Fuchs. Er weicht mit Hakensprüngen aus und begräbt die Spur mit einem Wortschwall hinter sich. Es prasselt einem wie Schneegestöber um die Backen – von Seele und Gemüt. Es wird sich schon schlichter ausdrücken lassen, was den kleinen Finger in Bewegung setzte. Wir sprechen uns noch eines Tages anders. *Fennimore an den Tisch führend.* Er geruht nicht sich dir gegenüber niederzulassen – dafür wird er dir auch beim Vorspielen nicht zuhören. So kompliziert ist deine Situation. Also bewältigst du sie nur, wenn du dir Herrn Olim taub und blind vorstellst, dem du erst Augen und Ohren öffnen mußt. Bis er dich hört – bis er dich sieht. Demnach singe verlockend – zeige dich reizend. So ein bekränztes Jungfräulein kann Wunder wirken und einen Gletscher von Verschwiegenheit zum auftauen bringen. Man kommt. Zur Harfe du.

Fennimore postiert sich bei der Harfe.
Frau von Luber erwartet in der Mitte des Saales die Ankunft der andern.
Durch die von Olim aufgesperrte Tür wird Severin – mit einem schwarzseidenen Pyjama bekleidet – im Rollstuhl vom Diener hereingeschoben.

OLIM *überschwenglich.* Seht an: der Triumphzug des Lebens – siegreich in heißen Schlachten wider die finstern Mächte von Fieber und Schmerzen. Ausgetobt hat der Krieg – *Die Türflügel schließend.* – hinter dieser Pforte begräbt sich der letzte Schall von ihm – *Dem Diener bedeutend, Severin weiterzufahren.* – und sein heldenmütiger Streiter feiert den glücklichen Ausgang bei festlichem Mahl mit schönen Frauen. Du erblickst Frau von Luber in einem nahezu fürstlichen Schleppkleide –
FRAU VON LUBER *Severin begrüßend.* Ich hätte zum Tanz mich wesentlich beweglicher kostümiert – aber tanzen werden wir ja noch nicht können.
OLIM *verstummt entsetzt über diese Taktlosigkeit.*
SEVERIN *ohne eine Miene zu verziehen.* Wer will denn tanzen?
OLIM *aufatmend und schallend lachend.* Da hören wir eine unzweideutige Ablehnung des Tanzes überhaupt. Vielen ist er Seligkeit – uns das Gehopse albern. Prägen Sie sich das ein, Frau von Luber, und empfehlen Sie uns in Zukunft bessere Späße.
FRAU VON LUBER *auf Fennimore weisend.* Wäre nicht der Gegenwart schon gedient? – Tritt näher, liebes Kind – in Rück-

sicht auf Herrn Severin im Rollstuhl. Herr Olim ist der Schloßherr.

OLIM *zu Severin.* Es ist die Nichte, die Fennimore heißt und abwechselnd mit uns am Tisch ißt und auf der Harfe spielt.

FRAU VON LUBER. Begrüße Herrn Olim.

OLIM *nichtachtend – zu Severin.* Bist du mit diesem Vorhaben einverstanden?

SEVERIN *immer mit starrem Blick vor sich hin.* Kann mich denn etwas stören?

OLIM *klatscht in die Hände.* Mißbilligt wird es nicht. Man ist geneigt den Speisen, die aufgetragen werden, eine empfängliche Zunge und den Tönen, die vorgespielt werden, ein williges Ohr zu leihen. Jetzt liegt es an uns die Erwartungen zu übertreffen und eine in Übermut explodierende Laune hervorzuzaubern. Zu Tisch – und gleich Tischmusik!

Severin wird vor die Längsseite des Tisches geschoben; Olim und Frau von Luber lassen sich an den Querseiten nieder. Fennimore sitzt bei der Harfe.
Diener läutet eine Schelle: aus einer Tapetentür im Hintergrunde kommen zwei Mädchen mit Speisen und Wein.

OLIM *nimmt die Menukarte weg.* Du mußt nicht diese Karte lesen. Ich habe die Speisenfolge im letzten Augenblick verändert. Zuträglicher als kompakte Braten sind dir lockere Teigwaren in Form von Pasteten und geschmortes und natürliches Fruchtfleisch. *Da Severin weiter hinstarrt.* Oder willst du doch lesen?

SEVERIN *verbissen.* Warum soll ich lesen, wenn ich keine Buchstaben erkenne?

OLIM. Natürlich. Man darf nicht alle Sinne zugleich in Anspruch nehmen. Jetzt genügt: schmecken und lauschen.

FRAU VON LUBER *zu Olim.* Sie können die Kleine gut sehen. Wenn sie sich gegen die Harfe neigt, offenbart sich ein lieblicher Anblick.

OLIM *nur Augen für Severin.* Unterhalte dich gut. *Zu Frau von Luber.* Was bietet sie uns?

FRAU VON LUBER *zu Fennimore.* Was trägst du vor?

FENNIMORE. Cäsars Tod.

Während des Vorspiels verlassen die Mädchen den Saal; der Diener tritt in den Hintergrund.

Rom hieß eine Stadt und alle Römer
hatten in den Adern heißes Blut.
Als sie Cäsar einst tyrannisch reizte,
kochte es sofort in Siedeglut.

Nicht die Warnung konnte Cäsarn hindern:
hüte vor des Märzen Iden dich.
Er verfolgte seine frechen Ziele
und sah schon als Herrn der Römer sich.

Immer schlimmer schlug ihn die Verblendung,
nur sein Wort galt noch im Capitol.
Und den weisen Rat der Senatoren
schmähte er gemein und höhnisch Kohl.

Da kam stolzes Römerblut in Wallen.
Selbst der Freund bleibt keinem Cäsar treu,
wenn ihn dieser nur für seine Zwecke
kalt mißbraucht und sagt es ohne Scheu.

Heimlich trafen nachts sich die Verschwörer
und beredeten mit Eifer sich.
Und genau am Tag der Märzesiden
stach ihm Brutus den verdienten Stich.

Cäsar sank von seinem Sitz und stierte
seinen Mörder an, als ob's nicht wahr.
Et tu, Brute – rief er auf lateinisch,
wie es dort die Landessprache war.

Lasse keiner sich vom Wahn verführen,
daß er mehr als jeder andre gelt':
Cäsar wollte mit dem Schwert regieren
und ein Messer hat ihn selbst gefällt.

Das Nachspiel verklingt – es herrscht Stille.

OLIM *betrachtet Severin, dessen Miene sich noch mehr ver-
düstert hat. – Zu Frau von Luber.* War denn das lustig? Darüber sollte man lachen? Daraus Anregung zum Frohsinn

schöpfen? – Das verführt doch eher zum – *Zu Severin.* Wie hältst du denn das Messer gepackt?

SEVERIN *höhnisch.* Halte ich es – ungeschickt?

OLIM. Wie – um zuzustoßen.

SEVERIN *läßt es aus der Faust fallen.* Hier ist nichts, um danach zu stechen.

Fennimore kommt an den Tisch und setzt sich.

FRAU VON LUBER *sarkastisch.* Du scheinst mit der Wirkung, die zu erzielt hast, zufrieden zu sein und hältst dein Essen für verdient. Wahrhaftig: es ist mir lieber, du stopfst dir den Mund, statt Mordsballaden aus ihm zu entlassen. *Freundlich zu Olim.* Sie stärkt sich ein wenig, um gleich zum heiteren Teil ihrer Darbietungen überzugehen. Vom düsteren Hintergrund, der ja nun geschaffen ist, hebt sich alles viel lustiger ab. *Streng zu Fennimore.* Worüber werden Herr Olim und Herr Severin lachen?

FENNIMORE. Ich habe einmal einen Tanz mit Brötchen gesehen. Den kann ich nachmachen. *In Erinnerung lacht sie hell auf.*

OLIM *zu Severin.* Hörst du das? Ein klingendes Gelächter. *Zu Frau von Luber.* Worüber lacht sie?

FRAU VON LUBER. Sie will uns etwas vortanzen.

FENNIMORE *lachend, fast erstickt.* Hier auf dem Tisch.

OLIM. Wo Gläser und Teller stehn?

FENNIMORE. Ich brauche nicht mehr Raum als vor mir. *Zwei Brötchen nehmend und weglegend.* Die Brötchen sind ja rund und müssen lang und spitzt sein. Sind keine Bananen da?

FRAU VON LUBER *zweifelnd zu Olim.* Soll man sie gewähren lassen.

OLIM. Sie lacht so überzeugend.

FRAU VON LUBER *zum Diener.* Die Früchteschüssel schon!

Diener durch die Tapetentür ab.

OLIM. Bestimmt werden Sie nichts auf dem Tisch bei Ihrem Tanz umwerfen?

FENNIMORE. Ich bleibe doch still sitzen?

OLIM. Wer tanzt denn?

FENNIMORE. Die zwei Bananen!

Aus der Tapetentür kommt der Diener – tragend die Schüssel
mit dem Früchteaufbau, den eine Ananas krönt.
Die beiden Mädchen folgen – räumen den Tisch frei.
Diener stellt die Früchteschüssel hin.
Diener und Mädchen wieder ab.

FENNIMORE *nimmt zwei Bananen.* Das sind die Schuhe. Jetzt
spieße ich in jeden eine Gabel.
OLIM *zu Severin.* Siehst du auch gut? Oder behindert die
Schüssel?
FRAU VON LUBER. Ich kann sie zu mir rücken, Herr Olim.
OLIM. Bei mir ist Platz.
FRAU VON LUBER *loslassend.* Sie sind der stärkere.
OLIM *zu Severin.* Der Blick ist frei für dich.
FENNIMORE. Dann alle hersehn – und der Tanz beginnt.

Obwohl nur Fennimores Rücken zu sehen ist, hinter dem
das Tanzspiel mit den Bananen verborgen bleibt, wird aus
den kleinen rhythmischen Bewegungen ihrer Schultern der
Vorgang deutlich.
Olim und Frau von Luber werden mehr und mehr gefesselt.
Olim, der anfangs noch nach Severin spähte, hat ihn ganz
vergessen und gibt sich seinem hemmungslosen Gelächter
hin. Auch von Luber lacht kreischend und schwenkt luft-
schnappend die Arme.
Doch Severin widmet der Vorführung keine Aufmerksam-
keit: wie gebannt starrt er nach der Ananas.
Fennimore beendet den Tanz.
Nachklingendes Gelächter.
Dann wendet sich Olim Severin zu und gewahrt sein gefähr-
lich zuckendes Gesicht.

OLIM. Was schielst du so nach mir??
SEVERIN. Nicht – nach dir.
OLIM. Wohin??
SEVERIN. Nach diesem –! *Mit Messerstichen zerfetzt er blind-*
wütend die Ananas.
OLIM *zu Frau von Luber.* Verlassen Sie uns!

Frau von Luber und Fennimore entfernen sich vom Tisch.

FRAU VON LUBER *halblaut zu Fennimore.* Nichts dümmres

konnte mir einfallen als dich ins Haus zu holen. Den einen kannst du nicht reizen und den andern stachelst du zum Messerhelden. Pack' deinen Koffer – morgen früh scherst du dich aus dem Tor, ob's blitzt oder hagelt. *Beide ab.*

SEVERIN *lehnt sich schweratmend in den Rollstuhl zurück.*
OLIM *um ihn bemüht.* Was für ein Anfall? Sind zu viele Eindrücke zu plötzlich auf dich eingedrungen? Überrumpelte ein überladenes Programm deine Widerstandskraft – und wolltest du mit der Niedermetzelung dieser Frucht deinen Widerwillen gegen weitere Genüsse zum Ausdruck bringen?
SEVERIN *kann noch nicht sprechen.*
OLIM. Soll ich den Arzt rufen?
SEVERIN. Jetzt – brauche ich keinen Arzt mehr.
OLIM. Soll ich dir Wein reichen?
SEVERIN. Er – hat mich bereits genug gestärkt.
OLIM. Du schwankst doch?
SEVERIN *sich vorbeugend und die zerstochene Ananas bei den Blättern fassend und hochhaltend.* Das galt der Frucht nicht – sondern dem, der sie mich nicht essen ließ!
OLIM *verwundert.* Verbietet dir hier wer –?
SEVERIN. Einst, Olim, wurde mir die Erlaubnis im letzten Augenblick – zerschossen. Ich hatte schon die Frucht in meinem Besitz – ich glaubte sie schon in Sicherheit geborgen zu haben – – da krachte ein Schuß und ich lief nicht mehr.
OLIM *staunend.* Beschäftigt dich – das?
SEVERIN. Was sonst, Olim? Wie kann man das vergessen, was mir geschehen ist? Du fragst – und also kennst du die Vorgeschichte nicht. In Mooshütten hausten wir am Silbersee. In der nebligen Nässe und so nahrungslos wie ein vergessenes Raubtier hinter Gittern. Mich überreizte der Hunger zu Phantasien: mir genügten nicht Mehl und Fett, ich wollte Säfte schlürfen – aromatisch wie aus tropfender Ananas. Und das gefolterte Raubtier brach aus und schlich in die steinerne Stadt, wo die frischen Waren sich häufen. Die raubte es nicht, sondern griff sich den Traum aus schlaraffigem Fabelland und wollte mit ihm in die Wälder flüchten. Aber es flog die Kugel und traf in den Traum, der entrollte – wohin? Weißt du es, Olim?
OLIM *stammelnd.* Was soll ich davon wissen?
SEVERIN. Weil niemand es feststellen kann. Auch du nicht, Olim. Oder markiert man die Spur einer zerplatzten Seifen-

blase? Der Traum war aus – aber ich lebte noch. *Fast geheimnisvoll und sich zu Olim hinlehnend.* Hör' mich an, Olim: ich wäre mit diesem Saft auf der Zunge gern gestorben – ich hätte die Paradiespforten erreicht und war im Garten Eden und zur ewigen Unschuld heimkehrend – er hätte mich die Frucht noch essen lassen sollen und dann mein Herz nicht verfehlen – – *Sich aufrichtend und im gesteigerten Ausbruch.* – – aber er ließ mich hungrig in meinem Blute liegen – – dieser zehnfach verfluchte – – entmenschte Landjäger!!!!

OLIM *stotternd.* Vergiß doch – – den Landjäger – – – –

SEVERIN. Mit diesem Schaden am Bein? Mit dem ich hinke? Doch nicht langsam genug, daß er mir entlaufen kann. Ich werde ihn einholen, Olim!

OLIM. Ist nicht inzwischen Gras über die Geschichte gewachsen? Du hast satt zu essen.

SEVERIN. Dir danke ich es, daß mir Kraft zuteil geworden ist. In meinem Hungerwald hätte mich die Schwäche entnervt. Aber du tratst an mein Lager wie die Vorsehung selbst, die die Vergeltung befiehlt. Du wolltest wohltun – wär' ich reich, ich handelte genau so, das ist doch bloß anständig, und deine Gründe liegen klar vor mir –

OLIM. Ich ließ es an nichts fehlen. –

SEVERIN. Und ich nahm gierig jeden Bissen, um meinen Zorn zu füttern. Er schwoll im Blut – nun trachtet er nach Blut. Mir braust es vor den Ohren – was hör' ich sonst? – es wogt mir vor den Augen – was seh' ich sonst als Blut und Blut und Blut?! *Er packt sein Glas.* Schwimmt es in diesem Glas? Kann ich das saufen?

OLIM. Was – hast du vor?

SEVERIN. Mir das zu holen, was du mir nicht geben kannst – zu meiner letzten Sättigung: Rache an diesem Schützen und wenn ichs' teuer – nicht zu teuer! – mit dem Leben bezahlen muß!

OLIM. Wie – willst du ihn denn finden?

SEVERIN. Ich muß ihn finden, Olim!!

OLIM *von ihm zurückweichend.* Das fühlst du hinter deiner Brust????

SEVERIN *erklimmt den Rollstuhlsitz und steht auf ihm.*

Erst trifft dich der andre
und du liegst still.
Da war der Tod dir schon nah' –
und ließ gnädig noch einmal von dir.

Du zwinkerst
mit halbem Augenaufschlag –
doch dein erster Atemzug
haucht schon:
es wird nichts vergeben und nichts vergessen.
Auge um Auge.

Es schließt sich die Wunde,
die der andre dir schlug,
und die Narbe versiegelt außen den Riß.
Doch innen heilt's nicht –
da schwärt es
und spornt es:
es wird nichts vergeben und nichts vergessen.
Zahn um Zahn.

Was dich labt
macht dich mutig –
und du tust, was du mußt.
Später kannst du beten
und dir reuig die Brust aufreißen –
jetzt kannst du nur schrein:
es wird nichts vergeben und nichts vergessen.
Blut um Blut.

Ich bin der eine
und mein Feind ist der andre.
Wie soll sich Wasser und Öl vereinen?
Du lernst es zu spät,
wenn der Hieb dir schon sitzt –
und du läufst hinterdrein.
Doch dann holtst du ihn ein
und hältst Gericht:
es wird nichts vergessen und nichts vergeben.
Leben um Leben.

Schlafzimmer der Frau von Luber.
Zofe kommt – zieht die Jalousie hoch und stellt das Früh-
stückstablett ans Bett.

ZOFE. Das Frühstück.

FRAU VON LUBER *sich umdrehend – verschlafen.* Schon Morgen?

ZOFE. Halbacht.

FRAU VON LUBER *seufzend.* Wie Sträflinge. Und im Bett ist's so mollig. Also ich frühstücke – und dann tun wir Dienst. Kuli – *Sie gähnt.* – kulinarische Genüsse für Herrn Severin und Herrn Olim ein serviles Grinsen. Verduften Sie, falls man Sie braucht. Sonst fliegen Sie wegen Unbotmäßigkeit mit Purzelbaum.

Zofe geht und kehrt gleich wieder in Erregung zurück.

FRAU VON LUBER. Schon entlassen?

ZOFE. Herr Olim wünscht Frau von Luber zu sprechen.

FRAU VON LUBER. Vor acht?

ZOFE. Sofort.

FRAU VON LUBER *gleichgültig.* Lassen Sie Herrn Olim eintreten.

Zofe öffnet die Tür: Olim – im Schlafrock – kommt.
Zofe ab.

FRAU VON LUBER. Gestatten Sie, daß ich weiter frühstücke?

OLIM. Ich will Sie nicht stören. Sind wir allein?

FRAU VON LUBER. Herr Olim – was denken Sie von mir.

OLIM. Das Mädchen, das fortging, lauscht nicht?

FRAU VON LUBER. Wenn Sie näher kommen und nicht brüllen, hält jede Tür dicht.

OLIM. Das ist ein Rat, den ich befolge.

FRAU VON LUBER. Ich nehme das Tablett aufs Bett, und Sie setzen sich auf den Hocker.

OLIM *sitzt nieder und schweigt.*

FRAU VON LUBER. Sie sehen nicht gut aus. Ist Ihnen der gestrige Abend nicht bekommen. Natürlich – der Anfall hat Sie um den Schlaf gebracht. Haben Sie Grund zu neuer Sorge?

OLIM *mit rauher Stimme.* Ja.

FRAU VON LUBER *ein Ei köpfend.* Um Severin?

OLIM. Nein.

FRAU VON LUBER *läßt Ei und Messer sinken.* Um wen?

OLIM. Um mich.

FRAU VON LUBER *betrachtet ihn aufmerksam. Dann nachlässig.* Was kann Sie schon bedrohen. Sie haben Reichtum, Ihre Gesundheit ist eisern –

OLIM. Ich bin bedroht – *Ihre Hand ergreifend.* – am Leben, liebe Frau von Luber!

FRAU VON LUBER. Spaßmacherchen, Herr Olim. Wer trachtet Ihnen nach dem Leben?

OLIM. Er – Severin!

FRAU VON LUBER. Als Dank für so viel Pflege?

OLIM. So dankt er mir – wenn er erfährt, daß ich es bin der – – *Er stockt.*

FRAU VON LUBER *ungeduldig.* So flüstern Sie es mir ins Ohr.

OLIM. Sie schwören mir, daß Sie es nie verraten – und mir bei der Überwachung helfen, daß er sich nie aus dem Schloß entfernt?

FRAU VON LUBER. Das ist geschworen.

OLIM. Gott sei Dank.

FRAU VON LUBER. Jetzt schütten Sie Ihr Herz ganz aus.

OLIM. Das war einmal, als ich noch Landjäger war –

FRAU VON LUBER. Was waren Sie?

OLIM. Landjäger.

FRAU VON LUBER *prustend.* Mit Helm und Säbel – – im Wald und auf der Heide – – ein Strolchenschreck – – ein Vagabundenwächter – – *Kreischend.* Landjäger –!!

OLIM *fast schüchtern.* Von Herkunft bin ich nicht bedeutend –

FRAU VON LUBER. Doch Schloßherr in der Gegenwart! *Sie beruhigt sich.* So freute ich mich über Ihren Aufstieg, daß ich so lachen mußte.

OLIM. Und ich bereue es. Mich stürzt es ins Unglück. Weil ich diesen Severin auf der Verfolgung anschoß und mir später Gedanken machte –

FRAU VON LUBER. Mußten Sie denn auf ihn schießen?

OLIM. Ich war im Dienst.

FRAU VON LUBER. Und hatte er – gestohlen?

OLIM. Das überlegte ich mir auch – und als ich mir dann wünschte ihm fortzuhelfen aus Not und Schuld – da hatte ich gleich Geld. Das Füllhorn tat sich auf und zahlte mir mein Los aus: Hauptgewinn. Ich konnte das nicht mißverstehen: ich sollte mich für Severin einsetzen. Und tat ich's nicht?

FRAU VON LUBER. Das walte Gott, Herr Olim!

OLIM. Und alles prallte ab. Das feste Dach über sich, der Schlaf im weichen Bett und immer Essen – die Seele hat sich nicht geläutert, der Leib hat sich vergiftet mit Rachgier. Was muß denn bloß geschehn, um einen Menschen vom Zorne abzubringen?!

FRAU VON LUBER. – – – – Sie haben die Natter an Ihrer Brust gewärmt, und jetzt beißt sie Sie.

OLIM. Er hat es sich gelobt: wenn er den Schützen findet, macht er ihn kalt. Das weiß ich seit gestern und werde es nicht mehr vergessen.

FRAU VON LUBER. Kann er schon suchen?

OLIM. Er kletterte doch auf den Sitz des Rollstuhls und schrie es gellend in den Saal, was er mit seinem Opfer anstellen will. Er säuft sein Blut.

FRAU VON LUBER. Sie haben ihn zu gut gepflegt.

OLIM. Bald humpelt er davon und forscht nach mir. Soll ich denn fliehn? Dem Rächer ist die Erde nicht zu groß. Soll ich denn nicht mehr leben, weil ich das Gute tun wollte? Heißt das Gerechtigkeit? *Er sinkt hin.*

FRAU VON LUBER *streichelt sein Haar.* Nicht zittern. Nicht weinen. Wir sind ja zwei. Wir werden es doch mit einem aufnehmen, der noch dazu im Gebrauch eines Beins behindert ist. Den lassen wir nicht aus den Augen. Da wacht Frau von Luber. Daß keiner entkommt. Daß nichts abhanden kommt. Daß alles hübsch beisammen bleibt. Mit Türmen und Zinnen. Ein Schloß ist ein Schloß – und wie man zu einem Schlosse kommt, darüber macht sich nur Sorgen, wer keine andren hat. Hätte ich noch welche? *Sie lächelt vor sich hin und wiegt den Kopf.*

OLIM. Wie Ihre Stimme beruhigt.

FRAU VON LUBER. Das soll sie von nun an oft tun. Wir haben viel zu beraten. Wie man einen Menschen von der Außenwelt abschließt, das Kunststück werden wir fertigbringen. Geben Sie Befehl das Parktor nur noch mit meiner Erlaubnis zu öffnen. Alle Schlüssel werden in meine Hände abgeliefert. Erhalte ich Vollmacht?

OLIM. Verhüten Sie Severins Flucht aus dem Schloß.

FRAU VON LUBER. Er soll mir nicht vorzeitig entwischen. – Wie ist das Wetter?

OLIM. Sonnenschein.

FRAU VON LUBER. Dann kutschieren Sie die Natter in den Park und weichen nicht von der Seite. Vor Mittag hat alles Weitere keine Eile. Nehmen Sie das Tablett mit hinaus, und schicken Sie mir die Zofe.

OLIM *mit dem Tablett ab.*

Zofe kommt.

FRAU VON LUBER. Lassen Sie die Jalousie wieder herab. Ich stehe heute später auf. Das Bad um zwölf. *Sie dreht sich auf die Seite.*

Zofe verdunkelt das Zimmer.

Fennimores Zimmer. Offenes Fenster.
Fennimore packt ihren Koffer. Es wird an die Tür geklopft.
Fennimore lauscht.
Neues Anklopfen. Fennimore geht hin und öffnet: Severin – sich auf einen Stock stützend – humpelt herein.

SEVERIN *hastig – tuschelnd.* Zumachen. Abschließen. Horchen, ob man mir folgt. Dieser Krückstock rasselte wie Blechlöffel in Bratpfannen.
FENNIMORE. Soll man Sie denn nicht sehn?
SEVERIN. Auch nicht hören. Mäßigen Sie Ihre Stimme. Vernehmen Sie Lärm?
FENNIMORE. So still.
SEVERIN. Wie Grabesruh'. *Von der Tür weggehend.* Ich muß mich hinsetzen.
FENNIMORE *bringt einen Stuhl.* Sie können wieder gehn?
SEVERIN. Seit gestern. Ich wurde angeregt – durch den Anblick einer Frucht, und auch das Mördermesserlied, das Sie sangen, hat dazu beigetragen mir das Blut umzuwühlen und meine Muskeln zu erfrischen. *Er setzt sich.*
FENNIMORE. Mich hat dasselbe Lied um meinen Aufenthalt hier gebracht.
SEVERIN *den Koffer gewahrend.* Sie reisen ab?
FENNIMORE. Auf Befehl meiner Tante, weil es mir nicht gelungen ist, Sie und Herrn Olim zu erheitern.
SEVERIN. Es wäre einer Herde bockender Esel kein besserer Erfolg beschieden gewesen. Wann brechen Sie auf?
FENNIMORE. Vor acht muß ich aus dem Tor sein, um meiner Tante nicht mehr unter die Augen zu kommen, wenn sie aufgestanden ist. Jetzt ist es halb acht. *Sie packt weiter.*
SEVERIN. – – Wären Sie auf Ihrem Wege zu einem Umweg bereit?

FENNIMORE. Auf was für einem Wege?

SEVERIN. Wohin Sie jetzt gehn.

FENNIMORE. Das kann überallhin sein, und vielleicht schickt man mich erst zehnmal weiter, bis man mich aufnimmt. Ich bin die Umwege gewöhnt.

SEVERIN. Doch dieser führt Sie in die Wildnis.

FENNIMORE. Was ist das – Wildnis?

SEVERIN. Das sind Baumstämme und Buschdickicht und Moosgrund. Der Fuß sinkt ein, und ins Gesicht schlagen Zweige. Und auch den Schreck vor Schlangen gibt es. Immer raschelt etwas unterm Laub. Und in der Nacht – wer nachts im Walde ist! – der hat das Fürchten schon vor Mitternacht gelernt.

FENNIMORE. Ich könnte mich nicht fürchten.

SEVERIN. Sind Sie so mutig?

FENNIMORE. Mir tun nur Menschen was – und nie die Schlangen.

SEVERIN. Ich brauche einen Boten. Einen Boten, der unauffällig das Haus verlassen kann – und sich nicht über den Auftrag wundert, den er empfängt, und alles ausschwatzt und mir den Erfolg mehr verbarrikadiert als vorbereitet. Ich grübelte heute nacht – und in Erscheinung traten Sie. Ganz zauberhaft und selbstverständlich. Beim ersten Morgenlicht schlich ich herauf, um Sie zu bitten bei einem Ausflug und sich sputend – *Lachend.* Und es ergibt sich, daß Sie fortmüssen und Zeit, so viel Sie wollen, zur Verfügung haben.

FENNIMORE. Ich möchte mich gern einmal im Leben nützlich machen.

SEVERIN. Dann ist die Gelegenheit da. *Er winkt sie zu sich heran.*

FENNIMORE *kniet bei ihm.*

SEVERIN. Ich habe Freunde, die am Silbersee wohnen. Um eine Lichtung in Mooshütten. Die grüßen Sie von mir. Von Severin. Und ich ließe ihnen bestellen, daß ich ihre Hilfe suche. Ich hätte noch mit einem abzurechnen, der mich damals auf der Landstraße zu Falle brachte, bevor ich wie die andern den rettenden Waldrand erreichen konnte. Man habe mir die Kugel aus dem Leibe geschnitten – und wenn sich nicht ein gänzlich Unbekannter und an der Sache gar nicht Beteiligter meiner angenommen hätte, so säße ich jetzt in der Zelle und versänke im Dreck. Aber dank der vorzüglichen Pflege jenes seltenen Wohltäters prangte ich jetzt in Fett und könnte meine überschüssigen Kräfte an dem Rachewerk, das ich vorhätte, bald auslassen. Ich stieße in Kürze wieder zu ihnen. Doch später wolle ich keine Zeit verlieren, so dränge es mich nach Vergeltung. Sie sollten schon nachforschen, wer von den beiden Landjägern, die damals die Brücke bewachten, mich getroffen hätte. Läßt es sich nicht feststellen, denn es prasselte eine volle Salve hinterdrein, so müssen beide büßen. Doch lieber wäre es mir um der Gerechrechtigkeit willen, sie erkundeten den einzelnen Schützen mit Namen und wo man ihm privat begegnen könnte. Verwirren Sie das nicht?

FENNIMORE. Wo liegt der Silbersee?

SEVERIN. Ich zeige es Ihnen vom offenen Fenster aus. *Er hinkt hin.*

FENNIMORE *folgt ihm ans Fenster.*

SEVERIN.

Auf jener Straße, die des Schattens bar
und von dem Winde ihren Staub erhebt –

FENNIMORE.

Es muß schön sein zu wandern in den Wind
und nach dem Rand, wo sich der Wald erhebt.

SEVERIN.

Doch gibt es Windungen, die so ermüden,
und immer wieder kehrt der Weg zurück –

FENNIMORE.

Wenn ich das Ziel mit meinen Augen halte,
bedient mein Fuß den kühnen Augenblick.

SEVERIN.

Wo eine Brücke buckelt ihren Bogen,
wird dieses Wandertages Ende sein –

FENNIMORE.

Am Himmel sind doch Sterne aufgezogen
und scheinen in die Finsternis hinein.

SEVERIN.

Der Pfad ist schmal, der durch das Dickicht leitet,
und dornig wuchert Distelkraut und sticht –

FENNIMORE.

Ich bleibe fühllos, wie mein Fuß vorschreitet –
und schreien Eulen, ich vernehm' sie nicht.

SEVERIN.

Die Nebel steigen und schon ist die Nähe
des Wassers, das im Monde fröstelt, da –

FENNIMORE.

Das ist der weiße Dampf von warmen Quellen
und meinem Ziele bin ich jählings nah.

SEVERIN.

Es täuscht der Dunst und er verirrt die Schritte
und es ertränkt den Weg der tiefe See –

FENNIMORE.

Ich lasse mich von keinen Ängsten schütteln,
und wie ein Brett betrete ich den See.

SEVERIN.

Wie kann denn einer auf den Wassern wandeln?

FENNIMORE.

Wer weiter muß, den trägt der Silbersee!

Treppenhaus. Ein breiter Treppenteil führt nach einem geräumigen Treppenpodest, von dem links und rechts schmalere Treppenteile weiter aufwärts streben. Glastüren unten; eine schwere Holztür hinten auf dem Treppenpodest. Daneben großer Gong in Drachenständer.
Severin kommt rechts unten und schmettert die Glastür ins Schloß.

SEVERIN *lauscht. Dann laut.* Hört das keiner? Kracht das nicht genug? – Dann will ich mit Steineklopfen mir Gehör verschaffen – und wenn ihr taub davon nichts mehr versteht. Ihr seht doch wenigstens, daß ich das Maul nicht halte und euren Schabernack weiter mit mir treiben lasse. *Unter Schlägen mit dem Krückstock auf die Steinstufen hinkt er die Treppe bis zum Podest hoch.* Wie wirkt der Rassellärm? Mir dröhnt selbst das Gehirn – euch stört das auch nicht? Muß ich erst – *Er gewahrt den Gong, packt den Schlägel und bearbeitet die donnernde Gongscheibe mit rasenden Schlägen. Ablassend.* Das hallt. Wie Donnerschall. Zur Kuppel hoch und mit Echo herab. Aus der Tiefe hallt's wieder. Wände erschütternd – und bis in den letzten Schloßwinkel donnerrollend. Und ihr wollt mir einreden, daß ich mich nicht habe vernehmen lassen? Dann noch einmal, bis einer von uns kapituliert – ich lahm oder ihr ohne Trommelfell – – *Er paukt von neuem auf den Gong.*

Diener kommt unten links und ersteigt die Treppe.

SEVERIN *senkt den Schlägel.* Ausgeschlafen in Dornröschens Schloß? Schickt dich deine Herrschaft, schöner Page?
DIENER. Ich hörte die Gongschläge und denke mir, daß Herr Severin einen Wunsch haben.
SEVERIN. Wie gütig, daß auch Sie nicht meine Signale ignorieren. Man muß die Höflichkeit bei den Dienern suchen. Früher war sie ein Vorzug der Fürsten. Ich wünsche aber den Fürsten dieses Schlosses daran zu erinnern. Ich will wie ein Mensch behandelt werden – und nicht wie ein eingegittertes Tier. Herr Olim soll kommen.
DIENER. Ich werde Frau von Luber rufen. *Er will nach der Tür.*
SEVERIN *ihn aufhaltend.* Habe ich Ihnen nicht gesagt, daß ich mit Herrn Olim sprechen will?

DIENER. Es kann nichts ohne die Billigung von Frau von Luber geschehn. *Durch die Tür ab.*

SEVERIN *steht in Erwartung: links den Schlägel, rechts den Krückstock wippend.*

Frau von Luber kommt.
Diener folgt und geht die Treppe herunter; links unten ab.

FRAU VON LUBER. Es überbringt mir Friedrich Ihr Ansuchen, Sie bitten um eine Unterredung mit Herrn Olim. Es ist kein günstiger Zeitpunkt von Ihnen gewählt, es wird sich kaum einrichten lassen. Herr Olim hat seine Dispositionen so getroffen, daß – meines Wissens – über jede Stunde verfügt ist. Gäbe es denn Dringendes zu besprechen?

SEVERIN *kochend.* Ja, mit Herrn Olim. Nicht mit Ihnen, Dame.

FRAU VON LUBER. Wenn ich Herrn Olim nicht vorbereiten kann –

SEVERIN. Wo steckt Olim?

FRAU VON LUBER. In seinen Zimmern hält er sich auf –

SEVERIN. Warum verbirgt er sich vor mir?

FRAU VON LUBER. Aus welchem Anlaß sollte er –

SEVERIN. Weshalb erklärt er mir nicht, warum ich hier eingeschlossen werde?

FRAU VON LUBER. Man schließt Sie doch nicht ein. Der weite Park –

SEVERIN. – ist zugeschlossen mit Tor und Tür. Der Pförtner stellt sich taub – der Gärtner bläst Mundharmonika – nie sind Schlüssel zu finden und mein Freund Olim läßt sich nicht mehr sehen, seitdem er weiß, daß meine Tage hier gezählt sind. Ich kann den Zusammenhang nicht durchschaun, aber zusammen hängt es – das schwatzen auch Sie mir nicht aus dem Kopf.

FRAU VON LUBER. Ich versuche es gar nicht, Herr Severin. Alles erhellt sich auf die einfachste Weise: Herr Olim hat aus der Zeit, als er sich mit Ihrer Pflege so ausgiebig versäumte, viel Arbeit nachzuholen. Sie waren doch recht lädiert, Herr Severin, und Herr Olim übersah nicht gleich, was er sich auf den Hals geladen hatte.

SEVERIN. Sollte er meinen, sich daraus ein Recht ableiten zu dürfen: mich einzusperren – so irrt er. So irrt er lebensgefährlich für einen andern, den jede Stunde der Verzögerung teuer zu stehen kommt. Ich werde maßlos in meiner Rache werden. Man soll den Topf rechtzeitig vom Feuer nehmen – oder er kocht über und versengt im Umkreis. Ich warne Olim. Auf sein Haupt die Verantwortung für zuviel Missetat. Er kann mich dämpfen, wenn er mich jetzt nicht aufhält – sonst steigert sich mein Zorn, daß er blindlings erschlägt – den rechten oder den falschen.

FRAU VON LUBER. Gedulden Sie sich doch. Wenn es so weit ist – dann öffne ich Ihnen selbst das Parktor.

SEVERIN. Wenn was so weit ist?

FRAU VON LUBER. Wenn – *Abbrechend.* – Ihr Bein sich wieder allen Anstrengungen gewachsen zeigt. Jetzt könnten Sie rasch ermüden und hilflos draußen liegen. Man findet Sie nicht gleich – und die Erkältung ist da. Wollen Sie Herrn Olim ein neues Krankenlager antun?

SEVERIN *außer sich.* Ich will ihm antun, was ich noch nicht weiß, wenn er mich nicht sofort hinausläßt. Ich bin gesund, ich hinke – zu meinem Spaß. Und wenn ich mich erkälte, so niese ich zu meiner Lust. Weil mich das Hinken und das Niesen freut. Verdirbt mir einer das –

Der Diener kommt unten und steigt die Treppe hoch.

DIENER *zu Frau von Luber.* Das Fräulein Fennimore ist wieder da.

SEVERIN *aufleuchtend.* Fennimore –!

FRAU VON LUBER *beobachtet Severin und nickt befriedigt. – Zum Diener.* Das Fräulein darf ins Schloß.

Diener geht.

FRAU VON LUBER *zu Severin.* Ich will mein Glück bei Herrn Olim versuchen – die Kleine wird Ihnen das Warten verkürzen. *Ab.*

Fennimore kommt.
Severin humpelt ihr bis zur halben Treppe entgegen.

SEVERIN. Wir bleiben hier – zwischen oben und unten, wo uns kein Neugieriger überrumpelt. *Sie lassen sich auf den Stufen nieder.*

Fennimore stellt ihren Handkoffer neben sich.

SEVERIN *jäh besorgt.* Oder haben Sie meine Freunde nicht gefunden?

FENNIMORE. Wo Sie beschrieben, waren sie.

SEVERIN. In Mooshütten?

FENNIMORE. Um eine Lichtung.

SEVERIN. Und noch bei einigen Kräften die vier?

FENNIMORE. Sie waren tagelang unterwegs.

SEVERIN. Auf Kundschaft. Sie bestellten doch alles genau?

FENNIMORE. Ich wiederholte vor ihnen, was Sie mir hier gesagt hatten.

SEVERIN. Und sie stürzten sich auf die Fährte wie Schweiß-
hunde. Treue Freunde. Und das Ergebnis, das sie er-
forschten?

FENNIMORE. Davon sagten sie mir nichts.

SEVERIN *mit unverhohlenem Erstaunen – von ihr wegrük-
kend.* Das bringen Sie mir nicht? – Warum kommen Sie
überhaupt wieder?

FENNIMORE. Ich mußte sie doch führen.

SEVERIN. Wen?

FENNIMORE. Ihre Freunde.

SEVERIN. Hierher?

FENNIMORE. Das wollten sie.

SEVERIN. Zu welchem Zweck?

*Unten kommt der Diener – versuchend, die vier Burschen
zurückzudrängen.*

DIENER. Ich habe den ausdrücklichen Befehl –

ERSTER BURSCHE. Severin – willst du nicht von deiner Kom-
mandogewalt Gebrauch machen, über die du nach Aussage
des Fräuleins hier verfügst?

DIENER. Auch Herr Severin hat sich bestimmten Anordnungen zu fügen.

Betretenes Schweigen.

DIENER. Nur dem Fräulein war der Zutritt erlaubt. Sie haben
sich mit ihm eingedrängt. Räumen Sie fristlos den Schloßbezirk.

SEVERIN *sich aufrichtend.* Die Burschen bleiben – und weichen
nur der Gewalt. Holt Polizei!

DIENER *zuckt die Achseln und entfernt sich.*

ZWEITER BURSCHE *sich umblickend.* Du wohnst in einem Schloß –?

SEVERIN. Ich vegetiere schlimmer als in einem Kellerloch. Laßt das. Versammelt euch bei mir. Ich brenne ja in Neugier. Was habt ihr ausgekundschaftet?

Die Burschen setzen sich um Severin auf die Stufen.

SEVERIN *ungeduldig.* Los. Wo und wie?

DRITTER BURSCHE. Wo – das wissen wir nicht.

SEVERIN. Was versteht ihr unter wo?

VIERTER BURSCHE. Wo er jetzt stationiert ist.

SEVERIN. Ist er nicht mehr im alten Revier?

ERSTER BURSCHE. Da hat er einen Nachfolger.

SEVERIN. Das interessiert doch nicht. Wohin ist er verzogen?

ZWEITER BURSCHE. Das ließ sich nicht feststellen, wo er jetzt Dienst tut.

SEVERIN. Auf Erden doch. Er kann doch nicht Landjäger im Mond sein.

DRITTER BURSCHE. Wir haben überall herumgefragt.

VIERTER BURSCHE. Es war ein Landjäger des Namens nicht bekannt.

SEVERIN *verstummt und beißt sich in die Faust. Nach einer Pause nebenhin.* Wie heißt er denn?

ERSTER BURSCHE. Olim.

SEVERIN *fährt auf.* Nochmal.

ZWEITER BURSCHE. Nun – Olim.

SEVERIN *zu Fennimore.* Wie dieser –?

FENNIMORE. Wie Herr Olim.

DRITTER BURSCHE. Kennst du auch einen Olim?

SEVERIN *verwirrt.* Daß dieser – Olim heißt –

VIERTER BURSCHE. Immerhin ein seltener Namen, ich habe ihn noch nicht einmal im Leben gehört – geschweige denn zweimal so kurz hintereinander.

SEVERIN *grübelnd.* Olim – und Olim – –

ERSTER BURSCHE. Wer ist denn dein Olim?

SEVERIN. Der dieses Schloß besitzt.

ZWEITER BURSCHE *lachend.* Nun: zwischen einem Schloßherrn Olim und einem Landjäger Olim besteht schon ein Unterschied, der sich nicht übersehn läßt – und ähnelten die beiden sich wie Zwillingsbrüder!

Frau von Luber tritt oben aus der Tür, sieht sich suchend auf dem Podest um, tritt an den Treppenrand und gewahrt die auf den Stufen Sitzenden.

FRAU VON LUBER *sich räuspernd.* Wer sind Sie denn? Was suchen Sie hier?

SEVERIN *sich aufrichtend.* Mich, Dame. Ich habe Besuch erhalten – Zuzug aus Urwäldern von wilden Völkerstämmen. Das sind meine Krieger. Meines Befehls gewärtig. Noch zügle ich ihre Kampflust. Was überlegte sich Herr Olim?

FRAU VON LUBER. Es würde ihn verstimmen, wenn Sie ihn inmitten wichtiger Geschäfte –

SEVERIN. Trali trala brimborium. Ausflüchte. Jetzt fordere ich sein Erscheinen. Es genügt mir nicht mehr: frei zu sein –

FRAU VON LUBER. Lieber Herr Severin –

SEVERIN. Ich will auch wissen, weshalb er mir die Freiheit vorenthalten wollte. Hier und sofort. Sonst breche ich mit meinen Scharen zu ihm ein. Dann keine Worte, sondern – *Er schwingt seinen Stock.*

FRAU VON LUBER. Das ist doch schierer Undank –

SEVERIN. Laufen Sie, Madam!

FRAU VON LUBER *eilig ab.*

SEVERIN *zu den erstaunten Burschen.* Merkt es: ich habe mit zwei Olims abzurechnen – es liegt vielleicht am Namen Olim, daß er zum Zorne reizen muß!

Olim und Frau von Luber kommen oben heraus.

FRAU VON LUBER *gedämpft in Olims Ohr.* Nicht ängstigen. Friedrich holt Hilfe. *Sie zieht sich wieder zurück.*

OLIM *tritt an den Rand des Podests.* Hier bin ich.

SEVERIN. Hast du die Schlüssel mit?

OLIM. Was für Schlüssel?

SEVERIN. Sämtliche zu Park- und Haustüren.

OLIM. Wozu brauchst du sie?

SEVERIN. Um zu wählen, durch welchen Ausgang ich mich entfernen will. Aus deinen Gnaden – und Schloßbereich.

OLIM. Wohin willst du aufbrechen?

SEVERIN. Auf die Jagd. Um zu jagen. Ich bin ein Jäger. Ich habe ausgedehnte Jagdgründe zu durchpirschen, bis sich das

Wild stellt – das aus seinem alten Revier verschwand und in unbekannte Zonen hinüberwechselte.

OLIM. Du kannst im Park schießen. Nach Fasanen – und Kaninchen wildern reichlich.

SEVERIN. Stell' dich nicht dumm – *Den Namen mühsam nennend.* – Olim – –

OLIM. Verschluckst du dich?

SEVERIN. Ich kann den Namen nur mit Überwindung aussprechen. Olim heißt auch der andre.

OLIM. Welcher – andre?

SEVERIN. Entsinnst du dich nicht?

OLIM. Der – – Landjäger?

SEVERIN. Olim!

OLIM. Und woher weißt du – – daß er das Land verließ?

SEVERIN. Wieso – das Land verließ?

OLIM. Du sagtest doch, daß er als unbekannt verzogen abgemeldet ist. Gestrichen in den amtlichen Listen. Vielleicht hat er den Dienst quittiert. Um auszuwandern. Ich kann das nicht beurteilen – aber ist die Landjägerei wirklich die Erfüllung eines Lebenstraums? Ich könnte mir vorstellen, daß die Sehnsucht eher vorgaukelt: Kolonist in Brasilien zu sein. Das fällt mir so ein – aber es befestigt sich merkwürdigerweise zu einem Bild: ich sehe deinen Landjäger förmlich in Brasilien siedeln. Brasilien. Brasilien ist weit – wann willst du in Brasilien ankommen, um in Brasilien einen ehemaligen Landjäger, der längst brasilianischer Farmer ist, zu insultieren? Schlag' dir diese brasilianische Angelegenheit aus dem Kopf und lass' dir unter deutschen Eichen wohl sein. In meinem Park.

SEVERIN *zu den Burschen.* Wer redete hier von Brasilien?

OLIM *kichernd.* Es steht dir auf der Stirn geschrieben und jetzt bist du verlegen, weil ich dein Geheimnis erraten habe. Es ist Brasilien – und es war Brasilien. Schwamm drüber. Ergeht euch alle im Park. *Er will weg.*

SEVERIN. Halt. Keinen Rückzug. Erst wird abgerechnet. *Zu den Burschen.* Postiert euch oben.

Die vier Burschen umstellen auf dem Podest Olim.

SEVERIN. Das ist mein Pfleger. Davon hat euch das Fräulein Fennimore erzählt. Ich habe hier gegessen – immer pünktlich. Und Auswahl gab es: von Fasanenvogel bis Forellenfisch. Mehr als ich wollte. Und ich blühte auf. Um nun im Park zu kreisen – hinter Gittern? Womit ist das bezahlt, daß ich nicht eine Tür aufmachen kann, durch die ich gehn will? Wohin zu gehn, ich trachte? Wohin zu gehn, mich juckt? Ganz grundlos und aus blauer Laune – und nichts darf? Womit ist das bezahlt?

OLIM *ringt nach Worten.*

SEVERIN. Womit ist das bezahlt, daß ich etwas sehr wichtiges vorhatte und es nicht ausführen konnte, weil ich hier eingekerkert saß? Und mir der Fisch entschlüpfte aus dem Netz? Was melden meine Boten vom Silbersee? Zu spät. Der fette Lachs ist ausgesprungen – übers Wehr zum Meer und Wasser hält die Spur nicht fest. Wenn ich ihn nicht mehr fange – und mich mein ungekühltes Blut verbrennt? Womit ist das bezahlt?

OLIM *faltet verzagt die Hände.*

SEVERIN. Dein Schloß bezahlt es nicht – und aller Reichtum, den du sonst hast. Doch ich erlasse dir die Schuld nicht. Ich will bezahlt sein. Ich poche auf den Anspruch, den ich an dich habe. Du hast mir meinen Fischzug unterschlagen, ersetze mir den Schaden. Ich gehe nicht mehr weg – ich bleibe. Schaff' Olim her. Such' du. Und wenn ich ihn vor deinen Augen hier erwürgte – dann bist du aus der Schuld entlassen. So lange mahn' ich dich und lass' dir keine Ruhe. Bei Tag und Nacht nicht. Es ist dein Vorteil, wenn du mir den Olim, den ich brauche, schnell entdeckst. Such', Olim – Olim!

Frau von Luber kommt und tritt zu Olim.

FRAU VON LUBER *leise.* Die Rettung naht. *Sie winkt Fennimore zu sich.*

Fennimore geht hinauf.
Unten führt der Diener den dicken Landjäger ein.
Stille.

DER DICKE LANDJÄGER. Warum und gegen wen muß hier eingeschritten werden? *Da er keine Antwort erhält.* Wer ist der Hausherr?

OLIM *starrte mit wachsendem Entsetzen nach dem dicken Landjäger hinunter und will sich zurückziehen.*

DER DICKE LANDJÄGER. Wer retiriert da oben – und hat ein schlechtes Gewissen?

OLIM *wieder vortretend – stammelnd.* Ich habe durchaus kein schlechtes Gewissen – – ich bin der Hausherr – – *Auf Severin und die Burschen weisend.* – – und diese sind meine Gäste. – – Es hat sich der Diener übereilt – – es liegt ein Mißverständnis vor – – Sie können wieder gehn.

DER DICKE LANDJÄGER *betrachtet Olim mit steigender Aufmerksamkeit und bricht in mächtiges Gelächter aus.*

OLIM *verlegen lächelnd.* Wir sind eine bunt zusammengewürfelte Gesellschaft – – die jungen Leute tragen Rucksäcke – – von einer Wanderung anlangend – – dies ist eine adlige Dame – – die Nichte ruft sich fremdländisch – – *Gegen Severin.* – – und dieser – –

DER DICKE LANDJÄGER *ausbrechend.* Olim!!

Stille.

DER DICKE LANDJÄGER. Oder stimmt's nicht?

OLIM *wie gewürgt.* Natürlich heiße ich so. Ich führe diesen Namen von Kindesbeinen an – und vor mir viele. Das Geschlecht der Olims –

DER DICKE LANDJÄGER. – versteht sich auf das Waffenhandwerk. Die Plempe links und rechts der Dienstrevolver. Wir Ritter von der Landjägerei.

OLIM. Das begreift hier keiner – –

DER DICKE LANDJÄGER. Für dich gilt's ja nicht mehr. Du hast den grünen Rock ausgezogen und den Tschako an den Nagel gehängt. Dich hat das Glück unter den Arm gehakt und in ein Schloß entführt. Da sehe ich nun meinen alten Kameraden Olim als Schloßherrn wieder.

Stille.

OLIM. – – Sie müssen sich irren – –

DER DICKE LANDJÄGER. Du bist nicht Olim?

OLIM. Oder der gleichklingende Name hat Sie zu dieser Täuschung verleitet – –

DER DICKE LANDJÄGER. Hast du ihn mir genannt? Ich habe ihn dir zugerufen – weil es nur einen Olim gibt. Der warst du, der bist du, der bleibst du – wie deine Haut kein Hemd ist, das du ausziehst.

OLIM. – – Der Scherz ist – – Sie sehn – – man lacht nicht – –

DER DICKE LANDJÄGER. Wer soll deshalb ein Gelächter anstimmen? Weil du mich verleugnest? Ist das ein komischer Anlaß einen Standesgenossen von früher zu mißachten?

OLIM. Ich beleidige Sie nicht – – ich kenne Sie wirklich nicht – –

DER DICKE LANDJÄGER. Es würde mir persönlich nichts ausmachen – aber zu Ehren der Kameradschaft, die nicht verdunkelt werden darf, rufe ich dir zu: schämst du dich der Vergangenheit, wo du Landjäger mit uns anderen Landjägern warst?

OLIM. Ich habe keinen Grund – – mich zu schämen – – da ich nie Landjäger war – –

DER DICKE LANDJÄGER. Und wer war jener Schütze, der an einem sengenden Mittag, als mein Revolver versagte, den Flüchtling hinter der Brücke mit einem Kernschuß erlegte? – – – Ich erinnere dich an diesen Vorfall, denn es war deine letzte Amtshandlung – gleich danach verschwandest du aus dem Revier. – – Das prägt sich doch ein, wenn man einen Menschen niedergemacht hat? – – Vielleicht erlag er der Verwundung? – – Das rüttelt dir nicht die Erinnerung munter??

OLIM *hilfesuchend herumblickend.* Ich lehne es ab – – nicht um einen Stand zu erniedrigen – – besonders keinen, der uns schützt – – vor Dieben und Mördern – – und im Kampf mit dem räuberischen Gesindel selbst Opfer bringt – – an Blut und Leben – – bei aller Bewunderung und grenzenlosem Respekt – – *Zu Frau von Luber.* Man wird doch meinem Zeugen glauben, daß ich hier immer wohnte. So lange Frau von Luber denken kann, bin ich im Schloß. Der erste Landjäger, der sich hier zeigt, steht unten.

DER DICKE LANDJÄGER. Das wäre doch – –

OLIM. Mein Zeuge spricht!

FRAU VON LUBER. Die Wahrheit – oder soll ich lügen?

OLIM *stutzend.* Die Wahrheit doch – –

FRAU VON LUBER. Herr Olim wünscht sie selbst zu hören. Herr Olim war Landjäger. Er hat es mir gestanden – *Gegen Severin.* Und auch das: er ist der Schütze. Das alles ist Herr Olim und die Wahrheit.

Stille.

DER DICKE LANDJÄGER *herauslachend.* Da hat sie dir's gegeben. Merk' dir die Lehre. Der Mensch soll nichts vergessen. Sonst steht er so blamiert wie du da. Leb' wohl, Olim. Du brauchst meinen Schutz nicht – du warst ja selbst einmal Landjäger und wirst dir zu helfen wissen. *Ab.*

Der Diener folgt ihm.
Es herrscht unheimliche Stille.
Olim starrt angstvoll gespannt nach Severin.
Severin duckt sich wie ein Raubtier zum Sprung – krallt die Faust um den Krückstock.

FRAU VON LUBER *Fennimore mit sich nach der Tür ziehend.* Was jetzt geschieht, geschieht besser ohne uns. *Beide ab.*

SEVERIN *setzt den Fuß auf die nächste Stufe.*
OLIM *wartet den Angriff nicht ab, flüchtet über die höher führenden Treppen und verschwindet.*

SEVERIN *brüllend.* Haltet – – – – *Er erreicht das Podest und wirft sich den Burschen förmlich in die Arme – seinen Stock fallen lassend.* – – – – mich fest!!!!

DRITTER AKT

Turmboden. Eine niedrig gelegne Dachluke läßt Licht ein.
Olim hockt im Gebälk.
Es wird an die Lattentür geklopft.
Olim erschrickt und verhält sich lautlos.
Stärkeres Klopfen.
Olim läßt sich vom Dachsparren herunter und schleicht nach
der Tür, um zu horchen.

FRAU VON LUBERS STIMME. Herr Olim – Sie werden sich doch nicht aufgehängt haben?
OLIM *schweigt.*
FRAU VON LUBERS STIMME. Antworten Sie doch wenigstens, wenn Sie noch leben.
OLIM *unsicher.* Ich lebe – Frau von Luber.
FRAU VON LUBERS STIMME. Dann lassen Sie mich ein.
OLIM *dreht den knirschenden Schlüssel um.*

Frau von Luber tritt ein.

FRAU VON LUBER. Können Sie denn in dieser Stickluft atmen? Holzgeruch und Staub – des Selbstmords Atmosphäre. *Sie fächelt sich mit dem Taschentuch.*
OLIM. Wie haben Sie mich entdeckt?
FRAU VON LUBER. Wenn Sie mir von innen antworten. Ich habe an jede Bodenkammertür geklopft – und unter die höchste Spitze des Schloßturms sind Sie geflüchtet.
OLIM. Werden Sie meinen Aufenthalt verraten?
FRAU VON LUBER. Seit wann beehren Sie mich mit Ihrem Mißtrauen?
OLIM. Vor dem andern Landjäger nahmen Sie gegen mich Partei –
FRAU VON LUBER. Mein lieber Herr Olim, da war es zum Lügen zu spät. Es stand Ihnen Ihr eigenes Eingeständnis mit ehernen Lettern ins Gesicht geschrieben, und alle lasen ab. Es hätte Ihre Lage nur verschlechtert, wenn ich nach Ihrem Verlangen Ihnen beigesprungen wäre. Was hätte der Landjäger, der sich im Dienst befand, nicht alles hinter unserm doppelten Leugnen vermutet? Dunkle Schloßgeheimnisse, die das Licht des Tages scheuen müssen – der Schloßherr geht nie aus und hat dies Rudel abenteuerlicher Burschen um

sich, die er mit Aufträgen wegschickt – während er selbst der nicht sein will, als der er erkannt wird – von einem Beamten, der unbestechlichen Blicks seinen ehemaligen Kameraden identifizierte. War das nicht das kleinere Übel: sich Severin zu stellen?

OLIM. Wo – ist Severin?

FRAU VON LUBER *tut, als horche sie hinaus. Dann flüsternd.* Er sucht Sie. Ich wollte ihm zuvorkommen und Sie vor Severin schützen. In dies Turmgehäuse dringt er mir nicht. Samt seiner Meute, die er anstachelt.

OLIM. Verfolgte er mich – über alle Treppen?

FRAU VON LUBER. Bis unter den Dachboden. Da verließen ihn die Kräfte. Noch hinsinkend erschöpft beschwor er die Belagerung. Ich will mir nicht die Hände beflecken mit seinem Hundeblut, schrie er – verhungern soll er und den stillen Tod des Feiglings sterben, der schlägt und sich nicht schlagen läßt. Die Spinnen sollen ihm das Leichentuch in seinem Bodenwinkel stricken.

OLIM. Hörten Sie – das alles mit an?

FRAU VON LUBER. Ich kehrte aus der Tür zurück, nachdem ich Fennimore weggeführt hatte – für junge Mädchen ist das nichts, wenn Männer sich die Köpfe einschlagen – da fluchte Severin oben im Treppenhaus es schallend.

OLIM *verzagend.* Belagerung –?

FRAU VON LUBER. Mit vollkommener Entziehung der Nahrungsmittel in jeglicher Gestalt. Kein Tropfen Wasser, keine Brotrinde.

OLIM. Das ist doch ungeheuerlich –

FRAU VON LUBER. Daß einer einem das Leben aushungert? Es ist das übliche, Herr Olim – und wenn Sie hier verrecken und Ihr Leichnam nach Wochen aufgefunden wird – im Turmgebälk! – so war das Selbstmord. Wer soll anders raten?

OLIM. Man müßte Hilfe holen –

FRAU VON LUBER. Wen?

OLIM. Den dicken Landjäger.

FRAU VON LUBER. Den sehn und Sie vernichten – für einen Severin das Werk von Sekunden. Der Anblick der grünen Uniform brachte ihn um den letzten Rest von Überlegung. Nein, Herr Olim, die Öffentlichkeit schließen wir aus. Neue Figuren tauchen nicht auf, die uns das Konzept verderben. Das sind private Affären, die keine Einmischung vertragen. Jetzt ist es so weit – und wer den Pflock wieder zurückstekken will, der stößt auf Widerstand. Von eiserner Entschlossenheit. *Sie führte Olim nach einem Querbalken, auf den sie ihn neben sich niederzieht.* Setzen wir uns mal und trösten wir uns ein bißchen. Vorerst: gehungert wird nicht. Es wird täglich gespeist – keine vielen Schüsseln, denn die könnte ich nicht heraufschleppen, noch dazu in aller Heimlichkeit – aber Suppe, Fleisch und Käse regelmäßig.

OLIM *freudig.* Das wollen Sie für mich tun?

FRAU VON LUBER *fast barsch.* Wenn auch Sie etwas für mich tun!

OLIM. Alles.

FRAU VON LUBER *bringt aus ihrer Handtasche ein Papier zum Vorschein, das sie Olim hinhält.* Unterschreiben Sie das!

OLIM. Ja ja. *Er unterschreibt.*

FRAU VON LUBER *Papier und Füllfeder wieder in die Tasche steckend.* Jetzt kann Herr Severin sein Mütchen kühlen.

OLIM *mißverstehend.* Sie meinen – mit der Dauer der nutzlosen Belagerung wird diese Hitze – sein Rachefieber von ihm weichen?

FRAU VON LUBER *sarkastisch.* Das habe ich gemeint und richtig haben Sie's verstanden. Was frohlocken Sie denn?

OLIM *trommelt leicht übermütig seine Schenkel.*

FRAU VON LUBER. Es scheint sich Ihrer ein Freudenrausch zu bemächtigen. In der Aussicht auf Essen?

OLIM *schüttelt den Kopf.*

FRAU VON LUBER. Wie geheimnisvoll. Darf man an dem Jubilate nicht teilnehmen?

OLIM *glückglucksend vor sich hin.* Er wird sich mit der Zeit besänftigen. Er braucht nur Zeit, um klare Einsicht in die Dinge zu gewinnen. Mit einem kann er's nicht begreifen, so was muß wachsen. Das keimt zuerst – das schmerzt, wenn es die Schalen sprengt – es sprießt – es muß ja wachsen, wenn dieser Tau den Trieb tränkt – es schwillt so mächtig – und unterm Himmel schattet es als Baum, bei dem wir sitzen – – – – *Fast benommen zu Frau von Luber.* Warum sitzen Sie bei mir?

FRAU VON LUBER. Um aufzustehn und Ihnen die erste Kerkermahlzeit zu holen. *Sie geht nach der Tür und zieht den Schlüssel aus dem Schloß.* Den Schlüssel nehme ich an mich, falls Sie ihn vermissen sollten. Vielleicht muß man verhindern, daß Sie ausbrechen und Unheil anrichten, wo es nicht beliebt ist. Was brauchen Sie den Schlüssel! *Sie schließt von außen ab.*

OLIM *allein – hockt noch kurz auf dem Balken. Dann springt er auf. Nach der Tür laufend, ruft er schon.* Den Schlüssel! *Mit beiden Fäusten gegen die Tür hämmernd.* Aufschließen – – mit dem Schlüssel – – es ist wichtig – – was ich ihm zu sagen habe – – in diesem Augenblick – – gleich jetzt – – wo er noch nicht ermüdet ist – – ob er das kann – – in meine Brust – – ich halte sie ihm hin – – mit einem Stich – – vergilt – – vergilt und tötet – – was ich ihm – – zu viel und stets zu wenig – – doch immer alles – – was ich konnte – – und unermüdlich wohlgetan – – ich fürchte mich vor seinem Zorn nicht mehr – – verweht ist meine Angst – – mein Herz pocht mild – – zertrümmert diese Tür – – ins Herz – – von Severin!! *Er schlägt gewaltig gegen die Tür, die seinen Fausthieben standhält.*

Kellerraum. Durch einen hochgelegten Fensterschlitz fällt Licht ein.
An eine Säule in der Mitte steht Severin mit Ketten gefesselt.
Die vier Burschen hocken auf den Steinfliesen.

SEVERIN.

> Wie Odysseus an den Mast des Schiffes
> ließ mit Seilen um den Leib sich schnüren
> vor der Inselküste der Sirenen,
> die mit süßem Liedersang verführen –
>
> daß, wer hinhört, seine Fahrt beendet
> und mit Eile läßt sein Fahrzeug stranden:
> ihn treibt die Begierde bei den Wesen,
> die so lockend singen, rasch zu landen –
>
> um von dem Getier mit Menschenköpfen
> und mit Klauen unterm Vogelleibe
> gleich zerfetzt zu sein. Zu spät zur Umkehr,
> daß man ferne den Sirenen bleibe.

Abbrechend – stöhnend. Durst.
ERSTER BURSCHE *erhebt sich, geht nach der Tür und dreht den knirschenden Schlüssel um.*
SEVERIN *aufgebracht.* Wohin gehst du?
ERSTER BURSCHE. Wasser für deinen Durst holen.

SEVERIN. Schliess' die Tür nicht auf!

ERSTER BURSCHE. Wie soll Wasser in den Keller gelangen, wenn ich es nicht von draußen zutrage?

SEVERIN. Ich will nicht wissen, daß eine Tür da ist, die aus diesem unterirdischen Verlies entläßt und mit einem Schlüssel geöffnet werden kann, der im Schloß kreischt – mit dem Klang eines menschlichen Hilferufs, der Mord schreit!

Erster Bursche kehrt von der Tür zurück und setzt sich wieder hin.

ZWEITER BURSCHE. Um auszubrechen, müßtest du erst die Ketten abschütteln, mit denen wir dich festgebunden haben. Versuch' das.

SEVERIN. Ich zerre dran – und das Eisen schneidet mir tief ins Fleisch. Es lockert sich nichts. Ihr habt mich gut gefesselt. Ich danke euch, Burschen.

ZWEITER BURSCHE. Du könntest also von uns zu trinken und zu essen herbeischaffen lassen, ohne uns folgen zu können und Gefahr zu laufen, von deinem Blutrausch überwältigt zu werden.

SEVERIN. Nein. Bis er verflogen ist, will ich nicht trinken und essen. Bringt mir nichts. Und wenn ich bitte und quäle – bringt mir nichts. Ich habe meine Nüchternheit verloren und will sie wiedergewinnen – im Zustand der Trunkenheit soll man nichts unternehmen. Beinahe hätte ich mich hinreißen lassen, doch im letzten Augenblick stach in den Nebel ein Lichtglanz – und verschwand gleich wieder. Doch ich habe den hellen Punkt gesehn und ihm trachte ich nach, ob ich will oder nicht – ich muß mich um die Klarheit bemühn, die mir den Weg zeigte, den ich gehn soll. Es sträubt sich der Fuß. *Überlaut.* So schlage den Fuß ab und krieche auf Knien die Straße und stirb bei Sonnenuntergang!

DRITTER BURSCHE *nach einer Pause.* Unter einer Schloßküche verhungern – und der Bratenduft kitzelt einem in der Nase.

VIERTER BURSCHE *schnuppernd.* Es riecht wie Reh.

SEVERIN *betrachtet die vier. Dann ruhig.* Prüft meine Ketten nochmal – und geht.

Die vier Burschen erheben sich.

ERSTER BURSCHE. Und du?

SEVERIN. Ich bleibe, wo ich bin. An meinem Pflock.

ZWEITER BURSCHE. Wer schließt dich los, wenn du –

SEVERIN. Es fallen diese Ketten ab, wenn's an der Zeit ist!

DRITTER BURSCHE *schüchtern*. Severin – wir gehn.

SEVERIN. Wohin geht ihr?

VIERTER BURSCHE. Wir wohnen nicht mehr in den Mooshütten am Silbersee. Der Herbst rückt an und treibt uns in die Stadt.

SEVERIN. Marschiert. Fragt nie nach mir. Es könnte sein, daß ich es niemals überwinde. Und ein Skelett hängt hier – im Windzug noch mit den Knochen Racheschwüre rasselnd. Die soll auch keiner hören. Schließt von außen ab und nehmt den Schlüssel mit. Wann wird sich das in meinem Blute ändern?!

Die vier Burschen ab.

SEVERIN.

Ich kann nicht das Wachs ins Ohr mir träufeln,
um mich zu verschließen diesem Rauschen.
In mir quillt es, und ich bin verurteilt,
den Sirenen meines Zorns zu lauschen.

Welle schlägt um Welle meines Blutes,
alles drängt im heißen Strom nach oben.
Wann verebben diese Fieberfluten,
wann beruhigt sich das wüste Toben?

*Frau von Luber war während des Gesanges in den Keller ge-
kommen und hatte sich hinter der Säule zu schaffen gemacht.
Als Severin verstummt, fallen auch die Ketten von ihm ab.*

FRAU VON LUBER *hervortretend*. Das haben doch die Burschen angestiftet: mit Ketten ihren Gefährten im Keller anzuschließen. Wie zur mittelalterlichen Tortur, die hier einstmals ausgeübt wurde. Steht an der Säule und singt Choräle – ein übriger Märtyrer aus der Inquisition. Haben Sie sich denn nicht gewehrt? Allerdings vier gegen einen. Aber warum haben Sie nicht um Hilfe geschrien?

SEVERIN *sieht nach den Ketten am Boden und reibt sich staunend die Gelenke.*

FRAU VON LUBER. Weil Sie niemand gehört hätte. Aus diesen Mauern dringt kein Schrei, und das Fensterchen führt in einen tauben Schacht, wo jeder Ruf verhallt. So machte man in den Bleikammern von Venedig mißliebige Personen stumm. – Jetzt zogen die vier Gesellen ab und wollten den Schlüssel mitnehmen. Hat man Sie eingesperrt, damit Sie das Unheil nicht anrichten?

SEVERIN *verändert seine Haltung nicht.*

FRAU VON LUBER *ihn neben sich auf den Säulensockel niederziehend.* Dann sind es keine guten Freunde, die sich einem in den Weg stellen, wenn man auf dem Sprung ist und einem schon rot vor den Augen ist – und es kommt nicht zum Ausbruch, sondern schlägt nach innen. Daran verbrennt man selbst – und der andre, der ausbrennen sollte, bleibt kühl und gesund in allen Leibesfalten. Es ist nicht zuträglich fürs eigne Blut, Herr Severin!

SEVERIN *antwortet nichts.*

FRAU VON LUBER. Rühren Sie sich nicht, weil Sie die Verfolgung für hoffnungslos halten? Herr Olim hat einen Vorsprung – aber höher kann er nicht springen, als er gesprungen ist. Denn dann stieße er mit dem Schädel gegen Dachziegel, die den Schloßturm bedecken. In der Haube des Turms steckt er – und hier ist der Schlüssel, mit dem ich ihn eingeschlossen habe. Hier ist der Schlüssel, Herr Severin! *Sie will ihn ihm geben.*

SEVERIN *sieht verwundert hin.* Der Schlüssel – wozu?

FRAU VON LUBER. Zur Dachkammer – zum Käfig, drin der Vogel festsitzt.

SEVERIN. Verfolge ich – einen Vogel?

FRAU VON LUBER. Den Olimvogel. Der Sie früher mit seiner Klaue schlug. Das wissen Sie doch jetzt. Es ist der eine und der andre Olim. Ein Olim!

SEVERIN *wie aus Träumen erwachend.* Er ist der eine – und der andre – –

FRAU VON LUBER. Und wenn das so ist: daß Ihre Freunde Sie auf der Treppe verhinderten sich auszutoben – so gibt es immer noch eine Frau von Luber, die Gelegenheit schafft, Versäumtes nachzuholen.

SEVERIN. Das ist doch – gar nicht so.

FRAU VON LUBER. Was denn, Herr Severin?

SEVERIN. Ich habe – das verlangt.

FRAU VON LUBER. Was haben Sie verlangt?

SEVERIN. Mich festzuhalten – mich in den tiefsten Keller hinabzuführen – mich mit den Ketten anzuschmieden!

FRAU VON LUBER. Warum das alles?

SEVERIN. Um die Hand nicht frei zu haben – für einen Hieb – für einen Stich in Olims Herz.

FRAU VON LUBER. Sie lassen – Gnade walten?

SEVERIN. Weil er der eine und der andre ist. Mein Olim dieser – und mein Olim jener. Mein Olim, der mir Gutes tat. Ich stürmte bis zum Abgrundrand – und da packte eine Hand zuletzt an meiner Schulter mich: ich stürzte nicht. Es waltete die Gnade zu meinen Häupten!

FRAU VON LUBER. – – – – Wie rasch Sie Ihren Sinn geändert haben. Sind Sie auch sicher, daß Sie beim Anblick Ihres Feindes fest bleiben?

SEVERIN. Es sind doch diese Ketten von mir abgefallen!

FRAU VON LUBER. Die löste ich.

SEVERIN. Doch daß Sie kamen, das geschah, um mir die Ketten abzunehmen – von denen ich mich erst befreien wollte, wenn mich mein Zorn verließ. Da sanken sie – und ich bin ohne Zorn!

FRAU VON LUBER *trocken.* Ja – deshalb kam ich. *Sie steckt den Schlüssel wieder in ihr Täschchen.* Es wird Herrn Olim sehr überraschen, wenn er Sie so versöhnlich gestimmt sieht.

SEVERIN. Ihn überraschen?

FRAU VON LUBER. Mit welcher Wirkung rechnen Sie?

SEVERIN. Erwarten wird er es. Kann er denn denken, wenn ich erfuhr, daß Olim – Olim ist – –!

FRAU VON LUBER. So denkt er und nicht anders. Und wenn er anders denken soll, dann muß man es ihm vorsichtig beibringen. Sehr schwer entschließt sich einer, vom Glauben an die Schlechtigkeit der Menschen Abschied zu nehmen. Und man muß erst lange überzeugend auf ihn einreden, bis er Vertrauen faßt. Noch argwöhnt er den Judaskuß auf jeder Lippe und in der hingehaltenen Hand das Messer. Ich werde meinem Olim den Ölzweig bringen. Der Sturm hat ausgebraust. Still ruht die See wieder, und alle Schifflein fahren glatt nach Haus. In seinem Hafen jedes – Fregatte Olim hier, Fregatte Severin dort – und zwischen beiden die Gebirge aller Welten. *Severin auf die Schulter klopfend.* Sobald Olim für Ihr Friedensangebot reif ist und seine Hasenangst verliert, führe ich euch einander zu. Wie Braut und Bräutigam. Doch vorher geduldet sich das Bräutchen im stillen Kämmer-

lein – und sollte ihm die Weile lang werden, dann kann es ja
mit Ketten spielen. Ein Kettenring ist endlos wie Ihre Zeit hier,
Herr Severin. *Sie schlägt die Tür zu und schließt draußen ab.*

SEVERIN *fährt sich über die Stirn. Stammelnd beginnend.*
Dann – ist es – doch zu spät. Wenn er nicht gleich erfährt – –
wenn er noch zweifelt – – wenn dieser Zweifel sich in ihn
frißt: – – ich müßte mich besinnen – – und schwankte noch
– –! – – Er wartet doch – – er wartet doch darauf – – er
wartet doch in Ängsten – – und stirbt in Ängsten – – – –
Hinhumpelnd und gegen die Tür schlagend. Es muß ihm
doch das Herz zu Stein verdorren – – wenn ich nicht gleich
gelaufen komme – – ihn um Vergebung bitte – – wie ich
bitten muß – – wie ich nur noch bitten kann – mir zu vergeben – – zu vergeben – – zu vergeben – – – – *Im Donnerhall
der Eisentür tobt seine Stimme.* Laßt mich zu ihm – – laßt
mich zu ihm – – laßt mich zu ihm – – – –!!!!

Saal.
*In dem in die Mitte gerückten Sofa sitzen Frau von Luber
und Baron Laur – vor ihnen der mit Nachspeisen und Wein-
flaschen überladene Eßtisch.*
Auf einem Stuhl im Hintergrund sitzt Fennimore.

LAUR *sich in Lachkrämpfen windend – prustend.* Nochmal.
Das Ganze halt. Zurück und von vorne.

FRAU VON LUBER *ebenso lachend.* Das wünschen Sie sich – und
ich ersticke dabei.

LAUR *ein Sektglas vollgießend und ihr hinhaltend.* Nicht
schlapp machen. Spülen Sie sich den Anfall hinunter. Daß
wieder Luft kommt. Man muß es zweimal hören, um nichts
von seiner Köstlichkeit zu verlieren.

FRAU VON LUBER. Sie sind anspruchsvoll, Baron.

LAUR. Unersättlich im Anhören saftiger Späße. Wer sitzt auf
dem Dachboden?

FRAU VON LUBER. Das ist Olim, der Schloßherr.

LAUR. Und im Keller hockt?

FRAU VON LUBER. Severin, der Schützling.

LAUR. Die zwei ehemaligen Feinde.

FRAU VON LUBER. Jetzt dicke Freunde.

LAUR. Und können zueinander nicht kommen.

FRAU VON LUBER. Die Schlüssel sind viel zu fest. *Sie holt die beiden Schlüssel aus ihrem Täschchen und schlägt sie klingelnd aneinander.*

LAUR *verhindert den Lärm, beugt sich zu ihr und tuschelt hinter vorgehaltener Hand.*

FRAU VON LUBER. Die Kleine? Ich habe doch die Dienerschaft weggeschickt, um offen reden zu können. Fennimore muß zur Verwandtschaft halten, sonst liegt sie auf der Straße. *Fennimore heranrufend.* Schenk' dem Herrn Baron ein. – Frage den Herrn Baron, ob er noch Wünsche hat.

LAUR *faßt Fennimore um die Hüfte.* Habe ich Wünsche?

FRAU VON LUBER. Dann zieh' dich wieder auf deinen Platz zurück.

Fennimore sitzt wieder auf ihrem Stuhl an der Wand.

FRAU VON LUBER. Und Ihre Ermittlungen?

LAUR. Durchgeführt wie befohlen. *Sich auf die Brusttasche klopfend.* Die Auskünfte stelle ich zur Verfügung – aber in aller Bescheidenheit gefragt: wozu war das nötig?

FRAU VON LUBER. Das ist auch überflüssig geworden, nachdem ich die beiden eingesperrt habe – jeden für sich.

LAUR *schon wieder kichernd.* Im Turm und in der Tiefe.

FRAU VON LUBER. Aber es war nicht leicht, sie dahin zu bringen.

LAUR *kreischend.* Schießen Sie los – mit Ihrem da capo.

FRAU VON LUBER. Vor allen Dingen hat sich mein sicherer Instinkt bewährt. Die Haushälterin, die ein Herr Olim suchte, konnte nur ich sein. Das war Fügung, Baron Laur, für Herrn Olim eine sehr schlimme Fügung – aber Fügung pflegt man nur auf sich selbst zu beziehn. Der andre ist dann der Unbefugte.

LAUR. Der Unbefugte!

FRAU VON LUBER. Der unter die Räder kommt. Das ist des Schicksals Lauf, von dem man mitgerissen wird – dem man sich nicht widersetzen kann. Ich bin gar nicht verantwortlich für gewisse Mißstände, die sich in diesem Hause herausgebildet haben. Sollte ich die Stelle nicht annehmen? Widerstand gegen die innere Stimme. Ausgeschlossen. Also. Ich fand ein Menschenpaar vor, von dem der eine Teil krank war und sich pflegen ließ – wie seine Lieblingsbajadere der Sultan verwöhnt. Ein Sultan ohne Dank. Der Sultan Olim stopfte in seinen Favoriten hinein, was aufzutreiben war. Noch finsterere Mienen. Mit Ausdruck: ich spei' auf deine Freundlichkeit. Was war da los?

LAUR. Der Angeschossene fraß sich Kraft zur Revanche an!

FRAU VON LUBER. Das war noch nicht bekannt. Vorläufig konnte das Schloß noch in andre Hände übergehn, bangte mir. Der Olim sollte von dem Burschen ablassen. Ich ließ die Fennimore kommen – sie soll erheitern – und singt – *Ihr Gelächter reißt sie der Länge nach auf das Sofapolster nieder.* Cäsars Tod!

LAUR *einstimmend.* Zur Belustigung!

FRAU VON LUBER. Mit Harfenbegleitung!

LAUR. Pink pink pink pink!

FRAU VON LUBER *sich die Tränen abwischend.* Das war zweifellos der Höhepunkt in der Laufbahn des Mädchens. Die Wirkung erreicht sie nicht wieder. Und wenn sie mit einer Drehorgel vorm Leibe Ballett tanzte. Was, Harfenjule? Komm' und hol' dir dein Glas Sekt, das bleibt des Lohnes wert.

Fennimore tritt an den Tisch.

LAUR *hält ihr ein Kuchenstück vor den Mund.* Beiss' in die Torte.

FRAU VON LUBER. Tu's.

Fennimore beißt zu – Laur läßt das Kuchenstück los und packt zugleich Fennimores freie linke Hand. Fennimore muß das Kuchenstück mit ihren Zähnen festhalten.

LAUR. Essen, Harfenjule.

Fennimore läßt das Kuchenstück fallen.

FRAU VON LUBER. Tölpel – sammle die Krumen auf.

Fennimore bückt sich.
Laur wühlt in ihrem Haar.

FRAU VON LUBER. Und weiter. Was geschieht? Oder hören Sie nicht zu, Baron?

LAUR *sich ihr zuwendend.* Nun – was geschieht? Der Olim ist der Schütze!

Fennimore kehrt auf ihren Stuhl zurück.

FRAU VON LUBER. Das beichtete er mir am Morgen nach dem Balladenabend. Wie klein er da war und mausgrau und ach so anlehnungsbedürftig. Ich dacht', er wollte zu mir ins Bett.

LAUR. Den schlag' ich nieder!

FRAU VON LUBER. Den hatte ich am Halfter. Den kutschierte ich nun. Der hatte Angst. Und wo Angst ist, da gibt es Zugeständnisse. Die blinden Zugeständnisse, wenn die Angst am größten ist. Blankovollmacht – die man braucht, um alle Diskussionen abzuschneiden.

LAUR. Die haben Sie mir noch nicht gezeigt.

FRAU VON LUBER *entnimmt das Papier ihrem Täschchen.* Das heben Sie bei den andern Akten auf – im Täschchen ist mir das zu gefährlich.

LAUR *las.* Ihr Meisterstück, vor dem man kapituliert. *Er küßt ihr beide Hände.*

FRAU VON LUBER. Das war auch nicht gleich geschafft, lieber Baron. Da gab es Rückschläge – und ein dicker Landjäger enthüllte zu früh die Identität. Da hatte ich noch nichts Schriftliches – und verloren gab ich alles, als der Rächer im Treppenhaus sich seinem Opfer gegenübersah. Das Spiel war aus, jetzt wurde gemordet – und mit meiner Fennimore verließ ich das Schlachtfeld, das nichts für Damen ist. Ich bebte vor Wut, daß dieser dicke Landjäger gekommen war, um seinen Kollegen zu entlarven. Ich hätte ihn backpfeifen mögen – so pflanzte ich Fennimore zwei hinter die Ohren. Hat's sehr gebrannt, mein Kind?

Fennimore antwortet nicht.

LAUR. Das müssen doch furchtbare Stunden für Sie gewesen sein.

FRAU VON LUBER. Bis ich heraus hatte, daß meinem Olim kein Haar gekrümmt war? In diesem Zeitraum hat sich meine erste weiße Strähne verfärbt.

LAUR. Es kleidet Sie reizend.

FRAU VON LUBER. Ein Preis muß ja bezahlt werden. Aber ich hätte mir auch die Unkosten sparen können. Die Fügung arbeitete für mich. Den treppauf rennenden Olim verfolgte keiner. Im Dachgebälk stöberte ich ihn auf. Angstschlotternd vor Severins Belagerung.

LAUR. Der selbst im Keller sich vor Olim verschanzte!

FRAU VON LUBER. Und aus dem Keller wieder herauswollte, nachdem die Zorneswogen sich geglättet hatten. Mit Olim sich vertragen, der vom Dachboden herunter will und nicht den Hieb von einem Backenstreich mehr fürchtet. Sie sind doch innige Freunde jetzt. Der Schütze hat den Angeschossenen aufgenommen und gehegt – und der schleppt seinen Hinkefuß nicht mehr mit Gram.

LAUR. Nur Frau von Luber hat ein Wörtchen mitzusprechen.

FRAU VON LUBER. Ausgang zu erlauben und zu verbieten.

LAUR. Wird sie sehr streng sein?

FRAU VON LUBER. Unerbittlich wie das Eisen. Wie meine Schlüssel. Es springen keine Türen auf – von Schreien, Winseln. Man muß die Schlüssel haben. Zwei Schlüssel von der Länge einer Hand – und jeder bestimmt die Länge eines Lebens. Muß man nicht feiern, wenn man die mächtigen Schlüssel hat?

LAUR. Musik!

FRAU VON LUBER *sich nach Fennimore umdrehend.* Tanz' was. Du hast mit zwei Bananen was aufgeführt – tanz' mit zwei Schlüsseln. Nimm sie – der führt zu Olims Boden, der führt zu Severins Keller. Vertausch' sie in der Luft und klingle – das letzte Stündchen. Tanz' einen Totentanz!

Fennimore hat sich die beiden Schlüssel in die Hände drükken lassen und beginnt einen ungeschickten Tanz vorzuführen. Frau von Luber und Baron Laur krümmen sich vor Lachen – und immer, wenn Fennimore den Tanz einstellen will, wird sie von den beiden mit Händeklatschen und Zurufen: »Klingeln – tanzen!« *– zur Fortsetzung angefeuert.*

LAUR *zurücksinkend – atemlos.* Nicht klingeln mehr – nicht tanzen – –

FRAU VON LUBER *ebenso.* Den Schlüsseltanz – –

Fennimore tritt in den Hintergrund und setzt sich nicht.

FRAU VON LUBER *lechzend.* Mein Glas.

LAUR. Nimm hin. *Sich über sie beugend.* Götterweib.

FRAU VON LUBER. Bin ich's?
LAUR. Berauschend. *Er küßt sie.*

Fennimore entfernt sich durch die Tapetentür.
Laur richtet sich auf, schüttet ein Glas Sekt hinunter.

LAUR und FRAU VON LUBER.

> Es wächst uns in den Mund der Wein,
> wir graben in dem Weinberg nicht
> und wissen nicht,
> wer Trauben von den Reben bricht.
> > Wir rühren selber keine Hand.
> > Wie im Schlaraffenland.

> Wir warten, bis die Nacht ergraut,
> da schläft, wer müde ist –
> und nicht mehr fähig ist
> den Finger aufzuheben, der der kleinste ist.
> > Da rühren wir noch unsre Hand.
> > Wie im Schlaraffenland.

> Was gut schmeckt, liegt auf unserm Tisch.
> Woher es kommt und wie man's holt –
> es wird geholt! –
> und noch was eckig ist, das rollt.
> > Wir winken kaum mit einer Hand.
> > Wie im Schlaraffenland.

> Wer widerredet dem Genuß?
> Wer ihn nicht hat, der murrt.
> Wer lauter murrt,
> erfährt, daß er bald nicht mehr knurrt.
> > Wir klopfen ihn mit unsrer Hand.
> > Wie im Schlaraffenland.

> Es gibt noch das Schlaraffenland,
> wo man gewaltig praßt –
> und nichts verpaßt,
> wonach die Gier im Überflusse faßt.
> > Die rechte füllt die linke Hand
> > im Schlaraffenland.

Schon vorher ist Fennimore zurückgekehrt; sie bleibt im Hintergrund stehen.
Bei Liedende werden die Saaltüren rechts und links aufgemacht: links kommt Olim – rechts Severin.
Wie auf Erscheinungen starren Frau von Luber und Laur hin.
Olim und Severin nähern sich auf wankenden Beinen einander und treffen sich in Saalmitte.

SEVERIN. Vergib.

OLIM. Vergib.

SEVERIN. Was soll ich dir vergeben?

OLIM. Meine Angst.

SEVERIN. Die macht dich schuldig?

OLIM. Ich lief davon.

SEVERIN. Ich drohte dir doch mit dem Stock.

OLIM. Schon vorher. Als ich es dir nicht gleich gestand – an jenem Abend hier.

SEVERIN. Du mußtest dich doch vor mir fürchten. Ich schäumte wie in Tollwut.

OLIM. Ich hätte es dir sagen müssen.

SEVERIN. Ich hätte dich zerfleischt.

OLIM. Nein. Du hättest es gehört und hättest mir kein Haar gekrümmt. Du schlägst mich doch auch jetzt nicht.

SEVERIN. Dich rühre ich nicht an.

OLIM. Da siehst du. Und ich mißtraute dir. Ich schloß mich ein und schützte wichtige Geschäfte vor. Dich ließ ich überwachen, damit du draußen nicht den Olim suchtest – und mich entdecktest. Ich log mich nach Brasilien fort – und ließ dich mit dem Verdacht zurück: du könntest morden, obwohl du wüßtest, daß Olim Olim ist. Vergib mir die Beleidigung.

SEVERIN. Die fühle ich nicht. Ich bin doch so mit Schuld beladen, daß mir die Last das Bein erdrückt. Denn davon hinke ich. Der Schuß? Ein Mückenstich vor diesem Elefantenrüsselhieb, der mir versetzt wurde – als mir die Wohltat widerfuhr: mich sattzuessen, in einem Bett zu schlafen, unter einem Dach vorm Regen sicher – und diese Schicksalsgüte nur benutzte, um mir das Blut für meine Rachetat zu kräftigen. An dem mich zu vergreifen, der mir nur gutes tat, seit ich ihn kenne. Vergib mir meinen Zorn.

OLIM. Ich ließ ihn dir zu lange.

SEVERIN. So lange wie man braucht, um zu lernen: sich nicht zu rächen – denn man weiß nie, gegen wen man die Hand erhebt. Dein Nächster kann es sein – und wer ist nicht der Nächste?

OLIM. Wir fehlten beide.

SEVERIN. Wir büßten beide auch.

OLIM. Es war die Strafe, die wir noch verbüßen mußten.

SEVERIN. Hat es dich sehr gequält?

OLIM. In meinem Kerker lohte Höllenglut.

SEVERIN. In meiner Zelle war es kalt und feucht.

OLIM. Ich hoffte nicht mehr auf den Tag im Freien.

SEVERIN. Ich glaubte an das Ende aller Tage.

OLIM. Doch heute knirschte der Schlüssel das Schloß auf.

SEVERIN. Die Tür wich vor dem Daumendruck zurück.

OLIM. Ich bin begnadigt.

SEVERIN. Und mir ist verziehn.

OLIM *die Arme ausbreitend.* Mein Severin!

SEVERIN *drängt sich an ihn.* Olim!

FRAU VON LUBER *auf dem Tisch suchend – zischend.* Die Schlüssel –? *Dann blickt sie sich nach Fennimore um.*

FENNIMORE *tritt an den Tisch, legt wortlos die Schlüssel hin und zieht sich wieder in den Hintergrund zurück.*

OLIM *Severin loslassend – freudig.* Was wünschst du dir?

SEVERIN. Was soll ich mir denn wünschen?

OLIM. Jetzt sollst du einen Wunsch äußern. Ich will dir etwas schenken. Ich bin in Gebelaune. Ich bin doch reich. Ich habe doch ein Schloß. Was schenk ich dir?

SEVERIN *zuckt die Achseln.*

OLIM. Ich schenke dir mein Schloß!

SEVERIN. Ich nehme doch das Schloß nicht an!

OLIM. Du nimmst es heute und morgen schenkst du es mir wieder.

SEVERIN. Du nimmst es ganz bestimmt morgen wieder an?

OLIM. Um übermorgen es wieder dir schenken zu können.

SEVERIN. Und dann schenke ich es dir wieder.

OLIM. Mal du, mal ich – wir wechseln ab in dem Besitz und einer lädt den andern zu sich ein. Zu großer Tafelei. Da brennen schon die Kerzen auf dem gedeckten Tisch. *In die Hände klatschend.* Zwei Stühle. Für meinen Gast und für den Schloßherrn! *Sie kommen an den Tisch.*

FRAU VON LUBER *abweisend.* Hier steht nur ein Sofa – und das ist besetzt.

OLIM. Ich habe nichts gegen Gäste – im Gegenteil: Unterhaltung ist uns willkommen. Es könnte Fräulein Fennimore wieder –

FRAU VON LUBER. Welche Sprache? Als ob Sie hier zu befehlen hätten. Hier ist doch keine Kneipe, in die man eindringt, und Schnaps bestellt. *Zu Laur.* Herr Baron, entschuldigen Sie dies Intermezzo – ich stehe selbst fassungslos vor dieser Frechheit. *Zu Olim.* Was wünschen Sie eigentlich?

OLIM *unsicher.* Sie sind doch Frau von Luber –

FRAU VON LUBER. Selbstverständlich.

OLIM. Dann sind Sie doch meine Wirtschafterin –

FRAU VON LUBER *lacht schrill auf.*

OLIM. Oder erkennen Sie mich in meinem Zustand des Verfalls nicht?

FRAU VON LUBER. Genau kenne ich Sie. Sie sind Herr Olim. Der Schloßherr von einst.

OLIM. Bin ich's – nicht mehr?

FRAU VON LUBER. Wenn Sie sich nicht entsinnen können – lesen werden Sie es können. *Sie winkt Laur.*

LAUR *zieht mit anderen Papieren das verlangte Dokument aus der Brusttasche.*

FRAU VON LUBER *hält es Olim hin.* Nicht berühren. Es könnte lädiert werden. Also Vorsicht mit Fingern.

OLIM *liest.* Das – habe ich unterschrieben?

FRAU VON LUBER. Zweifeln Sie Ihren Namenszug an? Verdächtigen Sie mich einer Fälschung?

OLIM. Das nicht, aber –

FRAU VON LUBER. Was aber?

OLIM. Sie erfüllten nicht einmal die Gegenleistung. Sie brachten mir kein Essen –

FRAU VON LUBER. Wo steht die Bedingung geschrieben? Ich lese nur von einer klaren Schenkung. *Zu Laur.* Oder finden Sie Klauseln unter dem Text?

LAUR. Schwachsinn.

FRAU VON LUBER. Urteil eines unbeteiligten Dritten.

OLIM. Ich protestiere gegen diese –

LAUR. Wieso – Protest?

OLIM. Ich muß doch – *Auf Severin zeigend.* – ihm das Schloß schenken können – und er mir – –

LAUR. Sie haben wohl mindestens drei über den Durst getrunken. Mann, Sie sind ja total beschwipst. Was reden Sie hier für Backsteine?

OLIM. Ich habe nichts verschenkt –

LAUR. Jetzt aber Maul gehalten. Oder Schnauze. Was Ihnen mehr Eindruck macht. Stillgestanden. Der Ton wird noch wirken. Sie sind doch im Dienst gewesen? Landjäger? Wie? Was? Antworten Sie, Mann.

OLIM. Das hat mit der Landjägerei nichts zu tun –

LAUR. Das hat sehr viel mit ihr zu tun. Das ist sogar aufs innigste mit ihr verknüpft. Sie sollen sich wundern, wie das zusammenhängt. Was man Ihnen anhängt, wenn Sie hier Sachen bestreiten – – Wollen Sie Ihr Unglück oder entwischen Sie lieber der Disziplinierung?

OLIM *starrt ihn verständnislos an.*

LAUR. Äußern Sie sich doch. Bloßes Glotzen orientiert uns nicht. Oder bestreiten Sie auch das: daß Sie in der Angelegenheit dieses Burschen eine falsche Anzeige erstatteten und einen Räuber der gesetzlichen Verfolgung entzogen? – Angesichts dieses Materials, das belastet – von uns gesammelt und gesichtet und sofort verwendbar? *Er schwingt die Papiere.*

OLIM *verstummt.*

LAUR. Wissen Sie, was das ist, was Sie sich geleistet haben? Das ist dienstwidriges Verhalten – und wird mit Zuchthaus bestraft. Es steht auf einer Stufe mit Hehlerei. Sie sind mitschuldig – und mehr: statt die Öffentlichkeit vor Gesindel zu schützen, haben Sie Hilfe geleistet. In voller Uniform. Oder saßen Sie nackt, als Sie Ihren Bericht schrieben?

OLIM *blickt nach Severin weg.*

LAUR. Schielen Sie nur nach Ihrem Spießgesellen hin. Der Junge ist auch nachträglich reif für den Staatsanwalt. Der fackelt nicht. Der packt anders zu – als wir hier, die euch noch vor die Frage stellen: wollt ihr euch aus dem Schloß abholen lassen oder wollt ihr freiwillig gehn?

OLIM *gedämpft zu Severin.* Komm'.

LAUR. Also verduften. Das einzig kluge. In der Masse verschwinden und nicht auffallen. Schon hat euch der Häscher. Marschmarsch – sonst mache ich euch Beine!

Olim und Severin entfernen sich rechts aus dem Saal.

LAUR *seine Papiere einsteckend.* Wie wichtig doch diese Ermittlungen waren.

FRAU VON LUBER. Da sehen Sie, nichts ist überflüssig. Eine lockere Masche – und das ganze Netz zerpflückt sich.

LAUR. Es hat sich ausgezappelt.

FRAU VON LUBER. Noch ein Stichling rebelliert – und wollte stechen. *Sie wendet sich nach Fennimore um.* Hast du gehört, daß ich dir den Auftrag gegeben habe, Türen aufzuschließen?

Fennimore antwortet nicht.

FRAU VON LUBER. Du hast dich selbst ermächtigt? Ei sieh. Aus welchem Grunde denn? Aus Mitleid? Aus Mitleid! Das ist ein Schatz, mit dem man nicht geizen soll. Hier fändest du kaum Abnehmer – aber die beiden, die werden dich brauchen können. Solch ein Mädel wie du ernährt zwei Männer. Und wovon sollen die leben? Laß dich nicht aufhalten, auf dem Wege nach der Stadt wirst du sie noch einholen. Sie suchen in den Straßenschluchten ihren Unterschlupf – der Wald ist jetzt schon kalt. Lauf' in die Nacht – lauf' in die Stadt. In zehn Minuten lass' ich die Hunde los!

Fennimore geht links aus dem Saal.

LAUR *die vollen Gläser schwenkend.* Die Hunde los – und wer uns stören will, den reißen sie!

FRAU VON LUBER. Wer uns entreißen will, was uns gehört – der ist von keinem Hundebiß schon toll!

LAUR. Gehört dir jetzt das Schloß?

FRAU VON LUBER. Mit Türmen, Erkern, Zinnen.

LAUR. Ist das nicht wunderbar?

FRAU VON LUBER. Es ist nur wieder alles so, wie es sein soll!

FRAU VON LUBER und LAUR.

Wer Zeit sich läßt und nützt dann seine Zeit,
der stellt die alte Ordnung wieder her.
Was ändert der,
der sagt, daß jetzt der Zeiten Wende wär'?
    Ihm sind nur nicht bekannt
    die Regeln im Schlaraffenland.

Da wandelt eine kleine Störung nichts;
sie schwingt sich aus und wieder steht es still,
das Rad der Zeit.
Die unten quetscht es breit

und oben thront die alte Herrlichkeit.
So überdauert allen Weltenbrand
das ewige Schlaraffenland.

Landstraße mit Brücke.
Grauer Himmel. Wolkenflucht.
Auf der Landstraße kommen Olim und Severin.

OLIM. Stütze dich nur fest auf mich. Es wird schon gehn.
SEVERIN *nach einigen Schritten stehenbleibend – stöhnend.*
Es geht nicht mehr.
OLIM. Wir müssen vorm Wind Schutz suchen. *Sie lassen sich*
in den Straßengraben gleiten.
OLIM. Verursacht dir die Wanderung solche Anstrengung?
SEVERIN. Die taumelnde Gangart von dem längeren auf das
kürzere Bein macht mich dazu schwindlig.
OLIM. Vielleicht kannst du gar nicht bis ans Ende wandern?
SEVERIN. Es ist doch auch gleichgültig, ob es hier oder in den
Mooshütten geschieht.

Pause.

SEVERIN. Es ist nicht das erstemal, daß ich in diesem Stra-
ßengraben sitze.
OLIM. Wann war das schon einmal?
SEVERIN. Als du die Brücke bewachtest – und ich mit den
Burschen beriet, wie wir an dem Posten vorbeikämen.
OLIM *hinsehend.* Ja, das ist die Brücke.

Pause.

SEVERIN. Schließlich hast du mir doch mit deinem Schuß die
tödliche Verletzung beigebracht.
OLIM. Ich denke darüber nach, wie du es meinst – und finde
heraus, daß du das richtige sagst.
SEVERIN. Und noch eine eigentümliche Eigenschaft neben
dieser weitläufigen Wirkung hatte der Schuß. Rate.
OLIM. Das weiß ich nicht.
SEVERIN. Er traf auch den Schützen. Stimmt das? Kostet er
dich nicht ebenso das Leben?

SEVERIN. Oder siehst du einen Ausweg?

OLIM. Nach keiner Richtung. Über die Brücke in die Mooshütten.

SEVERIN. Bis uns der kalte Winter erfriert.

Pause.

OLIM. Wir sind zwei Untaugliche. Du hast es für dein Teil
bewiesen – und ich stehe dir in meiner Selbstbezichtigung
nicht nach. Wenn der eine vor dem andern keine Angst mehr
hat – und der gegen ihn keinen Zorn mehr hegt, dann ist keinem von beiden der Odem länger erlaubt. Sie müssen wegziehn und sich in den Wäldern verkriechen, um zu sterben.

SEVERIN. Das hat seine guten Gründe, Olim.

OLIM. Wenn es uns auf diesen Grasboden aussetzt, denen es
auf so deutliche Weise zu verstehen gegeben ist –

SEVERIN. – so zeigt es dir die ganze Hoffnungslosigkeit der
Lage von Menschen, die sich nicht mehr fürchten und nicht
mehr hassen.

OLIM. Zorn und Angst –

SEVERIN. – das sind die beiden Leidenschaften, die das Elend
anrichten. Der Zorn greift an – die Angst flüchtet. Der
Mensch soll aber weder angreifen noch flüchten. Er soll sich
auf halbem Wege begegnen und auf glatter Ebene nebeneinander hinschreiten – wohin?

OLIM. In den glitschigen Straßengraben, Severin.

SEVERIN. Wo wir hocken.

Pause.

OLIM. Es sind stichhaltige Gründe, die gegen uns sprechen –
und eigentlich hätten wir schon in unsern Zellen auf dem
Boden und im Keller verkommen sollen. Es ist nachträglich nichts gegen unsre Einsperrung einzuwenden. Wir hätten doch wenigstens ohne Preisgabe dem Wind und Wetter
ausgehaucht.

SEVERIN. Dennoch kam sie und schloß unsre Türen auf –
Fennimore.

OLIM. Das erkläre ich so, daß wir nicht ohne unsre Geständnisse voreinander verstummen sollten.

SEVERIN. Erklärt es sich so?

OLIM. Was?

SEVERIN. Eins wie das andre. Alles.

OLIM. Was ist alles?

SEVERIN. Dein Schuß bei dieser Brücke – und wie wir wieder bei dieser Brücke sind. Zwei Freunde jetzt, die in den Tod auswandern – – und der Tod ist nicht das Ziel.

OLIM. Das Leben etwa?

SEVERIN. Nach langer Wanderung – –

OLIM. Weißt du, wo die beginnt?

SEVERIN. Wo, Olim?

OLIM *spöttisch*. Wo dich das Wasser trägt.

SEVERIN *vor sich hin*. Wer weiter muß – den trägt der Silbersee – – – –

Pause.

OLIM. Dienstwidriges Verhalten – es könnte einem kein einprägsamerer Ausdruck zugerufen werden. Ich glaubte ein menschliches Empfinden zu spüren – und die Handlung war dienstwidrig. Es kollidiert wohl immer. Wer das eine fühlt, muß das andre lassen. Fühlen und tun – das zerschmettert die hilfreichen Hände. Oder die Nägel durchbohren deine Handteller und nageln sie an den Kreuzbalken an. Es hat das nichts genützt und kein beschwörender Aufschrei wird jemals die Ohren öffnen – man soll sich leise davonmachen, um wenigstens dem wiehernden Hohngelächter der Dienstherren zu entgehen. *Zu Severin*. Kannst du weiter, Severin?

SEVERIN *müde*. Ist es nicht gleichgültig, wo – –

OLIM. Ich bin nicht marschlustig.

SEVERIN. Lass' uns im Graben bleiben – –

OLIM. Lehn' dich an mich.

SEVERIN. Gib mir deine Hand, Olim.

OLIM. Hier, Severin.

SEVERIN. Nicht wieder wecken, wenn ich schlafe.

OLIM. Schon schlafe ich – – – – – – – –

Auf der Brücke kommt der dicke Landjäger; er entdeckt die zwei im Straßengraben, stemmt die Fäuste in die Hüften und wartet.

DER DICKE LANDJÄGER *losschnauzend*. Wie lange soll ich

noch auf euch warten? Hoch vom Arsch! – Oder wollt ihr mir einreden, ihr wärt zwei harmlose Spaziergänger, die mal rasten in diesem Windwetter – da regnet es schon! – barhäuptig und ohne Mantel im Grabendreck? Wann habt ihr euch denn zuletzt rasiert? Und nachtnächtlich kampiert im Freien? Zwei saubere Früchtchen. Papiere!

Olim und Severin – unten im Graben stehend – schweigen.

DER DICKE LANDJÄGER. Was denn? Ihr habt keine? Menschenskinder, euch hat wohl – *Abbrechend* – *Olim fixierend.* Dich habe ich schon – deine Visage trotz Stoppeln und Falten – die war mal schön rund – und der sie über den Achselstücken trug – und großartig damit in einem Marmortreppenhaus paradierte – *Herauslachend.* –: Olim!

Olim starrt sprachlos zum dicken Landjäger hinauf.

DER DICKE LANDJÄGER. Schon vorbei mit der Schloßherrlichkeit? Verjuxt den teuren Kies – mit adligen Damen und feinen Fräulein? Gelebt wie Pharao und geendet wie Nebukadnezar im Gras! – – Mein guter Junge, ich hätte dir mehr Verstand zugetraut und weniger Leichtsinn. Spielt den Prahlhans und verschleudert ein Vermögen förmlich über Nacht. Der Dümmsten einer bietet sich meinen Augen dar. Hättest mich um Rat fragen sollen – aber du mußtest gleich die Uniform wegschmeißen und ohne frohen Abschied verduften. Das war von je deine Manier – dich nicht belehren lassen. Entsinnst du dich der Unterweisungen, die ich dir gab – hier an diesem Brückenkopf – über die verschiedenen Gangarten krimineller und nicht krimineller Personen? Du hattest nicht einmal zugehört – und bei der Schießerei, die dann entstand, mußte ich dich erst auffordern, mitzuschießen, so lehntest du hochnäsig jede Instruktion ab. Du hast ja dann getroffen, weil ich eine Ladehemmung hatte – aber gnade Gott den Burschen, wenn ich nicht gehemmt gewesen wäre. Meine Schüsse sitzen, wo sie sitzen sollen. Wer ist denn der Bandit bei dir?

Olim bleibt stumm.

DER DICKE LANDJÄGER. Ich will nicht forschen. Ich will

einem alten Kameraden nicht auf den Zahn fühlen. Woher des Wegs, wohin des Wegs. Über die Brücke führt's an den Silbersee. Da gibt es keine Mooshütten mehr. Ich habe sie bei meinem letzten Kontrollgang niedergestampft. Sie sollen überhaupt nicht wieder errichtet werden. Diebe wohnen meist drin. Also trabt querfeldein – und laßt euch hier nicht von mir erwischen, wenn ich zurückkomme. Dann verrichte ich Dienst. Exemplarischen Dienst. Verstanden, ihr Geister in der Tiefe unten? *Er entfernt sich auf der Landstraße.*

OLIM. Komm' aus dem Graben. *Beide stehen oben.*
SEVERIN. Hast du das gehört?
OLIM. Ja.
SEVERIN. Die Mooshütten sind verschwunden.
OLIM. Der Regen prasselt auf uns nieder.
SEVERIN. Wie kalt es schon wird.
OLIM. Von allen Stätten werden wir vertrieben.
SEVERIN. Ich kann nicht weit mehr wandern.
OLIM. Noch über die Brücke.
SEVERIN. Wohin über die Brücke?
OLIM. An den Silbersee.
SEVERIN. Was suchst du am Silbersee?
OLIM. Das Wasser des Silbersees.
SEVERIN. Warum strebst du nach dem Wasser des Silbersees?
OLIM. Um nicht mehr Erde unter den Füßen zu haben. Worauf willst du noch warten?
SEVERIN. Ich folge dir ins Wasser.
OLIM. Stütze dich fest auf mich.

Ihre zuletzt geschrienen Worte verhallen im Brausen der Regengüsse. Ankämpfend gegen den schweren Sturm entfernen sich Olim und Severin über die Brücke.

Im Wald am Ufer des Silbersees.
So dichtes Schneetreiben, daß kaum die Baumstämme sichtbar sind. Olim und Severin suchen den Weg.

OLIM. Es ist keine Spur von einem Weg zu entdecken.
SEVERIN. Wir sind lange genug gegangen, daß hier der Waldboden abschüssig werden muß und sich die Nähe des Sees

anzeigt. Dahin führt der Waldpfad unter dem Schnee.

OLIM. Der Schnee fällt so dicht und wird vom Wind so ebenmäßig über alle Ungleichheiten des Erdreichs geweht, daß keine Senkung auffällt.

SEVERIN. Dennoch sind wir dicht am See.

OLIM *kopfschüttelnd*. Merkwürdig.

SEVERIN. Worüber wunderst du dich?

OLIM. Daß überhaupt jetzt Schnee fallen kann.

SEVERIN. Gleich hinter der Brücke verwandelte sich der Regen in Schnee.

OLIM. Es müßte Winter sein.

SEVERIN. Noch ist kein Winter.

OLIM. Was bedeutet das?

Die Luft beginnt zu klingen.

SEVERIN *lauscht*. Das ist noch viel wunderbarer.

OLIM *ebenfalls lauschend*. Hörst du es auch?

SEVERIN. Zum erstenmal, daß Schneeflocken klingen, wenn sie aufeinanderfallen.

OLIM. Millionen machen Musik.

CHORSTIMMEN.

> Ihr sollt den Weg noch nicht finden,
> wir brauchen noch wichtige Zeit.
> Was noch verhüllt, wird verschwinden,
> wenn alles besser bereit.

SEVERIN. Hast du gesungen?

OLIM. Du?

SEVERIN. Aber ich weiß, was gesungen ist.

OLIM. Lass' mich es dir sagen: daß wir uns vorm Tod, der uns bevorsteht, nicht fürchten sollen.

SEVERIN. Und diesem Schneetreiben nicht zürnen, das uns den Zugang zum See versteckt.

OLIM. Denn wir werden nicht sehen, wo das Land aufhört und das Wasser anfängt.

SEVERIN. Wir werden weiter gehen und gleich versinken.

CHORSTIMMEN.

> Euch umfängt noch das Irren,
> wie diese Schneewand euch bannt.

> Wenn keine Flocken mehr schwirren,
> wird euch der Ausblick bekannt.

OLIM. Jetzt weiß ich, daß wir uns dem See nähern.
SEVERIN. Woher nimmst du dein Wissen?
OLIM. Die Wasser singen. Hörst du es nicht?
SEVERIN. Mit solchen Stimmen?
CHORSTIMMEN.

> Was sich mit Wellen noch regte,
> erstarrt, indes ihr euch naht.
> Und die Flut, die bewegte,
> festigt sich vor euch zum Pfad.

SEVERIN. Die Lichtung, Olim!
OLIM. Wird es licht?
SEVERIN. Von keiner Seite Bäume mehr!
OLIM. Es sind die letzten Schritte, Severin!
SEVERIN. Das Schlingkraut unten läßt uns nicht wieder los, Olim!
OLIM. Der tiefste Seegrund für uns zwei Taugenichtse, Severin!

Ein ungeheurer Orkanstoß fegt vorüber: er nimmt den Schnee von den Bäumen und vom Erdboden mit sich.
Frühlingsgrün erscheint die Landschaft – nur der See ist eine gefrorene Fläche unter der strahlenden Sonne.
Olim und Severin stehen erstaunt am Ufer.

OLIM. Verstehst du das?
SEVERIN. Es hat der Schnee uns aufgehalten.
OLIM. Der See fror zu.
SEVERIN. Jetzt scheint die Frühlingssonne.
OLIM. Um uns zu locken?
SEVERIN. Wir sollen weiter gehen.
OLIM. Der Pfad ist fest.
SEVERIN. Wie Fennimore es sagte.
OLIM. Was sagte Fennimore?
SEVERIN. Wer weiter muß – den trägt der Silbersee!
FRAUENSTIMME wie FENNIMORE.

> Euch entläßt die Verpflichtung,

weiter zu leben, noch nicht.
Euch erhebt aus Vernichtung
eure besondere Pflicht.

Ihr entstiegt schon dem Grauen,
das noch die Schöpfung verstört.
Die im Tag zu erblauen
mit allen Keimen begehrt.

Berge werden sich glätten,
wie dieses Wasser gerann,
um euren Fortschritt zu retten,
der hier vom Ufer begann.

Alles was ist, ist Beginnen
und verliert sich noch hinter die Zeit –
wie die Stunden der Nacht doch verrinnen
in den Anbruch der Helligkeit.

FRAUENSTIMME und CHORSTIMMEN.

Alles was ist, ist Beginnen
und verliert sich noch hinter die Zeit –
wie die Stunden der Nacht doch verrinnen
in den Anbruch der Helligkeit.

Olim und Severin entfernen sich auf der blinkenden See-
fläche.

[1932]

ADRIENNE AMBROSSAT

Schauspiel in drei Akten

PERSONEN

PAUL AMBROSSAT
ADRIENNE, *seine Frau*
HELENE DUFFIN, *deren Freundin*
HENRI DUFFIN
ZOFE
EIN BALLGAST
GUÉRAGE, *Rechtsanwalt*
BRANTÔME, *Juwelier*
VIZARD, *Juwelier*
AUKTIONATOR
VORSITZENDER DES GERICHTSHOFS
STAATSANWALT
GERICHTSDIENER, PUBLIKUM

Spielt um 1900

ERSTER AKT

Bei Ambrossat. Kleiner Salon.
Paul steht am Tisch und öffnet Briefe.

PAUL *liest einen Brief mit besondrer Aufmerksamkeit und ruft.* Adrienne. – – – – Adrienne. Hier ist eine wichtige Nachricht für dich.

Adrienne kommt in einem losen Morgenmantel.

PAUL. Sehr wichtig. Der Ball ist verlegt. *Er gibt ihr den Brief.*
ADRIENNE *lesend.* Herr und Frau Paul Ambrossat werden gebeten, der Einladung des Generalrats bereits am fünfzehnten – –
PAUL. Volle fünf Tage früher.
ADRIENNE *weiter lesend.* Da einige Mitglieder des Generalrats ihre Abreise nicht aufschieben können.
PAUL. Die großen Herren von Übersee, die ihre Luxuskabine belegt haben.
ADRIENNE *lesend.* Es wird um Mitteilung gebeten, ob auch zu dem veränderten Termin – –
PAUL. Das sind überflüssige Floskeln. Es wird keiner dem Ball fernbleiben. Er könnte heute abend unverhofft stattfinden und alle wären vollzählig da. Bis auf dich natürlich, die in einem Kleid im Zustand der Anprobe in keinem Ballsaal auftauchen dürfte. Was wirst du also tun?
ADRIENNE. Nachher muß ich das Atelier anrufen.
PAUL. Und Madame Jesserin wird dir mit einem Wortschwall, daß dir die Ohren schmerzen, erklären, daß es ganz unmöglich und völlig ausgeschlossen sei die Robe früher als eine Stunde vor Beginn des Balls zu liefern und eine Differenz von Tagen überhaupt und niemals –
ADRIENNE. Genau wie die Jesserin sprudelst du jetzt.
PAUL. Solche Pausbacken und die Nase wippt dazwischen wie ein Springball auf einem Fontänenstrahl im Bois.

ADRIENNE. Wenn sie dich hörte, die von den Damen von Paris wie eine Gottheit respektiert wird.

PAUL. Schneidern tut sie wahre Wunderwerke. Sie ist bestimmt ein Genie in ihrem Fach – und dies Fach mit seinen Erzeugnissen, Adrienne, zur rechten Zeit und am rechten Platz ist oft von größerer Wichtigkeit als eine gute Note in der Generalversammlung.

ADRIENNE. Wenn du der Jesserin das sagst, daß ihre Schöpfungen einen ganzen Generalrat umstimmen können –

PAUL. Das spreche ich doch nicht aus.

ADRIENNE. Du denkst es nur.

PAUL. Was, Adrienne?

ADRIENNE. Daß manchmal seine hübsche Frau – geputzt, geziert – dem Ehemann auf seinem Weg nach oben ein bißchen Vorspanndienste leisten könne.

PAUL. Man nennt es Repräsentation, mein Kind. Die muß gepflegt sein. Ein schönes Bild – ein schöner Rahmen. Und ziehst du dich nicht selbst gern kostbar an?

ADRIENNE. Nein – nur für dich, Paul.

PAUL. Dann ist es auch für dich. Wir gehen unsern Weg zusammen und halten Schritt. Und wenn ein Ziel erreicht wird, dann kommen wir gemeinsam an. Abgemacht, Adrienne?

ADRIENNE *umarmt und küßt ihn.* Paul – Liebling. *Ablassend.* Was wird jetzt mit der Jesserin?

PAUL. Um elf bin ich im Atelier – um elf kommst du hin. Es wird keine Widerrede geduldet. Es wird gedroht –

ADRIENNE. Das hilft bei der nicht.

PAUL. Es wird irgendwie erreicht, daß sie es macht, weil es erreicht werden muß. Weil es auch ein Gesetz der Schönheit gibt.

ADRIENNE. Was soll das hier?

PAUL. Sie hat doch Augen im Kopf – sie muß doch sehen, was da entsteht. Hast du dich nicht in dem großen Spiegel betrachtet?

ADRIENNE. Du standest hinter mir – da habe ich dich beobachtet, was du für Augen machst.

PAUL. Und was für welche?

ADRIENNE. Große.

PAUL. Bewundernde, Adrienne. Für dich und diese Schneiderin. Es war ja alles noch gesteckt und dennoch kam es schon zum Vorschein – das war wie eine Wolke.

ADRIENNE. Du schwärmst ja richtig.

PAUL. Das war auch herrlich. Du bist doch nicht sehr groß, aber aus dem tiefen Ausschnitt –

ADRIENNE. Die Mode schreibt diesen Ausschnitt vor; ich will ihn gar nicht.

PAUL. Doch, er bringt dich mehr zur Geltung. Als ob du gewachsen wärst. Der führt die Schulterlinie nach dem Hals – *Er stockt.*

ADRIENNE. Hier ist der Hals.

PAUL. Weißt du, was die Begabung dieser schneidernden Person erst ganz beweist?

ADRIENNE. Nun?

PAUL. Als sie erklärte: hier oben fehlt ein Abschluß und dir die Perlenkette umlegte. Das war vollkommen. Ein Eindruck – verhalten wirkend und doch einprägsam. Man ist erobert.

ADRIENNE. So gefiel dir das?

PAUL. Hast du nicht eine Möglichkeit – es jagt mir durch den Kopf – dir für den Ballabend eine Perlenkette auszuleihen?

ADRIENNE. Doch.

PAUL. Von wem?

ADRIENNE. Von Helene Duffin.

PAUL. Das ist die Freundin –

ADRIENNE. Mit der ich in Pension war.

PAUL. Mit der du dich oft triffst?

ADRIENNE. Oft in der Woche sind wir zusammen.

PAUL. Die jetzt verheiratet ist mit dem Duffin. –

ADRIENNE. Henri Duffin.

PAUL. Das ist der Herr vom Ministerium. Man liest in der Zeitung von ihm. Ein etwas orthodoxer Geist in der Verwaltung.

ADRIENNE. Er hat sehr strenge Ansichten, sagt Helene.

PAUL. Und sie würde dir – sie hat viel Schmuck?

ADRIENNE. Sie hat auch eine Perlenkette. Wenn ich sie bitte. Warum soll ich sie nicht bitten?

PAUL. Ihr seid doch Freundinnen.

ADRIENNE. Ich bitte sie darum.

PAUL. Dann wird vollständig, was ich mir so vorstelle. Man sieht nach dir. Das schimmernde Collier von edlen Perlen. Der Präsident des Generalrats, der Wert und Unwert unterscheidet, faßt Vertrauen – und hör', Adrienne, der Ball bedeutet nicht nur für mich ein Fest – er soll mich fördern. Geschäftlich. Ich will mich ausbreiten. Vorhandene Möglichkeiten entwickeln. Das erfordert Mittel. Kredit, der reicher fließen muß. Mit Rechenkünsten nicht zu erwerben. Das muß von Mensch zu Mensch geschaffen werden. Auf einem Ball. Wie der, der kommt. Die einzige Gelegenheit. Willst du mir helfen?

ADRIENNE. Wenn sich dein Präsident von einer Perlenkette an meinem Hals gutstimmen läßt, will ich ihn betören.

PAUL. Wunderbar, Adrienne. Bis elf sind noch zwei Stunden. Um elf bei Madame Jesserin. *Er küßt ihr die Hand und geht.*

Bei Duffin. Helenes Boudoir.
Adrienne besucht Helene.

HELENE. Sie hat sich wirklich überreden lassen?

ADRIENNE. Wie ich dir sage. Sie will auf Bezahlung verzichten, wenn sie nicht pünktlich liefert.

HELENE. Was die Jesserin verspricht, hält sie.

ADRIENNE. Drei Stunden vorher ist das Kleid im Hause und eine Angestellte, die mir beim anziehn hilft. Damit alles fehlerlos sitzt.

HELENE Ich wüßte nicht, was ich anstellen müßte, um Madame Jesserin zu einer Beschleunigung zu bewegen. Mir hat sie noch jede Bitte in dieser Richtung glatt abgeschlagen. Dabei zähle ich zu ihren besten Kunden.

ADRIENNE. Ich kann mich gar nicht mit dir vergleichen.

HELENE. Aber du erreichst das scheinbar unmögliche. Wie ist dir denn das gelungen?

ADRIENNE. Paul hat mich begleitet und Paul hat gesprochen. Ich selbstverständlich keine Silbe, wenn er das Wort führt.

HELENE. Konnte dein Mann sie bestechen?

ADRIENNE. Mit Geld ist bei ihr überhaupt nichts zu machen. Sie ist doch eine Künstlerin.

HELENE. Verrätst du nicht das Mittel, das seine Wirkung nicht verfehlte?

ADRIENNE. Paul setzte ihr auseinander, wo das Kleid getragen würde.

HELENE. Ein Ball wie dutzendweis in der Saison, für die sie Damen anzieht.

ADRIENNE. Der Ball ist nichts besonderes. Die Gäste auf dem Ball.

HELENE. Aus Handelskreisen?

ADRIENNE. Aus aller Herren Länder. Es ist doch gegenwärtig Generalversammlung. Paul steckt in Sitzungen von früh bis spät. Ich seh' ihn kaum. Manchmal verabreden wir uns im Restaurant, um wenigstens gemeinsam zu frühstücken. Dann telephoniert er ab. Wieder ein Protokoll, das er führen muß. Er ist doch jung und die Jüngsten haben immer die meiste Arbeit. Aber es bedeutet auch eine Ehre für ihn in seiner Jugend schon an der Generalversammlung teilnehmen zu dürfen. Es ist bestimmt kein Zufall, daß man ihn in dieser Weise heranzieht. Man ist auf ihn aufmerksam geworden. Er wird noch große Karriere machen.

HELENE. In der Pension war dein Ideal ein kleiner Landwirt in der Provinz.

ADRIENNE. Wenn Paul doch kein Landwirt ist!

HELENE. Die Hauptsache ist, den Mann zu kriegen, den man von ganzem Herzen liebt.

ADRIENNE. Ich liebe Paul von ganzem Herzen!

HELENE. Wir schwärmen wieder wie die Pensionszöglinge. Beim Mondenschein im Bett. Er soll mein Ritter sein.

ADRIENNE. Ist dir dein Mann nicht menschlich unbeschreiblich lieb?

HELENE. Henri ist doch kein – Henri ist eine Gestalt, zu der ich aufblicke.

ADRIENNE. Und ist denn Henri damit zufrieden?

HELENE. Er faßt mich doch in Gold.

ADRIENNE. Ja ja – –

HELENE. Du wolltest von den interessanten Gästen erzählen, die du auf eurem Ball triffst.

ADRIENNE. Ja, wegen der Ausländer ist der Termin geändert worden. Die müssen doch mit ihren Schiffen wieder weg – in den bestellten Luxuskabinen. Die hat sich Paul bei der Jesserin zunutze gemacht. Bedenken Sie, Madame, welch Vorteil für Ihren Weltruf. Man sieht dies Kleid – schon im Entwurf ein Meisterwerk – man bewundert die Fülle und Kühnheit der schöpferischen Phantasie, die es erdacht und ausgeführt. Sie finden hier die anmutigste Trägerin, die Sie sich wünschen können. Das alles im Verein verbürgt den lautesten Erfolg, der nicht auf diesen Kontinent beschränkt bleibt – er wird noch über den Ozean hinausgetragen in alle Welt und bildet dort ein neues Ruhmesblatt im Lorbeerkranz des Hauses Jesserin. Sie ist doch eitel. Das ist ihre Schwäche. Paul hat sie wunderbar entdeckt.

HELENE. Wie wird denn nun dein Kleid?

ADRIENNE. Streifen und Blumen, Helene.

HELENE. Die große Mode.

ADRIENNE. Am Saum zwei Rüschen. Eine Rüsche um den Ausschnitt.

HELENE. Der Ausschnitt sehr tief?

ADRIENNE. Abscheulich tief. Ich hass diese Sitte. Man muß sie abschaffen.

HELENE. So lange Männer leben –

ADRIENNE. Ich wünsche keine Männer. Mich soll mein Mann sehn. Nur mein Mann.

HELENE. Wie du rot wirst.

ADRIENNE. Vor Wut und Scham.

HELENE. Der Ball wird auch vorübergehn.

ADRIENNE *wieder heiter*. Paul haßt diese lächerlichen Veranstaltungen, auf denen man wildfremden Menschen begegnet, mit denen man sich rasch bekannt macht, einander mit Komplimenten überhäuft und wieder weggeht und vergißt. Vielleicht hat man dem schlechtesten Charakter ein gutes Wort gesagt. Das alles ist so albern. Aber diesmal muß Paul hingehn. Es bietet sich Gelegenheit zu einer Unterredung mit dem Präsidenten des Generalrats. Paul wird ihm auseinandersetzen, daß er wohl die Fähigkeiten hat und nur die Mittel fehlen. Dann wird ihm ein Kredit bewilligt. Ich muß natürlich sehr hübsch aussehen.

HELENE. Was hat das mit dem Kredit zu tun?

ADRIENNE. Das zeigt, daß Paul vertrauenswürdig ist. Er hat doch eine Frau, die an ihm hängt. Und diese Frau ist einigermaßen reizend – sehr elegant gekleidet – wenig Schmuck, doch wertvoll und gewählt. Die Jesserin empfiehlt mir – und Paul findet den Vorschlag gut: ich soll mich nur mit einer Perlenkette schmücken.

HELENE. Auf deiner etwas dunklen Haut kommt sie zur Geltung.

ADRIENNE. Leihst du mir deine für den Abend?

HELENE *besinnt sich*.

ADRIENNE. Oder brauchst du sie selbst?

HELENE *lächelnd*. Ich kann dir eine Kette geben.

ADRIENNE. Schön, daß es paßt.

HELENE. Willst du sie jetzt mitnehmen?

ADRIENNE. Nein. Das wäre zu gefährlich, sie so lange im Haus zu haben. Ich hole sie nachmittags vorm Ball ab und bringe sie dir am andern Nachmittag zurück. Dein Mann hat nichts dagegen?

HELENE. Nein – dagegen nicht.

ADRIENNE. Ich kenne ihren mächtigen Wert. Liegt sie bei dir im Safe? Wo ist dein Safe?

HELENE. Im Schlafzimmer.

ADRIENNE *steht auf.* Ich bin erschöpft von dieser Probe bei der Jesserin. Wie ausgehöhlt. Ich geh' zu Pijot. Kommst du mit?

HELENE *aufspringend.* Zu Pijot, der die delikaten Marons glacés hat!

Im Wintergarten
Palmen und exotisches Buschwerk. Um den Sockel einer Marmornymphe ein Sofarund. Fontaine mit Kugelspiel.
Aus bunten Glühlampen dämmerige Beleuchtung.
Zwei Zugänge – rechts und links hinten, mit schillernden Perlschnürenvorhängen – aus dem Ballsaal, der sich hinter der Glaswand des Hintergrundes abschließt.
Auf den Milchscheiben die Bewegtheit des Balls schattenhaft; gedämpfte Tanzmusik schallt herein.
Bald kommen Paul und Adrienne links; beide erhitzt.

ADRIENNE *sich auf dem Sofa niederlassend und sich Luft zufächelnd.* Hier muß man sich erholen. Von der Musik. Wie das Orchester rauscht! *Sie preßt die Hände auf die Ohren.*

PAUL *sich mit dem Taschentuch die Stirn abtupfend.* Kapelle Grenadier – die Sensation von London, New York. Gibt eigene Konzerte. Hier spielt sie zum Tanz auf. Es muß Unsummen kosten.

ADRIENNE. Das Licht, das von der Decke und Wänden flutet – *Sich die Augen zuhaltend.* – Wie Silberpfeile in die Augen!

PAUL. Man hat die Lichtanlage besonders für diesen Abend verstärkt. Mir sagte es der Sekretär des Generals Plon, der die Vorbereitungen leitete. Er hatte Vollmacht. Ganz nach Belieben. Nichts zu teuer. Da hat er flugs den Saal samt Foyer und Treppenhaus neu illuminiert.

ADRIENNE. Und das Gewühl von Menschen! Wo leben denn die sonst? Gibt es denn so viel Reichtum? Das funkelt von Diademen, Agraffen, Broschen. Ist bei den Juwelieren ein einziger Brillant übrig geblieben?

PAUL. Man könnte die Bestände der ganzen rue de la paix aufkaufen, wenn man Verwendung hätte. Doch sie haben Schmuck genug. Du siehst es.

ADRIENNE. Manche sind überladen. Es ist nicht schön. Man merkt: sie stellen Reichtum aus.

PAUL. Das ist der Zweck des Abends, Adrienne. Das Vergnügen suchen sie hier nicht. Oder ist das eins: in diesem überfüllten Saal zu tanzen – du weißt kaum, mit wem du tanzst. Man spricht, der Partner hört nicht zu. Es ist ein Schauspiel, Adrienne. Man will sehen und sich sehen lassen.

ADRIENNE. Nein – keiner sagt ein Wort, das tiefer dringt. Sie tanzen und murmeln, man versteht sie kaum.

PAUL. Das alles stört den Eindruck, den man erhaschen und selbst machen will. Sie spielen große Trümpfe aus. Wie sie erscheinen mit ihren Damen – pompös zurechtgemacht. Da überbietet einer den andern in dem Begehren zu zeigen, wie er im Leben dasteht. Der Herr im Frack beweist nichts – die Frauen sind ihre wandelnden Triumphe. Sehr oft auf Kosten des Geschmacks.

ADRIENNE. Sich so von allem Menschlichen entfernen – –

PAUL. Lass' uns nicht kritisieren, Adrienne. Wir leben in Paris. Uns ist es leicht gemacht in solchen Dingen mehr Maß zu halten. Das ist Kultur – die weniger rein gedeiht auf jenen exponierten Posten, die um der wirtschaftlichen Ausbeutung willen gehalten werden. Der Rohstoff, der dort gewonnen wird, macht wohl den Menschen wieder zum Rohstoff. Schlecht ist ein solcher Mensch nicht – nur primitiv. Und wenn er einmal im Jahr aus seinem Dschungel nach Paris kommt – schwer von Vermögen – wo Generalversammlung ist, dann inszeniert er solchen Ball und findet seinen Spaß, den wir nicht fühlen.

ADRIENNE. Jetzt ist mir förmlich bange, wieder in den Saal zurückzukehren.

PAUL. Warum?

ADRIENNE. Weil alles so äußerlich bewertet wird. Ich habe doch nur eine Perlenkette.

PAUL. Schämst du dich deshalb? Das ist ein Vorteil, Adrienne, daß du so schlicht geschmückt bist. Glaub' mir, auf die Dauer ermüdet der Anblick so übermäßiger Juwelen. Das Auge sucht nach Ruhe – nach Reinheit von Blendwerk und Verblüffen.

ADRIENNE. Du tröstest mich nur.

PAUL. Nein – ich bin fest davon überzeugt. Von diesem Ausgang. Du fällst auf. Im Lauf des Abends mehr und mehr. Weil du dich unterscheidest von allen. Zuerst weiß man nicht recht, woher es stammt. Es ist ein Eindruck da, den man nicht kontrolliert. Man prüft von neuem – und man sieht dich. Gesehen werden muß man, das ist entscheidend. Und alle Schranken fallen. Der Präsident ist nicht mehr unnahbar. Er läßt sich sagen, wer die Frau ist, die so königlich den Kopf trägt, daß sie des Zierats entraten kann –

ADRIENNE. Das phantasierst du, Paul.

PAUL. So sicher bin ich meiner Sache, daß wir dem Präsidenten heute abend gegenüberstehen werden und daß der Eindruck, den du auf ihn machst, sich morgen auswirkt – im Kredit.

ADRIENNE. Ich habe keinen Mut – mit dieser Perlenkette, die nur geliehen ist.

PAUL. Trag' sie wie einen Schatz. Du kennst den Wert. Für uns zu hoch. Er wäre für mich unerschwinglich, wenn sie verlorenginge.

ADRIENNE. Was sagst du da? Ich könnte sie verlieren? *Sie faßt instinktiv nach der Kette und starrt Paul an.*

PAUL *ebenfalls betroffen.* Das wäre schrecklich. Ich könnte sie nie ersetzen. Im Augenblick, da ich mich um Kredit bemühe – der abgeschlagen wird – gerät die Kette in Verlust. Man kombiniert doch rasch – und der Verdacht schon tötet.

ADRIENNE. Ich hätte mir nie die Kette leihen sollen.

PAUL *wieder lebhaft.* Du sollst nur denken, Adrienne: ich trage hier an meinem Hals das Schicksal – die Zukunft – den guten Namen meines Manns. Dann hat sie doch den tausendmal höheren Wert als aller Schmuck im Saal. So stärkt es dein Bewußtsein und vor dem Präsidenten stehst du stolz – und schön.

ADRIENNE. Wenn ich doch das nur glauben könnte.

PAUL. Was glaubst du nicht?

ADRIENNE. Schön sind die andern – ich bin ein kleines Mädchen.

PAUL. Weißt du eigentlich, wie schön du bist? *Er nähert sich ihr.* Wie schön du heute abend bist? Senk' doch den Fächer.

ADRIENNE. Wie siehst du mich an, Paul?

PAUL. Hier sind wir allein. In der Oase mit Palmen und Quellen. Draußen ist die Wüste. Die Menschenwüste, die ihren Tanz aufführt. Ums goldne Kalb. Wir haben uns aus ihrem Lärm geschlichen – aus Licht und Schatten – – und wir küssen uns – – wir küssen uns – – – – *Er hat sich fast über sie geworfen.*

ADRIENNE *sich seiner erwehrend.* Paul – – – – nicht so – – – – – – *Mit schwachem Aufschrei.* Die Kette!

PAUL *läßt sofort von ihr ab und richtet sich auf. Verwirrt.* Ich habe auch getrunken. Dazu die schwüle Luft hier. Es ist im Saale frischer. Komm' wieder in den Saal.

ADRIENNE. Wie du mich zerwühlt hast – die Frisur. Ich muß mich erst frisch pudern.

PAUL. Dann warte ich im Saal. Hier müßte ich ersticken. *Er geht links hinaus.*

Adrienne tritt unter eine Glühlampe – entnimmt ihrem Täschchen Spiegel und Puderdose und beginnt sich zu pudern.
Schon vorher ist der Ballgast durch den rechten Zugang eingetreten. Bei der ungestümen Szene zwischen Paul und Adrienne trat er hinter das Buschwerk zurück, das er nun verläßt, um sich Adrienne zu nähern. In einigem Abstand bleibt er hinter ihr stehen.
Adrienne, die seinen leisen Schritt nicht hörte, bemerkt ihn im Spiegel. Sie weiß sich beobachtet und dreht sich fragend nach dem Ballgast um.

BALLGAST *lächelnd.* Das war – ein stürmischer Liebhaber. Ich hätte Madame beschützt, wenn man um Hilfe gerufen hätte. Aber man rief nicht um Hilfe.

ADRIENNE. Warum – wollen Sie mich schützen?

BALLGAST. Ich sagte, daß kein Bedürfnis vorzuliegen schien und volles Einverständnis bestand. Man ließ sich küssen – und, wenn das Nest verschwiegener gewesen wäre, noch heißer küssen.

ADRIENNE. Das haben Sie gehört?

BALLGAST. Noch mehr. Betrachtet.

ADRIENNE. Wie Paul – *Sie bricht ab.*

BALLGAST. Es ist ein Paul. Ich werde raten, was für ein Paul er ist. Der Ehemann? Er brauchte nicht in einen Wintergarten bei einem Ballsaal zu schlüpfen – er hat sein Heim. Also der werte Gatte nicht. Getroffen?

ADRIENNE *nun doch belustigt.* Nein – es ist kein Ehemann.

BALLGAST. Dann heißt es seinen Platz als Freund ihm zuzuweisen. Es ist ein Freund, den Sie noch nicht lange haben. Ich schätze – seit vier Wochen. Ein Monat Liebe. Gut gerechnet?

ADRIENNE. Ungefähr.

BALLGAST. Kürzer? Das wäre schade.

ADRIENNE. Warum ist das schade?

BALLGAST. Weil es Chancen verringert. Oder nicht? *Er ist dicht an sie herangetreten.*

ADRIENNE *zurückweichend.* Was wollen Sie mit allem, was Sie reden, sagen?

BALLGAST. Nichts weiter, als daß ich –

ADRIENNE. So reden Sie nicht weiter!

BALLGAST. Als daß ich aus reinster Nächstenliebe – *Er will sie mit einer Fingerspitze berühren.*

ADRIENNE. Ich rufe laut! Ich rufe Paul!

BALLGAST. Sie auf die kleinen Schäden aufmerksam machen möchte, die Paul auf ihren Alabasterschultern verursacht hat. Sie könnten unmöglich jeden Fleck entdecken, da auch der Nacken gezeichnet ist.

ADRIENNE *erschrocken.* Was sind denn das für Flecken?

BALLGAST. Sie fragen sonderbar.

ADRIENNE. In meinem Nacken?

BALLGAST. Da Paul heftig küßte.

ADRIENNE. Das – sieht man?

BALLGAST. Und täuscht sich nicht, woher die Bisse stammen.

ADRIENNE *stammelnd.* Ich kann doch nicht mehr in den Saal gehn – wo Paul, der wartet, mich dem Präsidenten vorführen will – –

BALLGAST. Man kann doch helfen. Es soll kein Präsident schockiert sein. Wer hat denn Angst.

ADRIENNE. Sie können mir helfen? Der Präsident wird sich nicht ärgern? Wer sind Sie?

BALLGAST. Ein Ballgast mit Ihnen auf demselben Ball. Ist das nicht etwas, was uns näherbringt?

ADRIENNE. So helfen Sie mir jetzt.

BALLGAST. Sie geben mir den Puder und die Quaste. Danke. – Sie drehen mir den Rücken zu. – So. – Ich tupfe Puder drüber – da verschwinden die glühenden Brandmale – die böser Paul entfacht hat – – schlimmer Paul, der sich vergißt – – und nicht wartet – – weil es zu spät ist – – für ihn – – weil ich dich mitnehme – – wo du und ich – – allein – – ganz allein – – – – *Plötzlich packt er sie rücklings und küßt sie gierig auf den Nacken.*

ADRIENNE *befreit sich – entläuft eine Strecke.* Verfolgen Sie mich nicht!

BALLGAST *keuchend.* Du sollst mir folgen!

ADRIENNE *ordnet noch die Kette an ihrem Hals – streicht sich übers Haar und bahnt sich, als der Ballgast auf sie zukommt, einen Weg durch das Buschwerk, um die Tür links zu erreichen. Ab.*

BALLGAST *gewinnt seine Haltung wieder – schlendert zur Tür rechts – ab.*

Einige Zeit nur die Ballmusik und die tanzenden Schattenpaare auf den Milchscheiben.
Adrienne kommt zurück. In Hast bis zum Sofarund. Beide Hände hielt sie um den Hals gepreßt – jetzt läßt sie los: die Perlenkette fehlt.
Ihr Suchen beginnt: sie tastet die Sofapolster ab – sie bückt sich unter das Sofagestell. Kreuz und quer durchschreitet sie den Raum – wiederholt diese vergeblichen Gänge. Sie rastet im Sofa und überlegt angestrengt.
Dann fällt ihr die Flucht durch das Buschwerk ein – sie begibt sich in das Dickicht.
Ihr Schrei klingt auf – ein Schrei des Schreckens.
Sie wankt aus dem Buschwerk heraus – hockt auf dem Sofarand: auf der flachen Hand ein Stück der Schnüre – nur noch die Schließe daran.
Wie versteinert starrt sie vor sich hin.
Der Ballgast kehrt rechts zurück und stellt sich neben dem Sofa auf.

BALLGAST *nach einem Schweigen.* Ein kurzer Aufenthalt im Saal. Dann eine jähe Wendung und Rückkehr in den Wintergarten. Ich beobachtete alles. Gab es einen Vorfall mit Paul?

ADRIENNE *regt sich nicht.*

BALLGAST. Oder doch meinetwegen?

ADRIENNE *ruhig.* Ich – habe meine Perlenkette verloren.

BALLGAST *hinsehend.* Ist das der Rest?

ADRIENNE. Die Schließe.

BALLGAST. Und die Perlen?

ADRIENNE. Im Abfluß fortgeschwemmt – unter den Büschen.

BALLGAST. Das heißt auf Nimmerwiedersehn.

ADRIENNE. Ja.

BALLGAST. Nun sind Sie todtraurig?

ADRIENNE *tonlos heraus*. Paul.

BALLGAST. Sie stammten von Paul?

ADRIENNE. Nein.

BALLGAST. Soll Paul neue beschaffen?

ADRIENNE. Paul kann keine Perlkette kaufen.

BALLGAST *setzt sich neben Adrienne aufs Sofa*. Man kann doch solchen Schaden reparieren, wenn man ihn so betrauert. *Er zieht einen seiner Ringe vom Finger*. Ich glaube nicht, daß dieser Ring nicht ausreichen sollte, die Perlenkette zu ersetzen. *Er hält ihr den Ring hin*.

ADRIENNE *mechanisch hinsehend*. Das ist gewiß ein edler Ring.

BALLGAST. Ein Stein von reinstem Wasser.

ADRIENNE. Man sieht sein Feuer.

BALLGAST. Findet er Gefallen? Um morgen ihn für eine neue Perlenkette einzutauschen? Beim Juwelier, dem das Vergnügen macht?

ADRIENNE *staunend*. Mir wollen Sie ihn geben?

BALLGAST. Handelseins? *Er hält ihr die andre Hand hin*.

ADRIENNE *legt ihre Hand hinein. Lächelnd*. Sie haben ja auch Schuld. Weil Sie mich nicht bloß puderten. Das war doch hinterlistig – und was hätten Sie von mir gedacht, wenn ich nicht weggelaufen wäre. Sie trieben mich in das Gebüsch – und da sind Stacheln an diesen wilden Gewächsen, die rissen mir die Kette ab. Jetzt büßen Sie – jetzt müssen Sie bezahlen – jetzt sind Sie Ihren Ring los. *Sie streckt ihre Hand nach ihm aus*.

BALLGAST *hält sie zurück*. So wird doch nicht gerechnet. Du liefst doch weg. Ich habe dich nicht ins Gebüsch gejagt. Du machtest mir Avancen. Oder glaubst du, ich hätte nichts verstanden? Mit Paul hier nicht – und das sich pudern lassen? Du bist von A bis Z erfahren – und wie man Ringe verdient, das weißt du – und das weiß ich. Sonst gibt es keine Gnade! *Er streift sich den Ring wieder an den Finger*.

ADRIENNE *versteht. Was in ihr vorgeht, zeigt sich mit raschem Wechsel in ihrem zuckenden Gesicht*.

BALLGAST. Überleg' nicht lange. Du bist hier nicht die einzige. Mein Schiff fährt morgen abend. Ich habe also nicht viel Zeit – um eine freundliche Erinnerung mitzunehmen in meinen tristen Erdteil, wie jedesmal aus dieser schöneren Welt.

ADRIENNE *lachend*. Ich – komme morgen. Morgen nachmittag.

BALLGAST. Warum so spät?

ADRIENNE. Weil Sie doch noch die Perlenkette besorgen müssen. Ich will die Perlenkette haben. Genau wie die, die ich verloren habe.

BALLGAST. Wie soll ich die denn kennen?

ADRIENNE. Sie gehen zum Juwelier Brantôme. Brantôme – verstanden? Brantôme. Bei ihm bestellen Sie zu dieser Schließe die Kette, wie er sie für Frau Helene Duffin geliefert hat. Duffin – verstanden? Er wird sich gut erinnern. Sie können das bezahlen?

BALLGAST. Ich kann bezahlen.

ADRIENNE. Ja – das ist nicht billig. Das muß man sich dann etwas kosten lassen. Von dieser Perlenkette hängt doch alles ab!

BALLGAST *irgendwie beeindruckt*. Sie kommen doch bestimmt?

ADRIENNE. Ich hole mir meine Kette! Wo hole ich sie ab?

BALLGAST *gibt ihr eine Karte*. Hier fragen Sie nach mir. Um fünf?

ADRIENNE. Um fünf – um fünf – für diese Perlenkette. Vergessen Sie das nicht.

BALLGAST. Verlassen Sie den Ball schon?

ADRIENNE. Ich bin doch ohne Kette. Wie kann ich mich hier weiter sehen lassen. Der Ball ist aus – ich fahr' nachhaus! *Sie läuft rechts hinaus.*

BALLGAST *steckt die Schließe ein und steht auf.*

Die Ballmusik hat inzwischen aufgehört – die Milchscheiben sind von Schatten leer.
Paul kommt eilig links.

PAUL *in Aufregung verwirrt zum Ballgast*. Ich suche eine Dame, die früher hier gewesen ist – die ich im Saal nicht finde – ich habe schon im Vestibül – das Treppenhaus – es kann doch keiner spurlos verschwinden, wo so viel Menschen sind. Man muß sie doch gesehen haben. Erschien sie Ihnen nicht? Ich kann sie gut beschreiben.

BALLGAST. Sehr freundlich – doch ich glaube danken zu dürfen.

PAUL *stutzt. Dann übersprudelnd*. Verstehen Sie mich doch. Jetzt ist der Präsident bereit, mich anzuhören. Wir sollen an seinem Tisch Platz nehmen. Endlich sind zwei Stühle frei. Und da geschieht es, daß ich sie nicht finde – und weil ich sie nicht finde, bin ich so verwirrt, daß ich nicht werde reden können – und ein Leben voller Zukunft geht in Rauch auf! *Er schlägt die Hände gegen die Schläfen und sieht sich hilfesuchend um.* Hier nicht und dort nicht – kommt sie denn nie wieder? *Er stürmt wieder links hinaus.*

BALLGAST *sieht ihm nach und lächelt.*

Bei Duffin. Helenes Boudoir.
Zofe tritt links ein.

HELENES STIMME *durch die offene Tür rechts.* Marie?
ZOFE. Frau Ambrossat ist gekommen.
HELENES STIMME. Ich erwarte sie hier.
ZOFE *ab.*

Helene kommt mit einer Handarbeit und setzt sich in einen Sessel – weiter stickend. Nach einer Weile drückt sie auf einen Klingelknopf.
Zofe von links.

HELENE *ohne aufzusehen.* Wo bleibt Frau Ambrossat?
ZOFE. Frau Ambrossat pudert sich noch.
HELENE. Sie kann sich hier pudern. Sagen Sie es.
ZOFE *ab.*

Adrienne – in Pelzjackett und mit Pelzmuff – kommt.

HELENE *blickt nur flüchtig hin, um den Faden ihrer Stickerei nicht zu verlieren.* Seit wann puderst du dich so gründlich? Es war doch sonst nicht deine Vorliebe. *Spöttelnd.* Puder soll nur verdecken, was man sich zu zeigen schämt. Auch eine Lüge der Gesellschaft. – Bist du inzwischen von deiner strengen Beurteilung abgekommen?
ADRIENNE *läßt sich in einen Sessel nieder.*
HELENE. Nun? So schweigsam? Natürlich nicht ausgeschlafen. Die lange Ballnacht. Wie war denn der Ball?
ADRIENNE *mit einer leblosen Stimme.* Das – war ein schöner Ball.
HELENE. Belegt klingt deine Stimme, als ob du noch gar nicht geruht hättest. So viel getanzt?

ADRIENNE. Ich – habe jeden Tanz getanzt.

HELENE. Bestürmten dich die Tänzer?

ADRIENNE. Ich – hatte immer Tänzer.

HELENE. Und Paul?

ADRIENNE. Mit Paul – tanzte ich auch.

HELENE. Und wenn du nicht mit Paul tanztest?

ADRIENNE. Ich habe doch fast nur mit Paul getanzt.

HELENE. Bei seiner Eifersucht – du weißt, er fuhr einmal von einem Ball, der kaum begonnen hatte, mit dir nachhaus, weil ein Herr dich zweimal zum tanzen aufgefordert hatte.

ADRIENNE. Damals – wir waren eben erst verheiratet.

HELENE. Du redest, als wärt ihr ein altes Ehepaar, das sich schon gleichgültig ist. Die Hochzeit war vor einem Jahr.

ADRIENNE *mit gerunzelter Stirn.* Vor einem Jahr war das?

HELENE. Nicht heute. Neulich als ihr den Erinnerungstag groß feiertet. Im Ritz. Zu zwein. Ihr seid ja so verliebt.

ADRIENNE *stumm.*

HELENE *aufsehend.* Was hast du denn? Dir stehen Tränen in den Augen. Weil ich das sagte? Das ist doch kein Grund gekränkt zu sein. Ich spreche ebenso offen von meinem Mann. Henri braucht immer einen Kreis von Menschen um sich. Er fände es absurd, mit mir allein sich hinzusetzen, um einen intimen Gedenktag zu begehn. Dazu lädt er das Haus voll Gäste.

ADRIENNE *stockend.* Er würde sich also nicht sehr grämen. –

HELENE. Was meinst du, Adrienne?

ADRIENNE. Wenn du – – von diesem Gästeschwarm umgeben – – dich vergessen könntest?

HELENE. Merkwürdig fragst du. Wenn ich dich recht verstehe – müßte ich dich auffordern, mich zu verlassen und nie mehr zu kommen. Nein, ich verstehe nicht. *Wieder stickend.* Erzähle von dem Ball.

ADRIENNE *sich mühsam sammelnd – mit erzwungener Lebhaftigkeit.* Es war natürlich ein Fest, das sich zu erleben lohnte. Die Auffahrt verstopfte Straßen. Ein Peitschenknallen – und die Polizisten schrien. Es war ein wildes Vorspiel. Dann stieg man aufwärts im Treppenhaus – und dann wuchs das Licht je mehr man sich dem Saale näherte. Wie in die Sonne ging man. Paul hat es mir alles erklärt. Es waren neue Lampen eingesetzt. Im Saale spielte die weltberühmte Kapelle – *Sie stockt.*

HELENE. Grenadier.

ADRIENNE. Ja. Hinreißend spielte sie. Man konnte sich nicht trennen von den Klängen. Wir gingen gar nicht aus dem Saal. Wir hielten uns immer in Orchesternähe und lauschten der Musik.

HELENE. Es gab doch Pausen.

ADRIENNE. Die fühlten wir gar nicht. Wir waren wie verzaubert. Wir hielten uns an unsern Händen. Wir standen unbeweglich – und merkten nicht, daß sich der Saal geleert hatte. Wir harrten im Saal aus – und ich schwöre dir – ich schwöre dir bei dem, was mir das heiligste im Herzen ist – bei meiner Liebe zu Paul! – ich habe nicht einen Augenblick den Saal verlassen. Den Saal – und nichts. Ich blieb bei Paul, der nie – nie von mir wich!

HELENE *spöttelnd.* Dann war doch eigentlich der Zweck des Abends verfehlt?

ADRIENNE. Was für ein Zweck?

HELENE. Es sollte der Präsident erobert werden. Für den Kredit. Doch ihr lauschtet unentwegt der Musik.

ADRIENNE. Ich habe dir ja noch nicht das Ende des Balls erzählt. Am Schluß fand die Begegnung statt. Da war doch das Orchester schon weggegangen – und deshalb konnten wir uns nun dem Präsidenten widmen. Er saß in einer Loge – und auf goldnen Stühlen um ihn herum der Generalrat. Der ganze Generalrat war versammelt – und als wir in die Loge traten, erhoben alle sich und der Präsident ging auf uns zu. Mir küßte er die Hand – so wirklich ritterlich – ich hätte weinen mögen – doch Paul ermahnte mich mit einem Blick, ihn jetzt nicht instich zu lassen – – und da gab ich mir die größte Mühe – – nichts zu verderben – – mich nicht zu sträuben – – in den Schmutz zu steigen – – zu sinken – – bis auf den Grund des Schlamms – – von dem man sich nicht reinigt – – so fürchterlich besudelt – – – – – – –

HELENE *ließ ihre Stickerei sinken und betrachtet Adrienne.* Jetzt sehe ich dich erst. Wie bist du denn abscheulich geschminkt? Das sieht doch widerwärtig aus.

ADRIENNE *erwacht aus ihrer Starrheit. Mit hilflosem Lächeln.* Ich trug zu reichlich auf.

HELENE. Das – und dein Reden. Das sind doch alles Flunkerein. So spricht kein Mensch, der einen schönen Ball erlebt hat. Ist dir etwas passiert?

ADRIENNE *denkt rasend nach. Dann aus ihrem Muff das Etui ziehend.* Beinahe – hätte ich die Kette verloren.

HELENE. Ist das der Anlaß?

ADRIENNE. Jetzt lachst du. Denn ich bringe sie dir wieder. Aber das ist nur dem Zufall zu verdanken. Ich machte doch den Weg hierher zu Fuß. So frische Winterluft weht. Es liegt auch Schnee. Man geht ganz lautlos. Man vergißt das Denken – und denke dir, wie man sich etwas einbilden kann. Plötzlich in einer Straße, die weniger beleuchtet ist, fühle ich mich verfolgt. Weil ich doch eine Perlenkette im Muff habe, muß auch ein Räuber dasein. Das setzt sich mir im Kopf fest – unweigerlich. Ich brauchte mich nur umzusehn, um festzustellen, daß mir niemand folgt – ich kann es nicht, ich muß den Schritt beschleunigen – ich laufe schließlich und da bereite ich mir selbst das Unglück. Ich gleite von einem Bordstein ab und falle – und aus dem Muff rutscht das Etui – und gerade kann ich es noch fassen, bevor es ein Abfluß- rohr verschluckt – auf Nimmerwiedersehn.

HELENE *lachend*. Du hättest nicht zu fallen brauchen – auf deiner Flucht vorm Räuber, der sich nicht groß bereichert hätte.

ADRIENNE *verstummt*.

HELENE. Die Perlen sind nicht echt. Kindskopf, ich konnte dir doch meine echte Kette nicht geben.

ADRIENNE. Nicht – echt?

HELENE. Ich darf die echten selbst nur tragen, wenn Henri mich begleitet. Sonst nehme ich die Imitation. Die lieh ich dir.

ADRIENNE. Warum – hast du es mir nicht gesagt?

HELENE. Man sieht den Unterschied doch nicht. Du wünsch- test auf Empfehlung von Frau Jesserin – und dein Mann unterstützte den Vorschlag – dir eine Perlenkette für den Ball. Es hätte dich bestimmt beeinflußt, wenn du es wußtest, daß du den falschen Schmuck trägst. Echt ist nur die Schlie- ße – die Perlen kaufst du für fünfzig Francs.

ADRIENNE *tonlos*. Für – fünfzig – Francs – – – –

HELENE. Wer hat es denn bemerkt? Du nicht – Paul nicht – die Gäste nicht. Die Täuschung ist gelungen. Also freue dich.

ADRIENNE *mit müder Bewegung*. Hier – ist die Kette.

HELENE *nimmt das Etui und stellt es achtlos beiseite. Sich über ihre Stickerei beugend*. Sieh' einmal her. Soll ich für diese Blümchen ein rosa oder lila – *Sie sucht im Garnkorb.*

ADRIENNE *erhebt sich mühselig und geht schleppend links weg.*

Bei Ambrossat. Kleiner Salon.
*Paul – in verschnürter Hausjoppe – sitzt im Lichtbereich
einer Standlampe und liest die Zeitung. Dann lauscht er
nach einem Geräusch im Flur – steht auf und geht rasch zur
Tür.*

PAUL *in der offenen Tür.* Adrienne – endlich. Ich war ernsthaft besorgt, daß dir etwas zugestoßen sein könnte. – –
Willst du nicht hereinkommen?

Adrienne tritt ein.

PAUL. Warum ist es denn so spät geworden?
ADRIENNE *immer wie abwesend.* Ich mußte doch erst ablegen.
PAUL. Das war jetzt. Aber vorher. Von deiner Freundin bis
zu uns dauert mit einem Wagen der Weg doch nicht eine
Stunde. Wie erklärst du denn das?
ADRIENNE. Ja – zuerst hatte ich vergessen dem Kutscher zu
sagen, wohin ich fahren will. Dann habe ich es ihm nachher
gesagt.
PAUL *heiter.* Wolltest du heute abend gar nicht mehr
kommen?
ADRIENNE. Ich – bin doch gekommen.
PAUL. Das war ein endloser Tag. Wir haben uns nicht ge-
sehen seit – Soll ich mehr Licht machen?
ADRIENNE. Mehr Licht nicht.
PAUL. Nur unser kurzes Telephongespräch mittags. Das war
ganz ungenügend. Du warst einsilbig. Mit ja und nein
mußte ich mich zufrieden geben und dir die Erklärungen
abfragen. Konntest du nicht etwas gesprächiger sein?
ADRIENNE *hat sich auf einen Divan außerhalb des Lichtkrei-
ses niedergelassen.* Wenn man – doch schläfrig ist.
PAUL. Gestern nacht – heute früh schliefst du wie ein Stein.
Kein Anruf erweckte. War denn der Ball so anstrengend?
Obwohl du nur ein drittel erlebtest?
ADRIENNE. Ich habe – so viel erlebt.
PAUL. Das sind nun Übertreibungen, Adrienne. Erlaubst du
mir auszusprechen, was dich aus dem Ballsaal vertrieben
hat?
ADRIENNE. Was – weißt du – –
PAUL. Der Lärm nicht, das Licht nicht, die Leute nicht, nicht
deine Schüchternheit – die Perlenkette.

ADRIENNE *mit einem Anflug wehen Spotts.* Die – Perlen-kette – –

PAUL. Es sprühte nicht Schmuck genug auf deinen Schultern. Die anderen waren ja so beladen, daß dich die Konkurrenz erschreckte. Entsinnst du dich des Wintergartens? Wie ich dir predigen mußte dich nicht zu schämen. Es hat mir wenig genutzt: du kamst nicht wieder aus dem Wintergarten und fuhrst nachhaus. Als mir der Diener die Bestellung machte, du hättest den Ball verlassen – ich glaubte in den Boden zu sinken. – War das nicht ein wenig kleinlich von dir gehandelt? So kenne ich dich sonst nicht.

ADRIENNE. So war es – und so kleinlich von mir gehandelt – –

PAUL. Im Ernst, Adrienne, es hat mich heute gequält. Es war ein neuer Zug – in meinem Bild von dir, das keinen Schnörkel verträgt. Du stehst so klar vor meinem inneren Auge – ich schaue wirklich dich im Geiste an, der mehr als dieses Leben ist! – daß mir auch dieses Leben zerbricht, wenn sich das Bild trübt – um einen Schatten stärker als mit dem Vorfall gestern. Kann das je geschehen?

ADRIENNE. Ich will – dein Leben – nicht zerbrechen – –

PAUL. Du mußt auch mir vertrauen. Der Weg führt aufwärts. Daß mir gestern kein Erfolg beim Präsidenten beschieden war, verdirbt noch nichts. Gewiß, ich hätte das Eisen feuriger geschmiedet, wenn du dabei gewesen wärst – doch ein Ergebnis von einigem Gewicht erzielen auf einem Ball? Das spukte so bei mir. Ein Präsident denkt gar nicht an Geschäfte, wenn er beim Sekt sitzt und mit schönen Frauen. Es war die ungünstigste Gelegenheit. Das einzig richtige habe ich jetzt getan. Mein schriftliches Gesuch ist abgesandt. Ich habe alle Gründe dargelegt, die mich berechtigen, um den Kredit zu bitten. Nun kann die Prüfung meiner Würdigkeit in aller Ruhe von der andern Seite vorgenommen werden. Ich kann gelassen die Entscheidung abwarten. Ich will mir – meinem Fleiß und meinem Können den Erfolg verdanken und nicht dem Mißbrauch einer guten Laune des hohen Herrn in einer Ballnacht. Ist das nicht schöner, Adrienne?

ADRIENNE *antwortet nicht.*

PAUL *setzt sich wieder in seinen Sessel.* Übrigens, als ich bei deiner Freundin anrief – du warst nicht da –

ADRIENNE *mit einem Aufschrecken.* Wann – war ich nicht da?

PAUL. Du warst schon weg.

ADRIENNE *aufatmend*. Ach so – –

PAUL. Ich ängstigte mich nicht nur deinetwegen. Du brachtest ihr die Kette wieder. Es ist ein Wertstück, das man nicht ohne Schutz spazieren trägt. Ich hätte dich begleiten sollen. Du weißt, wie ein Verlust mißdeutet werden konnte.

ADRIENNE. Ich – wußte es – –

PAUL. Nun hat sie ja Frau Duffin wieder. Es war mir wirklich leichter ums Herz, als sie mir den Empfang bestätigte. Ein zweites Mal würde ich es verbieten. Nichts wieder leihen – lieber ganz verzichten. *Nach der Zeitung greifend.* Und andern Tags es in der Zeitung lesen, was man versäumt hat. Hör' zu, wie's gestern war. Zwei Spalten von dem Ball. Ein überschäumender Bericht. Die Überschrift: ein Märchen aus tausendundeiner Nacht. *Vorlesend.* Wenn Menschen in diesem Zeitalter der Erfindungen und der alles beherrschenden Technik es nicht verlernt haben Feste von einem Ausmaß, wie wir es gestern gesehen haben, zu feiern, so soll es uns die Gewähr geben, daß niemals die Maschinen mit ihren Schwungrädern und Transmissionen den menschlichen Geist zertrümmern werden. Das Gegenteil scheint der Fall zu sein. Wenn auf der einen Seite die Industrie mit ihren nüchternen Realitäten ihr Gebiet mit immer weiteren Eroberungen vergrößert, so scheint sich auf der anderen Seite ein Ausgleich mit nicht geringerem Wachstum zu vollziehen: im Reich der Phantasie. Um das zu begreifen, treten wir einen Rundgang durch die Räume des Ballpalastes an und beginnen – – – –

ADRIENNE *ist auf dem Divan umgesunken und liegt in tiefem Schlaf.*

ZWEITER AKT

Bei Ambrossat. Kleiner Salon.
Paul steht am Tisch – öffnet Briefe und liest sie. Als er den
nächsten nimmt, malt sich beim Anblick des Briefumschlags
freudige Überraschung in seinem Gesicht.

PAUL *laut.* Adrienne – – Adrienne!

Adrienne – in einem grauen Tuchkleid – kommt.

PAUL. Es ist Antwort gekommen. Vom Präsidenten. Er hat
sich schon geäußert. Das ist früher als ich erwarten konnte.
Oder hast du die geringste Ungeduld bei mir gesehen?
ADRIENNE *lächelnd.* Du hast dir wenigstens nichts anmerken
lassen.
PAUL. Jedenfalls habe ich mich großartig beherrscht. Natürlich brannte ich auf Nachricht. Ich sah doch einer Entscheidung entgegen, die großartige Perspektiven eröffnet. Mit
einiger Kapitalkraft, Adrienne, ist meine Position grundlegend verändert. Gewiß, wir leben nicht in engen Verhältnissen, es ist bereits tüchtig vorwärtsgegangen – aber meine
Spannkraft strebt weiter hinaus. Ich beurteile mich kühl und
richtig, wenn ich mir mindestens dieselbe Befähigung zu-
spreche, die den Mitgliedern des Generalrats reserviert sein
soll. Es sind sogar rechte Schafsköpfe unter ihnen – und das
ist nur gut. Man wird sie übertreffen und eigne Leistungen
vorweisen, die kein Präsident in Wolkenhöhe übersehen
könnte. Und auch der Thron –
ADRIENNE. Ist dir nicht hoch genug. Du wirst der liebe
Gott.
PAUL. Verstiegen? Was? Fata morgana? Es klingt wie große
Worte, hinter denen sich nichts versteckt – *Achselzuckend.*
Ich kann den Spott ertragen. Doch wenn es sich eines Tages
zeigt, daß meine Karten Trümpfe waren? Wenn ich das
Spiel aufdecke? Was äußert Adrienne dazu?
ADRIENNE. Nichts – und damit mußt du zufrieden sein. *Sie*
küßt ihn.
PAUL *sie an sich ziehend.* Du bist der Lohn, den ich mir doch
verdienen muß.
ADRIENNE *löst sich von ihm.* Nun lies den Brief.
PAUL *schlitzt den Umschlag mit dem Briefmesser auf – ent-*

faltet den Brief und liest mit wachsender Betroffenheit. Er läßt den Brief sinken und sieht Adrienne an.

ADRIENNE. Was ist denn?

PAUL *gibt ihr wortlos den Brief hin.*

ADRIENNE *liest. Dann ruhig.* Du Armer. Damit hast du nicht gerechnet?

PAUL *wie erstarrt.* Nein.

ADRIENNE. Es war doch niemals sicher.

PAUL So sicher zählte ich – – – – *Er nimmt ihr den Brief aus der Hand.* Es ist doch unmöglich – – – – *Laut aus ihm vorlesend.* – – wir keinem lieber als Ihnen in voller Würdigung Ihrer uns stets besonders nützlichen Leistungen – – jedoch die derzeit völlige Beanspruchung unsres Kreditvermögens auf allen Märkten – – bedauern wir – – – – *Er schüttelt wie verständnislos den Kopf.*

ADRIENNE. Du siehst, es richtet sich nicht gegen dich. Es ist jetzt viel Kredit beansprucht.

PAUL *tonlos.* Abgelehnt – – – – *Er setzt sich in einen Sessel.*

ADRIENNE. Das ist doch kein Unglück, Paul. Enttäuschung, Paul, die überwindet man. Tut sich nun gleich der Abgrund auf? Du wirst in allem, was du vorhast, dich etwas zügeln müssen. Ist das so schlimm? Du hast es selbst gesagt, du bist schon tüchtig weitergekommen. Ich treibe dich doch nicht. Ich wünschte eher, nun käme nichts mehr – und so wie es ist, bleibt alles. Eine kleine stille Welt für uns. Die reiche Welt ist laut. Suchst du den Lärm?

PAUL *seufzt.*

ADRIENNE *streicht ihm übers Haar.* Deshalb nicht jammern. Nicht den Mut verlieren. Und wenn es sein soll – wenn du es so willst, bewirbst du dich das nächste Mal beizeiten um Kredit. Noch vor den andern. Dann ist es nicht zu spät.

PAUL. Es – ist zu spät.

ADRIENNE. Für diesmal.

PAUL. Nein – für immer.

ADRIENNE. Das versteh' ich nicht.

PAUL. Das ist begreiflich, daß ich – – *Aufblickend.* Was sagtest du vom Abend? Vor meinen Füßen klafft er nicht weit.

ADRIENNE. Was ist so schrecklich?

PAUL. Ich habe mich schon engagiert. Ich bin schon in Geschäfte eingetreten, an die ich gebunden bin. Ich habe Konkurrenten aus dem Feld geschlagen, die über die erforderlichen Mittel verfügten – und Anteile für mich genommen, die ich aus dem Kredit bezahlen wollte. Aus dem Kredit, an dem ich doch nie zweifelte. Ich hab' doch fest geglaubt – *Das Gesicht in den Händen verbergend.* Ich bin doch kein Betrüger!

ADRIENNE. Kannst du nicht mit dem Brief beweisen –

PAUL. Daß man mir nicht vertrauen darf. Ein Spekulant bin – gefährlich und anrüchig wie ein Spieler, der seine Spielschuld nicht bezahlt und ausgestoßen wird – zu Lumpen und Piraten! *Er schluchzt und schüttelt sich.*

ADRIENNE *grübelt lange. Dann fragt sie ruhig.* Wieviel Geld brauchst du?

PAUL. Wenn ich nur irgendeine Summe – von einigem Ansehn – nicht um zu handeln – das sind längst so winzige Sorgen – Gewinn und Vorteil – lächerliche Dinge. Der Handel geht doch nicht um das – es handelt sich um meine Ehre!

ADRIENNE *steht hinter ihm und legt die Hände auf seine zuckenden Schultern.* Sei zuversichtlich. Es wird dir geholfen.

Bei Duffin. Helenes Boudoir.
Zofe öffnet links die Tür, durch die Adrienne rasch eintritt.
Aus der offenen Tür rechts Helene.
Zofe schließt die Tür links; ab.
Helene und Adrienne treffen sich in der Mitte des Zimmers und begrüßen einander mit Küssen und Umarmung.

ADRIENNE. Liebste Helene.

HELENE. Liebste Adrienne.

ADRIENNE. Wie siehst du aus? Reizend wie immer.

HELENE. Seit wann machst du einer Freundin Komplimente?

ARDIENNE. Seit wir uns so lange nicht gesehen haben. So unendlich lange.

HELENE. Du kamst nicht mehr. Ich dachte, du grolltest mir. Da wollte ich dich nicht aufsuchen.

ADRIENNE. Warum soll ich dir denn grollen?

HELENE. Also wirklich nicht?

ADRIENNE. Was meinst du nur?

HELENE. Dann ist es ja gut. *Sie zieht sie auf einen Divan neben sich nieder.* Was hat dich denn so in Anspruch genommen, daß du mir keine Minute mehr widmetest?

ADRIENNE. Ach es gibt so viel zu erzählen. Du kannst dir nicht vorstellen, wie es in meinem Kopf schwirrt. Es zieht mich hierhin, es zerrt mich dahin. Es ist doch eine grundlegend veränderte Situation gebildet.

HELENE. Wodurch?

ADRIENNE. Wodurch? *Sich auf die Stirn tippend.* Das weißt du ja noch gar nicht. Das große Ereignis ist eingetreten.

HELENE. Welch großes Ereignis?

ADRIENNE. Der Kredit ist bewilligt. Paul hat mit seiner Bewerbung Erfolg gehabt – der ihm auch gebührt. Seine Leistungen sind doch der Gesellschaft stets besonders nützlich gewesen, das ist in dem Brief ausdrücklich anerkannt, der ihm die frohe Nachricht brachte. Wir haben uns gefreut wie die Kinder – und Paul hat mir herrliche Dinge versprochen. Zuerst machen wir eine weite Reise – um die Welt, wenn Paul so lange abkommen kann. Natürlich gehen die Geschäfte vor und ich füge mich vernünftig.

HELENE. Ich gratuliere, Adrienne. Welch Glück für euch.

ADRIENNE. Ja, es war höchste Zeit, daß sich ein Fortschritt ereignete. Es geht uns gut. Ich habe nie geklagt. Ich würde auch jetzt nichts entbehren. Ich fühle mich frei von jedem Neid, daß du in einem reicheren Stil lebst, der mir bisher versagt blieb.

HELENE. Nun holst du mich doch ein – und überflügelst mich zuletzt.

ADRIENNE. Ja, Paul hat solche Pläne. Er denkt sich seinen Weg –

HELENE. Genug, Adrienne. Ich will's nicht wissen. Warum erzählst du nur so ausführlich von dem Kredit?

ADRIENNE. Weil wir in nächster Zeit doch sehr viel Geld haben werden.

HELENE. Wenn ihr Kredit habt, habt ihr Geld.

ADRIENNE. Ja – vom Kredit.

HELENE *nach einem flüchtigen Kuß auf Adriennes Wange.* Was schwirrt dir denn im Kopf noch durcheinander?

ADRIENNE *wieder sehr lebhaft.* Wir wurden doch schon eingeladen.

HELENE. Wo?

ADRIENNE *wiegt geheimnisvoll den Kopf.*

HELENE. Soll ich's nicht wissen?

ADRIENNE. Du sollst es raten.

HELENE *nachdenkend.* Wo findet jetzt ein Ball statt –

ADRIENNE. Kein Ball.

HELENE. Diner?

ADRIENNE *nickt.*

HELENE. Beim wem?

ADRIENNE. Du rätst es nicht. Beim Präsidenten.

HELENE. Seid ihr so weit schon?

ADRIENNE. Paul zu Ehren, der den Kredit erhielt. Das wird gefeiert. Im kleinen Kreis. Natürlich wird von Geschäften nicht gesprochen, ich ginge sonst nicht hin. Man wird sich kennenlernen – lachen – scherzen. Ich glaube, daß der Abend reizend wird.

HELENE. Wann seid ihr denn geladen?

ADRIENNE. Um sechs.

HELENE. Nein – ich meine: an welchem Tag?

ADRIENNE *sich besinnend.* Am – Freitag.

HELENE. Morgen?

ADRIENNE. Ja – morgen abend.

HELENE. Was ziehst du an? Hat dir dein Mann bei Madame Jesserin wieder –

ADRIENNE. Nein. Er bot es mir natürlich an. Doch lieber wollte er, daß ich das alte Kleid mit Streifen und Blumen trage. Ich hätte damals auf dem Ball entzückend ausgesehen. Paul ist ganz fasziniert von diesem Anblick. Er wünscht, daß alles wieder so ist wie ich es früher hatte. *Mit fast süß-licher Freundlichkeit.* Ich muß dich also nochmal um die Per-lenkette bitten.

HELENE *zieht sie an sich und küßt sie wieder.* Du hast mir deshalb nicht gezürnt?

ADRIENNE. Weshalb dir zürnen?

HELENE. Ich glaubte, als du nicht mehr kamst, du hättest es mir übelgenommen, daß ich dir das verschwiegen hatte.

ADRIENNE. Daß die Kette nicht echt war? Es hat mich nicht gehindert sehr fröhlich zu sein. Diesmal wird es mich noch weniger verstimmen, weil ich nicht einen Schatz zu hüten brauche.

HELENE. Jetzt weißt du, daß die Perlen nur imitiert sind.

ADRIENNE. Sagtest du nichts von fünfzig Francs?

HELENE. Das ist schon übertrieben.

ADRIENNE. Nur die Schließe war echt.

HELENE. Und auch kein großer Wert.

ADRIENNE. Gib mir die Kette.

HELENE. Nimmst du sie heute mit?

ADRIENNE. Ich brauche doch nicht wieder so ängstlich zu sein wie neulich, als ich mich weigerte sie länger als einen Tag im Haus zu haben. Sie ist doch wertlos. *Beinahe schroff.* Hol' sie jetzt.

HELENE. Gern, Adrienne. *Rechts hinein. Schlüssel klirren – ein Schloß schnappt.*

Zofe kommt von links.

ZOFE. Herr Duffin ist am Telephon!

HELENES STIMME *mit kleinem Aufschrei.* Ja – ich komme.

Zofe ab.

HELENE *läuft herein. Indem sie Adrienne das Etui in den Schoß legt.* Da deine Kettte, Henri will mich sprechen. Was wird Henri wollen? *Rasch links hinaus.*

Adrienne – allein geblieben – verändert sich sofort. Aus ihrem Gesicht weicht jede Spannung – tiefe Erschöpfung zeichnet sich ein. Sie starrt geradeaus, während kraftlos und widerstrebend ihre Hand nach dem Etui greift, um es in den Muff zu schieben.
Helene kommt zurück.

HELENE. Ganz eilig, Adrienne. Henri wartet im Ministerium. Ich soll ihn abholen. Mir einen Wagen nehmen. Schnell muß er fahren. Schneller als der Wind. Wenn Henri wartet, zittre ich. *Sich umsehend.* Was hier noch? Den Safe zuschließen. *Links hinein. Zurückkommend – Adrienne einhakend und mit sich ziehend.* Laufen wir! *Beide links ab.*

Bei Ambrossat. Kleiner Salon.
Adrienne steht und sieht gespannt nach der Tür.
Paul tritt stürmisch ein.

PAUL. Das war ein Tempo. Ein Wunder, daß ich heil angekommen bin. Mein Aufbruch aus dem Büro glich einer Flucht. Das Personal verrenkte die Köpfe. So ist noch kein Chef gesprungen. Zwei Sätze zur Straße hinunter und in die nächste Droschke. Dem Kutscher die Zügel in die Hand gedrückt und Galopp befohlen – koste was es wolle. Ich glaube, ich habe dem Mann einen Fünfzigfrancsschein gegeben. Fünfzig Francs. Was sagst du zu dem Trinkgeld, Adrienne?

ADRIENNE *lächelt – zuckt zusammen – lächelt wieder.*

PAUL. Ich brüte an meinem Schreibtisch über Entwürfen, um meine Absage zu motivieren – meinen Rückzug aus diesen verhängnisvollen Engagements zu beschönigen – ihm wenigstens diese vernichtende Wirkung für meine Person zu nehmen – ich strenge mich mit glühendem Kopf umsonst an – ich erfasse das rettende Seil nicht: da kommt dein Anruf. Wie habe ich telephoniert? Wie ein Betrunkner? Stammelnd?

ADRIENNE. Du hast dich freuen müssen.

PAUL. Und nun ist es kein Scherz? Du hast Geld?

ADRIENNE. Das ist die Wahrheit, die ich dir gleich mitteilen wollte.

PAUL. Keinen Augenblick durftest du zögern – ich faßte doch schon schwarze Gedanken.

ADRIENNE. Als ich das Geld hatte, rief ich sofort an.

PAUL. Wer hat denn –? Woher hast du denn?

ADRIENNE. Das ist ganz einfach: ich habe in der Lotterie gewonnen.

PAUL *verstummt verdutzt.*

ADRIENNE *lebhaft.* Das stand bei mir fest, als du mir von deinen Sorgen und Nöten erzähltest und dich schon ruiniert sahst, daß nur mit einem Lotteriegewinn Hilfe gebracht werden könnte. Sahst du einen andern Weg? Da war kein andrer. Deine besten Fähigkeiten hätten dir nichts genützt – es gab nur noch das Glück. War meine Überlegung falsch?

PAUL. Gewiß nicht – ohne Glück wär' nichts gelungen.

ADRIENNE. Ich wollte dir nicht gleich sagen, was ich vorhatte – du hättest doch gelacht?

PAUL. Wie Hohn empfunden, daß ich meine Hoffnung auf das Lotteriespiel setzen sollte.

ADRIENNE. Dann hättest du mich entmutigt und ich hätte meinen Plan nie ausgeführt. Ich wäre selbst mir kindisch mit meinem Einfall vorgekommen.

PAUL. Es ist auch jetzt noch so unglaublich –

ADRIENNE. Ich habe doch gespielt. Ich bin doch hingegangen und habe mir ein Los gekauft. Das ist doch wahr!

PAUL. Um zu gewinnen in letzter Minute –

ADRIENNE. Ich habe doch gewonnen!

PAUL *das Gesicht mit den Händen bedeckend.* Lass' mich denken – – – –

ADRIENNE *beobachtet ihn kurz. Dann heiter.* Was denkst du dir denn aus? Sind das schon Berechnungen, die du anstellst, wie du das Geld einteilst?

PAUL. Bei wem hast du das Los gekauft?

ADRIENNE *holt aus einer Kommode die Liste und legt sie auf den Tisch.* Hier ist das Los gekauft. Dies ist die Ziehungsliste – und hier steht der Gewinn.

PAUL *beugt sich über die Liste.*

ADRIENNE *den Finger darauf tippend.* Gewonnen bei diesem Händler. Geh' hin und frage, ob es stimmt.

PAUL *plötzlich auffahrend.* Du hast – so viel gewonnen?

ADRIENNE *übermütig.* Es mußte doch eine Summe sein – von einigem Ansehn.

PAUL. Das ist ja volle Deckung für –

ADRIENNE. Nun brauchst du gar nicht zu schachern mit deinen Peinigern. Die Ehre ist gerettet.

PAUL. Wo ist das Geld denn? Triumphierst du nicht zu früh?

ADRIENNE. Ich liebe nur Bargeschäfte. *Aus der Kommode holt sie ein Banknotenbündel und legt es hin.* Quittung unnötig. Sie sind doch ein Ehrenmann.

PAUL *sieht auf das Geld.* Ich würde doch nichts glauben, wenn ich das Geld nicht sähe. So viel Geld, das leiht man nicht – das schenkt man nicht – das kann man sonst auf keine Weise – – das ist nur Lotterie!

ADRIENNE *ruhig.* Steck' es jetzt ein.

PAUL *steckt das Bündel in die Brusttasche. Er läßt sich im Sessel nieder und spricht wie traumbefangen.* Das ist das Ende aller Sorgen. Das öffnet Tore in ein Leben – das wie ein neues Leben ist. Wie neu beleuchtet ist alles – um es zu sehen, muß man vielleicht erst das erfahren haben: den Schrecken – tiefe Bangigkeit – das kalte Wehen von Todesnot. Dann spürt man seine Lebenswärme heißer – so lebt man wirklicher. Wirklich das Leben.

ARDIENNE *steht bei ihm und streicht ihm übers Haar.*

PAUL *zieht ihre Hand an seine Lippen und küßt sie.*

Bei Ambrossat. Kleiner Salon.

Adrienne sitzt unter der Standlampe und liest in einem Buch.

MÄDCHEN *kommt und meldet.* Frau Duffin.
ADRIENNE. Wer?
MÄDCHEN. Frau Duffin ist gekommen.
ADRIENNE. Lassen Sie Frau Duffin eintreten.
MÄDCHEN *ab.*

ADRIENNE *legt das Buch hin, steht auf und schaltet das volle Licht ein.*

Helene kommt – in Pelzcape und Abendkleid darunter.

HELENE. Gottseidank, daß du zuhaus bist, Adrienne.
ADRIENNE *nach der Begrüßung.* Geht ihr aus? Ist ein Empfang beim Minister? Du bist festlich gekleidet.
HELENE. In die Oper. Es ist Gala-Abend. Ein neuer Tenor singt. Er heißt Caruso. Hast du nicht von ihm gelesen?
ADRIENNE *verneint.*
HELENE. Es geht ihm ein Ruf voraus – er soll doch eine Stimme haben, wie noch kein Sänger gesungen hat. Dabei ist er erst sechsundzwanzig Jahre alt. Denke dir – sechsundzwanzig Jahre und schon auf der Höhe des Ruhms. Man spricht von einem Phänomen, das nie wiederkehrt. Deshalb muß man es jetzt hören. Ach, Adrienne, ich fiebere vor Spannung. *Sie läßt sich in einen Sessel fallen.*
ADRIENNE *sieht sie verwundert an.*
HELENE. Es ist doch mein höchster Genuß, den die Kunst mir bereiten kann, wenn ein Tenor singt. Keine Macht der Erde könnte mich veranlassen zu schildern, was dabei in mir vorgeht. Wirklich versinkt alles, was um mich herum ist – alles ohne Ausnahme. Ich bin nur noch mit meinem Sänger auf der Welt und er entführt mich weit weg, wohin er gebietet. Ach – die Kunst ist schön.
ADRIENNE *bleibt stumm.*
HELENE. Was Paris an Eleganz aufbieten kann, ist heute abend in der Oper. Es ist zum ersten gesellschaftlichen Ereignis erklärt, von den Spitzen der Regierung wird niemand fehlen. Es ist beinahe ein Staatsakt, sagt Henri, der Karten überhaupt nur durch das Ministerium bekommen hat. Im Handel war schon vor Ankündigung des Gastspiels nichts

mehr zu haben, so hatten die Eingeweihten das Haus ausge-
kauft. Enorme Preise sollen erzielt sein – jetzt im Handel
unter der Hand. Hat Paul sich bemüht?

ADRIENNE *schüttelt den Kopf.*

HELENE. Da laßt ihr euch Herrliches entgehen. Unbegreiflich.
Nun ja – die Karten sind sehr teuer.

ADRIENNE. Paul hat jetzt viel zu tun.

HELENE. Er breitet sein Geschäft aus.

ADRIENNE. Er arbeitet oft die halbe Nacht.

HELENE. Dann kann man allerdings nicht in die Oper gehn. –
Du hast mir meine Kette nicht gebracht.

ADRIENNE *stutzt.*

HELENE. Du hast die ganze Woche verstreichen lassen und
bist nicht zu mir gekommen. Ich durfte erwarten, daß man
mich nicht sitzen läßt – und dem Besitzer länger vorenthält,
was man sich nur von einem Tag zum andern ausgeliehen.

ADRIENNE *begegnet ihrem vorwurfsvollen Blick.*

HELENE. Ich muß mir also nach einer Woche meine Kette
selbst abholen, weil ich sie für die Oper brauche. Nun weißt
du auch den Grund, weshalb ich hier bin.

ADRIENNE *lächelt.*

HELENE. Es war nicht freundlich von dir, mich noch in letzter
Minute um meine Kette bitten zu lassen. Wo alles in mir
brennt vor Ungeduld. Gib mir die Kette.

ADRIENNE. Du willst doch nicht –?

HELENE. Ich weiß schon, was ich will.

ADRIENNE. Wenn Henri dich begleitet –

HELENE. Deshalb, Adrienne.

ADRIENNE. Zur großen Oper –

HELENE. Dazu, Adrienne.

ADRIENNE. In der Gesellschaft von erstem Rang –

HELENE *öffnet ihr Cape.* Kann ich mit keinem nackten Hals
erscheinen. – Die Kette, Adrienne.

ADRIENNE *immer lächelnd.* Es sind doch nicht die echten Perlen, die du heute brauchst.

HELENE *drängender.* Ich trage diese Kette. Hol' sie, Adrienne.

ADRIENNE. Ist das nun Ernst?

HELENE *schroff.* Ich bin in höchster Eile. Henri wartet unten
im Wagen.

ADRIENNE *unverändert heiter.* Ich habe sie verloren.

HELENE *wie von einem Schlag getroffen sich vorbeugend.*
Was – hast – du?

ADRIENNE. Verloren – und nicht mehr gefunden.

HELENE *starrt sie schwer atmend an.*

ADRIENNE. Ist das ein Unglück? Das sind fünfzig Francs, die in Verlust gerieten.

HELENE *noch wortlos.*

ADRIENNE. Oder war die Schließe so viel wert?

HELENE *endlich keuchend.* Hast du die Schließe denn nicht gesehn?

ADRIENNE. Mir fiel nichts auf.

HELENE. Mit einem blauen Stein? Mit dem Saphir?

ADRIENNE. Nun – ein Saphir. Ich will ihn dir ersetzen, wenn dich der kleine Schaden so ärgert.

HELENE. Der kleine Schaden – – Die echte Kette hatte diese Schließe mit dem Saphir!

ADRIENNE *wird ernst.*

HELENE. Die falsche hatte einen roten Stein. Einen Rubin. So sind die Ketten kenntlich gemacht. Die Perlen unterscheiden sich doch nicht.

ADRIENNE. Das wußte ich doch nicht.

HELENE. Und an dem Tag – wie's kam, ich weiß es nicht – vergriff ich mich im Safe und gab dir das Etui, in dem die echte Kette war. Die ist verloren! *Sie preßt die Stirn auf die Fäuste und stöhnt.*

ADRIENNE *überlegt. Dann steigt das Lächeln wieder in ihr Gesicht. Sanft.* Helene –

HELENE *schüttelt heftig den Kopf und stampft mit dem Fuß auf.*

ADRIENNE. Was ich dir sagen will, ist nicht ein leerer Trost. Das weiß ich, daß keine Worte verlorene Perlenketten wieder aus der Erde stampfen. Oder neue Perlen vom Meeresgrunde fischen. Solche Wunder gibt es nicht. Das ist nur alles wirklich. Wirklich sind die echten Perlen mit der roten Schließe.

HELENE. Ich sagte dir die echten mit der blauen!

ADRIENNE. Du weißt es nur nicht mehr. Einmal hast du dich gründlich geirrt und dann immer die falsche Kette für die echte getragen. Bei allen großen Festlichkeiten warst du immer mit einer falschen Kette geziert – wie damals auf dem Ball ich.

HELENE. Du schwatzt doch Unsinn. Ich hab' mich nie geirrt.

ADRIENNE. Dann unterlief dem Juwelier schon die Verwechslung. Er hatte beide Ketten auf dem Tisch und ging noch einmal weg – vielleicht rief ihn ein Kunde im Laden ab – und bei der Rückkehr in die Werkstatt knüpfte er die rote Schließe an die echte Schnüre und die blaue Schließe an die falsche Schnüre an. So war es. So ist es gewesen. Beweis? Bei dir zuhaus liegt eine echte Kette. So wahr ich atme und hier stehe: die Perlen sind echt. Ich schwöre es – ich schwöre einen heiligen Eid darauf!

HELENE *hebt das tränenüberströmte Gesicht zu ihr.*

ADRIENNE. Nicht eine Träne brauchst du mehr zu weinen – du bist nicht ärmer, du hast nichts verloren. So sicher bin ich meiner Verheißung, daß wir zusammen jetzt in deine Wohnung fahren, die Kette holen – und da wir beide keine Kenner sind, den Juwelier Brantôme aufsuchen und ihm die Kette zeigen. Der sieht die Echtheit gleich. So einverstanden?

HELENE *spöttisch.* Vor dem Besuch bei Brantôme –

ADRIENNE. Steh' auf – wir fahren hin.

HELENE. Vor dem albernen Versuch mir falsche Perlen für echte erklären zu lassen –

ADRIENNE. Ob albern oder nicht, das sage später. Jetzt komm' doch.

HELENE. – schützt es mich wenigstens, daß ich zuhaus die Kette wegwarf!

ADRIENNE *stammelnd.* Was – hast – du – getan?

HELENE. Ja – nach dieser Szene mit Henri. Er tobte, als ich ihm mein Mißgeschick berichtete. Daß ich versehentlich die Kette mit dem blauen Saphir verliehen hatte. Er schalt mich wie ein Schulmädchen aus, dem man nichts anvertrauen dürfe, das nichts haben solle als Glas als Schmuck und Messingringe – damit es nicht Juwelen, die ein Vermögen wert sind, verleiht an Freundinnen, die Habenichtse sind und alles noch vertrödeln. Da packte mich der Zorn – ich wollte nie wieder etwas verleihen und verwechseln können. Ich wollte nicht noch einmal erleben, daß Henri mich beschimpft: ich riß die falsche Schnüre entzwei und schmiß die Perlen weg – und behielt nur die Schließe – *Auflachend.* – die hat ja Wert!

ADRIENNE *benommen.* Weggeworfen – hast du sie?

HELENE. Ja doch. In den Abfluß. Wo sie hingehören. Wenn sie solch Unglück anrichten! *Neues Weinen überwältigt sie.*

ADRIENNE *verharrt unbeweglich. Wie versteinert steht ihr Gesicht still. Nur manchmal heben sich ihre Hände und fallen kraftlos und leise klatschend auf das Kleid zurück.*

MÄDCHEN *kommt und meldet.* Herr Duffin.

Duffin – in Pelzmantel, Zylinder – tritt schon ein.
Mädchen ab.

DUFFIN. Wo bleibst du, Helene? Wir müssen unsere Plätze einnehmen, bevor – – Was geht hier vor? – Ich muß um Antwort bitten – ich muß zur Eile treiben, man versäumt die Ouvertüre. *Helene auf die Schulter klopfend.* Beruhige dich, der kleine Auftritt zuhause ist vergessen. Ich wurde heftig. Es war doch Leichtsinn. Alles verziehen. Wir speisen nach der Oper im Ritz. Der Herr Minister gibt uns und einigen Kollegen die Ehre. Wir werden uns gut unterhalten. Nun Haltung, Helene. Ich bin im Wagen unten schon halb erfroren. Wir müssen fahren.

HELENE *schluchzend.* Ich – kann – nicht.

DUFFIN. Was kannst du nicht?

HELENE. Nicht – ohne – Kette – in – die – Oper – fahren.

DUFFIN. Nein. Du bist doch deshalb hier. Du holst sie doch.

HELENE. Die – Kette – ist – doch – weg.

DUFFIN. Was ist weg?

HELENE. Verloren – von – Adrienne – weil – sie – nicht – wußte – daß – sie – echt – ist.

DUFFIN *wendet sich Adrienne zu.* Sie meint, daß Sie achtsamer das Ihnen anvertraute Kleinod behütet hätten, hätten Sie den wahren Wert gekannt. *Wie jetzt erst begreifend.* Das war doch nur vermutet – das ist doch unter keinen Umständen der Fall, daß ein Verlust vorliegt. In seinem ganzen Umfang ein ungeheurer Schaden. Deshalb nun nachgedacht – verlegten Sie die Kette hier?

ADRIENNE *schweigt.*

HELENE. So such' doch. Du hast noch gar nicht gesucht.

DUFFIN. Das schafft doch Hoffnung.

ADRIENNE. Ich – habe gesucht.

DUFFIN. Vielleicht zu flüchtig. Sie waren von der Bedeutung des Schatzes nicht unterrichtet, der verschwand – und stöberten nur oberflächlich. Jetzt muß mit Überlegung vorgegangen werden. Auch zeitlich. Wann haben Sie das Fehlen der Kette zuerst bemerkt?

ADRIENNE. Zuerst – –

HELENE. So schweig' doch nicht so ehern.

DUFFIN. Stör' nicht, Helene, deine Freundin denkt jetzt nach. Das ist sehr wichtig.

ADRIENNE *sich nach dem Hals greifend*. Zuerst – trug ich die Kette.

DUFFIN. Sie legten sie hier an.

ADRIENNE. Ja.

DUFFIN. Und kehrten Sie mit ihr hierher zurück?

ADRIENNE. Nein.

DUFFIN. Also wurde sie an einem andern Ort verloren. Wo?

ADRIENNE. Auf – – dem Ball.

DUFFIN. Wo fand der Ball statt?

HELENE Es war doch gar kein Ball.

DUFFIN. Sie sagten doch – ein Ball?

HELENE. Doch ein Diner.

DUFFIN. Das ist doch ein gewaltiger Unterschied. Es wird doch nicht getanzt. Man sitzt und unterhält sich. Es findet keine heftige Bewegung statt, die eine Schließe lockern könnte. Wie wurden Sie denn aufmerksam auf den Verlust?

ADRIENNE. Ich – griff nach meinem Hals.

DUFFIN. Und als sie die Leere fühlten?

ADRIENNE. Ich – fuhr sofort nachhaus.

DUFFIN. Und suchten nicht – und ließen auch nicht suchen?

HELENE. Das war doch Wahnsinn.

DUFFIN. Nein, es ist verständlich. *Zu Adrienne*. Sie wollten sich nicht zu dem – nach Ihrer Ansicht – falschen Schmuck bekennen, wenn er gefunden würde?

ADRIENNE *aufatmend*. Ja – Herr Duffin.

DUFFIN. Wir aber brauchen uns des Fundes nicht zu schämen. Wir wissen, was er gilt. Die Kette wurde natürlich längst gefunden und wird in treuer Obhut aufbewahrt. Man wartet, daß sich der Verlierer meldet. Sie hatten das Diner – wo?

ADRIENNE *schweigt*.

HELENE. Antworte Henri. Bei eurem Präsidenten.

DUFFIN. Namen? – Er hat doch neben seinem Titel einen Namen.

ADRIENNE. Albert – –

DUFFIN. Der Präsident Albert. Wir kennen uns. Erst jüngst im Ministerium – Ich rufe bei ihm an. Er wird sich freuen, daß ich es bin. Wann war das Essen?

HELENE *da Adrienne zögert*. Vor einer Woche. Auch Freitag.

DUFFIN *zu Adrienne*. Stimmt alles? Ich muß doch genau

orientiert sein, wenn ich Anspruch erhebe. Es ist korrekt.
Am Freitag bei Albert?

ADRIENNE. Ja – –

DUFFIN *eilt hinaus.*

HELENE *holt Spiegel und Dose aus ihrem Täschchen und pudert sich.* Wo wohnt denn Präsident Albert?

ADRIENNE *sieht nach der Tür, aus der Duffin weggegangen
ist, und antwortet Helene nicht.*

HELENE. Ich frage, weil ich wissen möchte, ob es ein großer
Umweg ist. Weißt du, Adrienne, ich verspäte mich nicht
gerne. Der erste Auftritt und der erste Ton – wenn die Erwartung schmilzt, ich seufze wie von einem Bann erlöst –
das ist das schönste. Du kennst nicht das Gefühl?

ADRIENNE *stumm.*

HELENE. Ihr müßt euch für den nächsten Abend Karten besorgen. Vielleicht hilft Henri euch. Es ist ja ohne Protektion
nichts zu erreichen. Du kannst doch Henri bitten! Er ist dir
nicht mehr böse.

Duffin kehrt zurück.

HELENE. Kommst du, Henri? Ich sehe wieder frisch aus. Wir
können fahren. *Sie erhebt sich.*

DUFFIN *hat sich mit langsamen Schritten Adrienne genähert.
Er steht vor ihr und sieht sie an. Nach einem Schweigen.*
Frau Ambrossat, es tut mir leid zu dieser Bewertung Ihrer
Aussagen zu kommen: Sie lügen.

HELENE. Um Himmelswillen – was ist das?

DUFFIN. Nichts anderes, als daß Frau Ambrossat uns irre-
führte. Dich, als sie sich die Kette für ein Diner beim Präsidenten Albert auslieh – mich, dem sie den Verlust der Kette
im Hause des Präsidenten Albert angab. Am letzten Freitag. Herr Albert befindet sich seit drei Wochen nicht in Paris. Er residiert in Nizza. Der Pförtner gab mir die inter-
essante Auskunft.

ADRIENNE *starrt Duffin ab.*

HELENE. Lügst du denn – Adrienne?

DUFFIN. Ich brauchte diesen Ausdruck, Frau Ambrossat. Wie
wehren Sie sich gegen ihn?

ADRIENNE *hebt schwach die Schultern.*

DUFFIN. Behaupteten Sie nicht auch, Sie hätten hier gesucht

– nachdem sich der Verlust doch beim Präsidenten ereignet haben sollte? Es reiht sich Lüge an Lüge. Beleidigt Sie das nicht?

ADRIENNE *bleibt stumm.*

HELENE. Hast du denn Gründe –??

DUFFIN. Die kennen wir nicht. Die wollen wir nicht kennen. Noch nicht. Ich gebe Ihnen bis morgen mittag Frist. Mir liefern Sie die Kette, die bis dahin wiedergefunden ist, im Ministerium ab. Bis eins bin ich bereit zu warten. Dann setzen meine Nachforschungen ein. Sie würden sehr gründlich betrieben werden, falls Ihre Bemühungen erfolglos blieben. *Zu Helene.* Die Dame würde uns den Vorwurf machen sie aufgehalten zu haben – wir gehen. *Er führt Helene mit sich hinaus.*

Adrienne streicht sich über die Stirn. Sie seufzt tief. Sie tut einige Schritte – steht still und denkt nach. Endlich – aus ungeheurer Anspannung, die ihr Gesicht zur starren Maske verwandelt – löst sich ein Entschluß. Als sie Geräusche im Flur hört, läuft sie hin und reißt die Tür auf. Mit unterdrücktem Schrei: »Paul!«
Paul tritt ein – mit einem Paket.

PAUL. So laut? So lustig? Also freust du dich? *Er küßt sie.* Ja, ich habe heute früher Schluß gemacht. Aus ganz besondren Gründen. *Er trägt das Paket auf den Tisch.*

ADRIENNE *mit Atemstößen.* Paul –

PAUL. Was, Adrienne? *Er holt das Trichtergrammophon aus einem Schrank und setzt es auf dem Tisch zusammen.*

ADRIENNE. Hast du – das Geld noch?

PAUL. Welches Geld?

ADRIENNE. Den – Lotteriegewinn?

PAUL. Das ist doch, was ich feiern will – mit dir. Ich habe heute meine Engagements erfüllt und alles eingezahlt. Genau am letzten Tag. Nicht früher und nicht später.

ADRIENNE. Kannst du – das Geld – nicht wieder –

PAUL. Hast du Angst, daß ich es wieder wegnehme. Nein, Adrienne, es liegt fest. Von diesem Gelde sehe ich nichts mehr. Das ist der Samen, den man einsät – und er vergeht. Dann aber wächst der Baum. Von dessen Früchten kann man zehren. Auf Früchte muß man warten können. Das ist die Klugheit, die verbürgt die Zukunft. *Er bringt das Grammo-*

phon in Gang. Das neueste. Ein Walzer. Gespielt in Wien – und uns hier vorgespielt. Es ist doch wunderbar. Jetzt diese Geigen – es geht nichts von ihrem weichen Strich verloren. Ein himmlisches Orchester. *Zu Adrienne tretend.* Und du hast wirklich Angst?

ADRIENNE. Ja – Paul, ich habe Angst – –

PAUL. Ich bin doch geheilt. Das war doch eine Lehre, die unvergeßlich ist. Nur einmal ist das Schicksal gnädig. Ein zweites Mal? Nein. Das heißt Gott versuchen. Noch bange?

ADRIENNE. Um dich nicht, Paul – –

PAUL. Das war dein schönstes Wort. Es spricht mich frei von meiner Sünde. Das war ein Abschluß heute. Ein wichtiger Tag, Adrienne. Von nun an geht es aufwärts. Steil aufwärts. Wo in Wolkenhöhe – du weißt schon. Lass' uns tanzen. Sind unsre Feste nicht die herrlichsten, weil wir sie himmlisch feiern? Und ein Stern trägt uns, den wir bewohnen – allein? Tanz' mit mir, Adrienne.

ADRIENNE *wirft sich an seine Brust.* Wir tanzen, Paul – auf unserm Stern! *Sie tanzen.*

PAUL. So wild nicht – Adrienne.

ADRIENNE. Weiter – Paul.

PAUL. Ich fühle Schwindel.

ADRIENNE. Sagst du Schwindel, Paul?

PAUL. Ja, Adrienne.

ADRIENNE. Ein großer Schwindel, Paul!

PAUL. Hältst du das aus?

ADRIENNE. Noch heute – – und dann fall' ich! *Sie sinkt auf den Divan.*

PAUL. Wie du erregt bist –

ADRIENNE. Küsse mich, wie du nur küssen kannst. Weißt du noch, wie du mich im Wintergarten küßtest? So küsse mich.

PAUL. Das Mädchen könnte kommen –

ADRIENNE. Noch einmal so. Noch einmal so – – – – *Sie zieht ihn zu sich auf den Divan nieder.*

Gerichtssaal.
Der Richtertisch noch leer.
Adrienne auf der erhöhten Anklagebank. Tiefer vor ihr der Verteidiger Guérage; weißbärtig.
Gegenüber noch junger Staatsanwalt.
Gerichtsschreiber.

Gerichtsdiener.
Hinter der Barriere elegantes Publikum.
Vor der Barriere fünf leere Stühle.
Der Gerichtshof tritt ein: Vorsitzender und zwei Richter.
Alle Anwesenden erheben sich.
Der Gerichtsdiener hinter Adrienne bedeutet sie ebenfalls aufzustehen.
Die Richter haben ihre Plätze eingenommen.
Alle übrigen sitzen wieder.
Auch Adrienne läßt sich nach verlegenem Zögern nieder.

VORSITZENDER *hinsehend.* Stehen Sie auf.

ADRIENNE *richtet sich fast hastig auf.*

VORSITZENDER *vorlesend.* Es ist angeklagt Frau Adrienne Ambrossat geboren zu Lyon am neunten Mai achtzehnhundertachtzig als einzige Tochter des Kaufmanns Hektor Sierre. Sind Sie Frau Ambrossat?

ADRIENNE. Ja.

VORSITZENDER. Sie kennen den Vorwurf, den die Anklage gegen Sie erhebt?

GUÉRAGE *nickt.*

ADRIENNE. Ja.

VORSITZENDER. Bekennen Sie sich schuldig?

ADRIENNE *aus tiefer Verwunderung über alles, was vorgeht – hauchleise.* Nein.

VORSITZENDER. Sprechen Sie laut.

ADRIENNE. Nein.

VORSITZENDER. Sie fühlen sich also zu Unrecht dieses Vergehens der Unterschlagung angeklagt?

ADRIENNE. Ja.

VORSITZENDER. Dann müssen wir in die Beweisaufnahme eintreten. Es gibt da einige Punkte zu klären, wobei ich Sie dringend um Ihre rückhaltlose Mithilfe bitten möchte. Es verkürzt das Verfahren. Außerdem könnte ein offenes Geständnis in letzter Minute das Urteil mildernd beeinflussen. Wollen Sie sich nicht dazu entschließen? Oder liegt Ihnen daran, daß vor der Öffentlichkeit mehr ausgebreitet wird, als am Ende notwendig ist? Es gilt auch den Namen Ihres Mannes zu schonen. Wie entscheiden Sie sich?

ADRIENNE *zaudert – schüttelt dann heftig den Kopf.* Nein.

VORSITZENDER. Nichts verbrochen?

ADRIENNE. Nein.

VORSITZENDER. Also. *Er schlägt die Akten auf.* Wenn Sie das Stehen anstrengt, können Sie sich setzen. Wir haben uns eingehend mit Ihnen zu beschäftigen.

GUÉRAGE *legt seine Hand beschwichtigend auf Adriennes Hand.*

ADRIENNE *setzt sich nicht und sieht gespannt nach dem Richtertisch hin.*

VORSITZENDER *stützt das Kinn auf die Handrücken und spricht Adrienne an.* Als Sie von Ihrer Freundin das erstemal die Kette liehen, erlebten Sie einen ziemlichen Reinfall. Es wurde Ihnen nicht die echte gegeben, sondern eine wertlose Kopie, die Sie dann stolz auf einem Ball am – *Aus den Akten lesend.* – vierzehnten Februar trugen und auch wieder wie vereinbart am nächsten Tage zurückgaben, um da erst zu erfahren, daß Sie mit falschem Prunk sich ausstaffiert hatten. Waren Sie deswegen auf Ihre Freundin sehr zornig?

ADRIENNE. Nein.

VORSITZENDER. Es entstand kein Haßgefühl in Ihnen und Sie schworen sich nicht, bei passender Gelegenheit für diesen bösen Streich Rache zu nehmen?

ADRIENNE. Nein.

VORSITZENDER *leicht spöttisch.* Achten Sie sich so erhaben über menschliche Schwächen, die sonst allgemein verteilt sind?

ADRIENNE *hebt nur die Schultern.*

VORSITZENDER. Leider in Kontrast zu anderen Schwächen, die Ihr Charakter aufweist. Daß Sie nicht lügen können, davon sind Sie auch fest überzeugt?

ADRIENNE. Ja.

VORSITZENDER. Lügen oder nicht lügen?

ADRIENNE *antwortet nicht.*

VORSITZENDER. Das möchte ich Ihnen nämlich raten: sich unverzüglich hier der Wahrheit zu entsinnen und uns nicht weiter diese Märchen aufzutischen, die Sie dem Untersuchungsrichter schon zum besten gaben. Sie hätten beim zweiten Mal nicht gewußt, daß Sie jetzt die echte Kette Ihrer Freundin erhalten hatten? Das wollen Sie uns weismachen?

ADRIENNE. Ich hatte doch um die unechte gebeten. Ausdrücklich um die unechte. Das ist doch wahr. Das kann Helene doch bezeugen. Wo ist Helene?

VORSITZENDER. Frau Duffin wird hier sprechen.

ADRIENNE. Dann klärt es sich doch auf. Dann ist doch hier – *Sie blickt herum.*

VORSITZENDER. Der ganze Aufwand überflüssig?

ADRIENNE. Ja.

Lachen im Publikum.

VORSITZENDER *streng*. Ich rüge die Unbeherrschtheit des Publikums. *Zu Adrienne.* Frau Duffin verwechselte nun die Ketten – wie es geschehen konnte, das wird Frau Duffin uns nachher erklären. Und nun, Frau Ambrossat? Was taten Sie nun, als Sie bemerkten, daß Ihnen die echte Kette ausgehändigt war? Wann stellten Sie den Irrtum fest?

ADRIENNE *schweigt.*

VORSITZENDER *aus den Akten*. Er muß von Ihnen gleich, nachdem Sie die Wohnung der Frau Duffin verlassen hatten, entdeckt sein – denn Sie begaben sich am selben Mittag zum Juwelier Vizard, dem Sie die Kette verkauften. *Aufblickend.* Nach Ihrer Meinung Frau Duffins unechte Kette?

ADRIENNE. Ja.

VORSITZENDER. Dann mußten Sie doch sehr überrascht gewesen sein, als Ihnen der Juwelier die hohe Summe dafür bezahlte?

ADRIENNE. Es war sehr viel Geld – –

VORSITZENDER. Hielten Sie das für ein Versehen des Juweliers, der – was nicht vorkommt, ich will Herrn Vizard nicht beleidigen – die so vorzügliche Nachahmung nicht erkannte?

ADRIENNE *rasch*. Ja.

VORSITZENDER. Dann war es doch Betrug, den Sie verübten, als Sie das Geld nahmen und Herrn Vizard nicht warnten. Das ist Betrug. Schwerer Betrug, Frau Ambrossat. Betrügen Sie so leicht?

ADRIENNE. Ich – kann nicht betrügen – –

VORSITZENDER. Wieder ein lapidarer Satz, auf den man sich gern stützt. Sie wollten also, was wir glauben – was wir sogar behaupten! – eine echte Kette verkaufen. Die Echtheit wurde vorher wie von Ihnen festgestellt? Sind Sie so großer Kenner von Juwelen?

ADRIENNE. Nein.

VORSITZENDER. Sie unterschieden selbst nicht – Sie hatten ja auch das erstemal den kleinen Schwindel der Freundin nicht durchschaut – Sie ließen den Schmuck an dritter Stelle taxieren. Taten Sie das? Wo war das?

ADRIENNE. Ich – habe nicht taxieren lassen.

VORSITZENDER *über den Akten.* Es wurde auch nicht von der Polizei ermittelt, daß eine Dame eine Perlenkette in letzter Zeit zu diesem Zweck vorlegte. *Plötzlich aufblickend – scharf.* Damit ist erwiesen, daß Sie den Wert der Kette kannten – ihn genau kannten und nicht zu zögern brauchten dem Juwelier sie anzubieten. Sie traten auch ganz sicher auf und machten dies Geschäft, das lange vorbereitet war. Wann reifte in Ihnen der Plan – die Freundin zu bestehlen?

ADRIENNE *außer sich.* Ich – habe doch nicht gestohlen –!

VORSITZENDER *ironisch.* Gestohlen auch nicht?

ADRIENNE. Ich bin kein Dieb – – ich bin doch Adrienne Ambrossat!

VORSITZENDER *milder.* Wenn der Verdacht, auf den wir stoßen müssen, Sie so erregt, dann klären Sie uns auf. Belehren Sie uns anders. Wir sind in diesem Dornstrauch wie verfangen und finden keinen Ausweg. Wir bitten Sie um Hilfe. Bei eines Rätsels Lösung. Sie sehen doch, wir mühen uns tapfer. Aber wo ist da der Schlüssel?

ADRIENNE *in Tränen.* Ich habe – nicht gewußt, daß mir Helene ihre echte Kette gegeben hatte.

VORSITZENDER. Das ist die Hilfe, die Sie uns leisten wollen?

ADRIENNE. Bei meines Herzens Blut – ich habe nichts gewußt!!

VORSITZENDER *betrachtet sie aufmerksam – seufzt.* Ich dachte, es würde überflüssig sein. *Zum Gerichtsdiener.* Herr Ambrossat.

Gerichtsdiener öffnet die Tür und spricht hinaus: »Herr Ambrossat.«
Paul kommt. Auf dem Wege vor den Richtertisch grüßt er Adrienne mit tiefem Kopfneigen.
Adrienne preßt ihre Hand aufs Herz und beugt sich nach ihm vor.
Guérage drückt sie sanft zum sitzen nieder.

VORSITZENDER. Herr Ambrossat?

PAUL. Paul Ambrossat.

VORSITZENDER. Wir haben Schwierigkeiten mit Ihrer Frau. Es muß der Ursprung ihres Vergehens ergründet werden, das ja klar erwiesen und nicht abgestritten wird – nämlich der Verkauf der Kette, die ihr der Zufall in die Hände gespielt hatte. Sie können sich weigern mir zu antworten – besonders falls es Sie selbst belasten könnte.

PAUL. Ich habe nichts zu verbergen. Ich bitte mich zu fragen.

VORSITZENDER. Uns interessiert es, daß Sie Ihre Frau für so glaubwürdig hielten, daß Sie die Herkunft des Geldes, das sie Ihnen brachte, aus einem Lotteriegewinn nicht anzweifelten. Es war doch sonderbar.

PAUL. Es war nicht sonderbar.

VORSITZENDER. Da Geld auf diese märchenhafte Weise beschafft wurde – gerade als Ihre Bedrängnis in Geschäften, die Sie voreilig getätigt hatten, fast lebensgefährlich für Sie war?

PAUL. Es war nicht sonderbar, weil Adrienne mich noch nie belogen hatte. Noch nie gelogen hat.

VORSITZENDER *den Kopf wiegend.* Wie anders ist die Auffassung des Ehemanns. Sie weicht doch sehr von unsrer ab, die gar nicht günstig beeinflußt wird – von dem Manöver mit der Ziehungsliste. Da hatte der Loshändler eine Liste in seinem Schaukasten ausgehängt, in der er die Gewinne, die bei ihm gezogen waren, markiert hatte. Nun kauft Frau Ambrossat sich eine Liste, sie trägt den Stempel des Händlers, der das Los verkauft und ausbezahlt hat – wem, das verschweigt der Händler, weil er dazu verpflichtet ist. Sie könnten also getrost hingehen und sich erkundigen – das mit dem Los stimmt jedenfalls. Vollbracht war eine Täuschung, der Sie erliegen mußten. Weil es ein kleines Meisterstück von Lug und Trug ist, wie es verschlagener kaum ein Bösewicht von einigem Ausmaß vorbereiten konnte. Ist jetzt Frau Ambrossat in Ihren Augen noch dieser unschuldsvolle Engel?

PAUL *schweigt.*

VORSITZENDER. Wir suchen einen Zugang zum Wesen Ihrer Frau. Ich muß Sie hart anfassen, Herr Ambrossat. Wir müssen wissen, wie weit die Überlegung reicht, mit der sie handelt, um daraus Schlüsse zu ziehen. Sie sagt uns nichts. Sie klagten ihr, als der Kredit verweigert war, die Nöte, die nun entstehen würden. Sie nahm sich das zu Herzen und kurz danach – o blaues Wunder –?

PAUL. Erhielt ich von Adrienne das Geld.

VORSITZENDER. Ganz überraschend? Sie deutete nichts vorher an?

PAUL. Doch. Sie sagte, ich solle zuversichtlich sein.

VORSITZENDER. Das war für Sie schon garantierte Rettung?

PAUL. Ich wurde ruhig. Innerlich. Ich fühlte, daß Adrienne bei mir war.

VORSITZENDER. Vertrauen wie ein Fels – – Und als Sie erfahren hatte, wie sich Frau Ambrossat vergangen? Fiel Ihnen nicht nachträglich eine Äußerung ein, die einen Vorsatz andeutete? Ob Perlen hohe Preise hätten – ob sie leicht verkäuflich seien? Fällt Ihnen jetzt nichts ein?

PAUL. Sie fragte mich nie dergleichen.

VORSITZENDER. Nur Zuversicht flößte sie Ihnen ein. Klang das aus ihrem Munde so echt?

PAUL. Ganz echt.

VORSITZENDER. Wenn sie mit dieser Sicherheit von einer guten Wendung sprach – dann mußte sie doch beinah wissen, daß sich Frau Duffin irren würde? – Daß sie mit einer echten Kette von Frau Duffin weggehen würde? – Verriet sich nichts in ihrer Stimme, die zitterte?

PAUL. Mir fiel nichts auf.

VORSITZENDER. Sie mußten überhören. Für Sie war es ja frohe Botschaft, die da verkündet wurde. Die sie gern glaubten. Nach einem Strohhalm greift der Ertrinkende. Würden Sie heute – wenn sich ein Fall wie dieser wiederholen sollte – mit der gleichen Inbrunst einer Verheißung von Frau Ambrossat vertraun?

PAUL. Ja.

VORSITZENDER *verblüfft*. Ganz unbedenklich?

PAUL *ruhig*. Was sie getan hat, paßt nicht zu ihr. Sie hat mir helfen wollen. Sie glaubte einfach mir helfen zu müssen. Vor allen Dingen ging es für sie um meine Rettung. Mein Untergang schien ihr so unmöglich, daß sich ein Wunder ereignen mußte. Wenn sie beschloß der Kette sich zu bemächtigen –

STAATSANWALT *springt auf*. Was heißt das: sich der Kette zu bemächtigen? Wie gelangen Sie zu diesem Ausdruck?

PAUL *sieht ihn verwundert an*.

GUÉRAGE *erhebt sich*. Es ist abwegig, wenn der Herr Staatsanwalt vermutet, daß Frau Ambrossat zu einem Raubzug in die Villa des Herrn Duffin aufbrechen wollte. Mit einem Trupp von Helfershelfern aus den Schluchten von Paris.

VORSITZENDER. Vollenden Sie, Herr Ambrossat.

PAUL. Wenn sie mit einem Lotteriegewinn die Tat verdeckte, so macht der Schatten ihr Bild nicht dunkel. Sie überlegte nichts. Es wurde, wie es auch entstanden sein mag, aus dem Augenblick geboren – und so vergeht es. Wie eine Wolke unter dem klaren Himmel hinzieht und die Gestirne zudeckt. Dennoch leuchten sie dahinter, sie blieben nur unserm Blick entzogen. Wenn Adrienne sich verstrickte, geschah es in plötzlicher Verwirrung. Wie jeder sich einmal verstricken kann. Es hinterläßt kein Brandmal. Ich glaube an Adriennes Unschuld – – an ihre Reinheit.

Es herrscht Stille im Saal.

VORSITZENDER *dann zum Gerichtsdiener.* Herr Vizard.
PAUL *setzt sich auf einen Stuhl vor der Barriere.*
GERICHTSDIENER *durch die geöffnete Tür rufend.* Herr Vizard.

Juwelier Vizard kommt.

VORSITZENDER. Herr Vizard?
VIZARD. Der bin ich.
VORSITZENDER. Die Angeklagte – erkennen Sie sie wieder?
VIZARD *sieht hin.* Es ist die Dame.
VORSITZENDER. Sie verkaufte Ihnen die Kette – und was berichten Sie bemerkenswertes?
VIZARD. Bemerkenswert war dabei nichts. Die Dame trat in meinen Laden und legte mir die Kette vor. Es sei ein Erbstück von ihrer Mutter in Lyon. Sie wünsche sie zu verkaufen. Es waren gute Perlen, sehr gute Perlen, ich konnte sie entsprechend hoch bewerten.
VORSITZENDER. Es stiegen Ihnen keine Bedenken beim Ankauf auf?
VIZARD. Die Dame hatte sich legitimiert, indem sie ihren Namen nannte – die Wohnung in Paris. Ich schlug im Telephonbuch unauffällig nach. Es stimmte alles.
VORSITZENDER. Ein Anruf bei Herrn Ambrossat, ob er den Verkauf der Kette billige, schien Ihnen überflüssig?
VIZARD. Die Dame trat so sicher auf, daß mir in keiner Weise Zweifel kommen konnten.
VORSITZENDER. Daß hier unrechtmäßig Gut veräußert wurde, verriet sich Ihnen nicht?

VIZARD. Ich habe einen guten Blick. Ich sehe an der Hand, die mir die Ware hinhält, ob mans hüten muß.

VORSITZENDER. Doch diesmal ließ Sie Ihr Blick instich?

VIZARD. Das ist mir unverständlich.

VORSITZENDER. Herr Vizard, Sie sagten, daß sich die Dame legitimierte. Geschah das ohne Widerstreben?

VIZARD. Ganz ohne Widerstreben.

VORSITZENDER. So muß man daraus schließen, daß sie glaubte nicht fürchten zu müssen, daß man Nachforschungen nach dem Verbleib der Perlen anstellen werde?

VIZARD. Sie wurden doch auch gleich bei mir gefunden.

VORSITZENDER. Ja, das war reichlich harmlos. Andrerseits widerspricht es ihrem raffinierten Vorgehen sonst. Der Fehler ist so plumpt, daß er kaum unterlaufen konnte. *Zu Adrienne.* Ja, hatten Sie es sich denn so fest eingeredet, daß die Kette Ihr Eigentum war? Weil Frau Duffin sie Ihnen ein zweites Mal gegeben hatte? Oder weil sie echt war? Sie führten sich doch wie der rechtmäßige Besitzer auf? Woher stammt denn das Recht?

ADRIENNE *hebt hilflos die Arme.*

VORSITZENDER. Ist denn die Wahrheit so schwer? Die Wahrheit ist immer ein Licht, das in der Finsternis aufgeht. Es wird doch nicht dunkler danach. Hier sitzt Ihr Mann. Schön war es, was er sagte. Von seinem Glauben an Ihre Unschuld – Ihre Reinheit. Vergessen Sie uns Richter. Nicht uns – ihm beichten Sie die Schuld. Vor ihm entlastet Sie die Beichte. Mehr muß das gelten als die Angst vor dem Gesetz. Bekennen Sie es ihm: wie kamen Sie zu dieser Kette?

ADRIENNE *ringt die Hände.* Das – kann ich ihm nicht sagen – – wie alles kam!

VORSITZENDER *schroff.* So werden wir es ermitteln. *Zum Gerichtsdiener.* Herr Brantôme.

Brantôme – weißhaarig – kommt.

VORSITZENDER. Herr Brantôme.

BRANTÔME *nickt.*

VORSITZENDER. Sie fertigten für Frau Duffin zwei Perlenketten an. Wir wollen sagen: das Original und die Kopie. Verhält sich das so?

BRANTÔME. Ich erhielt von Herrn Duffin den Auftrag vor etwa einem Jahr. Ich machte eine Zeichnung – da ich sie in jüngster Zeit wieder benötigte, lag sie mir zur Hand. Ich habe sie mitgebracht. Hier ist sie. *Er zieht sie hervor.*

VORSITZENDER *nimmt sie und legt sie beiseite.* Das ist nun nicht wichtig.

Guérage dreht sich nach Adrienne um, die schwer seufzte. Auch Brantôme sieht hin.

VORSITZENDER. Ist das nun üblich –

BRANTÔME *wieder aufmerksam.* Bitte?

VORSITZENDER. Daß zu dem echten Schmuck zugleich die Wiederholung in unecht verlangt wird?

BRANTÔME. Bei besonders wertvollen Stücken – ja. Man reserviert das Original für große Gelegenheiten und trägt bei kleinen die Kopie.

VORSITZENDER. Die Ähnlichkeit wird täuschend?

BRANTÔME. Dem Laienauge bietet sich kein Unterschied dar.

VORSITZENDER. So fielen die beiden Ketten der Frau Duffin auch ganz übereinstimmend aus. Wie wußte sie nun selbst, ob sie die echte oder die unechte vor sich hatte?

BRANTÔME. Das war sehr einfach durchgeführt. Das Original trug in der Schließe einen blauen Saphir eingesetzt, indes die Schließe der Kopie mit einem roten Rubin versehen war.

VORSITZENDER *zu Adrienne.* Sie kannten diese Kennzeichnung der beiden Ketten?

ADRIENNE. Helene sagte sie mir.

VORSITZENDER. Wann?

ADRIENNE. Als es zu spät war.

VORSITZENDER. Warum war es zu spät?

ADRIENNE. Ich hatte die Kette schon verkauft.

VORSITZENDER. Und hätten Sie es vorher gewußt?

ADRIENNE. Ich hätte ihr die Kette zurückgebracht.

VORSITZENDER. Sie brauchten doch aber eine echte Kette, um Geld zu beschaffen?

ADRIENNE. Ich hätte es mit der anderen versucht.

VORSITZENDER. Die fünfzig Francs wert ist?

ADRIENNE *hauchend.* Ja.

VORSITZENDER. Es ist erstaunlich, was Sie uns zu bieten wagen. Sind Sie denn wunderglänbig, daß Sie hoffen, es werde eine Talmikette sich in eine hochwertige unterwegs verwandeln, nur weil Sie dringend Geld brauchen?

ADRIENNE. Ich wollte Helene keinen Schaden verursachen. Es waren doch nur fünfzig Francs.

VORSITZENDER. Sie wollten dies nicht – Sie wollten das nicht, was wollten Sie denn eigentlich?

ADRIENNE. Ich wollte Paul helfen.

VORSITZENDER. Mit verbrecherischen Mitteln?

ADRIENNE *abwehrend.* Nein!

VORSITZENDER. Ich danke, Herr Brantôme. *Zum Gerichtsdiener.* Frau Duffin.

Gerichtsdiener geht hinaus.

VORSITZENDER *zu Brantôme.* Ist noch etwas, Herr Brantôme?

BRANTÔME *der nachdenklich stehen geblieben ist.* Nein. Die Zeichnung, die ich mitbrachte.

VORSITZENDER. Ist damit etwas?

BRANTÔME. Ich möchte sie nur wieder haben. *Er erhält sie. Dann setzt er sich auf einen Stuhl.*

Adrienne folgt ihm mit ängstlichen Blicken.

GERICHTSDIENER *kehrt zurück.* Herr Duffin bittet, Frau Duffin begleiten zu dürfen.

VORSITZENDER *nach fragenden Blicken zum Staatsanwalt und Guérage, die zustimmend nicken.* Herr und Frau Duffin also.

Gerichtsdiener winkt hinaus.
Helene und Duffin kommen.

HELENE *zu Duffin.* Ich weiß schon, was ich sage. Es ist durchaus nicht nötig.

Duffin nimmt auf einem Stuhl Platz.

HELENE *vor dem Richtertisch.* Ich bin Helene Duffin.

VORSITZENDER. Was Sie uns sagen sollen, ist sehr wichtig. Es ist entscheidend. Sie dürfen sich durch nichts verleiten lassen die Wahrheit abzuschwächen – was auch in der Richtung der Feindseligkeit gegen Ihre Freundin geschehen kann.

HELENE. Wir sind nicht mehr befreundet.

VORSITZENDER. Das meine ich. Wir wollen nur von Ihnen Tatsachen hören. Was wir davon halten sollen, das überlassen Sie unserm Urteil. Vor allen Dingen erinnern Sie sich einmal an alles – an jeden geringsten Vorgang, den Sie uns erzählen müssen.

HELENE. Ich weiß doch alles noch.

VORSITZENDER. Hier ist das Protokoll der Aussagen, die Sie im Vorverfahren machten.

HELENE. Kein Tüttelchen zuviel.

VORSITZENDER. Im Gegenteil – zuwenig. Es genügt uns nicht. Es klafft da eine Lücke – wo, das werden wir Ihnen später sagen. Jetzt fangen Sie mit dem erstmaligen Verleihen Ihrer Perlenkette an.

HELENE. Das war natürlich die falsche. Ich hätte es nie über mich gewonnen mich einen Augenblick von meiner echten zu trennen. Das wäre doch heller Wahnsinn gewesen. Man läßt sich extra eine Imitation anfertigen, um dem Verluste vorzubeugen, und dann –

VORSITZENDER. Erschien Frau Ambrossat bei Ihnen und begehrte die Kette für einen Ball.

HELENE. Sie bat mich und sie tat mir leid. Sie hat doch nichts, womit sie sich schmücken konnte. Das nackte Hälschen leuchtete mir förmlich entgegen – und dazu war der Ausschnitt besonders tief gehalten. Ganz richtig, wenn Frau Jesserin – die Schöpferin der Robe – den Abschluß mit einer milden Perlenschnüre empfahl. Ein Kunstwerk muß vollendet sein. Ich durfte mich dieser Forderung nicht verschließen und so willfahrte ich. Ich händigte ihr eine Perlenschnüre ein, für die ich nicht zu bangen brauchte. Sie war nur fünfzig Francs wert.

VORSITZENDER. Ahnungslos trug nun Frau Ambrossat auf ihrem Ball die falsche Kette?

HELENE. Ich hatte nichts gesagt, um das Vergnügen nicht zu stören. Es lief auch gut ab – für alle Teile. Frau Ambrossat hatte sich glänzend amüsiert, wie sie mir anderntags erzählte. Ich hatte meine Kette wieder, die ihren Zweck vollkommen erfüllt hatte.

VORSITZENDER. Nun offenbarten Sie die Täuschung?

HELENE. Ach ja. Ich habe so gelacht. Ich habe selten einen Menschen derartig konsterniert gesehen wie Adrienne im Sessel vor mir. Es kann ja ein Gesicht in vollem Leben zu Stein erstarren. Da zuckte auch keine Miene und die Augen schienen ihr aus dem Kopf zu fallen. So weiteten sich ihre Augenhöhlen. Es war doch anatomisch ganz unmöglich – und trotzdem.

VORSITZENDER. Erschrak sie deshalb so – so auf den Tod – weil sie sich ihrer Torheit schämte, die Perlen nicht erkannt zu haben?

HELENE. Es macht doch mir auch Mühe und ich verstehe einiges von Schmuck. Das kann der Grund nicht sein.

VORSITZENDER. Wo suchen Sie ihn?

HELENE. Es ist mir heute noch ganz unerklärlich. So zu erschrecken. Es hatte ihr doch nichts geschadet.

VORSITZENDER *zu Adrienne.* Weshalb erschraken Sie denn übermäßig, als Sie erfuhren, daß Sie mit falschen Perlen auf dem Ball gewesen waren?

ADRIENNE. Sie – hätte es mir doch sagen müssen.

VORSITZENDER. Warum? Die Täuschung fiel nicht auf. Fühlten Sie sich beleidigt – entehrt durch diese Täuschung?

ADRIENNE *verbirgt das Gesicht in den Händen.*

VORSITZENDER. Sie schieden dann als gute Freundinnen und alles war wie immer?

HELENE. Sie trug mir nichts nach – im Gegenteil, sie kam ein zweites Mal um diese Kette.

VORSITZENDER. Ausdrücklich um dieselbe falsche Kette?

HELENE. Um keine andre. Die ich ihr auch nicht geliehen hätte. Das wußte sie doch. Ihr Bitten wäre doch ganz vergeblich gewesen und an meinem Widerstand gescheitert. Sie konnte nur mit dieser falschen Kette rechnen. Wie sie es tat.

VORSITZENDER *wiederholt nachdenkend.* Wie sie es tat. *Nach einer Pause.* In welcher Stimmung befand sich Frau Ambrossat, als sie dies zweite Mal zu Ihnen kam?

HELENE. O sie war glänzender Laune. Sie schäumte über von Temperament, wie ich sie noch gar nicht kannte. Es war tatsächlich eine andre Adrienne. Sie hatte auch ihre früheren Ansichten völlig geändert. Sie war nicht mehr zufrieden mit dem, was ihr ihr Leben bot. Es dünkte sie zu gering. Sie schwärmte von einem Lebensstil, den Paul ihr schaffen müsse. Er lasse ihr zu engen Rahmen. Sie wolle es so haben wie ich. Das war nun kühn.

VORSITZENDER. Beklagte sie sich über ihren Mann?

HELENE. Ja – doch. Wenn eine Frau von ihrem Mann verlangt, er solle Karriere machen – dann wurmt es sie doch innerlich, daß er nicht weiter ist.

VORSITZENDER. Zu Ihnen sprach sie sich offenherzig aus?

HELENE. Immer. Von früh an. Schon in den Zeiten des Pensionats. Sie konnte halbe Nächte plappern. Sie hatte immer heißgeliebte Ideale. Anbetungswürdig erschien ihr ein Landwirt in der Provinz. Sie selber Bäuerin und im Morgenlichte die Fluren querend. Um alles war immer hohe Poesie. Dann trennten wir uns. Ich kehrte nach Paris zurück, sie nach Lyon. Doch zwanzig Seiten lange Briefe kamen – und eines Tages kam sie selbst. Sie war Frau Ambrossat und wohnte in Paris. Sie hätte nie Lyon verlassen sollen.

VORSITZENDER. Wie meinen Sie das?

HELENE. Es ist ihr schlecht bekommen. Sie war zu haltlos. Die Luft, die andre hier ohne Schaden atmen, war Gift für sie. Ein Gift, das Rausch erzeugt. Sie wollte in den Glanz nach oben. Sie rechnete nur noch. Es war ihr einzig wichtig, daß ihr Mann Kredit erhielte, damit sie aus dem Staub zur Sonne stiege. Ich glaube, sie hätte sich für den Kredit –

VORSITZENDER. Verschweigen Sie uns nichts.

HELENE. Ums Seelenheil begeben. Kredit – Kredit – Kredit – Ich konnte es schon nicht mehr hören und ich verbot ihr schließlich die Erwähnung. Das war doch unerträglich, daß eine Frau fortwährend mit Handelsworten um sich wirft. Ich fand es schmutzig.

VORSITZENDER. Dachte sie denn nur an sich?

HELENE. Da war nur sie im Bilde. Den Rahmen durft ihr Mann ihr zimmern und dick vergolden.

PAUL *steht vom Stuhl auf und sagt ruhig.* Das ist gelogen.

HELENE *sich nach ihm umdrehend.* Wer lügt hier? Es dürften wohl kaum Zweifel bestehen.

DUFFIN *steht auf.* Ich bitte das Gericht um Schutz der Zeugin.

GUÉRAGE. Ich bitte an die Zeugin einige Fragen richten zu dürfen.

STAATSANWALT. Ich beantrage, diese Fragen jetzt abzulehnen. Ich halte es für wichtig, daß der Eindruck, den wir so eben von diesen Äußerungen der Angeklagten hinter dem Rücken ihres Mannes empfangen haben, nicht ausgelöscht wird.

GUÉRAGE. Er muß es, weil man Motive unterschiebt, die so nichtswürdig sind, daß –

VORSITZENDER. Behalten Sie sich die Verwertung vor, bis Sie am Schluß verteidigen. Ich fahre in der Vernehmung fort. *Zu Paul und Duffin.* Ich ersuche die übrigen Zeugen

nicht mehr zu unterbrechen. *Zu Helene.* Als Sie Frau Ambrossat nun um die Kette bat, da nannte sie auch den Zweck,
wozu sie nochmals eine Kette brauche?

HELENE. Sie schwindelte jetzt furchtbar. Daß ihr Mann nun
den Kredit bekommen habe – in richtiger Würdigung seiner Leistungen, die der Gesellschaft stets besonders nützlich
gewesen seien – ein Sitz im Generalrat bleibe ihm bald nicht
mehr verschlossen – und für ein Essen beim Präsidenten zur
Feier des bewilligten Kredits erbitte sie den Schmuck. Den
falschen Schmuck – natürlich passend zu allem, was sie mir
vorgeredet hatte, das alles falsch und eine einzige Lüge war.
Zu Guérage. So fragen Sie sie, ob ich das erfinde? Ob es un-
sinnig ist?

VORSITZENDER *zu Helene.* Antworten Sie mir. Wo hatten
Sie die Ketten aufbewahrt?

HELENE. Im Safe.

VORSITZENDER. Wo befindet sich der Safe?

HELENE. Im Schlafzimmer.

VORSITZENDER. Wo hielten Sie sich damals mit Ihrer Freundin auf?

HELENE. In meinem Boudoir.

VORSITZENDER. Wo liegt das?

HELENE. Neben dem Schlafzimmer.

VORSITZENDER. Neben dem Schlafzimmer. – Sie holten dann
die Kette und irrten sich in den Etuis. Sie brachten das, das
Ihre echte Kette enthielt. Wie konnten Sie sich irren? Wie
kam nach Ihrer Ansicht die Verwechslung zustande?

HELENE. Es hat der Safe zwei Fächer. Ich stelle immer oben
die echte hin und unten die andre. Ich muß mich im Fach
vergriffen haben. Ich weiß nicht, wie das geschehen konnte.
Es war noch nie geschehen. Ich habe immer so streng darauf
geachtet – ich bin so ordentlich – *Sie bricht in Tränen aus.*
– Ich wußte doch, wie Henri schelten würde – Henri ist mein
Mann – er schenkt mir Schmuck, wie eine Prinzessin man
sonst verwöhnt – und alles von Brantôme – dem ersten Juwelier der Stadt – ich wäre zu Brantôme gelaufen, wenn
ich allein davon gewußt hätte, und hätte mir eine neue Kette
bestellt – genau so wie die erste und Henri hätte nichts gemerkt – doch Adrienne kam nicht und ließ mich sitzen – das
war so gemein – und Henri erfuhr alles, als wir in die Oper
fahren wollten und ich mich schmücken sollte. Da war die
echte Kette nicht da – und da zerriß ich die falsche, die mich

nie wieder ärgern sollte, und streute die Perlen in den Abfluß – auf Nimmerwiedersehn. Die Schließe hab' ich noch.
Hier ist sie. *Sie holt sie aus ihrem Täschchen und hält sie
dem Vorsitzenden hin.*

VORSITZENDER *nimmt sie und betrachtet sie.* Ja, es war die
falsche. Die falsche mit dem roten Stein. *Er zeigt sie den
anderen Richtern.*

Brantôme ist aufgestanden.

VORSITZENDER. Was gibt es, Herr Brantôme?
BRANTÔME. Darf ich die Schließe mir ansehn?
VORSITZENDER. Bitte, Herr Brantôme.
BRANTÔME *empfängt sie und tritt zur Seite.*

*Adrienne beobachtet Brantôme – und folgt dann mit wach-
sender Aufmerksamkeit der weiteren Vernehmung Helenes.*

VORSITZENDER *zu Helene.* Sie brachten der Freundin also die
Kette aus dem Safe. Verschlossen Sie den Safe gleich wieder?
HELENE *schweigt.*
VORSITZENDER. Ich lasse Ihnen Zeit, wenn Sie da überlegen
müssen.
HELENE *wie mit einer Erleuchtung.* Nein, Henri rief an. Ich
stand beim Safe. Da meldete die Zofe den Anruf meines
Manns. Das hatte mich verwirrt. In dem Moment vergriff
ich mich und langte aus dem oberen Fach die Kette. Die war
die echte. Ich warf sie Adrienne in den Schoß und lief hin-
aus ans Telephon.
VORSITZENDER. Der Safe blieb aber offen?
HELENE. Ich hatte doch gar keine Zeit ihn abzuschließen.
Henri wartete.
VORSITZENDER. Wie lange telephonierten Sie?
HELENE. Es war kein langes Gespräch. Ich sollte ins Mini-
sterium kommen.
VORSITZENDER. Doch lang genug – daß Ihre Freundin den
Weg vom Boudoir ins Schlafzimmer und wieder aus dem
Schlafzimmer ins Boudoir zurücklegen konnte, nachdem sie
aus dem offenen Safe die echte Kette gegen die falsche, die
Sie ihr natürlich ohne Irrtum richtig gegeben hatten, einge-
tauscht hatte! – – Herrscht hier noch Unklarheit? – – – –
Was ist denn, Herr Brantôme?

BRANTÔME *vortretend.* Ich sagte, daß ich die Zeichnung – *Er hält sie wieder bereit.* – nach der ich für Frau Duffin die Ketten angefertigt hatte, jüngst wieder hervorsuchte.

VORSITZENDER. Das teilten Sie uns mit.

HELENE. Bin ich entlassen?

VORSITZENDER. Sie können sich setzen, Frau Duffin.

Helene nimmt neben Duffin auf einem Stuhl Platz.

VORSITZENDER *zu Brantôme.* Was ist nun mit der Zeichnung, das uns nach Ihrer Ansicht hier interessieren könnte?

BRANTÔME. Mir wurde nämlich an einem Tage diese Schließe – genau so abgerissen von der Schnüre mit einem Rest des Fadens – *Er hält sie hoch.* – gebracht.

VORSITZENDER. Von Frau Duffin?

BRANTÔME. Nein. Es trat ein Herr ein.

VORSITZENDER. Ihm hatte Frau Duffin die Schließe gegeben? Wozu?

HELENE. Ich habe nie die Schließe aus der Hand gegeben. Von mir bestimmt erhielt sie dieser Herr nicht.

VORSITZENDER. Das war wohl eine andre Schließe, Herr Brantôme.

BRANTÔME. Ich kann mich gar nicht irren. Hier ist mein Werkstattzeichen.

VORSITZENDER. Und kann nicht zweimal oder mehrfach solche Schließe existieren, da sie doch keine Rarität ist?

BRANTÔME. Weil ich sie nach dem seltenen Original kopierte – nein.

VORSITZENDER. Was wollte nun der mysteriöse Herr, der eine Schließe brachte, die Frau Duffin in ihrem Täschchen trug. Hat das mit unsrer Sache denn zu tun?

BRANTÔME. Ja. Mit Frau Duffin.

HELENE. Das ist ja fabelhaft.

VORSITZENDER. Sie hören den Protest. Und dennoch?

BRANTÔME. Verlangte dieser Herr, daß ich bis Nachmittag zu dieser Schließe eine echte Perlenkette anfertigen solle. Er kam am Vormittag.

HELENE. Wie gerne hätte ich die zweite echte genommen!

VORSITZENDER *zu Helene.* Jetzt schweigen Sie. *Zu Brantôme.* Herr Brantôme, Sie hören doch, daß Frau Duffin nicht das geringste hiermit zu tun hat. Wie mischen Sie denn ihren Namen in die Geschichte?

BRANTÔME. Der Herr nannte den Namen. Es müsse eine genaue Wiederholung der Kette der Frau Duffin werden.

VORSITZENDER. Wußten Sie damals schon, daß Sie die Schließe der falschen Kette der Frau Duffin erhielten, um echte Perlen daran zu reihen?

BRANTÔME. Ich beachtete es nicht. Es fiel mir ein, als ich hier zuhörte.

VORSITZENDER. Warum bestellte nach Ihrer Meinung der Herr die Kette nach dem Vorbild jener von Frau Duffin?

BRANTÔME. Sie hatte ihm gefallen.

VORSITZENDER. Wer?

BRANTÔME. Gewiß die Kette.

VORSITZENDER. Und kannten Sie den Herrn?

BRANTÔME. Er kam und kaufte –

VORSITZENDER. Bezahlte riesig und verschwand?

BRANTÔME. Er sprach französisch mit einem fremdländischen Akzent. Daß er am Abend mit dem Schiffe wegfahre, erwähnte er auch.

VORSITZENDER. Daher die Eile. Er wollte den Schmuck nach Übersee mitnehmen. Aha.

BRANTÔME. Er nahm ihn doch nicht mit. Denn hier ist ja die Schließe. Und wieder ohne Perlen. Im Besitze von Frau Duffin.

HELENE *ist aufgestanden und tritt vor.* Was heißt denn das? Es klingt, als habe sich hier etwas abgespielt, das mich vielleicht in ganz gemeiner Weise verdächtigen könnte. Ich habe meine Schließe keinem Herrn gegeben, der damit zu Brantôme geht, um mir echte Perlen zu kaufen. Mir schenkt mein Mann, was ich begehre. Ich bitte um meine Schließe, damit nicht Unfug mit meinem Eigentum geschieht. *Sie nimmt sie Brantôme weg.* Danke. *Sie kehrt auf ihren Stuhl zurück.*

BRANTÔME. Ich wollte nur bekunden, was mir auffiel – nur bekunden. *Er will zurücktreten.*

VORSITZENDER. Halt, Herr Brantôme. Nun sagen Sie uns noch, wann war denn das?

BRANTÔME. Auch das hat sich mir eingeprägt, der Herr war nämlich sehr vergnügter Stimmung. Er lobte sehr Paris. Man würde nie enttäuscht. Man amüsiere sich zuletzt doch wunderbar. Er hätte gestern einen Ball erlebt –

VORSITZENDER. Wann war dies gestern?

BRANTÔME. Jetzt muß ich mich doch besinnen. Doch ich besinne mich –: an einem – –

ADRIENNE *folgt mit steigendem Grauen. Jetzt beugt sie sich zu Guérage herunter. Keuchend.* Ich habe keine Kraft mehr. Ich will gestehen. Bevor ich falle.

GUÉRAGE *erhebt sich sofort.* Frau Ambrossat will ein Geständnis ablegen.

Vorsitzender bedeutet Brantôme zurückzutreten.
Brantôme setzt sich auf seinen Stuhl.
Erwartungsvolle Stille im Saal.

ADRIENNE *aufrecht hinter der Rampe.* Ich habe gestohlen. Der Dieb bin ich. Ich dachte, es würde nicht herauskommen. Wenn ich nur genügend Verwirrung anrichtete. Ich habe mich doch so verstellt, daß keiner es mir vom Gesicht ablesen konnte. Das sah doch immer ganz ehrlich aus. Doch hinter dem Gesicht – da ist der Mensch ein andrer. Da sammelt er die Lügen – und hat er alle seine Lügen beisammen, dann geht er ans Werk. Ich habe mich sehr geübt in Lug und Trug, um mir den Plan nicht zu verderben. Daß er mißlang, das sind so bittre Lehren. Ich war doch nicht ganz reif. – Doch eingefädelt hatte ich es schlau. Leugnen und nichts verraten, war mein Sinnen. Nie sagen, daß ich mit einer echten Kette wegging. Von Frau Duffin. Sie sollte es auch büßen, daß sie mich einmal angeschwindelt hatte. Mich so zu hintergehen. Mir den Glauben an Treu und Redlichkeit zu rauben. Ich erschrak doch so. – Ich wartete auf die Gelegenheit. Ich wußte noch nicht, wie ich ihr vergelten würde. Da übernahm mein Mann sich in Geschäften, ihm fehlte Geld. Kredit war nicht bewilligt. Der Abgrund gähnte. Ich wollte ihn zuschütten. Mit Geld – mit Geld – mit so viel Geld. Was wird denn ohne Geld in dieser Welt? *Auflachend.* Man muß doch Geld haben! – Es war zu finden. Ich hatte die reiche Freundin. Die mich einmal getäuscht hatte – jetzt täusche ich sie. Ich werde wieder um die Kette bitten – ach um die falsche! – und die werde ich, wie es sich gibt, vertauschen mit der echten. Und es begab sich, daß der Herr Gemahl anrief und dieses Reh von Freundin so tief erzitterte bei diesem Anruf ihres Herrn Gemahls, der doch in Gold sie faßt und sie mit echten und mit falschen Schnüren behängt – damit nur andre straucheln, die nichts wissen von diesem Tand und blindlings glauben und den Glauben bezahlen mit der Unschuld ihres Lebens – wie haßte ich die beiden. Diese gackernde Henne und den Truthahn. Diesen Gecken, der einherstolziert – mit einem Bleiherz, das nicht klingt und einen Schall anstimmt, bei dem er aufhorcht und sich warnen läßt: nicht auszuschicken und zu erforschen, wie er das echte Blut aus einem Menschenherzen auspressen kann, bis seinem Opfer der letzte Puls vergeht. Diesem unsäglich schäbigen Laffen –

DUFFIN. Das ist unerhört.

VORSITZENDER. Ruhe. *Zu Adrienne*. Mäßigen Sie sich.

ADRIENNE *laut*. – wurde es ein teurer Anruf, denn ich stahl inzwischen die echte Kette aus dem Safe! – – – – *Matt*. Nun sagte ich es, weil es nicht mehr zu verheimlichen war. Frau Duffin hatte sich zu gut besonnen. Ich hatte nicht gedacht, daß es auf diese Weise – – als Dieb – – ein schmutziger Dieb – – von dem man abrückt – – um sich nicht zu beschmutzen – – *Fast schreiend*. Dränge ich mich auf?! *Zum Vorsitzenden*. Soll ich mich mäßigen? Jetzt soll das sein? Ich habe mich noch nie gemäßigt. Ich war von einer Gier besessen – zu leben. Zu leben in Paris. Ich mußte lügen, um nicht zu verbrennen. Ich belog mich selbst. Wie sollte es denn je gelingen, daß ich in Paris einziehe? Mit einigem Glanz und dann zu hohem Leuchten steige? Mein Hoffen war so arm. Ein Landwirt wird mich nehmen – diese Flamme ersticken im Qualm der Dürftigkeit. – Da kam Paul Ambrossat. Gefiel er mir so gut? Er war der Ritter nicht – doch in Paris ein Kaufmann. Ich folgte blindlings seiner Werbung. Sie führte mich doch aus Lyon weg – in die Stadt der Träume. Ach, sie erfüllten sich so langsam. Mein Mann war fleißig – Fleiß, den hat ein jeder – und kommt nicht vorwärts. Ich merkte bald: Paul hatte keinen Blick. Er sah nicht die Gelegenheiten. Er brauchte Hilfe. Die konnte ich ihm leisten. Ich wurde hilfreich bis zum äußersten. Ich stahl doch. Ich ersetzte den Kredit, der ausgefallen war. Ich wollte ihn beschaffen, um endlich aufzusteigen aus den Niederungen, in denen Paul mich hielt. Ich hatte diesen Alltag satt. Wenn andre in die Oper fuhren, wo Sänger so berauschend waren, saß ich zuhaus und las in einem Buch. Allein. Rings war Paris. Da widerte mich dieses Leben an – und dieser Mann, der spekulierte und sich irrte. Ich brauchte mich nicht mehr zu scheun. Ich hatte keine Achtung vor Herrn Ambrossat. Ich griff an einen Safe und holte, was ich brauchte, damit Herr Ambrossat sich nicht mehr bemühen möchte – vor meinem Siegeswagen, der hier herrlich zerschellte. Ich danke Ihnen, Herr Ambrossat. Ich glaube, wir sind quitt!! *Mit äußerster Anstrengung hält sie den Blick nach ihm aus – dann setzt sie sich und sitzt wie versteinert und ändert ihre Haltung bis zum Schluß der Verhandlung nicht mehr.*

VORSITZENDER *nach einer Pause zum Staatsanwalt.* Herr Staatsanwalt.

STAATSANWALT *erhebt sich.* Es fällt nicht ins Gewicht, daß die Angeklagte gestanden hat. Das Geständnis kam zu spät, um überhaupt noch diese Bezeichnung zu verdienen. Erst als der Ring schon lückenlos um sie geschlossen war – als kein Entrinnen mehr möglich, entschloß sie sich zur Aufgabe ihres Widerstands. Der war nun teils geschickt – teils außerordentlich einfältig. Doch Methode lag darin. Das Trübe noch mehr zu trüben – und in der Finsternis entwischen. So leugnete sie ihr Wissen um die echte Kette, die sie auch nie empfangen hatte. Die Freundin hatte ihr schon richtig die erbetene falsche übergeben. Das sagte sie ganz wahr. Daß sie dann hinging und diese Kette verkaufte – verkaufen konnte für einen sehr hohen Preis, das zu erklären überließ sie uns. Wenn von der Anklage ihr vorgeworfen wurde, sie habe die echte Kette, die in Verwechslung ihr ausgehändigt wäre, unterschlagen, so konnte sie mit vollem Recht das abstreiten. Der Unterschlagung hatte sie sich nicht schuldig gemacht. Denn es war Diebstahl, den sie begangen hatte. Mit diesen Winkelzügen dachte sie sich der Sühne vor dem Richter zu entziehen. Doch es kam anders. Ihr Vorgehen stellte sich weit schlimmer dar. Mit einer Überlegung, die verblüfft, ging sie ans Werk. Was wir hörten – wie gemischt aus Neid und Rachsucht der Plan zum Kettenraub gemodelt wurde – verübt an ihrer besten Freundin, zu der sie immer kommen und ihr Herz ausschütten durfte – die ihr so vertraute, daß sie den Safe mit kostbaren Juwelen nicht abschloß, wenn sie abgerufen wurde –: das offenbart ein Maß von sittlicher Verworfenheit, das nur begriffen wird, wenn man die Tat allein nicht ansieht, sondern den langen Weg zurückblickt, der zu ihr hinführt. Da hilft uns das Bekenntnis der Angeklagten. Aus der Provinz kommt sie nach Paris. Sie zieht nicht friedlich in Paris ein – beutegierig bricht sie in diese Stadt ein, um zu plündern. Um wüste Gier nach einem Luxusleben zu befriedigen. Der Ehemann wird nicht aus Liebe geheiratet – nein, um des Vorteils willen. Das scheint mir doch das düsterste Kapitel in dieser Chronik eines hemmungslosen Daseins zu sein. Es muß bei der Bemessung der Strafe beachtet werden. Durch keinen Umstand darf die Bestrafung eine Milderung erfahren. *Mit ausgestrecktem Arm auf Adrienne weisend.* Nicht ihre Jugend – nicht die Verführung von Paris, der sie zu wenig widerstand, soll für sie sprechen. *Mit erhobener Stimme.* Die Gesellschaft hat das Recht vor ihren Feinden geschützt zu werden – und das Gericht die Pflicht mit seiner harten Buße, die sich einprägt, die Angeklagte von weiteren Verbrechen abzuschrecken. Ich fordere eine Strafe von zwei Jahren Gefängnis für das Verbrechen des schweren und mit Vorbedacht vollbrachten Diebstahls! *Er setzt sich hin.*

Stille im Saal.

VORSITZENDER *wendet sich Guérage zu.*

GUÉRAGE *erhebt sich.* Die Verteidigung hat wenig zu sagen. Es liegt das Geständnis vor. An ihm ist nicht zu rütteln. Es ist auch unerbittlich logisch. Die Tat – ihre Motive – in ihrem Geltungswillen wurzelnd, das alles ist uns dargelegt mit einer Offenheit, die nichts vertuscht. Wir hören das nicht oft. Es sollte uns bedenklich stimmen. Ist nicht ein Mensch, der nichts von dem zurückhält, was ihn belastet, schon auf dem geraden Wege? Er hat die Winkelzüge satt und trennte sich von allem schattenhaften in seiner Seele. Indem er alles häßliche ausspricht, wirft er es weg. Die Läuterung beginnt. Sie wird fortschreiten und bis zur Vollendung gedeihen, wenn Unterstützung ihr geliehen wird. Frau Ambrossat wird sich nicht mehr vergessen. Ich möchte mich verbürgen, daß sie den Pfad zu einer Missetat nicht wieder findet. Was sie gesprochen hat, das weht dahin – wie sie gesprochen, das hallt nach. Bei mir – und wer nicht harten Herzens ist, wen rührte es nicht an? Das war ein Schrei, der sich Befreiung schuf. Der Drangsal überwand, die furchtbar quälte. Als ob sie einem Peiniger entwich, der sie am Hals – an allen Gliedern würgte – unsichtbar innerlich – und ihr Gewalt antat, die sie ertragen mußte, eh sie entrinnen konnte. Das gelang ihr hier. Sie flüchtete hinaus – weg von sich selbst – von dieser Tat, die sie selbst immer haßte und doch tun mußte – auf Gebot des Lebens, das wir befolgen müssen – ganz unweigerlich, um zu gewinnen, wo wir zu verlieren scheinen.

Frau Ambrossat hatte sich verloren – nun hat sie sich gefunden. Im offenen Geständnis – und wäre es gelogen! – liegt so viel Menschenwürde, daß ihr viel verziehen werden müßte. Denn diese Lüge suchte nicht ihre Richter zu besänftigen – sie stachelte sie förmlich auf zum strengsten Urteil. So wird auch sie zur Wahrheit, weil sie nach völliger Entsühnung verlangt. Ich bitte das Gericht die Tat zu strafen – nicht den Menschen! *Er setzt sich.*

Tiefe Stille im Saal.

VORSITZENDER *aufstehend.* Das Gericht berät das Urteil. *Mit den Richtern ab.*

Staatsanwalt entfernt sich durch eine Tür hinter seinem Platz.
Guérage steht vor Adrienne und streicht ihr manchmal über die Hände.
Paul blickt starr zu Boden.
Duffin will mit Helene aufbrechen. Helene widerstrebt heftig und sagt laut: »Ich will erleben, wie sie verurteilt wird!«
Vizard redet auf Brantôme ein, der ihm nicht zuhört.
Das Publikum scharrt und schwatzt.
Staatsanwalt kehrt zurück.
Sofort beruhigt sich jeder Lärm im Saal.
Der Gerichtshof tritt wieder ein und besetzt seine Plätze.
Lautloser Saal.

VORSITZENDER. Die Angeklagte –

Gerichtsdiener bedeutet Adrienne sich zu erheben.

ADRIENNE *steht mechanisch und steif auf.*
VORSITZENDER. Adrienne Ambrossat wird wegen des Verbrechens des Diebstahls zu einem Jahr Gefängnis verurteilt. Die erlittene Untersuchungshaft wird in die Strafe einbezogen. Der Haftbefehl wird nicht aufgehoben. *Zu Adrienne.* Nehmen Sie das Urteil an?
ADRIENNE *schweigt.*
VORSITZENDER. Gilt das als ja?
GUÉRAGE. Es gilt.
VORSITZENDER. Ich schließe das Verfahren. *Mit den Richtern ab.*

Staatsanwalt ab.
Das Publikum drängt aus dem Saal.
Duffin und Helene stoßen auf Bekannte und entfernen sich mit ihnen.
Vizard ab.
Paul geht ohne Blick für Adrienne.
Dann verabschiedet sich Guérage von Adrienne, die nichts beachtet.
Brantôme geht als letzter – nachdenklich, kopfschüttelnd – weg.
Dann klopft Gerichtsdiener Adrienne auf die Schulter und sagt: »Wir müssen gehn.« Beide durch eine niedrige Tür ab.

DRITTER AKT

Büro des Rechtsanwalts Guérage.

GUÉRAGE *sitzt am Schreibtisch und öffnet Briefe. Bei einem Schriftstück verweilt er länger und überlegt. Dann telephoniert er.* Eine Verbindung mit Herrn Ambrossat. *Wieder beschäftigt er sich mit Briefen. Klingelzeichen des Telephons. Er nimmt den Hörer.* Ja, hier spricht Rechtsanwalt Guérage. Ich rufe Sie an, Herr Ambrossat, in Ihrer Scheidungsangelegenheit. – – So, Sie haben heute morgen auch die Benachrichtigung erhalten? – – Ja, nun sind Sie geschieden, wie eine andre Entscheidung des Gerichts auch nicht zu erwarten war. Die Schädigungen, die Frau Ambrossat Ihrem Ruf – Ihrem Geschäft zugefügt hat, sind ja durchschlagende Gründe. Sie mußten mit Ihrer Eingabe Erfolg haben. – – Warum ich mich in dieser erledigten Sache noch mit einem Anruf bemühe? Erstens ist es so viel wie keine Mühe und dann möchte ich Ihnen etwas zu bedenken geben. Soll ich Frau Ambrossat das Scheidungsurteil ins Gefängnis schicken? – – Warum ich zögere? Weil ich es für eine unnötige Härte halte, ihr während der Verbüßung ihrer Strafe das Ende ihrer Ehe schwarz auf weiß zu zeigen. Sind Sie nicht meiner Ansicht? – Sie sind nicht meiner Ansicht. Frau Ambrossat habe in dieser Ehe nur ein Mittel zum Zweck gesehen. Der Zweck sei nicht erreicht. So läge ihr selbst nichts mehr an der Verbindung. Sie würde das Urteil ohne Schrecken lesen. – – Ich kann dagegen nichts einwenden. Nur – – *Er hört.* – – Ich werde also das Urteil ins Gefängnis schicken. *Er legt den Hörer hin. Wieder bei seinen Briefen.*

Telefon klingelt.

GUÉRAGE *hört.* Der Juwelier Brantôme ? – Ich lasse bitten.

Brantôme kommt.

GUÉRAGE *steht auf und begrüßt Brantôme lachend.* Ich kaufe nichts von Ihnen, Herr Brantôme. Sie sind mir zu teuer.
BRANTÔME *lachend.* Ich treibe auch keinen Handel über die Straße. So habe ich einst angefangen. Hausierer, Herr Guérage.

see abreisen, dort wartet ein Mann, der ihr viel zu verzeihen hat, weil ihm selbst viel verziehen werden muß. Ein großer Reichtum ist da. Er ladet zum Vergessen ein. Ich schreibe die Adresse auf und sie bekommt den Brief, der ihr die Sorgen um die Zukunft nimmt. Sie kann doch hoffen und alles leichter tragen. Wo ist sie im Gefängnis? Das wollte ich Sie fragen, Herr Guérage. Eigentlich weiter nichts. So schreibe ich – – *Er will schreiben.*

GUÉRAGE. Noch nicht, Herr Brantôme. Lassen Sie die Briefe hier.

BRANTÔME. Beide?

GUÉRAGE. Sie dürfen mir vertrauen, Herr Brantôme.

BRANTÔME *lächelnd.* Ich fragte nicht mißtrauisch, Herr Guérage.

GUÉRAGE *lachend.* Ein Juwelier soll immer mißtraun. Es gibt doch echte und falsche Perlen.

BRANTÔME. Die gibt es. Doch uns täuscht man nicht.

GUÉRAGE *ernst.* Nein – nur die Unwissenden werden getäuscht.

BRANTÔME *aufbrechend.* Was höre ich von Ihnen noch?

GUÉRAGE. Noch nachmittags, ob ein Brief abgesandt ist oder nicht!

Brantôme ab.

GUÉRAGE *indem er beide Briefe und das Schriftstück in eine Ledermappe schiebt, telephoniert.* Eine Verbindung mit Herrn Ambrossat.

Bei Ambrossat. Kleiner Salon.
Bezüge über den Möbeln.
Paul führt den Auktionator herein.

PAUL. Eine Garnitur Polstermöbel.

AUKTIONATOR *einen Bezug lüftend.* Ebenfalls in neuwertigem Zustand.

PAUL. Wie alles.

AUKTIONATOR *in seine Liste eintragend.* Vier Sessel – ein Divan – ein Tisch – ein Schrank. *Aufblickend.* Im Schrank?

PAUL *ihn öffnend.* Ein Grammophon.

AUKTIONATOR. Behalten Sie es?

PAUL. Nein. Ich behalte nichts. In Bausch und Bogen wird die Einrichtung veräußert.

AUKTIONATOR *während er notiert.* Verreisen Sie, Herr Ambrossat?

PAUL. Ja, ich verreise.

AUKTIONATOR. Für immer aus Paris?

PAUL. Für immer.

AUKTIONATOR. In eine andre Stadt in Frankreich?

PAUL. Nein. Ich verlasse das Land.

AUKTIONATOR *seufzt.* Wer auch so reisen könnte, Herr Ambrossat. Den Ballast abschütteln und volle Segel setzen.

PAUL. Den Ballast schüttelt man nie ganz ab.

AUKTIONATOR. Sie verkaufen doch das letzte Stück?

PAUL. Es bleibt ein Rest. – Wann werden Sie versteigern?

AUKTIONATOR *im Kalender blätternd.* Die Auktion könnte stattfinden – – Paßt Ihnen –

PAUL. Ich bin mit jedem Termin einverstanden. Nur möglichst bald.

AUKTIONATOR. Am fünfzehnten?

PAUL. Am fünfzehnten.

AUKTIONATOR. Hier in der Wohnung?

PAUL. Laden Sie hier ein. Mich stört das nicht mehr.

Flurklingel.

PAUL. Das ist – *Zum Auktionator.* Es hatte sich ein Herr angemeldet.

AUKTIONATOR. Das hörte ich vorhin. Ich bin auch fertig. Ich lasse Schilder an das Haustor heften und gebe ein Inserat auf.

PAUL. Wie das so üblich ist. Wenn Sie noch Auskunft brauchen, ich wohne im Hotel Terrasse.

AUKTIONATOR. Hotel Terrasse.

Paul begleitet ihn hinaus – kehrt mit Guérage zurück.

PAUL. Was führt Sie zu mir. Herr Guérage?

GUÉRAGE *legt seine Ledermappe auf den Tisch. Einen Sessel rückend.* Gestatten Sie?

PAUL. Ich bitte, Herr Guérage. *Er setzt sich Guérage gegenüber.*

GUÉRAGE. Ich mußte mich noch einmal mit einer Sache beschäftigen, die damals, wenn ein Zeuge eingehender vernommen wäre, einen andern Ausgang genommen hätte.

PAUL. Was meinen Sie?

GUÉRAGE. Daß Frau Ambrossat nicht im Gefängnis säße.

PAUL. Zu dieser Sache ist nichts mehr zu sagen. *Er steht auf.*

GUÉRAGE. Nur so viel, daß Frau Ambrossat den Diebstahl nicht begangen hat. Das wäre jetzt zu äußern und zu beweisen, Herr Ambrossat.

PAUL *sich niederlassend.* Sie wollen doch nicht den Prozeß noch einmal aufrollen?

GUÉRAGE. Mit dieser Absicht bin ich hergekommen.

PAUL. Es soll sich vor den Richtern wiederholen –

GUÉRAGE. Vor einem andern Richter.

PAUL. Vor einer höheren Instanz?

GUÉRAGE. Vor einer höheren Instanz.

PAUL. Vor welcher?

GUÉRAGE. Vor Ihrem Richterstuhl, Herr Ambrossat.

PAUL. Ich – verstehe nicht.

GUÉRAGE. Sie sind geschieden, Herr Ambrossat. Verbindet Sie mit dieser Frau noch irgendein Band, das nicht zerschnitten wäre?

PAUL. Nein.

GUÉRAGE. Denn Richter darf nur sein, wer unbeteiligt ist am Vorteil oder Nachteil der Person, die vor Gericht steht. Sie fühlen nichts? Es kann Sie nichts verletzen?

PAUL. Was sollte mich verletzen?

GUÉRAGE. Der Freispruch. Wenn er zustande kommt. Denn auf Freispruch plädiert jetzt die Verteidigung. Juristisch wäre er schon im Prozeß gefallen – es hätte nur der Zeuge Brantôme ein wenig länger reden sollen, doch es schnitt ihm die Angeklagte das Wort ab. Sie hatte Gründe, die wir jetzt kennen. Wir achten sie so sehr, daß wir nicht hingehn und sie aus der Zelle befreien. Sie suchte den Schutz der Zelle. Die Scham trieb sie hinein. Kein Diebstahl.

PAUL. Sie schämte sich –?

GUÉRAGE. Zu sagen, daß sie mit einer echten Kette statt der geliehenen falschen vom Ball zu Frau Duffin zurückgekehrt war.

PAUL. Was heißt das nur?

GUÉRAGE. Sie hatte die falsche Kette in eine echte verwandeln müssen. War es nicht wichtig, daß die Kette nicht verlorenging? Man hätte sonst argwöhnen mögen –

PAUL. So warnte ich sie heftig.

GUÉRAGE. Sie ging verloren – und der Ersatz wurde teuer erkauft. Mit mehr als Geld.

PAUL *sieht ihn an.*

GUÉRAGE. An eine Schließe, die man ihm gab, reihte nun Brantôme echte Perlen und Frau Duffin besaß zwei echte Ketten.

PAUL *hört gespannt zu.*

GUÉRAGE. Frau Ambrossat holte sich eine Kette wieder und hinterließ auf jeden Fall Frau Duffin eine echte. Doch die verstreute echte Perlen in den Abfluß – und um Frau Ambrossat schloß sich der Ring.

PAUL *stockend.* Das – sind doch nur – – Woher stammt Ihre Kenntnis?

GUÉRAGE. Hier ist das Material, das die Verteidigung vorlegt. Ein Brief, gerichtet an Brantôme. *Er zieht den Brief aus der Mappe und reicht ihn Paul hinüber. Danach tritt er ans Fenster und steht abgewandt mit den Händen auf dem Rücken.*

PAUL *liest. Er liest hastig. Nach vollendeter Lesung legt er den Brief auf den Tisch und stützt den Kopf auf.*

GUÉRAGE *sich umdrehend.* Was sagt der Richter? Der kalte, weise Richter?

PAUL. Nein – sie hat nicht gestohlen.

GUÉRAGE. Die Weisheit brauchen wir nicht mehr. Wir wollen sie moralisch freigesprochen. Oder haftet ein Fehl?

PAUL *schweigt.*

GUÉRAGE. Bis sie nicht rein von jedem Makel von ihrem Richter weggeht, ruht die Verteidigung nicht. Wer wirft den Stein auf Adrienne Ambrossat?

PAUL *still.* Ich – nicht.

GUÉRAGE. Nein, das genügt nicht.

PAUL. Was wird denn verlangt?

GUÉRAGE. Sie müssen es ihr sagen. Der Richter verkündet immer selbst das Urteil. Es ist ein gutes Urteil, zögern Sie mit der Verkündigung?

PAUL. Soll ich –

GUÉRAGE. Mit Ihren Händen diesen Scheidungstitel und einen Brief zerreißen, der sie nach Übersee einlädt.

PAUL *nach einer Überlegung – mit hellerem Gesicht aufblickend.* Das tu' ich nicht.

GUÉRAGE *erstaunt.* Sie weigern sich fast freudig?

PAUL. Weil es ein gutes Urteil ist: Sie adressieren den Brief an Frau Adrienne Ambrossat und schicken ihn zusammen mit der Scheidung ab.

GUÉRAGE. Erklären Sie mir –

PAUL. Nichts, Herr Guérage. *Er stopft die Papiere in die Mappe und drückt sie Guérage in die Hand.* Weil es Sie aufhält. Sie haben keine Zeit. Es eilt, der wichtige Brief muß fort.

GUÉRAGE. Sie lachen ja –

PAUL. Ihr Bart gefällt mir, Herr Guérage. Nur dieser Bart, Herr Guérage, macht mich lachen. *Er führt ihn hinaus.*

Platz vor dem Gefängnistor.
Grauer Wintertag, Schneedecke.
Paul steht bei einem Baum.
Das Gefängnistor wird geöffnet: Adrienne tritt heraus.

ADRIENNE *sieht sich suchend um.*

PAUL *verläßt den Baum und nähert sich Adrienne. Er steht vor ihr.*

ADRIENNE *ungläubig.* Paul?

PAUL *ruhig.* Ja, Adrienne, ich habe auf dich gewartet.

ADRIENNE. Im tiefen Schnee?

PAUL. Ich spürte ihn nicht.

ADRIENNE. So lang der Winter.

PAUL. Die dunkelste Zeit ist vorüber. Bald wird Frühling.

ADRIENNE. Kann man schon hoffen?

PAUL. Er ist ganz nahe.

Sie schweigen wieder.

PAUL. Ich holte dich ab, um dich etwas zu fragen. Wirst du mir antworten?

ADRIENNE. Frage mich, Paul.

PAUL. Es wurde dir das Scheidungsurteil ins Gefängnis geschickt.

ADRIENNE. Ich erhielt es.

PAUL. Und ein Brief.

ADRIENNE *hauchend.* Ein Brief – ja. Was weißt du vom Brief?

PAUL. Gegen den Willen deines Anwalts geschah es auf meinen Wunsch.

ADRIENNE *sieht ihn fragend an.*

PAUL. Ich weiß, was in dem Brief steht. Er enthält die Einladung nach Übersee. Dort erwartet dich Reichtum und – *Er stockt.*

ADRIENNE *schwer atmend.* Wie konntest du das erfahren?

PAUL. Es bedeutet nichts. – Bist du jetzt glücklich, daß du am Ziel deiner Wünsche bist? Da nun in Erfüllung geht, was du von einem Leben in Glanz und Luxus geträumt hast? Du wirst dir nichts mehr zu versagen brauchen und aus der Enge, die ich dir nur bereiten konnte, bist du zu Höhe und Weite entwichen. Übertrifft nicht die Erfüllung dein Sehnen?

ADRIENNE *leise.* Es – war nicht mein Ziel.

PAUL. Du leugnest, weil ich vor dir stehe. Du willst den Schlag abschwächen, den du mir damals versetzt hast. Dich trennt die Schranke im Gerichtssaal nicht mehr von mir. Vor mir allein verlierst du den Mut. Es ist nur Feigheit von dir jetzt abzustreiten.

ADRIENNE *heftig.* Ich habe damals gelogen!

PAUL. Wie kann ich dir glauben? Es soll dir nur rascher den Weg zu deinem Reichtum bahnen, ich soll dich nicht aufhalten.

ADRIENNE. So wahr wie meine Not hinter dieser Mauer war es Lüge!

PAUL. Du müßtest es mir beweisen.

ADRIENNE. Stell' mich auf die Probe!

PAUL. Ich kann es, Adrienne. Ich biete dir an meinen Weg mit mir zu gehen. Ich lade dich ein und habe nur diese leeren Hände. Es ist auch ungewiß, wohin er führt. Ich habe weder Ziel noch kühne Pläne. Es könnte eine Hütte genügen. Ich würde darin glücklich sein – mit dir.

ADRIENNE *nach einem Schweigen.* Paul –

PAUL. Was ist deine Antwort?

ADRIENNE *stumm.*

PAUL. Mußt du es dir überlegen?

ADRIENNE. Es ist etwas anderes –

PAUL. Was meinst du?

ADRIENNE *zögernd.* Ich täuschte dich einmal – und fiel in den Abgrund – –

PAUL *heller.* Wann war das?

ADRIENNE. Als ich die Ehe brach – –

PAUL. Ist sie nicht zerbrochen und ausgelöscht? Schickte ich dir nicht die Entscheidung ins Gefängnis?

ADRIENNE. War es deshalb?

PAUL. Um die neue zu beginnen, wenn du meine Werbung nicht abweist.

ADRIENNE *nimmt seinen Arm.* Es ist kein Weg zu weit, wenn du mich führst.

PAUL. Wohin er führt – er führt ins Licht. *Sie gehen weg.*

[1934/35/36; 1938; 1940]

ROSAMUNDE FLORIS

Schauspiel in drei Akten

Vollendete Reinheit ist Einfalt
LAOTSE

PERSONEN

ROSAMUNDE FLORIS
HERR BENLER
FRAU BENLER
BRUNO ⎱ *deren Söhne*
ERWIN ⎰
SCHWESTER WANDA
ARZT
KOMMISSAR
GEFÄNGNISDIREKTOR
ERSTER LANDJÄGER
ZWEITER LANDJÄGER
GEFÄNGNISWÄCHTER
WACHMANN
SCHREIBER
ROBERT
WILLIAM

ERSTER AKT

Im Palmenpavillon des Botanischen Gartens.
Grünliche Dämmerung.
Aus einem Fächerpalmendickicht die Stimmen.

DER MANN. Ich mache mir Vorwürfe.

DAS MÄDCHEN. Weshalb – Liebster?

DER MANN. Ich hätte es mir überlegen sollen.

DAS MÄDCHEN. Liebster – was?

DER MANN. Dich aufzufordern.

DAS MÄDCHEN. Du hast mich nicht aufgefordert.

DER MANN. Sprach ich dich nicht an?

DAS MÄDCHEN. Du tratest hier ein – ich erwartete dich.

DER MANN. Wie konntest du mich erwarten, mit dem dies Zusammentreffen nicht verabredet war?

DAS MÄDCHEN. Dennoch mußtest du kommen – und bist du nicht gekommen?

DER MANN. Allem gibst du, was geschehen ist eine Gesetzmäßigkeit, der nichts sich entziehen konnte.

DAS MÄDCHEN. Nichts, Liebster, nicht die Begegnung – nicht der Abschied.

DER MANN *nach einer Stille.* Wir haben so wenig miteinander gesprochen. Kennen wir uns? Wer bist du? Was weißt du von mir?

DAS MÄDCHEN. Liebster – wir haben gelebt.

DER MANN. Welch ein verzaubertes Leben. Es begann an einem Tag, als ich hier aussteigen mußte, um den Zug zu wechseln, um rascher weiter zu gelangen. Denn ich bin auf einer weiten Reise begriffen. Der Aufenthalt in dem kahlen Bahnhofgebäude langweilte mich. Es riet ein Plakat den Besuch des Botanischen Gartens an. Mit Vorzug des Palmenpavillons. Und da ich in eine Zone mich begebe – jetzt erfährst du es zum erstenmal – die das tropische Klima mit Palmenwuchs hat – *Abbrechend.* Hörst du es, wie weit ich wegreise?

DAS MÄDCHEN. Liebster – wie nahe bleibst du mir.

DER MANN *fortfahrend*. Da entschloß ich mich, mir die Palmen anzusehen, die mitten in einer Nordstadt vom Winter erkältet sprossen. Ja, so reizte es mich.

DAS MÄDCHEN. Mitten in einer Welt von Winter erkältet.

DER MANN. Was sagst du?

DAS MÄDCHEN. O nichts – Liebster.

DER MANN. Doch, als ich den Pavillon betrat, sah ich die Palmen nicht mehr – ich erblickte dich.

DAS MÄDCHEN. Nicht lange ließest du mich warten, die schon den Pavillon erreicht hatte – von jenem Plakat angewiesen. Ich verließ gleich den Zug –

DER MANN. Du wohnst nicht in dieser Stadt?

DAS MÄDCHEN. Nein. Ich unterbrach nur die Fahrt, um dich zu treffen.

DER MANN. Um mich zu treffen – der heute ein Telegramm empfängt, das ihm erklärt, daß jede Frist verstrichen ist, die ihm gelassen werden kann – daß weiterer Aufschub Kontraktbruch bedeutet, für den man ihn zu strafen wissen wird – daß nun drei Stunden Wartezeit, aus der so viel Wochen wie Stunden wurden, an ihrem Ende sind.

DAS MÄDCHEN. Nichts endet, Liebster – das so unendlich erfreute.

DER MANN *nach einer Stille*. Ich kann dich nicht mitnehmen. Es sind jene Hindernisse, die so schmählich sind, daß ich sie kaum auszusprechen wage. Ich verfüge nicht über genügend Mittel, um für dich die Reise zu ermöglichen. Und hätte ich sie, es würde sich verbieten, mit einer Frau dort zu hausen, wo ich mich niederlasse. Es sind schlimmste Kolonien. Ich mußte diese Stellung annehmen. Wenn ich zurücktrete – jetzt, um bei dir zu bleiben – aus welchen Quellen sollte ich schöpfen, um dich zu erhalten? Wie sieht solche Zukunft aus?

DAS MÄDCHEN. Liebster – sie ist in grenzenloser Gegenwart entfaltet.

DER MANN. Ich hätte es dir am Anfang sagen müssen, daß eine Trennung unvermeidlich ist – daß man mir ein Kabel schicken wird, dem ich pünktlich gehorchen muß, um das Leben nicht zu gefährden. Aber ich schwieg und genoß schweigend deine Zärtlichkeiten und warnte dich nicht: es dauert nicht die Ewigkeit, sondern nur die Wartezeit zwischen zwei Zügen. Das schrille Signal wird den Taumel grausam zerreißen. Ich komme mir wie ein Betrüger vor, der eine Wahrheit unterschlug, um sich alles vom andern geben zu lassen, der sich ahnungslos verschenkt.

DAS MÄDCHEN. Du solltest schweigen. Ich habe es so gewollt. Ich habe doch alles veranlaßt. Als ich mit meinem Blick das Palmenbild traf, habe ich es für dich gezeichnet. Es war mein Aufruf zum Stelldichein. Und vom Stelldichein entführte ich dich –

DER MANN. Ich entführte dich.

DAS MÄDCHEN. Nein – wenn ich zustimmte, sprach ich Befehle aus. Du wußtest es auch, daß ich mich dir hingeben wollte. Fraglos und bedingungslos. Ich habe dich auch damals nicht sprechen hören – und sind es viele Worte, die zwischen uns gewechselt wurden? Ach – es bedarf nicht vieler Worte, um einander zu sagen, daß man sich liebt – und sollte die Zeit sie ermessen, die unermeßliche Liebe?

DER MANN. Hast du es so erlebt?

DAS MÄDCHEN. Liebster – ich habe die Liebe erlebt. Ich war aus dem Leben entstiegen – das ist: wie ein weißer Rauch aus einem engen und dunklen Schacht quillt und verbreitet sich oben – frei und rein. Diese Feenwolke über mir. Niemand darf versuchen, sie wieder in das Leben hinunterzuziehen – in den engen, schwarzen Schacht.

DER MANN. Was meinst du damit?

DAS MÄDCHEN. Daß wir die Liebe schützen müssen – unsre Wolke zu Häupten. Unter ihr wogt das Schlammeer. Es zischt und spritzt Flocken seines Schlammes hinauf und will den herrlichen Schimmer trüben. Aber wir bändigen den Angriff. Mit unsern Leibern werfen wir uns zwischen die Wolke und das Schlammeer und verteidigen ihre Reinheit gegen seine Besudlung. Empfangen wir unsaubere Wunden – es krönt uns dennoch der Sieg.

DER MANN. Das Schlammeer ist das Leben, das ich dir bieten könnte, wenn ich bliebe.

DAS MÄDCHEN. Liebster – es fließt in die Schlünde der Erde ab, da wir uns trennen. O schönes Geheimnis, das uns verbirgt. Wem ist es je zugänglich? Daran zu zerren – mit kühnen Händen? Ach – er müßte seinen Frevel bitter büßen. So schonungsbedürftig ist doch das Erhabene.

DER MANN *nach einer Stille.* Soll unsre Verbindung ganz zerreißen? Kann ich dir nicht schreiben?

DAS MÄDCHEN. Was würdest du mir schreiben wollen? Daß du mich liebst? Ich weiß es.

DER MANN. Wenn es mir doch gelänge, das Leben so einzurichten, daß ich dich rufen könnte – würdest du kommen?

DAS MÄDCHEN. Nein. Nach diesen Wochen ist unsre Zeit um. Wir müssen unsre Reise, die wir unterbrochen haben, fortsetzen – jeder in seine Richtung. Nach Süden du – ich nach Norden. Da tilgt sich die letzte Spur unsrer Begegnung aus, wenn wir aus diesem Pavillon gehen, in den ich dich heute wieder zurückgeführt habe, um den Kreis zu runden, der nun mit Anfang und Ende alles einschließt und nichts mehr von außen hinzuläßt: zu dieser gnadenheiligen Liebe, der wir selbst nicht mehr mit Berührung nahen dürfen – wie keiner der Menschen nach dieses Tempels Innenbild den Blick heben soll, um zu wissen und zu entweihen.

DER MANN. Du wirst mich nie mehr von dir hören lassen? Nicht eine Botschaft, die mir im Urwald verkündet?

DAS MÄDCHEN. So kommt sie zu dir.

Das Mädchen führt den Mann – beide zur Reise gekleidet – aus dem Dickichtschatten und weist nach oben.

DAS MÄDCHEN. Siehst du den Boten?

DER MANN. Hinter der gläsernen Kuppel die Mondsichel – noch karg.

DAS MÄDCHEN. Dann schwillt sie – denn ich belade sie mit meinen Grüßen für dich. Und mit gehäufter Last gleitet der volle Mond zu dir und du nimmst alles an dich, was ich dir schicke – und den entladenen Kahn gebietest du auf dem Ozean der Nacht zu mir zurück, um neue Fracht zu verlangen, die ich dir immer zu wenig entsende. Wirst du mein Mondschiff erwarten? Ungeduldig?

DER MANN. Vergißt du es nie?

DAS MÄDCHEN. Zerbräche nicht alle Welt, wenn ich es vergäße – und im Sturz der Gestirne zerschellten nicht auch wir? Will ich denn sterben?

DER MANN. So lebst du, so lange der Mond über mir erscheint?

DAS MÄDCHEN. Mit des Mondes ewiger Ankunft über dir kann ich nicht vergehn.

DER MANN. Dann will ich dich anrufen.

DAS MÄDCHEN. Wie willst du mich anrufen?

DER MANN. Mit deinen Namen, den du mir sagen sollst.

DAS MÄDCHEN. Und ich will deinen nennen, den du mir jetzt sagen sollst.

DER MANN. Geschenk des Abschieds.

DAS MÄDCHEN. Nicht hier. Im Schatten. *Sie führt ihn unter das Dickicht zurück.*

DAS MÄDCHEN. Sage du zuerst.

DER MANN. William. Sage du jetzt.

DAS MÄDCHEN. Rosamunde – Sprich du ihn aus.

DER MANN. Rosamunde. – Sprich du nun.

DAS MÄDCHEN. William.

DER MANN. Tausend Monde –

DAS MÄDCHEN. Still. Nach William und Rosamunde nichts mehr.

DER MANN. Rosamunde.

DAS MÄDCHEN. Nur William – Rosamunde noch.

DER MANN. Rosamunde.

DAS MÄDCHEN *sehr leise*. William.

Dann kommt William allein aus dem Schatten – setzt seine Reisemütze auf und geht aus dem Pavillon.
Nach einer Weile kommt der Wächter, der Rosamunde unter dem Dickicht entdeckt.

WÄCHTER. Der Botanische Garten wird geschlossen. Die Besucher sind gebeten die Anlagen zu verlassen, nachdem die Sperrstunde bereits überschritten ist. Es ist Vorschrift, daß sich niemand länger im Pavillon aufhalten darf. In diesem Pavillon, Fräulein. – – Sie müssen von der Bank aufstehn und weggehn. Sind Sie eingeschlafen? Mit offenen Augen? Ich rüttle Sie ein wenig und Sie werden zu sich kommen, Fräulein. Das ist nur eine Art von Betäubung, die von der unnatürlichen Wärme kommt, die hier erzeugt wird. Schließlich sollen die Palmen auch wachsen. Alles hat seine Berechtigung. Dann muß man ein Glashaus errichten, obwohl es ganz unnatürlich ist, in einer kalten Stadt empfindliche Palmen zu halten. Dabei dreht sich alles um sie. Ohne den Palmenpavillon wäre die Stadt gar nicht vorhanden. Er steht durchaus im Mittelpunkt – nicht nur örtlich auf dem Stadtplan. Es hat viel weitreichendere Beziehungen. Es gibt viel Notwendiges in der Welt, das ist eben das Kalte – aber die wirkliche Lebenswärme – die Palmen – – *Abbrechend.*

Schon haben Sie sich erholt. Meistens bewirkt es die Macht der menschlichen Stimme, daß man aus seinen besinnungslosen Träumen aufschreckt. Draußen werden Sie ganz zu sich kommen. Klappen Sie sich den Mantelkragen hoch. Es heißt sich vorsehn. Hier ist der warme Pavillon – jenseits die eisige Welt. Dann schließe ich hinter Ihnen die Tür.

Rosamunde trat aus dem Dickicht und geht aus dem Pavillon.
Der Wächter folgt ihr und dreht den Schlüssel im Schloß um.

Dachraum mit Zugang durch eine Luke im Fußboden, durch die schwache Beleuchtung und gedämpfte Tanzmusik dringt.

ERWINS STIMME. Fräulein Rosamunde – wohin führen Sie mich?
ROSAMUNDES STIMME. Weiter, Herr Erwin. Folgen Sie Penthesilea. Amazonen kennen keine Furcht!

Rosamunde taucht in der Luke auf und stemmt sich aufrecht: sie ist in einem silbernen Stoffkostüm und helmartiger Haube.

ROSAMUNDE *durch die Luke hinabsprechend.* Kann Achilleus nicht folgen? Ist er im Heer der Griechen nicht mehr der behendeste? O mein Held – ich will dir helfen. *Sie kniet sich und streckt ihre Hand durch die Luke.* Fass' diese Mädchenhand – fest von Speerwurf und Schwerterschlag!

Erwin – von Rosamunde unterstützt – zwängt sich durch die Luke: er trägt ein venezianisches Edelmannskostüm.

ERWIN *am Rand der Luke stehend und sich überbeugend:* Das ist die steilste Treppe, die ich im Leben gestiegen bin.
ROSAMUNDE. Ist Ihnen schwindlig davon?
ERWIN. Wirklich dreht sich's in meinem Kopf. Da liegt in Abgrundtiefe der Fuß der Treppe. Wie kommt man noch hinunter?
ROSAMUNDE. Von Stufe zu Stufe.
ERWIN. Ein zweites Mal wage ich den Abstieg nicht.

ROSAMUNDE. Dann bleiben wir oben. Unten herrscht auch das schreckliche Gedränge. Diese Hitze und der unaufhörliche Musiklärm. Ist es nicht viel frischer und stiller hier?

ERWIN. Wenn wir einen andern Ausgang entdecken, müssen wir ihn benutzen. Ich scheue keinen Umweg, um diese Leiter in den Hades zu vermeiden.

ROSAMUNDE. Später werden wir suchen. Wir sind doch kaum eingedrungen – in unsern Dschungel von Dachsparren und Wäscheleinen. Ho ho – hier verschlinge ich mich schon in eine Liane – oder züngelt eine Schlange nach mir, die mich mit ihrem Schlangenleib umschnüren will, um mich zu liebkosen? Schlangen sollen so verliebte Tiere sein. *Aus dem Dunkel rufend.* Befreien Sie mich aus der Umschlingung, Herr Erwin – ich bin doch kein Schlangenliebchen!

ERWIN *noch bei der Luke.* Das sind doch nur Wäscheleinen. Haben Sie eine Tür gefunden?

ROSAMUNDE *wieder zum Vorschein kommend.* Nirgendwo – und die Welt ist zugenagelt mit Brettern.

ERWIN. Dann bleibt wieder nur die Luke?

ROSAMUNDE. Vergessen Sie doch die Luke und die Treppe und den Abgrund. Es ist Karneval – und Sie sind nicht Herr Erwin – Romeo bist du. Ja, Romeo, der in der Nacht naht – und die steile Treppe ist deine Strickleiter, Romeo, auf der du ohne Bangen zu Julia emporklimmst, die eben den Balkon betritt, da sie ihn hörte – – *Sich suchend umblickend und eine Matratze entdeckend.* O diese Matratze – sie ist mein Balkon, auf dem ich dich erwarte. *Sie steht auf der Matratze und breitet die Arme aus.* Nimm deine Julia!

ERWIN *interessiert.* Sie hätten Schauspielerin werden sollen, Fräulein Rosamunde.

ROSAMUNDE. Ich bin nicht Rosamunde – nur Julia, die Romeos harrt. Was säumst du, Romeo?

ERWIN. Ich bin so lächerlich talentlos.

ROSAMUNDE. Fühl' meine Hände, wie sie kalt sind. Du mußt mir meine kalten Hände wärmen.

ERWIN. Sie improvisieren tausendmal besser als ich. Ich bringe wirklich keine Silbe heraus. Sprechen kann ich nicht.

ROSAMUNDE. Dann küsse mich.

ERWIN. Ich kann Sie doch nicht küssen, Fräulein Rosamunde.

ROSAMUNDE. Seit wann kann Romeo seine Julia nicht küssen?

ERWIN. Wir haben uns heute abend doch erst kennengelernt.

Nach drei, vier Tänzen führen Sie mich aus dem Saal – auf Entdeckungsfahrten, wie Sie verlockend sagen, durch das ganze Haus und landen in dieser Bodenkammer voll Gerümpel – wo ich den Romeo spielen soll – weil ich ein altitalienisches Kostüm trage. Aber ich bin kein Romeo. Ich bin kein Partner für Sie, Fräulein Rosamunde.

ROSAMUNDE. Und ich keine Julia mehr. Ich bin jetzt Rosamunde – Erwin. Erwin – bin ich nicht wunderschön?

ERWIN. Wie reden Sie denn?

ROSAMUNDE. Hörst du das nicht gern?

ERWIN. Sie haben mich mißverstanden.

ROSAMUNDE. Du bist mir doch gefolgt.

ERWIN. Ich hatte keine Absicht.

ROSAMUNDE. Doch, Erwin.

ERWIN. Niemals, Fräulein Rosamunde.

ROSAMUNDE. Dein erster Blick verriet mehr, als du weißt. Du kennst die Liebe nicht – dann liebst du immer.

Es entsteht ein kurzer Kampf auf der Matratze.

ERWIN. Das kann doch nicht Ihr Ernst sein! *Sich losreißend und weglaufend.* Nie kann das sein! *Er erreicht die Luke und schiebt sich hinaus.*

ROSAMUNDE *kniet auf der Matratze.*

Dann dringt durch die Luke das polternde Geräusch eines stürzenden Körpers und ein furchtbarer Schrei hallt.
Danach tritt tiefe Stille, von der sanften Tanzmusik umschmeichelt, ein.

ROSAMUNDE *rührt sich nicht.*

Wohnstube bei Benler.
Herr und Frau Benler, schwarz gekleidet, sitzen auf dem Sofa – stumm.

BENLER *einen Brief aus der Brusttasche ziehend.* Wer ist Fräulein Floris? *Entfaltend und lesend.* In einer wichtigen Angelegenheit – – ich werde pünktlich um fünf kommen – – – – *Aufsehend.* Was mag die wichtige Angelegenheit sein, die dieses Fräulein Floris mit uns zu besprechen hat?

FRAU BENLER. Ich habe doch keinen andern Gedanken – als Erwin, der uns genommen ist.

BENLER. Mir dir und mir will sie reden. Ihr genügt nicht einer von uns. Gemeinsam will sie von uns empfangen werden. Worauf zielt das?

FRAU BENLER. Gott hätte mich hinraffen sollen und in seiner allmächtigen Gnade sein junges Leben schonen.

BENLER. Mir ist der Name Floris niemals zu Ohren geklungen.

FRAU BENLER. Kein Trost ist es, daß Bruno uns geblieben ist. Wer findet Trost darin? Kein Vater – keine Mutter. Ein Sohn ist fort – und ein guter, lieber Sohn. Der reinste der Menschen.

BENLER. Das ist ein rätselhafter Brief.

FRAU BENLER. So feindlich aller Gemeinheit. Nur aufgeschlossen dem schönen und edlen. Die Augen sahen eine Welt, in der nur Sonne schien. Die Augen blicken nicht mehr. Es scheint die Sonne grauer. Erwin ist nicht mehr.

BENLER *nachdenklich den Brief einsteckend.* Ein Fräulein Floris? Um fünf? *Beide sitzen wieder stumm.*

Dann klingelt die Zimmeruhr fünf.

BENLER *lauschend und Frau Benler aufmerksam machend.* Das Fräulein Floris.

Die Tür wird geöffnet. Rosamunde tritt ein.

ROSAMUNDE *sich eines gezierten Tonfalls bedienend.* Herr Benler? Frau Benler?

BENLER *steht auf und nickt.*

ROSAMUNDE. Dann bin ich die Schreiberin des Briefes, zu dem ich mich demnach bekennen kann. Es schien mir geraten, mich erst zu vergewissern, daß das Schriftstück nicht in unberechtigte Hände gelangt ist.

BENLER. Sie kündigten Ihr Kommen an, aber ein Schriftstück enthielt der Brief nicht.

ROSAMUNDE. Der Brief ist das Schriftstück. Sie werden ja hören, was er bedeutet. Darf ich, Herr Benler?

BENLER *weist auf die Stühle.*

ROSAMUNDE. Dann setze ich mich näher zu Frau Benler. Ist es Ihnen recht, wenn ich zu Ihnen rücke, oder verhalten Sie sich ablehnend einer Fremden gegenüber, die heute zum erstenmal in Ihrem Gesichtsfeld auftaucht? Sind Sie mir böse – im ersten Eindruck, den Sie von mir erhalten – der ja immer entscheidend ist?

FRAU BENLER. Ich weiß nicht, was ich zu allem sagen soll.

ROSAMUNDE. Sowohl Ihnen, Herr Benler, wie Ihrer Frau Gemahlin will ich vor allen Dingen mein Beileid zum Tode Ihres Herrn Sohnes ausdrücken. Das ist ein Verlust, der in erster Linie die Eltern angeht. Vor Ihrer Trauer tritt jede andre Regung zurück – mag sie noch so heiß schmerzen und mit Stürmen das Innere aufwühlen.

FRAU BENLER. Sehr mitfühlend, was Sie da sprechen, aber –

ROSAMUNDE. Im Trauergefolge bemerkten Sie mich nicht. Ich verbot mir die Teilnahme am Begräbnis, um nicht eine Feierlichkeit zu stören, für die der Tod gebieterisch Ruhe und Besinnung fordert. Ich hätte sie leicht verlieren können – nachdem ich schon viel verloren hatte.

BENLER. Was haben Sie denn im Zusammenhang mit dem Hinscheiden unsres Sohnes Erwin verloren?

ROSAMUNDE. Den Vater meines Kindes.

Benler und Frau Benler starren Rosamunde an.

ROSAMUNDE *einen Handschuh abstreifend.* Es ist ja nicht so, daß wir Ringe gewechselt haben – Sie sehen meinen Finger frei von diesem verpflichtenden Reif. Es sind ja auch keine Schwüre geschworen und ein allmähliches Wachstum der Liebe gepflegt, die ihre Früchte zeitigt. Nein, es war ein Rausch. Eine Karnevalsrausch. Er trat als Romeo auf und ich als Penthesilea. Zwei grundverschiedene Kostüme – und trotzdem.

FRAU BENLER *aus offenem Munde.* Erwin – – der reinste Mensch – –

ROSAMUNDE. Wie meinen Sie, Frau Benler?

BENLER. Daß wir vom höchsten Himmel stürzen – –

ROSAMUNDE. Es stürzte Erwin schrecklich von der Treppe. Vom hohen Boden. Er schrie so gellend – nie vergesse ich den Schrei.

BENLER. Sie hörten das –?

ROSAMUNDE. Ich konnte ihm nicht helfen – ich konnte noch nicht aufstehn – – von der Matratze.

Stille.

ROSAMUNDE. Dann kamen unten Leute – und die ganze Gästeschar war bald versammelt. Man untersuchte den Fall – und man begann die Treppe hinaufzusteigen. Da flüchtete ich durch eine Tür, die mir bekannt war, bevor sie durch die Luke eindrangen. Sie fanden dann die Kappe Romeos auf der Matratze. Verstiegen, sagt die Welt. Von einem Kobold des Karnevals genarrt. Plötzliche Störung der Sinne. Exzeß der Trunkenheit. Ach nein. Wir waren zwei Verliebte in heißer Stimmung – und er wußte sie zu benutzen. Mir versprach er Wunderdinge zu zeigen und führte mich bis unters Dach, wo mir das Lager, das er mit der Matratze vorbereitet hatte, zum Verhängnis wurde. – – Als er mich dann verließ, da wankte er – vielleicht im Schrecken über seine Tat – und fiel kopfüber aus der Luke. Ein wildes Bild.

FRAU BENLER *die Hände ringend.* So sieht die Wahrheit aus!

BENLER *stöhnend.* Ein Fehltritt, den er büßte!

FRAU BENLER. Erkennen wir noch Erwin wieder?

BENLER *schüttelt den Kopf.* Doch er ist tot. Man richte nicht die Toten.

ROSAMUNDE *faltet ihre Hände und neigt den Kopf.*

Stille.

FRAU BENLER *stößt Benler an und zeigt auf Rosamunde.*

BENLER *nickt beifällig.*

FRAU BENLER *ihre Hand auf Rosamundes Hände drückend.* Sie finden uns bereit – Sie werden schwere Stunden haben – die Kosten tragen wir, mein Fräulein Floris.

BENLER. Und in beliebiger Höhe, Fräulein Floris – wenn Sie nicht Übermäßiges fordern.

ROSAMUNDE. Ich brauche nichts, Herr Benler. Sie machen mir ein Angebot, auf das ich zu jeder Stunde verzichten kann. Ich bin die Tochter des Amtsgerichtsrats Floris. Vollwaise und im Besitz des Vermögens meiner Eltern. Man kann mir keine Gefälligkeiten erweisen, die ich mir nicht selbst verschaffen könnte. Dabei bin ich nicht wenig anspruchsvoll. So müssen Sie mich sehen, Herr Benler. Um diese Ansicht bitte ich auch Sie, Frau Benler.

BENLER *staunend.* Mit welcher Absicht sind Sie denn gekommen?

ROSAMUNDE. Ich wüßte keine. Ich teilte es nur mit. Vielleicht auch wollte ich es gar nicht sagen. Dann war es hier ein bloßer Kondolenzbesuch. Man reicht sich über Tote doch gern die Hände. Es ist die Versöhnung, die von den Gräbern weht. Sind wir mit einer Feindschaft voneinander geschieden? Wir sterben auch nur – und dann ist der Kelch von uns getrunken. Ob einige bittere Tropfen früher in meinen Wein des Lebens fallen – es geschieht. Im Leben sterben können – das macht ja unser Leben ganz leicht. So leicht, Herr Benler – so leicht, Frau Benler – daß ich die Bürde nicht fühle, die ich mit immer schwererer Last bald tragen werde. *Sie gibt Benler und Frau Benler die Hand und knixt fast kindlich. Mit wiegenden Schritten geht sie durch das Zimmer und aus der Tür.*

Eine Weile starren Herr und Frau Benler vor sich hin. Dann erhebt sich Benler und begibt sich nach einem Tischchen, auf dem eine gerahmte Photographie steht.

BENLER *sie aufnehmend und in die Tischlade weglegend.* Tot ist er. Das ist das beste, was wir noch von ihm sagen können. *Nun kehrt er ins Sofa zurück – und es herrscht das frühere Schweigen und Starren.*

Bruno tritt ein – mit einer Ledermappe.

BRUNO *küßt die beiden auf die Stirn.* Ich komme später. Ein Umweg über den Kirchhof. Alles grünt und blüht, als gäbe es kein Vergehen. *Er öffnet die Mappe und entnimmt einen blühenden Zweig.* Von seinem Grabe. Ich pflückte die Ranke, um hier sein Bild zu schmücken. Die Verbindung mit ihm, der draußen schläft, scheint mir lebendiger, wenn hier der gleiche Flor sich schlingt. *Vorm Tischchen.* Wo ist das Bild? *Zu den stummen beiden.* Ist ihm ein Unheil zugestoßen? Unachtsames Zerbrechen? – – Warum sagt ihr nichts?

BENLER. Lass' dich's nicht weiter grämen, daß dein Bruder nicht mehr ist.

BRUNO. Was heißt denn das – –? Ihr blickt beide so verändert.

FRAU BENLER. Wir haben nur noch einen Sohn – im Leben und im Sterben.

BRUNO *stockend.* Warum ist Erwin nicht mehr – –??

BENLER. Frage nicht – denn von uns hörst du darauf keine Antwort.

BRUNO *stiert von einem zum andern. Ausbrechend.* Bei Gottes und Christi Barmherzigkeit und des Heiligen Geistes – *Vor Frau Benler auf die Knie stürzend und die Hände zu ihr erhebend.* Mutter – sei du milde. Verstoße mich nicht aus deinem Vertrauen, das ich noch nie enttäuschte. Ich vergelte mit Kindestreue – verdoppelt – was dir ein andrer zuleide getan. Ich habe doch mein Leben von dir erhalten – so weihe ich es dir. Es soll nur Taten kennen – in deinem Dienste. Empfange die Beschwörung!

FRAU BENLER. Den Schandfleck, der auf unsern Namen fiel, wischst du nicht weg.

BRUNO *stammelnd.* Schande – – ?? *Zu Benler.* Vater – ein Wort, das so von mir verehrt wird. Vor dem ich Knie beugen kann wie vorm Altar. Für den ich mein Sohnesblut vergieße mit Freuden – Vater, dein Sohn schreit auf in seiner Qual, die ihm dein Schweigen sticht. Entwürdige mich nicht mit dieser Stummheit. Ich bin doch Mann mit Schild und Schwert und kann doch Ehre schützen!

BENLER. Dein Bruder Erwin verging sich an einem Fräulein Floris.

BRUNO. Woher wißt Ihr – –?

BENLER. Sie kam um fünf und legte Zeugnis ab. Mit klarer Schilderung des Hergangs. Sie wurde das Opfer von Erwins uns völlig unbekannten Verführungskünsten. Ein Schurkenstreich im Karneval. An einem unbescholtenen Mädchen.

FRAU BENLER. Im Dämmer einer Dachkammer im Künstlerhaus.

BRUNO. Mein leiblicher Bruder Erwin tat so –??

BENLER. Auf wohlvorbereiteter Matratze.

BRUNO *erleuchtet.* Er ging als Romeo –!

BENLER. Dem keine willige Julia zuglühte. So tat er der herben Amazone Gewalt an. Penthesilea war Fräulein Floris.

BRUNO. Jetzt klärt sein Sturz sich aus dem Dach auf.

BENLER. Die Todesstrafe für Vergewaltigung.

BRUNO. Und Fräulein Floris –?

FRAU BENLER. Sie fühlt sich Mutter.

BRUNO *entgeistert.* Im unverehelichten Zustand wird sie – –?!

FRAU BENLER. Er kann in seinem Grab die Konsequenzen nicht mehr ziehn.

BENLER. Das ist die Schmach, die über uns gekommen ist.

Stille.

BRUNO *in der Ecke bei jenem Tischchen, auf das er – abgewandt stehend – die Fäuste stemmt.* Und wer ist dies Fräulein Floris?

BENLER. Die Tochter des Amtsgerichtsrats Floris und elternlos.

BRUNO. Das ist es: man soll nicht ohne Eltern leben. *Sich umdrehend – dann zu den beiden zurückkehrend.* Nur diesen Segen suche ich. Von euren Händen. *Er ergreift sie.* Ich will ihn mir verdienen. Wo Schatten eurem Ansehn nahen, zersprenge ich sie. Nichts reicht bis zu euch – ich dämme vorher die Flut ab. Kein schmutziges Geschwätz und Pranger auf aller Markt. Ich trete für meinen Bruder ein. Ich heirate das Fräulein Floris. Nur diesen Ausweg seh' ich. Sonst keinen. Laßt mich walten. Und gebt mir euren Segen.

FRAU BENLER *erschreckt.* Und Wanda?

BRUNO. Ich schreibe ihr heute noch. Euren Segen!

BENLER. Du bist verlobt mit ihr.

BRUNO. Verlöbnis läßt sich lösen. Euren Segen! *Sich ihre Hände auf den Scheitel hebend.* So wird es gut.

Dieselbe Wohnstube.
Am Fenster – auf dessen Blumensims die helle Sonne fällt – sitzt Rosamunde und bewegt die Wiege.
Im Sofa Frau Benler – häkelnd.

ROSAMUNDE *singend.*

>   Eia – eia – eia
>   eia – eia
>   Eia – eia – eia
>   eia – eia.

Jetzt schläft es.

FRAU BENLER *seufzend.* Schade.

ROSAMUNDE. Warum schade?

FRAU BENLER. Weil du aufhörst zu singen.

ROSAMUNDE. Dies eintönige Eia, das mein Kind einlullen soll?

FRAU BENLER. Obwohl es immer dieselben Töne sind und keine Worte darin vorkommen, ist es das schönste Lied, das ich kenne.

ROSAMUNDE. Ich habe doch keine Singstimme.

FRAU BENLER. Du hast sie. Sie sitzt dir glockenrein in der Seele. Wie du singst, singt man auch nicht mit der Kehle. Das tönt aus Herzenstiefen. Und die tiefsten Brunnen sind die klarsten. Du hast solch einen Brunnen in dir. Deshalb berührt es mich so.

ROSAMUNDE *neben ihr im Sofa.* Einmal werde ich keine Schlummerlieder mehr zu singen brauchen – für den Kleinen, der dann groß ist – dann singe ich für dich.

FRAU BENLER. Würdest du das wirklich tun?

ROSAMUNDE. Wenn es dir Freude macht? Aber Lieder von Brahms und Schubert.

FRAU BENLER. Die Bruno begleitet.

ROSAMUNDE. Wenn er Geduld mit mir hat.

FRAU BENLER. Um seiner Mutter willen wirst du ihn alles tun sehn. Ich wüßte nichts in der Welt, was er dann nicht vollbrächte.

ROSAMUNDE. Er ist ein Vorbild, dem jeder nacheifern muß, der ihn kennen lernt.

FRAU BENLER. In seiner Elternliebe wahr und wahrhaftig.

ROSAMUNDE. Sie hat ihm Kraft gegeben – das für mich zu tun, was ich in seinem ganzen Umfang nie begreifen werde. Ich konnte es nur hinnehmen – und danken konnte ich ihm nicht einmal. Bin ich ein undankbarer Mensch?

FRAU BENLER. Du bist so, wie du Eia singst. Was einer dir zum Vorwurf machen sollte, das wüßte ich nicht. Du hast die weißen Augen.

ROSAMUNDE. Was sind weiße Augen?

FRAU BENLER. Die sind sehr selten. Man findet sie bei Menschen, die nichts zu verbergen haben. In die man ohne Schaudern hineinsehn kann. Die brauchen keinen Vorhang vor den Augen. Die sind durchsichtig weiß.

ROSAMUNDE. Du weißt wohl viel von Menschen?

FRAU BENLER. So viel, daß ich von ihrer Menge mir keinen größeren Anteil mehr zugewiesen wünsche als Vater, Bruno, dich und in der Wiege ihn. Das ist der Friede. Gibt es ein höheres Gut?

Bruno tritt rasch ein.

BRUNO *küßt beide auf die Stirn. Auf die Wiege weisend.*
Darf man hier sprechen?

FRAU BENLER. Du leuchtest. Sprich.

BRUNO. Ich habe die Stelle. Ich bin Bibliothekar.

FRAU BENLER. Du hast dein Ziel erreicht.

BRUNO. Es war mein Ziel, um das ich bangte. Ich gestehe, ich habe zuletzt nicht mehr geschlafen. Ich fieberte der Entscheidung entgegen, die nicht eintraf – und gab dann alles verloren. Unter vielen Bewerbern – geeignet einer wie der andre – wie sollte man auf mich aufmerksam werden?

FRAU BENLER. Mit deinen Zeugnissen hast du alle übertrumpft.

BRUNO. Es hielten manche den Vergleich aus. Ich hatte fachlich ebenbürtige Konkurrenten. Ich war auch nicht der älteste. Den Ausschlag gab – *Er stockt.*

FRAU BENLER. Was mußt du uns verschweigen?

BRUNO. Nichts, Mutter. Ich sage euch doch alles. Es entschied zu meinen Gunsten – daß ich verheiratet war. – So wog ich etwas schwerer in der Waagschale – und bin berufen.

FRAU BENLER. Sichtbar sucht uns der Segen auf. Es fehlt noch Vater. Vater kommt.

Benler – mit einem Holzkästchen unterm Arm – tritt ein.

BENLER. Ich kommte pünktlich für mein Domino. Gebt Rosamunde frei.

FRAU BENLER. Bruno ist Bibliothekar geworden – und Rosamunde hat ihm beigestanden.

BRUNO. Du wunderst dich nicht, Vater?

BENLER. Worüber soll ich mich denn wundern?

FRAU BENLER. Daß Rosamunde ihm beistehen konnte.

BENLER. Warum kann sie es nicht? Sie kann doch alles. Sie ist Rosamunde. Jetzt überlaßt uns unserm Domino. *Er schüttet die Dominosteine auf die Tischplatte und setzt sich zum Spiel neben Rosamunde ins Sofa.*

Frau Benler und Bruno ziehen sich zum Fenster zurück.

FRAU BENLER. Und eines Tages wird sie Brahms und Schubert singen.

BRUNO. Ich könnte sie begleiten.

FRAU BENLER. In diesem Haus herrscht die Harmonie.

BRUNO *beugt sich über die Wiege.*
FRAU BENLER *in einem Lehnstuhl – schluchzt.*
BRUNO. Mutter – du weinst?
FRAU BENLER. Ja – ich bin glücklich.

ZWEITER AKT

Dieselbe Wohnstube.
Wanda – in Schwesterntracht – steht wartend.
Bruno tritt ein.

BRUNO. Wanda –?

WANDA. Ich bin noch einmal gekommen.

BRUNO *verstummt vor ihrem Blick. Dann verlegen:* Willst du dich nicht hinsetzen? – Ins Sofa bitte.

WANDA *setzt sich auf einen Stuhl.*

BRUNO *auf einem Stuhl ihr gegenüber.* Wenn du mir deine Ankunft mitgeteilt hättest, wäre ich dir auf die Bahn entgegengekommen.

WANDA. Ist es dir peinlich mich hier zu empfangen?

BRUNO. Warum soll es mir peinlich sein?

WANDA. Du bist verheiratet – und eine frühere Braut, die auftaucht – –

BRUNO. Wann bist du eingetroffen?

WANDA. Am Vormittag.

BRUNO. Direkt von Übersee?

WANDA. Aus Rio de Janeiro. Das heißt, das war nur der Abfahrtshafen. Ich war im Hinterlande stationiert.

BRUNO. Viel schwerer Dienst?

WANDA. Es war das schwerste nicht.

BRUNO *schweigt.*

WANDA. – – Sind deine Eltern wohlauf?

BRUNO. Gottlob von ungebrochener Rüstigkeit sind Vater und Mutter.

WANDA. Und – du bist glücklich?

BRUNO. Ich bin als Bibliothekar fest angestellt. Ein Amt, das mir Freude macht. Ich habe mich auch in die Arbeit gestürzt wie ein Schwimmer in die Fluten. Mein Vorgänger hat zuletzt die Zügel am Boden schleifen lassen, so daß ich dem Katalog einen völlig neuen Aufbau geben muß. Ich registriere nach Gesichtspunkten, die dem gesamten Bibliothekswesen neue Pfade weisen sollen. Ein Versuch, der nicht mißlingen darf. Bezweifelst du meine Fähigkeit oder Ausdauer ein Werk zu vollenden, das ich mir vorgenommen habe?

WANDA *die den Kopf schüttelte.* Daran zu rütteln habe ich kein Recht. Wenigstens nicht, was deine wissenschaftlichen Vorsätze anbetrifft.

BRUNO. Im Gegensatz wozu?

WANDA. Zu menschlichen Plänen, die du einmal hattest – und die dann ziemlich bedenkenlos von dir instich gelassen wurden.

BRUNO. – – Verbringst du einen Urlaub, der nach den brasilianischen Tropen wohl dringend nötig ist – oder scheidest du ganz aus dem Schwesternorden aus?

WANDA. Einst war das so verabredet, daß ich nur so lange die Schwesterntracht trage – bis du die Stellung als Bibliothekar errungen hast. Doch ich erhielt die Kündigung von dir.

BRUNO. Und – – bleibst du Schwester?

WANDA. Auf Lebenszeit. Also nicht lange mehr.

BRUNO. Was meinst du?

WANDA. Ich habe mich für die ostasiatischen Fieberdistrikte gemeldet. Es ist der Selbstmord. Das Mutterhaus versammelt hier den Transport. Ich fand Gelegenheit hierherzukommen – und kann mit dir vor Lebenstorschluß noch sprechen. Das wollte ich – nichts andres auf der Welt mehr. Dann kann mich das Fieber verbrennen – ich habe erfahren, weshalb ich weichen mußte!

BRUNO. Ich – habe dir alles geschrieben.

WANDA. Gründe? Nein – nur die Tatsache, daß du die Ehe mit Fräulein Rosamunde Floris eingehst. Wer ist Fräulein Rosamunde Floris? Du schreibst es nicht. Mit welchen Vorzügen ist sie ausgestattet, die so bestechend sind? Du schreibst es nicht. Mit welchem Engelslächeln zaubert sie mein Bild aus deinem Innern weg? Du schreibst es nicht. Du schickst mir beinah nicht mehr als eine Vermählungsanzeige – und ich hocke in meinem Urwald über deinem Brief und lese mir den Tod heraus. Wenn ich das Gift nicht nahm und immer wieder in die Tasche zurückschob – so nur, um noch fragen zu können. *Sie hat aus ihrer Handtasche ein braunes Fläschchen geholt und hält es hin.* Hier ist das Gift. Es hätte mich gleich verlöscht, so wirksam ist es!

BRUNO. Entsetzlich.

WANDA. Nein – die Erlösung, die ich mir nur nicht gönnen durfte. Noch nicht. Erst muß ich die Wahrheit wissen. Dann soll mein Sterben Nutzen bringen.

BRUNO. Auch du wirst überwinden und wieder glücklicher leben. Verwirf die Todesgedanken. Wer Pflichten zu erfüllen hat, soll sie nicht haben.

WANDA. Das sagst du, der sie vergaß? Sprichst du von Pflichten, die uns gebieten sollen?

BRUNO. Es traten andere auf – nur zeitlich später, doch größere.

WANDA. Als das Verlöbnis zwischen uns?

BRUNO. Ich mußte mich entscheiden, wie ich mich entschieden habe.

WANDA. Wer zwang dich?

BRUNO. Niemand. Mein Entschluß entwuchs aus mir.

WANDA. Ihr Zauberlächeln war so betörend?

BRUNO. Es war auch nützlich: ich hätte niemals ohne diese Heirat den Posten des Bibliothekars bekommen.

WANDA. Aus Gründen der Zweckmäßigkeit? Du warst doch nie ein finstrer Steber? Du liebtest Ideale. Es glühte von deiner Zunge der Aufruf nach Höherem. Was du mir hier erklärst, das lügst du, Bruno, du lügst zum erstenmal in deinem Leben. Da ist das rote Zeichen der Lüge auf deiner Stirn. Dein Blut schämt sich für deinen Mund, der lügt. Ja, du errötest tief!

BRUNO *starrt auf die Tischplatte.*

WANDA. Ich will dir helfen, Bruno. Bei der Erinnerung an Worte – an Schwüre, die wir einst tauschten – die unvergeßlich sind und nie verbleichen können – die so viel Leben bewahrt, daß sie jetzt wieder sprechen, da wir hier sitzen! Ich hole dich zu mir. Komm mit mir. Dies alles ist hier falsch – zieh' mit mir in das echte Leben. Wir sind vom ersten Tag an füreinander bestimmt – es ist nur unnatürlich, daß wir uns trennen. – Darum trieb es mich noch aus dem Urwald hierher. Ich kenne deine Liebe zu den Eltern, ich achte sie – sie bleiben nicht allein – sie haben Erwin –

BRUNO. Erwin ist tot.

WANDA. Tot – in jungen Jahren? – – Wie starb er?

BRUNO. Ein Unfall.

WANDA. Welcher Art?

BRUNO. Er stürzte unglücklich und brach das Genick.

WANDA. Wobei denn?

BRUNO. Beim Kostümfest im Künstlerhaus.

WANDA. War er – betrunken? Trank denn Erwin später? Früher war er so nüchtern, daß wir ihn verlachten.

BRUNO. Es war sein Ende gräßlich.

Stille.

WANDA. Dennoch – ich lasse dich nicht los. Ich will nicht – ich kann nicht verzichten. Ich will nicht in die Fiebersümpfe gehn und mich vergiften. Ich habe ein Recht zu leben wie jeder andre. Und wer es mir bestreitet – mein Lebensrecht, auf das ich poche – *Mit harter Hand auf die Tischplatte schlagend.* – mit aller Kraft, die mir gegeben, poche –

BRUNO. Das Kind schläft oben – mäßige den Lärm!

WANDA *zuckt wie unter einem Hieb zusammen.* Du – – hast ein Kind?

BRUNO *von Mitleid geleitet.* Es ist mein Kind nicht.

WANDA *aufsehend.* Brachte sie es in die Ehe mit?

BRUNO. Geboren wurde es hier im Hause.

WANDA. Was willst du damit sagen?

BRUNO. Ich übernahm die Verpflichtung eines andern.

WANDA. Gibt es denn das?

BRUNO. Wenn der Verführer der eigene Bruder ist.

WANDA *staunend.* Erwins Entwicklung nahm diesen unheilvollen Verlauf? Vor Frauen seine Schüchternheit verwandelte sich in Angriffslust? – Beging er Selbstmord?

BRUNO. Wie rätst du darauf?

WANDA. Du sprachst von einem Unfall.

BRUNO. Auch das ist möglich, daß er den Freitod suchte, als er erkannte, was er angerichtet hatte.

WANDA. Was sagt das Mädchen aus?

BRUNO. Welches Mädchen?

WANDA. Verzeihung – deine Frau.

BRUNO. Sie wurde es – und niemals fand das Ereignis Erwähnung mehr. Wie das ja selbstverständlich ist.

WANDA. Dir tat sie einfach leid – und das bewog dich zu dem Schritt?

BRUNO. Mir taten – in erster Linie – meine Eltern leid. Mich schmerzte der Anblick der beiden, wie sie wehrlos der Schande ausgeliefert saßen. Ja, so empfanden sie es. Da trieb ihr reichbeladenes Lebensschiff zuletzt der Strandung zu – ich sah es treiben und konnte retten. Gab es für mich ein Zögern? Vor Vater und Mutter stellt man sich – und wer nicht dieser urwüchsigen Stimme des Blutes folgt, der ächtet selbst sich.

WANDA *nachdenklich.* Den Eltern zuliebe – –

BRUNO. Und wenn ich prüfe, ob ich recht getan, so stoße ich darauf: ich hätte ledig nicht die Stelle des Bibliothekars erhalten. Ich sollte wohl entschädigt werden, daß ich sehr viel aufgab. Dich, Wanda.

WANDA *vor sich hin*. Das sind die Bande, die dich an sie knüpfen.

BRUNO. Was überlegst du?

WANDA *ihre Pelerine ablegend*. Ich bleibe.

BRUNO *verwirrt*. Willst du sie pflegen?

WANDA. Wen?

BRUNO. Rosamunde.

WANDA. Ist sie krank?

BRUNO. Sie zog sich in den Nächten eine Erkältung zu, die sich zu einer Halsentzündung mit wildem Fieber steigerte.

WANDA. In welchen Nächten?

BRUNO. Die sie zur Zeit der Mondzunahme außerhalb des Hauses verbringt.

WANDA. Ist sie mondsüchtig?

BRUNO. Anfangs dachten auch wir es, doch ist sie davon frei. Ihr ist nur eigentümlich sich von der ersten Sichel bis zum Vollmond im Freien aufzuhalten. Dann steht sie hinten auf der Gartenmauer und starrt nach oben und bewegt die Lippen, wie wir es beobachteten.

WANDA *erschreckt*. Wo steht sie? Oben auf der Mauer, hinter der der Abgrund gähnt?

BRUNO. Sie fühlt sich sicher, sagt sie, wenn wir warnen.

WANDA. Von ihrem Flüstern habt Ihr nichts verstanden?

BRUNO. Wir lauschen doch nicht. Es ist ihr Mondgeheimnis, sagen wir – und lassen sie gewähren.

WANDA. Und aus der Mondnacht brachte sie nun ihre fiebrige Entzündung mit?

BRUNO. Die Krise ist überstanden, ist des Arztes Zuversicht – doch sie bedarf noch weiter der strengsten Pflege, in die wir uns hier teilen. Selbst Vater ruht nicht. Dennoch sind wir alle ein wenig erschöpft – und es ist seltsam, dennoch trifft es zu: wir hatten gerade heute Vormittag überlegt, ob wir nicht eine Krankenschwester nehmen sollten – am Vormittag, vielleicht zur selben Stunde, triffst du ein – stehst hier und entscheidest so fort die Frage, die uns beschäftigt. Ist es nicht Fügung?

WANDA. Ja – alles wird sich fügen, Bruno. Es ist nicht Zufall, daß ich im Urwald das Gift nicht schluckte – daß ich mich in die Fieberdistrikte des Ostens meldete, um noch einmal hierherzukommen, um dich anzuhören. Es ist mein Schicksal, wenn ich jetzt dem Mutterhaus Valet sage und meinem Orden ungehorsam werde. Ich tue, was ich tun muß. Verstehst du noch nicht, Bruno?

BRUNO *zuckt die Achseln.*

WANDA. Führ' mich zu der Kranken.

Krankenzimmer.
Es ist dunkel.
Dann wird eine Tür geöffnet – Wanda und Bruno treten ein.
Wanda knipst auf einem Tisch in der Ecke eine Lampe an, die mit grünem Tuch verhängt nur schwachen Lichtschein verbreitet.
Gegenüber an der Wand das Bett, in dem Rosamunde schläft.

BRUNO *seine Stimme dämpfend.* Du solltest mit den Nachtwachen aufhören.

WANDA *ebenso flüsternd.* Davon kann nicht die Rede sein.

BRUNO. Es ist auch die Meinung des Arztes, daß nun die Krankheit überwunden ist und die eigene Natur die volle Genesung bewerkstelligt. Im Schlaf. Im tiefen Schlaf, in dem sie liegt.

WANDA. Es ist besser – glaube mir, für uns alle – wenn ich auf meinem Posten ausharre.

BRUNO. Wie ernst du sprichst – als ob ein Rückschlag eintreten könnte. Vermutest du das?

WANDA. Nein. Das ist eine überflüssige Befürchtung, die nicht aufzukommen braucht.

BRUNO. Wieder ist dein Ton schroff. Immer scheinen mir deine Worte belastet mit einem andern Sinn, der dem Klang anhaftet, den du ihnen gibst. Täusche ich mich?

WANDA. Es ist nichts doppeldeutig, was ich sage. Das wird sich offenbaren, wenn alles am Tage ist.

BRUNO. Hinter diesen Worten steckt nichts?

WANDA. Nur meine eiserne Entschlossenheit – meine Mission hier zu Ende zu führen, die dem Wohl aller unter diesem Dache geweiht ist.

BRUNO. Dann höre ich heraus, wie überreizt du bist. Es ist kein Wunder, wenn deine Nerven versagen. Schonung hast du nicht mehr gekannt – und zuletzt noch deine Anstrengung gesteigert, als sie nachlassen durfte. Sind das nicht Zeichen von Übermüdung? Du bist am Zusammenbrechen.

WANDA. Ich breche nicht zusammen. Deine Sorge ist umsonst.

BRUNO. Lass' mich besorgt sein, Wanda. Du weißt nicht, wie du aussiehst, wenn du am Morgn dieses Zimmer verläßt. Kalkfarben und aus Gespensteraugen sehend. Als hättest du eine Erscheinung gehabt, die hier mit Teufelsfratze dir zugestoßen wär. – Quält es dich so, daß du sie pflegst? Du hattest dich erboten.

WANDA. Ich habe keinen Grund mein Anerbieten zu bereuen. Im Gegenteil – ich freue mich des Einfalls, den ich hatte.

BRUNO. Deine Heiterkeit klingt echt.

WANDA. Ja, Bruno. Kann man verhehlen, wenn man sich auf das Glück freut?

BRUNO. Welches Glück?

WANDA. Das Glück, das uns gehört. Uns beiden. Dir und mir.

BRUNO. Ich sehe es im Lohn für eine Tat der Selbstaufopferung. Wie du in dieser Pflege unermüdlich warst und Rosamundes Heilung schon halb erblüht ist. Es ist dein Verdienst und seine Krone schmückt dich unsichtbar. Hab' Dank, Wanda.

WANDA. Zu früh, Bruno.

BRUNO. Nein. Alles wird so glatt verlaufen, wie es umsichtig eingeleitet ist. So war es wichtig das Fenster dicht zu verhängen, als sich Neumond zeigte. Denn noch im Fieber – sonst besinnungslos – fragte sie nach dem Mond – daß sie ihn nicht versäume. Keine Macht der Erde hätte sie zurückgehalten, wenn das Gestirn, dem sie so seltsame Verehrung zollt, sichtbar geworden wäre. Doch es verdeckte die Gardine, die nicht geöffnet werden darf, bis Vollmond ist. Der Vollmond reizt sie nicht. Wann ist Vollmond?

WANDA. Morgen.

BRUNO. Dann hüten wir bis morgen die strenge Dunkelheit. Vorher kein Strahl vom Mond, der sie berühren könnte. Es könnte sie erschüttern. Soll sie nicht bald gesund sein? *Er streckt ihr die Hand hin.*

WANDA *drückt sie.* Lass' mich mit ihr allein.

BRUNO. Auch ich bin wach. Ich will die Arbeit am Katalog beschleunigen, auf den man wißbegierig wartet. Wenn du aus irgendeinem Grunde Ablösung wünschst, ich unterbreche sofort –

WANDA. Nie stör' ich dich. Geh', Bruno. Jetzt ist Zeit.

Bruno geht hinaus.
Wanda lauscht an der Tür ihm nach – dann dreht sie vorsichtig den Schlüssel im Schloß um. Nun begibt sie sich ans Fenster – mit raschen Griffen zieht sie an den Schnüren die mehrfachen Vorhänge zurück, so daß das scharfe Licht des Mondes einfällt und Rosamunde trifft. – Wanda tritt hinter das Kopfende des Betts – zieht Schreibblock und Bleistift aus der Schürzentasche und wartet gespannt.

ROSAMUNDE *beginnt die Arme mit zerteilenden Bewegungen zu schwingen. Das Fluten eines Lächelns überrinnt kräftigend ihr schlaffes Antlitz. Dann im Flüsterton klar vernehmlich.* William – – William – – William – – zuerst und zuletzt deinen Namen. Lass' ihn mich erst tausendmal denken – tausendmal aussprechen kann ich ihn nicht, denn es verflöge die Nacht damit und ich hätte dir nichts andres berichtet. Der Mond aber enteilt und erhielt nicht die Fracht, die du erwartest. Ach – du erwartest sie, ich weiß es. Auch voll brennender Ungeduld, wie ich sie häufe in die silberne Sichelschale, die nie den Überfluß faßt, den ich ihr spenden will, und immer zu früh wegsinkt – voll und doch leer. Nur das ist meine Klage. Sonst erfüllt mich kein Weh. Sollte mich Schmerz noch treffen, da ich dich liebte? Das Leben ist in meinem Inneren unerreichbar – durch keine Wunde, mit keiner Krankheit. Ich kann nicht leiden. – – – – *Sie stützt sich auf die Ellbogen und hebt das Gesicht – die Augen immer geschlossen haltend – ins Mondlicht.* Ich bin noch schwach – aber es gelingt mir doch die dichten Vorhänge vom Fenster zu schieben. Weil ich es will, vollbringe ich es. Der Wille tut Wunder – und müssen nicht Wände weichen vorm Wunder? Dies sind nur Gardinen, die ich auslöschte – wie die Dunkelheit, damit das Licht entbrennen kann. Dein Mondlicht, das mich sprechen macht – zu dir, Liebster. – – – – Ich habe nichts vergessen. Es ist im Hauch des Fiebers, an dem ich litt, nichts verbrannt. Es ist im Herzen, das rasend klopfte, nichts zerschlagen. Du sollst es glauben – ich will dir alles wieder erzählen. – – – – Wir trafen uns in einer andern Stadt – und gleich war grünes Dämmerlicht im Palmenpavillon um uns. Wie sahst du aus? – ich weiß es nicht. Wie sah ich aus? – du wirst es nicht mehr wissen. Wer kann denn das behalten. Wir liebten uns doch und waren einander doch zu nah', um noch zu sehn – wie man sich selbst nicht sehen kann. So fand auch keine Trennung statt – wer kann denn von sich selber Abschied nehmen? Verstehst du meine ewige Liebe, die nichts vergißt? – – – – Drei Wochen lebten wir in einem Haus – und hörst du noch, was ich danach im Palmenpavillon dir sagte? Drei Wochen sind das Leben – und es ist unermeßlich lang. Es dauert heute – es dauert morgen – es dauert weiter und findet keinen Tod, der jetzt schon überwunden ist. Indem ich atme, bin ich doch nicht mehr lebendig wie die andern. Weil ich so liebte. Das darf nicht eingestanden werden. So schamlos wäre das Bekenntnis, daß ich vernichtet werden müßte. Doch das Fieber vernichtet mich nicht. – – – – Ich konnte schweigen. Wer erfuhr es, daß das Kind von dir ist? William – nur du weißt alles, dem ich alles gab und immer weiter gebe: es ist nicht Erwins Kind. Es hat mich Erwin doch nicht angerührt, als ich ihn an mich lockte – in meiner großen Angst, daß mich das Kind, das in mir wuchs, verriete. Es tat doch Erwin den jämmerlichen Todessturz, als er vom finstern Boden vor mir flüchtete. – – – – Dann ging ich hierher und sagte dennoch: Erwins Kind. Ich sagte es, weil Erwin nicht mehr reden konnte – und es war wieder Sicherheit um mich. – – – – Jetzt bin ich ganz geborgen – ich bin doch Brunos Frau. Das Kind trägt seinen Namen. Es ist in ihm versteckt und keiner errät mehr die doppelte Verkapselung, daß es nicht Brunos und nicht Erwins Kind ist – deins, William. – – – – Ich sagte dir noch nicht, daß mich nie mehr ein Mann berühren wird. Es soll mir streng verwehrt sein, da Erwin starb und doch mein Wunsch erfüllt war: mich zu verbergen – meine ewige Liebe, die dieser Leib umschließt wie ein Gefäß, das nicht betastet werden darf. Nur noch von deinem Silbermondlicht, das ich flecklos widerspiegeln will. – – – – So hell dein Schein – so voll die Fracht. Nun habe ich dich beladen – nun halte ich dich nicht mehr – nun gleite in deinem blauen Mondmeer hinab zu ihm. William – zu dir – mein einzig ewiger Liebster – – mein ewig einziger Liebster – – ach – – William – – William – – William – – – – *Sie sinkt auf das Kissen zurück und liegt reglos.*

Wanda hat aufgeschrieben, was Rosamunde flüsterte, und beugt sich noch tief auf die Schlafende hinab.

Gärtchen.
Abschließend eine hohe, grob gefügte Mauer, die auf unregelmäßigen Stufen längs der Mauerwand erstiegen werden kann.
Im Rollstuhl Rosamunde – mit einer Decke auf den Knien.
Wanda hockt auf einem Klappstuhl.

ROSAMUNDE *macht den Eindruck einer Schlafenden.*

WANDA *beobachtet sie mit größter Eindringlichkeit. Endlich bricht sie das Schweigen und fragt mit mühsam gemäßigter Schärfe.* Schlafen Sie eigentlich – oder stellen Sie sich nur so?

ROSAMUNDE. Gar nicht schlafe ich.

WANDA. Aber seit einer Stunde schlagen Sie die Augendeckel nieder und rucken den Fuß nicht.

ROSAMUNDE. Ich darf mich nicht rühren.

WANDA *fast höhnisch.* Bereitet es Ihnen Schmerzen? Wo plagen sie denn?

ROSAMUNDE. Mir tut doch nichts weh.

WANDA. Wie überzeugt ich davon bin. Nur diese Schwäche ist zurückgeblieben, die Sie nicht aus dem Rollstuhl aufkommen läßt – aber bald wird auch sie weichen und Sie werden sich frei bewegen können, wohin Sie wollen. Wohin Sie wollen – verstehen Sie das? Es wird Ihnen niemand hier ein Hindernis in den Weg legen.

ROSAMUNDE. Sprechen Sie leise.

WANDA. Warum soll ich die Stimme senken? Erschreckt Sie schon die Andeutung von einem Verlauf, den die Dinge hier für Sie nehmen, wenn ich rede?

ROSAMUNDE. Pst.

WANDA. Weshalb soll ich denn schweigen? Was soll denn nicht aus seiner Ruhe, in die es für ewig eingebettet schien, aufgestöbert werden? Was ist daran? Was scheut den Stoß, der es ans Tageslicht befördert?

ROSAMUNDE *weist mit dem Finger auf ihre Fußspitze.*

WANDA *sieht hin.*

ROSAMUNDE. Die Eidechse. Deshalb verhalte ich mich still und zucke mit keinem Glied. Ich kann so unbeweglich noch viele Stunden sitzen, nur um sie nicht zu stören. Sie sonnt sich doch. Vielleicht ist sie eingeschlafen. Dann muß ich mich doppelt hüten, sie zu erschrecken. Man darf im Schlaf kein Wesen quälen. – Ihre Schürze knistert so – sie ist zu steif gestärkt. Binden Sie sie doch ab. Aber mit Vorsicht.

WANDA *sich von ihrer Verblüffung langsam erholend.* Sie haben nur Augen und Sinn für dies Tierchen?

ROSAMUNDE. Sehen Sie, Schwester – es gibt kein Zeichen von Unruhe. Wir sprechen doch ganz laut. Jetzt kann ich auch den Fuß schaukeln – sie flieht nicht. Sie liebt mich, denn sie bleibt. Sie sieht mich an. Da züngelt sie – das ist ein Kuß. So sehen Sie doch, Schwester!

WANDA *spöttisch.* Das Tier liebt Sie – es kennt Sie nicht.

ROSAMUNDE. Doch doch, Schwester. Mich lieben Tiere. Ich habe Begegnungen mit Tieren gehabt, die an das Wunderbare grenzen. Die Zärtlichkeit von Fischen – keiner kennt sie. Einmal am Rande eines Fischteichs – *Abbrechend.* Schwester, sind Kröten gräßlich? Feiste, mit Warzen übersäte Krötenleiber – die sollten ausgeschlossen sein? Von dieser Inbrunst, die aller Kreatur zugeteilt ist? Die lieben muß – sonst untergeht? Sie hat doch Angst vorm Untergang – drum liebt sie und erhält die Schöpfung, die wunderbare. Kröte, Fisch und ich!

WANDA. Sie könnten dieser Eidechse nicht den Kopf zertreten?

ROSAMUNDE. Ich würde nicht mehr glücklich schlafen können. Ich wäre doch nicht wert – daß mich die Vögel im Schlaf aufsuchen.

WANDA. Was ist denn das?

ROSAMUNDE. Das träumen Sie nie? Dafür muß man doch seine Träume offen halten: wenn die Vögel fliehen und Zuflucht suchen. Mir kommen sie geflogen. Vor den Verfolgern aus der Dunkelheit. Das sind die riesengroße Fledermäuse mit Mäulern von Krokodilen. Die schnappen und klappern in der Luft – das scheint wie Wind, der um die Dächer heult – und doch ist es die Jagd auf alle bunten schönen Vögel, die auf der Erde fliegen. Ich bin ausersehen sie zu schützen. Mein Ruhm muß groß sein, denn sie kommen von weit her. Dann bin ich mitten in der Nacht – ich stehe aufrecht und breite meine Arme aus, um alle aufzunehmen – bedeckt von der Gefiederpracht und tönend von ihren reinsten Vogelkehlenmelodien ein singender Vogelbaum!

WANDA *steht auf und stampft hart mit dem Fuß auf.*

ROSAMUNDE. Sie haben sie verscheucht – Muß ich ins Haus? So fahren Sie mich, Schwester, ich kann doch nicht gehn. So viele Mühe mache ich Ihnen.

WANDA *nach kurzem Hinundhergehn auf dem Rasen vor*

Rosamunde halt machend. Nein, heute nicht ins Haus, bevor es nicht – – – – und dann nicht mehr ins Haus, in das Sie sich mit einer List, die teuflisch, geschlichen – – – – *Sie preßt die Hände an ihre Schläfen und ächzt.*

ROSAMUNDE. Ist Ihnen übel, Schwester?

WANDA. Wie besorgt Sie sind, daß mir nicht übel sei. Daß mir nicht Übelkeit zustoße – Abscheu, Ekel. Mit einer Stimme, die von eines Engels Zunge entliehn sein könnte. So psalmodiert sie Unschuld – und ist doch beladen mit so viel Lüge, daß es donnern müßte, um sie zu übertönen.

ROSAMUNDE. Schwester – sind Sie krank?

WANDA. Schwester und Schwester – ich möchte mir diese Gnadentracht heruntereißen und als Ihr Richter dastehn, der verdammt – noch zu barmherzig, wenn er ganz erbarmungslos straft. Für einen Frevel, wie noch nicht gefehlt ist – wer einen Toten anklagt und Lebende ums Lebensglück betrügt. Das nicht mehr lebenswert erschien, weil Bande rissen, die doch in der Heiligkeit des Schwurs geknüpft waren. Nichts wurde respektiert. Darüber strudelte die schmutzige Woge des Betrugs hin und schlug ein Haus in Trümmer. Dies Haus – das widerhallt vom Lob auf die Betrügerin – es ist ein Trümmerhaufen, unter dem sich Ehre, Glück und Wahrheit erstickt begruben!

ROSAMUNDE. Ist das ein Anfall? Muß man die andern rufen?

WANDA. Ja – rufen Sie sie. Laut. Daß man sich hier versammle, so lange Sie unbeweglich sind. Damit Sie nicht entlaufen und der Antwort ausweichen – auf die Frage: wer wirklich der Vater des Kindes ist?!

ROSAMUNDE *verstummt.*

WANDA. Jetzt sind Sie still. Ich brauche Ihr Geständnis nicht. Mir wurde jede Wissenschaft zuteil, die ich benötige – um Sie zu entlarven. Ich lüfte einen Zipfel vom Geheimnisschleier und sage das Zauberwort, das Sie beleben wird. Muß ich es denn noch sagen? Diesen Namen, den ich als Mondscheinhauch auffing – von Ihren Lippen, die ihn anbetungswürdig machten – mit Flüstern und Stammeln, wie einer Gottheit Opfersprüche dargeboten werden? Ach so hingebungsvoll das Wort – wie einst der Leib. So schamlos das wie dies. Nach Wollust das Verbrechen!

ROSAMUNDE *sitzt still und sieht vor sich hin.*

WANDA. Soll ich den Namen des Vaters Ihres Kindes schrein? Hier? Im Haus? Hoch droben von der Mauer? Verkünden in das Weltenrund, das nie mit Lüge so beleidigt war wie jetzt, die Wahrheit, die wieder die befleckte Unschuld reinigt – des halben Knaben Erwin, den Sie zum Wüstling machten, um sich zu schützen – vor Schmutz, in den Sie sich mit William – William geworfen hatten!

ROSAMUNDE *ganz reglos*.

WANDA. Drei Wochen dauerte das saubre Glück. Bekanntschaft wurde geschlossen im Palmenpavillon. Da war es schwül und grün und so exotisch. Man wurde sich gleich einig – zog in ein verschwiegenes Haus und frönte seiner Lust und dachte nichts mehr. Und als die Zeit um, lief man auseinander. William verschwand – und er sucht sich schon die nächste – doch dieser blieb er unvergeßlich: er hinterließ ein Kind!

ROSAMUNDE *unverändert*.

WANDA *mit verschränkten Armen gegen den Grasboden sprechend*. In seinen Kindesnöten diesen Plan ersinnen. Einen andern in Schuld verstricken – und als das mißlingt, er aus dem Dach abstürzte – flüchtend, um sich nicht zu vergehn – sich hier vorstellen und die Missetat als doch vollbracht berichten – suggerieren so, daß man doch Pflichten ihr gegenüber hätte, die nun der Bruder – in die Bresche im Bollwerk der zerfetzten Familienehre springend – übernimmt und jener aus ganz andern Armen zugelaufenen Liebsten sich vermählt –: wie schien der Schwindel fein und festgefügt!

ROSAMUNDE *unverändert*.

WANDA *aufsehend*. Gottlob – es scheint ein Mond auf Erden. Es war ein dünner Mondstrahl, der den Schlüssel lieferte und Ihren Mund zuerst aufschloß. Dann hielten Sie nichts mehr zurück – es wuchs der Mond, Sie mußten doch den Sichelkahn beladen – mit Ihren Liebesschwüren und Beteuerungen, daß keine der Umarmungen, die Sie einst beseligt, vergessen und nie das Feuer sich auslösche, das von ihm angezündet einzig und ewig brennen und erleuchten solle. Mit William – William – William häuften Sie die Fracht zum bersten und silberrund auf blauem Mondmeer glitt Ihr Schiff der Liebe wieder zu William!

ROSAMUNDE *unverändert*.

WANDA. Sie hören – ich weiß alles. Ich habe Ihnen Ihr Geheimnis nicht gestohlen. Ich kenne keine List. Ich nutzte nur den Zufall. Ich wollte Sie pflegen. Ich trat mit diesem Vorsatz an Ihr Bett. Nichts andres hatte ich im Sinn, als dienen

– dienen – dienen – und bitten dann um meinen Lohn: den Mann, der mir zuerst gehörte und um des Scheines willen nur zu Ihnen sich bekannte. Sie sollten sich von Bruno scheiden lassen – es war ja der Beleidigung, die Sie erfahren haben wollten, genuggetan – das Kind war anerkannt und trug den Namen Benler. So nahm ich meine Pflege tödlich ernst und wachte Nacht für Nacht und quälte mich mit meinem Zweifel, daß Sie sich weigern könnten – und ich wieder wie einmal schon – *Sie reißt vom Klappstuhl ihre Handtasche an sich und entnimmt ihr das braune Fläschchen. Auf die Knie niederstürzend.* Verstehen Sie, was Sie taten?! Daß fast Ihr Tun mit einem Mord verknüpft gewesen wäre?! Ich wollte Gift aus diesem Fläschchen nehmen. Mich in Sekunden auslöschen – so wirksam ist der Giftsaft in einem einzigen Tropfen. Ich hätte den Inhalt ganz geschluckt, um mehr zu sterben als nur ein Tod entseelen kann. Zehn Tode hätten erst den Schmerz besiegt, der mich durchstach, als der Verlobte mir den Abschied schrieb!! – Erfassen Sie mein Leid? Zwingt Sie's nicht auf die Knie? Knie' ich – nicht Sie?!

ROSAMUNDE *unverändert.*

WANDA *steht auf – steckt das Fläschchen in die Handtasche, die sie wieder auf den Klappstuhl legt.* Das Gift trinkt keiner mehr. Wer hier fällt – es sind Sie. So vollendet die Vergeltung ihr stilles Werk. Es hebt mit einem Mondstrahl an, der Sie berauscht und aus dem Rausche lispeln läßt: William. Ich war da, die stutzte. Niemand hätte auf der Mauer, auf deren Höhe Sie sonst flüchteten, um nicht gestört zu werden, es je vernommen. Wie geschickt Sie sind: da oben stehn – allein und auch dem Monde näher. Doch diesmal streckte es Sie krank aufs Bett. Ich konnte lauschen – und in jeder Nacht erfuhr ich mehr, da ich den Mond durch weggerafften Vorhang entbrennen ließ. Sie redeten – und ich stand hinter Ihnen und merkte mir die Beichte. Sie werden nichts abstreiten können – ich habe gültige Belege! – – Leugnen Sie denn nicht?

ROSAMUNDE *unverändert.*

WANDA. O leugnen Sie doch. Daß ich lauter schreien kann. Daß es mich reizt Sie hier schon zu vernichten. Mit einem Würgegriff. Ich finde keine Richter, die mich strafen. Ich vollzug nur ein Urteil der Gerechtigkeit. Sie ist das Licht auf Erden. Und im Lichte erhebt sich unser Trieb zur Menschlichkeit. O Menschen wir – o dunkelstes und glühendstes

Geschlecht. O wäre nicht Nacht und Tag – so sind wir Tag und Nacht. – – – – *Verächtlich zu Rosamunde.* Was wissen Sie davon? Sie schweigen. Vielleicht sind Sie betäubt. Es lähmt Sie vollends an Arm und Beinen. Es ist ja nun nichts mehr geheim. Wem bleibt es noch verschwiegen? Wer läßt sich gierig nicht die Ohren damit füllen? Das findet sein breites und sehr gespanntes Publikum. Man wird es dreimal – fünfmal hören wollen, um zu glauben. Ich werde sechsmal wiederholen. Heut weiß ich's noch allein – morgen sind Sie mit Ihrem William in aller Munde!

ROSAMUNDE *unverändert.*

WANDA. Das wird gesühnt, was Sie uns, die wir leben, taten. Wir atmen und sind kräftig uns zu verteidigen. Man wird Sie hier laufen lassen – und Sie können im ferneren Dasein auf irgendeine Weise die Schuld – an uns begangen – tilgen. Das kann – das wird gelingen. Die Gnade ist sehr groß. *Mit erhobener Stimme.* Doch was Sie sich mit keiner Tat der Demut und der Größe jemals abwaschen – das ist Ihr Vergehen an einem Toten. An Erwin, den Sie im Tode lästerten. Das ist so schmutzig in seinem Angriff auf einen wehrlos Hingestreckten – daß kein Menschenrecht sich Züchtigung anmaßen darf. Für diese Untat müssen Sie sich selbst anklagen und um ein Urteil buhlen wie um die Seligkeit, die hier Verdammung ist. Erkennen Sie den Augenblick, wenn sich das Schicksal Ihnen anbietet – und zögern Sie nicht in die dargebotene Hand des Henkers einzuschlagen. Er will Ihr Glück – es ist der Block!

ROSAMUNDE *unverändert.*

WANDA *hinundhergehend.* So eng ist dieser Garten. Eng im Kopf die Wände. Nach Freiheit dürstet mich. Wo ist denn Freiheit?? *Sie ersteigt die Stufen längs der Mauer und steht oben. Sie start eine Weile ins Land hinaus. Dann setzt sie sich abgewandt auf den Mauerrand nieder und vergräbt den Kopf in die Hände.*

ROSAMUNDE *dreht das Gesicht und späht nach der Mauer. Scheinbar mühelos kann sie sich jetzt aus dem Rollstuhl erheben, nachdem sie vorher die Decke von ihren Knien entfernt hat. Nun durchquert sie auch ohne Wanken und Straucheln den Garten und gelangt an den Fuß der Mauertreppe, die sie hinansteigt. Oben auf der Mauer nähert sie sich Wanda und steht zuletzt dicht hinter ihr.*

WANDA *wird aufmerksam – wendet den Kopf und blickt zu*

Rosamunde auf. Wie können Sie die Mauer ersteigen?? – –
Woher kommen Ihnen Kräfte?? – – In aller Wahrheit sind
Sie doch hilflos schwach? – – Ich will aufstehn und Ihnen
hinunterhelfen. – – Sie werden stürzen – es gibt ein Unglück. – – – – So lassen Sie mich doch aufstehn. – – Warum
leisten Sie mir Widerstand – wenn ich aufstehen will? – –
Sie können doch gar nicht so stark sein – wie Sie mich festhalten. – – Halten Sie mich nicht – – lassen Sie mich los! – –
Was bezwecken Sie denn?? – – Wollen Sie mich in den Abgrund – – in den Abgrund – – – – *Mit einem heulenden
Schrei schleudert es sie in die Tiefe.*

ROSAMUNDE *steigt mit derselben Sicherheit die Mauertreppe
hinab und kehrt in ihren Rollstuhl zurück, wo sie die Decke
sich wieder über die Knie breitet und mit geschlossenen Augen dasitzt.*

*Bruno kommt und sieht sich suchend im Garten um. Dann
nähert er sich behutsam dem Rollstuhl.*

ROSAMUNDE *schlägt die Augen auf.*
BRUNO. Du bist wach? – Wo ist Wanda?
ROSAMUNDE. Ist sie nicht hier?
BRUNO. Sie verläßt dich doch nie. – Hier liegt ihre Hand-
tasche. – Warum ist sie weggegangen?
ROSAMUNDE. Ich habe so fest geschlafen.
BRUNO. Darum konnte sie dich allein lassen. Sie wird im
Hause sein. Sie soll dich nicht holen kommen. Sie selbst ist
nach der aufopfernden Pflege schonungsbedürftig geworden
wie ein Patient. Ruhe braucht sie endlich – lange Ruhe, die
soll sie haben. Ich fahre dich ins Haus. *Er rafft noch Klapp-
stuhl und Handtasche auf und schiebt den Rollstuhl voran.*

Mansardenzimmer.
Bruno und Frau Benler treten ein.

BRUNO *nach einem Schweigen.* Wandas Zimmer.
FRAU BENLER. Seit ihrem Tode wurde es nicht mehr betreten.
BRUNO *seufzend.* Seit ihrem schrecklichen Tode.
FRAU BENLER. Er war es wahrlich.
BRUNO. Ich verliere das Bild nicht aus den Augen. Zur Un-

förmlichkeit zerschmettert. Wir hoben Trümmer eines Menschen auf.

FRAU BENLER. Mitten aus der Lebenspracht gerissen und die Blüte im Abgrund geknickt. So war Wanda – blütenfrisch.

BRUNO. Zuletzt nicht mehr, Mutter. Sie sah ganz bleich aus. Um die Augen schwarzblaue Ringe und durchscheinend sonst.

FRAU BENLER. Sie wollte wachen und widerstrebte jeder Mahnung sich zu schonen.

BRUNO. Der Pflege sich zu widmen, als das Bedürfnis dringend nicht mehr vorlag – wer versteht es?

FRAU BENLER. Der Arzt war auch dagegen. Dennoch verbrachte sie noch Nacht für Nacht im Krankenzimmer.

BRUNO. Ist Pflicht denn Übertreibung?

FRAU BENLER *nach einer Stille.* Zuerst will ich das Fenster öffnen. Die Luft ist dumpf geworden. *Sie zieht die Gardine zurück und öffnet.* Von den Bergen ist ein Gewitter im Anzug. Sonderbar bei dieser Kühle. Da rollt das Donnermurren.

BRUNO. Wird Vater in seiner Mittagsruhe gestört?

FRAU BENLER. Wenn es die Macht, die über uns, so will. Dann hat er Rosamunde für sein Domino.

BRUNO. Wie sie das Spiel verbindet. Vater kommt so gut über alles hinweg mit dieser Ablenkung. Es ist ein Glück, daß er sie hat – als unermüdliche Partnerin. Sie spielt doch wie entrückt. Woran denkt sie?

FRAU BENLER. Sie muß scharf aufpassen, weil Vater überlegen die Steine setzt.

BRUNO. Ja, Vater nimmt sie ganz in Anspruch. Sie will ihm Freude machen. Möge die beiden nie ein Zank entzweien.

FRAU BENLER. Woher soll denn ein Zank entstehn?

BRUNO. Das Spiel ist harmlos. Nein, es kommt kein Zank. *Sich an den Tisch setzend.* Wir wollen nun der Pflicht genügen und den geringen Nachlaß ordnen. Schütte den Inhalt der Tasche aus.

FRAU BENLER *die das Handtäschchen mitgebracht hatte, entleert es nun auf die Tischplatte.*

BRUNO *sichtend.* Das Taschenbuch, das sie zuletzt gebraucht hat.

FRAU BENLER. Was siehst du mich so an?

BRUNO. Mutter, ich will es aufbewahren. Darf ich es nehmen?

FRAU BENLER *unter Tränen.* Betrachte es als ihr Vermächtnis. Sie liebte dich doch.

BRUNO *leise.* Ich hatte Wanda sehr lieb. – –

FRAU BENLER *das braune Fläschchen aufnehmend.* Was für ein Fläschchen?

BRUNO *entreißt es ihr.* Das enthält Gift!

FRAU BENLER. Woher weißt du?

BRUNO. Lass' es begraben sein. Ich vernichte es nachher. Da ist es aus der Welt geschafft. *Er steckt es in seine Rocktasche. Einen Schlüssel vom Tisch aufhebend.* Hier ist ein Schlüssel. Was kann sie mit dem Schlüssel abgeschlossen haben?

FRAU BENLER. Ich kenne ihn. Er schließt den Schreibtisch auf.

BRUNO. Dann will ich dort nachsehn. *Er steht auf und tritt an den Schreibtisch.*

FRAU BENLER. Ich ziehe das Bett ab. *Sie geht zum Bett in der Ecke.*

BRUNO *öffnete den kleinen Schrankaufbau des Schreibtisches und findet beschriebene Aktenbogen, die er herausnimmt. Er liest die Aufschrift des Umschlagbogens – stutzt – starrt wieder auf das Papier.*

FRAU BENLER *Bezüge abstreifend.* Rumbum – du donnere, wir sind nur kleine Menschen – erniedrige uns nur immer wieder – wir wollen ja vergehn, wie wir geworden sind – aus Mutterschoß in Erdenschoß – so kommst auch du einmal zur Ruhe.

BRUNO *setzt sich vor den Schreibtisch, schlägt den ersten Bogen um – und vertieft sich nun in eine Lektüre, die er nur mit Aufwand seiner ganzen Energie zu bewältigen scheint.*

FRAU BENLER *das Bettlaken aufnehmend.* Und Rosamunde muß das Besteigen der Mauer verboten werden. Und von dir muß das Verbot streng ausgesprochen werden, denn es geschieht dazu nächtlich, daß sie ihr tollkühnes Unternehmen ausführt. Wenn auch der Mond hell leuchtet – fiel nicht bei Sonnenlicht Wanda in die Tiefe und bezahlte ein Straucheln oder einen Schwindel mit dem Leben? Sie soll das letzte Opfer gewesen sein, das von dem tückischen Zufall hier hingerafft wurde – du, Bruno, hast die Pflicht von nun an mit der größten Umsicht darüber zu wachen, daß nicht neues Unheil anbricht, wo die alten Narben noch nicht verheilt sind. Gelobst du mir es?

BRUNO *liest und hört nicht.*

FRAU BENLER *mit dem Bettzeug unterm Arm – tritt hinter ihn.* Findest du schriftliches von ihr?

BRUNO *die Papierbogen verdeckend.* Das sind – – ihre Reiseberichte. Sie ist doch in der Welt herumgekommen – – der Ordensdienst verschlug sie doch in die äußerste Wildnis.

FRAU BENLER. Aber du zitterst?

BRUNO. Es liest sich atemberaubend spannend. Wir gelangen den Amazonenstrom aufwärts in Hitzegebiete – – daß beim Lesen sich Durst einstellt. Ich bitte dich, Mutter, bringe mir ein Glas Wasser. Mein Hals ist so trocken, ich könnte ersticken.

FRAU BENLER. Mein Sohn, ich bringe dir Wasser. *Rasch ab.*

BRUNO *beugt sich sofort über die Papiere und liest mit den Schläfen zwischen den Händen. Hervorstoßend.* Ungeheuerlich – – – – ungeheuerlich – – – – ungeheuerlich – – – – *Dann lauscht er nach der Tür.*

Frau Benler tritt ein.

FRAU BENLER. Hier ist dein Glas Wasser.

BRUNO *nimmt es und trinkt es auf einen Zug aus. Mit gequälter Heiterkeit.* Und noch eins, Mutter – wenn's dir nicht zu viel ist.

FRAU BENLER. Nein, Bruno.

BRUNO. Oder Mutter – halt. Schick' Rosamunde. Mir soll sie Wasser bringen. Du sollst Vater wecken. Das Gewitter rückt heran. Lass' Vater aufstehn. Wir versammeln uns dann alle unten in der Stube! *Er drängt Frau Benler förmlich aus der Tür.*

Frau Benler ab.
Bruno trägt die Papierbogen mitten auf den Tisch und wartet.
Rosamunde tritt ein.

ROSAMUNDE. Du wünschtest dies Glas Wasser.

BRUNO. Stell' es hin.

ROSAMUNDE. Wohin?

BRUNO. Dort auf den Tisch.

ROSAMUNDE. Es tröpfelt. Kann ich's auf dem Papier absetzen?

BRUNO. Nein. Dann wird die Schrift unleserlich.

ROSAMUNDE. Ja – wie nun?

BRUNO. Sorg' dich nicht um ein paar Tropfenflecken auf der Politur. Stell' nieder – und lies laut, was nicht vom Wasser verwaschen werden sollte.

ROSAMUNDE *liest vor.* Belege für die Scheidungsklage des Bruno Benler gegen Rosamunde geborene Floris. *Aufblickend.* Willst du dich von mir scheiden lassen? – Hast du die Gründe aufgeschrieben?

BRUNO. Ich – nicht!

ROSAMUNDE. Das ist nicht deine Schrift. Du hast es schreiben lassen?

BRUNO. Ich hätte auch das nicht können.

ROSAMUNDE. Warum nicht?

BRUNO. Weil ich nichts wußte.

ROSAMUNDE. Wer wußte denn?

BRUNO. Die tot ist – Wanda!

ROSAMUNDE. Was – weiß sie denn?

BRUNO. Aus Selbstgesprächen, die du anstimmtest – alles. Alles ist mitgeschrieben von ihr, da sie dir zu Häupten hinter der Bettwand lauschte. Nachtnächtlich. Und tagtäglich übertrug sie ihr Stenogramm in diese Kladde. Es ist ein Material beisammen, das überwältigt. Deinen Widerstand und jede Milde, die uns anwandeln könnte.

ROSAMUNDE *verstummt.*

BRUNO. Wandas Vermächtnis – und nicht nur ein Taschentuch. *Er zieht es aus der Tasche.* O sie hinterließ mehr. Sie schenkte mir des Bruders und den Eltern des Sohnes Reinheit wieder. Nie fehlte Erwin. Gepriesen sei die, die es an den Tag brachte, und tausendmal heißer beweint in ihrem Schattenreich!

ROSAMUNDE *stumm.*

BRUNO. Dies ist so schmählich, daß mich schaudert im Vorwurf auszusprechen, was du mit ruhigem Überlegen angestiftet. Dies Schriftstück nimmt mir das Amt ab. Du sollst es lesen – und dann unterschreiben. Und so bestätigt geb' ich's meinem Vater. Damit er glaube, was ihm sonst ganz unglaubwürdig klingen muß. Lies jetzt und komm' zur Unterschrift!

ROSAMUNDE *rührt sich nicht.*

BRUNO. Lies das bei Blitz und Donner. Es kann sich die Natur nicht still verhalten, wo das geschah. Sie brüllt gepeinigt auf: ein Mensch in ihrem Erdenschoß wurde beleidigt. Dem toten Erwin in das verfallene Gesicht gespien, das weder feste Zung' noch Lippen mehr hatte sich freizusprechen. Weißt du denn, was du tatest? Wenn du es weißt – fleh' nicht mit allem Schreien deiner Lungen um Gnade. Sie wird dir nicht gewährt – du wirst gerichtet. Am Ende deiner Tage blitzt das Beil!

ROSAMUNDE *stumm.*

BRUNO. So nah' dem Mord warst du. Erkenne doch, wie tastend schon der Tod nach ihr – nach Wanda die Kältehand ausstreckte. Als ich ihr schrieb, daß das Verlöbnis aufgehoben ist – daß ich mich von dem Eid befreite, der mich an sie band: fluchte sie dem Dasein und suchte es mit Gift – mit diesem Gift zu enden! *Er holt das Fläschchen aus der Tasche und legt es auf den Tisch.*

ROSAMUNDE *stumm.*

BRUNO. Und hier war alles Lüge. Niemals traf die Schuld den Bruder – niemals konnte Schande der Eltern Haupt verletzen – nie ich zum Wortbruch mich bestimmen lassen: es war ein William – William, der der Buhle war. Ein Abenteurer, der wegging. Ein Abenteurer?

ROSAMUNDE *stumm.*

BRUNO. Stammt von ihm der Plan? Beriet er dich so? Kannst du mehr als nur ein Werkzeug sein? Du bist doch sanft und wirklich einmal sagte ich zur Mutter: wenn sie geht, geht sie inmitten eines Taubenschwarms, weiß das Gefieder. Soll man sich denn täuschen?

ROSAMUNDE *stumm.*

BRUNO. Halb ja – halb nein. Ihr teilt euch in der Schuld. Es wird dein William sich mit dir verantworten müssen. Denn es ist ein Betrug, der vor Gericht gehört. Es wird zur Rechenschaft gezogen jeder, der da fehlte. Wer ist William?

ROSAMUNDE *stumm.*

BRUNO. Wo ist William?

ROSAMUNDE *stumm.*

BRUNO *im Donnerrollen schreiend.* Hörst du nicht?! Ich will den vollen Namen dieses William wissen!! Wenn du verschweigst – so sucht man in der Welt mit einem Steckbrief!! Aus diesen Akten geht hervor, daß William – William existiert!! Es löscht es keine Macht der Erde wieder aus, was hier steht und was ich weiß!! Sage jetzt den Namen!! Ich kann nicht mehr schrein!! Ich bin ganz heiser!! Lass' mich trinken!! *Er faßt nach dem Glas.*

Ein furchtbarer Donnerschlag kracht. Zugleich zerrt ein fauchender Windstoß an der Gardine und klirrt mit dem Fensterflügel.

BRUNO. Das Fenster schließen!! Sonst versteh' ich nicht, wer William – William ist!! *Er läuft hin und müht sich mit dem Fenster.*

ROSAMUNDE *ergreift schnell das Fläschchen – entstöpselt es und schüttet den Inhalt in das Wasserglas.*

BRUNO *schloß endlich das Fenster und stürmt an den Tisch zurück.* Jetzt soll bei ungeheurem Blitz und Donner, der diese Welt zu spalten scheint, mir dein Geheimnis in der Nacktheit seines Grauens ganz offenbar werden!!!!

ROSAMUNDE. Du wolltest erst noch trinken.

BRUNO *reißt das Glas an den Mund und trinkt aus.*

ROSAMUNDE *nimmt die Papierbogen an sich und schiebt sie unter ihre Bluse.*

BRUNO *wollte noch die Hand auf die Papierbogen legen – vorher stürzte er zu Boden.*

ROSAMUNDE *geht zur Tür.*

Es flammen unaufhörlich Blitze im Donner und Orkan des höchsten Unwetters.

Die Wohnstube.
Herr und Frau Benler und Rosamunde sitzen auf Stühlen. Der Arzt steht gegen den Tisch gelehnt.

BENLER. Ihm ist nicht mehr zu helfen gewesen, Herr Doktor?

ARZT. Auch wenn ich neben ihm gestanden hätte, als er es sich zuführte. Zu spät. Solches Gift hat die Wirkung eines Schusses, es streckt blitzschnell nieder.

FRAU BENLER. Mein Gott – mein Gott, wohin befahl sich deine Barmherzigkeit.

ARZT. Er fühlte keine Schmerzen, das Leben hört einfach auf. Übergangslos setzt das Herz aus – und vielleicht ist die Stille, die sich verbreitet, wundersam. Doch das ist kein Trost für die, die ihn verloren haben. Dieses Maß von Selbstverleugnung kann nicht von uns verlangt werden. Es wär wieder unmenschlich, wenn wir es aufbrächten. Auch mir war er Freund – und der Tränen schäme ich mich nicht.

Er schluchzt.

BENLER. Vor welches Rätsel sind wir gestellt.

ARZT. Gott ist das Dunkel, ich weiß es – und unerforschlich sein Ratschluß. Aber sind wir nicht trotzdem gehalten wenigstens den Versuch einer Lichtanzündung zu unternehmen? Warum floh Bruno aus diesem Dasein? Was machte es ihm zur unerträglichen Last, daß er sie abwarf? Bereitete sich dieser unselige Entschluß vor und verlieh er ihm Andeutungen in früherer Zeit, die jetzt erst verständlich werden? Besinnen Sie sich auf solche Äußerungen, Herr Benler? Frau Benler? Frau Rosamunde?

Allseitiges Kopfschütteln.

ARZT. Verriet sein Wesen innere Unrast? Um ein Beispiel zu wählen: entfielen ihm beim Essen Messer und Gabel? Erkundigte er sich sprunghaft und zwecklos, wie spät es sei? War seine Gewitterfurcht verstiegen? Es gibt Menschen, deren Nerven völlig versagen, wenn ein Blitz einschlägt. Und hier schlug er ein. Gottlob, er zündete nicht, doch die Straße ist bedeckt mit Dachschindeln.

BENLER. Er arbeitete an seinem Katalog und nur der Aschenregen über Pompeji hätte ihn vermocht von seinem Schreibwerk abzulassen – er wäre nämlich darüber erstickt.

ARZT. So kenn' ich ihn auch nur. Verbissen in sein Pensum, das er sich gestellt hat. Erfüllen oder nicht sein. Und er ist nicht mehr?

FRAU BENLER *weint laut.*

BENLER. Kann es nicht Zufall sein?

ARZT. Was tut hier Zufall?

BENLER. Er glaubte nur leichte Medizin zu nehmen, die man ihm empfohlen.

ARZT. Ihm empfohlen? Wer sollte ihm denn das empfohlen haben?

BENLER. Kann man sich Gift in jeder Apotheke kaufen?

ARZT. Ganz richtig, Herr Benler. Woher hat er das Gift? Wenn wir das fragen, stoßen wir vielleicht auf einen Irrtum, der grausam ist – der auch den leichtsinnigen Geber des Giftes in Bedrängnis bringt. Vor allen Dingen jedoch erhellt, daß Bruno sich nie töten wollte. Die Schatten eines Selbstmords weichen – und da liegt kein Dunkel, das uns mit Schauder füllt. Von wem das Gift?

FRAU BENLER. Es stammt von Wanda.

ARZT. Schwester Wanda, die hier pflegte?

FRAU BENLER. Sie trug's in ihrer Tasche – und als wir sie heut' öffneten, nahm er es an sich.

ARZT. Wie das? Warum nahm er es an sich?

FRAU BENLER. Damit es keinen Schaden anrichte, wie er sagte.

ARZT. So sprach er – und dann trank er selbst??

FRAU BENLER. Wenn er nicht tot wär', würd' ich's noch nicht glauben.

ARZT. Das ist auch unglaubwürdig, daß er das Fläschchen findet – und die Gefahr erkennend – – Er wußte, daß Gift im Fläschchen war? Aus einer Aufschrift geht es nicht hervor.

FRAU BENLER. Das muß ihm längst bekannt gewesen sein, denn er riß es mir aus der Hand, als fürchte er für mich, die nur berührte.

ARZT. So hat ihn Schwester Wanda früher eingeweiht. Sie kann uns nicht mehr sagen, was sie dazu bestimmte.

FRAU BENLER. Sagen nicht – doch, wenn wir lesen, könnten wir belehrt sein.

ARZT. Frau Benler, Sie deuten etwas an? Doch es bedeutet mehr!

FRAU BENLER. Von einem Schriftstück unter ihrem Nachlaß, den wir heute ordneten – das fand Bruno im Schreibtischschrank und ich zog das Bettzeug ab. Damit war ich zu Ende, doch er las noch. Er sagte, als ich fragte, was es wäre, was da von Wanda aufgeschrieben wäre: Reiseberichte – spannend abgefaßt und ihm den Hals austrocknend. Er müsse Wasser trinken. Es zu holen, ging ich hinaus.

ARZT *erregt*. Ein Vorwand – er wollte allein sein und das lesen, was ihm die Sinne dann verstörte. Sie brachten Wasser – und er trank?

FRAU BENLER. Auf einen Zug vor meinen Augen.

ARZT. Er konnte nicht unbemerkt des Fläschchens Flüssigkeit einschütten?

FRAU BENLER. Die trank er erst im zweiten Glas, das Rosamunde ihm zutrug.

ARZT. Warum – Rosamunde?

FRAU BENLER. Er wünschte es. Ich sollte Vater wecken. Es zog doch dies unmäßige Gewitter hoch. Wir wollten uns dann alle hier versammeln.

ARZT. Doch Bruno kam nicht mehr?

FRAU BENLER. Nur Rosamunde.

ARZT. Noch unbegreiflicher. Doch wird das Schriftstück Hilfe leisten. Es ist ein Kern in diesem Chaos von scheinbar undurchdringlichem Verhängnis zu fassen, wenn wir es haben. Davon hängt alles ab: die Wahrheit und die Ehre, die hier auf irgendeine Weise besudelt wurde. Das Schriftstück liegt noch in der Kammer? Ich hole es! *Er will zur Tür.*

ROSAMUNDE. Es existiert nicht mehr.

ARZT *dreht sich nach ihr um und starrt sie an.*

ROSAMUNDE. Nein. Er zerriß es und streute die Schnitzel in den Sturm, der sie entführte. Danach schloß er das Fenster – und noch ist es geschlossen. *Zu Frau Benler.* Vorher war es doch offen. Erinnerst du dich an das offene Fenster?

FRAU BENLER. Er machte es zuerst mit eigener Hand auf.

ROSAMUNDE. So kann man's Punkt für Punkt bestätigen. Und zwischen offenem und geschlossenem Fenster liegt die Tragödie.

ARZT. Sie wissen mehr? *Zu Benler und zu Frau Benler.* Sie redete noch nicht?

ROSAMUNDE *sich abermals jenes gezierten Tonfalls bedienend.* Man spricht nicht gerne von sich selbst, wenn man sich in den Mittelpunkt erschütternder Geschehnisse gerückt sieht. Es hat auch eine Vorgeschichte, doch die spielt zwischen Bruno und Wanda allein. Da war ich noch nicht aufgetaucht. Von Wanda hörte ich sie. Sie erzählte mir so viel – sie gab das Letzte preis, um mich zu unterhalten. An einem schönen Sommernachmittag im Garten – es duftete berückend von den Beeten – schloß sie mir ganz ihr Herz auf. Sie liebte Bruno immer noch, obwohl er mit mir vermählt war. Noch so wie früher. *Zu Benler und Frau Benler.* War denn die Liebe der beiden so groß?

BENLER und FRAU BENLER *nicken.*

ARZT *setzt sich auf einen Stuhl.*

ROSAMUNDE. Nun, wie sie endete – wie alles kam, daß sie sich Abschied sagen mußten – wie soll ich das erzählen? Soll ich denn das auffrischen? An Dinge rühren, die so lange ruhn. Wollt Ihr denn das?

BENLER und FRAU BENLER *verneinen.*

ARZT *stützt den Kopf in die Hände.*

ROSAMUNDE. Ich kam ins Haus – und wirklich: Bruno liebte mich nicht. Nein, es war keine echte Liebe. Es wäre Lüge, das zu behaupten. Ich will nicht lügen. Von der Liebe zu mir war Bruno ganz fern. *Da alle sie erstaunt ansehen.* Denn das ist das Schöne – und darum bekenne ich die Wahrheit: er lernte mich erst lieben. So war es keine Ehe wie gewöhnlich, die heiß beginnt und dann erfriert. Es fing sehr kühl mit uns an – und wir erglühten später. Wir wurden Gatten und das Band, das uns umschlang, vermehrte seine Festigkeit von Tag zu Tag. – – – – In diesem Zeitpunkt kehrte Wanda heim. Sie wollte Bruno wiedersehen – und aus dem Wiedersehen wuchs ihr die Begierde ihn zu besitzen. Der Zufall half ihr – ich lag krank. Sie konnte mich pflegend hier im Hause weilen. In Brunos Nähe, den sie mir nun abwendig machen wollte. Doch der Erfolg blieb aus, Bruno blieb kalt. Sie trug sich ihm an – Bruno wies sie ab. Und als sie einsah, daß sie ein Spiel verloren, in dem sie alles auf eine Karte – Scham, Liebe, Zukunft, Leben – gesetzt – sprang sie vom Mauerrand in einen Tod, der die Enttäuschung sie nicht mehr empfinden ließ.

ARZT. Gab sich den Tod?!

BENLER. Auch Wanda?!

FRAU BENLER. Wann wußtest du's??

ROSAMUNDE. Das las mir Bruno heute vor. Aus jenem Schriftstück, das Wanda hinterlassen. Darin steht alles, wie es zuging. Daß sie sich um seinetwillen das Leben nehmen müsse. Er sei – und das war dick ausgeschrieben! – ihr Mörder! – – Das muß ihn sehr getroffen haben, denn er verwahrte sich mit schreien, daß er ihr Mörder nicht sei – daß er die Klageschrift zerreißen werde und aus dem Fenster werfen. Er tat es gleich. Dann schrie er mich an – wegzugehn. Mit keinem Mörder mich in der Kammer aufzuhalten. Und dann beschwor er mich nicht zu verraten, daß er ein Mörder. Er war schon ganz verwirrt. Ich ließ mich von ihm aus der Türe drängen – und während ich hinabging, richtete er sich. – – – – Ich schwieg wie er verlangt. Jetzt hab' ich reden müssen. Wir sollten es für uns behalten, was wir wissen. Die Toten schweigen, denn sie wollen nichts mehr sagen. –
– – – – – – –

ARZT *steht auf und geht zum Tisch, wo er schreibt. Den Zettel hinlegend.* Der Totenschein. Selbstmord. In jäher Sinnesverwirrung. – Ich kann hier nicht mehr tun. *Er drückt allen die Hände und geht hinaus.*

ROSAMUNDE *ihm folgend.* Ich bringe Sie hinaus. *Zu den beiden.* Ich habe das Kind im Garten und bleibe bei ihm. *Ab.*

BENLER *nach langem Schweigen.* Vielleicht ist es die Brücke, die noch einmal ins Leben führt.

FRAU BENLER. Uns Alten?

BENLER. Das Kind ist da.

FRAU BENLER *mit gefalteten Händen.* Nun sei uns Trost und Hoffnung über Tod und Grauen!

DRITTER AKT

Die Wohnstube.
Frau Benler und Rosamunde sitzen am Tisch und häkeln.
Am Fenster die Wiege.
Frau Benler legt ihr Häkelzeug hin – steht auf und geht
zur Wiege, über die sie sich tief beugt. Erst nach einer ge-
raumen Weile aufmerksamer Betrachtung richtet sie sich
wieder hoch und kehrt an den Tisch zu ihrer früheren Be-
schäftigung zurück.

ROSAMUNDE *ohne aufzublicken.* Ist etwas mit dem Kinde?
FRAU BENLER. Ach – nein.
ROSAMUNDE. Aber du beobachtest es doch immer wieder in
dieser Weise, daß du hingehst und lange verweilst. Ich habe
es nicht gezählt, doch es sind wohl zehnmal, daß du auf und
ab wanderst. Ganz ohne Grund?
FRAU BENLER. Dem Kind fehlt nichts.
ROSAMUNDE. Es verrät auch durch keine Unruhe ein Miß-
behagen – und in diesem festen Schlaf gedeiht es am besten.
Wenn du an die Wiege stößt, erschrickt es und wacht auf.
FRAU BENLER. Nur darauf warte ich.
ROSAMUND. Warum auf sein Erwachen?
FRAU BENLER. Dann schlägt es die Augen auf.
ROSAMUNDE. Was ist dir daran so gelegen?
FRAU BENLER. Von ihrem Anblick lasse ich mich leiten – in
meinem Besinnen.
ROSAMUNDE. Worauf sollst du dich besinnen?
FRAU BENLER. Wer einmal braune Augen in der Familie
hatte.
ROSAMUNDE *läßt ihr Häkelzeug sinken.*
FRAU BENLER. Es läßt mich nicht ruhn. Ich kann nicht diesen
Trieb, zu forschen, unterdrücken. Er stellt sich immer stärker
ein. Ich grüble nachts – ich lasse, die vorher waren, vorüber-
ziehn. Nicht einer hatte sie im Kopfe – von je ein blau-
äugiges Geschlecht sind wir gewesen.
ROSAMUNDE *sieht Frau Benler gespannt an.*
FRAU BENLER. Und du, du hast sie blumenblau – wie blasse
Veilchen. Da ist auch kein Schatten zu entdecken, daß ein-
mal dunkleres entstehen könnte.
ROSAMUNDE *kopfschüttelnd.* Worauf du so verfällst.
FRAU BENLER. Nicht ich allein. Auch Vater merkte die Auf-

fälligkeit der nie bei uns gesehnen Färbung. Braun wie Nußholz. Wie soll aus blau und blau denn braun sich bilden. Es mischt sich doch nicht so.

ROSAMUNDE. Wenn die Natur es doch nicht anders gewollt hat.

FRAU BENLER. Sie hat die strengsten Gesetze, Rosamunde. Der Mensch kann schwindeln – niemals die Natur. Das stellt sie so erhaben über uns.

ROSAMUNDE. Wollt Ihr denn zweifeln –??

FRAU BENLER. Prüfe einmal alles und dann entscheide mit Gerechtigkeit und nicht mit Leidenschaft, ob wir dem Trost oder dem Gram uns widmen müssen. Ist denn das Haar, das ihm jetzt sproßt, nicht auch von schwarzem Glanz? Wie blond bist du – wir hatten blonde Söhne. Ist seine Haut denn lilienweiß wie deine – wie alle hier schneereine Menschen waren? Nirgends gleicht es den andern. Nachfolger ist es nicht von Erwin und Bruno. Kannst du jetzt unsern Schmerz begreifen?

ROSAMUNDE. Es muß doch Erwin und Bruno ähnlich werden – –

FRAU BENLER. Es müßte sein – und es wird noch so kommen. Es kann doch hier kein fremdes Wesen erwachsen, das uns nichts angeht. Wider die Natur wär' es. Es herrscht das Erbe und vom Vater auf den Sohn wird es verliehen. Ja – aus Unterdrückung drängt es sich noch hervor. Das läßt sich nicht zerstören. Eher der Mond stürzte zur Erde und das Erdinnere bräche aus mit Flammen und verbrennte uns Sterbliche, die ein Gesetz verdarben, das uns erhält. Peinigung und Tod, er hätte sie verdient, der das verbrach, und es enthüllte sich nicht anders – – *Abbrechend.* Kam nicht ein Laut vom Fenster?

ROSAMUNDE *tonlos.* Es ist wach.

FRAU BENLER. Und einmal – hörst du, Rosamunde – wird es die Augen mit lichterblauem Leuchten aufschlagen. Und von dem Leuchten verwandelt sich dann alles: das Haar steckt seine helle Farbe an und die Haut klärt sich ganz weiß – und es ist Bruno, Erwin, der hier schreitet in Auferstehung wieder gegenwärtig, die Gott uns nicht verbirgt, wir sollen hoffen – – *Aufstehend.* Nun wacht es. Ich will in seinen Augen suchen nach Bruno – Erwin – – – – *Sie tritt zur Wiege und beugt sich über.*

ROSAMUNDE *sieht ihr aus weit offenen Augen zu.*

Seeufer mit schwankendem Schilf.
In der Dämmerung.
Zwei Landjäger kommen auf Fahrrädern.

ERSTER LANDJÄGER *bremst und schwingt sich vom Sitz.*

ZWEITER LANDJÄGER *ebenfalls anhaltend.* Was steigst du ab? Verrichtest du dein Bedürfnis? So pflanz' dich nicht gegen den See auf. Du könntest gesehen werden. Es ist anstößig öffentlich zu pissen – besonders aus einer Uniform heraus. Erleichtere dich gegen einen Baum. Auch mich drückt das Wasser. Aber es muß auf eine anständige Art abgeschlagen werden. Die Erde braucht Dung – und dann fressen wir den frischen Salat. Es ist eine hanebüchene Sauerei.

ERSTER LANDJÄGER. Mitten auf dem See schwimmt ein Boot.

ZWEITER LANDJÄGER. Das ist ja wohl der Zweck eines Boots zu schwimmen auf dem See.

ERSTER LANDJÄGER. Lass' das und steige auf den Sandhaufen und spähe über die Schilfkronen hinweg. Ich gewinne durch diese Lücke im Schilfrohr meinen Ausblick.

ZWEITER LANDJÄGER. Ein einsames Boot in der Dämmerung. Was ist daran verdächtig?

ERSTER LANDJÄGER. Die Bewegungen des Bootsinsassen. Kannst du unterscheiden, ob es ein Mann im Mantel oder eine Frau ist?

ZWEITER LANDJÄGER. Eine Frau erkenne ich, die die Ruder eingezogen hat – und sich auf den Schiffsboden bückt.

ERSTER LANDJÄGER. Sie kramt dort mit irgendeinem Gegenstand. Nicht wahr?

ZWEITER LANDJÄGER. Richtig, das sieht so aus, als ob im Bootsinnern etwas läge, das ihr zu schaffen macht. Was ist es nur?

ERSTER LANDJÄGER. Da hast du es. Beobachte noch schärfer. Vielleicht erwischen wir endlich mal einen der Fischdiebe, die die Aalschnüre plündern. Es liegen dutzend Anzeigen von den Fischern vor.

ZWEITER LANDJÄGER. Weiber klauen die Fische nicht. Das sind Burschen von der Ziegelei. Ich lasse von meinem Verdacht nicht.

ERSTER LANDJÄGER. – – Was tut sie jetzt?

ZWEITER LANDJÄGER. Sie richtet sich auf und hebt ein Bündel mit hoch.

ERSTER LANDJÄGER. Warum rudert sie mit einem Bündel auf den halbdunklen See hinaus?

ZWEITER LANDJÄGER. Sie wird es versenken wollen.

ERSTER LANDJÄGER. Und was mag es enthalten?

ZWEITER LANDJÄGER. Schwimm' hin und frag' – ich bin weniger neugierig nach jedem Dreck zu forschen, von dem sich die Leute auf Nimmerwiedersehn befreien wollen. Komm' – es wird spät. Es findet noch ein Schlachteressen statt.

ERSTER LANDJÄGER. – – Hast du das gehört?

ZWEITER LANDJÄGER. Hier?

ERSTER LANDJÄGER. Vom See. Das Wimmern. Aus dem Bündel.

ZWEITER LANDJÄGER. Ach so, die hat ihr Kind bei sich. Gestohlene Fische sind es also nicht.

ERSTER LANDJÄGER. Ist die – verrückt geworden?!

ZWEITER LANDJÄGER. Was stellt sie denn jetzt an?

ERSTER LANDJÄGER. Sie hält das Bündel außerm Boot – – und läßt es los!

ZWEITER LANDJÄGER. Klatsch ins Wasser!

ERSTER LANDJÄGER. Nun rudert sie davon und läßt's ertrinken.

ZWEITER LANDJÄGER. Da hat doch wieder eins von diesen Schweinen Kindsmord verübt!

ERSTER LANDJÄGER. Ach, die sind keine Schweine – das sind alles arme Luder. Wir müssen um den See und ihr den Weg abschneiden. Die soll uns nicht entwischen.

ZWEITER LANDJÄGER. Verdammte Scheiße und das Schlachteressen ist hin. Dem Aas, wenn wir sie fassen, werd' ich's besorgen. *Sie fahren weg.*

Polizeidienstzimmer.
Hinterm Schreibtisch der Kommissar. Die beiden Landjäger stehen vor ihm.

KOMMISSAR. Fabelhafte Regengüsse diese Jahreszeit. Und immer so unvorbereitet. Es war doch den ganzen Tag schön. Dann kurzer Sturm, Wolkenverdunklung – und wenn man nicht alle Fenster schließt, planscht es wie Sintflut herein. Ihr seid ja auch windelweich durchnäßt. Aber wer denkt mittags, daß es abends gießen wird – und läßt den Umhang zuhaus. *Er hat sich erhoben und klappt ein Oberfenster zu.*

An den Schreibtisch zurückkehrend. Die Sintflut – kein übler Gedanke. Manchmal wünscht man, daß dergleichen mal wieder hereinbrechen müßte, um gründlich aufzuwaschen. Unsereiner wäre dann überflüssig und der ganze Apparat hier – – *Er blickt sinnend über die Schreibtischplatte. Aufsehend nach einer Weile.* Zur Rettung des Kindes war nichts mehr zu tun?

ERSTER LANDJÄGER. Nach zehn Minuten, die wir brauchten, um um den See zu fahren –

ZWEITER LANDJÄGER. Fast zwölf Minuten sind's. Zweimal vom Rad im Sand, rechnest du das nicht?

ERSTER LANDJÄGER. Die reine Fahrzeit meine ich.

ZWEITER LANDJÄGER. Ja, wenn die nur in Frage käme –

KOMMISSAR. So wäre wohl doch jede Hilfe zu spät gekommen. Der Tod hat's meistens eiliger im Endspurt um das Leben – und gewann auch hier das Rennen.

ERSTER LANDJÄGER. Die Fischer ziehen morgen die Netze durch, dann finden sie die Leiche.

KOMMISSAR. Das dürfte äußerst wichtig werden, denn gern wird abgeleugnet, daß mehr als Lumpen in solchem Bündel war.

ERSTER LANDJÄGER. Ich habe doch wimmern hören.

KOMMISSAR. Das ist kein Beweis. Das Ohr läßt sich leicht täuschen und wenn das Schilf im Winde knittert, entstehen Töne, die man mit diesem oder jenem verwechseln kann.

ZWEITER LANDJÄGER. Vier Ohren, Herr Kommissar, die es anhörten!

KOMMISSAR. Ihnen mißtraue ich nicht – nur sie wird sich auf solche Möglichkeit des Irrtums berufen. Hat sie denn zugegeben?

ZWEITER LANDJÄGER. Das nicht.

KOMMISSAR. Da sehen Sie. Erst wenn wir konfrontieren können, haben wir gewonnen. Vorher kann sie das Blaue vom Himmel herunterlügen – und sie wird es tun. Den Schwindel lohnt es nicht zu Protokoll zu nehmen. *Er hatte auf einen Klingelknopf gedrückt.*

Schreiber tritt ein.

KOMMISSAR. Was wollen Sie denn?

SCHREIBER. Sie haben geklingelt.

KOMMISSAR. Habe ich das? Das tat ich rein mechanisch. Wir

schreiben noch nichts auf. Es gibt doch nur Flunkereien. Dem Staat soll sein Papier zu schade sein. Entfernen Sie sich wieder.

Schreiber ab.

KOMMISSAR *zu den Landjägern.* Führen Sie das Mädchen vor.

Erster Landjäger geht hinaus.

KOMMISSAR *zum zweiten Landjäger.* Sie haben Kinder?
ZWEITER LANDJÄGER *schüttelt den Kopf.*
KOMMISSAR. Ich auch nicht. Da kann man vieles erst recht nicht verstehn.

Rosamunde – in dünnem regennassen Mantel und Kappe – tritt ein. Neben ihr der erste Landjäger.

KOMMISSAR *Rosamunde musternd – nickend.* So wie ich mir das dachte. Viel Rätselraten gibt es nicht. Einen Stuhl für unsern Gast.
ROSAMUNDE *setzt sich auf den Stuhl, den der zweite Landjäger herbeitrug.*
KOMMISSAR. Nun, Fräulein, wer Sie sind und was Sie taten, erzählen Sie wohl selbst am besten. Wenn eine Zigarette Ihr Gedächtnis anregt – Sie rauchen doch?
ROSAMUNDE *verneint.*
KOMMISSAR. Warum denn jetzt nicht? Nach so viel Aufregungen? Ihr raucht doch alle wie die Schlote. Die Liebe und das Nikotin – halb zog sie ihn, halb sank er hin. Stimmt's? Los – zugegriffen. Ich habe noch nie geraucht.
ROSAMUNDE. Ich habe noch nie geraucht.
KOMMISSAR. Vielleicht auch noch nicht rauchen sehn? Dann will ich's Ihnen vormachen. Mit einer Zigarre allerdings, denn eine Zigarette wäre für einen Koloß wie ich zu winzig. *Er zündet sich eine Zigarre an.* Ich jedenfalls kann besser lauschen, wenn mir die schönen Märchen aufgetischt werden – bei Brand und Dampf von Tabak. Das Rauchen macht mich neugieriger. *Heftig qualmend.* Die Spannung wächst. Enttäuschen Sie mich also nicht.
ROSAMUNDE *ruhig.* Ich bin hierhergebracht –

KOMMISSAR. Freiwillig wären Sie zu uns gekommen?

ROSAMUNDE. Nein. Zu Ihnen nicht. Sie sind die Polizei.

KOMMISSAR *auf die Landjäger weisend.* Nein, das sind Weihnachtsmänner. Ich bin Knecht Nikolaus. Ich habe eine Rute im Sack für böse Menschen – für die guten lasse ich Schokolade holen. Die habe ich hier nicht zur Hand. Und auch Bonbons. In einem richtigen Bündel – wie das verlorene. *Er sieht Rosamunde fest an.*

ROSAMUNDE *erwidert seinen Blick.*

KOMMISSAR *mit den Händen den Umfang in der Luft beschreibend.* Von dieser Größe oder war's länger – kürzer Ihr Bündel, in dem Sie – nicht Schokolade oder Bonbons – was hatten? Im Bündel – wie??

ROSAMUNDE. Ich hatte doch kein Bündel.

KOMMISSAR. Noch nicht einmal das Bündel –! *Die Landjäger heranwinkend.* Und was diese Zeugen beobachteten – ist alles blinder Spuk? *Zum ersten Landjäger.* Nur was Sie sahen, sagen Sie jetzt aus.

ERSTER LANDJÄGER. Ich sah, wie sie das Bündel hatte.

KOMMISSAR *zum zweiten Landjäger.* Und sie erkannten es?

ZWEITER LANDJÄGER. Ich habe ein Bündel erkannt.

KOMMISSAR *zu Rosamunde.* Und Sie bestreiten weiter?

ROSAMUNDE. Nein, es war kein Bündel – es war mein Kind!

KOMMISSAR *verstummt. Dann langsam.* Ach so. Sie gehn den graden Weg. Er ist ja auch der beste. *Zu den Landjägern.* Das mit dem Wimmern stimmt also. *Zu Rosamunde.* Es war Ihr Kind, das Sie ertränkten.

ROSAMUNDE. Wie meinen Sie?

KOMMISSAR. Sie haben heute in der Dämmerstunde vom Boot aus Ihr lebendiges Kind im See ertränkt.

ROSAMUNDE. Was sagen Sie? – Ich hätte – – Darf ich's denn aussprechen?

KOMMISSAR. Zu dem Geständnis können Sie sich nicht so rasch bequemen wie zu dem andern, daß im Bündel das Kind war?

ROSAMUNDE. Selbst sollte ich – –

KOMMISSAR. Mit eigenen Händen und mit Überlegung – ja. Ja? Kommen wir zu Ende. Es wird schlimm für Sie – Sie werden sich erkälten in nassen Kleidern. Sie müssen schnell ins Bett – und schlafen vierundzwanzig Stunden durch. Da stört Sie keiner dann. Verlockend – was? Doch erst gestehn!

ROSAMUNDE. Lassen Sie mich gehn!

KOMMISSAR. Wie grausam wäre das Sie wegzuschicken. Es ist schon dunkel draußen. Die Kerle lungern an allen Ecken – und dann gibt's unerwünschten Nachwuchs und wieder fliegt's in den See. Es ist doch mit dem ersten Mord genug. – Man darf doch keinen zweiten verüben. So sind wir nett und halten Sie hier fest – nur um die zweite Mordtat zu verhüten. Und mir verheimlichen Sie etwas. Wie undankbar.

ROSAMUNDE. Ich weiß nicht, was Sie von mir denken – –

KOMMISSAR. Schlechtes. Nur schlechtes. Daß Sie auch lügen –

ROSAMUNDE. Sie lügen!

KOMMISSAR. Wieso ich?

ROSAMUNDE. Weil Sie das nicht glauben, was Sie reden!

KOMMISSAR. Warum soll ich ungläubig sein?

ROSAMUNDE. So sehn Sie mich doch an. Entdecken Sie in meinem Antlitz Unrast und Marter? Schlage ich die Augen nieder? Zittert ein Lid mir? Wippt ein Wimperzucken flüchtig von Fliegenflügelschnelle, Rührt mein Puls sich rascher? Fühlen Sie doch! *Sie steht auf und streckt ihm die Hand über den Schreibtisch hin.*

KOMMISSAR. Ich brauche nicht Ihren Puls – ich brauche meine Zeugen. Setzen Sie sich und hören Sie gut zu.

ROSAMUNDE *kehrt auf ihren Stuhl zurück.*

KOMMISSAR *zum ersten Landjäger.* Wie wurde nun Ihre Aufmerksamkeit zuerst erregt?

ERSTER LANDJÄGER. Wir fuhren unsre Runde nach unsrer Vorschrift und kamen an den See. Das Ufer hat wohl dichtes Schilf, doch mittendrin klafft eine Lücke, die ich schon kenne, und durch die ich immer auf den See ausschaue. Nach Räubern von Aalschnüren und Plünderern von Fischreusen. Sie stehlen wie die Raben, man faßt sie nie – auch diesmal war es in dem Boot, das auf dem See schwamm, kein Fischdieb. Sondern eine Frau, die nicht die Ruder führte, sondern still saß und sich in das Innere des Bootes beugte. Sie wolle Dreck versenken, konnte man denken, wenn man sie so hantieren sah. Denn sie bewegte ihre Arme. Plötzlich hob sie den Gegenstand, mit dem sie sich beschäftigte hatte und uns als Bündel schien, herauf und hielt ihn übern Bootsrand. Da hörten wir das Wimmern, das eines Menschen Stimme war. Noch eh' wir ahnten, was jetzt geschehen würde, war es getan. Die Frau ließ los und es versank im Wasser, was sie gehalten hatte. Das Kind, das eben noch gewimmert hatte.

KOMMISSAR *zum zweiten Landjäger.* Genau so sahen Sie es?

ZWEITER LANDJÄGER. Das war so, als wolle einer auf den Seegrund Dreck versenken.

KOMMISSAR *zu Rosamunde.* Bestreiten Sie den Untergang des Kindes auf diese Weise?

ROSAMUNDE. Nein, ich bestreite nicht –

KOMMISSAR. Nun also.

ROSAMUNDE. – daß es mir entglitt!

KOMMISSAR. Entglitt?

ROSAMUNDE. Ja, es entglitt der Hand, mit der ich's hielt. Ich hatte doch nur eine frei – ich hielt mich mit der andern an der Bank fest, sonst wäre doch das Boot gekentert. Es kentert doch ein Boot, wenn das Gewicht verlegt wird zu sehr nach einer Seite. Sie fahren doch auch Boot. Sind Sie sich dessen denn nicht bewußt?

KOMMISSAR. Ich fahre selbst nicht Boot, weil ich zu dick bin – aber es leuchtet mir ein.

ROSAMUNDE. Das muß man doch verstehn!

KOMMISSAR. Mir leuchtet aber nicht ein –

ROSAMUNDE. Was denn nicht, Herr Kommissar? Sie regen mich mit so komischem Verdacht auf, daß ich jetzt auf Ihre Fragen warte. Fragen Sie doch schnell. Ich brenne ja darauf zu antworten. Bin ich noch bleich? Ich bin ja heiß erglüht. Und meine Pulse flattern. Wenn Sie fühlen wollen! *Wieder steht sie am Schreibtisch.*

KOMMISSAR. Sie können stehn, wenn Sie nicht sitzen wollen.

ROSAMUNDE. Ich kann nicht sitzen mehr!

KOMMISSAR. Ich frage Sie mal nicht – nun schildern Sie den Hergang.

ROSAMUNDE. Das tu' ich liebend gern. Ich mache eine ganze Geschichte daraus. O wunderbar, daß ich jetzt erzählen kann. Ich faßte heute schon in aller Frühe den Vorsatz zu rudern auf dem See. Es kommen einem Pläne in den Kopf geflogen – wie Tauben schießen in der Mittagsluft. Wir haben einen kleinen engen Garten hinterm Haus mit einer schrecklich hohen Mauer. Wer sehnt sich da nicht nach Freiheit. Nach Freiheit, die auf dem Wasser ist. Es wurde Nachmittag, bis ich die Zeit gewann, hinauszurudern. Es war wundersame Stille. Auch für das Kind so gut. Es schlief in seiner Engelsunschuld mir zu Füßen, wohin ich es im Boot gebettet hatte. Auf meinem schottischen Plaid. Es hat so lange Fransen – – und plötzlich sehe ich, daß sich die Fran-

sen befeuchten. Woher kommt Wasser an die Fransen, denke
ich nach. Es muß doch Wasser im Boot sein. Hat das Boot ein
Leck? Ich ziehe die Ruder ein und bücke mich zum Kind,
das ich im Plaid aufhebe, und gewahre, daß wirklich reichlich Wasser durch eine Ritze in der Wandung eingedrungen
ist. Das Plaid trieft rückwärts schon. Ich muß das Kind vor
Nässe schützen. Ich will das Plaid abtropfen lassen überm
Bordrand. Ich packe es an allen Fransen und halte fest das
Plaid mitsamt dem Kind – und dennoch halt' ich's nicht:
es gleiten mir die glatten nassen Fransen durch die Finger,
und mir entstürzt mein Bündel in die Fluten!

KOMMISSAR *zu den Landjägern.* War Wasser in dem Boot,
als es anlandete?

ZWEITER LANDJÄGER. Ich sprang ins Boot, da spritzte es an
mir hoch.

KOMMISSAR. Der Regen strömte da noch nicht?

ZWEITER LANDJÄGER. Von Regen rührte es nicht her.

KOMMISSAR. Er setzte ja auch jetzt erst wolkenbruchartig
ein.

ERSTER LANDJÄGER. Der Kahn zog richtig Seewasser.

KOMMISSAR *nach einer Pause zu Rosamunde.* Wie kommt
es, daß Sie nicht um Hilfe riefen, als Ihnen Ihr Kind entglitten war? Sie ruderten sofort davon. Dann baten Sie die
Landjäger auch nicht noch eine Rettung zu versuchen. Nicht
einmal den Vorfall erwähnten Sie und ließen sich gefaßt
verhaften. Warum so stille und so einverstanden?

ROSAMUNDE. Ich war doch so erschrocken.

KOMMISSAR *rasch.* Weshalb erschraken Sie denn, als die Beamten Sie erwarteten?

ROSAMUNDE. Ich hatte doch etwas sehr schlimmes begangen.

KOMMISSAR. Jetzt geben Sie es zu??

ROSAMUNDE *fast weinerlich.* Ich war doch nicht berechtigt
den Nachen loszuketten. Nur weil der Bootsverleiher nicht
mehr an seiner Brücke war und ich mir die Bootsfahrt fest
vorgenommen hatte, tat ich's. Es war ein eigensinniger Entschluß, ich weiß es, ich hätte von ihm ablassen sollen und
alles wär' vermieden. Doch ich war wie behext. Ich zog sogar den Pfahl, an dem er angeschlossen war, mit aller Kraft
aus seinem Loch und nahm ihn mit. Es mußte doch wie Diebstahl aussehn, was ich verrichtet hatte. Und als die Herren
dann am Ufer standen, da glaubte ich nur das. Ich wäre als
Bootsdieb festgenommen.

KOMMISSAR *schweigt und streift die Asche seiner Zigarre ab.*

ROSAMUNDE *nach einem Schweigen.* Ich war von dieser Schande wie betäubt. Ich hätte doch am nächsten Vormittag – als erstes, was ich an dem Tag begonnen hätte – dem Mann sein Geld gebracht. Das tu' ich morgen früh. Ich will ihn doch nicht schädigen – und mich entschuldigen, daß ich so kühn war und eigenmächtig handelte. Er wird erfahren, daß ich mein Kind dabei verlor und schwer genug bestraft bin. *Zu den Landjägern.* Das konnte ich diesen Herren nicht sagen. Der eine packte mich so heftig an, der andre schrie – es war aus meinem Kopfe das Gedächtnis gelöscht – an Kind, an Rettung. Ich strebte mehr nach einem Arzt, der helfen sollte – und man verschleppte mich zur Polizei. *Schluchzend auf ihrem Stuhl.*

KOMMISSAR *nach langer Stille – sanft.* Wer sind Sie denn?

ROSAMUNDE *kann noch nicht sprechen.*

KOMMISSAR. Sind Sie verheiratet?

ROSAMUNDE. Nein.

KOMMISSAR *wieder feindselig.* Aha!

ROSAMUNDE. Ich bin verwitwet.

KOMMISSAR *besänftigt.* Das Kind entsproß rechtmäßiger Ehe.

ROSAMUNDE. Ich war vermählt, als es geboren wurde.

KOMMISSAR. Und nach dem Tode Ihres Mannes entstand kein Grund sich seiner zu entledigen?

ROSAMUNDE. Ich lebe bei meinen Schwiegereltern und in Harmonie mit ihnen. Wir achten uns und einer steht dem andern nicht im Wege, daß er ihn hassen müßte und aus der Welt wegwünschen. Das ist so falsch daran zu denken. Und für den einzigen Enkel sollte kein Platz im großen Hause sein? Wenn er mit seinen wunderschönen Augen aufsah, verbreitete sich Seligkeit im Zimmer. Wie wurde dieser Augenaufschlag erwartet. Zehnmal zu früh war die Großmutter an der Wiege. Doch dann geschah das Wunder des Erwachens – braun wie aus Nußholz, mit dem samtnen Glanz von Perlen öffneten sich Augen Zwillingsblumenkelchen gleich.

KOMMISSAR. – – – – Wo wohnen Ihre Schwiegereltern?

ROSAMUNDE. Am alten Festungsgraben elf.

KOMMISSAR. Und heißen?

ROSAMUNDE. Benler.

KOMMISSAR. Des alten Herrn Benler Schwiegertochter sind Sie?

ROSAMUNDE. Rosamunde – geborene Floris.

KOMMISSAR. Ich begegne dem würdigen Greis oft. Weiß ist er geworden und der Rücken auch schon krummer.

ROSAMUNDE. Vom vielen Unglück, das sich zugetragen hat.

KOMMISSAR. Da war der erste Sohn – der stürzte sich zu Tode – auf einem Ball.

ROSAMUNDE. So war es.

KOMMISSAR. Der andere nahm Gift.

ROSAMUNDE. Das war mein Mann.

KOMMISSAR. Weil das mein Ressort ist, so untersuchte ich die Fälle. Und was einmal in meinem Kopf ist, das geht nicht mehr heraus. Gedächtnis haben – das ist die beste Waffe im Kampf gegen Verbrecher. Bruno hieß einer – und des zweiten Namens – – *Grübelnd.* Ich muß drauf kommen – sagen Sie mir nichts – ich prüfe, ob meine Waffe noch scharf ist – – *Abbrechend.* Doch es hält auf. Nachher besinne ich mich noch. Jetzt glaube ich, daß wir uns trennen können. *Er erhebt sich und kommt um den Schreibtisch.* Was meine Beamten auf dem See beobachteten, war richtig. Doch es war ein Unglück. Die andere Verdächtigung lassen wir fallen. Es entlastet alles. Es verflüchtet auch der Rest von einem Schein. Die Macht, die wir nicht kontrollieren, hat gewaltet – das Schicksal. In seiner Unerbittlichkeit erhaben – es ist Tragödie und aus ihr kommt Trost. Ertragen Sie es – was ist noch zu ändern? *Er gibt Rosamunde die Hand. Dann zu den Landjägern.* Fischen Sie morgen den See aus und was gefunden wird – Sie hörten die Adresse. Hier sind wir fertig.

Die beiden Landjäger salutieren und gehen.
Kommissar kehrt hinter den Schreibtisch zurück.

ROSAMUNDE *hat sich vom Stuhl erhoben und steht zögernd da. Noch sucht ihre Stimme den Übergang vom früheren dünnen Ton zur dunkleren härteren Sprache, als sie fragt.* Kann ich jetzt gehn?

KOMMISSAR. Sie sind frei.

ROSAMUNDE. Jetzt – – bin ich – – frei?

KOMMISSAR *lachend.* Wenn Sie mir keinen andern Anlaß geben Sie festzuhalten – ganz frei.

ROSAMUNDE *vor sich hin.* Ganz – – frei – – – –

KOMMISSAR. Da ist die Freiheit, die wir nicht mehr stören, hinter jener Tür!

ROSAMUNDE *geht langsam zur Tür und zaudert die Klinke niederzudrücken.*

KOMMISSAR *qualmt und arbeitet.*

ROSAMUNDE *kehrt – ihre Kappe abstreifend – von der Tür um und stellt sich dicht vor dem Schreibtisch auf.* Erwin – –

KOMMISSAR *überrascht aufblickend.* Was ist noch? *Krachend hustend.* Rauch geschluckt – – verdutzt – daß Sie dastehn – – vermutet – – längst weg – – *Sich Tränen abwischend.* So – jetzt geht's wieder. Sagten Sie etwas?

ROSAMUNDE. Erwin – –

KOMMISSAR. Wieso? – – Ach so: Erwin. Sie wollten mir noch den Namen des jungen Benler bringen, auf den ich nicht gekommen war. Ließ Ihnen das keine Ruhe?

ROSAMUNDE. Ich habe ihn – –

KOMMISSAR. Sie hätten mir nicht helfen sollen, ich mußte ihn selbst ausfindig machen.

ROSAMUNDE. – – getötet.

KOMMISSAR *sieht sie an.*

ROSAMUNDE. Ich habe Erwin Benler getötet.

KOMMISSAR *betrachtet sie weiter gelassen.*

ROSAMUNDE. Ich Rosamunde geborene Floris habe einen Mord begangen an Erwin Benler.

KOMMISSAR *ändert seine Haltung nicht.*

ROSAMUNDE. Mord war es. Es war kein Unfall, den er sich auf einer steilen Bodentreppe eine Stufe verfehlend zuzog. Er stürzte nicht von der Stiege ab – ich stieß ihn oben aus der Luke. Ich ließ ihn die Treppe nicht mehr gewinnen – ich warf mich vorher gegen ihn mit aller Wucht und brachte ihn zu Fall, um ihn zu töten!

KOMMISSAR *ruhig.* Erwin Benler?

ROSAMUNDE. Ihn, der mich verführt hatte. Ihm habe ich vergolten. Das ging Zug um Zug. Es war beim Ball im Künstlerhaus. Ich war als Amazone leicht gekleidet und meine Rüstung war aus Stoff. Sie schützte also mich vor keinem Angriff. Und Amazonenschwert und Speer trug ich nicht, mit dem ich mich verteidigen konnte. Ich war entblößt mehr als bedeckt. Und er war Romeo. Er hatte sich in dieser Maske gut vorbereitet für die Tat, die er vollbringen wollte. Er wußte auch im Künstlerhaus Bescheid, denn er war Architekt und lernte täglich dort. Da hatte er die Kammer unterm Dach sich auserkoren. Dahin verlockte er mich aus dem Tanzsaal und ich ging mit

– ich war doch ahnungslos, was er mir zeigen wollte. Und oben hieß er geheimnisvoll mich niederlegen – zwischen dem alten Plunder auf die Matratze – und dann vergingen mir die Sinne. – – – – Als ich begriff, was mir geschehn war, wurde ich zur Amazone und rächte die Entehrung. Ich brachte bei der Luke ihn zu Fall und stieß den Taumelnden – und wußte, daß es sein Tod wurde – hinab!

KOMMISSAR *wie vorher.* Den Erwin Benler?

ROSAMUNDE. Ich floh aus der Kammer durch eine Lattentür – und als Sie kamen, war ich weit weg.

KOMMISSAR. Ja, dann kam ich und beschlagnahmte die Leiche.

ROSAMUNDE. Von Mörderhand bezwungen. Von diesen Händen!

KOMMISSAR. Damals entschied ich mich für einen Unfall. Ich möchte die Entscheidung nicht ändern.

ROSAMUNDE. Sie glauben mir wohl nicht? Sie denken wohl, ich bin verstört von dem, was jetzt geschah – und fasle Wirrwarr?

KOMMISSAR. Gehn Sie nachhaus und jetzt empfehle ich den Arzt und nicht die Polizei.

ROSAMUNDE. Ja – trauen Sie mir das nicht zu?? – Mir, die doch hinging und dann Erwins Bruder Bruno zwang mich zu heiraten. Um des Kindes willen, das mir im Schoß wuchs. Das stammt nicht von meinem Mann. Das stammt von Erwin. Deshalb habe ich Erwin getötet. Ich habe Erwin umgebracht. Ich sage die reine Wahrheit, daß ich an Erwins Tode schuldig bin!!

KOMMISSAR. Es ist schon sonderbar, was Sie erzählen mit dieser Stellvertretung durch den Bruder. Beweisen, daß Sie morden können, wird es.

ROSAMUNDE. Es reicht nicht aus, was ich gestanden habe?!

KOMMISSAR. Warum sind Sie denn geständig in einer Sache, die keiner mehr nachprüfen kann?

ROSAMUNDE *mit unverhohlenem Erstaunen.* Ich habe doch ein Gewissen!

KOMMISSAR. Warum schlägt es in dieser Stunde?

ROSAMUNDE. Weil ich doch frei bin! – Weil mich keiner mehr verfolgen kann! – Da muß ich es doch sagen! – Da muß ich es doch sühnen!

KOMMISSAR. Was denn sühnen?

ROSAMUNDE. Mein Verbrechen an Erwin!

KOMMISSAR. Da ich daran nicht glaube und die Gründe für Ihre Selbstbezichtigung ganz unerforschlich sind und immer bleiben werden, ist diese Unterhaltung für mich abgeschlossen. Ich habe andere Pflichten. *Er blättert Akten auf.*

ROSAMUNDE *aus schwerem Atmen.* So hören Sie doch, Herr. Sie können mich doch nicht wegschicken – ich bin doch keine ganz gemeine Lügnerin, die einen Kommissar der Polizei, der seine Zeit ihr widmet, anlügt – und nichts stimmt, was er nachprüft – – so prüfen Sie doch den Tod der Schwester Wanda nach. Die fiel nicht schwindlig in den Abgrund. Bei Gott – ich stieß sie ab!

KOMMISSAR. Und das – weshalb?

ROSAMUNDE. Sie wollte mich verraten. Sie hatte mich im Fieber in meiner Krankheit, da sie mich pflegte, belauscht und von dem Mord, den ich an Erwin begangen, alles gehört. Sie wollte mich der Polizei anzeigen – und obwohl ich ihr geschworen ihr meinen Mann, den sie schon früher liebte, zu lassen, wollte sie mich vernichten. Und da kam es zum Kampf auf hoher Mauer und ich siegte mit Riesenkräften in meiner Todesangst vor der Enthauptung durch den Henker!!

KOMMISSAR. Es könnte einem das Lächeln vergehn –

ROSAMUNDE. Ich schneide noch tiefre Sorgenfalten in Ihre Stirn. Nicht Bruno Benler nahm das Gift – ich gab es ihm. Auch Bruno mußte den Mund für immer schließen, denn er hatte gelesen, was Schwester Wanda aufgeschrieben hatte: meine Beichte im Fieberwahn. Ich goß das Gift ihm in das Wasserglas – und dann entwendete ich die Papiere und stopfte sie in den Abfluß. Es mußte sein – es blitzte sonst das Beil!!

KOMMISSAR *sehr ernst.* Haben Sie nicht noch etwas zu bekennen?

ROSAMUNDE *fast triumphierend.* Jetzt glauben Sie!! *Leise.* Jetzt glauben Sie auch, daß ich das Kind ertränkte.

KOMMISSAR. Und taten Sie es?

ROSAMUNDE. Es sollte nicht mehr sein. Nichts, was verraten konnte – – – –

KOMMISSAR *ebenfalls leise.* Was – nicht verraten?

ROSAMUNDE *schüttelt nur abweisend den Kopf.*

KOMMISSAR *rafft sich auf – drückt den Klingelknopf.*

Schreiber tritt ein.

KOMMISSAR *fast schreiend.* Schreiben!

Schreiber setzt sich an seinen Tisch.

KOMMISSAR *zu Rosamunde.* Sie sind doch bereit zu unterschreiben, was Sie aussagten?

ROSAMUNDE *nickt nahezu stürmisch.*

KOMMISSAR *dem Schreiber vorsagend.* Ich Rosamunde Benler geborene Floris gestehe, daß ich an Erwin Benler, indem ich ihn aus einer Bodenluke drängte, einen Mord beging – daß ich an Schwester Wanda, indem ich sie von einer Mauer stürzte, einen Mord beging – daß ich an Bruno Benler, meinem Mann, den ich vergiftete, einen Mord beging – daß ich an meinem Kind, das ich ertränkte, einen Mord beging. Ich unterschreibe wissentlich und willig dies Geständnis. *Zu Rosamunde.* Unterschreiben Sie!

ROSAMUNDE *liest noch vor.* Daß ich an Erwin Benler, indem ich ihn aus einer Bodenluke drängte, einen Mord beging – –

KOMMISSAR. Sie lächeln ja?

ROSAMUNDE *unterschreibt.* Rosamunde – – Floris.

KOMMISSAR *nimmt das Schriftstück an sich. Zum Schreiber.* Ein Wachmann.

Schreiber ab.
Wachmann tritt ein.

KOMMISSAR *zu ihm.* In Haft.

Wachmann führt Rosamunde ab.

KOMMISSAR *telephoniert.* Herr Präsident. Ich habe einen Fall – ich möchte Ihnen sofort Bericht erstatten. – – Was bitte? – – Das sagte ich auch schon: die Sintflut über uns. – Ich komme gleich.

Die Wohnstube.
Herr und Frau Benler sitzen im Sofa. Vor ihnen auf dem Tisch liegt die Zeitung.

BENLER *nach langem Starren und Schweigen.* Ohne hinzusehen liest man es – so groß sind die Buchstaben, mit denen es gedruckt ist.

FRAU BENLER. Es ist die wichtigste Nachricht, die heute verbreitet wird.

BENLER. Wo sonst Meldungen von Erdbeben und ähnlichen Katastrophen, die Menschenleben und ganze Ortschaften verschlingen, erscheinen – steht dies.

FRAU BENLER. Darum gleicht es jenen fürchterlichen Ereignissen, die du erwähnst.

BENLER. Dennoch entsteht der einschneidende Unterschied.

FRAU BENLER. Worin findest du ihn?

BENLER. Was die Natur vernichtet, kann sie nicht sühnen – was der Mensch verdirbt, muß er büßen.

FRAU BENLER. So ist es von je Gesetz gewesen und wird als Gesetz erfüllt werden.

BENLER *die Zeitung aufnehmend.* Für vierfachen Mord vierfache Todesstrafe.

Stille.

BENLER. Es ist ein gerechtes Urteil. Es wird keine Gnade an ihm rütteln. So wird es vollstreckt werden, wie sie die Vollstreckung an ihren Opfern vollzog. Erbarmte sie sich des Kindes?

FRAU BENLER. Das versenkte sie wie einen Stein im Wasser.

BENLER. Was konnte das Unmündige von ihrer Untat wissen, für deren Verschwiegenheit Bruno und Wanda ihr Leben lassen mußten?

FRAU BENLER. Sie wollte töten.

BENLER. So sagte sie dem Richter und der Richter erkannte die Blutlust, die nur noch auf Vernichtung bedacht war. Es ist wie offenes Feuer im Haus, das man auslöschen muß, oder es entzünden sich Gebälk und Dielen – und der Giebel kracht herunter und begräbt die Bewohner unter sich. Uns.

FRAU BENLER. Zuletzt hätte sie uns so wenig geschont wie die andern.

BENLER. Ein reißendes Tier zerstampfte blindlings die blühende Saat des Lebens.

FRAU BENLER. Das offenbart die sinnlose Tötung des Kindes.

Stille.

FRAU BENLER. Danach erlahmte ihr Arm.

BENLER. Da wandelte sie von der leichtesten Missetat die größte Schwäche an. Ist es nicht unerforschlich?

FRAU BENLER. Daß sie aus freien Stücken ihr furchtbares Geständnis ablegte?

BENLER. Wie kam das zustande?

FRAU BENLER. Der Richter fragte, ob die Verhaftung, obwohl sie wieder aufgehoben, und der Aufenthalt im Polizeiraum ihre Selbstbeherrschung erschüttert hätten?

BENLER. Sie antwortete: so wird es wohl gewesen sein.

FRAU BENLER. Damit erklärte sich der Richter zufrieden.

BENLER. Das soll auch uns – es soll der Welt genügen.

Stille.
Dann erhebt sich Benler und geht zum Tischchen, aus dessen Schublade er die Photographie und den Dominokasten nimmt. Er kehrt auf seinen Sofaplatz zurück und schiebt die Zeitung beiseite, um Platz für die Photographie zu machen, die er aufstellt.

FRAU BENLER. Holst du das Bild hervor?

BENLER. Ja. Oder reicht die Sühne nicht aus? Ich denke, er kann auferstehn. Was er beging – für uns ist es bezahlt mit Bruno, Wanda und dem Enkelkind. Was haben wir denn noch zu geben? Das Leben? Das ist nur eine Messerspitze voll Dasein noch. Ein bißchen Gnadenbrot. Wer behindert es uns zu verzehren?

FRAU BENLER. Mir wird so milde um das alte Herz.

BENLER. Denn er ist wieder dein. Sieh ihn nur gut an.

FRAU BENLER *die Photographie an sich ziehend.* Erwin, in Seligkeit geboren – in Ewigkeit geborgen, bald komme ich zu dir.

BENLER *schüttet polternd den Dominokasten aus.*

FRAU BENLER. Kannst du jetzt Domino spielen?

BENLER *sich erhitzend.* Jetzt – und ausschließlich. Von nun an nur noch Domino. Ein wundersames Spiel. Ein weises Spiel. Ein Zahlenspiel. Denn alles sind die Zahlen. Und zu Regionen, da keine Stimmen klagend oder lustig mehr wohnen – führen die eisig kalten und die eisig klugen Zahlen. Wer klug sein will – der rette sich zu Zahlen – Zahlen – Zahlen – – – – *Er beginnt die Dominosteine aneinanderzusetzen.*

Zelle, die rund ist und in der Mitte der kuppelförmigen
Decke das kreisrunde vergitterte Fenster hat.
Mondlicht fällt schräg ein.
Die Zellentür wird aufgeschlossen.
Es treten ein: der Gefängnisdirektor, Rosamunde, der Ge-
fängniswächter.

GEFÄNGNISDIREKTOR. Sie haben den Wunsch geäußert die
Nacht vor Ihrer Hinrichtung allein zu verbringen – in einer
Zelle – von der aus Sie des Mondes ansichtig werden kön-
nen. Sehen Sie Ihre Bitte erfüllt?
ROSAMUNDE *nickt nur.*
GEFÄNGNISDIREKTOR. Es ist nicht dringend, daß Sie noch Zu-
spruch oder Speise verlangen? Sagen Sie es jetzt. Es würde
zu spät sein, wenn ich aus dieser Tür fortgegangen bin.
ROSAMUNDE *schüttelt den Kopf.*
GEFÄNGNISDIREKTOR. Dann habe ich keine Fragen oder Er-
mahnungen an Sie zu richten. *Zum Gefängniswächter.*
Kommen Sie.

Die beiden ab.
Außen wird die Zellentür verriegelt und verschlossen.

ROSAMUNDE *stellt sich unter das Fenster und hebt das Ge-*
sicht. Mit flüsternder Sprache. William – – es ist so weit. – –
Noch einmal schicke ich dir Botschaft. Es ist keine letzte Botschaft – es ist eine ewige Botschaft. – – Dann kann meine
Stimme versagen. – – Doch wie der Mond immer sich run-
det, hörst du sie unvergänglich an. – – – – Glaube mir, William – denn sieh': ich habe den Mond nicht zerbrochen. Unversehrt ist der Kreis seines Lichts, das sich wieder vollendete.
Warum geschieht es – – weil ich nicht verworfen bin. Sonst
wäre das weiße Gestirn zerborsten und hätte mit seinen
Trümmern die Erde erschlagen, die nicht mehr wachsen
sollte. Mit allem Gesträuch und Blumengerüchen und Vogel-
liedern und Menschenodem. Doch die Todesnacht ist gewichen und meine Kammer hell: denn ich bin rein. Da ich ent-
hauptet werde, löse ich den Deckel von der Kapsel, die mein
Blut verschließt, damit es ausströmen kann und den Schmutz
abwaschen – wie das Wasser ein Gefäß säubert, das sich ver-
unreinigte. – – – – William – – ich wurde besudelt mit einer
Schuld, die ich anstiftete – als ich Erwin kränkte. Schon er-

litt er das Schweigen und die Kälte seines Grabes und die furchtbare Verwesung – ich aber schonte ihn nicht in Zerfall und belud ihn mit einem Verbrechen, das er nie beging. – – – – Ich hatte es nicht gleich eingesehen – – ich mußte erst reifen – bis zu dieser Erkenntnis. Konnte ich denn so vielerlei zugleich bewältigen? Ich hatte so wichtige Aufträge bekommen – ach ich erhielt sie im Palmenpavillon, wo wir uns trafen und trennten – und kaum einander den Namen bekannten – so wenig durfte das Heiligtum der Liebe entschleiert werden – denn man sieht Gott nicht an – – *Ihre Stimme verhärtend.* Und wer sich doch erkühnt und will sprechen und den Vorhang wegschieben – der fällt zu Boden. So mußten Bruno und Wanda fallen – und das Kind. Ja – auch das Kind. Es läßt sich der heilige Gott auch nicht von einem Kind verraten. Heilig ist auch streng – und unerbittlich wie der Blitz, der auf ein Lamm trifft, das bei der Mutter weidete. Dennoch erschlug es ihr der Strahl. Ist das barmherzig? – – – – *Wieder besänftigt.* Ich habe keinen Augenblick gezögert – als ich sie alle abgewehrt, die mich nackt ausziehn und meinen Leib, von dir gesegnet, am Pranger preisgeben wollten – – hat die Scham, die schützt, nicht Amazonenmut und Kraft des Kriegers, der den Tod streut wie der Ackersmann den Samen, aus dem die beßre Ernte wächst?! – – Der Feinde mußte ich mich erwehren, die mich angriffen – und kein Streit ist redlicher – – nur darf man keinen Schuldlosen verletzen. Wie Erwin. Er war kein Feind. Er hob die Hand nicht – oder die braunen Augen wie das Kind gegen mich auf. Er tat mir nichts – und dennoch tötete ich im Tode ihn noch einmal schwärzend sein Andenken. – – – – Das ist meine Schuld. Die einzig und allein. Für sie bewarb ich mich um Buße. So hart – so bitter, daß ich meine Lüge sagte: es wäre Erwin durch mich umgekommen. Ich konnte es bekräftigen und zog die andern toten Zeugen Bruno, Wanda und das Kind herbei. Da glaubten sie. Da fanden sie den Spruch: das Beil auf mich. – – – – Ich werde rein sein, denn mich wäscht mein Blut rein. Es säubert, da es ausfließt, dies Gefäß, das ich bin – – gefüllt mit Liebe – – wie die Liebe alles ist – – und das Vollkommene so selten, daß man es heilig hüten muß – und eine Schale sein, die fleckenlos glänzt und umfängt. – – – – Ich tilge diesen einen Flecken, den ich verursachte. Ich lege auf den Block mein Haupt. Ich tue es mit tausend Freuden. Für dich – William.

Du hast mir so viel anvertraut – ich unterschlage keinen Pfennig. Ich bin ganz würdig Schatzhüterin zu sein. – – – – Du wirst nie wissen, daß ich nicht mehr lebe. Und wie ich endete. Du kennst ja meinen Namen nicht. Nur Rosamunde weißt du. Wie gut es ist, daß man sich nicht alles sagt. So kannst du nicht erschrecken, wenn du einmal in einer Zeitung von einer vierfachen Mörderin liest und ekelst dich – – und ich bin es. – – – – Ich bleibe Rosamunde. Die ewig den Mond belädt für dich mit Liebesworten – – und da der Mond ein ewiger ist – sind meine Liebesworte ewig – wie der Mond – – o William – – William – – William – – William – – – – *Nur hauchlos bewegen sich ihre Lippen noch.*

Aus dem Fensterrund senkt sich mit senkrechtem Strahle die Mondlichtflut auf ihre kniende Gestalt: das graue Gefängniskleid scheint sich in ein silbernes Gewand zu verwandeln, von dem das Leuchten dichter und gleißender aufwärts strömt.

Mondnacht in den Tropen.
Auf der Veranda eines Bungalows ruhen in Liegestühlen William und Robert.
Dumpfe Urwaldtrommeln schallen.
William verharrt regungslos.
Robert raucht und trinkt.

ROBERT. Störe ich Sie, wenn ich spreche, William?
WILLIAM. Noch nicht.
ROBERT. Immerhin eine seltsame Antwort, über die es sich nachzudenken lohnt. Jedenfalls schweigen wir schon mehrere Stunden und Sie könnten verständlicherweise nur äußern – es stört Sie nicht mehr. Sie haben doch nicht geschlafen? Sie haben doch nachgedacht.
WILLIAM. Weder schlafe ich noch denke ich nach – ich warte.
ROBERT. Also gibt es ein drittes, dem man sich in solch einer Tropennacht bei kochender Glut und Buschtrommelklappern hingeben kann.
WILLIAM. Ja – warten.
ROBERT. So warte ich, daß der Durst meinen Hals wieder zu versengen beginnt, um mir einen neuen Whisky zu mischen – und meine Pfeife erkaltet, um sie mit frischem Tabak zu

stopfen. Da Sie weder rauchen noch trinken, warten Sie auf etwas anderes. Darf man fragen – worauf?

WILLIAM. Daß der Mond über den Spitzen der Palmen erscheint.

ROBERT. Machen Sie sich über mich lustig?

WILLIAM. Habe ich Ihnen heute abend Anlaß gegeben bei mir eine derartige Neigung zu vermuten?

ROBERT. Heute nicht.

WILLIAM. Sonst schon?

ROBERT. Eigentlich verhalten Sie sich immer abweisend und man kann raten, ob hinter Ihrem undurchdringlichen Gesichtsausdruck freundliche Gefühle für uns andere wohnen oder die gründlichste Verachtung aller Nachbarschaft.

WILLIAM. Wir vertragen uns doch, Robert.

ROBERT. Es sollte mehr sein, was uns hier zusammenhält, William. Wo leben wir? Mitten im Urwald. Er gleicht der Wüste – nur daß hier alles in ungeheurem Ausmaße sproßt und sich entfaltet. Wir haben die Übermacht tropischen Wachstums und fremder Menschenstämme gegen uns – das sind alles nicht die schlimmsten Feinde. Der wirklich gefährliche und atemberaubende ist die Einsamkeit. Wenn wir sie nicht gemeinsam bekämpfen, werden wir hier wahnsinnig und metzeln uns eines Tages wie die Kopfjäger nieder. Wollen Sie sich ausschließen diesen furchtbaren Gegner niederzuringen?

WILLIAM. Tue ich das, wenn ich an einem Abend hier still sitze und aufwärts blicke?

ROBERT. Um mit dem Mond sich auszureden, wenn man nach stundenlangem Schweigen das Wort an Sie richtet. Aufreizend ist es. Es erzeugt Mißstimmung bei jedermann, der Sie aufsucht – und dem Sie Ihre Mondsucht vorsetzen, um ihm recht deutlich zu machen, daß Sie seine Unterhaltung langweilt und Sie in Ruhe gelassen sein wollen. Sind Sie denn mondsüchtig?

WILLIAM. Nein – doch muß ich mit ungeheurer Spannung die Ankunft des vollen Mondes erwarten. Wer kann sprechen, wenn er im Innersten befangen ist.

ROBERT. Das ist es, William, was uns hier erregt – daß Sie ein Geheimnis haben, das wir nicht kennen.

WILLIAM. Ich empfange eine Botschaft.

ROBERT. Vom Mond?

WILLIAM. Beladen schwimmt er übervoll heran und ich entlaste ihn von seiner Fracht, bis er als schmale Sichel wieder wegzieht.

ROBERT *nach einem Schweigen.* Sie meinen, ich verstünde das nicht? – – Man kann es schon begreifen. – – Soll ich es aussprechen? Was es mit dieser Botschaft auf sich hat? Wer sie abschickt? Was sich ereignete, bevor Sie in den Urwald kamen? Was hinter Ihrer harten Maske steckt? *Sich vorbeugend.* William – William, Sie haben mehr verraten, als Sie wollten. Wenn ich es in die Worte kleide, die mir zu Gebote stehn – Sie werden es entschuldigen und nicht aufbrausen – – Was haben Sie denn vor?

WILLIAM *zog seinen Revolver hervor und legt auf Robert an.* Wer spricht, bezahlt es mit dem Leben!

ROBERT. Ich sehe Sie entschlossen – und ich halte es für gut die anderen zu warnen. Man wird zur Zeit des Vollmonds Sie nicht wieder stören. *Er nimmt seinen Tropenhelm und Reitpeitsche und verläßt die Veranda.*

WILLIAM *bleibt allein. Noch eine Weile lehnt er im Stuhl und blickt hinauf. Dann erhebt er sich und tritt an die Brüstung der Veranda vor. Er steht im vollen Schein des Mondes und spricht flüsternd.* Nun ist die Spitze der Palmen überschritten – – – – so weiß – – – – so rein – – – – unsterblich – – – – Rosamunde – – – – – – – – – – – – – – – –

Lauter schallen die Urwaldtrommeln – eigentümlich und beständig wie der unbesiegliche Herzschlag alles unvergänglichen Lebens.

[1936/37]

ALAIN UND ELISE

Schauspiel in drei Akten

F H unvergänglich

PERSONEN

ALAIN VENIOT
ELISE DAPPERRE
DAPPERRE
FROCQUENARD
MARIETTA
PRÄSIDENT
STAATSANWALT
VERTEIDIGER
ANWALT
AKADEMIEDIREKTOR
HAUSMEISTERIN
SCHLÄCHTER
KOMMANDANT

ERSTER AKT

Der Wintergarten der Villa des Fabrikanten Dapperre. In dem hohen und geräumigen Glaspavillon, dessen Eisenrippen mit einem feurigen Gelb gestrichen, sind die exotischen sattgrünen Gewächse dicht gestellt und an ihren Spitzen mit breitblättrigen Schlingpflanzen verbunden. Korallenrote Kacheln bedecken den Fußboden. Südseeblaue Rohrsessel und Bänke einzeln und in Gruppen. Rechts und links hinten führen beinahe zu schmale und niedrige Türen ins Haus.

Vor einer Staffelei, die das lebensgroße Bildnis stützt, steht im Leinenkittel Alain Veniot.

Reglos auf ihrem zweistufigen Podest verhält sich Elise Dapperre. Von der gewundenen Schleppe schäumt das Atlasweiß ihre Kleides zu den entblößten Schultern auf. Die Hände halten einen Fächer. Ein krauser Busch des braunen Haars rollt in die Stirn.

ALAIN *tritt von der Staffelei weg und vergleicht noch einmal Modell und Bild.*

ELISE *lenkt den geradeaus gerichteten Blick nicht ab.*

ALAIN *hebt die Schultern und stößt den Atem vernehmlich aus. Dann preßt er beide Fäuste um den Pinsel und zerknickt ihn.*

ELISE *beachtet das Geräusch nicht.*

ALAIN *stellt sich vor seinen niedrigen Maltisch – bückt sich und bricht nun alle Pinsel entzwei.*

ELISE *sieht hin.* Was tun Sie?

ALAIN. Ich beende eine Arbeit – und zerbreche das Werkzeug.

ELISE. Das ist doch unmöglich –!

ALAIN. Was wäre unmöglich? Daß ich die Pinsel guillotinierte und ihr struppiges Borstenhaupt vom holzigen Rumpf trenne? Es sollten auch die Tuben ihren übrigen farbigen Saft lassen – aber das würde zu Überschwemmungen führen, deren Flecken kaum wieder zu beseitigen sind. Jedenfalls ist hier nichts für eine Hinrichtung vorbereitet – und der Korb mit Holzmehl, der das Blut aufsaugt, fehlt ganz und gar.

ELISE. Das ist eine grausame Vorstellung, daß hier Blut fließen könnte.

ALAIN *lachend.* Nein, nur Farben – und auch sie mit keinem Tropfen mehr. Das Bild ist fertig.

ELISE. Heute schon?

ALAIN. Genau zur Mittagstunde. Da bimmelt die Glocke. Mit ihrem Armsünderton, der einen Delinquenten auf seinem letzten Gang begleitet. Klingt es nicht so? Ganz deutlich?

ELISE. Sie hören, was nicht ist.

ALAIN. Ich sehe den Mann leibhaftig, wie er die Stufen zum Schafott emporsteigt. Nein, er geht abwärts. Da ist auch kein Blutgerüst, das ihn erwartet. Dennoch führen diese Treppen, die zwischen engen Häuserwänden absteigen, zu seinem Tod. Er trägt auch Fesseln, die ihn nicht mehr entlassen. So beladen lebt er – und ist doch tot. Was ist das für ein Ende? *Alain und Elise lauschen der Glocke, die bald aufhört.*

ELISE *kurz.* Es war der Mittagsgruß. Nichts weiter. *Nun tritt sie aus dem Wall ihrer Schleppe und verläßt das Podest.* Gestern verlangten Sie noch Sitzungen, auf die ich mich bis an den Rest der Woche einrichten sollte – ich sagte eine Reise zu Freunden ab –

ALAIN. Ich konnte diesen Reiseaufschub nicht verantworten, deshalb beeilte ich mich. Wollen Sie ansehn?

ELISE *tritt vor die Staffelei.*

ALAIN *kramt weiter auf seinem Maltisch.*

ELISE. Ich möchte sitzen. Das Stehen hat mich ermüdet.

ALAIN. Ich bin unaufmerksam. *Er rückt ihr einen Rohrsessel hin und kehrt sofort an den Maltisch zurück.*

ELISE *sitzt und betrachtet eine Weile. Dann ohne zu Alain hinzusehen.* Wollen Sie nicht später Ihre Malgeräte ordnen?

ALAIN. Es stört. Ich hörte das nicht mehr vor mächtigeren Geräuschen – *Er stockt.*

ELISE *spöttisch.* Jetzt schallt doch keine Glocke. Nicht einmal ein Blatt bewegt sich unter dem Glasdach. Oder vernehmen Sie das Sausen der Stille? Können Sie das?

ALAIN. Es gibt doch keine Stille. Der Lärm kann fehlen – um uns. Doch schweigt das Blut? Das saust nur lauter, wenn man schweigt.

ELISE. Und als Sie malten?

ALAIN. Da hörte ich – besondre Stimmen.

ELISE. Sind die mit Farben ausgedrückt!?

ALAIN *betont.* Sie lassen sich mit Farben ausdrücken. Sonst wäre ich kein Maler! *Er steht nun hinter ihrem Sessel, dessen Lehne er unwillkürlich gepackt hat.*

ELISE *nach kleinem Schweigen.* Erklären Sie mir das Bild.

ALAIN. Ein Bild erklären? Ich habe Sie gemalt. Nach besten Kräften. Was haben Sie erwartet?

ELISE. Ich bin nicht sachverständig.

ALAIN. Gefällt es Ihnen – oder gefällt es Ihnen nicht?

ELISE. Man muß sich erst daran gewöhnen, daß man das ist.

ALAIN. Und glauben Sie, daß Sie sich – nicht gewöhnen?

ELISE. Ich – weiß nicht. Deshalb bat ich Sie um Erklärungen, ob uns ein Bild verändert. Ob wir so sind, wie uns der Maler sieht. Im guten oder bösen. – Ist das nicht ein hartes Auge, das Sie mir gaben?

ALAIN. Sie blickten so. Ich habe diesen Blick nur festgehalten.

ELISE. Er hat Sie nicht erschreckt?

ALAIN. Mich fesselte der strenge Ausdruck – im Gegensatz zu den sonst weichen Linien des übrigen Gesichts.

ELISE *schüttelt den Kopf.* Das bin ich nicht.

ALAIN. Ich kann nichts mildern!

ELISE. Das bin ich noch nicht.

ALAIN. Dann sah ich voraus!

ELISE. Um so zu sein – so unerbittlich kann man nur um des Größten willen sein. Wie geschieht das Größte?

ALAIN. Aus Weichheit.

ELISE *lächelnd.* Die haben Sie auch gemalt. Sie sind ein guter Anwalt Ihrer Schöpfung. Ob sie bestehen kann, wird weder von Ihnen noch von mir entschieden. Wir beide sind zu tief beteiligt. Es muß ein dritter richten. *Rasch aus dem Sessel aufstehend.* Mein Mann soll unbeeinflußt seinen Eindruck wiedergeben! *Sie ist Dapperre entgegengegangen, der rechts hinten in den Wintergarten eintrat.*

Der Fabrikant Dapperre – fünfundvierzig Jahre alt – ist groß und breit gewachsen. Ein hellgrauer langschößiger Gehrockanzug bekleidet ihn. Zu den braunen Schuhen trägt er geknöpfte weiße Gamaschen. Sein honigblondes Haar ist scharf gescheitelt – der feste Backenbart viereckig gestutzt.

DAPPERRE *nimmt Elise in seine Arme und küßt sie.* Ich hörte, daß eine Unterhaltung im Gange war, und schloß daraus die Arbeitspause. Sonst hätte ich den Einbruch niemals gewagt – und wenn die Unterbrechung nicht länger dauern soll, entferne ich mich schon wieder. *Ihr nochmals die Hand küssend.* Ich hatte das Vergnügen dich zu begrüßen –

ELISE. Du sollst bleiben. Herr Veniot hat an diesem Vormittag mit solchem Eifer gemalt, daß er –

DAPPERRE. Die Waffen streckte?

ELISE. Das Bild vollendete! *Sich in seinen Arm einhängend.* Du mußt es ansehn.

DAPPERRE. Ich bin neugierig wie ein Kind. *Er führt Elise vor die Staffelei und betrachtet das Bild.*

ELISE *bleibt neben ihm, stützt sich fester auf seinen Arm und schmiegt den Kopf an seine Schulter.*

Stille.

ALAIN *hinzutretend.* Mißfällt in irgendeiner Weise Ihnen –? Ich bin durchaus nicht empfindlich, nur könnte ich nichts ändern.

ELISE. Erwarten wir das Urteil meines Mannes. – –

DAPPERRE. Ich könnte gar nicht zweifeln, daß es meine Frau ist. Die Ähnlichkeit ist da – als wärst du zweimal in diesem Wintergarten. Die Seide könnte rascheln, die nur gemalt ist. Hände und Fächer wirklich wie echte. Der Gärtner müßte glauben den Hintergrund zu sprengen, so grünt das Buschwerk. *Zu Veniot.* Was sollte ich auszusetzen haben?

ALAIN *aufatmend.* Das stimmt mich glücklich!

DAPPERRE *ihm die Hand schüttelnd.* Ich bin der beglückte! *Wieder zu Elise tretend.* Ist es nicht wunderbar?

ELISE. Fällt dir nichts auf?

DAPPERRE. Der Rahmen! Der Rahmen fehlt! – Es muß ein schwerer Rahmen sein – um das Gemälde. Gewundne Schnitzerei – und leuchtend vergoldet. Der Rahmen soll mich beschäftigen. Da könnte der Künstler zu sparsam rechnen. Ich bin Kaufmann. Die Summe zählt nicht! – – *Zu Elise, die schweigt.* Kannst du dir diesen breiten Goldrand vorstellen – wie ich?

ELISE *ablenkend.* Wohin willst du es hängen?

DAPPERRE. Im Saal – es findet seinen Platz im Saal. Wo unsre Gäste erscheinen, da soll man dich bewundern. Es wird ein Aufsehen geben – dann wird man nach dem Maler fragen. Was nützt der Maler, wenn ihm nicht ein Modell sitzt – einzig wie du? *Er küßt ihr die Hand.*

ELISE. Herr Veniot wird hungrig sein – nach so viel Mühe.

DAPPERRE. Lass' uns ein kleines Festmahl halten. Zu dreien. Der Maler, die Gemalte – und der Besitzer. Triffst du die Anordnungen? Ich unterhalte mich indessen mit Herrn Veniot.

ELISE. Ich komme wieder, um euch zu rufen.

DAPPERRE. Vorher – *Er flüstert ihr wenige Worte ins Ohr.*

ELISE *nickt freundlich – verläßt rechts hinten den Wintergarten.*

Dapperre sah ihr nach – erwartete noch das Schließen der Tür: dann wendet er sich Veniot zu.

DAPPERRE. Wir setzen uns. Wir brauchen einen Tisch! *Er holt ihn aus einem abgelegenen Teil des Wintergartens herbei.* Die Bambusmöbel sind ja federleicht! *Er stellt ihn zwischen zwei Sesseln in der Mitte auf.*

ALAIN. Wozu der Tisch?

DAPPERRE. Ich will doch schreiben. Und später – *Sich niederlassend und auf den andern Sessel weisend.* Ihr Platz, Herr Veniot.

ALAIN *setzt sich.*

DAPPERRE *seine Brieftasche herausziehend.* Was hatten wir vereinbart? Ich gebe Ihnen einen Scheck – und Sie quittieren mir den Empfang. *Er hält den Füllfederhalter zum schreiben bereit.*

ALAIN *schweigt.*

DAPPERRE. Nun? – Ich setze schon Ihren Namen ein. *Er schreibt.* Und welche Summe?

ALAIN *schweigt weiter.*

DAPPERRE *legt den Halter hin – sieht zu Veniot auf und lächelt.* Ich verstehe. Der alte Preis soll nicht mehr gelten. Der erste Anschlag ist überschritten und deckt die Kosten nicht. Als Fabrikant erlebe ich das auch, daß man zu niedrig setzte. Dann fordert man im Nachtrag. Bei Ihnen spielt sich das natürlich nicht zahlenmäßig ab – pro Stunde und Farbtube. Sie führen als Künstler mehr ein unsichtbares Konto – doch im Ergebnis ebenso reell. Zuletzt rollt Bargeld immer!

ALAIN *will etwas sagen – und schließt die Lippen wieder.*

DAPPERRE. Jetzt haben Sie das Wort. Ich habe mich geäußert, daß ich bereit bin die Summe zu verbessern. Fast unbegrenzt. Sie haben Ihre günstige Stunde und greifen zu und – wieviel?

ALAIN *ruhig*. Nichts.

DAPPERRE. Wieso nicht? – Sie lehnen die Erhöhung ab?

ALAIN. Jede Bezahlung. – Ich wünsche für die Arbeit nicht bezahlt zu werden.

DAPPERRE *verdutzt*. Sogar der ausgemachte Preis soll –!

ALAIN. Vergessen wir, Herr Dapperre, daß ich mit einem Auftrag gegen Bezahlung herkam. Ich kann kein Geld annehmen.

DAPPERRE. Ist dieses Bild denn schlecht?

ALAIN. Ich brauche mich dieser Arbeit nicht zu schämen. Auch in Zukunft nicht.

DAPPERRE. Der reichste Maler malt für Geld – und Sie – –?

ALAIN *nach einer Erklärung suchend*. Mir würde es die Erinnerung trüben. Ich habe mich hier wohlgefühlt. Ich habe auch gemalt. Doch das gab nur den Anlaß zu meinem Aufenthalt hier. So genoß ich die reiche Gastfreundschaft in Ihrem Hause – *Lächelnd*. Ich wurde in meinem Leben noch nicht so verwöhnt, das mir mit einmal ganz leicht zu sein schien – verwandt dem Paradies, in dem ich wandeln durfte. Nun wollen Sie mich verstoßen: hier ist dein Geld, nun zieh' – im Paradies warst du nur Tagelöhner! – Wenn ich mich hier als Gast betrachtete, nimmt dieser Gast vom Hausherrn Geld an?

DAPPERRE *seine Brieftasche wieder einsteckend*. Ich wage Ihnen nichts mehr anzubieten.

ALAIN. Ich danke Ihnen für Ihr Verständnis, Herr Dapperre!

DAPPERRE. Doch eine Leistung verlangt Erwiderung!

ALAIN. Was soll ich tun?

DAPPERRE. Sie bleiben, bis meine Schuld getilgt ist. Wenn sie auf diese Weise nur beglichen werden kann. Sie waren noch nicht genug hier, um sich das Bild bezahlt zu machen. Diesmal bestimme ich die Rechnung nach Tagen – Wochen! – Sagen wir: vier Wochen? Zu wenig? Sechs – sieben – acht?

ALAIN. Ich – reise heute.

DAPPERRE *ganz verblüfft*. Wohin?

ALAIN. Nach Paris. – Ich kehre nach Paris zurück. – Ich benutze den Mittagszug. – Es ist ein Schnellzug. – Nachts bin ich wieder in Paris.

DAPPERRE. Zum Mittagszug bleibt Ihnen reichlich Zeit!

ALAIN. Nein, meine Zeit ist knapp. Kurz nach dem Mittagläuten fährt der Zug.

DAPPERRE. Das Mittagläuten ist die Uhr, nach der Sie rechnen?

ALAIN. Ich hörte es hier jeden Tag – und heute besonders einprägsam. Als müßte ich mich beeilen – – und ich muß es, um zurechtzukommen! – –

DAPPERRE. Und essen nicht mehr mit uns?

ALAIN. Ich packe meinen Koffer.

DAPPERRE. Die Pferde sind nicht so rasch geschirrt –

ALAIN. Ich laufe auf dem Feldweg zur Station. *Er reicht Dapperre die Hand.* Sie können mich nie ganz vergessen – das Bild bewahrt es, daß ich einmal hier war.

DAPPERRE. Wie nehmen Sie von meiner Frau Abschied?

ALAIN *tritt vor das Bild und verbeugt sich.* Ich habe mich vor dem Bild verneigt – das ist noch höflicher als vor der Dame selbst! *Nun verläßt er rasch den Wintergarten durch die Tür links hinten.*

Gleich danach tritt rechts hinten Elise ein – gefolgt von einem Diener, der auf dem Tablett Champagner und drei Gläser trägt.
Der Diener füllt die Gläser auf dem Tisch und entfernt sich wieder.

ELISE. Wo ist Veniot?

DAPPERRE. In seinem Zimmer.

ELISE. Um sich zum Essen umzuziehn? Du wünschtest doch, daß wir hier vorher auf das gelungene Bild anstoßen.

DAPPERRE. Herr Veniot nimmt den Mittagszug.

ELISE. Und hast du mit ihm abgerechnet?

DAPPERRE. Wie er's verlangte!

ELISE. Er will mit seinem Geld bald in Paris sein. Er ist jung. *Sie nimmt ein Glas und lächelt Dapperre zu, der dann ebenfalls trinkt.*

Atelier Alain Veniots. Die Hinterwand ist das große Atelierfenster, das vom trüben Tageslicht kaum genügend Schein einläßt, um alle Schatten im Atelier auszuleuchten. Die Einrichtung beschränkt sich auf die notwendigsten Gegenstände. Vor der Rechtswand ein schwarzes vernutztes

Ledersofa. Links hinten in der dort geschrägten Wand die Öffnung in einen Bodengang, den eine Tür abschließt. Eine weitere Tür in der Mitte der Linkswand. Im schwarzen Sofa liegt Alain Veniot – den hellen Leinenkittel auf seinen angezogenen Schenkeln glattstreichend.

Abgewandt breitbeinig steht am Fenster der Maler Frocquenard und hat die Fäuste in die Taschen seines Samtjacketts gestemmt.

FROCQUENARD *nach einigem zornigen Murmeln.* Der Himmel – sieh' dir den Himmel an. Wie gebrauchte Watte, mit der man den ganzen Staub von den Dächern abgewischt hat und dann den schmutzigen Bausch emporgeschleudert, um ihn schleunigst loszuwerden. Da hängt er nun als ewige graue Wolke über Paris und läßt den schwächsten Sonnenstrahl nicht durch. So dick ist diese Schicht – wie Eisenplatten auf einem Kessel, der nicht explodieren soll. Spürst du denn nicht den Druck, der einem förmlich die Brust eindrückt? *Er dreht sich zu Alain um – nimmt die Hände aus den Taschen und zupft den schwarzen Bart, der ihm das runde Gesicht rahmt.* Ich stoße Seufzer wie ein elender erstickender aus – nach Luft – nach Licht – nach Farbe. Nach Farben, Freund – hier hat man sie mit einem Kübel Spülicht ausgelöscht. Entdeckst du Reste, die den Wagemut anfeuern?

ALAIN. Ich brauche keinen Ansporn mehr.

FROCQUENARD *sich vor ihm aufpflanzend.* Ja – du bist vollkommen. Du hast der Natur die intensivsten Geheimnisse abgelauscht. Dir hat die Schöpfung nichts mehr zu zeigen. Verrate mir doch, der sich schon zehn Jahre länger als du um die Entschleierung bemüht, wo du den Zipfel faßtest und dann mit einem Ruck den ganzen Vorhang aufhubst. Ich verzichte auf meine Südseeinsel und bleibe hier – zu deinen Füßen, großer Meister!

ALAIN. Mein nächstes Bild in meinem Kopf ist fertig.

FROCQUENARD *sich einen Stuhl heranrückend und sich setzend.* Was malst du denn?

ALAIN. Farben – Farben – und Farben.

FROCQUENARD. Wie kam dir der Einfall?

ALAIN. Indes ich an einem andern Bild malte.

FROCQUENARD. Lass' die Scherze. Ich werde wie von einem heiligen Schauer ergriffen, wenn ich von Farben höre. Farben sind das Wunderbare. Alles andre zählt nicht. Wo wurdest du von Farben überwältigt?

ALAIN. Beim malen. Ich hänsle nicht. Ich malte mit meinen Fingern ein Bild – und malte in meinem Kopf ein andres.

FROCQUENARD. Das ist unmöglich.

ALAIN. Das ist wahr.

FROCQUENARD. Erklär' das!

ALAIN. Ich hatte doch diesen Auftrag auszuführen, den unser Akademiedirektor mir zugewiesen hatte.

FROCQUENARD. Beweis für sein Vertrauen. Er hält etwas von dir.

ALAIN. Ein Fabrikant Dapperre – Reichtum gehäuft – verlangte seine Frau in Öl zu sehen.

FROCQUENARD. Du maltest.

ALAIN. In einem Wintergarten. Stell' dir vor – ich stell' mir das wie deine Insel vor. Nur alles noch eindringlicher. Hat der Himmel dort Rippen mit einem feurigen Gelb gestrichen, die das Gewölbe tragen?

FROCQUENARD. Schildre genau. Es muß großartig sein.

ALAIN. Das Grün der Pflanzen stieg auf von einem Rot, das wie Korallen schien. Die Kacheln waren so eingefärbt.

FROCQUENARD. Korallenrot und tropischgrün.

ALAIN. Ein wildes Blau von Sesseln in den Büschen.

FROCQUENARD *die Augen beschattend*. Ich sehe es.

ALAIN. Und blendend weißer Schaum von einer Woge.

FROCQUENARD *aufblickend*. Du maltest doch nicht am Meer?

ALAIN. Das Atlaskleid der Fabrikantenfrau.

FROCQUENARD. Und – da entstand das andre Bild?

ALAIN. Es überfiel mich. Ich konnte mich seinem Anprall nicht erwehren. Es drang mit grün und gelb und blau und rot in mich – der Körper hingestreckt in dieses Farbenfluten von einer weißen Nacktheit, die noch nicht geträumt – von keinem vorher. Ich sah sie schon gestaltet im klaren Kopf – und mußte erst dies Bildnis auf der Staffelei vor mir vollenden. Ich war so elend wie ich glücklich war. Kennst du den Zustand?

FROCQUENARD *zuckt die Achseln*. War der Fabrikant zufrieden?

ALAIN. Ich hätte ihn ermordet, wenn er's nicht gewesen wäre. Ich hatte mich doch angestrengt wie ein Galeerensträfling, der Schwielen von den Rudern hat – ich von den Pinseln. Zuletzt hab' ich gemalt – wie einer mit dem Tode wettläuft und hinter ihm birst schon die Erde. Du hältst das Rennen nur noch zehn Atemstöße aus und drängst in diese letzten Atemzüge mehr Schritte als fast natürlich und dann – *Auf-atmend*. – beim Mittagläuten bist du am Ziel. Die Pinsel sind zerbrochen – – die Fron ist abgedient – – – nur noch das Mittagläuten. – – – –

FROCQUENARD *springt vom Stuhl auf, den er beiseite schleu-dert. Zu Alain tretend und ihn rüttelnd.* Weißt du denn, was dir im Wintergarten geschehen ist? Die Weihe hast du emp-fangen. Offensichtlich bist du begnadet – unter Millionen, die sich im Schweiße martern, bist du erkoren. Dir strömt es zu – du mühst dich kaum, du sträubst dich noch. Du wirst zum Meister reifen. Das erste Meisterwerk ist dir bereits geschenkt, du hast es unter Lust und Qual empfangen. Jetzt bist du ihm verpflichtet. Es muß aus dir heraus – mit aller Schönheit und Vollkommenheit. Willst du hier gebären? In diesem räudigen Klima? Unter einem Himmel, der ein Ver-hängnis ist – wie er die Schleusen des Lichts verhängt? Die doch sprudeln sollen, damit die Kunst dir leuchte! – Komm' mit. Hier stumpft dir wieder ab, was sich in dir entflammte. Wie Aschenregen sinkt der graue Tag auf alles, was du plan-test. Bald stehst du vor Leinwand und verzagst – die Ein-gebung ist hin. – Doch wo ich dich hinführe, blühn die Far-ben. Da schweigt der Aufruf nie, der dich zum Werk be-geistert. Alles ist in einem Ausmaß groß, daß dir die Tränen kommen. Du malst erschüttert von so viel Blau und Grün und Gelb und Rot – dir gelingen Werke – ja dir, der schon von eines Wintergartens Künstelei ergriffen wurde bis zum Vergessen seines eigentlichen Auftrags – mich wirst du seg-nen, daß es mir einfiel dich auf die Insel mitzunehmen. *Er hockt sich zu Alain auf den Sofarand – zieht eine Landkarte heraus und entfaltet sie.* Hier liegt sie. Dieser schwächste Punkt im Ozean ist unsre Insel. Dort gibt es nur die gren-zenlose Einsamkeit – und keine Zeitung. Die Außenwelt schweigt völlig. Dort können Dinge vor sich gehn, die ganze Städte wanken machen – das Echo streift uns nicht auf unsrer Insel. Bis Kunde uns erreichte, wär' es zu spät. Wir könnten nur noch, was da war, bedauern. – *Von neuem auf der Karte suchend.* Abfahrt Marseille auf einem Schiff mitt-lerer Größe. Die kleinen Frachter lehne ich ab. Sie bieten nur dürftige Bequemlichkeit. Es macht die Reise billiger – doch müssen wir denn sparen? Ich hatte ein paar Schüler, die brav zahlen – und du den fetten Auftrag!

ALAIN *sich zum sitzen aufrichtend.* Ich habe kein Geld.

FROCQUENARD *verblüfft.* Der Fabrikant hat noch nicht bezahlt?

ALAIN. Ich habe auf seinen Scheck verzichtet.

FROCQUENARD *starrt ihn an.*

ALAIN *steht auf und tritt zum Fenster.* Du wunderst dich doch nicht? – – Ich konnte doch nicht nach allem, was mir dort widerfahren war, noch Geld kassieren. – – Mir war die kühnste Eingebung, die ich je hatte und die entscheidend bleiben wird für meine Kunst, verliehen – ich hätte sie entwürdigt mit diesem Scheck. – – Ich war doch nur mit diesem andern Bild beschäftigt – den Auftrag erledigte ich mit dem Handgelenk. Ich bin kein Anstreicher und nehme Stundenlohn. – – *Lächelnd.* Den großen habe ich gewonnen. Mir winkt der große Preis, wenn ich das neue Bild ausstelle. Und nach dem großen Preis stehn alle Türen offen!

FROCQUENARD *hat das Kinn auf die Fäuste gestemmt und blickt zu Boden.*

ALAIN. Verstehst du mich nicht? Das sind keine Rätsel – das ist nur Reinlichkeit im Geist, die ich mir zu erhalten wünsche.

FROCQUENARD. Daß du so handeln mußtest – begreiflich. Mir begreiflich – *Aufstehend.* – dem Fabrikanten auch?

ALAIN. Dem konnte ich natürlich nur erklären, daß ich mich mit dem Aufenthalt in seiner Villa – der prächtigen Verpflegung – reichlich bezahlt betrachte. Ich hätte mich als seinen Gast gesehn und würde diese Ansicht nicht gern ändern. Ich redete mich so heraus.

FROCQUENARD. Ein Fabrikant spart gern, er lebt in einer Geldwelt – doch seine Frau, nachdem du sie gemalt? Und gut gemalt. Du bist kein Stümper.

ALAIN. Die Augen haben ihr nicht gefallen. Zu hart im Ausdruck. Tatsächlich aber hat sie solche Augen – und hinter ihren Augen, wenn sie sich einmal unerbittlich entscheiden muß, die Härte!

FROCQUENARD. Sie lehnte also das Bild ab und duldete aus diesem Grunde, daß ihr Mann nichts bezahlte?

ALAIN. Ich weiß nicht einmal, ob sie es je erfahren.

FROCQUENARD. Was nicht erfahren?

ALAIN. Meinen Verzicht auf Lohn.

FROCQUENARD. Warum erfuhr sie nichts von dir?

ALAIN. Ich hatte keine Zeit. Den Abschied vollzog ich auch nur vor ihrem Bilde. Ich sah sie gar nicht mehr.

FROCQUENARD *vor sich hin.* Ihr Mann hat ihr auch später nichts gesagt.

ALAIN. Vermutest du?

FROCQUENARD. Es hätte die Frau bestimmt die Überweisung veranlaßt. Du hast nichts erhalten?

ALAIN. Ich könnte reisen!

FROCQUENARD *aufstehend.* Ich kann dir nicht die Kosten vorstrecken. Wenn ich die Mittel hätte –

ALAIN. Mach' mich nicht verlegen.

FROCQUENARD *steht vor ihm und packt seinen Arm.* Du solltest an meiner Stelle reisen. Für einen reicht es.

ALAIN. Ich bin meiner Sache sicher. Ich habe schon das Modell bestellt.

FROCQUENARD. Wiege dich nicht in Sicherheit.

ALAIN. Erschütterst du mein Selbstvertraun?

FROCQUENARD. Du hast die reinste Stirn, die ich gesehn. Alain Veniot – ich habe Angst um dich.

ALAIN *lachend.* Wenn du zurückkommst, bin ich preisgekrönt. Wann kehrst du wieder von deiner seligen Insel zu uns Verdammten?

FROCQUENARD. Ich bleibe lange in der Verschollenheit, wenn du mich hier nicht brauchst.

ALAIN. Und wie erreicht dich meine Botschaft, wenn ich dich brauche? Durch die Zeitung?

FROCQUENARD. Die gibt es nicht. Man würde sich auf andre Weise verständigen müssen. Lass' uns hoffen, daß es gelingt. *Er küßt ihn auf beiden Wangen.* Leb' wohl, Alain Veniot.

ALAIN *belustigt.* Ich stürze mich doch nicht in Meerfahrt und Gefahren. Du kannst umkommen. *Ihn robuster umarmend.* Komm' nicht um, Freund Frocquenard!

Klopfen an die Tür im Gang links hinten.

FROCQUENARD. Du hast Besuch?

ALAIN. Nur das Modell. *Mit der Uhr.* So übertrieben pünktlich.

FROCQUENARD. Fängst du die Arbeit schon heute an?

ALAIN. Ich will den Akt skizzieren. Dann suche ich die Staffage in allen Pflanzenhäusern von Paris. *Ihm in seinen faltigen Kragenmantel helfend.* Wenn du hinausgehst, lass' sie ein. Bis sie sich auszieht, lass' ich sie allein. *Noch einmal drückt er Frocquenard die Hand.*

FROCQUENARD *schwingt seinen Schlapphut und verschwindet in den Gang.*

ALAIN *wartet bis dort die Tür klappt und geht durch die mittlere Tür links ab.*

Im Gang kommt Elise Dapperre: unverschleiert – in einem dunklen Kostüm. Zuerst mustert sie das Atelier, ohne es weiter zu betreten. Dann dringt sie bis zum Sofa vor und setzt sich. Eine lange Weile wartet sie. Später erhebt sie sich – tritt ans Atelierfenster und schaut hinaus.

Alain Veniot kehrt zurück – streift die Gestalt am Fenster nur mit flüchtigem Blick. Er richtet den vorher von Frocquenard umgestürzten Stuhl wieder auf.

ALAIN *indem er noch einen Vorhang vor die Gangöffnung zieht.* Sie haben sich nicht sehr beeilt.

ELISE *die sich umgedreht hat.* Ich hätte früher kommen müssen.

ALAIN. Nicht früher. Nur –

ELISE. Nur?

ALAIN *von dem besondren Ton betroffen, sieht hin – bleibt stumm.*

ELISE *lächelnd.* Das ist kein Spuk. Ich bin Elise Dapperre.

ALAIN *stammelnd.* In dieses Vorstadtchaos haben Sie sich gestürzt – und diese fürchterlichen Treppen erstiegen – – ich hätte mich bei Ihnen im Hotel gemeldet – auf eine Nachricht, die Sie schickten. – – Hier ist nur ein Sofa – abschüssig wie ein Berg – das ich zum Ausruhn anbieten kann. – – Wolln Sie es nicht wagen?

ELISE. Das fordert so viel Mut?

ALAIN. Den größten nach dem Treppensteigen.

ELISE. Ich habe mich vor Ihnen nicht gefürchtet – und lasse mich von nichts mehr einschüchtern. *Sie setzt sich ins Sofa und sieht zu Boden.*

ALAIN *verlegen – bricht die Stille.* Heut ist das Licht schlecht. Die erloschene Sonne und dieser nebelhafte Dunst verdeckt den Wirrwarr der Dächer, der seinen Reiz besitzt – von solcher Höhe aus gesehn. Und nach dem Dunst kommt Regen. Schauderhaftes Wetter.

ELISE *rührt sich nicht.*

ALAIN *mit neuem Anlauf.* Das hindert überall. Man kann nicht in den Straßen laufen, wie man möchte – sie sind auch leer und ohne ihren Menschenstrom, der hin und her zieht, nicht Pariser Straßen. – – Hat Herr Dapperre geschäftlich in Paris zu tun?

ELISE *ruhig*. Ich bin allein hier. *Dann sieht sie ihn an.*

ALAIN. Besuchen Sie jetzt Ihre Freunde, denen Sie damals absagten?

ELISE. Die Freunde sind nicht in Paris.

ALAIN. Es gibt genug Zerstreuung – auch ohne Freunde!

ELISE. Ich will mich nicht zerstreun.

ALAIN. Dann weiß ich keinen Grund, der eine Reise aus dem froheren Süden in dieses traurige Paris rechtfertigen könnte! *Er lacht.*

ELISE *langsam*. Ich hatte nur einen einzigen Wunsch, den ich mir rücksichtslos – auch gegen mich, die dabei in Gefahr geriet – erfüllt hätte.

ALAIN. Was wünschten Sie?

ELISE. Sie wiedersehn. – – – –

ALAIN *ist unwillkürlich einige Schritte zurückgetreten.*

ELISE *senkte wieder den Blick und spricht so.* – – – – Ich weiß nicht, ob Sie fühlten, wie wenig ich Sie beachtete. Sie malten mich. Da standen Sie hinter Ihrer Staffelei und ich auf dem Podest. Dazwischen lag ein Abgrund, den nichts überbrückte. Wir sprachen nur das allernötigste bei diesen Sitzungen – Sie gaben mir Anweisungen für meine Haltung und ich befolgte sie. Gesprochen – als wir allein waren – wurde nur einmal mehr: am Schluß vorm Bild, das Sie beendigt hatten. Ich habe dies Gespräch behalten. – – Was wurde sonst geredet – bei Tisch, an Abenden? Mein Mann füllte die Unterhaltung mit seinen weitläufigen Geschichten, die mir gefielen. Ich hörte ihm gern zu. Sie saßen bei uns, weil es der Auftrag mit sich brachte – der Künstler, der mich malte, im Hause wohnte. – – Ich habe auch die Art des Abschieds, mit dem Sie sich entfernten, nicht als Beleidigung empfunden. Sie hatten Ihre Pflicht getan – Sie hatten Ihren Lohn verdient – – *Sie stockt.*

ALAIN *hält den Atem an.*

ELISE. Doch daß Sie den verdienten Lohn zu nehmen verweigerten – – das änderte mein Urteil. Ich sah Sie jetzt ganz anders.

ALAIN *seufzt.*

ELISE. Nun begriff ich die Hast, mit der Sie plötzlich malten – die Flucht, die Sie vertrieb – die Scheu, da Geld zu nehmen, wo ein Gefühl sich entzündet hatte. Das war Ihr Geständnis, das Sie mir ließen. Ich habe es verstanden – nicht gleich in seiner Tiefe und Klarheit – langsam nur erlag ich seiner Macht. – – – – Wann fing ich an Sie zu vermissen? Der Schrecken war an einem Tage da – und ich begriff nicht, wie ich alle Tage vorher nicht schon von diesem Schlag getroffen war. Ich fühlte mich allein. Um mich die Dinge – ein ganzes wohlvertrautes Haus war fremd. Ich konnte mich nicht besinnen wie ich hierher geraten war. Dann glaubte ich auf einem Schiff zu stehen, das über wuchtigem Seegang torkelte. Nichts mehr stand fest. Im Schwindel kreiste alles. Es schleuderte mit seiner ungeheuren Kraft alles aus mir heraus, was vordem in mir war – bis eine Leere war, die Neues aufnahm. Das Neue, das nicht neben anderm nisten konnte – das einzige Gefühl, das einen Platz verlangte, den nichts beengte. Daß ich mich schämen müßte, ihm nicht willig den ganzen Raum in meinem Leben geliehen zu haben – befürchten Sie es nicht. Alain Veniot. – – – – Ich habe meinen Mann verlassen. Er ist auf einer Reise. Wenn er zurückkehrt, soll er das erfahren. – – – – – –

ALAIN *steht wie versteinert.*

ELISE *endlich aufblickend.* Es könnte Sie entsetzen, daß wir in Sorgen untergehen könnten? Der schlimme Untergang ist nicht so nah. Ich bin selbst reich. Ich habe Güter in schönster Landschaft. Mauern um den Traum. Was schafft sie dichter? – – – –

ALAIN *rafft sich auf – nähert sich Elise.* Die Flucht damals –
ELISE *sieht ihn erwartungsvoll an.*

ALAIN. Das hastige Beenden der Arbeit –
ELISE *nickt.*

ALAIN. Die Ablehnung des Geldes: das entsprang – – *Er bricht ab. Nun schreitet er vorm Atelierfenster hin und her.* Ich konnte mein Geheimnis Herrn Dapperre nicht preisgeben. Ich hätte mir die Zunge ausreißen lassen, um nicht zu gestehn. Die künstlerische Keuschheit verlangt solche Schonung. Wer nach den Wurzeln sieht, gefährdet das volle Wachstum. Was soll sich entfalten, das früh beschädigt wird – mit Ha und Ho? Man soll uns nicht den Weg verstellen. Uns laufen lassen, wenn wir's eilig haben. Die Arbeit drängt – und immer neue Arbeit – und nie ein Ende! *Einhaltend und mit gekreuzten Armen dastehend.* Ich habe Herrn Dapperre nicht gesagt: in mir reift mehr – bedeutenderes. Das

Bild, das ich da malte, verschwand vor meinem inneren Auge längst von der Staffelei. Das malten meine Hände. Strich neben Pinselstrich – wie alles war. Ich machte es so ähnlich, wie es gelingt – wenn man die Oberfläche sieht. Die nur. So war der Auftrag – ich erledigte ihn so. *Nach tiefem Atemzug.* Was sich in einem Unterstrom der schöpferischen Zeugung vollzog – warum die Zeit, der Ort gewählt war: die Gezeiten kennt und errechnet niemand. Ich hatte nicht vorausgesehn, was mir bestimmt war. Es hätte mich überall getroffen. Ich überschätze nicht mehr die Wirkung des Wintergartens. Denn ich war geneigt alles dem heftigen Einfluß der ungebrochenen Farben zuzuschreiben. Doch das ist nicht der Fall. Nicht einmal das. Ich war einfach bereit. Es hätte mit diesem oder jenem Anlaß ausbrechen können. Jeder ist dann geeignet – und keiner wichtig. Wichtig ist nur, daß man nicht Frist versäumt. – – – – *Er lockert die Arme und steckt die Hände in die Kitteltaschen.* Der Scheck, den Herr Dapperre ausschreiben wollte, und meine Quittung, die er verlangte, betrafen einen Handel, der seine Gültigkeit bereits verloren. Schon war das alles in Vergangenheit gesunken – mein Malen – mein Aufenthalt dort: ich hätte in die Zukunft nichts hinübernehmen können – nicht einmal Geld, das daher stammte – das mir den freien Aufschwung unterbunden hätte. – – – – Mich trieb nur wieder hier zu sein – in meinem Atelier. Ich zitterte im Zug: er wird entgleisen – mit einem andern Zug zusammenprallen. Meine Hände zermalmt das Unglück. Niemals wieder werde ich malen. – – Dann überschritt ich hier die Schwelle – wie ein Geretteter aus Sintflut und Gewitter. Ich glaube, ich kniete auf den Dielen: ich war geborgen. – – – – *Einen leichteren Ton anschlagend.* Diese Stimmung ist nicht verflogen – doch war sie sehr bedroht, als Sie bei mir erschienen. Ich fürchtete – Sie brächten mir das Geld, das ich zurückgewiesen hatte. Sie wünschten kein Geschenk – und dieser Schwindel, mich mit der Gastfreundschaft bezahlt zu machen, wäre zu billig. Ich war um meinen Traum besorgt – und sprach verlegen wie ein Knabe. Zuletzt vom Wetter. *Er hat sich halb dem Atelierfenster zugedreht und sieht ins Grau des Himmels.*

ELISE *folgt Alains Erzählung mit jener Spannung, die zur todähnlichen Erstarrung führt. So sitzt sie lange steif und stumm. Dann spricht sie tonlos vor sich hin.* Es reifte mehr – – bedeutenderes – – – –

ALAIN *vom Fenster kommend.* Ich brauchte Worte, die über-trieben klingen. Aber ich täusche mich nicht. Ich stelle aus – und wenn nicht Feuersbrünste die Ausstellung vernichten, erringe ich den großen Preis!

ELISE *wie vorher.* Erringen Sie – – – –

ALAIN. Sie werden meinen Sieg in Ihrer Zeitung lesen, der überall verkündet wird. Sie rasten im lauen Wintergarten – und es schallt das Mittagläuten!

ELISE. Das Mittagläuten, das wir zusammen hörten – – – –

ALAIN. Hat noch die Glocke den Armsünderton?

ELISE. Unveränderlich – – – –

ALAIN *beugt sich zu ihr.* Jetzt haben Sie die harten Augen, die ich malte. Ich hatte recht gesehn. Sie wollten mir nicht glauben – nun halten Sie den Ausdruck fest. Ich hole einen Spiegel. Nicht rühren, bis ich Ihnen den Spiegel vorgehalten habe. Es geht um meine Malerehre! *Rasch links ab.*

ELISE *steht mühsam auf – bewegt sich nach der Gangöffnung links hinten, wo sie den Vorhang beiseite schiebt – und ver-schwindet im Gang, die Tür klappt.*

ALAIN *tritt wieder ein – mit einem Lappen den Spiegel säu-bernd.* Ein trüber Spiegel – und bei trübem Licht – – *Er blickt auf und sieht das Atelier leer.*

Der Wintergarten der Villa des Fabrikanten Dapperre. Aber jetzt sind sie Stabjalousien herabgelassen und das Sonnen-licht schießt in Streifen ein.
Dapperre – in einem grauen Anzug, weiße Gamaschen über den Schuhen – steht da.
Elise – in weitem blaßblauen Kleid – geht hin und her.

ELISE. Ich habe dich von der Reise zurückgerufen – – *Sie ver-stummt.*

DAPPERRE. Warum?

ELISE *antwortet nicht.*

DAPPERRE. Ich ließ dringendste Geschäfte instich, die meine Anwesenheit forderten. Aber ich zögerte keinen Augenblick – und war unterwegs außerordentlich beunruhigt. Hier finde ich das Haus unversehrt – dich bei Gesundheit. Was hat sich zugetragen, während ich verreist war?

ELISE. Nichts.

DAPPERRE. Nichts? Und dennoch –

ELISE. Nichts neues.

DAPPERRE *nach einem Schweigen achselzuckend.* Du wirst mir helfen müssen mich hier zurechtzufinden.

ELISE. Besuch kommt.

DAPPERRE. Von solcher Wichtigkeit, daß ich –? Ich lasse Pläne scheitern – und wer kommt?

ELISE. Veniot.

DAPPERRE *schweigt.*

ELISE. Alain Veniot.

DAPPERRE. Das ist der Maler, der dich malte? Der Namen war mir schon halb entfallen. – Will er sein Geld? Hat er sich doch besonnen? Erst spielte er den zaghaften.

ELISE. Er war nie zaghaft.

DAPPERRE. Damals faßte er den Scheck als grimmige Beleidigung auf. Mir flößte er in seiner Weise Achtung ein. Dann sind es auch nur Menschen – diese Künstler – und achten auf ihr Geld. Nur etwas später. – – Du konntest doch verfügen? So viel er zu verlangen hatte? Wer ihm den Scheck ausschreibt, ob du – ob ich – – Mich deshalb herzurufen, lohnte sich das?

ELISE. Er will auch jetzt kein Geld. – – Nie will er Geld. – – Er hat sich schon bezahlt gemacht. – – Mit meinen Küssen. – –

DAPPERRE *nach einer Pause ohne Erregung.* Veniot hat dich geküßt?

ELISE. Er küßte mich – bei jeder Sitzung. Hier – wo jedermann der Zutritt versperrt war. Es war das Heiligtum der Werkstatt. Er hatte keine Störung zu befürchten. Es war so lächerlich, wie ich mich seinem Willen fügte. Er brauche die Berührung mit dem Modell. Sonst könne er nicht malen. Und ich gewährte ihm, daß er mich küßte. Er hat an manchen Vormittagen mich mehr geküßt hier als gemalt. Ich hatte oft von seinen Küssen ein Brennen auf den Lippen, daß ich mit Eis sie kühlen mußte. Ich mußte ihn wieder küssen – und Schweigen ihm geloben. Das Bildnis könne nur gelingen, wenn alles im geheimen bliebe. Ich wollte nicht das Bild gefährden. – – – –

DAPPERRE *nach einer Pause ebenso ruhig.* Warum kommt Veniot jetzt?

ELISE. Ich habe ihn gerufen. In deinem Namen. Du wünschtest ihn hier zu sehen. Er schrieb, wann er einträfe. Da depeschierte ich dir. Er wird dir in wenigen Minuten gegenüberstehn.

DAPPERRE. – – – – Kennt Veniot den Grund, weshalb er kommen soll?

ELISE. Nein. – sonst würde er den Weg hierher nicht wagen! *Sie wirft sich in einen Sessel und hält die Fäuste auf die Augen gepreßt.*

DAPPERRE *steht nachdenklich. Dann tritt er hinter Elise.* Er hat dich hier geküßt?

ELISE *nickte heftig.*

DAPPERRE. Nur hier im Wintergarten?

ELISE *nickt wieder.*

DAPPERRE. Niemals im Haus? – Bei anderen Gelegenheiten? – Du sahst ihn auch nicht wieder – nach seinem hastigen Weggang?

ELISE *zuckt zusammen.* Wo – sollte ich ihn noch gesehen haben?

DAPPERRE. So war der Abschied endgültig, den er von dir genommen. Es trug sich nichts mehr zu. Was hier geschah – das war in einer Welt, die uns fremd bleiben soll. Wie diese Pflanzenwelt hier unserer Zone fremd ist. Draußen gilt das nicht. Lass' uns verzeihen und vergessen. *Er will ihre Hand küssen.*

ELISE *entzieht sich ihm.* Empfängst du ihn als einen Freund, nach dem du dich gesehnt?

DAPPERRE. Man kann sich auch verleugnen lassen.

ELISE. Ohne ihn zur Rechenschaft zu ziehen – schickst du ihn nach Paris zurück?

DAPPERRE *ruhig.* Ich spreche ihn nicht schuldig – und könnte dich nicht verurteilen, wenn du mit echter Leidenschaft die Küsse erwidert hättest. Du teiltest nur halb den Überschwang, der ihn entflammte. Schließlich bliebst du kalt – er steigerte sich in die Raserei, die er zum schaffen brauchte. So hat er's erklärt und dich geküßt. Ich glaube seinen Worten, daß hier nicht Heuchelei im Spiel war – und er dich wirklich liebte. Das hat er bewiesen, als er das Bild, das ihm die Liebe so schön zu malen eingab, sich nicht bezahlen ließ. Dabei ist er arm. – – – – Er ist jung. Du bist es. Um zwanzig Jahre jünger seid ihr beide, als ich es bin. Ich darf nicht schelten, wenn eure Hände sich fester drücken – eure Lippen sich im Kusse finden. Es ist nur natürlich – und mein Erzürnen wäre unnatürlich. – – – – Du kannst Herrn Veniot, den du gerufen, unbesorgt empfangen. Wir zeigen ihm den reichen Rahmen um das Bild. Fällt er dir lästig, ziehst du dich zurück. Dann trinke ich mit ihm Champagner – auf dein Wohl, die einst seine Muse war!

ELISE *steht auf.* Ich will ihn gar nicht sehn – du sollst mit ihm abrechnen!

DAPPERRE *begütigend.* Er kriegt sein Geld.

ELISE. Mit Geld sind diese Küsse nicht zurückgekauft, die er erpreßte. Ich war betäubt und ließ mit mir geschehn, was ich nachher als Wahnsinn deutete. Mich küssen lassen – auf den freien Mund – von einem fremden Mund. Bist du so reich, wie du zu sein behauptest? Was ist ein Kuß von meinen Lippen wert?

DAPPERRE. Beruhigt es dich, wenn ich ihm viel Geld anbiete?

ELISE. Wenn er's nicht nimmt? Wenn ihm die Küsse lieber sind, die er behält?

DAPPERRE. Soll ich mich mit ihm schlagen?

ELISE. Der Erschlagene gibt mir die Küsse nicht zurück!

DAPPERRE. Soll ich ihn vor den Richter bringen?

ELISE. Der mir die Küsse von den Lippen zählt – und ich vergesse einen, der nicht vergolten ist?

DAPPERRE. Man soll nie das Gericht beschäftigen.

ELISE. Mit ein paar Küssen nicht!

DAPPERRE. Die machen lächerlich.

ELISE. Nur um des Größten willen fällt dort die Entscheidung!!

Diener kommt rechts hinten.

DIENER *zu Dapperre.* Herr Veniot läßt sich melden.

DAPPERRE *steht ratlos.*

ELISE *zum Diener.* Herr Dapperre empfängt!

Diener ab.

DAPPERRE. Was soll ich denn nun sagen?

ELISE. Ich war schon bereit – mich zu erschießen. Ich kaufte die Pistole – und schloß mich ein. Doch schoß ich nicht auf mich – ich wollte nicht eine Welt zertrümmern – diese ganze Welt – die stets das Eis bedroht – wenn wir nicht wärmen – den Hauch – die Luft – die Stürme – – – –! Darum schoß ich nicht.

DAPPERRE. Soll ich Herrn Veniot denn erschießen?!

ELISE *ihn anstarrend.* Du ihn erschießen – –?

DAPPERRE. Wenn die Schuld so groß ist?!

ELISE *fast tonlos.* Dann bringe ich die Waffe. *Sie geht nach links hinten und verläßt den Wintergarten.*

Dapperre allein – überlegt – rückt zwei Rohrsessel – hält ein – wartet.
Diener läßt rechts hinten Alain Veniot, der einen dunkelblauen Anzug trägt, eintreten.

ALAIN *sich umblickend.* So habe ich den Wintergarten nie gesehn. Das Licht – gebrochen wie unter Wasser. Man könnte meinen auf dem Meeresgrund zu stehn – und das sind Algen und nicht Palmen – und wir Fischwesen kühl und zauberhaft! *Nun will er Dapperre begrüßen.*

DAPPERRE *vermeidet seine Hand, indem er sich nochmals mit den Sesseln beschäftigt. Dann hinweisend, während er sich selbst setzt.* Ihr Sessel, Herr Veniot.

ALAIN *sich langsam niederlassend und die Blicke von neuem herumschickend.* Fast könnte ich mich nicht besinnen schon vorher hier gewesen zu sein – wochenlang jeden Vormittag – –

DAPPERRE. Sie werden sich erinnern müssen. An jeden Vorfall.

ALAIN. Es war ein Einerlei von Vormittagen. Ich malte an dem Bild.

DAPPERRE. Ich werde mich mit dieser Auskunft nicht begnügen, Herr Veniot. – – Fällt Ihnen nicht mehr ein? – – Etwas das mich in meiner Ehre beleidigt haben könnte?

ALAIN *hörte ihm erstaunt zu – nun lachend.* Ich habe Ihren Stolz verletzt, da ich Bezahlung ablehnte? Ich bleibe bei meiner Weigerung, Herr Dapperre. Ich hätte Ihnen das auch geschrieben und nie Paris verlassen, wenn ich den Zweck der Reise erraten hätte. Das konnte ich nicht aus dem Telegramm, das Sie mir schickten. *Er holt es aus der Tasche.* Kurz und befehlerisch – und man hat zu gehorchen. *Er will es wieder einstecken.*

DAPPERRE. Ich will es lesen.

ALAIN. Warum? *Er reicht es ihm.*

DAPPERRE *liest.*

ALAIN. Vergaßen Sie den ungestümen Wortlaut?

DAPPERRE *steckt das Blatt ein. Nach einer Pause.* Ich habe kein Wort vergessen – von dem, was ich erfuhr. Nachträglich – von einem Zeugen, der sich erst jetzt entschloß zu sprechen. *Alain anblickend.* Muß ich noch deutlicher erklären?

ALAIN. Mir?

DAPPERRE. Vor allem steht die Zuverlässigkeit des Zeugen, von dem ich diese Kenntnisse erhielt, erhaben über jedem Zweifel. Sie werden sich hüten müssen, Einschränkungen zu versuchen, da ich den ganzen Umfang weiß.

ALAIN. Einschränkungen?

DAPPERRE. Kein Vormittag, den Sie verstreichen ließen, ohne –

ALAIN. Ohne?

DAPPERRE. Die Sitten in den Pariser Ateliers sind frei. Man läßt dort seiner Laune die Zügel schießen – und die Modelle sind nicht empfindlich. Das spielt sich unterm Dach ab und stört nicht weiter. Man kommt zu keinem Tadel und läßt geschehen, was geschieht. Nur ändert sich die Meinung, wenn Grenzen überschritten werden, die unverletzlich bleiben sollten. Nicht jede Frau ist ein Modell. Man küßt sie nicht wie ein Modell – und malt sie dann.

ALAIN. Wer – küßt und malt?

DAPPERRE. Sie waren sich Ihrer Macht bewußt, die Sie auf meine Frau während der Sitzungen ausübten. Sie mußte sich den Anordnungen, die Sie trafen, unterwerfen. Dastehen, wie Sie wollten. Diese Stille hier durfte niemand brechen – Zutritt war selbst mir verboten. Sie haben das Vertrauen, das ich Ihnen bedenkenlos gewährte, mißbraucht – den Wintergarten frech mit Ihrem Atelier verwechselt und meine Frau geküßt und eingeschüchtert Ihr Küssen zu ertragen!

ALAIN *nach einem Schweigen.* Den Zeugen haben Sie?

DAPPERRE. Ich sagte Ihnen: er ist unantastbar!

ALAIN. Er sah – das?

DAPPERRE. Mein Zeuge weiß Bescheid!

ALAIN. Spähte er draußen? – Hielt er sich hinter Büschen hier versteckt? Die sind so dicht, daß man im Hinterhalt nicht gleich entdeckt wird. Lag er im Hinterhalt an jedem Vormittag?

DAPPERRE. An jedem Vormittag!

ALAIN. – – Wo ist der Zeuge?

DAPPERRE *ausweichend.* Nicht hier.

ALAIN. Im ganzen Hause nicht?

DAPPERRE. Jetzt nicht.

ALAIN. Wann kommt er?

DAPPERRE. Das ist unbestimmt. –

ALAIN *lächelnd*. Er kehrte noch nicht aus Paris zurück, wohin er fuhr, um festzustellen – was sich in meinem Atelier begab, als Frau Dapperre mich besuchte.

DAPPERRE *starrt ihn an*.

ALAIN *zuckt die Achseln*.

DAPPERRE *stammelnd*. Was sagen Sie?

ALAIN. Stets weniger als Ihr musterhafter Zeuge: ich habe Frau Dapperre weder hier geküßt noch in Paris berührt.

DAPPERRE *fährt sich über die Stirn*.

ALAIN. Nun stellen Sie mich Ihrem Zeugen gegenüber.

DAPPERRE. Mein Zeuge verschwieg mir den Besuch – –

ALAIN. Konnte er davon wissen? Verfolgen Sie die Schritte Ihrer Frau?

DAPPERRE. Ich würde mich nicht erdreisten. – – Nur warum log – der Zeuge?

ALAIN. Bestimmt erwartete er Ihren Dank.

DAPPERRE. – – Aus welchem Anlaß fand der Besuch in Ihrem Atelier statt?

ALAIN. Es war ein Mißverständnis.

DAPPERRE. Was war ein Mißverständnis?

ALAIN. Alles – die Küsse – besonders dieser Zeuge, der nichts sah – Geräusche von Pinselstrichen für Küsse hielt – also falsch hörte.

DAPPERRE *verzweifelt*. Wer wird das entwirren?

ALAIN. Nur Ihre Frau kann das. Wenn Sie sie rufen, wird sie zum Lügner mich erklären, wenn ich mich rühmte: auch nur eines Kusses Hauch von ihrem Mund gefühlt zu haben! – – Ich habe nie versucht mich ihr zu nähern. Ich habe im Atelier von meiner Kunst gesprochen. Ich habe nicht gemalt, um zu verführen. Ich habe –

DAPPERRE *packt seine Hand*. Sie schwören mir, daß das die Wahrheit ist?

ALAIN. Das ist sie.

DAPPERRE *loslassend*. Die Wahrheit kann auch meine Frau nicht leugnen! *Auf dem Wege nach links hinten trifft ihn die Kugel und er stürzt nieder.*

Schon vorher war Elise links hinten lautlos wieder einge-

treten und hielt sich hinterm Gebüsch versteckt. Dann zielt sie, als Dapperre sich nähert, und drückt ab. Nach dem Schuß läuft sie aus ihrem Versteck hervor. Sie kniet sich zu Dapperre nieder, der wortlos aushaucht.

ELISE *zu Alain, der zu Füßen Dapperres steht.* So nehmen Sie! *Sie reicht ihm die Pistole und bettet Dapperres Kopf in ihre Arme.*

Von rechts hinten dringen Diener, Gärtner und Zofe ein und umstehen die Gruppe.

ELISE *zu Alain aufblickend.* Warum haben Sie ihn getötet?

ZWEITER AKT

In einem Schloßbau aus dem Mittelalter großer Saal. Er ist zum Gerichtssaal umgestaltet. Die Wände sind mit glänzend grauer Lackfarbe gestrichen. Fenster mit weißen Scheiben, die das Tageslicht einlassen, streben bis unter die Decke auf. Den Hintergrund schließt ein mächtiger Kamin ab, an dessen Bogensims sich Wappen – farbig leuchtend erneuert – reihen. Unter der Mitte der Decke hängt das weite hölzerne Rad des Lichtträgers mit dicken gelben Wachskerzen besteckt.

Niedriger vor dem Kamin zieht sich die Estrade hin, die den Richtertisch trägt. Dort sitzen drei Richter: der Präsident in scharlachrotem Talar – weißhaarig, seine Züge streng gemeißelt – die andern in schwarzen Talaren mit ihren braunen Bärten einander fast ähnlich.

Noch auf der Estrade rechts hinter einem besonderen Pult der Staatsanwalt – hager, ein erloschenes Auge verdeckt eine schwarze Klappe.

Noch links auf der Erstrade ein Pult für den Schreiber.

Unterhalb der Estrade vor der Rechtswand in zwei Bankreihen die Geschworenen: alle dunkel gekleidet, die Haltung steif, die Gesichter übereinstimmend hart.

In halber Wandhöhe rechts und links kurze Galerien. Die rechte wird von Journalisten eingenommen, die unverändert vorgebeugt sitzen und ihre rötlichen Scheitel zeigen.

Die Zuhörer auf der linken Galerie – bewegungslos gebannt hockend – unterscheiden sich noch weniger.

Schmale Türen sind vielfach vorhanden, doch verfließen sie im Grau der Wände und führen in anderes Grau dahinter – so daß der Ausgehende ins Nichts sich zu entfernen scheint und der Eintretende dem Nichts entstiegen.

Elise Dapperre – in einem grauen Kostüm, mit weißen Stulpenhandschuhen, vom weißen Schleier um den kleinen Hut die Stirn beschattet – hat rechts vorn in einem Sessel mit niedriger Lehne ihren Platz. Hinter ihr sitzt erhöht ihr Anwalt, der bucklig ist.

Links wie im Leeren vor der Länge der Wand erhebt sich die Schranke um die Anklagebank: in ihr steht Alain Veniot. Er trägt den dunkelblauen Anzug.

Außerhalb der Schranke und tiefer stützt sein Verteidiger die Massigkeit seines Körpers auf beiden Armen über dem

Tisch vor sich. Sein schwammig kupferrotes Gesicht zeigt die erzwungene Teilnahme deutlich.
Der letzte Laut ist erstorben.

PRÄSIDENT. Sind Sie Alain Veniot?

ALAIN *hört nichts – sieht nichts. Er macht den Eindruck eines Geblendeten, der erst Umrisse bemerkt, noch keine Gestalten – dem der Sinn der Erscheinungen ein unlösliches Rätsel aufgibt.*

PRÄSIDENT. Sind Sie Alain Veniot?

ALAIN *antwortet wieder nicht.*

PRÄSIDENT. Sie schweigen. Ein Schweigen ist es, das Sie Fragen, die an Sie gerichtet, entgegensetzen. Sie schwiegen bei der Verhaftung – Sie haben in der Untersuchung die Zunge nicht gelöst. *Heftiger.* Sie sind es nicht, Alain Veniot, der von dem Schusse hingestreckt ist und tot liegt. Das Leben hat Sie nicht verlassen, das stumm zurückläßt. Ihre Sprache ist nicht verletzt. Sie können reden, wenn Sie wollen. Wollen Sie nie reden?

ALAIN *schweigt noch.*

PRÄSIDENT *ruhig.* Das Schweigen ist ein schwacher Schild, der schlecht beschützt. Er deckt nicht bis zum Halse – bis zu den Knien. Das Gesicht bleibt frei mit seiner Lüge – oder die Füße straucheln in den Schlingen des Schwindels. Eine knappe Wehr, die Sie verwahrt – zu hoch oder zu niedrig. Sie werden schlimmren Schaden erleiden, wenn Sie den Kampf mit uns aufnehmen. Dann vergelten wir nicht nur die Tat, die Sie vollbrachten – wir strafen auch die Mühe, die Sie uns bereiteten. Schalten Sie den Zorn aus, der Ihrer Richter sich bemächtigen könnte. Das Gesetz kennt Milde. Es verdammt nicht schrecklich, wo es verehrt wird. Ich verlange diese Ehrfurcht in dem geringsten Grad, daß Sie mir antworten! – – Sind Sie Alain Veniot?

ALAIN *wie endlich zur Besinnung kommend – dreht sich ihm zu.* Ich bin Alain Veniot.

Der Verteidiger hebt erstaunt das fette Gesicht nach ihm.
Der bucklige Anwalt klatscht spöttisch erfreut lautlos in die Hände.
Der einäugige Staatsanwalt nickt befriedigt.
Die Journalisten schreiben eiliger.

PRÄSIDENT. Verlesen wird die Anklage.

Der Richter links neben ihm schlägt das Aktenstück auf.

DER RICHTER *verlesend.* Alain Veniot erschoß am sechzehnten August des Jahres im Wintergarten seiner Villa den Fabrikanten Charles Dapperre. Die Tat war von dem Angeklagten vorbereitet und wurde mit voller Überlegung ausgeführt. Der Fabrikant verschied sofort und konnte die Beweggründe der Tat, der er zum Opfer fiel, nicht mehr erhellen. Der Mörder, der von der Dienerschaft im Wintergarten festgehalten wurde, bis Polizei eintraf, ist nicht geständig. Er hat die Tat weder geleugnet noch zugegeben. Doch kann das nicht die Anklage erschüttern. Sie ist gegen Alain Veniot erhoben und bleibt auf Mord bestehn. *Er schließt das Aktenstück.*

PRÄSIDENT. Verlesen wird die Klage, die Frau Dapperre neben der Klage des Gerichts vorbringt.

Der Richter rechts öffnet das Aktenstück.

DER RICHTER. *liest.* Ich, Frau Elise Dapperre, verlange von Alain Veniot, der meinen Mann getötet hat, Ersatz für den Verlust, der aus den unterbliebenen Geschäften entstanden ist. Sie sind von größtem Umfang und hätten mein Vermögen verdoppelt. Daher soll mir zu eignem Nutzen übergeben werden, was Alain Veniot jetzt oder je besitzt. *Er schließt das Aktenstück.*

PRÄSIDENT *zu Alain.* Es ist ein schwerer Vorwurf – der schwerste, der gegen einen Menschen geschleudert werden kann: das Leben eines andern Menschen ausgetilgt zu haben. Ich glaube Ihnen, daß Sie nicht gleich die Sprache wiederfinden konnten, nachdem Sie das vollbracht. Doch nun ist Zeit verstrichen – Sie blieben nicht mehr stumm. Sie sollen jetzt noch nicht viel reden – uns viel erklären. Nur sich zur Tat bekennen. Das ist unvermeidlich für Anfang und Ausgang. Ein Grund, der das Gebäude trägt, des Spitze ziert Gerechtigkeit! – – Alain Veniot, haben Sie Herrn Dapperre getötet?

Erwartung drängt alle Gesichter gegen Alain vor.

ALAIN *klar.* Ich habe Herrn Dapperre nicht getötet.

PRÄSIDENT *nach einer Pause zu Alain.* Wer ist der Mörder?

ALAIN *läßt seine Blicke über die Versammlung schweifen – zuletzt erreichen sie Elise. Sie erfassen die Gestalt und lassen sie nicht los.*

ELISE *verändert langsam ihre Haltung, die bisher starr war. Endlich sind ihre Augen auf Alain gerichtet.*

ALAIN *verharrt im Anblick Elises.*

ELISE *hält seine Blicke aus.*

ALAIN *sich dem Richtertisch zuwendend.* Ich weiß es nicht –

– – – – –

PRÄSIDENT. Erzählen Sie Ihr Leben.

ALAIN *besinnt sich kurz und spricht dann bald, als höre niemand ihm zu.* Ich bin Bretone. Ich erhielt das Leben in einem festgefügten Hause, das sonst der Meerwind umgestoßen hätte – mit seinen Hörnern, die ihm von der Windstirn ragten. So widerstand der harte Stein dem wilden Anprall. Denn er wollte mich zerschmettern in meiner Kindheit – der ungeheure Sturm, der um die Erde schweift, um zu zerstören. Aber er ergriff mich nicht hinter den dicken Wänden, in denen ich aufwuchs. Ich wollte wachsen. Ich mußte mich von dichtem Dach beschützen lassen, auf dem die Regenfluten barsten und mich nicht netzten. Regen, Sturm und Frost – ein Feuer brannte immer – sind abgewehrt. Der Knabe tritt aus der Hütte. Jetzt ist seine Kraft gesprossen. Er widersteht der Wildnis in der Luft, die jähe Wetter wechselt. Sein Ohr erhört nur jenes Rauschen, das von der Tiefe kommt. Wo hinter steilen Klippen das Meer wogt. Dieser Klippenweg ist seinen Schritten bald wohlvertraut. Er geht ihn täglich – und nächtlich unterm Mond. Als riefe ihn das Meer. Das Meer mit seinen Wogen, die immer ziellos wallen – und schon zerrinnen, nachdem sie kaum erhoben. Ich sah das Meer die weißen Arme seiner Gischt erheben, als flehe es um Hilfe. Auf der Klippe stand ich und fühlte mich gerufen. Von den Gurgellauten des Meers, das seiner Nacht und Ungestalt entfliehen wollte. Ich sollte helfen. Dem Meer, das in der Brandung tosend sich zerschlug – im Schaum zerschmetterte. Ich sollte Mitleid spüren. Was war denn dem Meere vorenthalten? Fühlte es nicht die Breite seines Wassers und die Wucht der Wogen, die es schulterte wie Riesen eine Last? Fühlte ich es – wie nur dem Menschen zu fühlen möglich ist – um diese Welt zu formen und zu wärmen? – – – –

Dann habe ich die Klippen und das Meer verlassen. Ich habe mich vielleicht zu früh dem Ruf entzogen. Aber war das denn der Ruf, der mich erreichen sollte? – – – – – –

STAATSANWALT *springt auf und bricht die Stille.* Ich unterbreche. Ich widerspreche. Wir ertrinken in den Fluten, die der Angeklagte hier durch die Fenster einströmen läßt. Dieser Wasserschwall muß eingedämmt sein. Niemand klagt das Meer an. Das Meer bleibt ungeschoren!

PRÄSIDENT *zu ihm.* Es wollte Alain Veniot wohl schildern, wie er den Trieb empfand zu malen. Das stille oder wild erregte Meer bestimmte ihn. *Zu Alain.* Sie haben dann das Meer gemalt?

ALAIN. Nein.

PRÄSIDENT. Was?

ALAIN. Menschen. – – – –

Der Staatsanwalt setzt sich.

PRÄSIDENT *zu Alain.* Diese besondere Befähigung verschaffte Ihnen den Auftrag – den Herr Dapperre mit seinem Leben bezahlen sollte. Sie könnten der größte Maler, den die Erde je getragen, sein – der Preis war viel zu hoch, als daß wir schweigen könnten. Nach Ihrer Ansicht war er nicht zu hoch?

ALAIN. Ich habe keinen Preis genommen.

PRÄSIDENT *hart.* So werden uns die Zeugen darstellen, was Sie nicht schildern wollen. Diesen letzten Auftritt im Wintergarten, bei dem der Schuß fiel – aus der Pistole, die Sie hielten. Die in Paris gekauft war. Die nicht die Reise von Paris in Ihrer Tasche mitgemacht? Mit der Sie nicht geschossen hatten? Mitten in die Brust dem, der vor Ihnen stand? Im Herzen stak die Kugel. Und Sie erklären den Mörder nicht zu kennen? – An seiner Waffe erkennt man ihn, die er noch hält – und daß Sie sie festhielten, ist uns nicht verborgen! *Einem Gerichtsdiener rechts zurufend.* Der erste Zeuge!

Gerichtsdiener geht und kommt mit dem Diener – in schwarz und mit schwarzen Handschuhen – wieder. Diener tritt in die Saalmitte.

PRÄSIDENT. Wer sind Sie?

DIENER. Diener in der Villa des Herrn Dapperre. Herr Dapperre ist tot. Ich weiß nicht, ob ich dann sagen durfte, daß ich in seinen Diensten bin.

PRÄSIDENT. Ja, Herr Dapperre ist tot. Und als er starb, waren Sie gegenwärtig?

DIENER. Ich eilte auf einen Knall herbei, der durch die Villa dröhnte. Wie konnte er entstanden sein? Ich überlegte seinen Ursprung und dachte an einen umgestürzten Bambustisch. Diese Tische sind leicht beweglich und wenn sie fallen, können sie so lärmen. Dann fängt der Schall sich in der Kuppel des Wintergartens und vergrößert sich. Mir schien er dennoch viel zu laut. Es mußte schon ein Tisch mit Wucht – die Platte abwärts – auf die Fliesen gestoßen sein. In einem Zornesausbruch von jemand, der sich stritt. Doch trat dann Grabesstille ein. Es rollten keine Trümmer, die der zerbrochne Bambustisch verstreute. Er hätte bestimmt dem Stoß nicht standgehalten, sondern sein Gestell – nur hohles Bambusrohr – verloren. Und Rohr ist rund – es liegt nicht auf dem Fleck, es dreht sich. Ich konnte also an den Vorfall mit einem Bambustisch nicht länger glauben. – – Ich betrat den Wintergarten. Herr Dapperre lag am Boden. Frau Dapperre kniete bei ihm. Alain Veniot – die Pistole in der Hand – stand unbeweglich.

PRÄSIDENT. Und sah den Toten an?

DIENER. Nein – Frau Dapperre.

STAATSANWALT *vom Stuhl hoch.* Ich frage: weshalb hatte Alain Veniot den Blick auf Frau Dapperre gerichtet – und nicht auf Herrn Dapperre, der in seinem Blut lag?

VERTEIDIGER *gemächlich.* Der Mensch hat seine Augen im Kopf, um zu sehen.

ANWALT *zeternd.* Aber der Blickpunkt – he – was ist mit dem Blickpunkt?

PRÄSIDENT *zum Diener.* Fiel Ihnen das so auf, daß Frau Dapperre die Blicke auf sich lenkte?

DIENER. Es war so.

PRÄSIDENT *zu Staatsanwalt, Verteidiger und Anwalt.* Verwerten Sie es zu Fragen an den Zeugen? *Da die Befragten schweigen, zum Diener.* Nichts mehr.

Diener rechts ab.

PRÄSIDENT *zu Alain, der sich gesetzt hatte und sich nun wieder erhebt.* Log dieser Zeuge?

ALAIN. Er lügt nicht.

PRÄSIDENT. Er sah die Waffe noch in Ihrer Hand. Sie schossen nicht? Sie haben nicht getötet?

ALAIN. Nein.

PRÄSIDENT. Sie schaden sich, Alain Veniot. Sie überhören meine Mahnungen und wollen sich erst einkreisen lassen, um zu gestehn. *Zum Gerichtsdiener.* Der zweite Zeuge.

Gerichtsdiener geht und kommt mit dem Gärtner – auch in schwarz und mit schwarzen Handschuhen – wieder.
Gärtner tritt in Saalmitte.

PRÄSIDENT. Wer sind Sie?

GÄRTNER. Gärtner.

PRÄSIDENT. Ihr Gedächtnis ließ Sie noch nicht instich?

GÄRTNER. Ich kann mir alles merken.

PRÄSIDENT. Wo hörten Sie den Schuß?

GÄRTNER. Draußen. Ich schneide Rosen für das Speisezimmer ab – da kracht es aus dem Wintergarten. Wieso kracht es? Ein Heizrohr muß explodiert sein. Ein Heizrohr jetzt im Sommer, wo wir nicht heizen – fällt mir gleich ein. Aber nur ein Heizrohr übt diesen Druck aus, der zur Entladung drängt – mit solcher Wucht, wie es geschah. Es klirrten doch alle Fensterscheiben. Oder ist die Kuppel unter der Sonnenglut geborsten? Ich hatte doch beschattet. Haben meine Sinne mich getäuscht? Beschützte mich der Binsenhut nicht breit – nicht dicht genug vor heißen Sonnenstrahlen? Hörte ich falsch? Da faßte mich die Angst – ich ließ die Rosenschere ins Beet entfallen – schweißgebadet lief ich zur Villa und rannte durch die Halle und drang noch weiter vor und schloß mich dem Diener an, der in den Wintergarten eilte. – – Da wußte ich, daß es ein Schuß war, den ich im Rosenbeet vernommen hatte. Ein Schuß, der Herrn Dapperre getroffen hatte. Frau Dapperre beugte sich auf Herrn Dapperre. Alain Veniot hatte die Waffe noch nicht wieder eingesteckt.

VERTEIDIGER *spöttisch.* Wohin sah er?

GÄRTNER. Er starrte Frau Dapperre an.

STAATSANWALT. Das Starren ist ihm aber dann vergangen, als Sie ihn faßten? Derbe griff ihr zu?

GÄRTNER. Von einem Widerstand war nichts zu spüren. Wir hielten ihn nur so am Ärmel.

ANWALT. Weil er beim Fluchtversuch gescheitert wäre – mit Haut und Knochen. Das wußte er voraus!

PRÄSIDENT. Es handelt sich vorläufig nur darum, ob man Alain Veniot mit der Pistole in der Hand antraf! *Zum Gärtner.* Nichts mehr.

Gärtner rechts ab.

PRÄSIDENT *zu Alain.* Der zweite Zeuge sah Sie – wünschen Sie den dritten?

ALAIN *stehend.* Ich leugne nicht –

PRÄSIDENT. Daß Sie getötet haben?

ALAIN. Das leugne ich.

PRÄSIDENT *zum Gerichtsdiener.* Der dritte Zeuge!

Gerichtsdiener geht und kommt mit der Zofe – in schwarz und mit schwarzen Handschuhen – wieder.
Zofe tritt in Saalmitte – unbeherrscht ins Taschentuch schluchzend.

PRÄSIDENT. Wer sind Sie?

ZOFE *bringt aus erstickter Kehle keinen Laut heraus.*

PRÄSIDENT. Beruhigen Sie sich. Sie sind die Zofe. Sie haben schreckliches gesehn – es ist nichts schreckliches hier auszusagen. Wenn Sie gesprochen haben, werden Sie vergessen. Es ist noch diese Nebelwolke zu durchschreiten – fassen Sie Mut. Ich leite Sie mit meinen Fragen – antworten Sie vernehmlich. Als der Schuß fiel – waren Sie nicht weit?

ZOFE *bleibt jede Antwort schuldig.*

PRÄSIDENT. Wie weit? – – Wo hielten Sie sich auf? – – Bei welcher Arbeit? – – Deckten Sie den Tisch, für den der Gärtner frische Rosen schnitt? – – Verwechselten Sie erst den Schuß mit einem andern Lärm? Wie mit dem umgefallenen Bambustisch der Diener – der Gärtner mit dem Heizrohr? – – Weil es unmöglich dünkte, daß in der Villa ein Schuß fiel? – – Wer sollte ihn abschießen? – – Was dachten Sie dabei? – – – – Sie weinen. Es ist so wichtig, daß Sie Ihre Tränen trocknen und klarer sehn. Der tote Herr Dapperre will es. Wir sollen Klarheit in das Dunkel seines Endes bringen. Er endete gewaltsam. In die Brust geschossen. Man fand ihn nicht allein und seinen Mörder ohne Spur geflüchtet. – – Da lag der tote Herr Dapperre – und wer war noch im

Wintergarten? – – Dort war Frau Dapperre – und noch wer? – – Es stand Alain Veniot bei diesen beiden – umklammernd die Pistole? *Eindringlich wiederholend.* Umklammernd die Pistole? ZOFE *schluchzt nur stärker.*

PRÄSIDENT. Nun gehen Sie. Sie sind noch jung. Noch grünt Ihr Leben. Aus der Winternacht, in die es jäh verschlagen wurde, wird es den Ausweg finden. Das versinkt hier und schöneres treibt. Verlassen Sie den Saal.

Zofe taumelnd rechts ab.

PRÄSIDENT. Die Tränen dieser Zeugin schließen das erste Forschen ab. Sie hatte zuviel gesehn, um wörtlich zu bekunden. Sie hatte einen Mord gesehn. Nicht nur das Opfer, das uns Mitleid einflößt – auch den Mörder, der das Entsetzen austeilt. *Zu Alain, der aufsteht.* Spürten Sie die Wirkung, die Sie ausübten? Diese Zeugin erschauerte bis auf den Grund der Seele. Steigt nicht ein Schauer auf, der Sie erschüttert? Der sich der Zunge Ihres stummen Mundes bemächtigt und Ihre Lippen im Geständnis sprengt? – – Sie haben nicht Herrn Dapperre mit der Waffe, die Sie in Händen hatten, getötet?

ALAIN. Ich habe nicht getötet. *Dann setzt er sich.*

PRÄSIDENT *nach kurzer Vertiefung in Akten – sich an Elise wendend.* Warum haben Sie ihn getötet? Das sind die Worte – Frau Dapperre – die Sie vor Ihrer Dienerschaft an Alain Veniot richteten. Warum haben Sie ihn getötet? So findet Ihre Überzeugung Ausdruck, daß nur Alain Veniot – kein andrer als Täter zählt. Doch kennen Sie den Grund zur Tat nicht. Suchen wir ihn später. Zuletzt bleibt auch der Anlaß nicht verborgen, steht erst die Tat unumstritten da. – In Ihren Armen verschied Herr Dapperre. Da die Kugel gleich tödlich traf, müssen Sie sich dicht beim Wintergarten aufgehalten haben, um Herrn Dapperre noch atmend vorzufinden. Wo waren Sie, als der Schuß fiel?

ELISE *beugt sich vor, um aufzustehen.*

PRÄSIDENT. Sie dürfen sitzen. Diese Fragen wühlen noch einmal alles in Ihnen auf – mit schonungsloser Härte. Holen Sie sich Kraft aus dem Bewußtsein, daß wir die Sühne für alles Leid, das Ihnen zugefügt ist, schaffen. Auch Ihre Klage wird hier verhandelt – mühen wir uns gemeinsam um Klarheit, die noch mangelt. – Wo war Ihr Aufenthalt?

ELISE *sitzend.* Im Speisezimmer.

PRÄSIDENT. Das an den Wintergarten stößt. Sie ordneten den Tisch? Was taten Sie?

ELISE. Nichts.

PRÄSIDENT. Störte Sie etwas in Ihrer Tätigkeit? Sie standen nur so da?

ELISE. Ich kam aus meinem Zimmer im oberen Stockwerk und betrat das Speisezimmer, um Blumen für den Tisch zu ordnen. Der Gärtner schnitt sie draußen. Eh' der Gärtner kam – krachte der Schuß. Und ich war nah genug, um Herrn Dapperre in meinen Armen aufzufangen.

PRÄSIDENT. Von einem Streit, der vorher zwischen den beiden Männern stattgefunden, hörten Sie nichts?

ELISE. Dann hätte ich mich länger im Speisezimmer aufhalten müssen.

PRÄSIDENT. Doch waren Sie im oberen Stockwerk?

ELISE. Wohin kein Laut dringt.

PRÄSIDENT nach einer Überlegung. Wieviel Gedecke lagen auf dem Tisch im Speisezimmer?

ELISE. Zwei.

PRÄSIDENT. Warum nicht drei?

ELISE. Drei?

PRÄSIDENT. Auch für Alain Veniot eins. Warum war nicht gedeckt für ihn?

ELISE. Mir hatte Herr Dapperre von seiner Ankunft noch nichts gesagt.

PRÄSIDENT. Tauchte Alain Verniot denn plötzlich wie im Überfall bei Herrn Dapperre auf?

ELISE. Er kam ganz überraschend. Wir wußten beide nichts.

PRÄSIDENT. Nach wenigen Minuten schoß er.

ELISE. Und tötete. – – – –

PRÄSIDENT sich Alain Veniot zuwendend. Alain Veniot – wir suchen nach dem Grund, der zu Gewaltsamkeiten Sie verleitet haben könnte. Ist es dieser: Sie fühlten sich gekränkt durch eine Kritik, die Herr Dapperre an Ihrem Bild übte? Herr Dapperre war nicht mit dem Bild zufrieden – er führte die Bezahlung auch nicht aus. Es wurde ein angefangener Scheck für Sie bei ihm gefunden – doch eine Summe enthielt er nicht. Es geht daraus hervor, daß er Ihnen Geld vorenthielt. Denn Sie sind mittellos und hätten es gebraucht. Haben Sie um des vorenthaltenen Geldes willen – oder im Zorn des Künstlers, der sein Werk beleidigt sieht, Herrn Dapperre erschossen?

ALAIN *steht und schweigt.*

PRÄSIDENT. Oder empfingen Sie auf einem andern Wege das Geld?

ALAIN. Ich habe kein Geld empfangen.

PRÄSIDENT *zu Elise.* Ist das Bild so schlecht, daß Herr Dapperre sich weigern mußte?

ELISE. Herr Dapperre hat das Bild gelobt.

PRÄSIDENT. Und nicht bezahlt?

ELISE. Er kam nicht mehr dazu. – – – –

Alain hat sich gesetzt.
Der Präsident sieht vor sich hin.

PRÄSIDENT *langsam.* Zwei Männer – die sich gegenüberstehn – ein Kaufmann und ein Künstler. Kreise, die sich nicht schneiden, wenn sie sich berühren – die zur Zertrümmerung drängen. Der Zusammenstoß ist nicht ein irdischer, der aus Geschäften stammt – die Konkurrenz soll fallen. Andre Kräfte geraten in Bewegung – reizen die Erregung – die Selbstbeherrschung flieht – was konnte sie verjagen? – – – – Man müßte suchen, ob nicht eine Frau – – – – – – *Er richtet allmählich seine Blicke auf Elise und betrachtet sie schweigend. Dann vorsichtig.* Könnte nicht eine Frau, die Sie nicht kennen – – – – *Stärker.* Oder ist diese Frau – – – –? *Alle Blicke hat der Präsident auf Elise gelenkt.*

Nur Alain wendet sich nicht hin.

PRÄSIDENT. Verschweigen Sie uns etwas, Frau Dapperre?

ELISE *rechtfertigte die Frage des Präsidenten durch ihr Verhalten: sie senkte tiefer den Kopf und stützte ihn zuletzt auf den Händen. Jetzt hebt sie ihn wieder – spricht mit fester Stimme.* Alain Veniot hat Herrn Dapperre erschossen – um meinetwillen! – – – – – – *Leiser fortfahrend.* Ich habe nicht erwartet, daß meine Ehe so enden würde. Als ich sie einging, war ich noch sehr jung. Ich hatte die alte Pflegerin Marietta – und keine Eltern. Ich wollte von Marietta mich nicht trennen. Mariette redete mir immer zu von ihr zu gehen. Ich sei doch ihrer Pflege längst entwachsen. Müde Marietta, sagte ich, du willst mich los sein. Wohin soll ich gehn? Du kannst in jede Windesrichtung ziehn, sagte Marietta – du brauchst den Finger zum winken nur zu krümmen – und überall bemüht sich ein Dapperre um diesen kleinen Finger. So winkte ich, wie es Marietta wollte – und wurde Frau Dapperre. – – – – Das ist die Frau Dapperre, die Alain Veniot in Herrn Dapperres Behausung kennenlernte. – – Er malte mich. – – Es war die Staffelei errichtet im Wintergarten. Still war es und niemand durfte die Stille stören. Nur das Mittagläuten blieb unabwendbar und durchdrang die Wände. Sie waren nur von Glas, doch dichter als steingefügte Mauern und ihre Höhe unübersteiglich. Sie schlossen diesen Raum von aller Welt ab, in dem Alain Veniot mit mir verschlossen war. – – Ich spürte anfangs nichts. Ich stand aufrecht, weil er mich aufgefordert hatte – und blickte nicht zu ihm. Mein Blick hing ziellos in der Luft. Ich hörte nur, daß er mit Eifer malte. – – Doch einmal hörte ich ihn nicht mehr. Er stand bei mir – und hatte Pinsel und Palette weggelegt. Ich sah ihn noch nicht an – ich fühlte nur, wie er mich musterte. Ich war ja sein Modell und ließ es so geschehen – so brennend – so eindringlich. Bis er meine Hand ergriff – und küßte. – – Ich entzog sie ihm – und wußte noch nicht, was geschehen war. – – Ich sollte es am nächsten Tage deutlicher erfahren. Er malte nicht mehr. Er sagte es, was ihn erfüllte, mit Worten, wie sie einem Menschenmund vor meinen Ohren noch nicht entströmten. Ich war getaucht wie in ein laues Bad von Glück. Ich bog mich bald dem Mund, der immer überschwenglicher mich anrief, nicht weg. Das Schweigen, das dann niederbrach, war schöner noch als alle seine Worte: sein erster Kuß. – – Ich habe dann gelernt zu küssen wie er küßte. Was wußte ich vorher davon? Ich schlief doch – und er hatte mich geweckt. Ich hätte weiter meinen Lebenstag verschlafen, wenn er mich nicht zum leben aufgerüttelt hätte. So sanft und doch so mächtig. Nur sein Kuß berührte mich – er war Vollkommenheit wie das Alleinsein im Wintergarten. – – Es war das Paradies, das uns einhüllte. Mit allem Grün vom üppigen Pflanzenwerk – mit Sonnenlichtglanz, das den Schatten schuf, der wohlig wärmte – mit Ruhe für zwei Menschen, die in Unschuld waren, da sie im Paradiesgarten lebten. – – Nie fragten wir uns: was würde werden, wenn das Bild gemalt ist und uns der Wintergarten nicht mehr überlassen bleibt? Ich wagte nicht einmal daran zu denken. Alain Veniot wird es sich überlegen – und retten das Paradies. – – Er tat es – ihm gelang es: er floh, damit wir nicht vertrieben wurden. Er ließ das Paradies bestehn, wo es uns nicht vernichtet werden konnte. Geheim in uns, wo niemand Zutritt findet. – – Es gab auch keinen Abschied zwischen uns. Was war denn beendet? Des Blutes Umlauf – dieses Herz, das pocht? Es schickt nur Ströme neuer Wärme ins Paradies, das frischer sprießt und blüht. – – – – Dann war es, daß Alain Veniot noch einmal mit Augen den Wintergarten wiedersehen wollte – die Wirklichkeit des Traumes – und als er eintrat, begegnete im Paradies er Herrn Dapperre. Es war der Eindringling, der ihn empörte – und ihn vertrieb, als er Herrn Dapperre erschoß. – – – – – – – –

Es herrscht Stille und die Journalisten schreiben nicht mehr.
Der Verteidiger sieht sich nach Alain um, der sich nicht rührt.
Der Staatsanwalt schichtet Papiere aufeinander.
Der Anwalt will Elise ein Glas Wasser reichen.

PRÄSIDENT. Alain Veniot – haben Sie Herrn Dapperre getötet?
ALAIN *steht auf und schweigt.*
PRÄSIDENT *nach einem Warten wiederholend.* Alain Veniot – haben Sie Herrn Dapperre getötet?
ALAIN *bleibt stumm.*
PRÄSIDENT. Sollen noch Zeugen sprechen? Zeugen, die das erhärten, was Frau Dapperre vorbringt? Ihr Bekenntnis – zu Ihnen? Wie es reiner nicht gefunden werden kann dem Manne gegenüber, der vor ihren Augen tötete und – da sie ihn wieder erblickt – ihn mehr entschuldigt als bezichtigt? Stellen Sie sich taub – in Ihrer Brust, die nichts empfindet? Es müßte sich das Ja doch wie ein Jubelschrei von Ihren Lippen lösen – bei der Erinnerung an den Wintergarten. Ist sie nicht zauberhaft von Frau Dapperre beschworen?
ALAIN *stumm.*
PRÄSIDENT. Es war ein Wintergarten, der Wände von Glas hat. Glas ist durchsichtig. Ich werde wieder Zeugen rufen und Fragen stellen, die Frau Dapperre nicht schonen. Erlassen Sie uns nicht dies peinliche Verhör? Vor dem Frau Dapperre erschauern muß – wie öffentlich von roher Hand entkleidet?
ALAIN *stumm.*
PRÄSIDENT *wendet sich dann Elise zu.* Nie hat Herr Dapperre erfahren – von dem, was sich im Wintergarten zutrug?

ELISE. Ich schwieg.

PRÄSIDENT. Doch gibt es immer Späher. Unfreiwillige. Der Gärtner, der im Garten gräbt und aufblickt. Der Diener, der eine Meldung bringt und sich zurückzieht. Ihre Zofe putzt eine Glastür, wo ein Flecken stört, und zittert. Zitternd verklagt sie jenen Mann, der ihre Herrin –

ELISE. Meine Zofe hat mich einmal gewarnt und auf die offenen Wände des Wintergartens aufmerksam gemacht. Ich glaubte sterben zu müssen – als sie hervorstieß – – *Sie stockt.*

PRÄSIDENT. Verriet der Diener sich?

ELISE. Er wich mir aus –

PRÄSIDENT. Bekundete der Gärtner auf irgendeine Weise, daß er wußte?

ELISE. Sie alle wußten. Jeder gab es mir zu verstehen – in seiner Angst um mich.

PRÄSIDENT. Und werden sie hier offen sprechen?

ELISE. Wenn das Gericht sie fragt –

PRÄSIDENT. Und wollen Sie bei dieser Frage im Saale bleiben, Frau Dapperre?

ELISE. Ich bleibe.

PRÄSIDENT *zum Gerichtsdiener.* Noch einmal die drei – *Er unterbricht sich und sieht zu Alain hin.*

ALAIN *ist bis an den äußersten Rand der Schranke vorgetreten.*

PRÄSIDENT. Was wollen Sie gestehen?

ALAIN *klar.* Ich habe Herrn Dapperre getötet.

Erst bleibt es still. Dann – von der Galerie der Zuhörer, die sich in einem Ruck vorbeugten – schlägt es wie dumpfes Echo von steiler Felsenwand zurück: »GETÖTET.«
Der Präsident hebt abwehrend beide Hände.
Das Echo verrollt.

PRÄSIDENT. Ich verbiete die Kundgebung im Saal. Die Galerie lasse ich räumen beim wiederholten Vorfall. Ich verhänge Strafen für stärkeren Lärm. Ich warne vor der Strenge des Gerichts. *Nach einer Frist vollkommener Ruhe.* Es spricht der Staatsanwalt.

STAATSANWALT *vom Sitz hoch – sich den Geschworenen zuwendend.* Ich habe Ihnen, die Sie als Geschworene entscheiden sollen, die Tat in ihrem wahren Licht zu zeigen. Wie sieht die Tat aus? Grell beleuchtet – schleierlos enthüllt? Ein

Schuß streckt einen Menschen nieder. Dieser Mensch fiel schuldlos. Er mußte fallen, weil er zwischen zwei andern Menschen stand. – – Wer sind die Menschen, denen er im Weg war? Sind es zwei Kreaturen, die mit bösem Vorsatz zu Werke gingen? Einen Plan ersannen, wie man tötet? Sein Opfer überlistet und verdirbt? Es liegt kein Mordplan vor – und die gemeine Absicht befleckt die Tat nicht. *Da der Verteidiger sich höher richtet.* Es rührt sich der Verteidiger. Es ist ihm unbehaglich, daß ich in seine Rechte eingreife. Ich werde ihn noch mehr erbittern – und eine Tat erläutern, bis sie den letzten Rest von Fehl verliert. Es wird dann der Verteidigung nichts mehr zu säubern bleiben. *Wieder an die Geschworenen.* Der Staatsanwalt klagt nicht mehr an. Er überläßt es andern den Vorwurf zu erheben. Welchen? Daß Alain Veniot schoß – tötete? Er schoß nicht auf Herrn Dapperre. Er tötete den Schemen, der ihm den Wintergartentraum zerstörte. Er hätte jeden, der ihm dort begegnete, vernichtet. Sein Feind war Herr Dapperre nicht – er traf in ihm die kalte Welt. Ein Anschlag auf die Welt kann nicht gerichtet werden. Wir sind nur Menschen und können Menschen richten. Die Welt ist größer. – – – – Es ist bekannt, daß die Pistole kurz vor der Reise in Paris gekauft war. Der Verkäufer entsinnt sich allerdings des Käufers nicht – er denkt an eine Frau, die sie erwarb, doch das ist nebensächlich. Vielleicht hat Alain Veniot den Ankauf durch ein Modell ausführen lassen. Da ist die Frau erwiesen. Trotzdem ist diese Handlung nicht die Vorbereitung zum Unternehmen eines Mords. Die Waffe in der Tasche war wieder nur ein Schutz vor jener Welt, von der er sich zu weit entfernt hatte. Er mußte immer fürchten von ihr verfolgt zu werden – eingeholt – zerstampft. Als dann im Wintergarten der Verfolger auftrat – selbst ahnungslos von der Gefahr, die er heraufbeschwor – erhob Alain Veniot die Waffe in der Notwehr. Es gibt nicht nur die Notwehr gegen Knüttel und Stiletts – sie kann von unsichtbarem Angriff herausgefordert werden. Vielleicht mit tieferm Zwang. – – – – War das schutzbedürftig, was Alain Veniot verteidigte, als er im Wintergarten unverhofft mit Herrn Dapperre zusammenstieß? Wir haben hier gehört, wie Frau Dapperre die zauberischen Tage im Wintergarten schilderte. Sie spricht vom Paradies. Es war das Paradies. Ein Menschenpaar war wieder im Garten Eden eingekehrt und lebte die unschuldsvolle

Zeit vorm Sündenfall. Und es geschah kein Sündenfall. Die Grenze wurde nicht überschritten, wo das wüste Land von Lug und Gier beginnt. Das Paar blieb rein. Es hätte glaubenslos vor dieser Wahrheit Herr Dapperre gestanden – deshalb fiel er. Den Paradiesesfrieden durfte kein Zweifeln trüben. – – – – Ich winde nur der Verteidigung die letzte Möglichkeit zu glänzen aus der Hand. Frau Dapperre hat gelitten. Niemand trägt es als leichte Last wie sie Herrn Dapperre verlor. Das Schreckensbild hat sich tief eingeprägt: die Leiche auf den Fliesen – Pulverrauch im Wintergarten. Das Paradies versunken. Schaffen wir es wieder. Öffnen wir den Wintergarten mit und lassen ihn zu ihr eintreten, der Gram und Graun verscheucht. Sprechen wir ihn los und ledig jeder Schuld zuletzt um Frau Dapperres willen. Alain Veniot ist nicht – – – – *Er bricht ab.*

Denn: mitten in der Rede des Staatsanwalts hatte Elise sich nach ihrem Anwalt umgedreht. Der beugte sich zu ihr herab – sie flüstert ihm zwei Worte zu. Darauf reicht ihr der Anwalt Papier und Bleistift. Elise schreibt hastig einige Zeilen und gibt sie dem Anwalt. Der liest – erstaunt höchlichst. Dann verläßt er seinen Sitz und eilt quer durch den Saal – ersteigt die Richterestrade und gibt dem Präsidenten den Zettel.
Der Präsident liest – zeigt dem Richter rechts von ihm das Papier – dann dem andern links.

STAATSANWALT *bellend.* Ich stelle eine Störung meiner Rede fest. Was ist der Grund der Störung?
PRÄSIDENT *sich nach dem Kamin umsehend.* Das Feuer wärmt nicht mehr. Die Scheite sind im Kamin verglost. Die Verhandlung wird unterbrochen. *Er erhebt sich. Mit den Richtern durch eine graue Tür auf der Estrade ab.*

Alle verschwinden nun aus dem Saal – wie von den Wänden eingeschluckt.
Elise wird von ihrem Anwalt rechts weggeführt.
Alain von einem Gerichtspolizisten, der hinter ihm auftaucht, in die Tiefe geholt.
Der Saal liegt kurze Zeit ganz leer. Dann öffnet sich rechts auf der Estrade eine Tür: der Kastellan – in mittelalterlicher Tracht, mit Amtsstab, den eine silberne Schelle krönt – tritt

ein. Ihm folgen zwei Gehilfen in bunten Lederkitteln, die
zwischen sich einen Karren mit kunstvoll geschmiedetem
Gatter bewegen: in ihm ruht das Scheitholz.
Vorausschreitend mit immer bimmelnder Schelle macht der
Kastellan beim Kamin halt und überwacht die Arbeit der
Gehilfen.
Die Gehilfen hantieren mit den Schürgeräten und legen
frische Scheite ein und entfachen die neue Flamme.
Der Kastellan beobachtet das wachsende Feuer noch – dann
befiehlt er mit einer Geste den Gehilfe sich mit ihm zu ent-
fernen.
Der Zug erreicht die Tür rechts wieder – ab.
Gleich füllen sich wieder die Geschworenenbänke, die Jour-
nalisten- und die Zuhörergalerie.
Der Staatsanwalt nimmt seinen Platz ein und der Ver-
teidiger.
Der Anwalt führt Elise in ihren Sessel zurück.
Alain Veniot steigt hinter der Schranke herauf. Der ihn be-
gleitende Gerichtspolizist taucht wieder unter.
Zuletzt erscheinen der Präsident und die beiden Richter.
Noch unterbricht nichts die steinerne Stille.

STAATSANWALT *aufspringend.* Ich will jetzt meine Rede, in
der ich –

PRÄSIDENT *abwehrend.* Noch nicht.

STAATSANWALT. Ich frage nach dem Grund –

PRÄSIDENT. Ihn soll ein anderer aussprechen. – – *Zu Alain,*
der aufsteht. Alain Veniot – was überlegten Sie in dieser
Pause der Verhandlung?

ALAIN. Nichts.

PRÄSIDENT. Sie sahen, daß ein Zettel mir übergeben wurde?
Dieser Zettel. *Er hebt ihn hoch.* Den Frau Dapperre beschrieb. Was konnte Frau Dapperre mir schreiben? – – Wissen Sie es? – – Wissen Sie es nicht?

ALAIN. Ich weiß es nicht.

PRÄSIDENT. Den Widerruf! – – Sie ist dem Bann entwichen,
der auf ihr lastete. Sie fürchtet Sie nicht mehr. Sie haben
jede Macht verloren, mit der Sie ihr gebieten könnten – weiter zu lügen. Sie will die volle Wahrheit sagen – die anders
klingt als ihre sanften Worte vorher. Sie hat ein furchtbares
Geständnis abzulegen – und will den Abgrund ungeschreckt
aufreißen, in den Sie hilflos stürzen. – – Mildern Sie den

Sturz, indem Sie endlich darauf verzichten nur zuzugeben, was man Ihnen nachwies. Es macht den Täter jämmerlicher als die Tat. Wie sieht die Tat aus? Wie entstand sie wirklich?

Stille.

VERTEIDIGER *sich halb hoch stemmend.* Ich müßte mich vielleicht mit ihm beraten, wenn neue Gesichtspunkte –

STAATSANWALT. Ich mache der Verteidigung den Vorwurf der absichtlichen Verzögerung!

ANWALT *zeternd.* Gesichtspunkt – he – was ist mit dem Gesichtspunkt?

VERTEIDIGER *sich schon wieder niederlassend.* Er hat noch nie mit mir gesprochen – er wird auch jetzt nicht mit mir sprechen.

PRÄSIDENT. Sie haben Ihrem Anwalt nichts zu sagen?

ALAIN. Nein. *Er setzt sich auf einen Wink des Präsidenten.*

PRÄSIDENT. Ich lese die Zuschrift Frau Dapperres vor: Alain Veniot hat Herrn Dapperre getötet, um sein Vermögen zu erbeuten. Er hat auch mich mit meinem Tod bedroht, wenn ich verrate. Ich will nichts mehr verschweigen. Ich bin furchtlos und bereit zum richtigen Bekenntnis. Falsch war das erste. Ich bereue, daß ich so feige war. Jetzt ist mein Mut groß. – – *Er legt den Zettel hin und wendet sich Elise zu.*

ELISE *die ihn immer klar angesehen hatte, steht aus dem Sessel auf.*

PRÄSIDENT. Wollen Sie nicht sitzen?

ELISE *fest.* Ich will nicht sitzen.

PRÄSIDENT. Wo fängt die Lüge an, die Sie in Ihrer Not, die nun gewichen, erfanden?

ELISE. Alles muß ausgelöscht sein. Keins der Worte, die ich geredet, soll bleiben. Ich habe sie in meinem Kopf vergessen – wie die Gebote, die mir aufgetragen waren. Du sollst mir dienen, war das schlimmste. Den Zwecken, die ich verfolge. Gierig – unerbittlich. Ich habe ihm gedient – wozu er mich mißbrauchte.

PRÄSIDENT. Was nennen Sie – Mißbrauch?

ELISE. Als er mir eingab – ohne mich sei seine Kunst verloren. Sie könne sich zu jener Höhe nicht entwickeln, die sie erreichen könne – wenn ich ihm hülfe. Die Flammen schliefen in seiner Brust und müßten angefacht sein. Wärme schafft nur Wärme. Aus körperlicher Glut sollte sie strömen. Von mir zu ihm. Er bat mich wie ein Götterbild um Gnade und Segen für sein Werk. Was war ich vor dem Werk, das er so herrlich gründete? Ich durfte mich ihm nicht versagen. War er denn nicht der Gott, unsterbliches erzeugend – und ich die Sterbliche, die noch den Gott bedankt, der sich ihr neigte? So war ich niedrig vor ihm und ehrte seine Gunst, die mich umfing.

PRÄSIDENT – – Wollten Sie sich von Herrn Dapperre nicht trennen – nach der zerbrochenen Ehe?

ELISE. Er gab mir andere Befehle.

PRÄSIDENT. Welche?

ELISE. Auszuharren – bis zu dem Zeitpunkt, wo der Vorteil größer.

PRÄSIDENT. Wann war der Vorteil größer?

ELISE. Beim Tode Herrn Dapperres. Mir fiel das Erbe zu.

PRÄSIDENT. Sprach er denn aus, daß er Herrn Dapperre töten wollte?

ELISE. Er weihte mich in keinen seiner Pläne ein. Ich hatte blind zu gehorchen. Beim Tode Herrn Dapperres – das klang so friedlich meinen Ohren: löse alles ohne Haß sich auf.

PRÄSIDENT. Sie waren doch selbst reich – sehr reich sogar! Boten Sie ihm nicht Ihre Güter an?

ELISE. Es hat ihm nicht genügt. Er wollte mächtiger sein. Er strebte aus dem Künstlerelend, in dem er steckte, heraus. Aus der Mansarde unterm Dach, die er mir zeigte. Ich mußte ihn in Paris besuchen – die Treppen steigen durch den Dunst, – das Dunkel, in dem sie endlos ihre Stufen winden. Bis sich das Atelier mit seiner schauervollen Armut dartut. Und Regen vor dem Fenster. Man muß Mörder werden, um sich aus solchem Untergang zu retten. Ich reichte ihm die Hand – er schlug sie aus. Er wollte sich von mir nicht retten lassen.

PRÄSIDENT. – – Alain Veniot verdiente doch. So schwarz war seine Lage nicht. Zuletzt der Auftrag Herrn Dapperres. Er brauchte nicht einmal auf schleunige Bezahlung zu dringen.

ELISE *verstummt.*

PRÄSIDENT. Was erklärt den Widerspruch, der hier entsteht? Er brauchte Geld – und nahm nicht, was ihm zukam? Lohn für die Arbeit, die auch anerkannt war?

ELISE. Er wies den Scheck zurück, den Herr Dapperre ihm anbot – weil er nicht vor dem Ziel erschlaffen wollte.

PRÄSIDENT. Vor seiner späteren Tat?

ELISE. Die mehr Gewinn einbrachte, als nur ein Bild. Den ungeheuren Reichtum Herrn Dapperres.

PRÄSIDENT. – – – – Schöpften Sie nie Verdacht, daß sich in Zukunft einmal das ereignen könnte, was sich dann zutrug?

ELISE. Ich kam nicht zur Besinnung. Was ich denken konnte, galt nur der Überlegung die Heimlichkeit zu wahren. Die so notwendig war, damit sich Herr Dapperre nicht von mir trennte und seinen Schatz behielt. Nie durfte Herr Dapperre erfahren, wie es um mich stand. Daß ich in andern Armen ruhte. Ich mußte schwindeln ohne zu erröten. Ich mußte die Scham verlieren, die eine Frau abhält sich mittags dem und abends jenem hinzugeben. Mein Fall war unaufhaltsam. Täglich neue Tiefen verschlangen mich. Und immer heißere Angst erwuchs – ich brannte wie in einem Flammenmeer. Wann würde meine Schande offenbar – dies Doppelspiel der leiblichen Gemeinschaft? Wann würde Herr Dapperre erstaunt aufhorchen, wenn Freunde sich verschwatzten, bei denen ich nie war – weil meine Reisen nur immer nach Paris sich richteten. Ich war im Atelier ein häufiger Gast. – – Doch dann versagten meine Kräfte. Angst vor Entdeckung – diese Schmach der Lüge – der Ekel vor Besudlung drängten zum Ende: eines Tages erschien ich im Atelier und war entschlossen nicht mehr zu Herrn Dapperre zurückzukehren. Ich stieß auf Widerspruch. Ich hatte ihn erwartet. So hatte ich mir vorher die Pistole in Paris gekauft. Ich bin die Frau, die der Verkäufer sich merkte. Ich habe die Waffe mir besorgt, um mich zu töten. Ich wollte nicht mehr leben, wenn mich Alain Veniot wegschickte. Nur der Tod blieb mir – nach solcher Abweisung. – Die Hölle war es, der ich entrinnen wollte. Teufelsfratzen grinsten mich an und leckten ihre Feuerzungen nach mir. Die Luft war Schwefel, die ich noch atmete. Der Boden glühte, auf dem ich stand. Es brauste der mächtigste Orkan mit Orgelstimmen: jetzt sollst du untergehn. Mach' dich bereit: die Erde tut sich auf. Dein Grab ist längst gegraben – stürz' dich hinein! – – Da zog ich die Pistole aus dem Gürtel – und er entriß sie mir. Willst du mich um die halbe Beute prellen – schrie er in Wut und rüttelte mich roh. Oder ist Herr Dapperre verstorben? Er soll sich hüten lange noch zu leben – auch meine Geduld ist nicht von ewiger Dauer. Er steckte die Pistole ein. Der Zufall hatte ihm durch mich das Mittel zugespielt das Leben Herrn Dapperres zu enden. – Ich war zu jedem Widerstand zu schwach. Ich unterwarf mich tiefer noch dem Willen, mit dem er mich beherrschte. Ich ahnte nichts von dem, was er erwog. Schlafwandlerisch vollführte ich Befehle, die er mir gab. Er trug mir auf: von einer Reise, die geschäftlich besonders wichtig wäre, Herrn Dapperre dringend zurückzurufen und auch ihm zu depeschieren, daß er käme. Ich tat es. Ich habe die Depesche an Alain Veniot geschickt. Nicht Herr Dapperre, der damals unterwegs war. Die Daten sind in seinem Reisebuch verzeichnet, wenn man sie prüfen will! – – So trafen Herr Dapperre – Alain Veniot zugleich ein. Nach wenigen Minuten fiel der Schuß. Ich eilte in den Wintergarten. Der Tote in meinen Armen sprach nicht mehr – doch deutlich sprach Alain Veniot: es liegt ein Selbstmord vor. Gescheiterte Geschäfte, die den jähen Abbruch der Reise erklären, trieben ihn in den Tod. Die Waffe gehört ihm. Du hast sie für ihn in Paris gekauft. Nimm sie und drück' sie ihm in seine Hand. Noch ist sie nicht erstarrt – die Finger greifen! – Doch ich vermochte nicht, was er verlangte – und zögerte. Da drohte er auch mir den Tod an: du wirst fallen, wie er gefallen ist, wenn du dich weigerst. Beeile dich – die Leute kommen – Ich war nicht fähig die Pistole, die er mir reichte, zu fassen – und vor der Dienerschaft, die uns umstand, entrang sich willenlos fast – wie sich Luft vom Meergrund an die Oberfläche drängt – mir die Anklage: warum haben Sie ihn getötet? – – – – – –

Kein Hauch im Saal.
Plötzlich ereifert sich der Anwalt hinter Elise – klettert von seinem Podest herunter – ergreift Elises Hände und küßt sie im Feuer des Mitleids. Dann rückt er ihr den Sessel zurecht. Als sie sich niedergelassen hat, steigt er in seinen Hochsitz zurück.
Der Staatsanwalt unterbricht jählings sein Nachdenken und beugt sich auf Papier, das er stürmisch bestrichelt.
Der Verteidiger bläst die runden Backen zu noch vollerer Schwellung auf und läßt sie wieder einsinken.
Der Präsident schrieb einen Zettel für den Richter rechts und einen für den Richter links. Nun hebt er den Blick, der erst allmählich zu Alain gleitet.
Dann steht Alain auf.

PRÄSIDENT. Sie haben scharf zugehört, Alain Veniot, ich habe Sie beobachtet. Sie sahen mich an – und sahen mich doch nicht. Sie sahen durch mich hindurch. In welche Fernen schweiften Ihre Blicke?

ALAIN *stumm*.

PRÄSIDENT. Sind das sehnsuchtsvolle Augen – Mondschiffe, die im schwarzen Meer der Nacht um einen Stern Anker auswerfen? Der Stern zerbricht – zu schwer war die Last, die er ertragen sollte. Diese Last von Schuld, die bald den letzten Hoffnungsstrahl verlöscht. Sahen Sie das?

ALAIN *bleibt stumm*.

PRÄSIDENT. Sahen Sie andres? Wenn es Gebilde sind, die Sie nicht gleich in Worte formen können – Erfindungen von einer Maßlosigkeit, die uns erstaunen lassen soll, so dränge ich Sie nicht zu überflutenden Enthüllungen.

STAATSANWALT. Er würde wieder das Meer durch alle Fenster strömen lassen!

PRÄSIDENT. Nun gebe ich Alain Veniot die Zeit die ausgesandten Schiffe heimzuholen und zu entdecken, daß sie keine Ladung bergen. Sie fahren auch nicht wieder aus, denn aus den Segeln nehme ich den letzten Wind. Wir werden besser wissen, wer Alain Veniot ist. Das Sein bedingt das Handeln. Es sollen neue Zeugen künden. Ich rufe den Akademiedirektor auf!

Gerichtsdiener geht rechts hinaus. Vor ihm tritt der Akademiedirektor ein: in grauem knittrigen Schwalbenrock, graues Haar- und Bartgestrüpp, Kneifer an Kette auf dem unsicheren Nasenrücken.

AKADEMIEDIREKTOR *mit raschen Schritten bis an den Fuß der Richterestrade vordringend*. Ich bin Akademiedirektor!

PRÄSIDENT. Sie kennen Alain Veniot aus jahrelangem Umgang, der zwischen Meister und Schüler vertraulicher sich gestaltet.

AKADEMIEDIREKTOR *den Kopf aufwerfend*. Alain Veniot

– –

PRÄSIDENT. Schätzten Sie nun besondre Eigenschaften an ihm oder stießen Sie andre erheblich ab?

AKADEMIEDIREKTOR *senkt nachdenklich den Kopf auf die Brust – putzt mit dem Taschentuch den Kneifer. Dabei hat er sich umgedreht und richtet nun seine Rede in den Saal.*

Alain Veniot. – – Alain Veniot. – – In die Akademie trat er zu einer Zeit ein, als der Kampf der neuen Malerei gegen die alte entbrannt war. Die ersten Funken stieben. Noch kein Prasselfeuer, das Wände und Gebälk verzehren konnte. Jedoch es knisterte. Die Flammen konnten in jedem Augenblick aufschießen. Es war noch nicht so weit. Es sollte dahin kommen. – – Was ist nun alte Malerei? Sie hatte ihre Pflegestätten im Atelier. Der Maler saß im Atelier vor seiner Staffelei und malte sein Bild – bevorzugend Figurenreichtum und Landschaft höchstens als Hintergrund wenn unvermeidlich. In dieser Landschaft grasten Tiere auf Felsenklippen – wuchsen Bäume von unbekannter Art. Ein Fluß floß aufwärts. So unecht alles wie nur möglich. Es war im Atelier erfunden und in dem Halblicht, das dort herrschte, in dunklen Tönen festgehalten. Es hatten ganz bestimmte Regeln sich herausgebildet, die von Geschlechtern auf Geschlechter sich vererbten. Es schien für alle Zeit die Formel für die Verteilung von Licht und Schatten festgelegt zu sein. Besonders war der Schatten unverrückbarer Bestandteil. Er überwog. Wie ja das Atelier nur mäßige Beleuchtung aufwies und so den Einfluß, der zum Dunkel drängte, erzeugte. Meisterwerk entstand nach Meisterwerk – ich brauche nicht die großen Namen aufzuzählen, die ihre Schöpfer waren, ihre Reihe ist schier unendlich – und alle schufen im geschloßnen Raum sie. Im Atelier. Wer wollte glauben, daß außerhalb noch Bilder reifen könnten? Gab es denn Ketzer? *Er hat nun ganz vergessen, wo er sich befindet, und die Estrade erstiegen. Er stützt sich auf den Richtertisch und doziert weiter in den Saal.* Die Ketzer waren allenthalben. Wie eine allgemeine Abrede raunte es sich durch die Akademie. Es war ein Losungswort gefallen, das Gärung auftrieb: verlaßt die Ateliers – entweicht dem Dunkel – sucht das Licht. Das Licht ist auf den Feldern – bei den Flüssen – im Waldesinnern. Und alles ist das Licht. So klappte man die Staffelei im Atelier zusammen – und zog ins Freie, um nach dem Licht zu jagen und es mit kecken Pinselstrichen auf der Leinwand zu erlegen. Das war die neue Malerei. Ein Farbenflirren – ein Formenweichen und ein bißchen Sonnenstich. – – Es ist noch alles in der Schwebe. Es wäre verfrüht die Wege der weiteren Entwicklung vorzuzeichnen. Wir müssen an diesem Punkte halten und uns bescheiden. Wir alle wissen nicht, was wird. Vermessen wäre hochmütige Verachtung des Neuen, weil es neu ist. Es bleibt nicht neu. Einmal wird alles alt. Dies Wissen um das ewige Altern soll uns geduldiger machen. Wir wollen warten und nur die Tore offenhalten. Am Ende steht unser Haus doch immer unerschüttert: die Akademie. *Er verneigt sich nach allen Seiten – schiebt den Kneifer in die Westentasche und steigt von der Estrade.*

STAATSANWALT *ihn anrufend.* Gehörte Alain Veniot nun zu den dunklen oder hellen?

AKADEMIEDIREKTOR *stillstehend.* Alain Veniot – – er schwankte noch – er hatte sich noch nicht entschieden.

STAATSANWALT. Doch schließlich wäre er zu den Rebellen, die das Licht suchen, gestoßen?

AKADEMIEDIREKTOR. Ich nehme an.

STAATSANWALT. Ich danke. *Er setzt sich und schreibt wild.*

Akademiedirektor rechts ab.

PRÄSIDENT. Ich rufe die Hausmeisterin auf!

Gerichtsdiener geht rechts hinaus. Vor ihm tritt die Hausmeisterin ein: in grellstreifiges rauschendes Seidenkleid gezwängter mächtiger Körper, Hut mit wippenden Straußenfedern, Backen und Mund feurig geschminkt.

HAUSMEISTERIN *gegen den Richtertisch knicksend.* Hausmeisterin bin ich.

PRÄSIDENT. Bei Ihnen wohnt Alain Veniot –

HAUSMEISTERIN. Er wohnte. Ich bin genau. Man muß es werden. Wer wird befragt, wenn etwas vorfällt? Immer fällt etwas vor. Es fragt der Eigentümer – es fragt die Polizei – es fragt die Post – es fragt, wer fragen will: ich gebe Antwort. Auf alles und für alle, die im Hause wohnen. Besser als meine Mieter es verstehen. Sonst gibt es manchmal Ärgernisse, die zu vermeiden sind. Ein Händler legt eine Rechnung vor. Ich weiß, mein Mieter hat jetzt kein Geld. Also schick' ich den Krämer weg, sein Kunde ist verreist bis Monatsende. Oder ein Mann hat schon Besuch – es kommt noch eine andre. Soll ich den Mann verderben? Ich denke nicht daran. Ich setze dem Mädchen Kaffee vor. Dann warten wir. Bis ihr die Lust vergeht und sie für diesmal Abschied nimmt. Das nächste Mal kommt sie zu ihrem Recht. Dafür ist dann gesorgt. Ich bringe Ordnung in alle Angelegenheiten. Niemand ist frei, der bei mir eingeht oder ausgeht. Er wähnt sein eigner Herr zu sein – er wandelt in einem Irrtum: ich beherrsche im Schlaf und Wachen ihn. *Sie hat sich längst vom Richtertisch abgewandt und redet zuletzt zur Galerie der Zuhörer hinauf.* Was ist ein Mieter? Ein Wesen, das nichts verbirgt – das keine Heimlichkeiten kennt. Ich lausche ihm alle ab. Wie man dem Strauß die Federn ausrupft und sich den Hut mit ihnen schmückt. Der kahle Vogel trabt traurig in der Wüste. Er wollte mit dem Schnabel nach mir hacken? Nach mir und meinem Federhut? Er wollte seine Heimlichkeiten wiederhaben? Den Duft des Lebens, der es erst genießbar macht? Ach – ich genieße ihn doch. Ich bin wie berauscht von euren süßen Heimlichkeiten – die bittren munden beinah brennender. Ihr sollt auch leiden, aber ich will's wissen. Für eure Hausmeisterin seid ihr geschaffen zu lachen und zu leiden. Such' niemand zu entrinnen. Es kann sich keine Katze einschleichen, die ich nicht ertappe. Die Maus fehlt mir im Keller, die sie raubt. Wer will von euch an mir vorbei? Bei Tag und ungesehn? Ein Narr! Bei Nacht und ungehört? Erst muß er diesen Schlüssel haben. Es ist der Schlüssel, der das Tor aufschließt. Versucht doch ihn zu stehlen. Verfolgt mich doch. Ich laufe deshalb nicht geschwinder. Ihr seid doch Mieter, die um Einlaß winseln! *Sie schwingt den schweren Hausschlüssel und bewegt sich nun auf die Tür rechts zu.*

STAATSANWALT ‹ihr zurufend, indem er auf Elise zeigt. Können Sie aus dem Gedächtnis feststellen, daß diese Dame den Hauseingang, den Sie so scharf bewachen, durchschritt?

HAUSMEISTERIN *mustert Elise, die es nicht beachtet.*

STAATSANWALT. Erkennen Sie sie wieder?

HAUSMEISTERIN *schüttelt den Kopf.*

STAATSANWALT *verstummt mit offnem Munde.*

VERTEIDIGER *sanft.* So war sie niemals dort, wo Ihren Augen nichts entgeht?

HAUSMEISTERIN. In grau nicht. Sie trug dunkelblau.

STAATSANWALT *die Hände über sich zusammenschlagend.* In grau nicht – sondern dunkelblau. O – kristallklare Erinnerung!

HAUSMEISTERIN. Auch ohne Schleier. Das Gesicht frei anzusehn.

STAATSANWALT *übersprudelnd.* Und wievielmal kam sie in dunkelblau?

HAUSMEISTERIN. Einmal.

STAATSANWALT. Die späteren Male wechselten die Farben. Grün – gelb – braun – violett. Wie war die Reihenfolge?

VERTEIDIGER. Es gibt sich die Verteidigung mit dunkelblau zufrieden. Wenn hier ein ganzer Regenbogen schillernder Farben aufgezogen werden soll, so –

STAATSANWALT. Ich verzichte auch auf weitere Vernehmung der Zeugin. Ich bin mit dieser Zeugin mehr als zufrieden. Ich bin von ihr begeistert! *Zum Gerichtsdiener.* Führen Sie sie weg.

Hausmeisterin verharrte noch verwundert. Als der Gerichtsdiener an sie herantritt und ihren Arm berührt, schiebt sie seine Hand weg – wirft den Kopf in den Nacken und rauscht rechts hinaus.

PRÄSIDENT. Ist noch ein Zeuge da?

Gerichtsdiener geht und wiederholt außen mit hallender Stimme: »IST NOCH EIN ZEUGE DA?«
Der mächtige Schlächter tritt ein: weißer Kittel, weiße Schürze, weiße Mütze – alles blutbespritzt. An der Seite klirrt ihm das Gehänge blitzenden Schlachtgeräts.

SCHLÄCHTER *von Schweigen empfangen – inmitten des Saals – die Mütze kurz lüftend.* Der Schlächter. Wie er aus dem Schlachthaus kommt. Das Blut ist nicht zwei Stunden alt. Ich kann es aus der Schürze wringen. Es tropft in einen Teller, wo man es prüfen kann. Daß Ochsenblut es ist. Nur Ochsenblut. – Kein Menschenblut, wie die Verleumdung schwatzt. – Ich hätte mit den Dienern der Chirurgie das abgemacht. Ich ließe mir von ihnen Menschenteile bringen, die in der Chirurgie zerschnitten – und menge sie mit Ochsenfleisch. Das sei die Mischung, die ich billiger verkaufe als andre Schlächter, die nur Tierfleisch mengen. Das Tier ist teuer und der Mensch ist billig. – In meinem Schlachthaus stech' ich Tiere von früh bis spät. Bei Tageslicht – bei Lampenlicht und jeder Stich sitzt. Die Kreatur verdreht noch dumpf die Augen – schon reißt die Kette die Hinterhufe hoch. Das Schlachtstück hängt. Das Blut trieft in den Bottich. – Ich bin der größte Schlächter. Ich schrecke nicht nur Kalb und Kuh und Stier – mich fürchten alle Schlächter im

Bezirk. Ich schlachte ununterbrochen und lasse wenig Vieh nur übrig. Das magre Vieh, das ich nicht will – das können andre schlachten. Wer kauft das zum guten Preis? Da ist meins doch billiger, weil besser. – Jetzt haben mich die neidischen Schlächter angezeigt. Man hätte nachts gesehn, wie mir die Diener der Chirurgie Pakete geliefert hätten, in denen sich das Menschenfleisch befand. Dann wäre Licht im Schlachthaus aufgeflammt und fieberhaft gearbeitet. Ich hätte meine Mischung hergestellt. – Mit einem Diener der Chirurgie habe ich noch kein Wort gewechselt. So kann ich keinen Handel mit ihm abgeschlossen haben. Oder hat ein bestochner Diener sich gemeldet? Der Ochsenfleisch von Menschenfleisch nicht unterscheiden will? *Er sieht sich suchend im Saal um.*

PRÄSIDENT. In diesem Saal wird Ihre Sache nicht verhandelt. Der Zeugenaufruf war mißverständlich. Gehen Sie wieder.

SCHLÄCHTER *noch unwirsch.* Wann komme ich zum schlachten? *Dann rechts ab.*

Jetzt reicht der Richter rechts dem Präsidenten ein Papier und Notizbuch – der Richter links Schriftstück und Pistole.
Der Präsident vertieft sich kurz in die Papiere. Danach erhebt er den Blick und richtet ihn auf Alain.
Alain steht auf.

PRÄSIDENT. Die Zeit ist um. Ich habe diese unergiebigen Zeugen sprechen lassen, damit Sie sich besinnen. *Stark.* Worauf, Alain Veniot? – – Der Ring schließt sich sehr eng um Sie – Sie müßten über Magierkünste herrschen, wenn Sie ihm noch entrinnen wollen. – – Wollen Sie es, Alain Veniot? – – Auch dann noch, da diese Depesche von Herrn Dapperre tatsächlich nicht aufgegeben wurde, der nach dem Tagebuch, das hier vorliegt, in anderer Gegend reiste? *Er hält die Depesche und das Buch hoch.* Noch stimmt es nicht, wie Frau Dapperre es schilderte? Sie schickte die Depesche nicht ab? Es war doch Herr Dapperre? – – – – *Er legt Depesche und Buch hin – nimmt die Pistole und das Schriftstück.* Es beschreibt hier der Verkäufer in Paris den Käufer der Pistole. Der Käufer war eine Frau. Auffällig ihre harten Augen, die unerbittlich forderten. Es konnte ihr die Waffe nicht verweigert werden. Wenn ich dies Schriftstück lese und die Lider schließe, steht Frau Dapperre vor mir – auch wenn ich sie noch nicht gesehen hätte. So deckt sich der Bericht mit der Gestalt, von der er handelt. – – Verwischen Sie das Bild, das ich mir mache? War es nicht Frau Dapperre, die in Paris die Waffe kaufte?! – – War es nicht Frau Dapperre, die Ihnen die Waffe gab?! – – Empfingen Sie sie nicht aus ihrer Hand?! – – Diese Pistole?! *Er streckt sie vor sich in die Höhe.*

Lautlosigkeit im Saal.

ALAIN. Ich leugne nicht, daß Frau Dapperre mir die Pistole reichte.
PRÄSIDENT. Umfaßt nicht dies Geständnis alles?!
ALAIN. Alles.

Und wieder das Echo von der Galerie der Zuhörer: »ALLES.«

PRÄSIDENT *hebt verweisend eine Hand. Dann laut.* Das Wort dem Staatsanwalt.
STAATSANWALT *aufrecht.* Ich hatte der Verteidigung den Raum, auf dem sie ihre Künste spielen lassen könnte, sehr eingeschränkt. Ich färbte selbst den Täter weiß und schickte ihn als Engel, den unsre Irdischkeit beleidigt, ins Paradies zurück. Jetzt schließe ich das schmalste Pförtchen, durch das er mir entschlüpfen könnte, und gebe der Verteidigung das weite Feld für Ihre Sprünge frei. Sie werden die Geschworenen nicht groß verblüffen. Denn aus weiß ist schwarz geworden – und schwarz bleibt schwarz wie Nacht nicht Tag ist und Chaos nicht Gestalt! – Wir wandern in der Nacht, die diese Tat umgibt, und suchen nach dem Fenster, das Licht einläßt – und finden nicht das Fenster. Soll Finsternis nicht weichen – unser Irrtum dauern, der immer tiefer uns verstrickt? – Da öffnet Frau Dapperre mit mutigem Griff ein weites Tor, durch das die Lichtflut einschießt. Erleuchtet sind letzte Winkel, in denen sich ein Schatten ducken könnte. Nichts ist mehr geheim. – Alain Veniot soll Frau Dapperre malen. Er kannte früher nur das jammervolle Dasein des unbekannten Künstlers in Paris und kommt nun in die Villa des Herrn Dapperre. Er sieht zum erstenmal den Reichtum. Da ist zahlreiche Dienerschaft – Pferde scharren im Stall – ein Wintergarten zaubert den Traum der Tropen vor. Alain Veniot muß anfangs wie ein Seliger in himmlischen Gefilden geschritten sein und göttlich trunken von soviel Glanz. Und

vor ihm wie eine Göttin ein Weib, desgleichen bisher ihm unbekannt. Allein mit ihm im Wintergarten. Da neigte er sich anbetend der Gestalt und brachte ihr zarteste Huldigungen dar. Ich glaube, daß Alain Veniot zuerst rein und fast scheu empfand. Erst später ergriff ihn die Begierde nach dem Besitz. Nach dem Besitz der Göttin, die seinen Werbungen erlag, um dann gesättigt andren Vorteil zu erspähen. Er sah das Geld – erkannte, wie es zu raffen war. Der ganze Reichtum mußte ihm zufließen. Auch Herrn Dapperres Vermögen, das bei der Scheidung Frau Dapperre verloren ginge. So mußte Herr Dapperre beseitigt werden. Bei günstiger Gelegenheit. Sie wurde vorbereitet. Und aus der Waffe, die Frau Dapperre sich in Paris gekauft, um sich zu töten – flog die Kugel, die Herrn Dapperre hinstreckte. – Er tötete planvoll und führte die letzte Begegnung mit Mitteln herbei, die eines Menschen Wesen bis auf den Grund erhellen. Er ließ von Frau Dapperre sich depeschieren, daß Herr Dapperre ihn rufe. Er zwang zur Fälschung sie, daß nichts aufkäme. Daß kein Klatsch entstünde. Denn er wollte Verschwiegenheit. Die Stunde war noch nicht gekommen, wo er sich äußern wollte. Mit einem Schuß! – Und bis zu diesem Schuß gab es für Frau Dapperre kein Erbarmen. Kein Paradies – die Hölle war um sie. Luzifer höhnisch grinsend auf dem Thron! – Schlug dennoch nicht ihr Herz bei seinem Anblick schneller? Sie hat uns hier nicht einen Herzschlag vorenthalten, der rasend und auch flehend klopfte. Die Wände dieses Saals von Stein zitterten wider – doch der, dem alle galten, verhärtete sich härter als der Stein. Es kann nur Geldgier diesen Druck ausüben, der alles abstumpft. – Er nahm das Geld nicht für das Bild. Warum wies er ab? Es war so fein berechnet. Das Streben nach dem Ganzen hätte ein Teil gemindert. Er ließ von seiner Armut, die er aufheben konnte, sich stacheln. Das ist in seiner Einzigartigkeit bezeichnend. – Und waren diese Zeugen so unergiebig, wie die Verhandlungsführung sie abtut? Ein Mord wird nicht nur mit Messer und mit Schlagring vorbereitet – er muß auch innerlich gedeihen können. War hier der Boden trächtig? Wo stand Alain Veniot – noch nicht mit beiden Füßen, doch sprungbereit? Bei den Rebellen. Und von Rebellen wird Gewalt gepredigt. Der Malerauszug aus den Ateliers war ein Gewaltstreich. Aufruhr war begonnen – und Aufruhr endet wo? Erst vor der Leiche des Herrn Dapperre –

wie immer das ahnungslose Opfer ein Herr Dapperre ist. – Weiter zur Schilderung des Hauses, darin er wohnte. Ausgeliefert der Hausmeisterin die Mieter. Auch er? Was wußte sie von seiner Heimlichkeit, die einen Mord entwarf? Er ließ sich nicht durchschauen. Er schritt so fest mit dem vergiftenden Skorpion in seiner Brust vorbei, daß sie nichts merkte und nicht zur Polizei sprang. Er war von eiserner Verschlossenheit. – Der Schlächter auch –

PRÄSIDENT. Er gehörte nicht hierher.

STAATSANWALT – hat hohe Symbolkraft. Er zeigte Blut uns. Es war Blut, das floß im Wintergarten. Versickert ist es dort längst – doch nicht soll es vor uns verrinnen, bevor die Tat, die es vergoß, gesühnt ist. Diese Sühne muß voll der Schuld entsprechen, die ein Leben auslöschte. Mit vorbereiteter Gewalt – mit niedrigstem Begehren: nach Geldbesitz. Ich rufe: schuldig – schuldig – schuldig. Der Widerhall, den ich von den Geschworenen erwarte, muß lauten: schuldig – schuldig – schuldig! *Er läßt sich nieder.*

PRÄSIDENT. Das Wort hat der Verteidiger.

VERTEIDIGER *stemmt sich hoch.* Die undankbare Aufgabe zu mildern, wo nichts zu mildern ist – wo nichts sich zutrug, was nicht eingestanden wäre – erlaubt mir nicht die Sprünge, durch die ich den Staatsanwalt ergötzen könnte. Der einzige Einspruch, den ich von seiten der Verteidigung für recht erachte, betrifft den Schlächter. Es geht wirklich nicht an, daß sich der Staatsanwalt eines Zeugen bedient, der nur durch einen Irrtum in die Verhandlung geriet. Den Einwand der Verhandlungsführung macht die Verteidigung sich zu eigen. Ob es vom Staatsanwalt geschmackvoll war vom Ochsenblut, das an der Schlächterschürze klebte, auf Menschenblut zu kommen, das bei Gelegenheit des Mordes rieselte – soll eine offne Frage bleiben. Sie möge jeder für sich beantworten. Was die Geschworenen sonst sagen werden, ist leicht vorauszusehn. Mit einem Auge. Ich habe beide. *Er sackt nieder.*

PRÄSIDENT *zum Anwalt, der sich hinter Elise aufreckte.* Ihr Antrag?

ANWALT. Verurteilung, den Schaden zu ersetzen, den er verursacht hat!

PRÄSIDENT. Es wird entschieden werden. Später. Jetzt schwindet hier das Licht. Auch fordert die Beratung der Geschworenen die Unterbrechung. *Er steht auf und verläßt mit den beiden Richtern die Estrade.*

Wieder leert sich der Saal, in den immer tieferes Grau der Dämmerung sank, mit der Geräuschlosigkeit von Erscheinungen, die den Boden nicht berühren.

In den leeren Saal zieht wieder der Kastellan ein. Seinem Klingelstab folgen die beiden Gehilfen. Einer trägt eine kurze Fackel.

Von der Mitte des Saales gibt der Kastellan mit Stabzeichen seine Anweisungen: nun löst der bei der Saalwand gebliebene Gehilfe ein Seil vom Haken und läßt es langsam abrollen – bis sich der Lichtträger so tief senkt, daß der andre Gehilfe die Kerzen an seiner Fackelflamme entzünden kann.

Alle Kerzen brennen. Der Gehilfe löscht seine Fackel aus und begibt sich zum Gehilfen bei der Wand.

Beide ziehen das Seil und der Lichtträger steigt wieder unter die Decke hoch.

Dann schickt der Kastellan die Gehilfen zu den Fenstern: schwarze Vorhänge gleiten herab.

Die Gehilfen sind fertig.

Der Kastellan schaut prüfend nach dem Lichtträger hinauf – kann nichts beanstanden und winkt den Gehilfen.

Er trifft sich mit ihnen bei der Tür. Bimmelnd voranschreitend führt er sie mit sich hinaus.

Es kehren zurück: die Zuhörer und die Journalisten auf den Galerien – unten die Geschworenen – der Staatsanwalt und Verteidiger – Elise mit ihrem Anwalt – Alain zwischen zwei Polizisten, die hinter ihm bleiben.

Der Präsident mit den Richtern betritt die Estrade. Dann sitzen die drei. Noch schweigt der Präsident.

PRÄSIDENT *nach der Galerie der Zuhörer aufblickend.* Noch einmal gebiete ich hier Stille. Strenger als zuvor. Wer einen Ruf ausstößt – wer seufzt, wird aufgegriffen und verbringt die Nacht im unterirdischen Verlies. Es eile, wer sich bedrückt fühlt, daß er den Saal verlasse. Diese Frist sei noch gewährt.

Keine Bewegung auf der Galerie – nur tiefere Ruhe.

PRÄSIDENT *sich an die Geschworenen wendend.* Wie haben die Geschworenen beraten?

Der Obmann der Geschworenen verläßt die Bank – ersteigt die Estrade – übergibt dem Präsidenten ein verschlossenes Schriftstück und kehrt auf seinen Platz zurück.
Der Präsident reicht dem Richter links das Schriftstück.
Der Richter öffnet es – liest und gibt es dem Präsidenten wieder.

PRÄSIDENT *liest laut.* Einstimmig: schuldig.

Der Richter links schlägt ein schweres Buch auf – legt es dem Präsidenten vor.

PRÄSIDENT *liest und spricht.* Das Gesetzbuch bestimmt als Strafe für solchen Mord: Verschickung ohne Wiederkehr. *Er schließt das Buch. Weiter verkündend.* Die Waffe – zur Tat benutzt – wird eingezogen. *Er legt die Pistole auf das Buch. Fortfahrend.* Noch übrigen Besitz zieht Frau Dapperre an sich. So soll der Preis für das noch nicht bezahlte Bild von ihr behalten werden.

Der Anwalt beugt sich zu Elise, die keinen Blick vom Präsidenten läßt.

PRÄSIDENT. Alain Veniot – fügen Sie sich dem Urteil?
ALEIN *stehend – stumm.*
PRÄSIDENT *stark.* Ihr Schweigen heißt jetzt ja.
ALAIN *bleibt stumm.*
PRÄSIDENT. Sie schweigen. Das Urteil gilt. Ich schließe die Verhandlung.

Im gleichen Augenblick erhebt sich eine ungeheure Zugluft, die die Kerzen zu verlöschen droht – die Vorhänge peitscht.

PRÄSIDENT *im Dunkel mit verhallender Stimme.* Es sollen alle Türen nicht zugleich geöffnet werden. Der Sturm, der einbraust, zerstört das Kerzenlicht. Wir tasten blind und finden nicht den Ausgang!

Da besänftigt sich das mächtige Wehen.
Leer liegt der Saal.
In neuem feierlichen Glanze strahlen die Kerzen und entsenden Leuchten größer als vorher.

DRITTER AKT

Kleines Hotelzimmer. Rote fleckige Tapete – die Einrichtung dürftig und vernutzt. Halb hinter einem zerschlissenen Wandschirm das schmale Bett. In der Mitte ein runder Tisch mit Wasserflasche und Gläsern – zwei schiefe Polstersessel. Rechts das Balkonfenster. Links die Tür.

Elise – in dunkelviolettem Kleid – umwandert den Tisch, den Blick zum Boden gerichtet. Manchmal hält sie ein und lauscht. Dann nimmt sie ihre Wanderung wieder auf – bis sie zuletzt ein Geräusch nach der Tür lockt. Sie öffnet und beugt sich hinaus.

ELISE *gedämpft.* Marietta? *Laut, freudig.* Du bist es! *Sie zieht sie ins Zimmer – verschließt die Tür.*

Marietta – die alte Pflegerin – ist klein, weißhaarig. – Sie trägt eine schwarze Spitzenmantille, schwarzes Hütchen, schwarze Halbhandschuhe.

ELISE. Wie lange hat es gedauert! Wie hast du mich warten lassen! Ich konnte meine Ungeduld längst nicht mehr beherrschen und wollte dir entgegenlaufen. Aber wohin sollte ich laufen – wo dich suchen? Überall konnte ich dich verfehlen – und du kehrtest vor mir hierher zurück und hattest längst alles erfahren. Ich aber irrte ziellos im Gewirr der Gassen und verlor die Zeit. – *Plötzlich ihre Hände packend.* Hast du es erfahren?

MARIETTA *nickt und schnauft.*

ELISE. Du kannst nicht sprechen. Dich haben diese Gassen – treppauf treppab – ermüdet. Du mußt sitzen. *Sie drückt sie in einen Sessel und füllt ein Glas aus der Wasserflasche.* Trinken sollst du noch – und dann sprechen.

MARIETTA *abwehrend.* Mein Herz klopft noch zu sehr.

ELISE. So gute Nachricht?

MARIETTA. Von dieser fürchterlichen Treppe in diesem fürchterlichen Hotel.

ELISE. Schelt' nicht, Marietta. *Sie kniet vor ihr.* Du warst doch immer gut zu mir. Nachsichtig als ich klein war. Alle Streiche verziehst du mir. Ich durfte deine Haubenbänder verwickeln. Einmal tat ich dir in die Schuhe – was, Marietta? Entsinnst du dich nicht, was dich in deinen Schuhen zwickte?

Dann warst du wirklich einen halben Tag beleidigt. Nicht einen halben Tag – den Vierteltag. *Aufstehend. Ernst.* Und diesen Vierteltag des Ungemachs hast du mir dann vergolten.

MARIETTA *bestürzt.* Wie hätt' ich dir vergolten?

ELISE. Du hast mich weggeschickt.

MARIETTA. Wohin?

ELISE. Zu Herrn Dapperre.

MARIETTA *wischt sich mit dem Taschentuch die Augen.* Es sollte dein Glück sein, wie ich's mir dachte. Er war ein schöner Mann – hoch angesehn und reich. Auch du warst reich – und deshalb empfahl er sich vor andern, die dir dein Gut und Geld verwüstet hätten. Er aber war schon in den Jahren, die keine Torheit mehr befürchten lassen. Es war ein guter Rat, den ich dir gab. Ich kann ihn noch auf meinem Sterbebett verteidigen. *Nachdem sie sich geschneuzt.* Daß er dich schließlich so betrüben würde, war nicht vorauszusehn. Er starb zu früh. Wenn er dir nicht erhalten wurde, so trifft ihn nicht der Vorwurf. Das Geschick riß ihn gewaltsam von deiner Seite. Wer meistert es mit Wissen und Voraussicht?

ELISE. Vergiß, Marietta. Ich will auch vergessen. Ich will nicht mehr traurig sein. Ich will nur wissen – wann geschieht es?

MARIETTA. Ich weiß es nicht.

ELISE. Du hast es nicht erfahren?!

MARIETTA. Es ist noch nicht bestimmt. Der Tag ist noch nicht festgesetzt, an dem –

ELISE. Doch man wird ihn dir sagen? Rechtzeitig? Auch die genaue Stunde?

MARIETTA. Sie halten mich für seine alte Mutter und geben auf alle Fragen Auskunft.

ELISE. Einer Mutter verschweigt man nichts – mich hätten sie verhöhnt. Wie gut, daß ich dich mitgenommen habe. Alte Marietta!

MARIETTA. Wär' er mein Sohn, ich würde ihn verleugnen. So lass' ich's mir gefallen. Er ist nicht – der schlechte Mensch, der Herrn Dapperre umbrachte. Den willst du nochmal sehn?

ELISE. Marietta – ja.

MARIETTA. Du reist hierher und wohnst im ärgsten Hafenviertel –

ELISE. Der Zug zieht hier vorbei!

MARIETTA. Das jämmerlichste Zimmer suchst du aus –

ELISE. Es hat das einzige Fenster nach der Gasse, durch die sie kommen!

MARIETTA. Willst du ihn etwa vor der Verschickung retten? Im letzten Augenblick?

ELISE. Ihn – retten? – – Ich will gewiß sein, daß er verschickt wird!

MARIETTA *kopfschüttelnd.* Lass' die Behörden ihres Amtes walten. Sie werden nichts versäumen. Er ist den Wächtern überantwortet, die ihn in Ketten halten. Er kann doch nicht entkommen. Er wird die Fahrt antreten, von der er nicht zurückkehrt. Viele sind's, die ausziehn – du wirst ihn nicht erkennen.

ELISE. Ich werde ihn erkennen!

MARIETTA. In der Menge, wo alle gleich gekleidet sind?

ELISE. Bestimmt, Marietta!

MARIETTA. Nie. Wir sollten fort von hier. Schon heute.

ELISE *umarmt sie.* Habe noch Geduld die Tage bis zum Auszug. Wir werden sie ertragen, wenn wir uns nicht plagen mit Fragen und – – Du sollst nun ausruhn. Schlafe hier auf meinem Bett. Damit du nicht allein bist. Was dich erfrischt, hole ich dir herauf –

MARIETTA *aufstehend.* Hier kann ich nicht bleiben und du kannst nicht hinuntergehn – es will dich jemand sprechen. Ich vergaß es gleich zu melden. Nun wartet er.

ELISE. Jemand, der mich hier kennt?

MARIETTA. Ein Mann – braun wie von langer Seefahrt.

ELISE. Ich kenne keinen Seemann. Schick' ihn fort.

Marietta schließt wieder auf und geht hinaus.
Elise tritt zum Fenster – schlägt die Vorhänge halbauf und sieht hinaus. Die Türklinke wird kräftig niedergedrückt und die Tür heftig geöffnet und geschlossen: Frocquenard ist eingetreten. Er bleibt bei der Tür.
Elise dreht sich um und mustert den Eindringling erstaunt.

ELISE. Wer sind Sie? *Da Frocquenard schweigt, wiederholend.* Wer sind Sie?

FROCQUENARD *bis an den Sessel vortretend.* Ein Freund Alain Veniots.

ELISE *hinter den andern Sessel tretend.* Hat er noch Freunde?

FROCQUENARD. Mich, der zu ihm steht und niemals wanken wird.

ELISE. Wie schön, daß es noch Treue in der Welt gibt.

FROCQUENARD. Die niemals wanken wird.

ELISE. Das sagten Sie schon einmal.

FROCQUENARD. In der Beteuerung der Unschuld.

ELISE. Wer ist unschuldig?

FROCQUENARD. Er ist unschuldig.

ELISE. Ihr Freund?

FROCQUENARD. Alain Veniot!

ELISE *setzt sich und bietet Frocquenard den andern Sessel an.* Ich bin bereit Sie anzuhören.

FROCQUENARD *legt seinen Hut, den er zermalmte, neben sich auf den Teppich.* Ich lebte auf einer Insel. Ich bin Maler und suchte Eindrücke, die der Norden nicht vermittelt. Ich suchte auch die Einsamkeit. So einsam war es, daß keine Nachricht zu mir drang. Gesprochen und gedruckt nicht. Ich hörte und ich las nichts. Keines Menschen Rede und keine Zeitung. Ich hätte also meiner Kunst in Frieden dienen können. Doch ich schuf nichts. Ich wurde von einer seltsamen Zerstreuung geplagt, die stetig wuchs. Wo war die Quelle? Woher strömte die Unruhe, die mich erfüllte und mich den Pinsel in der Hand vergessen ließ. Ich malte keinen Strich mehr. Ich lief zum Ufer und spähte nach dem nächsten Schiff aus. Endlich kam es. Ein Segler schon auf langer Fahrt. Es wehte nicht immer Wind, doch einmal kam auch er an. Ich sprang an Land und reiste nach Paris und überlegte nicht, wohin zuerst ich schritt. Es war der Weg zu seinem Atelier. Ich stieg nicht mehr hinauf, denn die Hausmeisterin ersparte mir die Stufen. Doch dafür tauschte ich Alain Veniots Verbrechen ein. – – – – Jetzt wußte ich, weshalb ich so geplagt war. Ich hatte schon ahnungsvoll Alain Veniot verlassen. Ich hatte ihn aufgefordert mich zu begleiten. Er lehnte ab – er habe nicht das Geld, um mitzureisen. Das Bild, das er gemalt, war unbezahlt geblieben. Auf seinen Wunsch. Er hatte sich verstiegen in andere Bezirke neuer Schöpfung und sah auf das Vergangene herab, dem er durch nichts verknüpft sein wollte. Das ist die Wahrheit, die nicht ausgesprochen wurde. Ich kenne sie. Ich kann hier viel aufklären. *Sich vorbeugend.* Ich weiß auch, daß er Sie nie geküßt hat. Mit keinem Schritt hat er sich Ihnen im Wintergarten mehr genähert, als das bestellte Bild es forderte. Er sollte Sie malen und so sah er sein Modell an. Kein Feuer glühte in seinen Augen – es quälte ihn zuletzt, daß er Sie malen mußte. Er lebte schon in seinem andern Werk. Da widerte ihn auch Bezahlung an. So ehrlich war er – so wahrhaftig. Er floh vor Ihnen, um sein Werk zu schaffen. Hinauf ins Atelier, aus dem ich ihn entführen wollte. Er wies auch mich ab und ich ging, denn schon fand das Modell sich ein, das für das neue Bild er brauchte. Ich öffnete ihm selbst und – – *Er stockt und starrt Elise an.* – – ließ Sie ein. – – – – – – *Erleuchtet - seine Stimme dämpfend, doch eindringlich.* Sie kamen – – und hörten von Alain Veniot das – – was ich hier aussprach. – – – – Sie machten ihm ein Geständnis – – das er zurückwies – – – – und dann haben Sie Herrn Dapperre getötet. – – – – – – Sie haben ihn getötet! – – – – – – – –

ELISE *verändert ihre Haltung einer aufmerksamen Zuhörerin nicht und schweigt jetzt.*

FROCQUENARD *bückt sich nach seinem Hut – glättet ihn und steht auf.*

ELISE *ruhig.* Sie gehen jetzt – zu ihm?

FROCQUENARD. Zu ihm? Zur – – *Er bricht ab und starrt sie an.*

ELISE *erhebt sich und wendet sich zum Fenster.*

FROCQUENARD *verblüfft.* Versuchen Sie denn nicht mich aufzuhalten? Empfinden Sie nicht die Gefahr, die Sie verschlingen will? Sie wehren sich nicht gegen die Verdächtigung, die ich ausstoße?

ELISE *dreht sich um und sieht ihn an.* Sie ist wahr.

FROCQUENARD *stammelnd.* So unermeßlich war Ihre Rache, die Sie ersannen und gnadenlos vollführten. Weil sich Alain Veniot gesträubt Sie zu erhören, mußte er büßen. Sie folterten ihn förmlich mit Beschuldigungen. Er schwieg, um nicht die Umwelt zu entsetzen. Er litt die Schändung der Verurteilung – er leidet jetzt in Kerkernacht – soll er die ewige Marter der Verschickung leiden? – Soll alles denn in Stummheit begraben bleiben?!

ELISE *lebhafter.* Es blieb nichts unausgesprochen. Jeden Vorgang bekannte ich.

FROCQUENARD. Wie stellten Sie es vor Gericht dar?

ELISE. Das zählt nicht. Ich kann mich auch nicht mehr entsinnen, was ich den Richtern sagte. Nur einer *sollte* hören und verstehen – Alain Veniot.

FROCQUENARD. Er hatte Sie verstanden – schon da er vorgab den Mörder nicht zu kennen. Warum waren Sie nicht zufrieden mit dieser Antwort?

ELISE. Er mußte mehr erfahren.

FROCQUENARD. Wie eisern Ihr Entschluß ihn zu vernichten?

ELISE. Den ganzen Umfang des Gefühls.

FROCQUENARD. Für ihn?

ELISE. Für ihn? Durch ihn. Er hatte es mir vermittelt – und er durfte nicht wieder es vermindern. Vor dieser Schuld habe ich ihn bewahrt.

FROCQUENARD. Um ihn in immer neue zu verstricken. Ausbeutung und Gewinnsucht. Um Herrn Dapperres Vermögen war er bemüht!

ELISE. Die Worte galten dem Gericht – was haben sie mit Alain Veniot und mir zu tun?

FROCQUENARD. Wenn Sie ihn schützen wollten – weshalb benutzten Sie nicht die Gelegenheit, als selbst der Staatsanwalt für Freispruch eintrat? Es war fast lächerlich, wie der Verteidigung er zuvorkam.

ELISE *schweigt.*

FROCQUENARD. Sie aber schnitten das Rettungsseil, das ausgeworfen, mit einem krassen Schnitt durch. Sie stimmten die Richter, die milde dachten, zu grauenhaftem Denken um. Ein Urteil fiel – Sie wollten, daß es so ausfiel. Wo wallt hier das Gefühl, wie Sie es rühmen – wenn es nicht das der völligen Vernichtung ist? – – – –

ELISE *stützt sich am Sessel.* Ich habe mich nicht gerächt, wie Sie es nennen. So klein – so niedrig erdenk' ich nichts. Wer Rache übt, verschwindet selbst im Staub, den er aufwirbelt – und das Licht verliert er. Ist hier ein Dunkel ausgesponnen? Ich stehe nicht darin. Ich fühle mich von aller Klarheit Strahlen übergossen. Wärmend flutet es in mir – und von der Wärme spende ich der Schöpfung. Wer darf ihr einen Funken vorenthalten, der sich entzündete? – – Ich mußte das begreifen, obwohl im Anfang ein Mißverständnis war. Das klärte mir Alain Veniot auf und ich verließ ihn – und ich fror. Ich schritt im Frost – es türmte sich das Eis um mich und wollte mich im Innersten erkälten. Ich hörte Stürme aus der Öde blasen, wo sich die Schollen schieben – und es knirscht vom Untergang der Wesen. Gleich mußte ich erstarren – ich drängte schon den Lauf an meine Schläfe – – und drückte nicht ab. Ich durfte nicht – es hatte mich das Leben zu sehr verpflichtet, als es mir dies Gefühl verlieh. Alain Veniot war nur der Bote. Ich fühlte! – – Doch wußte ich zugleich, daß die Flamme, die entbrannt war, sich nähren mußte, um nicht zu verlöschen. Sonst dringt das Eis von neuem an und kältet diese Erde. Sie aber braucht die Wärme, um ihre Formen zu entfalten. Soll alles wieder formlos werden? – – Ich mußte Alain Veniot anrufen. Mich durfte keine Scham verhindern mich im Gericht ihm zu bekennen. Wo sollte er sonst hören, daß er verpflichtet war – genau wie ich? Daß wir mit beiden Händen das Feuer zu schüren hatten, das ausgebrochen – um die Welt zu wärmen? Im wechselnden Gefühl, das einer mit dem andern tauschte – unermüdlich? – – – –

FROCQUENARD. Sie konnten dies Gefühl – gemeinsam lebend – pflegen.

ELISE. Wir konnten nicht so leben. Er konnte nicht aus dem Gerichtssaal gehn und zu mir kommen. Denn unsre Nähe so dicht beieinander hätte vermocht uns zu ermüden. Wir aber durften nicht das Leid erschöpfen, aus dem die Kraft quillt. Der Gipfel aller Freude ist bald erstiegen – doch andre Schächte tauchen endlos tiefer. Der Schmerz allein ist fruchtbar. Er schafft die Unvergänglichkeit. Kann ein Gefühl vergehn, das sich aus dieser Quelle speist? Die nie versiegen soll – sich jeden Tag erneuert? – – Wir sind getrennt für ewig. Das ist leidvoll – und dennoch mußte es geschehn. – – Sonst hätte Herr Dapperre nicht fallen dürfen. Furchtbar der Frevel, wenn er mit jenem Plane unternommen war – sich hinter seiner Leiche zu vereinen. Es liegt auf jeder Schwelle das vergoßne Blut des Herrn Dapperre und wehrt den Eintritt ab. Wir suchen ihn auch nicht. Nur wer allein ist, kann sich bewahren und dem andern widmen. Da er leidet. Da er die Schauer schönren Glücks erlebt – sich steigernd zur Glückseligkeit! – – – – – –

FROCQUENARD *steht mit gesenktem Haupt da. Plötzlich sich aufraffend.* Ich werde zu ihm gehn. Er hat geschwiegen, um Sie nicht zu verraten. Ein Edelmut, der hier nicht an den Rand des Abgrunds – der in den Schlund des Abgrunds führt. Er langt zerschmettert unten an. – – Er weiß nicht, was er tut. Was bedeutet lebenslänglich verschickt zu sein und frönen auf heißer Insel. Jede Flucht unmöglich – von Haien wimmelt rings das Meer, der kühne Schwimmer ist unweigerlich verloren. – – Ich habe einen Freund zu retten. Helfen Sie mir bei seiner Rettung. Sie wollen es. So haben Sie auf mich gewartet, der überall Sie suchte und hier fand. Warum sind Sie hier? Hier – wo Alain Veniot weilt! Hinter

Mauern. Um sie in elfter Stunde zu durchbrechen und den Unschuldigen herauszuführen. – – Sie widerrufen, was ihn zuletzt verdammte. Ich schwöre Ihnen, daß ich das Eingeständnis Ihrer Tat vergesse. Gilt dieser Handel? Hier ist meine Hand! *Er streckt sie ihr hin.*

ELISE *vermeidet sie.* Es ist zu wenig, was Sie von mir fordern.

FROCQUENARD. Was wollen Sie noch widerrufen?

ELISE. Alles.

FROCQUENARD. Alles?

ELISE. Mich Mörder nennen – in die Haft gehn – dem Richtbeil mich ausliefern. Was ist schlimmer?

FROCQUENARD. Alain Veniot soll frei sein?

ELISE. Wenn er – nur wie ein Halm im Hauch weht – sich schwächer verpflichtet fühlt!

FROCQUENARD *rauh.* Sie stellen die Bedingung?

ELISE. Die einzige!

FROCQUENARD *schon seinen Hut greifend.* Ein Halm im Hauch – ich will ihn wanken machen! *Eilig links ab.*

Elise faltet die Hände auf der Brust und sieht mit schönem Lächeln vor sich hin.
Marietta kommt links.

MARIETTA. Ein ungestümer Mensch. Hat er dich – *Aufmerksam.* Was hast du denn?

ELISE *inbrünstig.* Nun wird er wissen, daß ich hier bin! – –
– – – – – –

Sprechraum in der Zitadelle. Grausteinernes Viereck. In der Mitte plumper Holztisch und zwei Stühle an den Steinboden verklammert. Mittenhinten ist die Steinwand breit durchbrochen und mit einer Gittertür geschlossen. Hinter dieser Gittertür verliert sich ansteigend ein Gang, den wieder Gittertüren unterbrechen. Rechts eine niedrige Bohlentür ohne Türgriff.
Die Bohlentür wird aufgeschlossen und der einarmige Kommandant tritt ein. Während er den Schlüssel umsteckt, folgt Frocquenard.
Der Kommandant trägt weiße Uniform mit goldenen Tressen, auch das weiße Käppi ist reich verziert. Mehrere Ordensbänder schmücken die Brust.

KOMMANDANT *abschließend.* Von dieser Insel kommen Sie? *Sein kleines Schlüsselbund einsteckend und sich Frocquenard zuwendend.* Auf dieser Insel – jetzt fällt es mir ein. Ich wußte doch, als ich den Namen hörte – ich konnte ihn nicht gleich einordnen – man stumpft auch ab – nur noch die Zitadelle und die Bewachung der Gefangenen – ein Hundeleben. Damals strich einem frisch der Wind um die geblähten Nüstern, die gierig schnupperten. Man witterte die Burschen, die sich im Busch verbargen. Wartet nur, ihr Affenbrüder – sie kletterten auch in den Palmen wie wahre Affen, wir räuchern euch schon aus. Wir räucherten nun nicht – es wäre schade um das Paradies gewesen, wir wollten doch nachher drin hausen – *Er ist an den Tisch getreten und legt Schlüsselbund und Zigarettenetui auf die Tischplatte.* Wir wendeten nun eine List an. Es waren zwei Inseln zu bekriegen. Die Eingeborenen hatten sich verbündet und halfen sich bei der Verteidigung. In ihren flinken Kanus flitzten sie hin und her und immer stießen wir auf eine Übermacht. Wir konnten nirgends landen. Was tun? – Nun sehn Sie einmal her. Dies ist die eine Insel – *Er bezeichnet das Schlüsselbund.* – und dies – *Das Etui bezeichnend.* – die andre. Alles sonst ist Wasser. Wir warteten auf eine Mondnacht. Kugelrunder Vollmond – bengalische Beleuchtung. Der Zauber konnte losgehn.

FROCQUENARD *ungeduldig.* Und Sie verloren den Arm bei dieser Unternehmung?

KOMMANDANT Nein. Das Leben ist viel tückischer. Auf Urlaub ein Insektenstich. Ich kratzte. Dicke Blutvergiftung – Amputation. Abschied und diese Zitadelle. Was wollen Sie? Man macht sich nützlich auf seine Weise. Und hier befiehlt mir niemand. – – Dann kam es also zu der berühmten List. Sie können mir nicht folgen, wie ich merke. Vor einer Karte, die ich im Büro noch finde, erläutert es sich besser. Sie werden staunen, wie wir die Wilden in einer Nacht bis auf den letzten Mann erlegten. Jetzt kann man ruhig auf der Insel hausen. Gab es Schlangen?

FROCQUENARD. Keine.

KOMMANDANT. Sie waren mit den Schwarzen auch verschwunden. Besteht da ein Zusammenhang? *Er steckt Schlüssel und Etui nachdenklich ein.*

FROCQUENARD. Die Dauer der Unterredung, die Sie gestatteten – ist sie kurz bemessen?

KOMMANDANT. Warum kurz? Wenn Sie sich viel zu erzählen haben. Sie waren lange fort. Er bricht für immer auf.

FROCQUENARD. Sein Aufbruch muß verschoben werden. Die
Macht, es zu verfügen, liegt bei Ihnen. Es liegen Beweise vor,
die seine Schuld vermindern!

KOMMANDANT. Was hat er denn vollbracht?

FROCQUENARD. Er hat – getötet.

KOMMANDANT. Lebt die Leiche wieder?

FROCQUENARD. Nein.

KOMMANDANT. So ist es mit den Toten. Sie stehn nicht wieder auf, wenn es am meisten gewünscht wird.

FROCQUENARD. Doch der Tote –

KOMMANDANT. Ist schuldig. Unschuldig aber sind sie alle
wie die Kinder, die hier versammelt sind. Nur Engel trägt
das Schiff in die Verbannung.

FROCQUENARD. Ich würde für keinen Schurken mich bemühn,
Herr Kommandant.

KOMMANDANT. Sind Sie so sicher?

FROCQUENARD. Wie meines Glaubens an die Kunst!

KOMMANDANT. Ein starker Schwur. Es wurden stärkere erschüttert.

FROCQUENARD. Wodurch?

KOMMANDANT. Durch solche letzte Unterhaltung, wie Sie sie
wünschen. Ich schlage sie nie ab. Sie kann mit größter Offenheit stattfinden. Kein Wärter lauscht. Die Wände sind un-
durchlässig. Wer wird da nicht gesprächig? Jeder spricht zuviel – und wer noch zweifelte, wird gründlich überzeugt.

FROCQUENARD. Ich ändere die Überzeugung nicht!

KOMMANDANT. Dann halte ich ihn zurück. Sie nennen mir
die Gründe, die einige Wahrscheinlichkeit besitzen. Ich leite
das Schriftstück weiter – und es ist Zeit gewonnen. Kann ich
mehr tun?

FROCQUENARD. Es schließt schon alles ein!

KOMMANDANT. Ich hole selbst Sie, wenn mir gemeldet ist,
daß das Gespräch beendet. *Er schließt rechts auf. Ab. Noch
Schlüsselgeräusch. Dann Stille.*

*Frocquenard sieht nach der Bohlentür – bis seine Aufmerk-
samkeit von Schritten im Gang gefesselt wird. Er dreht sich
hin und sieht:*
*wie Alain Veniot – in dunkelblauer Gefangenentracht – sich
nähert an der Seite des Wärters, der Gittertür nach Gittertür*

aufschließt und zuschlägt, bis die letzte durchschritten ist,
die in den Sprechraum führt.
Der Wärter kehrt in den Gang zurück und verschwindet.
Dann erst tritt Frocquenard an Alain Veniot heran – faßt
seine Arme und küßt ihn auf beide Wangen. Danach führt
er ihn zu einem Stuhl – setzt sich gegenüber und betrachtet
Alain Veniot stumm.

FROCQUENARD. Verzeih' mir, wenn ich noch nicht spreche. Ich
bin zu tief erschüttert.
ALAIN *gedämpft.* Dürfen wir denn sprechen? Die Regeln sind
sehr streng. Die Strafen drückend.
FROCQUENARD. Wir dürfen sprechen. Laut über alles. Ich
habe vom Kommandanten die Erlaubnis erwirkt. Er wird
mich nachher noch einmal empfangen.
ALAIN. Seid ihr befreundet?
FROCQUENARD. Nein. Ich konnte von der Insel ihm erzählen,
die er mit irgendeinem Handstreich früher erobert hat. Da
nutzte ich den Zufall aus.
ALAIN. Die malerische Insel, nach der ich mit dir reisen sollte?
FROCQUENARD *ausbrechend.* Wärst du doch mitgekommen!
ALAIN. Du kehrtest früh zurück. Warst du enttäuscht?
FROCQUENARD. Die Insel war herrlicher als je. Noch bren-
nender die Farben als ich mir vorgestellt. Ruhe unbeschreib-
lich.
ALAIN. Dann hast du viel gemalt?
FROCQUENARD. Nicht ein Bild ist entstanden.
ALAIN. Warst du erkrankt? Du siehst nicht krank aus.
FROCQUENARD. Ich konnte nichts vollbringen. Ich spürte –
daß sich in meinem Rücken Entsetzliches zutrug.
ALAIN *lebhafter.* Fühltest du das?
FROCQUENARD. Wie eine Hand an meinem Hals.
ALAIN *mit verhaltenem Staunen.* So breitet sich das aus? So
greift es um sich?
FROCQUENARD. Ich war abgelenkt von jeder Arbeit. Ich
mußte mich einschiffen – und nach dir forschen. Ich tat alles
unbewußt und wußte in Paris erst, was mir die Ängste ein-
gejagt. Die Schauer, die mich nicht zur Ruhe kommen ließen,
gingen von dir aus. Wirksam unwiderstehlich.
ALAIN *aufstehend.* Ich danke dir, daß du noch kamst, um mir
so wichtiges zu sagen.
FROCQUENARD *außer sich geratend.* Ist das so wichtig?

ALAIN. Ich will dich nicht zu längerem Aufenthalt hier zwingen. Dein lichtverwöhntes Auge –

FROCQUENARD. Lass' mich reden. Lass' dich bitten mich anzuhören bis zuletzt. Wir sehen uns zum letztenmal, wenn du nicht – – Und der Schleier hebt sich nie wieder.

ALAIN *sich setzend.* Wovon willst du reden?

FROCQUENARD. Mit deiner Frage wie mit einem Messer zerschneidest du das Herz. So hast du dich mit deinem Schicksal abgefunden, das dich besinnungslos betäubte. Die Besinnung muß wiederkehren. Ich bin die Wirklichkeit, Alain, vor mir zerstiebt der Traum. Du trittst aus Nebeln, die um dich streichen, in klaren Tag. Verschwommen nichts mehr – und wir können sehn.

ALAIN. Was siehst du denn?

FROCQUENARD. Das Messer schon an des Opfers Kehle – und ich reiße das Messer zurück.

ALAIN. Wer ist das Opfer?

FROCQUENARD. Du bist ein Opfer.

ALIN. Und wer schwingt das Messer?

FROCQUENARD. Die strenge Priesterin, die einem unfaßbaren Gotte dient!

ALAIN. Es ist ein Gott – und sie ist die Priesterin. – – Wie konntest du denn das begreifen? – – Wer hat dir, was sonst unbegreiflich bleiben mußte, mit solcher Deutlichkeit erklärt?

FROCQUENARD. Die – Priesterin.

ALAIN. Wie bist du ihr begegnet?

FROCQUENARD. Ich habe sie gesucht.

ALAIN. Du mußtest suchen?

FROCQUENARD. Sie war aus ihrer Villa abgereist. Dann machte ich mich auf die Suche.

ALAIN. Und wo entdecktest du sie?

FROCQUENARD. Hier!

ALAIN *verstummt und senkt den Kopf.*

FROCQUENARD *beobachtet ihn. Dann mit Festigkeit.* Um dich vor der Verschickung zu bewahren, ist sie hier. Sie läßt den letzten Schritt nicht zu. Sie widerruft genügend, um dich zu retten. Das Geständnis, das sie mir machte, will ich verschweigen. – – Der Kommandant erwartet schon den Bericht. Er ist gewonnen und läßt dich nicht aufs Schiff mit anderen Verbannten. Du hast Freunde, Alain Veniot. Ergreife unsre Hände!

ALAIN *sieht ihn an – lächelt.* Du lügst, Freund Frocquenard.

FROCQUENARD *stammelnd.* Du willst – verbannt sein?

ALAIN. Ich will mein Amt antreten.

FROCQUENARD. Welches Amt?

ALAIN. Dem ich geweiht bin.

FROCQUENARD. Wie bist du geweiht?

ALAIN. Unmißverständlich. Im Gerichtssaal empfing ich meine Weihe.

FROCQUENARD. Schweigsam warst du wie nie ein Angeklagter.

ALAIN. Wer spricht im Segen, der ihm erteilt wird?

FROCQUENARD. Fühltest du dich gesegnet, als sich Beschuldigungen häuften zu Beschuldigungen?

ALAIN. Ich wurde eingeweiht. Zutritt erlangte ich. Tore nach Toren wichen weg und gaben mir den Weg frei – ins Innerste. Die Flamme, die da brannte – – – – *Er verstummt und staunt ins Leere.*

FROCQUENARD *hält den Atem an.*

ALAIN *mit halbem Ton.* Vorher war der Frost verbreitet. Die Kälte herrschte. Wie an allem Anfang das Eis ist. Bis wir den Funken fühlten. Sie fühlte ihn zuerst. Sie kam mit dieser Kunde zu mir. Taub blieben meine Ohren. So verschlossen, daß erst ein Schuß erdröhnen mußte, damit ich lausche. Doch ich begriff noch nichts. Was für ein Plan? Ich mußte warten – warten bis an den Tag, der mich belehrte. Als alle Dunkelheit vertrieben wurde und sich das Licht in meine Finsternis ergoß. Ich stand in meiner Schranke. Sie sprach und stieß mit Worten, die die anderen hörten, mich in die Nacht der Tat. Doch mit denselben Worten, die nur ich verstand, erhob sie mich aus nächtiger Tiefe in immer weitere Höhen. Was war mir erschlossen? Von welcher Macht war ich erhoben und getragen – und wußte von den kleinen Qualen nichts mehr, die unsre Überlegung reizen? Es richten sich die Richter nach ihren strengen Tafeln – ich spürte ihre Strenge nicht. Der Spruch, der mich verdammte, sank in einen andern Ton ein, der jählings wachsend näher brauste und an die Fenster hallte, um sie zu sprengen und mich in Meerflut – denn es war das Meer, das rauschte – zu ertränken: wenn ich die Woge des Gefühls, das nach mir rollte, nicht in mich einließ. Dann hätte ich getötet – mehr als von Menschen Tod verbreitet werden kann – den heißen Trieb der Schöpfung hätte ich verletzt. – – – –

FROCQUENARD *unwillkürlich den Ton dämpfend.* Auch sie spricht so.

ALAIN. Und sie vertraut mir. Deshalb ist sie hier. Sie fürchtet nicht Enttäuschung. Sie findet mich bei den Verbannten.

FROCQUENARD. Erträgst du denn den Anblick?

ALAIN. Wenn sie sich zeigt, wird mich kein Schreck erschüttern – wie er dem Abschied eignet, der endgültig. Mir wanken nicht die Knie. Soll ich erzittern? Zittert denn der Baum, der seine Wurzeln tiefer senkt und reine Quellen sucht? Er steigt nur kühner in die Lust der Luft. Ich bin nach dieser Lust begierig – ich könnte nicht mein Amt verwalten, wenn sie mir fehlte. Denn ich bin ein Wächter. Wer hält sich wach, wenn er nicht leidet?

FROCQUENARD. Warum nennst du dich Wächter?

ALAIN. Weil ich erwählt bin. Schon in Kindestagen hallte der Ruf. Ich stand auf Klippen – und die Wogen griffen nach mir. Nicht um mich einzuschlucken – ich sollte sie zu mir ziehn aus Ungestalt und Kälte, aus der sie tauchten. Denn die Welt hat ihre Schöpfung nicht vollendet. Noch sind die eisigen Nebel nicht erwärmt. Doch drängt es zur Vollendung. Fühllos zerrinnt sie – doch sich fühlend erbaut sie sich. – – In spätren Tagen hatte ich den Ruf vergessen. Ich lebte meine eitle Zeit wie alle. Doch dann gemahnte mich die Stunde, als sie reif war. Das war, als ich vom unbezahlten Bild im Wintergarten weglief und so den Vorhang aufriß – der mich vom Eiland der Verbannung nicht mehr trennt. – – Dort stehe ich als Wächter, der niemals schläfrig werden kann. Der Hornruf der Entbehrung wird ihn immer wecken. Er wacht, daß sein Gefühl nicht schlafe. Dies schaffende Gefühl, das namenlos und grenzenlos sich weitet – und mächtiger widerströmt zu uns, die es entsandten. – – – – –

FROCQUENARD *sich dem Bann entreißend, in den er geraten war.* Du – der berufen – läßt die Kunst instich!

ALAIN. Die Kunst ist Vorbereitung – es erfüllt sich anders, wenn du berufen bist. – – – –

FROCQUENARD. Du bringst das Opfer zwecklos. Du wirst sterben. Die Leiden der Verbannung sind zu grausam. Vom öden Eiland dringt nichts in die Welt, was andre spüren. Sie bleibt kalt.

ALAIN *lächelnd.* Du widerlegst dich selbst. Hast du es nicht gespürt, was hier geschah? Die Schauer, die von mir ausgingen? Du konntest nicht mehr malen.

FROCQUENARD *verstummt.*

ALAIN *sich schon halb aufstützend.* Soll ich nun zögern? Den Ruf mit einem Widerruf ersticken? Die ungeheure Leere um mich breiten – verdursten in der Wüste ohne Wasser? – – Wird das dein Freundesrat? Nicht mehr zu leben? Nicht zu fühlen? – – *Nun richtet er sich ganz auf.* Die Wüste ist nicht dort, wohin ich ziehe. Da grünen Pflanzen – da erblaut der Himmel. Soll ich in einem engen Kerker schmachten? – – Lass' mich gehn. *Er tritt zur Gittertür und steht abgewandt.*

Der Wärter kommt im Gang, um Alain Veniot abzuholen.
Nun entfernen sich beide durch die Gittertüren, die der Wärter eine nach der andern abschließt.
Frocquenard hatte sich erhoben und verfolgte den Weggang der beiden bis zur letzten Gittertür. Noch starrt er in den leeren Gang.
Die Bohlentür rechts wird aufgeschlossen: der Kommandant in der geöffneten Tür.

KOMMANDANT. Gründlich ausgesprochen?
FROCQUENARD *dreht sich ihm langsam zu – nickt benommen.*
KOMMANDANT. Verlangen Sie noch Aufschub der Verschickung?
FROCQUENARD *fest.* Nein.
KOMMANDANT *lächelt und winkt ihm mit dem Armstumpf.*

Treppengasse in breiten Stufen abwärts steigend – eingeschlossen von hohen weißen Häuserwänden. Nur in der Hauswand rechts ein einzelnes Balkonfenster. Links hinten der Zugang zur Treppengasse – links vorn der Ausgang.
Steil und grell die Mittagssonne.
Leer die Treppengasse.
Dann nähert sich links hinten das zögernde schurrende Schreiten einer Menschenmenge.
Rückwärts gehend biegt sie in die Treppengasse ein: Männer – Frauen – Kinder dicht gedrängt – viele gebeugt, viele die Arme klagend erhoben.
Doch kein Laut dringt aus einem Munde.
Als schon der stumme Haufen links vorn einzuschwenken beginnt – erscheinen links hinten Soldaten, die mit ihren

schräg gehaltenen Gewehren, auf denen die Bajonette blit-
zen, die Menge zurückdrängen.
Langsam weicht die Menge – an jeder Stufe zaudernd.
Als die Treppengasse zur Hälfte geleert ist – führt links hin-
ten ein Offizier eine zweite Soldatenlinie heran.
Dahinter taucht die erste Reihe der Gefangenen auf: in
dunkler Gefangenentracht, schirmloser Kappe, mit schwerem
Packsack. Ketten fesseln die Gefangenen jeder Reihe anein-
ander.
Langsam rücken die Reihen vor – neue Reihen folgen.
Dann ist die ganze Treppengasse von Gefangenen erfüllt.
Der Offizier und seine Soldatenlinie stehen unten still.
Der Zug der Gefangenen stockt.
Plötzlich bricht tobender Lärm aus – von der verscheuchten
Menge links außen angestimmt.
Als das Heulen und Schreien weiter anschwillt, schickt der
Offizier seine Soldaten links ab. Darauf bedeutet er mit be-
fehlerischer Geste den Gefangenen sich niederzulassen und
eilt links ab.
Bald verebbt der Lärm und verstummt.
Dumpf – wie sie schritten – hocken sich die Gefangenen auf
die Stufen und verharren in Reglosigkeit: auf die hochge-
stemmten Knie die Arme gekreuzt und den Kopf auf sie
gelegt.
Nur einer in der Mitte der Treppengasse blieb aufrecht:
Alain Veniot.
Er lauscht.
Da setzt das dünne Bimmeln einer fernen Glocke ein.
Sein Blick trifft das Balkonfenster – das sich nun öffnet.
Elise tritt heraus: sie trägt ein helles blumenbuntes Kleid
und entfaltet über sich einen Sonnenschirm vom selben Stoff,
durch den das Sonnenlicht wie blühend auf sie rieselt.

ALAIN *mit frohem Zuruf.* Das Mittagläuten!
ELISE *ebenso entgegnend.* Damals klang es schon!
ALAIN. Ich horchte und verstand den Ton!
ELISE. Da war es schon entschieden!
ALAIN. Die Treppe – abwärts führend – stand vor mir!
ELISE. Führt sie dich in die Tiefe?
ALAIN. Abwärts und aufwärts!
ELISE. Wohin führt sie dich?
ALAIN. In aller Tiefen Höhe. Ist das das Ziel?

ELISE. Es ist das Ziel, Alain! – – – –
ALAIN. Wo bist du in der Welt?
ELISE. Ich kann nicht bei dir sein, Alain!
ALAIN. Du bist es deutlich. Ich habe doch dein Bild gemalt!
ELISE. Du maltest widerwillig. Da verblaßt es!
ALAIN. Wie Zeit verblaßt, um Ewigкeit zu werden! – – – –
ELISE *mit wachsender Freude.* Fühlst du dich schon erhoben?
ALAIN. Hobst du mich nicht vom nächtigen Boden auf?
ELISE. Reichten denn meine Kräfte aus?
ALAIN. Sie wachsen noch, um immer höher mich zu tragen!
ELISE. Vertraust du mir unendlich?
ALAIN. So unendlich – wie das Leid ist, das du mir zuteilst –
um mir alle Freuden zu erwecken!
ELISE. Mein Leid gleicht deinem. Soll denn meine Freude ge-
ringer sein? – – – –
ALAIN. Die Glocke –!
ELISE. Sie schweigt, Alain!
ALAIN. Das letzte Mittagläuten, das wir zusammen hörten!
ELISE. Wird es nicht stärker klingen?
ALAIN. Höre ich es allein – rauscht es in mir zu vollerem
Klang auf und erfüllt die Welt mit Widerhall!
ELISE. Die Welt, in der wir sind!
ALAIN. Uns näher – näher nur, da wir getrennt sind!
ELISE. Bis die Trennung schwindet!
ALAIN. Bis die Schöpfung – Lust und Leid ausgleichend – in
Herrlichkeit sich endet!

Die Soldaten kehren zurück – mit ihnen der Offizier.
Der Offizier befiehlt den Gefangenen, die ihre geduckten
Köpfe schon hoben, aufzustehn.
Die Gefangenen stehen aufrecht – Alain Veniot ist zwischen
ihnen unkenntlich geworden.
Auf ein weiteres Zeichen des Offiziers setzt sich der Zug in
Bewegung.
Langsam schwenkt er links vorn ein – während links hinten
immer neue Reihen von Gefangenen nachkommen und die
Treppengasse wie mit einer dunklen Flut überschwemmen.

1937; 1938

DER GÄRTNER VON TOULOUSE

Schauspiel in fünf Akten

PERSONEN

FRANÇOIS BERTIN
JANINE, *seine Frau*
FRAU TÉOPHOT
QUECHARTRE, *Agent*

Der einzige Schauplatz dieser fünf Akte ist jener Raum einer Treibhausanlage, der zur Aufbewahrung von Gerätschaften dient und zugleich gärtnerische Werkstatt ist. In diesem Pavillon aus Glas verläuft die Decke spitz und hat von den Rändern her an Schnüren verstellbare Bastmatten, um eindringendes Sonnenlicht abzuschatten. Die Glaswände umschließen ein Fünfeck: vor der Hinterwand – von zwei Oleanderbäumen in Kübeln flankiert – ein Gestell zur Aufnahme tonfarbener Blumentöpfe, buntfasigeren Bindematerials. Hier steht auch ein eiserner Gartentisch mit zwei eisernen Gartenstühlen. Von den beiden schmalen Schrägwänden rechts und links führen Glastüren zu den niedrigeren langgestreckten Treibräumen, an deren Enden wieder Glastüren ins Freie leiten. In der vorderen Rechtswand die Glastür, durch die man den Pavillon aus dem Gartengelände betritt. Im Wandknick ein eiserner Schaukelstuhl, der mit frischer kraßroter Ölfarbe gestrichen ist. Die Eisenteile des Pavillons tragen ein verblaßtes Grün, das an manchen Stellen abgeblättert ist. Nur das vordere Stück der Linkswand ist fest ausgemauert und hat in seinem Mauerwerk eine Holztür, die mit einem hölzernen Riegel versperrt ist. Der Fußboden des Pavillons ist das Erdreich, das mit eingestampften bunten Kieselsteinen befestigt ist. Es herrscht peinliche Ordnung und Sauberkeit – in den Treibräumen grünen die jungen Pflanzen.

ERSTER AKT

Am Tisch sitzen François und Janine einander gegenüber.
François – hellblond – trägt auf dem kraftvollen Körper
Leinenjacke und Leinenhose. An den Füßen breitsohlige Bast-
sandalen.
Janine ist schmächtig. Ihr dunkles Kleid ist von städtischem
Schnitt, doch ist jeder Zierat entfernt – die Ärmel ausge-
trennt, keine Strümpfe – spitze Lederschuhe mit hohen Ab-
sätzen. Blaß ist das schmale Gesicht unter dem braunen kur-
zen Haar, das ein Scheitel teilt.
Die beiden sind beschäftigt Baumschlingen anzufertigen: mit-
ten auf dem Tisch liegt ein dickes Bastknäuel, von dem Stricke
abgewickelt – nach der Tischbreite bemessen – mit der ungefü-
gen Gartenschere abgeschnitten werden. Dann wird ein Ende
des Stricks zur Schlinge gewunden. Es klappert nur die Schere,
wenn sie wieder auf die Tischplatte niedergelegt wird – es ra-
schelt ein wenig der Bast in den Händen der Arbeitenden.

FRANÇOIS *hält ein – sieht zu Janine hinüber.* Janine?
JANINE *ohne aufzublicken.* François?
FRANÇOIS. Nichts. *Er kehrt zu seiner Arbeit zurück.*

Wieder nur Klappern und Rascheln.

FRANÇOIS *hebt von neuem den Kopf.* Janine?
JANINE. Was, François?
FRANÇOIS. Ich sehe deine Brust.
JANINE *ohne ihre Haltung zu ändern.* Ist sie dir neu?
FRANÇOIS *betrachtet sie noch eine Weile – dann nimmt er*
seine Beschäftigung wieder auf.

Stille.

FRANÇOIS *die Augen gesenkt haltend – gedämpft.* Ich war
noch nie verliebt, Janine.

JANINE *über ihrer Arbeit.* Jetzt flunkerst du. Du weißt doch –

FRANÇOIS *blickt auf. Lebhaft.* Was soll ich wissen?

JANINE. Wer flunkert, kommt nicht in den Himmel.

FRANÇOIS. Bin ich nicht schon im Himmel? *Er streckt die Hand nach ihr aus.*

JANINE *ausbiegend und belustigt, dabei wieder die Schlinge knüpfend.* Wo die Englein wohnen.

FRANÇOIS. Bist du kein Englein?

JANINE. Englein sind im Himmel.

FRANÇOIS *zieht seine Hand zurück. Müßig läßt er einen Baststrick durch seine Finger gleiten. Dann beginnt er von neuem.* Ich habe nicht geflunkert.

JANINE *kopfschüttelnd.* Wer dir das glauben soll.

FRANÇOIS. Das muß man glauben – wenn man die Gründe kennt.

JANINE. Was sind denn das für Gründe?

FRANÇOIS. Ich war zu – pflanzenselig – – – Verstehst du das?

JANINE. Nein, François.

FRANÇOIS *eifrig.* Das kann ich dir sehr gut verständlich machen. Ich habe auch nicht alles gleich gewußt. Man muß es durch Erfahrungen bereichern. Schwarze Erfahrungen sind nötig – wie aus schwarzer Wolke der Regen trieft, nach dem es wächst und blüht. Doch vorher war ich schon – – *Er stockt.*

JANINE. Was, François?

FRANÇOIS *sich bemühend.* Wie leben Pflanzen? Pflanzen – Baum und Strauch, die wurzeln in der Erde. Wenn die Zeit der Reife kommt, dann weht der Wind vorbei – dann fliegen Bienen, Hummeln von Kelch zu Kelch. Nie rührt ein Kelch den andern Kelch an. Und doch herrscht Liebe. Das ist das Meisterstück der Schöpfung.

JANINE. Du sagst das, weil du Gärtner bist.

FRANÇOIS. Ich wurde deshalb Gärtner. Es zog mich zu den Pflanzen. Ich fühlte mich dem Geheimnis näher, wie Pflanzen fühlen. Wir Menschen wissen zu viel. Wir sind doch zu beweglich. Ohne Wurzeln, die uns verhindern herumzuschweifen. Das ist unser Fluch. Der Fluch von Tier und Wurm, der von der Höhle wegkriecht, wo er geboren ist. Zum andern Wurm, der sich im Staube wälzt. Doch Pflanzen stehn auf ihren Wurzeln überm Staub!

JANINE. Und – Menschen nicht?

FRANÇOIS. Menschen – – – Ich folgte einmal andern Burschen

in das verrufene Viertel von Toulouse. Ich wollte nicht Spielverderber sein. Deshalb ging ich mit. Was ich erlebte – ich selbst erlebte nichts, ich faßte keins von diesen Mädchen an – ich brachte nur ein schallendes Gelächter fertig, so schämte ich mich für die andern, die das – – – – Wenn das noch Menschen waren – die einen wie die andern – von männlichem und weiblichem Geschlecht – und ausnahmslos bereit zu jedem Frevel mit ihrem Körper – aussätziger als ihn die Pest verderben kann – – Wo sind denn Ströme Wassers, die das abwaschen, wie sie sich beschmutzen?

JANINE *Bast abschneidend.* Vergiß das, François.

FRANÇOIS. Vergessen – – Davon muß man sich heilen. Flüchten zu den Pflanzen. Nur bei den Pflanzen gelingt es – gelang es mir. Allmählich erst. Ich sah nur noch die Pflanzen.

JANINE *legt eine fertige Schlinge beiseite.*

FRANÇOIS. – – Bist du enttäuscht?

JANINE *sieht ihn an.* Wovon?

FRANÇOIS. Von mir.

JANINE. Was soll mich denn an dir enttäuschen?

FRANÇOIS. Daß ich kein Kerl bin, der sich brüsten kann mit seinen Abenteuern. Liebschaften ohne Ende – an jedem Sonntag ein andres Mädchen auf den Knien und wochentags im Heu noch eine. Hast du's dir nicht so vorgestellt?

JANINE. Ich habe mir nichts vorgestellt.

FRANÇOIS. Jetzt willst du dich ausreden! Wie bin ich dir begegnet? Wie war es beim Agenten?

JANINE. Ich saß und wartete, bis Herr Quechartre Zeit für mich gefunden.

FRANÇOIS. Da war ich im Büro und trat heraus – zusammen mit Herrn Quechartre. Hörtest du nicht, was er sagte?

JANINE. Ich hörte dich nur sprechen.

FRANÇOIS. Als ich auf dich zutrat und zu dir sagte, die ich noch nie gesehn: das hier ist meine Frau. War das nicht stürmisch?

JANINE. Hübsch war das.

FRANÇOIS. Erweckte ich da nicht den Eindruck, daß ich bei Frauen unwiderstehlich bin?

JANINE. Ich habe mir nichts überlegt. Ich folgte dir.

FRANÇOIS. Geduldig wie ein Lamm zur Schlachtbank?

JANINE. Es war doch keine Schlachtbank.

FRANÇOIS. Ich konnte doch ein Wolf sein, der Menschenfleisch am liebsten frißt.

JANINE. Du hast mich nicht gefressen.

FRANÇOIS. Nein. Ich habe dich geheiratet. Und hätte ich dich nicht geheiratet, so säßen wir nicht hier.

JANINE. Dann säßest du allein hier.

FRANÇOIS. Nein – auch allein nicht.

JANINE. Warum nicht allein?

FRANÇOIS. Ich hätte diese Stelle nicht bekommen, wenn ich noch ledig war. Das fragte mich Quechartre noch zuletzt, als wir schon auf der Schwelle standen und alles abgemacht war: sind Sie verheiratet? Das wird verlangt. Die Gärtnerfrau soll in der Villa aushelfen. Ich – und verheiratet. Es fuhr mir eiskalt durch die Glieder. Ich wollte doch hier einziehn – ich hatte alles schon besichtigt – der Kopf schwoll mir von Plänen – und nun versank das Traumbild. Keine Frau. Doch war der Himmel gnädig und hatte dich geschickt. Ich konnte die unumstößliche Bedingung erfüllen.

JANINE *lächelnd.* Du hättest auch jede andre genommen?

FRANÇOIS *sieht ihr lange in die Augen.* Nur dich. Ich hätte dich auch genommen – wenn ich die Pflanzen hätte opfern sollen. Die ganze Gärtnerei. Mit Blumenzucht in Treibhaus und Gelände. Mit allem Windesrauschen und Vogelzwitschern. Alles. Ich wäre tags ins Bergwerk eingestiegen, um nachts heraufzukommen, um bei dir zu ruhn. Du bist mir mehr als alles, was bisher so wichtig war. Nichts ist mehr wichtig – wichtig ist nur noch, daß wir zusammen sind. Vom Untergang der Sonne bis zum Sonnenaufgang. Tags, Janine – – *Seine Stimme wurde heiser – er verstummt.*

JANINE *beugt sich über ihre Arbeit.*

FRANÇOIS *betrachtet sie unablässig. Plötzlich streift er die Leinenjacke ab: sein ebenmäßiger muskulöser Oberkörper kommt nackt zum Vorschein.* – – Heiß ist es hier!

JANINE *nach oben blickend.* Du mußt für Schatten sorgen, François.

FRANÇOIS. Ich will's tun. *Er steht auf und ergreift eine Stange, mit der er die Bastmatten unter der Decke verstellt.*

JANINE. So wird es kühler. *Sie beschäftigt sich wieder.*

FRANÇOIS *stellt die Stange weg – bleibt in der Ecke, von der aus er Janine mit scharfen Blicken mustert. Dann schweifen seine Augen nach der Holztür links ab. Er faßt einen Entschluß: an den Tisch zurückkehrend, nimmt er Schlingen auf, um sich eine um den Hals – um jedes Handgelenk eine zu legen. Nun stellt er sich abgewandt vor Janine hin. Er stampft mit den Bastsandalen kräftig den Fußboden.*

JANINE *verwundert.* Was heißt denn das?

FRANÇOIS. Nimm die Zügel in die Hände.

JANINE. Zügel?

FRANÇOIS. Die Stricke. Das sind Zügel. Ich bin das Pferd. Wir spielen Pferd und Wagen. Ich fahre dich spazieren.

JANINE. Was fällt dir ein. *Lachend ist sie aufgestanden und hat die herabhängenden Stricke ergriffen.*

FRANÇOIS. Wenn du nicht fest hältst, gehe ich durch. Ich bin ein wildes Pferd. Sag' hü – sag' hott.

JANINE. Hü – hott.

FRANÇOIS. Du mußt auch schnalzen.

JANINE. Ich kann nicht schnalzen.

FRANÇOIS. Alle Kutscher können schnalzen.

JANINE. Ich habe eine dumme Zunge.

FRANÇOIS. Du brauchst auch nicht zu schnalzen. Ich bin schon wild genug. Ein Hengst, der bäumt. Wie meine gelbe Mähne flattert. Meine Hufe stampfen zornig und stolz. Jetzt will ich in den Stall. *Nach einmaligem Umlaufen des Pavillons ist er vor der Holztür angekommen. Jetzt schiebt er den Riegel weg und stößt die Tür auf.*

JANINE *hält ihn an den Zügeln zurück.* Da ist dunkel.

FRANÇOIS. Da ist weiches Moos.

JANINE. Was willst du denn im Moos?

FRANÇOIS. Dich.

JANINE. Wir haben doch unsre Stube und unser Bett. *Sie strafft die Zügel fester.*

FRANÇOIS. Wir – *Mit jähem Griff nach seinem Hals.* Erwürg' mich nicht – –

JANINE *lachend.* Das ist die Strafe, wenn man –

FRANÇOIS *ächzend.* Lockre die Schlinge – – – – ich ersticke – –

Rechts tritt der Agent Quechartre ein: ein dürftiges graubärtiges Männchen in schwarzem Gehrock und schwarzem steifen Hut. Vernutzte Aktentasche unterm Arm.

FRANÇOIS *sich Quechartre zuwendend – stöhnend.* Helfen Sie mir aus der Schlinge – Janine versteht nicht – –

QUECHARTRE *legt schnell die Aktentasche in den roten Schaukelstuhl und läuft zu François.* Ich komme schon zu Hilfe. Lassen Sie mich machen. Der rauhe Bast – ein wenig Spucke – jetzt öffnet sich der Knoten.

FRANÇOIS *streift sich die Schlinge vom Hals und holt tief Atem.* Wie schön ist doch das Leben – fast war es aus.

QUECHARTRE. Wie ist denn das geschehn?

FRANÇOIS. Janine hat mich erdrosseln wollen – weil ich zu wild war.

QUECHARTRE. Das ist doch nur Ihr Scherz.

FRANÇOIS. Erst hat sie mich gefesselt – *Er hält ihm die Schlingen an seinen Handgelenken hin und löst sie dann.*

QUECHARTRE *zu Janine.* Was redet er?

JANINE *die nichts begriff.* Er hat sich doch verstellt.

FRANÇOIS *lachend.* Und Herr Quechartre ist gefoppt. Ihr Schicksal, Herr Quechartre, von mir gefoppt zu werden!

QUECHARTRE *kopfschüttelnd.* Da hat nicht viel gefehlt – die Augen traten schon aus den Höhlen. Ich weiß Bescheid. *Er nimmt den Hut ab und wischt sich den Schweiß von Stirn und Glatze.* Darf man sich setzen?

FRANÇOIS *indem er seine Leinenjacke mit einem Schwunge an sich rafft.* Mein Stuhl für Sie, mein Herr.

QUECHARTRE *setzt sich. Zu Janine, die – sitzend – eine neue Schlinge knüpft.* Wozu sind diese Schlingen?

FRANÇOIS *zog seine Leinenjacke an – strich sich das Haar glatt. Noch die Holztür mit kräftigem Knall zuriegelnd.* Um Bäume anzubinden. Der alte Bast war morsch. Morsch wie das ganze hier.

QUECHARTRE *sich umblickend.* Das können Sie schon nicht mehr sagen. Das Grundstück war sehr verwahrlost. Es hat sich lange niemand drum gekümmert. Ein Objekt ist schwer verkäuflich, wo die Villa kaum größer als die Gärtnerei ist. Das ist doch alles stattlich hier – das Treibhaus, dieser Pavillon.

FRANÇOIS. Wer hatte sich denn das gebaut?

QUECHARTRE. Es schien ein Philosoph zu sein, der mit der Welt zerfallen war. Er hatte nicht einmal Erben. Ich verkaufte den Besitz im Namen der Stadt Toulouse. Das Geld fällt an die Armen.

FRANÇOIS *steht hinter dem Tisch – hat einen Gabelstock ergriffen, auf den er die angefertigten Schlingen reiht. Zu Janine.* Hörst du, Janine, die Armen haben Vorteil von dem Verkauf.

JANINE. So stiftet dieses Geld doch großen Segen.

QUECHARTRE. Das sagen Sie mit Recht. Es kommt nicht oft vor, daß gleich ein größerer Betrag der Armenkasse zufließt.

FRANÇOIS. War es viel Geld?

QUECHARTRE. Geschäftsgeheimnis, Herr Bertin. Ich darf nicht reden. Nur so viel: der Preis ist anstandslos bezahlt. Das glatteste Geschäft, das ich je tätigte. Ich schickte meine Pläne

– der Käufer hielt sich in Paris auf, von wo er den Vertrag mit Unterschrift zurückgab. Es hatte alles ihm gefallen.

FRANÇOIS. Wer ist der Käufer?

QUECHARTRE. Eine Dame. Sie will allein hier wohnen.

FRANÇOIS. Auch eine Philosophin?

QUECHARTRE. Das weiß ich nicht. Man sieht es keinem an, womit er in Gedanken sich beschäftigt oder in seinen Taten.

FRANÇOIS. Sie haben doch die Dame noch nicht gesehn.

QUECHARTRE. Doch, Herr Bertin.

FRANÇOIS. Wann?

QUECHARTRE. Heute. Ich holte sie vom Zug ab und habe sie hierher begleitet. Sie ist jetzt in der Villa. Sie will sich von der Reise erst erfrischen. Dann zeige ich ihr ihr Besitztum.

FRANÇOIS. Sie hätte ihre Ankunft noch verschieben sollen, bis ich den Garten ganz instandgesetzt.

QUECHARTRE. Nein – nein, Herr Bertin, es sieht schon gut aus. Ich habe doch die Wege selbst beschritten – kein Pflänzchen Unkraut – und hier nicht eine Flocke Spinnweb mehr. Die Scheiben blitzen. Ordnung und Sauberkeit in jedem Winkel. *Sich halb aufrichtend und in die Treibräume spähend.* Und in den Beeten frisches grünes Treiben.

FRANÇOIS. Ich wollte auch die Eisenstäbe streichen. Die alte Farbe ist verblaßt und blättert ab. Die neue ist bestellt – nur rote erst geschickt. Da malte ich den Sessel an. *Er zeigt nach dem Schaukelstuhl.*

QUECHARTRE *hinsehend.* Das ist ein wildes Rot.

FRANÇOIS. So werden hier Tisch und Stühle angestrichen – und alles andre frühlingspflanzengrün. Ist das nicht wirksam?

QUECHARTRE. Das wird paradiesisch, wenn Sie's vollenden.

FRANÇOIS. Das vollend' ich, Herr Quechartre. Mein Paradies. *Janine umfassend.* Nur sind wir klüger: wir lassen uns nicht vertreiben. Hier ist keine Schlange, die uns auflauert.

QUECHARTRE. Es ist wohl noch zu früh – *Er zieht seine Taschenuhr heraus und läßt den Deckel springen.*

FRANÇOIS. Wozu zu früh?

QUECHARTRE. Die Dame in der Villa aufzusuchen. Ich könnte aufdringlich erscheinen. *Er steckt die Uhr wieder ein.* Sagen Sie, Herr Bertin: wie meinten Sie das, daß es mein Schicksal ist, gefoppt zu werden?

FRANÇOIS. Das haben Sie sich gut gemerkt.

QUECHARTRE. Gewiß. Man ist empfindlich, man läßt sich nicht gern foppen.

FRANÇOIS *lachend.* Janine – damals bei Ihnen im Büro – war gar nicht meine Frau!

QUECHARTRE. Sie sind nicht Mann und Frau?

FRANÇOIS. Jetzt schon. Wir haben unsre Papiere. Wir sind getraut und glücklich, daß wir uns gefunden haben. Vermittelt haben Sie die Heirat.

QUECHARTRE. Das versteh' ich nicht.

FRANÇOIS. Erklär' es ihm, Janine. Sonst muß ich lachen.

JANINE. Ich suchte eine Stellung und ging zu Ihnen.

QUECHARTRE. Ich vermittle Stellungen, doch keine Ehen.

JANINE. Das war doch auch nur Zufall, daß wir uns trafen – und ein lediger Gärtner nicht angenommen wurde. Und er wollte die Gärtnerstelle nicht verlieren – und da saß ich und konnte zu der Stelle ihm verhelfen.

QUECHARTRE *sieht sie stumm an.*

FRANÇOIS *ausbrechend.* Ist einmal einer so gefoppt wie Sie?

QUECHARTRE *ernst.* Sie kannten sich nicht vorher?

FRANÇOIS. Nein, sie kannte mich nicht – und ich kannte sie nicht!

QUECHARTRE *Janine betrachtend.* Sie sehen auch nicht wie eine Gärtnerfrau aus. Welche Stellung verlangten Sie denn? In welcher Art Beruf?

JANINE. Als – Näherin.

QUECHARTRE. Sie waren Näherin?

JANINE. Ja.

QUECHARTRE. In Toulouse?

JANINE. Nein – außerhalb.

QUECHARTRE. Und wollten nach Toulouse?

JANINE. Warum Toulouse nicht?

QUECHARTRE. Sind Sie hier verwandt?

JANINE. Nein.

QUECHARTRE. Wo sind Sie verwandt?

JANINE. Verwandte leben nicht mehr.

QUECHARTRE. Verwandte leben immer. Aber nicht für Sie?

JANINE. Ich könnte auch Verwandten schreiben.

QUECHARTRE. Warum tun Sie's nicht?

JANINE. Wenn Sie mir dazu raten.

QUECHARTRE. Was brauchen Sie denn Rat?

Es tritt Stille ein.

FRANÇOIS *lustig.* Sie braucht nicht Rat und nicht Verwandte. Mich hat sie – ihren Mann, der wiegt die volle Sippschaft

auf. Lass' sie im Mond die Hintern sich vergolden, ich schau'
sie doch nicht an. Nur die Janine. Noch ist sie blaß und
schmächtig. Noch von der Näherei. Das ändert sich in freier
Luft. Dann wird sie drall und rot. Die strammste Gärtnerin.
Das erste Geld geht drauf für Gartenkleider. Ein Falten-
rock, der um die Knie schaukelt – verschnürtes Mieder und
ein breiter Strohhut. Sandalen wie die meinen. Dann sollen
die Verwandten gaffen, ob sie dich wiedererkennen. Lass'
alle nahn – doch wer erkennt Janine? *Den Gabelstock schulternd.* Los, Frau Gärtnerin, die Bäume wimmern – sie
schleudern ihre losen Kronen verzweifelt hin und her, wir
müssen sie festbinden. Die Schlingen habe ich – nimm du die
Schere. *Zu Quechartre.* Ich bin in Ihrer Schuld.

QUECHARTRE. Was schulden Sie mir noch?

FRANÇOIS. Die Provision.

QUECHARTRE. Wofür?

FRANÇOIS *sich auf sein Ohr beugend – flüsternd.* Für Ehever-
mittlung. *Schallend lachend richtet er sich auf und stößt die
Glastür zum Treibraum links hinten auf, den er durchschreitet, um durch die Glastür am Ende ins Freie zu gelangen.*

*Janine folgt ihm – wird aber auf halbem Wege von einem
Anruf Quechartres aufgehalten.*

QUECHARTRE. Frau Bertin!

JANINE *wendet sich um.*

QUECHARTRE. Nur ein Glas Wasser. Gibt es das hier?

JANINE *betritt wieder den Pavillon, legt die Schere auf den
Tisch, nimmt ein Glas aus dem Gestell und füllt es im Treibraum links. Dann bringt sie es Quechartre zurück.* Kalt ist
es nicht.

QUECHARTRE. Es soll mir nur die Kehle anfeuchten. Danke,
Frau Bertin. Jetzt gehn Sie rasch Ihrem Mann nach.

JANINE *mit schnellen Schritten durch den Treibraum links ab.*

*Quechartre trank mit schmatzenden Zügen – stellt das Glas
hin. Dabei fällt sein Blick auf die Schere. Er nimmt sie – sagt
kopfschüttelnd:* »Vergißt die Schere« *– und legt sie wieder auf
die Tischplatte. Dann greift er nach seinem steifen Hut und
will ihn aufsetzen.*
An die Glastür rechts wird angeklopft.
Quechartre sieht hin – beeilt sich zu öffnen.

Frau Téophot tritt ein – mit aufgespanntem Sonnenschirm. Ihr weicher Körper steckt in einem rosa Kleid mit großen grellen Blumen. Ihr Haar ist rot und kraus. Gesicht und Lippen sind stark gepudert und geschminkt.

QUECHARTRE *stammelnd.* Frau Téophot – ich habe mich verspätet.

FRAU TÉOPHOT. Nein nein, ich habe mich beeilt. Ich kleide mich sehr rasch aus und an. Mein Freund, das ist Gewohnheit. Alles ist Gewohnheit. *Sie klappt den Sonnenschirm zu.*

QUECHARTRE. Sind Sie zufrieden mit der ersten Übersicht?

FRAU TÉOPHOT. Das weiß ich nicht. Ich werde mich hier eingewöhnen. Dazu bin ich entschlossen. Mein Geld ist angelegt. Was könnte ich noch ändern?

QUECHARTRE. Das ist ein Grundsatz von überlegener Lebensklugheit.

FRAU TÉOPHOT. Ach – das Leben lebt jeder Dumme. Ich bilde mir auf nichts was ein.

QUECHARTRE. Das ist nun wieder übertriebene Bescheidenheit, dem doch der Anschein widerspricht.

FRAU TÉOPHOT. Inwiefern?

QUECHARTRE. Man hat doch Augen.

FRAU TÉOPHOT. Und was sehn die Augen?

QUECHARTRE. Die Dame, die sich von den Gütern unsres Lebens mehr leisten kann als ich zum Beispiel.

FRAU TÉOPHOT. Greifen Sie doch zu. Der Tisch ist aufgedeckt für jeden.

QUECHARTRE. Mein Platz muß wohl besetzt gewesen sein.

FRAU TÉOPHOT. Unsinn. Man schafft sich Platz und dann mit Lust gefrühstückt. Messer und Gabel bringt man mit. Das Werkzeug muß stabil sein.

QUECHARTRE *glucksend.* Köstlich wie Sie sich äußern. Man könnte glauben, es ist ganz leicht sich so viel zu verdienen, um eine Villa zu bezahlen.

FRAU TÉOPHOT. Verdienen?

QUECHARTRE. Nun ja – bei einem Gabelfrühstück.

FRAU TÉOPHOT. Ich habe nichts verdient. Geerbt hab' ich.

QUECHARTRE *von ihrem Ton getroffen.* Verzeihen Sie – ich habe mich vergessen.

FRAU TÉOPHOT. Scheinbar. Vergessen Sie nicht wieder, daß man auch erben kann.

QUECHARTRE. Ich habe gar kein Recht mich einzumischen.

FRAU TÉOPHOT. Wahrhaftig – keiner. Es bekäm' ihm schlecht. *Sich umblickend.* Wo sind wir hier?

QUECHARTRE. Im Treibhaus. Von diesem Pavillon, in dem wir stehen –

FRAU TÉOPHOT. Man atmet Tropenluft. *Sie zieht tief ein.*

QUECHARTRE. Riecht es wie Tropenluft?

FRAU TÉOPHOT. Wie unverfälschte Tropenluft.

QUECHARTRE. Sie waren in den Tropen?

FRAU TÉOPHOT. Ich war auch in den Tropen.

QUECHARTRE. Sie sind sehr viel gereist?

FRAU TÉOPHOT. Ich war sehr lange fort.

QUECHARTRE. Nun wünschen Sie sich Ruhe?

FRAU TÉOPHOT. Nur Ruhe. Weiter nichts.

QUECHARTRE. Hier werden Sie sie finden. Der Platz, den Sie erwählten, ist am geeignetsten. Die Stadt mit ihrem Lärm jenseits des Flusses – friedliche Nachbarn – und auf dem Grundstück nur die Gärtnerleute. *Ausholend.* Mein Eindruck ist von diesen Leuten –

FRAU TÉOPHOT *ihm das Wort abschneidend.* Die seh' ich mir schon selbst an. Keine Bange, Herr Quechartre, wir werden uns vertragen. Ich stelle nicht himmelhohe Ansprüche. Die nötige Sauberkeit und einiger Fleiß – das darf man doch vom Personal verlangen?

QUECHARTRE. Das ist Voraussetzung für jedes gute Dienstverhältnis.

FRAU TÉOPHOT. Mehr fordere ich nicht – und alles übrige macht mich nicht heiß.

QUECHARTRE. So kommt man mit der Welt aus.

FRAU TÉOPHOT. Nur so. Nicht hinsehn, wen man sieht – und ihn auf seinem Fleck, wohin man ihn gestellt, gewähren lassen.

QUECHARTRE. Einzigartig weise.

FRAU TÉOPHOT. Nur praktisch. Gehn Sie jetzt. Ich bleibe noch im Treibhaus. Ich seh' mir an, was wächst. *Sie nickt ihm zu und nähert sich der Glastür rechts hinten.*

QUECHARTRE *verbeugt sich tief – nimmt seine Aktentasche aus dem Schaukelstuhl und entfernt sich durch die Glastür rechts vorn.*

Frau Téophot hat den Treibraum rechts hinten betreten und schreitet in ihm langsam weiter, indem sie sich auf Pflanzenbeete beugt – mit der Schirmspitze in der Erde wühlt. Und

*so kehrt sie – stochernd und guckend – zur Schwelle zurück,
von wo sie ausging, und steht im Türrahmen.*
*Am Ende des Treibraums links hinten wird die Tür aufge-
rissen: Janine kommt und durchläuft den Treibraum. Im Pavillon will sie die vergessene Schere vom Tisch aufnehmen
– – und läßt sie, wie gebannt, wieder los: als sie Frau Téophot erblickt.*

FRAU TÉOPHOT *lächelnd.* Was tust denn du hier?

JANINE *mechanisch.* Ich bin hier.

FRAU TÉOPHOT. Das seh' ich, daß es nicht dein abgeschiedner
Geist ist – sondern Fleisch und Blut. Nicht viel davon, doch
immerhin erkenntlich.

JANINE *die kaum weiß, was sie sagt.* Ich habe Sie auch gleich
erkannt.

FRAU TÉOPHOT. Wie freundlich. Diese Ehre weiß ich zu
schätzen.

JANINE. Ich habe Sie stets verehrt, Frau Téophot.

FRAU TÉOPHOT. Und ich, Janine, deine Folgsamkeit gewür-
digt. Du warst ein braves Kind. Ich müßte lügen, wenn ich
dich anders nennen wollte.

JANINE. Sie waren immer gut zu mir.

FRAU TÉOPHOT. Du hast verdient, daß man dich zart behandelt.

JANINE. Ich habe mich bemüht Sie niemals zu erzürnen.

FRAU TÉOPHOT. Nein nein, kein Grund zum Zorn – *In helles
Gelächter übergehend.* Ist denn die Welt so klein, daß man
sich wiedertrifft – in einem Glashaus bei Toulouse? *Nach
ihrem Lachausbruch.* Bist du bei einem Nachbar Dienstmagd?

JANINE. Nein – ich bin hier.

FRAU TÉOPHOT. Was heißt das: du bist hier?

JANINE. Ich bin die Gärtnerfrau.

FRAU TÉOPHOT *die Hände ungläubig zusammenschlagend.*
Du – – einen Mann??

JANINE. Der Gärtner ist mein Mann.

FRAU TÉOPHOT *läßt sich am Tisch nieder – lacht Tränen, die
sie mit dem Taschentuch abtrocknet. Endlich kann sie wieder
sprechen.* Das geht nicht. Das hat seine Grenzen. Das überschreitet jede Nachsicht, die man üben könnte. Ich bin gewiß
kein Unmensch. Aber das wird lästig: daß eine hier herumgeht, die mich zu gut kennt. Besser als ich mich noch erinnere.

Ich will mich nicht erinnern – und nicht erinnern lassen. Man schafft sich selbst nur Widerwärtigkeiten. Dann brauchte ich nicht wildfremd nach Toulouse zu ziehn. Begreifst du das?

JANINE. Ja – ich begreife Sie, Frau Téophot.

FRAU TÉOPHOT. Also pack' deine Sachen. Du und dein Mann. Verlaßt Toulouse in weitem Umkreis. Hier habt ihr Geld. *Sie zieht einige Scheine aus dem Halsausschnitt.* Nimm das.

JANINE *nimmt und knickst wie ein Schulmädchen.* Ich danke auch, Frau Téophot, im Namen meines Manns.

FRAU TÉOPHOT. Kein Dank. Nur fort mit euch. Laßt euch hier nicht mehr blicken.

JANINE *knickst noch einmal in der Glastür links hinten – dann durch den Treibraum ab.*

Frau Téophot steht vom Stuhl auf – spannt ihren Sonnenschirm auf und begibt sich nach der Glastür rechts vorn.

ZWEITER AKT

François öffnet die Glastür des Treibraums links hinten. Er trägt den Gabelstock mit den Bastschlingen geschultert. Mit festen Schritten durchschreitet er den Treibraum – klinkt mit hartem Griff die Glastür zum Pavillon auf und betritt den Pavillon.

Die Glastüren ließ er hinter sich offen, da Janine ihm folgt, die sie erst schließt.

François stellt den Gabelstock weg. Er krempelt die Ärmel seiner Leinenjacke auf. Er drückt Janine sacht beiseite, als er in den Treibraum links hinten zurückkehren will. Dort – gleich hinter der Glastür – dreht er den Wasserhahn auf und wäscht sich ausgiebig – trocknet sich gründlich.

Danach begibt er sich im Pavillon an das Gestell – kramt aus einer Ecke ein Stück Spiegelglas und einen halben Kamm. Er kämmt sich mit großer Sorgfalt, spiegelt sich scharf und legt Kamm und Spiegel fort.

Nun knöpft und zupft er die Leinenjacke – wirft sich ins Kreuz und geht nach rechts. Schon hat er die Klinke ergriffen und will niederdrücken.

JANINE. François.

FRANÇOIS *sich umwendend.* Janine?

JANINE. François – wohin gehst du?

FRANÇOIS. Wohin, Janine? – Fragst du noch, Janine? *Die Glastür verlassend und sich ihr nähernd.* Das kannst du dir nicht selbst beantworten?

JANINE. Nein, François.

FRANÇOIS. Dann setz' dich und hör' zu. *Er faßt sie bei den Schultern und drückt sie auf den Stuhl.*

JANINE *stieß einen leisen Schrei aus.*

FRANÇOIS. Tat's weh? Ich wollte dir nicht wehtun. Das sind nur meine Hände, die der Zorn gepackt hat.

JANINE. Du sollst nicht mit mir zornig sein.

FRANÇOIS. Mit dir nicht. Du hast mir nicht gekündigt. Oder kündigst du mir auch – und ich kann in die Welt ziehn, wo die Straßen stauben?

JANINE. Ich zieh' doch mit dir.

FRANÇOIS. Du im Straßenstaub? Deshalb lasse ich es mir nicht gefallen. Ich habe diese Stelle kaum angetreten und mir noch nichts zuschulden kommen lassen. Ich habe einen schriftlichen

Vertrag von Jahr zu Jahr. Ich habe meinen früheren Posten aufgegeben und stehe brotlos da. Mit Frau – und was noch kommt.

JANINE. Wir leiden keine Not.

FRANÇOIS. Warum wir nicht, die morgen ohne Geld sind?

JANINE. Wir haben Geld erhalten.

FRANÇOIS. Das Geld? Das nehme ich nicht. Ich fasse nicht unverdientes Geld an. Ich bin kein Krüppel – ich kann arbeiten. Ich bin kein Dieb, den man ertappt hat und durch die Hinterpforte wegschickt. *Er hat die geknüllten Geldscheine aus seiner Hosentasche geholt und auf den Tisch geschleudert.*

JANINE *greift nach dem Geld.*

FRANÇOIS. Rühr' es nicht an.

JANINE. Es ist doch die Entschädigung, weil der Vertrag nicht gelten soll.

FRANÇOIS *ruhig.* Gib wieder her.

JANINE *hoffnungsvoll.* Behältst du es?

FRANÇOIS. Ich bringe es nachher in die Villa.

JANINE. In die Villa –?

FRANÇOIS. In die Villa gehe ich und wenn ich durch die Türen brechen sollte. Ich will erfahren, weshalb man Gärtner ist und doch nicht Gärtner ist. Vielleicht begreif ich's, daß ich keiner bin. Ich bin kein Dummkopf und sattle um. Bisher hielt ich mich für einen Gärtner.

JANINE. Das bleibst du überall – nur hier nicht.

FRANÇOIS. Wächst hier Kraut, das ich nicht kenne? Wird Zaubersamen ausgesät? Was soll hier wuchern? Bestellt man sich den Teufel zur Gartenpflege?

JANINE *mit Anstrengung.* Es soll kein Gärtner da sein.

FRANÇOIS *hitzig.* Und Herrn Quechartres Auftrag? Was hatte der Agent bezweckt?

JANINE. Er wollte seine Provision verdienen.

FRANÇOIS *staunend.* Für eine Vermittlung, die nicht verlangt war?

JANINE. Vielleicht war sie nicht verlangt.

FRANÇOIS *starrt sie an. Dann setzt er sich auf den Tischrand und nimmt Janines Hände in seine.* Behutsam. Janine – besinn' dich, wie alles war. Ich werde mir dann klarer. Ich weiß, wie ich zu sprechen habe. Ich bin genügend vorbereitet, um jeden Einwand zu entkräften. Willst du mir helfen?

JANINE *nickt.*

FRANÇOIS *streicht ihr übers Haar.* Danke, Janine. Du weißt nicht, was du mir bist. Es muß so bleiben. Es muß hier so bleiben. Deshalb bin ich so unerbittlich in dieser Frage. – – Als du die Schere vergessen hattest, schickte ich dich zurück. Der Pavillon war nicht mehr leer.

JANINE *bestätigt nickend.*

FRANÇOIS. Wer war im Pavillon?

JANINE *mit spitzem Finger nach der Glastür rechts hinten zeigend.* Dort stand sie.

FRANÇOIS. Wer?

JANINE *schweigt.*

FRANÇOIS *belustigt.* Ein Elefant? Ein Känguruh?

JANINE. Frau – Téophot.

FRANÇOIS. Heißt sie Frau Téophot?

JANINE *nickt stumm.*

FRANÇOIS. Das wußte ich gar nicht. Quechartre nannte nie den Namen. Er hatte doch die Vollmacht und tat sich mächtig wichtig. Geheimniskrämereien. – Nun stand sie in der Tür und sagte, ich bin Frau Téophot.

JANINE. Das sagte sie gleich.

FRANÇOIS. Und was sagtest du?

JANINE. Ich bin die Gärtnerfrau.

FRANÇOIS. Und da entließ sie dich.

JANINE. Uns beide.

FRANÇOIS. Natürlich – mit seiner Frau muß auch der Mann gehn. Ich kann doch nicht hier sein und du nähst in Toulouse. Stimmt das? Das wär' keine Ehe. Das sah Frau Téophot auch ein und wollte uns nicht trennen. – Doch warum kündigte sie dir sofort? – Das mußt du mir beantworten. Das ist der Kern der Nuß, an deren Schale ich vergeblich poche. Lass' mich nicht ewig pochen und sag mir alles.

JANINE. Was soll ich dir denn sagen?

FRANÇOIS. Hast du mit Frau Téophot einen Streit gehabt?

JANINE. Wann soll ich mich mit ihr gestritten haben?

FRANÇOIS. Als du die Schere holtest.

JANINE. Wie soll dabei ein Streit entstanden sein?

FRANÇOIS. Durch eine barsche Auskunft. Du liefst und warst erhitzt. Das klingt dann derber als man's meint. Die feinen Damen sind rasch beleidigt. Begab sich's so? Dann will ich dich entschuldigen.

JANINE. Ich habe mir kein heftiges Wort erlaubt.

FRANÇOIS. Dein bloßer Anblick?

JANINE. Man urteilt doch nicht nach dem äußeren Ansehn.

FRANÇOIS. Doch. Sehr, Janine. Du solltest in der Villa aushelfen. Die Dame hätte dich viel um sich – Frau Téophot. Man mag nicht Menschen um sich leiden, die scheußlich sind.

JANINE. Bin ich denn scheußlich?

FRANÇOIS. Nein – weil du es nicht bist, ist es so unerklärlich. Du hast die richtige Figur für Dienst im Haus. Du sprichst mit einer Stimme, die sanft klingt. Du paßt mit allem, wie du bist, mehr in die Villa. In Salons. Nicht als Dienstmädchen – nein, tanzend bei Klaviergeklimper mit Kavalieren, die sind hingerissen von dem Geplapper deines Mündchens. Du bezauberst alle – man pufft sich, wer dir das zarte Händchen küssen darf – und allen wehrst du: Gutenacht, ihr Herrn, ich geh' zu meinem Gärtner, der hat noch nie geliebt. Das ist ein Vorzug, der unvergleichlich ist. *Er greift in ihre Haare und biegt ihren Kopf zurück.* Ist es so – unvergleichlich? Nie geliebt?

JANINE. Zerreiss' mir nicht das Haar!

FRANÇOIS. Ich glätte es auch wieder. *Er tut es.* Ich glätte alles. Ich glätte Wellen, Wogen, Wogenberge. Und was ich einmal angefangen habe, das führe ich zu Ende. Ich habe erst einen Schaukelstuhl angestrichen mit feuerroter Farbe – es fehlen noch zwei Stühle und ein Tisch in rot – und dann das ganze übrige Gestänge, das frisches Grün erwartet. *Das Geld noch einmal zeigend.* Für neue Farben soll das Geld verwendet werden und nicht für meine Kündigung. Ist das ein Vorschlag, der in der Villa besser aufgenommen wird?

JANINE *steht auf. Nun eindringlicher.* Wir wollen fort.

FRANÇOIS. Wohin?

JANINE. Fort aus Toulouse.

FRANÇOIS. Du kamst doch nach Toulouse.

JANINE. Jetzt will ich wieder fort. Mit dir, François. Wir beide steigen in den Zug und reisen mit dem Geld. Du darfst es nicht verlieren.

FRANÇOIS. Verlieren will ich nichts.

JANINE. Wer ohne Geld ist – – einmal ohne Geld ist – – ganz ohne Geld – *Sie windet ihre Finger.*

FRANÇOIS *sieht ihr zu.*

JANINE *aufblickend.* Wer soll denn die Billetts bezahlen? Mir ist es jetzt nicht möglich. In der Villa fehlt doch das Geld nicht, wenn du es behältst. Du kannst es später auch zurückerstatten.

FRANÇOIS *lächelnd*. Später?

JANINE. Du nimmst es nur geliehen. Weil du es brauchtest. Du läßt den Brief zurück. Im Brief steht alles. Man kann sehr freundlich schreiben. Nachher verschwindet man. Schreibst du den Brief? Du schreibst ihn auf dem Bahnhof!

FRANÇOIS. Warum nicht hier?

JANINE. Jetzt packen wir doch!

FRANÇOIS *lachend*. Unsern kleinen Koffer.

JANINE. Gepackt muß werden!

FRANÇOIS. Aber einer packt genug. Pack' du den Koffer.

JANINE. Was tust du?

FRANÇOIS. Ich tue nichts besondres. Ich stelle nur die Schattenmatten richtig. So hinterlasse ich den Pavillon pflichtmäßig, wie die Mittagsstunde es erheischt. *Er greift schon nach der Stange.*

JANINE *steht noch zögernd – dann durch den Treibraum links hinten ab.*

François hantierte ziellos mit der Stange, während er Janine nachsah. Aber jetzt nimmt er diese Arbeit des Schattierens ernsthaft in Angriff und führt mit gerecktem Körper die kräftigen Bewegungen aus. Sein nach oben gewandtes Gesicht rötet sich – sein Atem stößt tief und laut.

Unbemerkt tritt rechts Frau Téophot ein. Unterm aufgespannten Sonnenschirm sieht sie dem tätigen François zu.

Jetzt beschließt François sein Werk – senkt die Stange – fährt sich mit dem Handrücken über die schweißperlende Stirn – stützt sich gegen die Stange und prustet noch einmal Luft aus. Dann erblickt er Frau Téophot.

Frau Téophot erwidert lächelnd seinen Blick.

FRANÇOIS *kopfschüttelnd*. Sie können hier nicht frei spazieren gehn. Das Grundstück ist verkauft. Wenn der Besitzer – *Er macht eine vielsagende Geste.*

FRAU TÉOPHOT. Sie kennen den Besitzer?

FRANÇOIS. Mehr als gut. Das ist ein fürchterlicher Drachen, der Pech und Schwefel faucht und ausgewachsne Menschen frißt. Wie Kröten Fliegen.

FRAU TÉOPHOT. Sie schildern ihn ja schrecklich. Krötengleich. Und hat er Warzen wie die Kröten?

FRANÇOIS. Alles und noch mehr.

FRAU TÉOPHOT. Froschaugen, die so glotzen?

FRANÇOIS. Und solche Backen, die sich aufblähn, um Unheil auszublasen. *Die Stange wegstellend.* Hören Sie jetzt auf sich nach ihm zu erkundigen. Begegnen Sie ihm nie, das ist mein bester Rat. *Nun will er nach rechts.* Sind Sie noch nicht gegangen?

FRAU TÉOPHOT. Sie sehn doch, daß ich mich nicht fürchte. Ich fürchte mich nicht vor Frau Téophot.

FRANÇOIS *verdutzt.* Sie sind bekannt mit ihr?

FRAU TÉOPHOT. Ich bin Frau Téophot.

FRANÇOIS *faßt sich unwillkürlich vor die Brust und sperrt den Mund auf.*

FRAU TÉOPHOT *schließt den Sonnenschirm.* Jetzt habe ich das Recht Sie auszuweisen. Aus meinem Pavillon. Man muß jetzt um Erlaubnis bitten das Glashaus zu besichtigen. Ich bin entschlossen gute Nachbarschaft zu halten, doch wollen wir die Grenzen wahren. Jeder in seiner Drachenhöhle, wenn ich schon so verschrien bin. Oder nicht, Herr Nachbar?

FRANÇOIS *stammelnd.* Ich bin – Ihr Nachbar nicht.

FRAU TÉOPHOT. Das wird ja immer schöner. Sie sind nicht einmal das – und machen sich in meinem Pavillon zu schaffen, weil hier kein Gärtner aufpaßt. Nutzen Sie das aus?

FRANÇOIS. Ich – nutze nichts aus.

FRAU TÉOPHOT. Und warum hantieren Sie hier mit der großen Stange?

FRANÇOIS. Weil – ich der Gärtner bin.

FRAU TÉOPHOT *verstummt. Ein Lächeln kräuselt ihre Lippen. Dann mit einem Anflug amüsierter Verwunderung.* Sie sind – –

FRANÇOIS *steht verlegen da.*

FRAU TÉOPHOT *sich am Tisch auf einen Stuhl setzend.* Das muß ich mir genau betrachten. *Sie mustert ihn ausgiebig von Kopf bis Füßen.*

FRANÇOIS *unsicher.* Ich habe mich vorhin versprochen –

FRAU TÉOPHOT. Nein – sprechen Sie noch nicht. Ich will Sie ansehn. Haare wie eine goldne Haube, die Ihnen auf den Kopf gestülpt ist. Blaue Kinderaugen – und dieser starke Keil der Nase, der das Gesicht zerteilt – ein wirkliches Gesicht von einem Mann. Die Brust zwischen den Schultern breit wie eine Wand. Die wankt nicht, wenn man sich anlehnt. Und auf Beinen steht alles wie auf Säulen. *Nach den offenen Sandalen sehend.* Gebogen ist der Spann und sehnig wie eine Pranke. Die Haut ist fest und glatt – man sieht kaum Adern. *Ihn wieder anblickend.* Sie sind ein schöner Mann.

FRANÇOIS *zuckt schwach die Achseln.*

FRAU TÉOPHOT. Wie heißen Sie?

FRANÇOIS. Mein Name ist François Bertin.

FRAU TÉOPHOT. Und sind verheiratet?

FRANÇOIS. Ich heiratete Janine –

FRAU TÉOPHOT *unterbrechend.* Janine heißt sie?

FRANÇOIS. Sie heißt Janine.

FRAU TÉOPHOT. Ein hübscher Name. Nicht häufig. Ich hörte ihn noch nicht.

FRANÇOIS *freudig.* Ich sah auch noch kein Mädchen wie Janine!

FRAU TÉOPHOT. So sehr verliebt?

FRANÇOIS. Gleich auf den ersten Blick.

FRAU TÉOPHOT. Und wo erblickten Sie zuerst sie?

FRANÇOIS. Das war bei dem Agenten Quechartre. Der mir die Stelle hier verschaffte. Das ging nicht ohne Heirat. Sie suchte auch eine Stellung – und nahm sie an: als meine Frau.

FRAU TÉOPHOT. Wie im Märchen. Gott tut sich als Agent kund und vermittelt Ehen.

FRANÇOIS *mit einem Anlauf.* Jetzt hat Janine mir einen bösen Streich gespielt.

FRAU TÉOPHOT. Was hat sie denn verbrochen?

FRANÇOIS. Ich darf ihr keinen Vorwurf machen. Ich bin ja selbst nicht besser.

FRAU TÉOPHOT. Wie habt ihr beide denn gesündigt?

FRANÇOIS. Ich habe mich doch auch vorhin verplappert. Sie wird Sie ebenso beleidigt haben. Vielleicht noch schlimmer.

FRAU TÉOPHOT. Mich beleidigt niemand.

FRANÇOIS. Doch. Sie haben sie sofort entlassen. Weil sie zu dreist war. Das ist mein Ton, den sie von mir schon angenommen hat.

FRAU TÉOPHOT *einlenkend.* Sie war – ein wenig keck.

FRANÇOIS. Weil sie nicht wußte, wer vor ihr stand. Genau wie ich.

FRAU TÉOPHOT. Sie schimpften mich einen Drachen.

FRANÇOIS. Und was Janine?

FRAU TÉOPHOT. Eine – Hexe.

FRANÇOIS *sie anstarrend.* Ein Unsinn – wenn man bedenkt – –

FRAU TÉOPHOT. Und was bedenkt man?

FRANÇOIS. Wenn man mit Augen sieht – –

FRAU TÉOPHOT. Was sieht man?

FRANÇOIS *abbrechend*. Sie müssen meiner Frau verzeihn. Sie ist noch ungeschickt. Bedenken Sie, woher sie kommt. Sie nähte Tag und Nacht. Nähen ist ein schweres Handwerk, wenn man auch nur mit leichter Nadel fädelt. Sie sitzt dabei in dunstigem Raum – die Luft wird nie erfrischt, wie es die Lungen brauchen. Gekrümmt als drückten Lasten auf ihrem Rücken und brechen ihre Brust ein. Blaß ist sie noch. Sie hat noch nicht die Mühen überwunden. Hier wird sie aufblühn. Zwischen Baum und Pflanzen. Die Wangen röten sich, sie wird auch voller. Ihr Anblick wird die reine Freude sein. Sie werden sich sehr bald an sie gewöhnen – und sie wird vieles lernen, was sie sonst nirgends lernt. Sie wird es Ihnen danken mit Eifer und Gehorsam!

FRAU TÉOPHOT *lächelnd*. Sie können bitten, daß einem das Herz klopft.

FRANÇOIS. Nicht bitten nur – – Verlangen Sie von mir, was Sie verlangen wollen.

FRAU TÉOPHOT. Ich will Sie an das Wort erinnern. *Sie steht auf.*

FRANÇOIS. Wir dürfen bleiben?

FRAU TÉOPHOT *nähert sich ihm*. Man läßt doch einen jungen Gott nicht laufen! – Sagen Sie es Janine, ich hätte die Hexe ihr verziehn. Ich trage ihr nichts nach. Es wäre albern, wenn ich ihr böse wäre. Von nun an kann sie in der Villa dienen, so viel sie will. Ich hoffe, daß es sehr viel sein wird. Der junge Gott wird sie dazu anhalten. *Sie versetzt ihm mit dem Sonnenschirm einen leichten Klaps.* Das wird der junge Gott tun. *Sie spannt den Sonnenschirm auf – betrachtet François noch einmal lächelnd.* Wirklich – wie ein junger Gott! *Nun geht sie nach rechts und ab.*

François – zwischen Freude und Verwunderung – sieht ihr nach und steht reglos.
In den Treibraum links hinten tritt Janine: sie hat einen dürftigen Hut schief auf – in der einen Hand einen verschabten Handkoffer, in der andern François' Filzhut.

JANINE *im Pavillon – den Koffer niedersetzend*. Ich warte längst – du kommst nicht. Hier ist dein Hut. Willst du die andern Schuhe? Ich gebe sie heraus. *Sie bückt sich nach dem Koffer.*

FRANÇOIS *übermütig*. Lass' sie im Koffer!

JANINE. Willst du so gehn – durch Toulouse?

FRANÇOIS. Nicht einen Schritt! *Ihr den Hut abnehmend*. Hier brauchst du keinen Hut. Ich habe mit Frau Téophot gesprochen.

JANINE. Hast du ihr doch das Geld gegeben?

FRANÇOIS. Geld – Geld: ich habe keine Zeit gehabt von Geld zu sprechen. *Es aus der Tasche holend*. Hier ist es noch und dennoch ziehn wir nicht!

JANINE. Was ist denn vorgefallen?

FRANÇOIS. Sie hat die Hexe dir verziehn.

JANINE. Die Hexe?

FRANÇOIS. Die du sie nanntest. Ich habe einen Drachen sie betitelt. Und wie vergalt sie mir? Mit einem jungen Gott!

JANINE *stirnrunzelnd*. Sie hat dich – –?

FRANÇOIS. Einen jungen Gott genannt! – Das hast du mir noch nicht gesagt! – Jetzt sollst du in die Villa gehn und deinen Dienst antreten. Er wird dich sehr beschäftigen – sei folgsam. Ich habe mich für dich verbürgt. Soll ich mich deiner schämen? *Er drückt sie flüchtig an sich. Sie loslassend*. Versäum' dich nicht – ich binde meine Bäume! *Er ergreift den Gabelstock und schreitet – ihn schulternd – durch den Treibraum links hinten hinaus*.

Janine starrt ihm nach: langsam greifen ihre Finger nach ihren Schläfen und streifen mit schwachem Druck über die blasse Haut, als schmerze sie.

DRITTER AKT

Rechts kommt Frau Téophot – mit aufgespanntem Sonnenschirm. Erst hält sie Umschau – überlegt – und schließt den Schirm. Mit lässigem Gang begibt sie sich zur Glastür rechts hinten – klinkt auf – tritt in den Treibraum, wo sie – wie früher – an den Pflanzen schnüffelt, mit der Schirmspitze in der Blumenerde stochernd. So gelangt sie bis an das Ende des Treibraums.

Jetzt kommt Janine rechts. Sie überfliegt den leeren Pavillon – späht weiter – und erblickt Frau Téophot hinten im Treibraum.

Janine rührt sich nicht vom Fleck und wartet.

Frau Téophot lustwandelt denselben Weg zurück – erreicht die Schwelle aus dem Treibraum. Sie sieht Janine.

FRAU TÉOPHOT. Was ist denn, Kind? Schon fertig in der Villa?

JANINE *noch stumm und scheu.*

FRAU TÉOPHOT. Ich habe dir doch Arbeit hinterlassen. Arbeit für zwei. Du wirst doch nicht verlangen, daß ich auf Leitern steige? Soll ich Fenster putzen?

JANINE *schweigt.*

FRAU TÉOPHOT. Oder auf den Knieen liegen und Dielen scheuern?

JANINE *stumm.*

FRAU TÉOPHOT. Du hast doch selbst gewollt, was du jetzt tust. Dienstbotenarbeit. Ich lobe das. Das ist ein tapferer Entschluß, den du gefaßt hast. Von seiner Arbeit leben. Den Kehrricht schaufeln und den Ausguß putzen. Ich hätte nicht gedacht, daß du das könntest.

JANINE. Das kann ich alles.

FRAU TÉOPHOT. Alles was man will, kann man im Leben. Man muß nur richtig wollen. Manchmal weiß man's nicht gleich, doch dann besinnt man sich. Du hast dich jetzt besonnen und folgst dem bessern Willen, der in dir schlummert. In uns allen schläft er und wartet auf Erweckung. Arbeit ist der Weckruf. Sonst schläft er wieder ein, wenn man nicht strebsam ist. Sei strebsam unermüdlich. Reg' die Hände. Geh' in die Villa und besorg' dein Pensum. Ich bin sehr gütig, daß ich dir's so voll bemesse.

JANINE *regt sich nicht.*

FRAU TÉOPHOT *tritt an den Tisch und legt den Sonnenschirm auf die Tischplatte. Verwundert sich Janine zuwendend.* Bist du angewurzelt? Schlägt man hier Wurzeln wie alles, was hier wächst?

JANINE. Ich bin nicht angewachsen.

FRAU TÉOPHOT. Nur ungehorsam?

JANINE. Auch nicht ungehorsam.

FRAU TÉOPHOT. Ich befehle dir doch mich zu verlassen. Warum gehst du nicht?

JANINE. Sie – sollen nicht hierher gehn.

FRAU TÉOPHOT *lacht kurz auf.* In meinen Pavillon? Mein Eigentum dürfte ich nicht betreten? Wo ich die Blumen liebe – abgöttisch fast?

JANINE. Hier blüht noch nichts – hier treiben erst die Keime.

FRAU TÉOPHOT. Ich brenne vor Erwartung, bis sie blühen. Erwartung ist so schön wie Blühen.

JANINE. Sie kommen nicht deshalb.

FRAU TÉOPHOT. Weshalb denn?

JANINE. Sie suchen meinen Mann.

FRAU TÉOPHOT *übertrieben vergnügt.* Hier? Im Glashaus? Wo die Wände durchsichtig sind? Soll ich nicht gleich mit ihm auf freiem Rasen tollen? Die Nachbarn sehn uns zu?

JANINE *fast heftig hervorstoßend.* Ja – mit dem jungen Gott – –! *Sie bricht ab und blickt zu Boden.*

FRAU TÉOPHOT *beobachtet sie prüfend. Dann gleichmütig.* Ein hübscher Junge ist dein Mann.

JANINE. Er soll für mich nur hübsch sein.

FRAU TÉOPHOT. Gib ihm keinen Grund dich zu vergessen.

JANINE. Ich geb' ihm keinen Grund.

FRAU TÉOPHOT. Das wäre auch sehr töricht. Du hast Glück gehabt. Nicht jede findet wieder Anschluß. Von tausend eine. Oder besser: von tausend keine. Und was sie dann faßt – die eine auserwählte – ist ein Rest von einem Mann. Ein schiefes Wrack, das nur noch sabbern kann und nicht viel denken. Den kümmerlichsten Argwohn nicht aufbringt und ein gerupftes Huhn für eine weiße Taube nimmt. So hatte ich mir deinen Mann gedacht.

JANINE. Mein Mann ist besser als die ganze Welt.

FRAU TÉOPHOT. Natürlich ist er viel zu gut für dich. Wer streitet dir das ab? Mit keiner Silbe ich, zuletzt ich. Doch spiel' ich nie den Sittenrichter. Ich gönne jedem, was jeder hat.

JANINE. Sie gönnen ihn mir nicht.

FRAU TÉOPHOT. Was habe ich getan, um das zu zeigen?

JANINE. Erst – haben Sie gelogen.

FRAU TÉOPHOT. Mein Kind, du wählst die Worte sehr willkürlich.

JANINE. Die Hexe hab' ich nicht gesagt, daß Sie die sind.

FRAU TÉOPHOT. Wer macht dir diesen Vorwurf?

JANINE. François macht mir den Vorwurf, ich hätte Sie mit diesem Schimpf beleidigt.

FRAU TÉOPHOT. Da irrt der gute François, aus deinem Munde kam so häßliches Wort nicht.

JANINE. Und dann verziehn Sie die Beleidigung, damit wir bleiben sollten.

FRAU TÉOPHOT. Und seid ihr nicht hier?

JANINE. Das war doch nur erfunden, um uns nicht wegzuschicken!

FRAU TÉOPHOT. Vielleicht von François. Frag' deinen François. Vielleicht besinnt er sich.

JANINE. Sie – können sich sehr gut besinnen.

FRAU TÉOPHOT. Worauf doch?

JANINE. Dann nannten Sie ihn – einen jungen Gott.

FRAU TÉOPHOT. Darf man das nicht? Kränkt ihn das? Fühlt er sich besudelt?

JANINE. Weil er ein junger Gott ist –

FRAU TÉOPHOT. Nun sprichst du es selbst aus!

JANINE. – wollten Sie ihn festhalten – für sich – – und nicht für mich! – – – –

FRAU TÉOPHOT. – – – – Und nun verfolgst du mich, um zu verhindern, daß ich ihn treffe? Allein im Pavillon?

JANINE. Ich soll in der Villa sein und Sie sind beide – –

FRAU TÉOPHOT *auflachend.* So weit sind wir noch nicht, daß man von beide redet. Dein François kennt nur Janine und würde jede andre –

JANINE *wie mit einem Aufschrei.* Nein!

FRAU TÉOPHOT *nach einem Spiel mit ihrem Sonnenschirm.* Er liebt dich doch so heiß.

JANINE. Die Liebe ist es nicht mehr, mit der er mich zuerst ergriffen hatte. Ich hatte doch gefühlt, was ich noch nie empfunden hatte. Ich fühle es nicht mehr, wenn er mich – – *Sie atmet wortlos.*

FRAU TÉOPHOT *lässig.* Liebe kühlt sich ab.

JANINE *heftig.* Bei ihm nicht. Ihm ist alles neu. Er hat noch nie – – *Wieder stockt sie.*

FRAU TÉOPHOT. Du bist – die erste?

JANINE. Ja.

FRAU TÉOPHOT. Und jetzt?

JANINE. Denkt er nicht nur an mich.

FRAU TÉOPHOT. An wen noch?

JANINE. Auch – an Sie! *Sie drückt die Fäuste auf die Augen und schüttelt sich.*

FRAU TÉOPHOT *verzieht spöttisch die Lippen.* Ist das so schrecklich, daß ich ihm gefalle?

JANINE. Ja – schrecklich ist das.

FRAU TÉOPHOT. Ein Mensch wie du, Janine – und so empfindlich.

JANINE. Sie wollten auch nicht – –

FRAU TÉOPHOT. Was will ich nicht?

JANINE. Ich will mich nicht erinnern. Ein Mann soll mir gehören. Mir ganz allein. Dann weichen auch die andern. Die sind nicht bei mir gewesen. Bei wem sie waren, das wird nie enträtselt. Sonst könnte ich doch nicht an seiner Seite atmen. In seinem mächtigen Schutz. Da schlief ich vor Geburt schon und wurde erst geboren, als er mich an sich nahm. Ich war doch auch ein Baum, der schaukelte im Winde. Jetzt band er mich fest an. An seines Leibes Stütze. Mich stützt er ganz allein. Und wenn der Sturmwind pfeift, dann hält er mich gewaltig fest. Ich schwanke nicht – ich falle nicht – ich kann noch blühn – ich kann noch Früchte tragen!

FRAU TÉOPHOT *sie musternd.* Wahrhaftig – du bist schön. Es wird nicht leicht sein –

JANINE. Leicht ist alles, wenn er mich wieder liebt!

FRAU TÉOPHOT. Du mißverstehst mich, liebes Kind. Doch brauchen wir die Mißverständnisse, um uns erträglich zu verständigen. Der gute Wille ist beiderseits vorhanden. Gehen wir nicht weiter.

JANINE *freudig.* Gehn Sie in die Villa?

FRAU TÉOPHOT. Warum in die Villa? Dort kramst du jetzt. Das ist sehr ungemütlich. Man schluckt Staub. Hier schöpf' ich klare Luft. Nach Tropen riecht es. Riecht es hier nicht so? Zieh' einmal tief die Luft ein. Erinnerst du dich?

JANINE *schüttelt den Kopf.*

FRAU TÉOPHOT. Gut. Man wird sich nicht erinnern. Das wurde unser Leitspruch. Er soll es bleiben. Toulouser Luft – nichts andres. Wir haben nie eine andre eingesogen. – Rück' mir den Schaukelstuhl zur Mitte.

JANINE *folgt dem Geheiß.*

FRAU TÉOPHOT *sich niederlassend.* Das war immer mein köstliches Vergnügen – mich so zu wiegen. Nichts steht fest im Leben – man muß sich selber schaukeln in dem Schwindel. Dann rollt man drüber. Gib mir einen Stoß.

JANINE *bringt den Schaukelstuhl in Schwingung.*

FRAU TÉOPHOT. Lass' dich nicht mehr aufhalten. Erst die Fenster und dann die Dielen. Alles wie geleckt. Du weißt, ich kann auch streng sein. Oder weißt du es nicht mehr?

JANINE *stumm.*

FRAU TÉOPHOT. Sonst würde ich zu andern Mitteln greifen. Man hat ja Mittel – wenn es erst so weit ist – – – –

JANINE *ist während dem rechts gegangen und schloß die Tür ohne Laut.*

Frau Téophot hebt die Arme, wobei die Kleidärmel zurück-gleiten – faltet die Hände hinter dem Kopf und stößt sich mit den Schuhspitzen vom Fußboden ab.

In den Treibraum links hinten tritt François: über einer Ach-sel die lose Leinenjacke – in der Hand den Gabelstock, an dem nur noch eine Schlinge hängt. Die Glastür klappt er vernehmlich zu.

Frau Téophot stellt sofort den Schaukelstuhl still – reckt sich halb auf, um in den Treibraum zu spähen.

François verweilt im Treibraum: er prüft Pflanzen, die er mit der freien Hand betastet – dabei belästigt ihn die Leinen-jacke, er wirft sie ab und steht mit nacktem Oberkörper da.

Als er sich der Glastür in dem Pavillon nähert, legt sich Frau Téophot im Schaukelstuhl zurück – verschränkt die Arme wieder hinterm Kopf – schließt die Augen und scheint zu schlafen.

François kommt in den Pavillon – erblickt Frau Téophot. Der Anblick bannt ihn. Lange und mit verhaltnem Atem betrachtet er die Schläferin. Dann will er sich leise zurück-ziehn. Der Gabelstock knarrt auf dem Boden. Gleich steht François wieder still.

FRAU TÉOPHOT *träge und ohne die Augen zu öffnen.* Wer ist denn da?

FRANÇOIS *bleibt stumm.*

FRAU TÉOPHOT. Ich habe doch gehört – *Sich die Augen rei-bend und im Schaukelstuhl aufrichtend.* Was hörte ich denn?

Sie sieht François und fährt wie benommen fort. Wo bin ich nur? – Sie sind es, Herr François. – Wie kommen Sie herein, wo bin ich?

FRANÇOIS. Ich wußte nicht – daß Sie im Pavillon sind.

FRAU TÉOPHOT *erstaunend.* Ich bin im Pavillon und hab' geschlafen. Mich hat die schwüle Luft betäubt.

FRANÇOIS. Ich störte Sie auch nicht – der Stock war schuld.

FRAU TÉOPHOT. Nein nein, es ist nicht gut bei Tag zu schlafen. Sonst flieht mich nachts der Schlaf. *Sich streckend.* Jetzt bin ich herrlich wach. Ich könnte tanzen. Jetzt fehlt nur die Musik. Sind Sie kein Musikant?

FRANÇOIS. Ein bißchen pfeifen.

FRAU TÉOPHOT. Pfeifen Sie ein bißchen.

FRANÇOIS. Man kann nicht pfeifen, wenn man lachen muß.

FRAU TÉOPHOT. Bin ich so lächerlich?

FRANÇOIS. Nicht Sie doch – nichts ist lächerlich. – Man lacht leicht, wenn man pfeifen soll.

FRAU TÉOPHOT. Herr François – spitzen Sie die Lippen. Spitzen Sie sie so. *Sie macht es ihm vor.*

FRANÇOIS *sieht auf ihren Mund.*

FRAU TÉOPHOT. Sie sehen es ja nicht, wie ich sie spitze. Sie stehn ja viel zu weit. Kommen Sie mehr zu mir.

FRANÇOIS *tut ein paar Schritte.*

FRAU TÉOPHOT. Noch mehr. Sie müssen mich ganz nah' ansehn und auf die Lippen achten.

FRANÇOIS *geht nicht weiter.*

FRAU TÉOPHOT. Brennt der Fußboden? Fürchten Sie das Feuer? Sie sehn nicht aus wie einer, der gleich Angst hat. Oder täuscht der Anschein?

FRANÇOIS *sich ruckend.* Ich – muß doch arbeiten.

FRAU TÉOPHOT *gedehnt.* Die Arbeit – die Arbeit, die geht vor. Was wird denn jetzt gearbeitet?

FRANÇOIS *sich umblickend – unsicher.* Jetzt – hier – –

FRAU TÉOPHOT. Nun – was? Ich bin die Herrin. Ich bin neugierig, womit mein Gärtner sich beschäftigt.

FRANÇOIS. Da gibt es dies und das zu tun – in jedem Treibraum.

FRAU TÉOPHOT. Nein nicht im Treibraum. Sie haben hier gesagt. Ich will meinen Gärtner hier bei der Arbeit sehn. Ich sitze so bequem und steh' nicht auf. Aus meinem feuerroten Schaukelstuhl.

FRANÇOIS *eifrig.* Den habe ich gestrichen!

FRAU TÉOPHOT. Für mich?

FRANÇOIS. Jetzt sitzen Sie in ihm.

FRAU TÉOPHOT. Dann war es Vorbestimmung.

FRANÇOIS *schweigt.*

FRAU TÉOPHOT *den Schaukelstuhl bewegend.* Was tut mein Gärtner jetzt?

FRANÇOIS. Jetzt – –

FRAU TÉOPHOT. So gibt es nichts zu tun. Mein Gärtner hat geschwindelt. Wie ein Junge, der sich ausredet. Der Lehrer straft ihn. Wenn es nun ein strenger Lehrer ist?

FRANÇOIS. Ich schwindle doch nicht – –

FRAU TÉOPHOT. Also Strafe oder Arbeit. Wo gibt es Arbeit?

FRANÇOIS *mit raschem Einfall.* Mit dem Moos!

FRAU TÉOPHOT. Moos? Wo ist Moos?

FRANÇOIS. In der Mooskammer liegt es.

FRAU TÉOPHOT. Wo liegt die Mooskammer?

FRANÇOIS. Hinter der Holztür.

FRAU TÉOPHOT. Das ist doch nicht hier. Wenn Sie den Pavillon verlassen, sind Sie ein Schwindler. Dann hüten Sie sich vor mir.

FRANÇOIS. Ich hole Moos und richte es hier zu.

FRAU TÉOPHOT. Dann holen Sie es.

François geht zur Holztür links und schiebt den Riegel zurück. Er öffnet und verschwindet in der Mooskammer.
Frau Téophot lehnt sich im Schaukelstuhl zurück und richtet die Augen zur Glasdecke.
François kehrt mit Ballen von Moos in den Händen zurück.

FRAU TÉOPHOT *ohne ihre Lage zu verändern.* Haben Sie es? Dann zeigen Sie es mir.

FRANÇOIS *tritt zu ihr.* Hier ist es.

FRAU TÉOPHOT *beugt sich vor.* Das ist Moos?

FRANÇOIS. Moos.

FRAU TÉOPHOT *befühlt es.* Wie weich Moos ist. Wie feine Daunen.

FRANÇOIS. Es soll auch weich sein.

FRAU TÉOPHOT. Warum muß es weich sein?

FRANÇOIS. Sonst stört es das Pflanzenwachstum.

FRAU TÉOPHOT. Pflanzen brauchen Moos?

FRANÇOIS. Es hält, wenn sie noch jung sind, die Feuchtigkeit im Erdreich. Die zarten Wurzeln brauchen Schonung. Das feuchte Moos schont sie.

FRAU TÉOPHOT. Es wird noch angefeuchtet?

FRANÇOIS. Jetzt ist es trocken. So liegt es in der Kammer, bis es gebraucht wird.

FRAU TÉOPHOT. Jetzt brauchen Sie es? *Sie hält seine Hand unter dem Moos fest.*

FRANÇOIS *hastig.* Es ist fast zu spät. Die Keime sind überall schon hoch heraus und bilden reichlich Wurzelfasern. Ich mußte Bäume an die Pfähle binden. Sie standen draußen ohne Stütze in Sturm und Wind. Das hat mich aufgehalten.

FRAU TÉOPHOT *seine Hand loslassend – trocken.* Ja, es hält auf – wenn man ein Bäumchen stützt.

FRANÇOIS *geht zum Tisch – legt das Moos nieder, sieht unschlüssig auf den Sonnenschirm, der auf dem Tisch liegt.*

FRAU TÉOPHOT. Stört Sie der Sonnenschirm? Dann bringen Sie ihn her.

FRANÇOIS *bringt ihr den Sonnenschirm.*

FRAU TÉOPHOT *nimmt ihn.* Ich gehe nie ohne Sonnenschirm aus. Denn ich will nicht so braun wie Sie sein. Ich bin ganz weiß. Sie lieben das nicht? Weiß?

FRANÇOIS *beklommen.* Ich – liebe doch – auch weiß.

FRAU TÉOPHOT. Schneeweiß?

FRANÇOIS Wer ist – denn schneeweiß?

FRAU TÉOPHOT. Sind Sie neugierig?

FRANÇOIS *fast plump auflachend.* Natürlich – bin ich neugierig.

FRAU TÉOPHOT. Wonach?

FRANÇOIS. Nach – – *Sich dem Tisch mit torkelndem Gang zuwendend.* – – Moos, wie das weich ist – das lange in der Kammer lagert. *Er läßt sich auf den nächsten Stuhl nieder und zerteilt den Moosballen mit raschen Griffen.*

FRAU TÉOPHOT *beobachtet ihn scharf – steht auf – läßt ihren Sonnenschirm im Schaukelstuhl – tritt hinter François. Sie rührt ihn an der Schulter.* Ich will helfen. Ich sehe, wie es gemacht wird. Holen Sie das Moos.

FRANÇOIS *erhebt sich sofort und begibt sich in die Kammer.*

FRAU TÉOPHOT *folgt ihm mit den Blicken.*

FRANÇOIS *kommt nach einer Weile aus der Kammer wieder und lädt das Moos auf den Tisch ab.*

FRAU TÉOPHOT. Sie können noch mehr holen.

FRANÇOIS *geht wieder in die Mooskammer.*

FRAU TÉOPHOT *läßt nicht die offne Kammer aus den Augen.*

FRANÇOIS *kehrt zurück und schüttet das Moos hin.*

FRAU TÉOPHOT. Noch mehr?

FRANÇOIS *macht sich schon wieder auf den Weg und verschwindet in der Kammer.*

FRAU TÉOPHOT *steht auf und nähert sich der Kammer. Als François heraustritt – hält sie ihn auf.* Nicht mehr – – sonst bleibt nichts. – *Sie schlingt ihre Arme um seinen nackten Oberkörper.* – für uns beide!

FRANÇOIS *läßt das Moos aus seinen Händen fallen – packt hart Frau Téophot und stößt sie förmlich vor sich her ins Innere der Kammer. Die Holztür schlägt krachend zu.*

Janine öffnet lautlos die Glastür rechts – tritt ein und schließt behutsam hinter sich. Dann sieht sie sich um – gewahrt den Sonnenschirm im Schaukelstuhl. Sofort erschrickt sie – späht – lauscht – – – – und steht vor der Holztür. Angst und Grauen verzerren ihr Gesicht. Sie weicht von der Holztür – tastet sich durch den Treibraum links hinten und verläßt ihn geräuschlos, wie sie den Pavillon betreten.

VIERTER AKT

*Hinterm Tisch steht François. Er hat die Ärmel seiner Lei-
nenjacke aufgerollt und gräbt junge Pflanzen, die in einem
flachen Binsenkorb geschichtet liegen, in Töpfe ein.*
*Bis er Geräusche von rechts außen wahrzunehmen glaubt. Er
lauscht gespannt und hat sich nicht geirrt.*
*Er streicht die Jackenärmel glatt, klopft Erdreste von den
Händen – und sieht erwartungsvoll nach rechts.*
Quechartre tritt rechts ein.

FRANÇOIS *verwundert*. Sind Sie es – Herr Quechartre?

QUECHARTRE. Staubbedeckt und schweißgebadet. Es ist ein
heißer Mai wie lange nicht. Ich kann mich nicht besinnen,
daß in Toulouse der Mai so heiß schon war. Und ich bin
alt und habe viel erlebt. So was noch nicht. *Er legt seine
Aktentasche in den Schaukelstuhl, nimmt den schwarzen
steifen Hut ab, trocknet Hals und Glatze.*

FRANÇOIS *lachend*. Man kocht in allen Poren bei Ihrem Anblick. So geht man zu Beerdigungen – und nicht an einem
Maitag durch die Welt!

QUECHARTRE. Das Geschäft verlangt es. Ich kann nicht luftig
angezogen zu den Kunden kommen. Es wirkt nicht ernsthaft. Sie sind besser dran. Vor Ihren Pflanzen können Sie
auch nackt erscheinen. Die Pflanzen sehen nichts.

FRANÇOIS *mit noch stärkerem Gelächter*. Ich geh' nicht bloß
mit Pflanzen um!

QUECHARTRE. Nun – Ihre Haut bleibt kühl in Ihrer Leinenjacke.

FRANÇOIS. Kühl wie ein Gletscher!

QUECHARTRE. Ist dieser Stuhl frei?

FRANÇOIS. Nach Belieben.

QUECHARTRE. Halt – ich brauche meine Mappe. *Er holt sie
aus dem Schaukelstuhl und läßt sich dann am Tisch nieder.
Nun öffnet er die Mappe und kramt umständlich in den Papieren.*

FRANÇOIS *sieht ihm belustigt zu*. Ist es geschäftlich, was Sie
zu mir führt?

QUECHARTRE. Geschäftlich – ja. Doch weniger zu Ihnen.

FRANÇOIS. Zu wem noch?

QUECHARTRE. Ihre Frau betrifft es mehr.

FRANÇOIS *verdutzt*. Janine?

QUECHARTRE *einen Zettel herausnehmend.* Die Auswahl ist im Augenblick nicht groß. Sie ist sogar recht unbedeutend. Es wär' nur eine einzige Stelle, die ich vermitteln kann.

FRANÇOIS. Eine – Stelle?

QUECHARTRE. In einer Gastwirtschaft am Fluß.

FRANÇOIS. In einer Gastwirtschaft – – am Fluß – –

QUECHARTRE. Die Arbeit soll nicht schwer sein. Ein bißchen Küchendienst. Doch hauptsächlich die Gäste bedienen. Der Lohn ist mäßig, aber es gibt Trinkgeld. Flußschiffer geizen nicht, wenn sie an Land sind. Sie soll nur etwas nett mit ihnen sein. So setzte es mir der Besitzer auseinander, der bei mir war. Ich kenne das Lokal nicht.

FRANÇOIS *starrt stumm auf Quechartre nieder.*

QUECHARTRE. Der Posten ist auch nur durch Zufall frei geworden. Das Mädchen, das ihn vorher innehate, ist durchgebrannt. Mit einem Steuermann. Sie kann ja wiederkommen. Aber es ist fraglich, ob man sie wieder aufnimmt. Wenn Ihre Frau rasch zugreift, bleibt die andre draußen.

FRANÇOIS *stumm wie vorher.*

QUECHARTRE. Ich habe dem Wirt noch nichts gesagt, wen ich empfehlen könnte. Obwohl sich Ihre Frau im voraus mit allem einverstanden erklärte, was ich ihr bringen würde. Doch jeder soll zuletzt allein entscheiden. Sonst führt es nachher zu Unzuträglichkeiten, die nicht zu bessern sind. Man kam zu spät zur Einsicht und macht dem andern bittern Vorwurf. *Aufblickend.* Wo treffe ich Ihre Frau?

FRANÇOIS *schüttelt nur den Kopf.*

QUECHARTRE. Ist sie nicht hier?

FRANÇOIS. Nein –

QUECHARTRE. Nicht in der Gärtnerei?

FRANÇOIS. Nein –

QUECHARTRE. In der Villa?

FRANÇOIS. Nein –

QUECHARTRE. In Toulouse?

FRANÇOIS. Ja –

QUECHARTRE. Kommt sie bald zurück?

FRANÇOIS. Ja –

QUECHARTRE. Dann lasse ich den Zettel hier und kehre wieder. Ich habe in der Nachbarschaft noch eine Kommission. Die kann ich noch erledigen und dann hier fragen, ob die Stelle reizt. *Aufstehend – Mappe und Hut ergreifend.* Sie wissen ja Bescheid und können Ihrer Frau darlegen, wie sich

alles verhält. Vergessen Sie nicht: der Wirt drängt auch zur
Eile wie Ihre Frau. Es würden also beider Wünsche sich begegnen. *Rechts ab.*

*François steht wie vom Blitz gerührt – sieht noch Quechartre
nach, der längst verschwunden ist. Dann starrt er den Zettel
auf dem Tisch an – nimmt ihn – liest ihn – und läßt ihn in
die Jackentasche gleiten.*
*Links hinten in den Treibraum tritt Janine – mit Krug und
Brot.*
*Janine kommt in den Pavillon – stellt den Krug vor Fran-
çois auf den Tisch, legt das Brot dazu. Nun will sie nach der
Tür rechts.*

FRANÇOIS *schwach.* Janine.

JANINE *sich umdrehend.* François?

FRANÇOIS *mit rauher Stimme.* Quechartre – –

JANINE. Ja?

FRANÇOIS. Quechartre hat – –

JANINE. Ja?

FRANÇOIS. Diesen Zettel für dich abgegeben. *Er holt ihn aus
der Tasche.*

JANINE *tritt an den Tisch und läßt sich den Zettel geben –
liest und schweigt.*

FRANÇOIS. Warum suchst du eine Stellung?

JANINE *ausweichend.* Suchen – –

FRANÇOIS *auf den Zettel in ihren Händen weisend.* Hier bietet sie Quechartre an.

JANINE. Ich – habe mit Quechartre nur geredet.

FRANÇOIS. Er sagt, du hättest ihn gedrängt – und kommt in
Staub und Hitze.

JANINE. Er kommt und sagt das?

FRANÇOIS. Das sagte er mir.

JANINE *kopfschüttelnd.* Dir. *Sie starrt zu Boden.*

FRANÇOIS *nach einer Pause – zögernd.* Willst du nicht in der
Villa dienen?

JANINE *schweigt.*

FRANÇOIS. Gefällt der Dienst dir nicht?

JANINE. Doch – –

FRANÇOIS. Aber – – *Beide schweigen.*

FRANÇOIS *tastend.* Hat dich – Frau Téophot gescholten?

JANINE. Weswegen soll Frau Téophot mich – –

FRANÇOIS. Das mußt du wissen.
JANINE. Ich – weiß nichts.

Wieder Stille.

FRANÇOIS. Du willst nur weg von –
JANINE *rasch den Zettel hinzeigend.* Kennst du die Gastwirt-
schaft?
FRANÇOIS. Frag' Herrn Quechartre.
JANINE. Ich will zu ihm gehn.
FRANÇOIS. Er kommt hierher. *Wieder schweigen beide.*
FRANÇOIS *tritt zu ihr, faßt ihre Arme.*
JANINE. Drück' mich nicht – –
FRANÇOIS *drückt sie auf den Stuhl dort nieder. Mit erkünstel-
ter Lustigkeit.* Jetzt habe ich erraten, weshalb du zu
Quechartre schleichst und mit Quechartre tuschelst. Soll ich
dir dein Geheimnis aus der Nase zaubern?
JANINE. Wenn du es raten kannst – –
FRANÇOIS *ihr einen Nasenstüber versetzend.* Natürlich kann
ich das, weil es nicht einmal schwer ist. Janine ist eifersüch-
tig. Auf – Frau Téophot. Wie habe ich geraten?
JANINE. Du sollst dabei nicht lachen – –
FRANÇOIS. Nicht lachen soll man: wenn es nur ein Strohhalm
ist, mit dem man kitzelt – und der andre kreischt, es ist ein
Schwert, mit dem gemordet wird. Ein dünner Strohhalm,
den zwei Finger knicken, mehr nicht – ist ein Getändel, das
ich hatte. Mit Frau Téophot. In ihre Augen – ins Innre ihrer
Augen habe ich gegafft und mich vergafft. Ist Gaffen denn
so schlimm?
JANINE. Lüg' nicht, François.
FRANÇOIS *auftrumpfend.* Das sollte ein andrer wagen mir ins
Gesicht zu schleudern – ich lüge!
JANINE. Ich sage es dir ins Gesicht.
FRANÇOIS. Dann mußt du meine Lügen beweisen!
JANINE. Ich habe den Beweis.
FRANÇOIS. Welchen Beweis?
JANINE. Es lag im Schaukelstuhl der Sonnenschirm – – und
auf dem Moos – – und ich stand an der Holztür. *Sie sieht
schräg weg.*
FRANÇOIS *steht regungslos. – Dann setzt er sich ihr gegen-
über, faltet die Hände auf der Tischplatte und senkt den
Kopf.* Es ist wahr. Wir waren in der Mooskammer. Ich kam

von meinen Bäumen – und sie war hier. Sie schlief im Schaukelstuhl und hatte meinen Eintritt nicht bemerkt. Ich konnte sie betrachten. Ich stützte mich auf meinen Gabelstock, an dem noch eine Schlinge hing – die andern hatte ich verbraucht. Dort hängt sie noch. Ich hätte meinen Blick abwenden müssen – es war gewiß gemein von mir, daß ich so lange blieb. Dann, als ich doch gehn wollte, scharrte ich mit dem Stock – und sie erwachte. Sie war nicht böse und warf mir nicht Frechheit vor – doch das beschämte mich noch mehr. Sie hatte Mitleid mit mir, weil ich so verwirrt war. Wie ein Junge in der Schule. Und als ich Moos hereintrug – immer neues Moos, wehrte sie meinem Wahnwitz und stand vor der Kammer. Ich lief in ihre Arme – ich fühlte nur noch rote Nebel kreisen – – und da verging ich mich.

Es herrscht Schweigen.

JANINE *ohne den Blick zu heben.* Du brauchst dich doch nicht zu entschuldigen.
FRANÇOIS *nun heftig.* Vor dir noch mehr als –
JANINE. Du begehst kein Unrecht.
FRANÇOIS. Ist das kein Unrecht?
JANINE. Wenn dir Frau Téophot gefällt.
FRANÇOIS *verstummt.*
JANINE *ruhig fortfahrend.* Ich kann mich doch nicht mit Frau Téophot vergleichen. Wer bin ich denn? Sie ist doch eine Dame, die in der Villa wohnt. Sie geht mit einem Sonnenschirm spazieren – und was sie tun will, tut sie. Ich kann nur tun, was mir befohlen wird. Das ist der krasse Unterschied.
FRANÇOIS *in Hitze geratend.* Noch krasser – krasser noch, Janine, du gefällst mir – und sie nicht!
JANINE. Wenn nur ihr Sonnenschirm erscheint, verwirrst du dich doch jedesmal.
FRANÇOIS. Nie wieder. Das war nur ein Rausch, der uns durchblutet – und dann vergeht er. Was wir im Rausch tun, das wird nicht gezählt. Wenn die Besinnung wiederkehrt, dann sieht man doppelt klar!
JANINE. Ich bin nicht schön! Frau Téophot ist schön.
FRANÇOIS. Sie ist schön angemalt. Sie hat sich parfümiert. In Duft und Farbe ist sie prächtig. Das hat mich überwältigt.

Zum ersten und zum letzten Mal, daß ich mich davon über-wältigen lasse. Glaubst du mir das?

JANINE *kopfschüttelnd.* Das glaube ich dir nicht.

FRANÇOIS. Du glaubst mir nicht, daß du es bist, für die ich – – für die ich ganz allein – – *Er greift nach ihrer Hand über den Tisch.*

JANINE *zieht sie zurück.* Ich bin's nicht mehr allein.

FRANÇOIS. Weil hier Frau Téophot ist? So werden wir dort sein, wo keine Frau Téophot ist. Wir werden an einem an-dern Ort der Welt uns niederlassen, wo sie nicht hinreicht – wo sie nichts befiehlt. Dir nicht und mir nicht. Kommst du mit?

JANINE *hebt langsam lächelnd das Gesicht nach ihm.*

FRANÇOIS. Ich kann dir keine Herrlichkeit verheißen. Ich bin ein Gärtner. Vielleicht nicht einmal das mehr. Denn ich muß für dich sorgen, wie ich es finde. Es kann im Grunde eines Bergwerks sein. Ich scheue nicht die Finsternis – den Staub. Wenn wir nur nachts uns treffen. Schwur ich's nicht schon? Erinnerst du dich jetzt? Jetzt wird es wahr!

JANINE. Du hängst doch an den Pflanzen.

FRANÇOIS. An den Pflanzen? Die sollen mich verhindern dir zu gehören? Mehr als alle Pflanzen, die in der Erde wurzeln, gilt meine Wanderung mir in deine Arme! *Die Töpfe auf dem Tisch überfliegend und nach dem ersten greifend.* Pflanzen reiss' ich aus. So siehst du es: ich bin von einer ge-heilt, um in die andre einzugehn. *Der Reihe nach entreißt er den Töpfen die eingegrabenen Pflanzen und schleudert sie zu Boden.* Verwelkt – verdorrt mit Stengel, Blatt und Wur-zeln: so nützt ihr mehr – ihr spendet mir Janine! *Nun zu Janine tretend – mit seinen Händen ihr Gesicht umspan-nend.* Wirst du noch an mir zweifeln?

JANINE. Ich zweifle nicht mehr, François.

FRANÇOIS. Gib mir den Zettel von Quechartre.

JANINE. Ja, François.

FRANÇOIS. Quechartre abgelehnt für immer?

JANINE. Für immer.

FRANÇOIS. Nur ich – trotz meiner Fehler – noch?

JANINE. Nur du, François.

FRANÇOIS *steckt den zerknüllten Zettel ein.* Dann ist die Welt schön. Lass' uns in die Welt ziehn. Sie wartet auf Janine und François. Sie soll nicht auf uns warten. Hol' alles Geld, das noch vorhanden ist von dem, das dir Frau Téophot gegeben

hat. Damals, als sie uns wegwies. Jetzt wandern wir freiwillig. Ich rechne nur den Lohn auf Tag und Stunde ab.
Darüber nichts. Lauf'. Bring' das Geld.

JANINE. Das soll sie wiederhaben.

FRANÇOIS. Mich lass' hier Ordnung schaffen!

*Während Janine eilig durch den Treibraum links hinten
weggeht, beginnt François die leeren Töpfe in das Gestell
zurückzustellen.*
*Frau Téophot tritt rechts ein – unter dem aufgespannten
Sonnenschirm. Sie schließt die Glastür.*
François sieht überrascht hin.

FRAU TÉOPHOT. Wo steckt Janine? Die Arbeit wartet in der
Villa auf sie. Es gibt zu waschen. Die Wäsche soll noch trock-
nen, eh' ein Gewitter losbricht. Ich fühle Gewitter vorher.
Sind sie hier heftig? Blitzt und kracht es kräftig?

FRANÇOIS *zuckt nur unwillkürlich die Achseln.*

FRAU TÉOPHOT. Ich habe vor Gewittern keine Angst. Ich
habe sie erlebt wie Weltuntergang. Tagelanges Donnern und
Rauschen von Regengüssen. Die wahre Sintflut. Zuletzt gewöhnt man sich daran und fürchtet sich vor nichts mehr. So
habe ich die Angst verlernt vor jeder Art Gewitter.

FRANÇOIS *der noch einen leeren Topf in seinen Händen hält
– hört schweigend zu.*

FRAU TÉOPHOT. Nun lassen Sie den Blumentopf los und mich
nicht länger stehn. Mir fehlt mein Schaukelstuhl, den Sie für
mich so schön bemalten. Rücken Sie ihn her.

FRANÇOIS *folgt dem Geheiß und stellt den Schaukelstuhl zurecht.*

FRAU TÉOPHOT *klappt den Sonnenschirm zu – läßt sich im
Schaukelstuhl nieder und wiegt sich.*

FRANÇOIS *steht beim Tisch.*

FRAU TÉOPHOT. Kommt nun Janine?

FRANÇOIS *sich aufraffend.* Sie kommt – nicht mehr.

FRAU TÉOPHOT. Hierher nicht mehr? *Lächelnd.* Hast du das
eingerichtet?

FRANÇOIS. In Ihre Villa.

FRAU TÉOPHOT. Fühlt sie sich heute schlecht?

FRANÇOIS. Nicht heute – und nicht wieder kommt sie.

FRAU TÉOPHOT. Sagt sie den Dienst auf?

FRANÇOIS. Ja.

FRAU TÉOPHOT. Wie ist sie denn darauf verfallen?

FRANÇOIS *schweigt.*

FRAU TÉOPHOT. Schmeckt ihr die Arbeit nicht? Das überrascht mich nicht. Arbeiten will gelernt sein.

FRANÇOIS. Sie hat gelernt zu arbeiten.

FRAU TÉOPHOT. Was sie so Arbeit nennt.

FRANÇOIS. Die eine ist so viel wert wie die andre.

FRAU TÉOPHOT. Wir wollen uns nicht um den Wert der Arbeit streiten, die einer leistet. Das ist ein unerschöpfliches Kapitel.

FRANÇOIS. Bis zur Erschöpfung hat Janine geschafft.

FRAU TÉOPHOT. Also gut: sie braucht nicht mehr zu kommen. Ich kann mir eine andre Hilfe suchen. Ich habe noch niemand gezwungen bei mir zu bleiben. Wer die Freiheit sucht, soll sie auch finden. Ersatz ist immer da. Niemand ist unersetzlich.

FRANÇOIS *zögernd.* Auch – Gärtner nicht.

FRAU TÉOPHOT. Was soll das heißen?

FRANÇOIS. Wir gehen beide.

FRAU TÉOPHOT. Wer – beide?

FRANÇOIS. Janine und ich.

FRAU TÉOPHOT. Aus welchem Anlaß?

FRANÇOIS. Weil – – sie gelauscht hat.

FRAU TÉOPHOT. Wann?

FRANÇOIS. Als – – das vorfiel.

FRAU TÉOPHOT. In der Mooskammer?

FRANÇOIS. Sie – – lauschte an der Holztür.

FRAU TÉOPHOT *lehnt sich zurück und lacht ein leises Lachen.*

FRANÇOIS *mit Mühe.* Sie lachen – –

FRAU TÉOPHOT. Mit Recht. Weil es so lächerlich ist. *Sie lacht und wippt weiter.*

FRANÇOIS *näher zu ihr tretend.* Ich habe auch gelacht – doch dann verging es mir. Ich wußte auch nicht gleich, was ich begangen hatte. Ich machte Witze mit einem Strohhalm, den man knickt – dann war es nur ein Strohhalm. Es soll nicht mehr gewesen sein. Doch da war sie schon weiter. Da war sie beim Agenten schon gewesen und hatte eine Stellung sich gesucht. So weit war sie von mir getrieben, der das nicht ahnte – bis an den Rand des Abgrunds.

FRAU TÉOPHOT *die Hände hinterm Kopf verschränkt.* Was für ein Abgrund?

FRANÇOIS. Die Stelle in einer Gastwirtschaft am Fluß: wo die

Flußschiffer einundausgehn. Der Wirt gibt keinen Lohn. Bezahlung stammt von den Gästen. Wofür – das braucht man nicht zu raten. Das steht den Mädchen an der Stirn geschrieben.

FRAU TÉOPHOT *lacht heller.*

FRANÇOIS. Sie können das nicht glauben – doch es ist wahr. Die letzte, die in der Gastwirtschaft bediente, verschwand mit einem Steuermann. Ich weiß es vom Agenten – und Quechartre sprach offenherzig. Mehr als er sicher ahnte. Mich durchfuhr es heiß, weil ich sofort erkannte – was diese Gastwirtschaft am Fluß bedeutet.

FRAU TÉOPHOT *lacht noch heller.*

FRANÇOIS. Dahin wollte Janine gehn. Sie war bereit. Es bot sich keine andere Gelegenheit, um wegzukommen. Rasch, wie sie es verlangte. Wohin wär' sie geraten?

FRAU TÉOPHOT *lacht ganz unbeherrscht.*

FRANÇOIS *aufstampfend.* Lacht man, wenn einer diesen Weg geht?

FRAU TÉOPHOT *sich mäßigend.* Ich lache – über dich!

FRANÇOIS. Warum über mich?

FRAU TÉOPHOT. Weil du dir solche Sorgen machst.

FRANÇOIS. Janine ist es doch –

FRAU TÉOPHOT. Lass' sie ziehn – und bleib' hier.

FRANÇOIS *starrt auf sie nieder.*

FRAU TÉOPHOT *sich wiegend.* Hast du es denn nicht gut hier? Du hast deinen Posten, der dich beschäftigt. Nicht zu sehr, wenn du es nicht willst. Du kannst dir deine Arbeit selbst bestimmen. Niemand treibt dich an. Du bist der Herr im Glashaus und im Garten. Ist das nicht lockend?

FRANÇOIS *stumm.*

FRAU TÉOPHOT. Ich bin da. Du könntest zu mir in die Villa kommen – ich sperre nicht die Tür zu. Wir haben uns schon einmal gut vertragen. Doch das war erst bei flüchtiger Bekanntschaft. Du wirst mich immer besser kennen lernen. Was ich verspreche, halte ich, willst du mich oft an mein Versprechen erinnern? *Ihm ihre Hand – ohne hinzublicken – hinstreckend.* Deine Hand, François – daß du mich oft erinnern wirst.

FRANÇOIS *rührt sich nicht.*

FRAU TÉOPHOT. Wo bleibt die Hand?

FRANÇOIS *tritt einen Schritt zurück.*

FRAU TÉOPHOT *sich vorbeugend.* Wo stehst du denn? Komm' näher.

FRANÇOIS *hervorstoßend.* Nein.

FRAU TÉOPHOT. Was heißt – nein?

FRANÇOIS. Ich gehe – mit Janine.

FRAU TÉOPHOT *mustert ihn scharf.* Du ziehst Janine – mir vor?

FRANÇOIS *tief atmend.* Ja.

FRAU TÉOPHOT *erhebt sich aus dem Schaukelstuhl – tritt hinter den Schaukelstuhl und spießt die Sonnenschirmspitze in Durchbrüche des Sitzes.* Du wirst nicht mit Janine weggehn.

FRANÇOIS *zuversichtlich lächelnd.* Doch. Und bei ihr bleiben. Sie hat mir verziehn.

FRAU TÉOPHOT *spöttisch.* Sie hat schon anderen verziehn, die heute hier und morgen da einkehrten.

FRANÇOIS *sagt nichts mehr.*

FRAU TÉOPHOT *immer nachlässig.* Das ist Janine. Sie war in meinem Hause. Von vielen eine. Nicht die schlechteste. Sie hatte guten Zuspruch. Neger, Chinesen, Türken, Griechen – allen gefiel sie. Nie beschwerte sich ein Schwarzer oder Gelber, er sei zu kurz gekommen. Nie gab es Krakeel auf ihrem Zimmer. Sie war in ihrem Fache ganz vorbildlich. Das Muster einer Dirne. – – – – – – So machte ich ihr – man erkennt doch brave Dienste an – nicht Schwierigkeiten, als ich mein Haus verkaufte. Ich verkaufte sie nicht mit und ließ sie ziehn, wohin sie wollte. Nach Toulouse zog sie. – – – – – – Auch ich zog nach Toulouse in dieser Welt des Zufalls. Ich hatte genug verdient und war des Klimas in Südamerika recht überdrüssig. Auch des Betriebs. Er verlangt viel Nerven. Ich wollte mich gründlich ausruhn. Nicht von den Männern. Ich konnte wählen, wem ich Gunst gewährte – und nahm dafür kein Geld. Ich nahm mir, was ich wollte! – – – – – – *Nun läßt sie den Sonnenschirm los – tritt hinter dem Schaukelstuhl hervor und geht zu François.* War das hart? Es war nur so, wie es sich zutrug. Kein Wörtchen Lüge. Wozu lügen? Hier lügt man nicht – hier übertrumpft die Wahrheit alles, was einer sich ausdenken wollte, um einen andern anzuschwärzen. Frag' doch Janine. – – – – *Seine Arme fassend.* Lass' Janine zum Fluß gehn. Sie wird sich nicht vor einem Steuermann erschrecken, der auf dem Fluß fährt. Sie hat sich vor den Männern von allen Meeren nicht entsetzt. Neger, Chinesen, Türken, Griechen – und was von allen Völkern in den Häfen schwärmt. – – – – *Ihn rüttelnd.* Steh' nicht so starr. Sieh' mich an – mit deinen blauen Augen. Das ist meine Farbe, nach der ich schmachte. *Ihm das*

Haar zerwühlend. Und diese blonden Haare. Ich bin verloren, wenn ich blau und blond zusammen sehe! – – – –
Denkst du noch an Janine? Mich stört sie nicht. Ich bin nicht
eifersüchtig auf eine Dirne. Was du mit einer Dirne hinter
meinem Rücken treibst, macht mich nicht heiß. Wie soll mich
das berühren? – – – – *Jetzt hart.* Du scheinst nicht zu begreifen, was ich meine. Ich will dich mit Janine teilen. Du
kommst in die Villa und kannst auch in der Gärtnerei sein.
Mal hier – mal dort. Du bist ein Mann für zwei! – – – – – –
Höhnisch. Oder verbietet es Janine? Soll ich von einer Dirne
mir vorschreiben lassen, wen ich begehre? Hat sie vergessen,
wer sie ist – wer ich bin? Dann muß ich sie erinnern – wieder
fügsam machen. Ich würde reden – Quechartre hört es, wen
er mir in die Villa schickte – als Gärtnerfrau – – und wie sie
ihren Gärtner foppte! – – – – *Schon in der Mitte des Pavillons.*
Kommt sie bald? So soll sie schnell kommen und uns belau-
schen, wenn wir im Moos sind. Lass' die Holztür offen,
wenn du mir folgst. *Fast drohend.* Lass' mich nicht lange
warten! *Sie begibt sich zur Holztür – schiebt den Riegel beiseite und geht in die Mooskammer.*

*François bleibt unbeweglich. Das wirre Haar ums steinerne
Gesicht. Von seinen Lippen löst es sich tonlos:* »Neger, Chi-
nesen, Türken, Griechen – –«
Aus der Mooskammer tönt Frau Téophots girrende Stimme:
»François!«
*Da zuckt François zusammen. Er dreht den Kopf nach der
Mooskammer.*
Ein neuer Ruf lockt. »François!«
*François blickt weiter um sich – sein Blick gewahrt den Ga-
belstock!*
»François!« *– aus der Mooskammer.*
*François geht hin und greift zum Gabelstock, von dem er die
letzte Schlinge nimmt. Er weitet sie – kaum wissend, was
seine Hände tun – noch mehr.*
»François! – François!« *– ganz dringend aus der Mooskam-
mer. François – mit der weitoffenen Schlinge in den Händen
– nähert sich der Mooskammer.*

FÜNFTER AKT

Janine kommt rasch durch den Treibraum links hinten –
tritt in den Pavillon und sieht ihn leer.
Dann gewahrt sie den hingerückten Schaukelstuhl – den
Sonnenschirm im Schaukelstuhl.
Sie steht vorm Schaukelstuhl – starrt auf den Sonnenschirm.
Nun gleiten ihre Blicke nach der offnen Holztür.
Ihrer Hand entfallen Münzen, die auf dem Boden klingeln.
François tritt aus der Holztür. Mit leeren Händen.
Stumm sehen François und Janine einander an.

FRANÇOIS *endlich beginnend.* – – Jetzt – – lebt sie nicht mehr.

JANINE *stockend.* Wer – – lebt nicht mehr?

FRANÇOIS. Jetzt hat sie keinen Hauch im Mund mehr – in der Brust – im ganzen Leib. Wenn wir nicht atmen, bleibt es totenstill hier. Halt' so den Atem an wie ich. – – – – Was hörst du?

JANINE. – – Nichts.

FRANÇOIS. Nichts hat sich hier geregt – kein Zeichen fremden Lebens. – – – – Willst du noch sehn? *Er tritt beiseite.*

JANINE. Was – soll ich sehn?

FRANÇOIS. Wie sie im Moos liegt. Mit einer Schlinge um den Hals. Es war noch eine einzige Schlinge übrig. Wir hatten eine zuviel geknotet. Mit dieser Schlinge hab' ich sie erstickt.

JANINE. – – – Du hast – – Frau Téophot – –

FRANÇOIS. Wen sonst? Wer ließ den Sonnenschirm im Schaukelstuhl zurück? Erkennst du nicht den Sonnenschirm? Du weißt doch immer, wer im Moos ist, wenn hier der Schirm liegt!

JANINE. – – – Warum – – hast du Frau Téophot – –

FRANÇOIS. Sie wollte reden. Mit Quechartre. Mit Quechartre, der überall herumgeht und es ausschwatzt.

JANINE. Was – – schwatzt Quechartre aus?

FRANÇOIS. Woher du kommst. Was du gewesen, eh' du mich fopptest!

JANINE. Das – – weißt du – –??

FRANÇOIS. Wer war sie, bevor sie nach Toulouse zog – geldbeladen – und sich die Villa kaufte. – – Da liegt noch von dem Geld. Heb's auf! Vielleicht hast du's verdient für sie in heißen Nächten!

JANINE *unbeweglich.*

FRANÇOIS *tritt einige Schritte vor und streicht sich das wüste Haar glatt.* – – – – – Warum hast du geschwiegen?

JANINE *zuckt schwach die Achseln.*

FRANÇOIS. Ich weiß es. Du warst es so gewohnt, daß einer dich bei der Hand nimmt und wegführt. So war's auch beim Agenten. Du standst gleich auf und gingst mit mir. Du widerstandst mit keinem Zucken.

JANINE *fast schüchtern.* Du nahmst mich doch – zur Frau.

FRANÇOIS *höhnisch.* Das sollte mich versöhnen?

JANINE. Ich hatte das andere vergessen.

FRANÇOIS *lacht lauter.*

JANINE. Bis Frau Téophot – –

FRANÇOIS. Bis mich Frau Téophot bezwang. Nicht ich bezwang sie bärenstark im Moos. Sie ließ mich tanzen – diesen Bären, wann sie wollte – und drohte mit der Peitsche, wenn er trotzte. Da hob der Bär die Pranke und schlug zu!

JANINE. – – Ich wollte wieder weggehn, als mir das andre einfiel.

FRANÇOIS. Zum Fluß. Zur Schenke. Wo Matrosen lärmen und gut zahlen – für brave Dienste!

JANINE. Ich wollte nicht mehr hier sein.

FRANÇOIS. Und ich hielt dich fest. In meinem Schauder vor dem verrufnen Fluß. Vorm Steuermann, der auf dem Fluß fährt. Kamst du nicht von Männern, die auf den Meeren fahren und in die Häfen treiben? Neger, Chinesen, Türken, Griechen! – – – – – –

JANINE. – – – – – – *Sich plötzlich aufrichtend.* François, ich kann auch – in den Fluß gehn!

FRANÇOIS. – – – – – – *Er sieht sie aufmerksam an – schüttelt dann den Kopf.* Was suchst du auf dem Grund des Flusses? – – – – *Nach der Holztür weisend.* Wird die hier nicht gefunden? – – – – – – Die verrät es, obwohl sie stumm ist. Warum ist sie stumm und steif? Warum mit Würgemalen um den Hals? Warum gewaltsam ausgelöscht ihr Odem? – – – – Und du schweigst auf dem Grund des Flusses. – – – – Soll ich sprechen müssen? Dies giftige Geheimnis selbst lüften, das ich ersticken wollte? – – – – Das ich ersticken muß mit allen Kräften – – um nicht die Schändung dieser Welt zu mehren? – – – – Soll es ausfluten – – wie der schwarze Schlamm, der in den Sümpfen brodelt und plötzlich austritt und verdirbt das blühende Grün der reinen Erde?! – – – – –

JANINE. – – – – Du mußt entfliehn, François.

FRANÇOIS. Flucht? Wie weit kommt einer, der verfolgt wird?

JANINE. Viele fliehn.

FRANÇOIS. Ich nicht, Janine. Ich bin ungeschickt. Ich würde über einen Grashalm stolpern und mich ergreifen lassen. Fängt man mich nicht leicht?

JANINE. – – – – Wo wirst du dich verbergen?

FRANÇOIS. Verbergen – – – –

JANINE. Was hier geschah?

FRANÇOIS. Was hier geschah – das läßt sich nicht verbergen. – – – – Doch – wie geschah es?

JANINE *schweigt.*

FRANÇOIS *geht zum Tisch und setzt sich auf den Stuhl links.* Setz' dich Janine. Mir gegenüber. Wie wir anfangs saßen, als wir die Schlingen machten. Ich sah deine Brust und freute mich. Du kanntest keine Scham und hülltest sie nicht ein.

JANINE *die am Tisch ihm gegenüber sitzt.* Ich schämte mich vor dir nicht.

FRANÇOIS *bitter.* Auch vor mir nicht. – – Später zäumte ich mich mit Schlingen an Hals und Handgelenken auf und stampfte wild – und du erwürgtest mich halb.

JANINE. Tat ich's wirklich?

FRANÇOIS. Fast wie die andre – – – – die du nun ganz erwürgt hast.

JANINE. Welche andre?

FRANÇOIS. Die tot im Moos liegt!

Es herrscht Stille.

JANINE *langsam.* Bin ich es, die – – – –?

FRANÇOIS. Ja. Du, Janine.

JANINE. – – – – Wie soll – – ich es erklären?

FRANÇOIS. Mit deiner Eifersucht. Die dir zuletzt den Sinn verwirrte. Frau Téophot kam in den Pavillon. Sie nannte mich einen jungen Gott – und das vernahmst du.

JANINE. Nichts – – mehr?

FRANÇOIS. Nein. Nichts mehr.

JANINE. Genügt – – das?

FRANÇOIS. Für eine Frau, die ihren Mann liebt – – und vorher nie geliebt? *Seine geballten Fäuste sich auf die Brust drückend.* Nur diesen einzigen Mann? Mich? Unvergleichlich?

JANINE *nach langer Pause.* Ich will es sagen.

FRANÇOIS. Du mußt es sagen. So mußt du es sagen. Präg' es dir gut ein. Lass' dich nie erschüttern. Zeig' dich empfindlich. Sei beleidigt vor jeder kühneren Frage, ob sich mehr zutrug zwischen ihr und mir. Sühne dein Vergehen, als ob du es begangen hättest. Doch wie du wirklich dich vergangen hast – mit deines Leibes Leben – das sühnst du nie. Das kann dir nie vergeben werden. Oder sind wir Menschen so ausgestoßen, daß uns nichts verunglimpft?? – – – – – – *Er bückt sich und hebt eine der Pflanzen auf, die er früher ausgerissen hatte.* Entwurzelt und verwelkt. Zur Blüte nicht wieder zu erwecken, die vom Wind gestreichelt – von Bienen überflogen, von ferner Blüte überstaubt wird. Unnahbar in der Lust – im Schwellen unberührt. Soll man noch mißverstehn? Wohin die Schöpfung weist? – – – – – – *Er zeigt Janine die welke Pflanze.* Ich habe sie zerstört – mit meinem wüsten Griff. Ich wurde zu begierig. Da geriet ich in den Strudel. Man soll sie dämpfen – die schweifende Begierde. Fester wurzeln und nach den Pflanzen trachten. Ich riß sie aus – das wurde meine Schuld. Die muß ich sühnen. Peinlich und stumm wie ein Gestrafter. In lohender Sonne stehn – die Pflanzen schützen, daß ihre Blüte nicht beschädigt werde – barfüßig Regenfluten dämmen, daß ihre Wurzeln nicht gelockert werden. Tag und Nacht bereit sein. Reicht ein Leben, um alles zu verrichten? Ich will beizeiten mit dem Werk beginnen! *Er ist aufgestanden.*

Quechartre kommt rechts.

QUECHARTRE *nachdem er die Glastür hinter sich geschlossen.* Im Westen braut es sich zusammen. Es zieht vom Meer herauf und bringt uns ein Meer von Regen. Das Wasser wird das Land verwüsten. Ich will noch in Toulouse sein, bevor es losbricht. *Indem er sich den Schweiß abtrocknet zu François.* Ist Ihre Frau verständigt? Wie entschließt sie sich? Wird sie am Fluß eintreten? Bald, wie es gewünscht wird?
FRANÇOIS. Die Leute könnten ungeduldig werden.
QUECHARTRE. Nun morgen – übermorgen.
FRANÇOIS. Sie sind ein milder Richter, der eilig freispricht.
QUECHARTRE. Wovon freispricht?
FRANÇOIS. Von schwerer Untat. *Er führt ihn vor die Holztür.* Sehen Sie das an!
QUECHARTRE *in die Mooskammer spähend.* Frau Téophot –?

FRANÇOIS. Sie können lauter rufen – es stört sie nicht mehr.

QUECHARTRE. Ist sie –? Was hat sie am Hals – – – – Mit einer Schlinge – –? *Zurücktretend.* Wer hat das getan?

FRANÇOIS. Sie dürfen mich nicht fragen, Herr Quechartre.

QUECHARTRE. Wen kann ich hier noch fragen?

FRANÇOIS *sieht nach Janine.*

QUECHARTRE *folgt seinen Blicken.* Frau Bertin – – *Er geht zum Tisch – läßt sich ihr gegenüber nieder.* Das haben Sie vollbracht?

JANINE *sitzt mit gesenktem Kopf da.*

QUECHARTRE. Getötet haben Sie – Frau Téophot?

JANINE *stumm.*

QUECHARTRE. Warum getötet?

FRANÇOIS *steht hinterm Tisch zwischen Quechartre und Janine. Mit Härte zu Janine.* Antworte Herrn Quechartre. Was hast du getan?

JANINE *mechanisch.* Ich habe Frau Téophot getötet.

QUECHARTRE. Aus welchem Anlaß, Frau Bertin?

FRANÇOIS. Antworte Herr Quechartre.

JANINE *wie früher.* Sie stellte meinem Mann nach.

QUECHARTRE *zu François.* War sie so unbeherrscht?

FRANÇOIS. Ich habe nichts von ihrer Gunst gespürt.

QUECHARTRE *zu Janine.* Wie wußten Sie es denn?

FRANÇOIS. Antworte Herrn Quechartre.

JANINE. Sie schickte mich doch fort.

QUECHARTRE. Sie mußten sich eine andre Stellung suchen? *Aufblickend zu François.* Mußte sie es?

FRANÇOIS. Nur sie weiß alles. *Zu Janine.* Antworte Herrn Quechartre.

JANINE *weinerlich.* Sie wollte mit meinem Mann allein sein.

QUECHARTRE. Das sagte sie so frei?

FRANÇOIS. Antworte Herrn Quechartre.

JANINE. Ich verstand es so.

QUECHARTRE *die Hände zusammenschlagend.* Wie kann man töten – wenn man nur verstand und schließlich falsch verstand?

JANINE *fast trotzig.* Ich habe alles so verstanden.

QUECHARTRE. Man prüft doch –

FRANÇOIS *einfallend.* Man prüft nicht – wenn man so unerfahren wie Janine. Da gelten halbe Worte schon als volle Taten. Was weiß Janine von Taten, die das Licht des Tages scheuen müssen? Deshalb erregt sie sich so übertrieben und sieht Gespenster.

QUECHARTRE *mit allen Zeichen des Entsetzens aufstehend.* Gespenster – –

FRANÇOIS. Fürchten Sie sich, Herr Quechartre?

QUECHARTRE. Damals hätte ich mich fürchten müssen, als ich Sie aus der Schlinge löste. Erinnern Sie sich noch? Auch damals stand die Holztür offen und Sie nicht weit von ihr – schon halb erwürgt. Ich rettete Sie noch im letzten Augenblick. Sonst lägen Sie statt jener in der Kammer. Frau Bertin hat es schon einmal versucht – mit einer Schlinge um den Hals. Ich bin der Augenzeuge. Mir kann man nichts abstreiten. Es ist offenbar. *Eifrig zu François.* Sie müssen gleich die Anzeige erstatten.

FRANÇOIS. Ich? Ich habe keine Zeit.

QUECHARTRE. Dann gehe ich. *Er setzt den Hut auf.* Verlassen Sie den Pavillon?

FRANÇOIS *der einen Spaten ergriffen.* Ganz unbesorgt.

QUECHARTRE. Drängt denn die Arbeit so?

FRANÇOIS. Zieht nicht ein Wetter auf? Vom Meer? Mit Wasser in den Wolken, das wie ein Strom herniederbraust? Wer schützt die Pflanzen? Wer schont ihre Wurzeln? Soll sie die Flut aufwaschen?

QUECHARTRE *kopfschüttelnd.* Jetzt können Sie sich solchen Dingen widmen?

FRANÇOIS. Kann ich bestimmen – wann die Sonne scheint und wann der Regen fällt? Ich ordne nicht das Weltall. Es ist noch undurchsichtig, wie alles sich verhält. Bis andere Befehle kommen, gehorch' ich diesem: Gräben graben, bis sich die Flut verlaufen. Wissen Sie den bessern?

QUECHARTRE *zuckt die Achseln.*

FRANÇOIS *schon bei der Glastür rechts – bestimmt.* Es ist der beste! *Er schultert den Spaten – läßt Quechartre vorangehn und schlägt die Glastür hinter sich und Quechartre zu.*

Janine hat die gefalteten Hände auf den Tisch gelegt – betrachtet sie blicklos.

[1937/38]

NAPOLEON IN NEW ORLEANS

Tragikomödie in neun Bildern

Es geht die Legende: Napoleon sei von St. Helena entführt und ein andrer habe seinen Platz eingenommen. Die letzten Jahre seines Lebens soll er in Amerika verbracht haben und in der Nähe von New Orleans begraben sein. Sein Grab wird noch gezeigt.

PERSONEN

HECTOR DERGAN
GLORIA, *seine Tochter*
CAROTTE
QUATRESOUS
YOUYOU
POLLY
PEPA

I

Die weiträumige Halle im Herrschaftshaus des Barons Der-
gan. Sie gleicht einem Museumssaal, in dem die Ausstellung
von Waffen, Uniformen und Fahnen mit zerfetzten rauchge-
schwärzten Tuchresten alle Wände verdeckt.
Rechts leitet eine Marmortreppe mit Marmorbrüstung nach
einer geschnitzten vergoldeten Tür.
Im linken Teil der Hinterwand befindet sich die breite Glas-
tür, die auf die säulentragende Vorterrasse und weiter in den
tiefen Park führt.
In der Mitte der Halle ein schwerer Eichentisch. An ihm steht
Quatresous – ein lang gewachsener Mensch, einarmig,
schlecht gekleidet und blickt auf ein verschnürtes Bündel vor
sich auf dem Tisch. Er wartet unbeweglich.
Dann öffnet sich die Tür rechts oben: Dergan tritt heraus
und steigt langsam die Stufen herunter. Sein Anzug ist aus
schwarzer Seide, Kniehosen, Schnallenschuhe. Das Gesicht
hat den feinen Schnitt alter Geschlechter, das weiße Haar ist
aus der hohen Stirn zurückgestrichen.
Quatresous verneigte sich schon, als Dergan oben erschien,
und verharrt in dieser Stellung.

DERGAN *bei ihm – mit den Fingerspitzen seine Schulter berüh-*
rend. Was bringen Sie mir heute?
QUATRESOUS *richtet sich hoch und beginnt die Verschnürung*
des Bündels aufzuknoten.
DERGAN *ihm Einhalt gebietend.* Halt noch – Sie sollen es mir
später zeigen. *Sich umblickend.* Ich habe hier Veränderungen
vorgenommen. Bemerkten Sie es schon?
QUATRESOUS *äußert nichts.*
DERGAN. Ich will Sie führen. *Er geht nach rechts – gefolgt von*
Quatresous. Auf eine kleine Kugelpyramide und die gra-
vierte Messingtafel an ihrer Spitze weisend. Toulon. Kanonenkugeln von Toulon. Da ging der Stern auf. Aus dem
Nachtschlund der Kanonenrohre geboren – Napoleon. Er

streute diesen Samen eiserner Kugeln aus. Für seine Siege. Er war ein Sämann, der unermüdlich sät. Nach immer neuen Feldern eilend – nach Schlachtfeldern suchend, um den Sieg zu ernten. Die einzig goldene Frucht, die auf den Halmen der Bajonette reift. Das war der Anfang – Toulon, das seine Kanoniere in Rauch und Trümmer schossen. *Weiterschreitend zur nächsten Waffengruppe, die um eine aufgestockte Uniform gestellte ist, der das Messingschildchen an die Brust geheftet ist.* Rivoli. Das erste wilde Streiten. Der Märzwind gleichsam, der uns den Frühling kündet – und wo gesät ist, setzt der Keim sich an. Die Hufe von Schwadronen lockern ihm die Schollen – die frischen Sprossen dringen an das Licht des Ruhms, der mit der Sonne um den Glanz wetteifert. *Vor der nächsten Gruppe, die wie die erste und alle anderen gestellt ist.* Und Frühling ist auch Arcole. Das Wehen drängt gewaltiger. Wer ist es, der vor der Brücke, da die besten zaudern, die Fahne an sich reißt und in den Kugelregen stürmt? Fällt er denn nicht? Wie könnte er denn fallen – vom Fahnenbaldachin beschirmt? Die Frühlingswetterblitze gehn auf die Feinde nieder – sein Feld bleibt unversehrt. Er ist der Herr des Schlachtfelds. *Vor der nächsten Gruppe.* Und soll die Wüste ihm nicht fruchtbar werden? Europa bietet ihm nicht Ackerland genug für seine Aussaat. Was ist ein Leben, wenn es nicht Sieg und Ruhm ist. Er schüttelt es wie eine leere Hülse ab. Ägypten – und die Unvergänglichkeit der Pyramiden. Wer kann dem Schauer widerstehn, der ebenbürtig um gleiche Dauer buhlt? Und aus dem Sande pflügt er mit dem gleichen Schwert die Fruchtbarkeit der Schlachten, die zum Lorbeer grünt. *Vor der nächsten Gruppe.* Soll sich Europa ihm entziehn? Soll in Europas Boden der Ruhm nicht mehr gedeihn? Sind seine Felder unbrauchbar für solche Ernte? Er reitet übers Feld – da steht es gelb in Garben. Austerlitz. Das ist der Sommer seines Ruhms. Der lange Sommer, den Jena – Auerstädt vollenden. *Vor dieser Gruppe.* Jena und Auerstädt – da mähte er gewaltig, da schwang er mit weiten Hieben seine Sichel und siebte sich das Korn, von dem er leben sollte. Das Korn des Ruhms, das unzerstörbar nährt. Er füllte es in seine Scheuern bis unters Dach. Ein Bauer ist nicht eifriger bedacht so hoch zu schichten, der einen harten Winter überdauern will. *Die Stimme senkend.* Und hart wurde sein Winter. *Vor der nächsten Gruppe.* Moskau. Die Stadt, die wärmen sollte, verbrannte mit einem Mal lichterloh. Man muß ein Obdach haben. Wenn der Schnee fällt und der Frost die Kehle zuschnürt. Da ging sein Heer zugrunde – um nicht mehr aufzustehn. *Vor der nächsten Gruppe.* Leipzig. Sie brachen wie ein Rudel Wölfe auf und bissen nach seinen Flanken. Die Übermacht war hundertfach – er hätte sie zehnfach nur zerschmettert. So schwemmte ihn die trübe Flut des Wildstroms fort – doch sie ertränkte ihn nicht. *Vor der letzten Gruppe links.* Waterloo. Ja – er entstieg dem Wasser. Er tauchte eines Morgens an der Küste Frankreichs auf. Fast allein. Ein Häuflein alter Garde war seine Streitmacht. Und dennoch siegte sie und machte ihren Führer wieder zum Kaiser Frankreichs. Wie konnte das geschehn? Weil er die goldenen Körner des Ruhms aus seinen Scheuern in die Menge streute – und gierig griff sie zu. Bis ihr die Übermacht sie wieder aus den Händen schlug und in den Kot trat, wo sie keiner aufliest. Denn sie sind blind geworden für seine Größe – und taub für seine Taten, die sie einst lärmend lobten. *Er kehrt an den Tisch zurück – schweigt gedankenvoll.*

QUATRESOUS *der ihm gefolgt ist – nach einer Pause.* Nicht jeder.

DERGAN. Wer hat nicht vergessen – und schlimmer: schändet nicht seinen Namen, wenn er sich erinnert?

QUATRESOUS. Sie.

DERGAN. Ich. Wer bin ich? Soll ich der Retter seines Ruhms sein? Hebt mein Bemühen die Schande einer ganzen Welt auf? In diesem Winkel allen Erdenrunds – in diesem neuen Land Amerika? So kann man im Urwald einen Schatz vergraben und wucherndes Gestrüpp verdeckt am nächsten Morgen die Stelle. Spurlos und unauffindbar. – – – – Wer wird nach mir kommen? Ich habe keinen Sohn. Ich kann ihn nicht in diesen Saal einführen und zu ihm sprechen: alles ist dein Erbe. Ich schenkte dir nicht nur das Blut, das ungestüm in deinen Adern pocht. Du bist ein Dergan – und ein Dergan war es, dem Frankreich einst zu eng ward und den die Weite des Ozeans verlockte, bis er an diesen Strand gelangte. Da taufte er den Platz – getreu der Stadt, drin er geboren: New Orleans. Es war das Siegel unter den Vertrag, den er in seinem Geiste zwischen dem neuen und dem alten Kontinent schloß. Der unverbrüchlich gilt – für jeden Dergan – wo er auch sei: den Ruhm zu suchen und dem Degen sich über allem Tun zu weihen. Es hätte der Sohn die Mahnung hoch geachtet und – *Mit weiter Geste.* – dies Vermächtnis wie ein Heiligtum geehrt. Fahnen, Waffen und Waffenröcke – wie sie im Brand der Schlachten versengten und sich purpurn färbten. Keins ist unversehrt. Ein jedes trägt sein Merkmal von Stich und Hieb. Es rollte schwarz der Pulverdampf von Hügeln, wo die Geschütze feuerten – da schwärzte sich das Fahnentuch, da stieß das Bajonett in heißes Blut. Sind dies nicht Bajonette, die die Höhe stürmten und die Geschütze zum verstummen brachten? Wehte nicht diese Fahne ihrem Sturm voran und flatterte im Sieg? Ich sehe alle Schlachten, die sie mit diesen Waffen schlugen – die Fäuste, die sich um die Kolben der Gewehre krampften und sich erst lockerten, als nichts mehr lebte. Ja – es sind echte Zeichen der Taten, die geschehen. Müßte man an ihrem Vorfall, da sie so ungeheuer sind, nicht zweifeln, wenn man die wahren Zeugen hier nicht versammelt sähe? – – – – Ich bin der letzte Dergan. Ich habe meiner Pflicht genügt, indem ich dem Untergang entriß, was eine Gegenwart – zu träge für mächtige Bewegungen des Krieges – mißachtet. Wird eine Zukunft dämmern, die sich belehren läßt – von diesem Saal? Dann habe ich doch nicht umsonst mein Werk vollbracht. – – – – – –

QUATRESOUS *seufzt tief.*

DERGAN *sich ihm zuwendend.* Sie brachten mir das erste Stück – besinnen Sie sich noch?

QUATRESOUS. Es war mein eigner Rock.

DERGAN. Ein Invalide wurde mir gemeldet – aus Frankreich. Und ich ließ Sie zu mir kommen.

QUATRESOUS. Sie übten diese Gnade.

DERGAN. Es war wie eine Eingebung. Es war in dieser Halle. Sie war noch leer.

QUATRESOUS. Ganz leer.

DERGAN. Ich kaufte Ihren Rock – weil ich die Gabe scheute, die man Bettlern spendet.

QUATRESOUS. Sie haben gut bezahlt.

DERGAN. Und wie entließ ich Sie?

QUATRESOUS. Sie gaben mir den Auftrag Ihnen mehr zu bringen.

DERGAN. Sie haben ihn erfüllt.

QUATRESOUS. Wenn man Verbindungen mit anderen Entlassenen hat, sind solche Sachen, die jetzt keiner haben will, leicht aufzutreiben.

DERGAN. Verkleinern Sie nicht ihr Verdienst – Sie haben sich bemühen müssen.

QUATRESOUS. Ich habe Kameraden in Marseille und kenne Kapitäne auf den Seglern.

DERGAN. Ich bin den Freunden und den Kapitänen dankbar, daß sie mir jeden Wunsch erfüllten, den ich äußerte. Es grenzt ans Wunder, daß diese Sammlung so vollkommen wurde. Ich hielt sie für abgeschlossen. Die letzte Ordnung hatte ich vollzogen. Ich zeigte sie Ihnen eben. Schlachtfeld für Schlachtfeld. Toulon am Anfang – Waterloo am Ende. Was kommt nach Waterloo? Was haben Sie im Bündel?

QUATRESOUS *öffnet das Bündel und entnimmt ihm einen Leinenrock, den er glättet und vor Dergan ausbreitet.*

DERGAN. Was ist das?

QUATRESOUS *zögert noch.*

DERGAN. Was bedeutet dieser Kittel aus grobem Leinen, wie ihn Pflanzer tragen?

QUATRESOUS. Sankt Helena.

DERGAN *in ergriffener Betrachtung.* So haben sie ihn ausgeplündert – ihm kaum das Nötigste gelassen, was seine Blöße deckt. Ein Pflanzerkittel. *Heftig.* Soll er denn Kraut und Rüben bauen? Sich krümmen, um die Krume aufzulockern? Dem Spaten dienen? Das ist Mord – das ist die Untat von Straßenräubern, die ihr geschlagenes Opfer quälen. Sie rösten es auf heißem Stein und werden ihm zuletzt den Wassertrunk verwehren, nach dem der trockne Gaumen lechzt!

QUATRESOUS. Ein Höllenklima hat dies Sankt Helena.

DERGAN *sich sammelnd.* Wie kamen Sie zum Kittel?

QUATRESOUS. Wenn ich nicht schweigen müßte – –

DERGAN. Gelangten Sie durch Unrecht in den Besitz?

QUATRESOUS. Der Kaiser zog ihn selbst aus – und übergab ihn dem Steuermann.

DERGAN. Welchem Steuermann?

QUATRESOUS. Verlangen Sie den Namen?

DERGAN. Wenn es gefährlich ist ihn auszusprechen, bewahren Sie ihn.

QUATRESOUS. Das macht mir die Erzählung leichter. Denn keiner darf zum Kaiser, der mit dem Schiff vom Meer kommt. Nur Leute, die auf der Insel wohnen, haben Zutritt. Er ist scharf bewacht.

DERGAN. Dreitausend Mann sind für den Wachtdienst aufgeboten – sechshundert Feuerschlünde sichern das Gefängnis und eine ganze Flotte schwer bestückt umsegelt Tag und Nacht das Felseneiland.

QUATRESOUS. Und wer kann sich im Wasser in einen Fisch und auf dem Lande in einen Fuchs verwandeln, um durchzuschlüpfen?

DERGAN. Und wie durchbrach der Steuermann die Sperre?

QUATRESOUS. Er tauschte seine Kleider mit einem Inselburschen aus, der für die Küche etwas bringt. Es hatte so viel Geld der Bursche nie gesehn. Ich hatte es dem Steuermann hier gegeben. Im Hafen von New Orleans. Ich hörte es am Quai, daß dieser Segler – die Antoinette – am andern Morgen nach Sankt Helena klarmacht. Mit einer Ladung Früchte, die auf der Insel fehlen. Da gab ich dem Steuermann den Auftrag.

DERGAN. Welchen Auftrag?

QUATRESOUS *nach einem tiefen Atemzug*. Den Kaiser um ein Andenken von seiner eigenen Hand für Sie zu bitten.

DERGAN *staunend*. Für mich?

QUATRESOUS. Für jemand in der neuen Welt, die treuer als die alte ist.

DERGAN. Sie ließen auch meinen Namen nennen?

QUATRESOUS. Er sagte ihn – und das Gesicht des Kaisers erhellte ein Freudenschein, der rasch erlosch. Dann streifte er den Kittel ab, in dem er war, und reichte ihn dem Steuermann hin – mit diesen Worten: mein Freund muß sich mit diesem dürftigen Rock begnügen – ich habe sonst nichts seine Treue zu belohnen. *Er legt den Kittel auf den Tisch.*

DERGAN *bedeckt die Augen. Endlich senkt er die Hand und beginnt auf und ab zu gehen. Nun spricht er vor sich hin.* Es fehlen Früchte auf der Insel. Hier herrscht Überfluß. So reich schenkt die Natur – so mit Verschwendung blüht und reift sie. Hier – nicht dort. Kein Schattenbaum, der dort die Hitze mildert. *In den Park blickend.* Und hier die Kühle unterm Laubdach, das nicht endet. Alles Labsal – Balsam, um im Vergessen zu genesen. Nur Vogelruf und Blumenduft – ein Lebensfeierabend nach so viel Tat mit so viel Ruhe still. – – – – *Wieder in der Mitte der Halle.* Der Kaiser müßte hier sein. Man müßte ihn von Sankt Helena befreien. Dreitausend Posten – sechshundert Rohre – Schiffe Tag und Nacht. Und jeder seiner Schritte ist ausgespäht. Er würde in der nächsten Minute vermißt sein, wenn er sich entfernte. Dann würde man ihn wieder fangen und die Qual der Haft noch mehr verschärfen. – – – – – – *Wieder grübelnd.* Der Kaiser muß immer hinter seinen Fenstern sichtbar sein. Der Kaiser? – – War nicht der Steuermann nicht mehr der Steuermann – und tauschte sich mit einem Inselburschen aus? Wer dringt dann unbelästigt bis zum Kaiser vor – – und diesmal geht der Kaiser weg? Der andre bleibt als Kaiser. – – – – Gibt es diesen andern? Der sich selbst einsperrt – in die Hölle von Sankt Helena – damit der Kaiser hier sein kann? Vor seinen Häschern sicher, die niemals rasteten, bis sie von neuem des weggeflogenen Adlers habhaft würden? – – Der Käfig darf nicht leer sein – wer ersetzt den Adler?

QUATRESOUS *beginnt Hülle und Schnur zusammenzupacken.*

DERGAN *zu Quatresous tretend.* Ich habe laut geträumt. Sie hörten zu?

QUATRESOUS *fertig mit dem Paket.* Wenn ich den Steuermann entlohnen dürfte –

DERGAN. Was gaben Sie ihm schon?

QUATRESOUS. Den Inhalt meiner Tasche.

DERGAN. Er soll so reichlich aufgewogen sein, als hätten Sie des Kaisers Krönungsmantel mir gebracht. *Er zieht eine volle Börse heraus und gibt sie Quatresous.*

QUATRESOUS. Das geht zu gleichen Teilen.

DERGAN. Sein Verdienst hat jeder.

QUATRESOUS *verbeugt sich tief – geht zur Tür – verbeugt sich nochmals und entfernt sich über die Terrasse links.*

DERGAN *bleibt am Tisch.*

Aus der Tür rechts oben tritt Gloria – anmutig jung in ihres Kleides weißer Wolke.

DERGAN *geht ihr entgegen – küßt sie auf die Stirn.*

GLORIA. Du hattest einen Gast. Ich hörte dich mit ihm sprechen.

DERGAN *geheimnisvoll lächelnd.* Er ist noch nicht gegangen.

GLORIA. Wo ist er?

DERGAN. Im Park.

GLORIA. Wer ist es?

DERGAN. Der Kaiser.

GLORIA *sieht ihn fragend an und lächelt dann ebenfalls.*

DERGAN. Willst du ihn sehn?

GLORIA. Wenn er mich nur nicht sieht.

DERGAN. Mein Kind hat Furcht?

GLORIA. Ich bin doch so gering vor seinem Ruhm.

DERGAN. Das sind wir alle. *Er nimmt sie bei der Hand und führt sie gegen die Glastür.* Wir halten uns ein wenig abseits und spähen nicht gradaus durchs Glas. Von hier aus sehen wir genug. – – – – Was siehst du?

GLORIA. Man muß warten, bis man etwas sieht.

DERGAN. – – – – Noch nichts?

GLORIA. Die Büsche sind so dicht.

DERGAN. Doch hier und da ein Durchblick.

GLORIA *hastig.* Dort.

DERGAN. Ja.

GLORIA. Er ging ganz rasch vorüber.

DERGAN. Und schon verschwunden in flüchtiger Erscheinung.

GLORIA. Als ob nur Zweige wehten.

DERGAN. Und nun zweifelst du und machst zum Trugbild meinen hohen Gast. *Sie an den Tisch geleitend.* Dann frage ich dich, ob dies ein Rock ist?

GLORIA. Das ist er gewiß.

DERGAN. Du spürst ihn auch mit deinen Fingern? Taste sacht.

GLORIA. Er fühlt so rauh sich an.

DERGAN. Ja – rauh und roh.

GLORIA. Was ist das für ein Rock?

DERGAN. Das ist des Kaisers Rock. Glaubst du nun, daß er hier ist? Um den gemeinen Kittel abzustreifen? Den Sträflingskittel von Sankt Helena?

GLORIA. Ich glaube dir doch alles.

DERGAN *mit Bitterkeit.* Man sollte nicht das andre glauben – und dies eher: der Kaiser hier. Das grünende Gewölbe der Alleen durchschreitend, wie unser inneres Auge ihn erschaute. Zum eigenen Trost. Wird er davon ergriffen?

GLORIA. Wenn er es wüßte, daß du hier lebst mit seinen Ruhmesfahnen?

DERGAN *stark.* Er weiß es, Gloria. Er weiß es jetzt. Er weiß jetzt alles. Er weiß, daß diese Halle in der Welt ist – in einer neuen Welt, die besser als die alte sein Vermächtnis hütet. Den Schatz der Schlachten, die er siegreich schlug. Daß ich es bin, der ihn bewahrt.

GLORIA. So kennt er dich nun?

DERGAN. Er nahm mich, der nichts vergißt, in sein Gedächtnis auf!

GLORIA *nach einer Stille.* Wie erfuhr er alles?

DERGAN. Es war ein Steuermann, der sich verkleidete und so den Wachen nicht verdächtig war. Er wollte den Kaiser selbst erreichen und ihm von mir berichten. Da dankte der Kaiser ihm für das, was er gehört – der Throne einst verschenkte – mit dieser Gabe eines Leinenkittels, den er vom Leib sich zog.

GLORIA *nach neuer Stille.* War dieser Steuermann hier?

DERGAN. Der andre, der ihn schickte. Der mir so viele Dienste schon erwiesen – alles, was ich hier sammeln konnte, verdanke ich ihm – dieser Mann war hier.

GLORIA. Und könnte sich der Steuermann nicht noch einmal verkleiden?

DERGAN. Ein zweites Mal?

GLORIA. Dann ginge wirklich der Kaiser im Park bei grünen Büschen.

DERGAN *tritt zu ihr.* Du sprichst, was ich aussprach. – Doch das war tauben Ohren geredet. Es müßte einer sein Leben tauschen mit des Kaisers Leben. Wer stürzt sich in die Hölle von Sankt Helena?

GLORIA. Verzeih', daß ich nur deine Tochter bin.

DERGAN. Als Sohn?

GLORIA. Ich würde den Kaiser von Sankt Helena erlösen.

DERGAN *schließt sie in seine Arme.*

II

Das verwahrloste Innere eines Schuppens.
Auf Kistengerümpel in der Mitte liegt Carotte und läßt sich
von der hinter ihm stehenden Polly den brandroten Haar-
wust kämmen, der auch als struppiger Bart sein massiges Ge-
sicht umrahmt. Vor einem umgestülpten halben Faß hockt
Youyou und legt Karten. Bei einer Fensteröffnung steht
Pepa und späht hinaus.

YOUYOU. Er wird ihn dabehalten und den Hunden als Fraß
vorgeworfen haben.
PEPA *nach ihm ausspuckend.* Schandmaul.
YOUYOU. Immerhin werden sie nicht auf ihr Kosten kommen
und sich mit einem Arm begnügen müssen.
PEPA *läuft wütend hin und stößt mit einem Fußtritt das Faß*
um. Dann kehrt sie zum Fenster zurück.
YOUYOU *stellt das Faß wieder auf – sammelt die Karten und*
setzt kopfschüttelnd sein Spiel fort.
CAROTTE. Man soll nicht die Gebrechen seines Mitmenschen
zum Gespött machen. Das Fehlen eines Gliedes – welches es
auch sei – muß mit Nachsicht betrachtet werden.
YOUYOU. Wie willst du betrachten, was nicht da ist?
CAROTTTE. Ich meine es im geistigen Sinne.
POLLY *küßt ihn auf sein Haar.* Das hast du herrlich gesagt. Ich
könnte deine Läuse fressen.
YOUYOU *nach einer Stille.* So werde ich aus Karten – Herz,
Bube, As – was deinem Schatz –
PEPA *aufstampfend.* Du sollst mit deinen dreckigen Karten –
YOUYOU *vorsichtshalber die Karten zusammenschiebend und*
hinter sein Hemd steckend. Nicht dreckiger als die Zukunft,
die uns nach so viel Sonnentagen blüht.

Stille.

CAROTTE *zu Pepa.* Siehst du noch nichts von ihm?
PEPA *schüttelt den Kopf*
CAROTTE. Vielleicht ist es verfrüht sich Sorgen zu machen.
PEPA *höhnend.* Ihr macht euch Sorgen. Ihr blast vor Sorgen
Wind. Es stinkt vor euren Sorgen, daß man kaum atmen
kann.
YOUYOU. Dabei steht sie am offenen Fenster.

PEPA. Ja – weil ich bange um seine Rückkehr. Einer schlägt Karten – einer läßt sich striegeln, als wäre nichts geschehn. Als hättet ihr ihn nicht mit dem Kittel zum Baron geschickt –!

Allgemeines Erstaunen.

CAROTTE *mit herrscherlicher Geste.* Wer hat ihn mit dem Kittel zum Baron geschickt?

PEPA *kleinlaut.* Das hat er selbst gewollt.

CAROTTE *befriedigt.* Die Wahrheit duldet keine Mißverständnisse. *Zu Polly.* Du schindest meine Kopfhaut.

POLLY. Ich will zarter sein.

YOUYOU *wieder stichelnd.* Das war ein Einfall, der einem Menschen mit zwei gesunden Armen nicht zustößt.

PEPA *von neuem aufgebracht.* Nein – diesmal seid ihr ihm überlegen. Ihr wart zu schlau, um euch am Kittel die Finger zu verbrennen. Es war ja nicht das Zeug, das glänzt und flattert. Fahnen und Bajonette, die ins Auge stechen. Man braucht nur ein Baron zu sein, um davon berauscht zu sein!

YOUYOU. Ein Stich ins Auge mit dem Bajonett, es hätte den Baron erledigt.

PEPA. Mit deinen Witzen plagst du nur deine Zunge.

YOUYOU *zu Carotte.* Sie redet von einem Bajonettstich und es überläuft mich kalt. Was hätten wir aus einem toten Baron gezogen?

CAROTTE *zu Pepa.* Du mußt dich mäßigen und uns nicht nachträglich erschrecken. Es schlägt sich mir auf den Magen, wenn ich nur erwäge, daß der Baron so fürchterlichen Todes verschieden wäre - mitten in dem Geschäft, das uns mit ihm verband. *Er schiebt den flachen Bastkorb von sich, aus dem er Erdnüsse geknabbert hatte.*

YOUYOU *zu Pepa.* Du brichst Carotte das Herz.

POLLY *vorwurfsvoll.* Pepa – dich reun doch deine harten Worte?

PEPA. Es ist Youyou, der immer stichelt.

YOUYOU. Mit welchem Stichel?

PEPA. Schon wieder.

CAROTTE. Du wirst dich mit Youyou versöhnen. *Da Pepa und Youyou sich die Hände geben.* Ich will nicht, daß wir in Feindschaft auseinandergehn. *Sich auf seiner Kiste zum Sitzen aufrichtend.* Was wir geleistet haben, das soll von keiner

Feindschaft überschattet werden. Jeder achte den andern, denn jeder hat sich nach seinen Fähigkeiten bemüht. Ich – Quatresous – Youyou, wir Männer. Polly – Pepa, ihr Mädchen.

YOUYOU *hüstelt.*

CAROTTE. Ja – Mädchen. Die große Liebe ist eine andre Keuschheit. *Fortfahrend.* Es war ein glückliches Zusammentreffen, wir haben einander sozusagen voll ergänzt. Ich könnte mir nicht denken, daß jemals sich fünf grundverschieden Charaktere so einmütig verstanden. Ja – es war eine schöne Zeit. Es fiel das Geld vom Himmel. Wofür? Für alte Waffen, die wir am Hafen – aus den Gewölben, wohin man sie geworfen, wieder holten. Es waren längst unbrauchbare Stücke – meist zerbrochen, die man erst richten mußte zu einigem Ansehn. Schmiedearbeit, die ich bewältigen konnte, weil ich einmal der Schmiedelehre entlaufen.

POLLY. Du hattest genug gelernt.

CAROTTE. Es reichte, Polly. Ich überschätze meine Kenntnis nicht. Ich lasse auch andre gelten. Youyou war der beste bei einem Einbruch. Er kam durch jede Ritze, obwohl er nicht ohne Fett ist, und plünderte Gewölbe nach Gewölbe. Die Säbel und Gewehre mit ihren Bajonetten brachte er.

YOUYOU. Ich kann den Bauch einziehn wie eine Höhle und wieder wie einen Sack aufblähn.

CAROTTE. Was warst du denn einmal?

YOUYOU. Schauspieler.

CAROTTE. Das hast du uns noch nie gesagt.

YOUYOU. Ihr hätte nur gelacht.

CAROTTE. Du hättest manchmal was zum besten geben können, wenn sie die Uniformen nähten. *Zu Polly und Pepa.* Was hätten wir ohne euch vollbracht? Ihr beiden Schneiderinnen? Mit Faden und mit Nadel so geschickt, daß ihr aus Fetzen ganze Röcke und Hosen machtet? Und diese Fahnen – Krone unsrer Fälschung? Vorbildlich euer Fleiß und lobenswert.

POLLY. Ich tat's für dich, Carotte.

PEPA *verächtlich gegen Youyou.* Ich tat's für Quatresous.

CAROTTE. Wir wollen nicht Quatresous vergesen. Er ist es, der zuerst ging und immer wieder ging. Der Invalide –

YOUYOU. Invalide von einer Messerstecherei – Hurenhaus!

PEPA *krallt die Finger nach ihm.*

CAROTTE. – mit abgeschossenem Arm. Das war der richtige Schlüssel zum Schloß. Da tat das Herrschaftshaus sich auf –

da stand der Herr Baron Hector Dergan selbst. Was bringen Sie mir? Alles, was Herr Baron befiehlt. Ich kann die Zeugen aus allen Schlachten liefern, die Euer Schlachtengott geschlagen. Der Gott Napoleon. Ihm muß man Opfer bringen – und er hat sie gebracht. Es war manches harte Geldstück, das sich in unsern Kehlen auflöste. *Nach einer Stille seufzend.* Der Kittel war ein Fehler. Wir hätten es nicht erlauben dürfen, daß er mit einem alten Pflanzerkittel, den er im Feld gefunden –

YOUYOU. Gefunden!

CAROTTE. Nenn's wie du willst. Für solche Haarspalterein ist jetzt nicht Zeit. Ich sehe in der Überbringung des Kittels die drohende Gefahr. Ein Kittel von Sankt Helena. Er wird es dem Herrn Baron enthüllen. Das ganze Spiel. Zu kühn von Quatresous – und was er leidet, das werden alle wir erleiden. Mit Peitschen und mit Hunden wird man uns vertreiben. Ich denke, wir brechen jetzt schon auf und warten nicht, bis man uns die scharfe Meute auf den Hals hetzt! *Er steigt von der Kiste. Zu Pepa.* Sieh' aus dem Fenster, ob der Weg noch frei ist.

PEPA *läuft zum Fenster.*

CAROTTE. Weht der Staub auf?

PEPA. Staub weht.

CAROTTE. Kommt man?

PEPA *kreischen*d. Quatresous kommt!

CAROTTE. Läuft er?

YOUYOU *hinter Pepa.* Er geht gemächlich.

CAROTTE. Folgt ihm niemand?

YOUYOU. Weit und breit nicht.

CAROTTE. Das Bündel?

YOUYOU. Er trägt es nicht.

PEPA. Jetzt kann er mich schon –

CAROTTE *zieht sie vom Fenster weg und hält ihr den Mund zu.* Schrei' nicht. Es könnte eine Falle sein – eine Finte, um uns in unserm Schuppen aufzustöbern. Wir wollen warten, ob er eintritt. *Eng beieinander stehend spähen die vier nach der Tür.*

Quatresous tritt mit aller Gemächlichkeit ein.

QUATRESOUS *gegen die vier.* Was glotzt ihr?

CAROTTE *gedämpft.* Bist du sicher –?

QUATRESOUS. Ob ich's bin? Warum soll ich nicht mehr Quatresous sein? Vorher wie nachher?

CAROTTE. Kein Argwohn, den der Baron geschöpft hat?

QUATRESOUS. Mein Baron? Der frißt mir aus der Hand.

CAROTTE. Du hast den Kittel ihm –?

QUATRESOUS. So was macht Quatresous mit einem Arm. *Er zieht die Börse aus der Tasche und schwenkt sie über sich hoch.*

Brüllend umringen ihn die vier und langen nach der Börse.

PEPA. Stoßt ihn nicht um. Wer hat das Geld verdient?

CAROTTE. Pepa hat recht. Er soll das Geld behalten und uns den Streich erzählen. Wir werden lachen – und ein Gelächter, das die Eingeweide schüttelt, ist Goldes wert. *Er führt ihn zur Kiste.*

QUATRESOUS *auf dem Kistengerümpel sitzend.* Es ging ganz glatt.

CAROTTE. Du hattest dich auf alle Möglichkeiten vorbereitet?

QUATRESOUS *zu Pepa.* Kratz' mir den Stumpf. Er juckt mich. Wir werden andres Wetter bekommen. Der Wind weht von New Orleans. Man riecht die Stadt. Ein sicheres Zeichen, daß –

CAROTTE. Lass' doch das Wetter.

PEPA. Du hast die feinste Nase. *Sie küßt sie ihm.*

CAROTTE. Lass' ihn reden.

QUATRESOUS. Ich hatte mir nichts vorgenommen. Ich ließ den Dingen einfach ihren Lauf. Man muß nur immer dümmer als der andre sein. Dann hat man schon das halbe Spiel gewonnen.

YOUYOU *eifrig.* Das ist der beste Plan: nie einen Plan zu haben.

PEPA *verächtlich ausspeiend.* Speichellecker.

POLLY. Spuck' nach der andern Seite – hier trifft's mich.

CAROTTE *Püffe austeilend.* Wer nochmal unterbricht –! *Zu Quatresous.* Nun hast du Ruhe. Wie ging's glatt?

QUATRESOUS. Mein Eintritt war der übliche. In die gewaltige Halle. Die müßtet ihr mal sehen. Da ist nur Marmor. Der Boden unter euren Füßen blitzt wie ein Spiegel. Man gleitet aus, wenn man die Knie nicht steif macht. Das gibt dann diese adelige Haltung. Bloß weil man sonst ausrutscht. Das hält kein Hintern aus sich so auf Marmorfliesen hinzusetzen. Von keinem König und von keinem Herzog. Sie müssen alle mit durchgedrückten Knien stelzen.

CAROTTE *bedächtig.* Daher kommt ihre Vornehmheit.

QUATRESOUS. Derselbe Marmor ist die Treppe, die auf einer Seite nach oben führt. Da liegen dann die inneren Gemächer. Ich habe nur die Tür gesehn. Doch die genügt mir. Die hat Schnitzereien als wäre Holz kein Holz. Und alles ist mit einer Goldschicht überzogen. Es flimmert, wenn du hinsiehst. Wie eine Sonne, die nie untergeht.

POLLY *seufzend.* Wie eine Sonne, die nie untergeht.

YOUYOU. Marmor und Gold – wie köstlich.

CAROTTE. Wir werden solche Pracht nie sehn.

PEPA *nach einer Pause – bewundernd.* Und du warst in der Halle?

QUATRESOUS. Ich kenne sie von meinen häufigen Besuchen bis in den letzten Winkel. Ich muß alles ansehn. Jetzt hat er wieder alles umgestellt. Doch diesmal endgültig. Nach Schlachten hat er es gruppiert und jede Gruppe mit einer Messingtafel ausgezeichnet. Vollständig seine Sammlung. Nicht eine Flinte hat mehr Platz. Ich habe aufgepaßt, als er mich führte. Nicht eine Flinte.

CAROTTE. Und dann enthülltest du dein Bündel?

QUATRESOUS. Nachdem er mich herumgeführt, geschah die Offenbarung.

CAROTTE. Mit welchen Worten klärtest du die Herkunft auf?

QUATRESOUS. Wie sie mir auf die Zunge kamen. Ich hörte mich von einem Steuermann erzählen, den ich am Hafen traf – und diesen Steuermann beschwatzte ich – er segelte mit einer Last von Früchten nach Sankt Helena – dem Kaiser sich zu nähern. Er tat es in Verkleidung – er zog sich wie ein Inselbursche an, der nicht Verdacht erregt – bei diesen vielen Wachen, die nicht den Kaiser aus den Augen lassen, damit er nicht durchbrennt.

CAROTTE *auflachend.* Durchs Wasser!

YOUYOU. Nahm ihm der Steuermann den Rock weg?

QUATRESOUS. Das tat er doch freiwillig. Er war gerührt von dem, was ihm der Steuermann berichtete. Von unserem Baron und seiner Sammlung. Jetzt fehle noch ein Stück von seiner eigenen Hand. Und dies Stück sei der Rock, der vor ihm liege. Vom Kaiser dem Baron gesandt.

CAROTTE. Das glaubte der Baron?

QUATRESOUS. Die Leidenschaft macht blind. In der Verblendung schwatzt er Dinge – das müßt ihr hören. Er will Napoleon befreien. Natürlich nur ein Hirngespinst. Er würde es so wollen, wenn es ginge – mit diesem Plan: ein andrer – wie der Steuermann verkleidet – schleicht sich bei ihm ein und bleibt als Kaiser da. Napoleon aber ist der Inselbursche, der wieder weggeht. Keinem fällt die Flucht auf – das Haus ist ja nicht leer. Und hier verbirgt der Flüchtling sich – verhätschelt vom Baron – bis an das selige Ende seiner Erdentage. – – – – Ich habe so getan, als ob ich nicht zuhörte. Es war zu einfältig. *Erregt ausbrechend.* Wo findet sich in weiter Welt ein Wesen, das sich auf jener Hölleninsel so einsperren läßt? Für welchen Dank? Für welchen Lohn? Fragt er sich denn das nicht – so ein Baron?

PEPA *ihn umhalsend.* Jetzt reg' dich nicht mehr auf – du siehst ihn nie mehr wieder.

YOUYOU. Bleiben wir noch hier?

PEPA. Wir raufen uns um deine Gesellschaft nicht.

YOUYOU. Quatresous – du wirst uns doch nicht in New Orleans zu einem Abschiedstrunk einladen?

PEPA. Er wird dich –

QUATRESOUS. Nein, Pepa – man soll nicht knausern, wenn es zu Ende geht. Wir gehen dem Untergang entgegen. Was nachkommt, ist nur ein Abglanz. Wir werden noch einmal uns im Rausch wie Könige fühlen und dann – *Er macht eine leere Geste. Gegen Carotte die Börse schwingend.* Carotte – hörst du nichts läuten?

CAROTTE *weiter im Schuppen herumgehend.* Behalt' dein Geld.

QUATRESOUS *verblüfft zu den andern.* Was ist in ihn gefahren?

CAROTTE *nach vorn kommend.* Wir werden mehr verdienen.

QUATRESOUS. Womit?

CAROTTE. Wenn wir Napoleon befreien.

QUATRESOUS. Hast du Kanonen und eine Flotte?

CAROTTE. Mehr als das.

QUATRESOUS. Verrätst du dein Geheimnis?

CAROTTE. Ich habe dir nichts zu verraten. Das Mittel stammt von dir – und dir hat's der Baron eingegeben.

QUATRESOUS. Wann hätte mir der Baron ein Mittel eingegeben? Gegen meine Hartleibigkeit?

CAROTTE. Verdreh' die Worte nicht. Der Plan, von dem der Baron dir vorgeschwärmt, wird Wirklichkeit!

QUATRESOUS *begreifend.* Willst du –?

CAROTTE. Nicht ich.

QUATRESOUS. Soll ich –?

CAROTTE. Du nicht.

QUATRESOUS. Youyou –?

CAROTTE. Keiner von uns und doch ist's einer.

QUATRESOUS. Mein schwacher Kopf –

YOUYOU. Ich kenne auch ein Rätsel. Es ist hohl und –

CAROTTE. Hört zu. Schließt noch das Fenster – es darf nicht eine Fliege hören, was wir vorhaben.

Pepa läuft hin und klappt den Laden vor. Nun sickert nur noch Licht durch Spalten im Dach und erhellt spärlich den Schuppen.

CAROTTE. Kommt näher. Noch näher. *Umringt – eindringlich.* Er soll Napoleon haben – der Baron. Was er gewünscht, wird ausgeführt. Wir drehn es nur auf unsre Weise. Wir bringen eingen Mann – der, wie der Kittel ist, ein Schwindel. Niemals hat er Sankt Helena gesehn und dennoch kommt er von Sankt Helena – der Mann, den wir Napoleon nennen. Mit aller Ehrfurcht. Es soll noch nie ein Kaiser so geehrt sein wie dieser Gauner, der den Kaiser vormacht! – – *Quatresous an der Schulter packend.* Du gehst zum Baron und hältst ihm eine Rede. Es habe dich nicht schlafen lassen, was er gesagt. Du hättest selbst gern es auf dich genommen – doch wärst du einarmig und zwei gesunde Arme seien unerläßlich. So habest du gesucht und endlich diesen wackern Mann gefunden, der das tun will, was der Baron empfehle. Die einzig mögliche Lösung dieser schwierigen Frage: ein Stellvertreter auf Sankt Helena!

QUATRESOUS *nach einer Stille.* Und wer macht hier Napoleon?

CAROTTE. Wozu ist Youyou Schauspieler gewesen?

YOUYOU. Ihr werdet mich von einem echten Imperator nicht unterscheiden.

QUATRESOUS, POLLY, PEPA. Und wir andern?

CAROTTE. Wir sind der Hofstaat. Keiner geht leer aus. Napoleon wird fürstlich uns belohnen. Die letzten Treuen, die seine Flucht von jener Insel ermöglichten. Wie sollte er uns je aus seiner Nähe lassen?

YOUYOU. Ich werde euch zu Marschällen ernennen.

CAROTTE *mit Verbeugung gegen Polly.* Frau Marschallin.

POLLY *sich verbeugend.* Herr Marschall.

QUATRESOUS *ebenso zu Pepa.* Frau Marschallin.

PEPA *ebenso erwidernd.* Herr Marschall.

YOUYOU *hat das Kistengerümpel erstiegen und sich jenen flachen Bastkorb aufgestülpt. Noch die Arme verschränkend.* Marschall Carotte – stellen Sie mir Ihre Frau vor.

Carotte führt Polly heran, um sich mit ihr tief zu verneigen. Youyou lüftet den Bastkorb. Carotte und Polly ziehen sich zurück.

YOUYOU. Marschall Quatresous – stellen Sie mir Ihre Frau vor.
QUATRESOUS *führt Pepa heran.*

Youyou lüftet den Bastkorb.
Quatresous und Pepa treten zurück.

YOUYOU *mit weiter Geste.* Bewegen Sie sich ungezwungen.

Im Halblicht des Schuppens gewinnt das Gebaren der Fünf einen gespenstischen Anschein: Youyou schwenkt unaufhörlich den Bastkorb – die beiden Paare schreiten hin und her und verbeugen sich immer wieder. Vom erdigen Fußboden wirbelt Staub auf und hüllt schließlich alles in seine Wolke ein.

III

In der Halle bei Dergan.
Weit offen die Glastür. Dort steht Dergan mit Gloria.

DERGAN. Welch einziger Tag. Es ist, als habe Amerika alle
Wunder seiner Schönheit in diesem Park vereinigt, um das
nahezu unbegreifliche Ereignis zu feiern. Unter dem seiden-
blauen Himmel, der wie von Götterhänden zum Baldachin
ausgespannt ist, regt sich kein Windhauch. So hält die Natur
selbst den Atem an. Von den Zweigen sind ehrfürchtig die Vögel entflogen, um dem unbotmäßigen Zwitscherlaut ihrer Kehlen zu gebieten. Makellos grün zum schwellenden Teppich
breiten sich die Rasenflächen hin, um mit Kanten der Bunt-
heit prangender Blumen zu enden. Sieh dir die Bäume an.
GLORIA. Wie soll ich sie sehn?
DERGAN. Gleichen die Stämme nicht Säulen? Tragen die Stämme nicht ihre Laublast, um Triumphbögen zu bilden? Einer
hinter dem andern, bis der Blick sich in Unendlichkeit und
Schatten verliert?
GLORIA. So sehe ich es jetzt.
DERGAN. Verlier' es nicht wieder. Das Auge baut kühner als
jedes Werkzeug. Entbehrt, was es schafft, der Wirklichkeit?
Wir vermeinten damals – entsinnst du dich? – eine Gestalt
in den Lücken des Gebüschs zu entdecken. Flüchtig – sich
verflüchtigend – eilte sie vorüber. Dennoch hatten wir sie gebannt und der Zukunft die Erscheinung abgelockt, die gegenwärtig werden soll. Es trennen uns nur noch nicht viele eilige
Herzschläge von der Erfüllung.
GLORIA. Wie glücklich du bist.
DERGAN. Ist das das rechte Wort? Es ist Demut, die mich beherrscht. Ich möchte das Knie beugen – und auch dich ersu-
chen zu tun wie ich – wenn ich gewiß wäre, die schwächste
Hitze des Hochmuts aus meinem Blut getilgt zu haben. Denn
es ist eine Gnade, die mir zufällt – und wo kein Verdienst ist,
soll kein Stolz sein.
GLORIA. Hast du dich nicht immer bemüht? Sieh diese Halle.
DERGAN *sich der Sammlung zuwendend.* Es steht in keinem
Verhältnis zum Ertrag. Ein Pflanzer setzt zehn Schößlinge
und will die Ernte von tausend Baumwollballen erwarten?
Ich muß mich sogar ein wenig schämen. Ich kann nichts vergelten. Oder ist es genug, daß ich mich aus diesem Herr-

schaftshaus zurückziehe? Daß wir den schlichten Pavillon im tieferen Park bewohnen? Es durchbraust mich wie Sturmeswüten und reißt an meinen Sinnen: ein Ungeschehenes geschehen zu machen. Aber was ist es, das ich dem Schoß der Geschichte entreißen soll? *Mit weiter Geste.* Dies alles ist Vergangenheit. Es ist ein Dienst der Treue, den ich ihr erwiesen. Soll das alles sein?

GLORIA. Alles ist bereit.

DERGAN. Es ist richtig. Ich darf nicht versuchen des Schicksals Walten mit eigenen Entschlüssen zu übertreffen. Soll ich der Sonne höheren Glanz verleihen als diesen strahlenden? Es wäre Frevel. Blindwütiger Frevel auch schon zu vergessen, was kaum gelungen. Der Kaiser von Sankt Helena befreit.

GLORIA *leise nachsprechend.* Der Kaiser von Sankt Helena befreit.

DERGAN. Es konnte nicht das Schiff, das ihn trug, auf bewegtem Meer wilder schwanken als meine Hoffnung. Man muß Vertrauen haben, sagt man, in seinen Unternehmungen. Sonst bröckeln sie wie Sand, aus dem das Wasser wich, zur Unform auseinander. Hier war das Übermaß der Handlung für Menschenwillen zu mächtig. Ich glaubte fest – ich zweifelte zugleich. Und zweifelte, um fester nur zu glauben.

GLORIA. Dein Glauben siegte.

DERGAN *lächelnd.* Ich muß es erkennen. Wir werden, bevor die Sonne zum Scheitel ihrer Bahn stieg, den Inhalt dieser Zeit, die endlos schien, erfahren. Was wissen wir bereits? Da alles sich so tief geheimnisvoll entwickeln mußte, so viel wie nichts. Ich hätte gern den Mann gesehen – vor seinem Opfergang umarmt. Doch hatte er schon mit dem Leben abgeschlossen. Welch ein Entschluß. Es wird der Unbekannte einst mit goldenen Lettern in den Annalen der Geschichte zu lesen sein – ich werde neben ihm verblassen. Ich habe ja nichts anderes getan, als von dem Überfluß geteilt, der um mich wuchert.

GLORIA. Du suchst den Ruhm nicht.

DERGAN. Nein – ich ermesse nur den Abstand, der mich von jenen trennt, die alles, was sie besitzen, wagen. Alles dies – ihr Leben. Wie muß ich diesen Invaliden achten? Einarmig – im Gebrauch der heilen Glieder behindert, da ihn die Kugel traf – schleicht er bei Nacht sich ein, um alles mit mir zu bereden. Das Tageslicht darf ihn nicht sehn – den rührigen Vermittler.

GLORIA. Er kennt keine Furcht.

DERGAN. Und jener Kapitän, der seinen Segler stellte? Den ein Kanonenschuß, wird seine Fracht entdeckt, in Trümmer fetzt, die auf dem Wasser treiben? Verpflichtete er mich zum Ersatz? Er ließ mir sagen: mit ihm oder auf Meeresgrund. Der Rest ist für die Fische. So klassisch war die Botschaft, die er mir sandte. Das atmet Größe – und ich spüre sie.

GLORIA. Du wirst ihn kennenlernen.

DERGAN. Sein Lohn soll nicht gering sein. Wie konnte ich bereits vergüten? Der Invalide nahm nur das Nötigste. Und wofür nahm er es? Dem Kaiser neue Kleider zu verschaffen. Stockt nicht das Blut, wenn man es anhört?

GLORIA. Es wird der Kaiser wie in alten Tagen sein.

DERGAN. Er wird in einem Schuppen sich umkleiden, der nicht sehr weit von hier entfernt ist. Der Kaiser ist gestern Abend in New Orleans gelandet. Er blieb an Bord bis heute früh. Wenn wir die Stunden richtig zählen, die mir der Invalide noch in der Nacht angab, muß durch die große Pforte, zu der ich den Schlüssel ausgehändigt, der Eintritt des Kaisers später nicht als jetzt erfolgen. Lass' uns den Park betrachten! *Wieder stehen Dergan und Gloria bei der offenen Glastür. Dann vollführt Dergan eine jähe – in den Park weisende – Geste.*

GLORIA *im gleichen Schauer der Ergriffenheit nach seiner Hand fassend.* Mein Vater.

DERGAN *den Druck erwidernd.* Meine Tochter. *Nach einer Stille.* In Schattentiefe noch.

GLORIA. Wer ist der Kaiser?

DERGAN. Fünf Gestalten ununterscheidbar in grauen Mänteln.

GLORIA. Jetzt überrieselt Licht sie.

DERGAN. Sie halten ein. – – Sie legen die Mäntel ab. – – Sie hängen sie ins Gebüsch. – – Sie setzen Kopfbedeckungen auf.

GLORIA. Zwei Frauen – –

DERGAN. Dem Kaiser huldigen mit ihrer Anmut. Der Prunk von Uniformen blitzt. Nur der Kaiser trägt sich einfach, wie die Welt ihn kennt – und schreitet rasch heran. Wir wollen in das Innere der Halle treten. *Dergan und Gloria ziehen sich von der Tür zurück.*

Aus dem tiefer gelegenen Park ersteigen die Terrasse: Napoleon-Youyou, Carotte und Quatresous in goldstrotzenden Marschalluniformen, Polly und Pepa in modischen Kleidern.

QUARTRESOUS *tritt als erster in die Halle und ruft.* Der Kaiser.

Dergan und Gloria verbeugen sich. Napoleon-Youyou, gefolgt von den übrigen, überschreitet eilig die Schwelle.

NAPOLEON-YOUYOU. Zu laut, Marschall. Soll ganz Amerika vernehmen, wen es beherbergt? Die Türen schließen. Es kann ein unverfrorener Lauscher ein Wort auffangen. Sah man uns im Park nicht? Wir hätten unsere Mäntel bis zuletzt behalten müssen. Doch wollte ich den Hausherrn ehren und als der Kaiser bei ihm einziehn. *Dicht vor Dergan.* Richten Sie sich auf und sehn Sie mir ins Auge.
DERGAN. Sire, ich bin glücklich –
NAPOLEON-YOUYOU. Worte später. Ich bat sie um den Blick. *Nun ihm die Hand hinstreckend.* Ich vertraue Ihnen, Baron Hector Dergan.
DERGAN. Verfügen Sie –
NAPOLEON-YOUYOU. Wer ist die Dame an Ihrer Seite?
DERGAN. Sire, meine Tochter.
NAPOLEON-YOUYOU. Zweifellos. Man sieht sich ähnlich. Es könnte, wenn man Geschlecht und Jahre änderte, Ihr Doppelgänger sein. Dann gibt es heitere Verwechslungen. Man ist nicht, wer man scheint – und wird für den gehalten, der man nicht ist. Können Sie sich solches Spiel mit falschen Rollen ausdenken?
DERGAN. Es ist ein Stoff, der auch abgründig sein kann.
NAPOLEON-YOUYOU. Die Götter lachen.
DERGAN. Und die Menschen weinen.
NAPOLEON-YOUYOU *räuspert.* Ich stelle Ihnen mein Gefolge vor. Sie haben mich allein erwartet? Dann hätte ich die schönste Tugend – die kaiserlichste – verletzt: die Dankbarkeit. Ich habe diese Männer aus ihrem niedern Stand zu mir emporgezogen – für Dienste, die kein König und kein Fürst mir zu erweisen sich bemühten. Es mußte erst ein Invalide – *Winkend.* Marschall Quatresous, treten Sie zu mir. *Zu Dergan.* Erkennen Sie ihn wieder? Unsern Quatresous? Der Spürhund, der auf jeder Fährte wittert, wohin der Fuchs streunt?
DERGAN. Marschall Quatresous –
NAPOLEON-YOUYOU. Ein wunderlicher Namen? Er stammt von mir. Was ist ein Mann mit einem Arme wert? Vier Sous – nicht mehr. Das ist Soldatenart den Menschen nach seinem Leibeswert zu schätzen. Ich bin Soldat.

DERGAN. Sire, es war nur Bedauern, daß ich nicht mehr belohnen kann. Ein Marschall steht zu hoch für mich.

NAPOLEON-YOUYOU. Verstanden, Marschall Quatresous? Zu hoch. Das ist die Achtung, die man Ihnen zollen soll. *Er winkt Carotte heran.* Der Kapitän des Seglers. Heißt Carotte. Nach seinem rübenroten Bart. Ein Seemann, der das Meer ehrt, das er befährt. Kaltblütig wie ein Wal und doch heiß wie ein Hai, wenn es die rasche Handlung verlangt. Da wird das Segel gerefft und ausgelassen, wie wir uns eines Taschentuchs bedienen. In seinen Fäusten ist das Steuerrad ein Spielzeug. Diesem Mann, wär' ich noch was ich war, würde ich eine Flotte anvertrauen. Sie würden diesen Antrag annehmen, Marschall Carotte?

CAROTTE. Auf Tod und Teufel.

NAPOLEON-YOUYOU. Das ist Stimmung, wie ich sie von meinen Leuten erwarte. Nur solche Männer dürfen um mich sein, für die der Kaiser die Welt ist. Dann ist die Welt des Kaisers. *Zu Polly und Pepa.* Meine Damen – ich will die Vorstellung beenden. Marschallin Polly – sie gehört zum Marschall Carotte. Marschallin Pepa – sie gehört zum Marschall Quatresous. Sie waren einmal nichts als fleißige Näherinnen, doch mit der Schaffung dieser Uniformen – der eigenen Kleider, damit der Kaiser ein Gefolge habe – erwiesen sie sich würdig der Erhöhung. Sie werden sich in einigen Tagen auf diesem Marmorboden so sicher wie geborene Prinzessinnen bewegen. *Zu Polly und Pepa.* Euch ist noch alles neu, so will ich Nachsicht üben. Begebt euch zu euren Marschällen. *Nun tritt er in die Mitte der Halle und nimmt mit großem Schwung seinen Hut ab.* Die Menschen schwinden – meine Fahnen seh' ich wieder.

Es herrscht tiefe Stille.

DERGAN *zu ihm tretend.* Sire –

NAPOLEON-YOUYOU. Sie brauchen mir nichts zu erklären. Ich sehe jede Einzelheit. Als wäre jedes Stück von mir berührt – geprüft, damit es hier gesammelt würde. Welch' eine Sammlung! – – *Zu Dergan.* Als ich von ihr hörte zum ersten Mal – *Abbrechend.* Wo ist der Kittel?

DERGAN. Sire – ich habe ihn hier nicht eingereiht.

NAPOLEON-YOUYOU. War er zu schlecht?

DERGAN. Er ist im Pavillon. Jetzt meine Wohnung. Ich wollte mich nicht von ihm trennen.

NAPOLEON-YOUYOU *sich umblickend.* Sie überlassen mir das Haus.

DERGAN. Ich konnte es nicht reicher und weiter bieten.

NAPOLEON-YOUYOU. Mir erscheint es sehr weit – nach diesem Käfig, in den man mich gesperrt wie einen Tiger, den man endlich eingefangen. War die Hetzjagd nicht großartig? Aus allen Tälern – von allen Bergen Europas hallte das Hifthorn. Sie hatten meine Spur erwischt und trieben mich durch das Wasser auf eine öde Insel. Sankt Helena. Dort sollte ich im Glutenbrand des Felsens verröcheln. Ich rang schon mit dem Atem und gab mein Los verloren – Europa hatte seinen Sieg! – da drang ein Wehen von Amerika in meine Hölle und kühlte meine Stirn. Ich hörte von dieser Halle, die sich zur Schatzkammer des Ruhms verwandelt, der in Europa wie ein Unrat im Rinnstein fault – doch in Amerika geachtet wird wie eines Hauses – eines Lebens Inhalt! *Er gibt Dergan die Hand.*

DERGAN. Sire – vergessen Sie hier.

NAPOLEON-YOUYOU. Es ist mein fester Plan. Ich fühle mich geborgen in Amerika. Wir haben Europa einen Streich gespielt, der es dem ewigen Gelächter preisgibt. So ist mein Schicksal immer der Ewigkeit verknüpft. – – Bin ich hier sicher? Sind Ihre Neger zuverlässig?

DERGAN. So gut wie blind und taub.

NAPOLEON-YOUYOU. Wie kocht man? – Ich frage nicht für mich. Marschall Quatresous verdaut nicht alles. Ich habe mich schon mit den Leiden meiner neuen Leute vertraut gemacht. Man teilt dann besser ihre Freuden. *Am Tisch lehnend, auf den er seinen Hut gelegt hat, um die Arme zu verschränken.* Sind Freuden noch für uns bereit? Die Einsamkeit kennt sie nicht – und wo ich bin herrscht Einsamkeit. So ist der Adler auf seinem Horste einsam, der in die Tiefe späht. Ich bin es noch viel mehr. Was sucht mein Blick noch? Meine Adler schlafen, die einst den Sieg von Schlacht zu Schlacht auf ihren Flügeln trugen – und ich bin schwingenmüde wie sie. *Mit matter Gebärde.* Wo ist ein Lager mir gerichtet, um auszuruhn? Nach Sturm und Meerfahrt. Führen Sie mich, Dergan. Mein Gefolge folgt mir.

Dergan schreitet die Treppe voran und öffnet die goldene Tür: Napoleon-Youyou und die übrigen schreiten durch die Tür. Dergan geht ihnen nach.

Gloria ist allein in der Halle geblieben.
Dergan kehrt nach einer Weile zurück und schließt die goldene Tür. Er tritt zu Gloria.

GLORIA. Wohin siehst du?
DERGAN *nach dem Hut auf dem Tisch weisend.* Es könnte alles nur ein Traum – ein wunderschöner Traum gewesen sein, wenn nicht der Hut die Wirklichkeit – die wunderbare Wirklichkeit bezeugte.

IV

Die Halle.
Es sind drei hochlehnige Sessel eingestellt, in denen Napo-
leon-Youyou, Carotte und Quatresous sich lümmeln. Na-
poleon-Youyou hinter dem Tisch, die Beine auf der Tisch-
platte. Carotte rechts vorm Tisch – zu seinen Füßen auf
einem Kissen Polly. Quatresous links vorm Tisch – bei ihm
auf einem Kissen Pepa. Die Männer haben die Röcke ausge-
zogen – die Mädchen die Brustlitze geöffnet.
Wohlige Stille.

CAROTTE. Kneip' mich.

POLLY. Wo?

CAROTTE. Du sollst mich kneipen.

POLLY *zwickt ins Bein.*

CAROTTE. Nochmal. Ins andre Bein.

POLLY *tut es.*

CAROTTE *schnauft befriedigt.*

PEPA *zu Quatresous.* Soll ich dich kneipen?

QUATRESOUS *träge.* Wenn Carotte sich gezwickt fühlt, wird's
richtig sein.

PEPA. Ich kneip' dich doch.

QUATRESOUS. Es wird nicht schaden. Tu's.

PEPA. Mit meinen Lippen. *Sie küßt seine Wade.*

NAPOLEON-YOUYOU *blinzelnd.* Tierisch.

PEPA. Warum soll ich mich nicht wie ein Tier benehmen?
Sind wir nicht im Paradies?

QUATRESOUS. Es ist genau wie im Paradies. Die Hunde beißen
uns nicht und die Polizisten jagen uns nicht. Der Schöpfer
aller Dinge hat ein Einsehen gehabt und ein paar seiner
Kreaturen in den Zustand früheren Glücks zurückversetzt.

PEPA. Warum eigentlich uns?

QUATRESOUS. Nach solchen unerforschlichen Ratschlüssen – es
liegt schon in dem Wort unerforschlich – soll man nicht forschen. Man soll die gebackenen Hühner hinnehmen und
nicht nach der Pfanne fragen, in der sie gesotten. Sind sie
zähe, so schickt man sie in die Küche zurück und wünscht
weichere. Aber ich habe hier noch kein ungenießbares Gericht gefunden. Im Gegenteil – ich wollte, ich hätte zehn
Mägen. Ich würde sie zehnmal am Tage mit den saftigsten
Speisen füllen und nicht einmal Platz für einen Rülpser

erübrigen. Ich müßte den ganzen Wind nach unten abblasen.

PEPA. Wenn du nur nicht diese entsetzlichen Blähungen hättest.

QUATRESOUS. Ohne sie würden wir nicht mehr wissen, wo wir sind. Ob im Himmel oder auf Erden.

CAROTTE. – – – – Selbstverständlich ist das Essen der Grund aller Dinge. Nur ein Narr könnte die Bedeutung wohlbereiteter und reichlicher Speisen leugnen. Es muß also die Ernährung, wie Quatresous es getan hat, mit Vorrang erwähnt werden. Doch wenn wir satt sind, wollen wir schlafen. Diesem Schlafbedürfnis wird nun hier in einer Weise entsprochen, die keinen Tadel zuläßt. Ich finde, daß die Betten von Nacht zu Nacht weicher werden. Das ist das höchste Lob, das man einer Sache zollen kann, daß sie sich im Gebrauch nicht abnutzt.

NAPOLEON-YOUYOU. Kannst du es auch vom Inhalt deines Bettes behaupten?

CAROTTE. Es ist nicht leer und das genügt mir.

POLLY schmiegt sich an ihn.

QUATRESOUS. – – – – Auch der Schlaf – wenn wir ihn noch so tief und in der erfreulichsten Gesellschaft ausüben – kann nicht der Sinn unseres Lebens sein. Dieser ist in Wahrheit das Nichtstun. Er wird außerordentlich selten erreicht und man muß schon die sonderbarsten Mittel anwenden, um dieses Zustandes teilhaftig zu werden. Trotzdem ist er das Ziel allen Strebens. Du sollst niemandem einen Vorwurf machen, der bis an sein Lebensende mit der Arbeit nicht fertig wird – aber die, die das beizeiten und in verhältnismäßiger Jugendfrische geschafft haben, sind die bevorzugten Geschöpfe. Daran ist gar kein Zweifel, sonst wären wir nicht hier.

CAROTTE. Ich überlege es nur noch mit Mühe: wann waren wir nicht hier?

QUATRESOUS. Du suchst vergeblich, wenn du den Anfang oder das Ende unsrer Seligkeit finden willst: es ist das Paradies.

CAROTTE *sich rekelnd.* Immer im Paradies gewesen sein und bleiben im Paradies – –

QUATRESOUS *ebenso.* Was sollte uns vertreiben?

PEPA. – – – – Wie Youyou dasitzt.

CAROTTE. Das hat nichts zu sagen. Das ist Napoleon privat. An einem stillen Örtchen nimmt er noch ganz andre Posen ein. Wer wollte daraus Schlüsse ziehn? Nein – der Mensch muß nach seinem öffentlichen Auftreten beurteilt werden. Das macht Youyou großartig. Ich verstehe nichts von Schauspielkunst – aber wenn sie darin besteht aus einem Backsteinträger oder Stubenmaler einen Imperator zu machen, so muß das eine große Kunst sein, vor der wir Achtung haben sollen. Mich überläuft es geradezu mit einem Schauer, wenn ich Napoleon-Youyou mit der vorgestoßenen Brust und dem gerafften Kinn einherstolzieren sehe. Ich könnte ihn tatsächlich für eine mächtige Figur im Weltgeschehen halten, wenn ich nicht wüßte, daß alles nur ein Schwindel. Wie kann ein Wesen nur so schwindeln, daß andre Wesen fest an den Schwindel glauben?

QUATRESOUS. Erklär's ihm, Youyou.

CAROTTE. Weißt du denn Bescheid?

QUATRESOUS. Ich will es gar nicht wissen.

CAROTTE. Das muß man wissen!

NAPOLEON-YOUYOU *stemmt sich aus seinem Sessel – schiebt sich flach über die Tischplatte und richtet sich auf der Tischkante zum sitzen hoch. Mit baumelnden Beinen.* Wenn ihr das für Kunst haltet, was ich hier vormache, so habt ihr von der Kunst nicht die geringste Ahnung. Das ist eine Rolle, die dem jämmerlichsten Komödianten gelingt. Eben weil sie so jämmerlich ist. Sie setzt sich aus den minderwertigsten Bestandteilen zusammen. Roheit, Gemeinheit, Wortbruch, die Niedertracht in jeder Form, Neid, Haß, Verrat, Mord offen und geheim – ich will nicht mehr aufzählen. Es sind die Neigungen, die der menschlichen Natur beigemischt sind und durch Entwicklung mehr und mehr unterdrückt werden, bis sie gänzlich entschlummern. Der Imperator weckt sie wieder. Er setzt seinen Willen durch, indem er jedem andern das Maul verbietet. Er nur darf es aufreißen und er tut es mit Gebrüll, das keine Gelegenheit ausläßt, um die Völker zu bevormunden. Schließlich den ganzen Erdball. Des Imperators Frechheit kennt keine Grenzen. Erhaben ist nur, was seinen gierigen Machtgelüsten dient. Die Macht braucht Mörder, Schurken, Gauner. Sie ist ein Tausendfuß und jeder Fuß ist ein Verbrechen – eins immer schamloser als das andre ausgeführt – bis man die Macht hat. Bis man Imperator ist. – – – – Seid ihr nun sehr erstaunt, daß ich die Rolle so vollkommen spiele? Ich bin ein Gauner.

CAROTTE *nach einer Stille zu Quatresous.* Er verkleinert sich. Es ist ein anständiger Zug seines Gemütes uns es nicht fühlen zu lassen, daß wir hier nur als Marschälle paradieren. Ich jedenfalls hätte nicht, obwohl ich auch ein gewaltiger Gauner bin, mit dieser glatten Zunge – *Zu Quatresous.* Wie war das erste Wort bei unserm Eintritt?

QUATRESOUS. Zu laut, Marschall. Soll ganz Amerika vernehmen, wen es beherbergt?

CAROTTE. Soll ganz Amerika – *Er schluckt.*

NAPOLEON-YOUYOU *nickt.* Soll ganz Amerika.

CAROTTE. Und wie er uns vorstellte. Die volle Wahrheit, wer wir sind. Das war genial.

NAPOLEON-YOUYOU. Um vorzubeugen, wenn ihr euch grob betragt. Soll der Baron sich wundern über diese Damen?

POLLY. Was ist uns vorzuwerfen?

NAPOLEON-YOUYOU. Nichts mehr, weil ihr von niederm Stand seid. Jetzt könnt ihr wie die Dirnen kreischen.

PEPA. Lauschst du nachts? Bist eifersüchtig?

QUATRESOUS *schlägt ihr auf den Mund.*

PEPA *maulend.* Wenn er kein Mädchen hat.

CAROTTE. Was war das mit den Adlern?

NAPOLEON-YOUYOU. Welche Adler?

CAROTTE. Quatresous – du hast das bessere Gedächtnis. Es waren diese letzten Worte, bevor wir gingen.

QUATRESOUS *dumpf.* Meine Adler schlafen, die einst den Sieg von Schlacht zu Schlacht auf ihren Flügeln trugen.

CAROTTE. Meine Adler schlafen, die einst – – *Er klatscht beifällig.*

NAPOLEON-YOUYOU. Klang es so erschütternd?

QUATRESOUS. Wenn das nicht wirkt.

NAPOLEON-YOUYOU. Wie soll das wirken?

CAROTTE. Wie es gewirkt hat. Du bist Hahn im Korb. Du krähst – du brauchst nicht mal zu krähn, der Tisch deckt sich von selbst. Für dich – für uns. Es könnte dies Schlaraffenleben nur enden – *Er zeigt auf Youyous Brust.*

NAPOLEON-YOUYOU *sein offenes Hemd schließend.* Die tätowierte Brust. Das hätte allerdings Napoleon nicht gehabt.

CAROTTE. Sonst wüßte ich nicht, was und wie und wann – – *Er lehnt sich gähnend in den Sessel zurück.*

Auch die andern dösen wie vorher.

QUATRESOUS. – – – – – – Man müßte Geld haben.

CAROTTE. Wozu?

NAPOLEON-YOUYOU. Wozu?

QUATRESOUS. So – Geld.

CAROTTE. Warum?

NAPOLEON-YOUYOU. Warum?

QUATRESOUS. Um es zu haben.

CAROTTE. Willst du was kaufen?

NAPOLEON-YOUYOU. Äußere dich, Quatresous.

PEPA. Er will mir etwas kaufen.

POLLY. Pepa, wir haben alles.

QUATRESOUS. Nicht um zu kaufen.

CAROTTE. Willst du Geld vergraben?

QUATRESOUS. Vielleicht.

NAPOLEON-YOUYOU. Im Schuppen?

QUATRESOUS. Irgendwo.

CAROTTE. Statt Gott zu danken, daß wir es nicht mehr brauchen – verlangt er Geld!

QUATRESOUS. Ein Mensch ist ohne Geld kein Mensch. Wo er es hat, ist nebensächlich, – nur muß er's haben. Es ist mein natürliches Bedürfnis. Wenn ihr's nicht spürt, könnt ihr mich nicht verstehn.

CAROTTE *nach einer Stille.* Ich kann dich schon verstehn.

NAPOLEON-YOUYOU. Verständlich ist mir das.

CAROTTE. Woher noch Geld zu diesem Leben?

NAPOLEON-YOUYOU. Hast du das überlegt?

QUATRESOUS. Willst du Geld fordern?

NAPOLEON-YOUYOU. Geld vom Baron?

QUATRESOUS. Ich wüßte keinen Anlaß.

CAROTTE *böse.* Wenn es dir einfällt, stoss' mir den Sessel unterm Arsch weg!

NAPOLEON-YOUYOU. Man sollte dir den Marschallstab – – *Er läßt sich über den Tisch weg in den Sessel gleiten.*

Quatresous ist aufgestanden – tritt zur Glastür. Plötzlich späht er aufmerksam hinaus – weicht zur Seite.

NAPOLEON-YOUYOU *lässig.* Was ist?

QUATRESOUS *hastig.* Der Baron.

NAPOLEON-YOUYOU. Geht er in seinem Park spazieren?

QUATRESOUS. Er nähert sich dem Haus.

NAPOLEON-YOUYOU. Die tägliche Audienz ist nachmittags.

QUATRESOUS. Jetzt steht er still.

NAPOLEON-YOUYOU *nachäffend.* Jetzt kehrt er um.

QUATRESOUS. Nein. Er besinnt sich. Er hat sich entschlossen. Er kommt. Zieht eure Röcke an.

CAROTTE *Polly wegstoßend.* Zeigt nicht die Brust so. Das ist unanständig.

NAPOLEON-YOUYOU *aus dem Sessel.* Was wird er wollen?

QUATRESOUS. Alles was du willst.

NAPOLEON-YOUYOU. Dann wünsche ich nicht vormittags gestört zu werden – und auch nicht nachmittags mehr.

CAROTTE. Sag' ihm das. Verbiete ihm den Park.

NAPOLEON-YOUYOU. Ich werde ihm Amerika verbieten!

Napoleon-Youyou, Carotte und Quatresous sind in ihre Röcke geschlüpft, die hinter dem Sesselrücken hingen. Napoleon-Youyou setzt sich in den Sessel rechts und stellt die Füße auf das Kissen. Carotte – den Marschallhut im Arm – stellt sich neben den Sessel. Polly und Pepa in einiger Entfernung nebeneinander.

NAPOLEON-YOUYOU. Wirst du nie fertig, Quatresous?

QUATRESOUS. Mir fehlt ein Arm.

NAPOLEON-YOUYOU. Lass' dir von deiner Pepa –

PEPA. Ich mach' mein Kleid zu.

NAPOLEON-YOUYOU. Schneller macht sie's auf.

CAROTTE. Beherrscht euch. Quatresous macht schon die Tür auf.

Quatresous – ebenfalls den Marschallhut im Arm – ist zur Tür geeilt, die er öffnet.
Dergan tritt ein.

QUATRESOUS *laut meldend.* Baron Dergan.

NAPOLEON-YOUYOU *bedeutet mit einem Wink Dergan näher zu treten.*

DERGAN *verbeugt sich vor ihm.*

NAPOLEON-YOUYOU. Sie suchen mich schon früh auf, mein Freund.

DERGAN. Sire, verzeihen Sie die ungewöhnliche Stunde.

NAPOLEON-YOUYOU. Sehr ungewöhnlich allerdings.

DERGAN *ausbrechend.* Doch auch der Anlaß ist es!

NAPOLEON-YOUYOU. So dringend, daß wir nicht den Nachmittag erwarten konnten?

DERGAN. Es hätte mir die Brust gesprengt, wenn ich es länger in meiner Brust bewahren müßte!

NAPOLEON-YOUYOU *weist auf den Sessel ihm gegenüber.* Das klingt bedeutungsvoll. Ich hoffe nicht von dem, was Sie mir unterbreiten werden, enttäuscht zu sein.

DERGAN *im Sessel.* Sire, dann hätte nichts mehr Wert – dann hätte die Sonne vom Anfang allen Werdens an umsonst gestrahlt. Die Sonne will sich selber schenken.

NAPOLEON-YOUYOU. Dieser Überschwang verheißt beträchtliche Eröffnungen.

DERGAN. Sie bleiben nicht hinter den Erwartungen zurück. Sie sind das größte, was unterm Himmel noch geschehen kann. Es bildete der Vorsatz sich in mir am ersten Tage, als ich hier stand und Ihres Eintritts harrte. Es war der Keim, der in mir wühlte – und immer dunkel wuchs, bis er in dieser Nacht zur hellen Blüte sich entfaltete. Jetzt blendet mich der Anblick.

NAPOLEON-YOUYOU. Sie sprachen von einem Vorsatz –

DERGAN. Ihnen mehr zu bieten als dieses Haus.

NAPOLEON-YOUYOU. Ich bin doch recht zufrieden.

DERGAN. Darf ich es sein, Sire? Was ist diese Halle – was alle Räume hinter jener Tür? Draußen der Park mit Frische, Büschen, Stille? Wein, Früchte, Wildpret? Was sind das für Gaben vor diesem Gast, Sire?

NAPOLEON-YOUYOU. Die Speisen und der Wein sind üppig.

DERGAN. Zu wenig, Sire – zu wenig.

NAPOLEON-YOUYOU. Was bieten Sie mir noch?

DERGAN. Ich biete Ihnen – Amerika!

NAPOLEON-YOUYOU *nach einer Stille.* Das ist ein ganzer Erdteil – –

DERGAN. Wann rechneten Sie anders als in Kontinenten, Sire? Es ist der neue Erdteil, der aus der Schöpfung auftaucht, um der alten Welt zurückzugeben, was sie einbüßte. Die Gestalt des Herrschers. Ihre, Sire. Den Imperator!

NAPOLEON-YOUYOU *endlich stammelnd.* Das ist kühn – –

DERGAN. Es ist erhaben, Sire, wenn Sie Amerika aufrütteln. Amerika, das schläft. Amerika, das nicht weiß, was es gilt. Es ist zu mächtigem Tun bereit. Weisen Sie ihm das Ziel. Den Ruhm, den Ihre Adler auf ihren Flügeln tragen. Sie überfliegen von Amerika das Meer und siegen Ihre neuen Siege in Europa, Sire!

NAPOLEON-YOUYOU *reibt sich das Kinn – mustert Dergan mit schiefem Blick.* Der Plan hat Weite. Und die Einzelheiten?

DERGAN. Alles ist bedacht. Es muß in aller Stille vorbereitet werden. Es sollen sich im ganzen Lande Bünde gründen. Es werden Waffen beschafft. Man übt sich bei Nacht – und eines Tages bricht der Sturm los. Sie, Sire, verlassen dies Asyl und treten an die Spitze der Bewegung. Es wird ein einziger Schrei aus millionen Kehlen sein, der Sie begrüßt. Den Kaiser, der wieder reitet, in die Schlacht. Die Schlacht Amerikas, um diesen einzigen Ruhm zu ernten, der in Europa wie Unrat im Rinnstein fault.

NAPOLEON-YOUYOU. – – – – Wann würden diese Bünde schlagkräftig sein?

DERGAN. Es fehlt an Mitteln nicht, um ihren Eifer anzuspornen. Ich will, was ich besitze, zur Verfügung stellen. Ich würde für diese Sache mein Vermögen mit Freuden bis auf den letzten Rest ausliefern!

NAPOLEON-YOUYOU. – – – – – – Verlangen Sie jetzt meine Entscheidung?

DERGAN. Sire, Ihr Befehl wird wie der Blitz sein.

NAPOLEON-YOUYOU. Was soll ich befehlen?

DERGAN. Wann ich beginnen soll.

NAPOLEON-YOUYOU. Womit?

DERGAN. Mit meiner Werbung.

NAPOLEON-YOUYOU. Für die Bünde?

DERGAN. Mit Waffenkauf.

NAPOLEON-YOUYOU. Das kostet Geld.

DERGAN. Mein Geld für keinen bessern Zweck!

NAPOLEON-YOUYOU *bedeckt sich die Augen und sitzt reglos da. Dann läßt er die Hand sinken.* Ich werde mich dem Auftrag, den mir Amerika erteilt, wohl nicht entziehen können.

DERGAN *aufspringend.* Sire!

NAPOLEON-YOUYOU. Doch muß ich mich mit meinen Marschällen beraten, wie wir's zustandebringen. An Überstürzung könnte alles scheitern.

DERGAN. Nichts scheitert, Sire. Ein Erdteil steht bereit!

NAPOLEON-YOUYOU. Er muß sich bis zum Nachmittag gedulden. Am Nachmittag will ich Sie wiedersehen. *Er entläßt ihn mit einer knappen Geste.*

Dergan verbeugt sich und wird von Quatresous zur Tür geleitet. Quatresous schließt sie hinter ihm. Dergan verschwindet von der Terrasse.
In Betäubung stehen die Fünf da.

CAROTTE *aufbrausend.* Dafür – –! *Er schleudert seinen Marschallhut zu Boden.* Für ein paar Wochen fetten Fressens und satten Saufens hat man sich in dem stickigen Schuppen kasteit und ist den Hafenschenken ausgewichen als wären's Kathedralen, um jeden Sous für Stoff zu sparen. Die Mädchen haben sich die Finger wund gestochen beim Nähen von Wams und Hosen. Gold wie Wülste dick – es mußte pures Gold sein. Was nützt uns jetzt das Gold? Wir können's nicht einmal versilbern – weil man uns schnappt als Diebe, wenn wir's feilbieten. *Vor Napoleon-Youyou.* Oder willst du es eingestehn, daß nichts gestohlen und dich der Herr Baron bezahlt? Wofür? *Er haut ihm die Faust auf die Schulter.*

NAPOLEON-YOUYOU. Du hast es ausgeheckt.

CAROTTE. Und ihr habt es verdorben. Ihr wißt ja alles besser. Kein Geld verlangen. Nur die Auslagen für frische Kleider. Das hebt den Eindruck. Dafür wird man leben in seligem Taumel bis das Auge bricht.

NAPOLEON-YOUYOU. Wie hätten wir's denn besser machen sollen?

CAROTTE. Die Überfahrt bezahlen – große Summen für die Bestechung von Wächtern – einen ganzen Schiffbruch auf Rechnung setzen – Entschädigung für Familien ertrunkener Matrosen –! Man konnte einen Schatz beizeiten heben. Jetzt sind die Taschen leer, wenn wir uns aus dem Staube machen.

NAPOLEON-YOUYOU. Aus dem Staube –

CAROTTE. Willst du bleiben? Wenn der Baron mit deinem Namen die Gegend aufputscht?

NAPOLEON-YOUYOU. Ich kann es ihm verbieten.

CAROTTE. Wie?

NAPOLEON-YOUYOU. Ich weigere mich in einen neuen Krieg zu ziehn. Meine Gesundheit ist schlecht. Ich habe in Rußland damals mich erkältet. Die Wärme tut mir wohl hier. Ich denke nicht daran mich zu verändern.

CAROTTE. Du willst Napoleon sein – ein Imperator! – und dich verstecken, wo's einen Krieg anzuzetteln gibt?

NAPOLEON-YOUYOU. Bin ich Napoleon?

CAROTTE. Nein – auch nicht mehr für den Baron, der dich auspeitschen läßt. Und uns. Dem wollen wir entgehn. Der Nachmittag soll uns hier nicht mehr sehen. Los, Mädchen. Trollen wir uns.

QUATRESOUS *ihnen entgegentretend.* Wohin denn?

CAROTTE. Zum Hafen von New Orleans. Polly muß wieder arbeiten.

POLLY *kokett*. Die hübsche Polly.

PEPA *zärtlich zu Quatresous*. Hübsch ist auch deine Pepa.

QUATRESOUS. Rothaarige sind Hitzköpfe. Carotte will fort – er will den Schatz nicht heben. *Er lehnt sich gegen die Tischmitte.*

Die andern nähern sich ihm – neugierig.

CAROTTE. Was ist noch zu erbeuten?

QUATRESOUS. Das Geld, das der Baron für seine Werbung ausgeben will.

Man sieht sich fragend an.

QUATRESOUS. Die Werber werden wir sein.

Man starrt ihn an.

QUATRESOUS. Marschall Carotte und Marschall Quatresous haben den Auftrag die Bünde zu gründen und die Waffen zu kaufen.

Man stöhnt vor Freude.

QUATRESOUS. Der Baron darf zahlen.

CAROTTE *mit ungeheurem Ausbruch*. An Marschall Carotte und Marschall Quatresous! *Suchend*. Wo ist mein Hut? *Er findet ihn und schwenkt ihn.* Es wird noch alles Geld in unsre Taschen rollen!

QUATRESOUS. Das Geld, nach dem mir meine Finger juckten.

V

Die Halle.
Am Tisch sitzen hemdärmelig Napoleon-Youyou, Carotte
und Quatresous. Stehend stützt sich Polly auf Carottes
Schulter – Pepa auf Quatresous' Schulter. Auf dem Tisch
liegt ein Goldhaufen.
Stumm zählen Napoleon-Youyou, Carotte und Quatresous
die Münzen, die sie in lederne Beutel verschwinden lassen.
Lange Zeit ist nur Klingen des Metalls vernehmlich.

NAPOLEON-YOUYOU *prustend einhaltend.* Tausend.

CAROTTE *ebenso.* Tausend.

QUATRESOUS *ebenso.* Tausend.

NAPOLEON-YOUYOU. Mir tun die Finger weh und es bildet sich
eine Hornhaut an den Spitzen, als hätte ich die Arbeit eines
redlichen Handwerkers verrichtet.

CAROTTE. Es ist auch eine geistige Anstrengung, wie ich sie
bisher noch nicht gewohnt war. Mein Gehirn wird Schwielen
von dieser endlosen Zählerei bekommen und zu feineren
Überlegungen nicht mehr geeignet sein.

QUATRESOUS. Was wirst du dir noch zu überlegen brauchen,
wenn du im Besitz dieses Reichtums bist? Der Verstand ist
für die Besitzlosen da – die Begüterten brauchen ihn nicht
mehr. Jetzt kannst du die Dummheit mit Löffeln fressen und
wie ein Donnerschlag aufstoßen. Man wird es wie eine säu-
selnde Duftwolke einsaugen und deinen üblen Magen als den
Quell reiner Weisheit preisen.

POLLY *auflachend.* Jetzt seid ihr gar noch unzufrieden, daß ihr
Geld zählen müßt!

CAROTTE. Wer hat mit solchen Summen gerechnet.

NAPOLEON-YOUYOU. Man könnte damit einen Heerhaufen von
beträchtlichem Umfange ausrüsten. Es ist doch komisch,
wie leicht das Geld fließt, wenn es sich um Beschaffung
von Waffen handelt. Da gibt es plötzlich keine Knapp-
heit der öffentlichen Mittel mehr – das Geld scheint
buchstäblich vom Himmel zu fallen. Es überschwemmt
das Land und sättigt jedes Bedürfnis nach Kanonen und
und Gewehren. Wenn dir aber einfallen sollte dasselbe
Geld oder nur den nötigen Bruchteil davon für die öffentliche Verteilung von Brot zu fordern, so würde dasselbe
Geld sofort von der Bildfläche verschwinden. Was geht nur

in den Köpfen der Menschen vor, daß sie mit diesen Vorgängen einverstanden sind?

CAROTTE. Jedenfalls ist dies Geld nicht durch das Sieb unsrer Finger gesickert. *Grob lachend.* Ist der Schuppen groß genug für das Vermögen des Barons?

QUATRESOUS. Die Erde hat eine unergründliche Tiefe.

CAROTTE. Da liegt es nun begraben und soll auferstehn, wenn wir das letzte blanke Goldstück in unsern Beuteln haben.

NAPOLEON-YOUYOU. Es ist die Strafe für den Schrecken.

CAROTTE. Welchen Schrecken?

NAPOLEON-YOUYOU. Mir das Asyl zu kündigen. Ich hatte mich kaum eingelebt – da kommt er mit dem Vorschlag es über ganz Amerika zu verbreiten, daß ich hier bin. Durch seine Bünde, die er gründet.

CAROTTE. Wir haben sie im Keim erstickt.

QUATRESOUS. Jetzt rühmst du dich, erst wolltest du dich aus dem Staube machen.

CAROTTE. Der Mensch ist schreckhaft.

QUATRESOUS. Wenn jeder Hase wäre –

CAROTTE *aufspringend.* Wer ist Hase?

NAPOLEON-YOUYOU *beschwichtigend.* Man kämpft mit keinem Einarm.

PEPA. Er hat drei mit meinen.

POLLY *zieht Carotte in den Sessel zurück.* Schenk' ihnen das Leben.

NAPOLEON-YOUYOU. Wir haben Quatresous es zu verdanken, wenn wir noch hier sind. Die Gerechtigkeit verlangt die Anerkennung seiner Kaltblütigkeit. Wir hatten sie nicht. Es wäre feige es nicht einzugestehen. Er hat gerettet, was wir bereits verloren gaben. Dieses schöne Heim. Wir schlafen – essen wie die Götter.

POLLY *Carotte umhalsend.* Lieben wie die Götter.

CAROTTE. Lass' das vor Youyou.

POLLY. Warum?

PEPA. Weil er kein Mädchen hat!

POLLY *mitleidig.* Dann muß er sich eins suchen.

PEPA. Eine Negerin.

POLLY. Napoleon und eine Negerin – unmöglich.

PEPA *höhnisch.* Und wo steckt die Prinzessin?

CAROTTE. Es müßte schon eine feine Dame sein.

NAPOLEON-YOUYOU. Reizt mir nicht den Appetit mit leeren Schüsseln. Die gebratene Prinzessin wird nicht serviert. Laßt

den Deckel drauf. Ich spiele meine Rolle auch ohne Bettge-
nossin. Das ist meine Kaltblütigkeit, die ich bewahre. Nehmt
euch Polly – Pepa, so oft ihr wollt. Ich könnte als Entschädigung ein wenig mehr vom Geld beanspruchen.

CAROTTE *aufgebracht.* Versuch' es nicht.

QUATRESOUS. Bei Geld versteh' ich keinen Scherz.

NAPOLEON-YOUYOU. Das sage dem Baron – nicht mir.

QUATRESOUS *verächtlich.* Der Baron, der an die Bünde glaubt –
er sollte sich einfallen lassen mit Geld zu sparen!

CAROTTE. Lass' den Baron. Wir haben alles in der Hand. Wie
sollte er was pfeifen hören? Von welchem Spatz? Kein Spatz
hier auf den Dächern. *Sich in die Hand spuckend.* Jetzt kann
ich wieder zählen.

QUATRESOUS. Ich zähl' nachher bei dir nach.

CAROTTE. Wer meinen Beutel anfaßt –

NAPOLEON-YOUYOU. Marschälle – Geld ist Dienst. Ihr seid im
Dienst. Und einer muß die Tür bewachen. Polly oder Pepa.

PEPA. Dann geh' schon ich.

POLLY. Warum du?

PEPA. Weil Quatresous besser zählt. Dich braucht Carotte
doch. *Sie tippt sich an die Stirn.*

CAROTTE *will ihr nach.* So'n Luder.

NAPOLEON-YOUYOU. Ich fange an zu zählen.

*Carotte kehrt sofort an seinen Platz zurück. Es herrscht nun
wieder Stille, die nur vom Klingklang der Geldstücke belebt
ist.*
*Pepa scharwenzelt vor der Glastür hin und her. Dann hält
sie ein, verbeugt sich mit lächerlicher Übertriebenheit gegen
den Park, wirft Kußhände.*
*Polly wird aufmerksam – neugierig läuft sie zu ihr und späht
hinaus.*

POLLY *nach dem Tisch hin.* Geld weg, sie kommen.

NAPOLEON-YOUYOU, CAROTTE, QUATRESOUS *gleichzeitig.* Wer?

POLLY. Beide.

NAPOLEON-YOUYOU, CAROTTE, QUATRESOUS. Welche beiden?

POLLY. Der Baron und seine Jungfer.

PEPA *gespreizt.* Die keusche Gloria!

NAPOLEON-YOUYOU *schon Geld einstreichend.* Tut's in die
Beutel. Wir zählen nachher nochmal.

CAROTTE *stöhnend.* Verdammt nochmal von vorn.

NAPOLEON-YOUYOU. Die Beutel hinter Austerlitz! *Man ver-birgt die Beutel hinter der Mittelgruppe.* In die Röcke! *Man bekleidet sich vollständig.* Schon wieder vormittags. Was drückt ihn auf der Leber?

CAROTTE. Er zahlt doch pünktlich.

QUATRESOUS. Ja – vielleicht zuviel.

NAPOLEON-YOUYOU *sich gegen die Tischmitte lehnend – die Arme verschränkend.* Stellt euch vor mir auf. Wir halten Rat. Wir sind zu sehr mit unserm Gegenstand beschäftigt. Die Mädchen müssen uns ermuntern.

Carotte und Quatresous – die Marschallhüte im Arm – ver-decken fast Napoleon-Youyou.
Polly und Pepe öffnen die Flügeltüren.
Dergan und Gloria treten in die Halle.
Poly bedeutet Dergan zu warten und nähert sich dem Tisch.

NAPOLEON-YOUYOU *vorwurfsvoll zu Carotte.* Marschall Ca-rotte, für Sie jetzt eine Meldung?

POLLY. Nein, Sire, es ist Baron Dergan, der – *Sie zeigt auf Der-gan.*

NAPOLEON-YOUYOU *mit gerunzelten Brauen.* In diesem Augen-blick – Dergan?

DERGAN. Sire, da ich eine wichtige Beratung störe –

NAPOLEON-YOUYOU *vortretend.* Sie würden stören, wenn Sie nicht in Begleitung des schönsten Fräuleins kämen. *Er küßte Gloria die Hand.* Einen Sessel für die junge Dame!

Carotte und Quatresous bringen einen Sessel herbei, in den sich Gloria setzt.

DERGAN. Sire, Sie sind gnädig.

NAPOLEON-YOUYOU. Sollte die Gnade hier nicht von der Natur, die ein so vollkommenes Gebilde wie Ihre Tochter geschaf-fen, ausgeteilt werden?

DERGAN. Sire, Sie schüchtern das Kind ein.

NAPOLEON-YOUYOU. Kein Kind mehr. Sie ist erblüht wie ein von Blumen bedeckter Maimorgen. Glücklich der Gärtner, der solche Blumen pflückt. *Lebhaft zu Carotte und Quatresous.* Wir unterbrechen. Sie legen später mir Rechenschaft über die Verteilung der Gelder ab. *Zu Dergan.* Oder soll es in Ihrer Anwesenheit geschehn? Ist es der Zweck Ihres Kommens?

DERGAN. Sie haben die Geschäfte Ihren Marschällen übertragen, wo sie in besten Händen sind.

NAPOLEON-YOUYOU. Kein Sou geht uns daneben. Was, Quatresous?

QUATRESOUS. Ich würde mir lieber noch den andern Arm abhacken lassen.

NAPOLEON-YOUYOU. Für unsere große Sache. Carotte denkt ebenso. *Zu Carotte.* Sie brauchen mir nichts zu sagen. Handeln – das ist es, was wir müssen. Wir werden handeln, wenn alle Vorbereitungen abgeschlossen sind. Vieles ist noch im Werden, doch wenn wir einmal fertig sind – fertig in einem viel weiteren Sinne – dann ist ein blaues Wunder noch nie so blau gewesen wie das von uns gezeigte. Worte, mein lieber Baron – die Taten reifen untergründig.

DERGAN. Die Bünde?

NAPOLEON-YOUYOU. Sie und nichts andres. Wir gewinnen Leute, die sonst nichts zu verlieren haben. Das ist der echte Stamm für solche Unternehmungen. Männer, auf die Verlaß ist. Gehorchen wie die Hunde. Bedenkenlos bereit. Denken? Der Zweck des Kopfs? Sein Maul zum essen. Ein Loch wie jenes andre, das der Verdauung dient! – – Doch lassen wir die hohe Politik. Sie ist mit manchem harten Ausdruck Männersache. Hier könnte sie ein Ohr beleidigen, das viel zu zart für solche Dinge ist.

GLORIA *fest.* Nein, Sire, es ist nicht zart.

NAPOLEON-YOUYOU. Was muß ich hören?

GLORIA. Sire, ich – *Sie stockt verlegen.*

DERGAN. Soll ich sprechen?

GLORIA *nickt heftig.*

DERGAN. Sire – sie will die erste Frau sein, die Amerika vertritt, und ihr Geschlecht nicht von den Männern Amerikas beschämen lassen. Sire, Sie sagten, was sie planen, sei Männersache. Nein, Sire, ich wage im Namen der ewigen Geschichte zu widersprechen – die Ewigkeit gibt mir das Recht: der Ruhm gehört der ganzen Menschheit. Es ist das allgemeine Recht, von dem sich niemand ein Lot abdingen läßt. Es seien Söhne oder Töchter, so von Geburt verschieden – in einem sind sie gleich und wie die Wellen, die springend in ihren Flüssen dem Meer zustreben, um in ihm unterzugehn: im Meer des Ruhms, das Sie geschaffen haben. So weit – so rauschend, wie vorher kein Ruhm!

Es herrscht Stille.

GLORIA *zu Dergan.* Du mußt noch stärker bitten.

DERGAN. Sire, – sie ist nur eine Tochter und für viele Dinge ganz ungeeignet. Sie könnte nicht die Märsche bewältigen, die Sie verlangen. Kein Geschütz bedienen und nicht den Säbel schwingen, der den Feind fällt. Vom blutigen Handwerk halten wir sie fern. Doch wo ist sie am Platz?

NAPOLEON-YOUYOU *mechanisch.* Wo?

DERGAN. In den Bünden!

NAPOLEON-YOUYOU. Was – suchen Frauen in den Bünden?

GLORIA. Sage alles, Vater.

DERGAN. Sie suchen, um sich zu verlieren. Sie nehmen Abschied von dem, was früher war. Da war das Leben ein Singsang – ein Lachen in den Tag und goldner Frohmut war das Augenlicht. Es gab auch Liebe und aus Schüchternheit sproß reine Neigung, der das Herz zu eng. Es klopfte selig. Eine Nachtigall erfüllte eine Welt mit Liedern und zu lauschen schuf höchste Inbrunst. Wunderbare Nacht und wunderbares Leben. War es nicht so?

GLORIA. So war es.

DERGAN. Das ist nun verklungen. Es ist wie eine Kerze ausgeblasen – um eine Fackel zu entzünden. Die erste Fackel in Amerika entfacht – und ihre Trägerin soll meine Tochter sein!

Wieder Stille.

NAPOLEON-YOUYOU. – – – – Wem soll sie leuchten?

DERGAN. Andern Frauen, die zu den Männern in den Bünden treten. Jetzt stellen sie sich unter das Gesetz, das Sie den Männern gaben. Das Gesetz, das Sie erhebt und alle zum Sockel Ihrer Herrschaft schweißt. Nehmen Sie die Frauen in diesen Sockel auf!

NAPOLEON-YOUYOU. – – – – Will Ihre Tochter – *Er macht eine nichtssagende Geste.*

DERGAN. Sie will, Sire, der großen Sache dienen, wo sich ein Dienst zeigt. Es ist nicht abzusehen, wie der Zutritt der Frau den Eifer spornt. Wo Frauen sind, entspinnt sich ein Wettstreit. Alles wird rascher gefördert. Der Tag rückt eilend näher, an dem dies Tor sich auftut und Sie in voller Majestät – umjubelt von einem aufgerührten Amerika – Amerika durcheilen, um nach Europa Ihre Macht zu werfen und wieder Schlacht um Schlacht zu schlagen, die diesen Erdball zum Erzittern bringen!

Stille.

GLORIA *aufstehend und niederknieend.* Sire, ich hebe meine Hände wie im Gebet: ich flehe um den Befehl: mich ohne Zögern zu den Bünden, die Ihre Rückkehr in den Ruhm vorbereiten, zu begeben.

Tiefe Stille.

DERGAN *drängend.* Sire – der Befehl.
NAPOLEON-YOUYOU *sich endlich zusammenraffend.* Erheben Sie sich – Sie tun sich die Knie weh.
DERGAN *behilflich.* Steh' auf, meine Tochter.
GLORIA. Bin ich erhört?
DERGAN. Du sollst vertraun.
NAPOLEON-YOUYOU. Frauen – –
DERGAN. Die Frauenschaft Amerikas!
NAPOLEON-YOUYOU. Ich unterschätze nicht die Wirksamkeit der Frauenhilfe. Ich sehe bereits in Umrissen die Aufgaben, die ich den Frauen stelle. Die Frauen werden mir unentbehrlich sein. Das war ein guter Einfall, Baron Dergan, mir Ihre Tochter zu schicken. Doch jetzt muß ich Sie beide fortschikken. Ich entwerfe einen Plan – wie immer im Rate meiner Marschälle. Sie haben schon die Leitung der Bünde übernommen – sie werden auch mit Ihrem Vorschlag fertig werden. Jetzt gehen Sie und lassen Sie mich planen.

Dergan und Gloria ziehen sich nach der Glastür zurück, die Polly und Pepa hinter ihnen schließen.
Kein Laut in der Halle.
Endlich spitzt Quatresous die Lippen und pfeift einen Vogeltriller.

NAPOLEON-YOUYOU. Was trillerst du?
QUATRESOUS. Der Spatz.
NAPOLEON-YOUYOU. Was für ein Spatz?
QUATRESOUS. Carottes Spatz. *Spöttisch nachäffend.* Kein Spatz hier auf den Dächern! – Jetzt sitzt er auf dem Dach und wird

sein Liedlein pfeifen. *Er tritt zu Carotte und pfeift ihm scharf ins Ohr.*

CAROTTE *zornig*. So pfeift kein Spatz. Ein Spatz kann höchstens piepen.

QUATRESOUS *lacht schallend.*

NAPOLEON-YOUYOU. Der Spatz piept nicht, Carotte. Der wird hier einen Höllenlärm vollführen, wenn er von seinem Flug zurückkehrt – und nichts fand.

CAROTTE. Was fand er nicht?

NAPOLEON-YOUYOU. Wofür das Geld bestimmt ist.

CAROTTE *begreifend – ausbrechend*. Wir müssen mit dem Geld weg. Packt die Beutel. Wir leeren noch den Schuppen. Und dann – – *Er stockt und sieht die andern fragend an.*

NAPOLEON-YOUYOU. Dann kommen wir nicht weit.

CAROTTE. Warum nicht?

NAPOLEON-YOUYOU. Weil's eine Polizei gibt.

CAROTTE. Soll der Baron als Narren sich bekennen?

NAPOLEON-YOUYOU. Was soll ihn hindern?

CAROTTE. Das Gelächter, dem er sich ausliefert.

NAPOLEON-YOUYOU. Gelächter nur reicht nicht. Um ihn wirklich lahmzulegen – so lahm, daß er nicht den Finger rührt, um uns zu verfolgen – da müßte mehr geschehn. – – – –

QUATRESOUS *kleinlaut*. Was tun wir?

CAROTTE *ebenso*. Bleiben?

NAPOLEON-YOUYOU *ebenso*. Bis der Spatz gepfiffen hat? *Die drei stehen grübelnd.*

Nun zieht Polly Pepa mit sich nach vorn.

POLLY *auf die drei weisend*. Sieh' dir die an. Am liebsten suchten sie ein Loch, um zu verschwinden. Ist denn hier kein Mauseloch? Im Marmor – nein. Sie wären mit drei Sprüngen weg – noch unterirdisch flüchtend – vor einer Jungfrau, die noch keinen Mann gekannt!

Die drei heben die Köpfe.

POLLY. Dann zeigt ihr, was ein Mann ist – und sie hat Beschäftigung. Das Täubchen Gloria wird köstlich girren, wenn sie erst einmal nicht allein im Bett ist. Laßt sie girren – und wir erweisen dem Baron den Gefallen, den er von seinem Töchterchen verlangt. Wir in die Bünde – sie ins Bett!

NAPOLEON-YOUYOU. In – – mein Bett?

CAROTTE, QUATRESOUS *ihm derb auf die Schultern schlagend.*
Wir sind doch gut versorgt!

NAPOLEON-YOUYOU. Ich sollte dieses Mädchen – –

PEPA. Vielleicht ist er kein Mann.

NAPOLEON-YOUYOU. Kein Mann? Ich war zu lange keiner.
Nun hol' ich alles nach. Ich halte Hochzeit!

VI

*Die abenddunkle Halle vom Schein der Kerzen erhellt, die in
silbernen Leuchtern auf dem Tisch brennen. Der Tisch ist
reich gedeckt: Früchte auf silbernen Schalen, blitzende Gläser und Weinkaraffen.*

*Hinter dem Tisch sitzen: Gloria als weiße Braut zwischen
Napoleon-Youyou und Dergan, neben Dergan Polly, neben
Napoleon-Youyou Pepa. Vor der Querseite rechts Carotte,
vor der Querseite links Quatresous.*

Alle Blicke sind auf Quatresous gerichtet, der allein noch ißt.

NAPOLEON-YOUYOU. – – – – Ich werde später einmal von diesem Hochzeitsmahl berichten, daß ein Marschall so lange aß, bis
die Kerzen zu Stümpfen herabgebrannt waren, und er sich dann
beklagte im Dunkeln seinen Mund nicht finden zu können.

Verhaltenes Lachen.

PEPA *stößt Quatresous an.* Du bist gemeint.
QUATRESOUS *aufblickend.* Womit?
PEPA. Du kannst nicht mit Essen fertig werden, während wir
andern längst genug haben.
QUATRESOUS. Soll ich mich sehr beeilen? Ich wollte, ich
könnte es. Aber es hantiert sich schlecht mit einem Arm,
wo zwei zur Stelle sein sollten. Besonders beim Verzehren de-
likater Genüsse, wie sie hier gereicht werden. Am liebsten
hätte ich vier Hände für zwei Messer und Gabel gehabt.
PEPA *aufjuchzend.* Vier Hände für zwei Paar Messer und
Gabel!

Auch Carotte und Polly brechen in Lachen aus.

QUATRESOUS. Oder acht Hände für vier Paar Messer und
Gabel.
PEPA *wie vorher.* Acht Hände für vier Paar Messer und
Gabel!

Carotte brüllt, Polly kreischt.

QUATRESOUS. Sechzehn Hände für acht Paar Messer und
Gabel.

PEPA *fast erstickend.* Sech –!

CAROTTE *keuchend.* Hör' auf mit deinen Zahlen –!

POLLY *springt auf und drückt seinen Kopf an ihre Brust.* Dich macht doch Rechnen schwindlig.

Allmählich besänftigt sich der Aufruhr.

NAPOLEON-YOUYOU *zu Gloria.* Es sind herzhafte Kerle und ihre Späße, die sie mit mehr Lärm als Witz vortragen, sind einfältiger Natur. Das sind die Folgen des Lagerlebens, wo die nächtliche Stille mit Brüllen zerstört wird, wie am Tag der Feind mit Gewehrsalven überwältigt ist. *Zu Quatresous.* Willst du uns nicht erzählen, wie du in einer meiner Schlachten deinen Arm verloren?

QUATRESOUS. Das will ich gern zum besten geben.

NAPOLEON-YOUYOU *zu Dergan.* Es ist die übliche Einleitung und wir müssen uns auf allerhand gefaßt machen.

DERGAN *nickt.* Ein Schlachtbericht, Sire, der unsre höchste Aufmerksamkeit erheischt.

NAPOLEON-YOUYOU. Wo fand die Schlacht statt?

QUATRESOUS. Sie – war blutig, Sire. Die Sonne ging so zart auf, wie eine Heckenrose sich entfaltet. Man hätte denken können, dies ist kein Schlachtenmorgen. Es sollten Lämmchen weiden auf den sanften Triften und Lerchen in der Höhe trillern, als stimmten die weißen Wölkchen, die durch den Himmel schwammen, den Lobgesang der Schöpfung an. Nein – ich entsinne mich keines schöneren Tagesanbruchs. So froh – so licht zur Lust der Kreatur gemacht. Es war, als würde alles unvergänglich – der Tod ein Freund des Lebens, damit es nie vergilbt. – – Da dröhnte unsre Trommel. An die Gewehre. Wir schultern sie im Ruck und stehn wie eine Mauer. Wir hören den Befehl: lautloser Anmarsch. Der Feind in einer Senke, wo er noch abkocht, soll überflügelt – umzingelt werden. Ein Meisterstück der Kriegskunst. Wir wollen jauchzen, daß wir zu diesem Streich bestimmt sind. Doch bloß kein Lärm. Auch die Trommel stumm. Wir schleichen wie Indianer auf dem Kriegspfad – Wilde im Busch sind uns nicht über – und breiten uns im Kreis aus. Da sitzen sie im Kessel. Nichts ahnend – sich das Frühstück zubereitend. Wohl bekomm's. Es fehlt an Messern? Dem können wir abhelfen. Schon pflanzen wir die Bajonette auf – es gibt kein Halten. Euch die Messer in den Leib – das ist der Brotlaib, den wir am liebsten schneiden. Getränkt mit rotem Saft wie von geplatzten Kirschen. Doch dieser Saft ist Blut und Menschenfleisch das Brot. – – Ich hatte später nur noch einen Arm. Wie er abhanden kam – ich stach mit einem wie mit zweien. Und hätte ich vier gehabt, ich hätte mit vieren nicht besser stechen können als mit einem. *Er nimmt sich eine Frucht und beißt hinein.*

NAPOLEON-YOUYOU *nach einer Stille.* Es war bei Austerlitz. Ich hatte damals das Manöver der Einkreisung zur höchsten Wirksamkeit entfaltet. Ich ließ den Gegner einfach in der Mitte stehn und zog um ihn herum. Ich nahm ihn in die Zange und kniff dann ab. Da saß er in der Patsche. Es haben meine Kritiker dies stets als eine an das Wunder grenzende geniale Tat gerühmt. Menschlicher Geist auf seinem Gipfelpunkt. Nicht eine Übertreibung?

DERGAN. Sire, Sie eroberten Europa so.

NAPOLEON-YOUYOU. Und verlor es wieder.

DERGAN. Um es von neuem zu gewinnen!

NAPOLEON-YOUYOU *sich gegen Carotte vorbeugend.* Wenn die Kerzen erlöschen, würde uns Marschall Carotte doch vor der Finsternis bewahren.

CAROTTE. Habe ich eine brennende Lampe im Hinterhalt?

NAPOLEON-YOUYOU. Nicht hinten – sondern vorne, Marschall.

CAROTTE. An mir leuchtet nichts.

NAPOLEON-YOUYOU. Doch, Marschall – Ihr Bart. Man könnte mit seinem Brand einen Leuchtturm bedienen und den Schiffen die Fahrtrichtung weisen. Warum tragen Sie diesen Bart? *Zu Dergan.* Man muß diesen Leuten ein Stichwort geben, das ihre Zunge löst. Es kommen dann Geschichten zum Vorschein, die teils erlebt, teils erlogen sind. Aber immer noch besser als die Wahrheit, die meist der Wechselbalg von Eltern ist, die zu schwach sind eine phantasievolle Lüge zu zeugen. – Marschall, wir warten auf die Deutung des Barts.

POLLY *ihm zuflüsternd.* Du bist ein Seemann.

CAROTTE *lebhaft.* Natürlich bin ich ein Seemann. Wenn der Wind heult – wenn sich die Brassen biegen –

QUATRESOUS *spöttisch.* Bist du sicher, daß es Brassen sind?

CAROTTE *zornig.* Ich bin einmal auf einem Schiff gefahren –

NAPOLEON-YOUYOU *zu Quatresous.* Marschall, Sie werden diesem alten Seemann, dem ich meine Flotte anvertrauen will, glauben, daß er ein Schiff wie seine Tasche kennt. Ja – wie den Bart, der sein Gesicht umrahmt. Es ist ein Seemannsbart.

Sonst nichts. Schutz gegen Wind und Wetter. Ich hätte diese Frage nicht stellen sollen. Sie sollte der Unterhaltung nach einem Mahl wie dieses dienen. Ein kurzer Zeitvertreib, bevor – –

Carotte prustet. Polly prustet. Quatresous prustet. Pepa prustet. Schließlich überwältigt sie ihr ersticktes Gelächter derartig, daß sie aufspringen und sich in die schattige Tiefe der Halle zurückziehen. Man sieht sie nicht mehr – nur ihr Kichern hört man.

NAPOLEON-YOUYOU *zu Gloria*. Erschreckt dich das?

GLORIA. Was soll mich erschrecken?

NAPOLEON-YOUYOU. Die wilde Hochzeit.

GLORIA. Sie geboten so.

NAPOLEON-YOUYOU. Ich hätte meinem Ungestüm gebieten sollen. Ich konnte es nicht mehr, seitdem du vor mir knietest. Die Hände so erhoben. *Er faßt und tätschelt sie.* Die Augen weit aufgerissen – der junge Busen wogte. Sieh' mich noch einmal so an.

GLORIA *tut es*.

NAPOLEON-YOUYOU *zieht sie an sich*. Anbetungswürdig.

GLORIA. Sie sind es.

NAPOLEON-YOUYOU *küßt sie auf die Wange*. Süße Schmeichlerin. Auch ich kann schmeicheln, Kätzchen sein mit Sammetpfötchen. *Sie loslassend, da sich das Kichern verstärkt.* Später – hier muß ich gewissen Leuten, die ich scheinbar zu rasch zu Marschällen erhob, in Anstandlehre Unterricht erteilen. *Er schleudert eine Frucht nach links – eine nach rechts.* Ich nehme Kanonenkugeln von Toulon, wenn sich noch einer muckst! *Wieder zu Gloria.* Wo unterbrach ich mich?

GLORIA. Sie nannten Schmeichelei, was ich aufrichtig meinte.

NAPOLEON-YOUYOU. Trotzdem bleibt es ein Fehler. Ich mache mir die schwersten Vorwürfe.

GLORIA. Was werfen Sie sich vor?

NAPOLEON-YOUYOU. Daß ich nicht warten konnte.

GLORIA. Worauf warten?

NAPOLEON-YOUYOU. Bis alles sich in höchster Sittsamkeit vollzog. Es dröhnte keine Orgel – es sprach kein Priester seinen Segen. Vorm Kirchentor kein Volk, das in Begeisterung ausbricht beim Anblick dieser Braut – so keusch wie Engel vom Altar. Keine Kalesche, die durch Blumenwogen fährt. Kein

Festmahl, wo an der Tafel sich Gäste drängen – jeder Gast ein Kronenträger. Kein Orchester, das seine Instrumente unermüdlich tönen läßt. Kein Tanz, bei dem die Paare wirbeln bis in den hellen Tag. *Nach einer Pause zu Gloria.* Enttäuscht dich dieses Zerrbild einer Hochzeit nicht, die doch so wenig dem Traum aus deinen Mädchentagen gleicht?

GLORIA *wendet in übergroßer Schüchternheit sich Dergan zu.* DERGAN *drückt ihre Hand.* Ich will die Antwort sagen. *Er erhebt sich.* Sire, es war gütig sich zu entsinnen, daß meine Tochter vor Ihnen kniete. Als sie es tat, ahnte sie nicht, daß sie so hoch emporgehoben würde. Um was bewarb sie sich? Um Dienst an Ihrem Werk? Was ist das Werk? Es gilt dem Ruhm ein neues Feld zu pflügen. Nun schmieden wir die Pflugschar. Geheimnisvolle Mächte regen sich. Es dringt kein Laut hinaus, der früh verriete, was sich noch vorbereitet. Wir müssen die Geduld bewahren, um ein Europa nicht zu warnen, daß er zurückkehrt – der der Sämann ist und in die Furchen seine Saat streut, die unvergleichlich sprießt aus Schlacht und Sieg. Der Tag ist noch nicht da. Sein Kommen erwartet keiner sehnlicher als Sie, Sire. Jetzt hüllt Sie Muße ein. Des Heros' Muße, der noch waffenlos. Das ist die Zeit für menschliches Empfinden. Und Ihre Blicke senkten sich auf die, die kniete. Da wurde ihr die Aufgabe gestellt, die sie mit Stolz erfüllt. Stolz – nicht Enttäuschung – lebt in ihrem Sinn. Es soll sich zeigen, daß Amerika ein Mädchen, um Europa zu beschämen, reifen ließ. Dies Mädchen, das für seine Schwestern des ganzen Erdteils spricht. Und können Sie ihr nur einen Schuppen zum Haus der Hochzeit bieten, sie würde mit einer Brust voll Freuden sich Ihren Wünschen widmen, eh' sie Ihre Lippen formen. Das ist es, was meine Tochter Gloria, die nun Ihr Weib ist, in Dank und glücklich äußern wollte.

Gloria steht auf – umarmt Dergan und küßt seine Wangen. Nun springt Napoleon-Youyou vom Sessel auf.

NAPOLEON-YOUYOU *in die Hände klatschend.* Wir wollen etwas bieten. Es soll mit einem Tanz enden. Wo bleibt ihr, meine Tänzer?

Carotte und Polly von links – Quatresous und Pepa von rechts aus dem Schatten.

NAPOLEON-YOUYOU. Könnt ihr nicht einen Reigen aufführen?
DIE VIER *gleichzeitig.* Wir haben keine Musik.
NAPOLEON-YOUYOU. Musik – ich werde euch die Musik machen. *Er schiebt sich hinter die Tischmitte – schubst Gloria in einen Sessel und drückt Dergan nieder. Dann reiht er Gläser vor sich auf, die er mit einem Messer in jeder Hand zu schlagen beginnt.*

Die zwei Paare verneigen sich gegen den Tisch – gegeneinander und tun noch zaghaft die ersten Schritte.
Napoleon-Youyou steigert bald den Eifer, indem er die Gläser heftiger rührt. Die Paare tanzen rascher.
Jetzt schüttet Napoleon-Youyou die Früchte von zwei silbernen Platten: eine Platte läßt er von Dergan halten – die andere von Gloria. Mit dem Messerstiel paukt er nun auf das Metall, während er mit den Messerklingen immer wieder die Gläser anschlägt.
Zuletzt füllt dröhnender Widerhall die Halle mit tosendem Lärm, zu dem der Tanz seine äußerste Wildheit erreicht – und jenem gespenstischen Reigen gleicht, den die Banditen damals im Schuppen aufführten.
Napoleon-Youyou läßt die Messer fallen.
Die Paare schnaufen erschöpft.

NAPOLEON-YOUYOU *die Platten nehmend und auf den Tisch legend. Zu Dergan.* Überrascht?
DERGAN. Sire, ich vermutete nicht –
NAPOLEON-YOUYOU. Sie haben manches nicht vermutet. Man kann nicht immer Kriegsrat halten. Manchmal ist alles einfach. Und dann ist es am schönsten, *Zu den Vier, die sich dem Tisch nähern.* Nicht mehr setzen. Sobald getanzt ist, sind die Tafelfreuden aus. Ich achte streng auf Ordnung. Wo ich bin, ist der Hof. Wir gehen. Baron Dergan, leuchten Sie voran.

Dergan ergreift einen silbernen Leuchter und geht um den Tisch: ihm folgen Napoleon-Youyou und Gloria. In der Mitte der Halle heben Polly und Pepa die Schleppe auf. Carotte und Quatresous schließen sich an. Der kleine Zug erreicht die Treppe.
Carotte und Quatresous bleiben unten.
Oben vor der goldenen Tür, die er öffnete, verabschiedet sich

Dergan mit einem Kuß auf die Stirn von Gloria. Vor Napo-
leon-Youyou verbeugt Dergan sich. Napoleon-Youyou
klopft ihm auf die Schulter.
Dann treten Napoleon-Youyou und Gloria über die
Schwelle.
Die goldene Tür schließt sich.
Dergan – hinter ihm Polly und Pepa – steigt die Treppe her-
unter und trägt den Leuchter wieder auf den Tisch.

DERGAN. Es dürfte spät sein. Jeder ist wohl müde – nach solchem Tag. Ich will Sie nicht vom Schlaf abhalten. *Er verneigt*
sich – geht aus der Glastür in die Nacht.

Carotte, Quatresous, Polly, Pepa, die ihre Grimassen schon
vorher kaum beherrscht hatten, stürzen jetzt an den Tisch –
um die Kerzen auszublasen. Bald hört man nur noch Kichern
und Prusten, das aus den Sesseln kommt.

VII

Die Halle.
An einer Tischecke sitzen Carotte und Quatresous – in ihrer
Marschalluniform – und würfeln. Polly und Pepa hocken auf
der Tischkante und sehen zu.
Nur die Würfel klappern.

POLLY *nach einer Weile.* Worum würfelt ihr eigentlich?

Keine Antwort.

PEPA. Um die Ehre?
CAROTTE. Es braucht nicht die Ehre im Spiel zu sein.
QUATRESOUS. Man kann auch eine Sache um ihrer selbst wil-
len tun. *Sie würfeln weiter.*
PEPA. Es ist doch die Ehre.
POLLY. Warum?
PEPA. Weil nicht geschummelt wird. Wenn's um Geld ginge,
hätte Quatresous längst einen bleiernen Würfel eingeschum-
melt.
POLLY. Carotte betrügt auch ohne Blei.
QUATRESOUS *sich zurücklehnend.* Ich kann den Vorteil nicht
ausgleichen, den Carotte mit zwei Händen hat. Ich gebe mich
geschlagen.
CAROTTE. Wenn die Zeit sich nur geschlagen gäbe. Aber sie
steht unverrückbar auf einer Stelle und das Frühstück wird
nicht serviert. Man sollte dem Monarchen das Bettuch unter
dem Leibe wegziehn.
POLLY *kreischend.* Das Bettuch. Als ob es mit dem Bettuch getan wäre, das er nicht mehr unter sich fühlte!
QUATRESOUS. Es müßte schon die ganze fleischerne Matratze
sein, auf der er seine Nächte verbringt.
PEPA. Nächte. Es wird immer heller Mittag, bis er aus seinen
Gemächern hervorzukommen geruht!
CAROTTE. Würfeln wir weiter. Man spürt den Appetit auf ge-
trüffelten Fasan und gesottene Artischocken, wenn man den
Händen zu tun gibt.
QUATRESOUS. Dann bist du wieder im Vorteil und lenkst dich
leichter von den Gelüsten deiner Gedärme mit dem Gebrauch von zwei Händen ab während ich mit einer einzigen
die bellenden Hunde in meinem Bauch niederhalten muß.

CAROTTE. Ich spüre aus deinen Worten deinen gewaltigen Hunger, die du zu langen Tiraden drechselst. Eine satte Zunge macht nur kurze Hopser, dann entschläft sie über einem Grab von Speisen.

QUATRESOUS. Wir werden noch Philosophen, wenn wir nicht bald zu essen kriegen.

Die Würfel klappern wieder.
Hinter der Glastür ist Dergan erschienen. Er pocht an. Da es niemand hört, öffnet er und tritt ein.
Polly bemerkt ihn – greift die Würfel – gleitet vom Tisch.

CAROTTE *aufbrausend.* Was –

POLLY *gegen Dergan.* Was wünschen Herr Baron?

QUATRESOUS *aufspringend.* Wer –?

Alle stehen nun.

DERGAN *nach einer Verbeugung.* Ich habe nicht das Recht hier einzudringen – in Gegenwart des Kaisers. Der Kaiser ist nicht hier.

CAROTTE *verdutzt.* Nein – hier ist er nicht. *Zu Quatresous.* Wo ist er?

QUATRESOUS. Wir warten auch auf sein Erscheinen. Der Kaiser – sonst ein Frühaufsteher – verzögert sich. Der Aufschub muß unwiderstehlich sein.

POLLY. Soll ich nachschaun? Es ist für eine Dame weniger peinlich.

PEPA *Pollys Hand ergreifend, um sie mit sich zu ziehn.* Zu zweien ist es überhaupt nicht schlimm.

DERGAN. Nein – bleiben Sie. Es sind nicht Dinge, die ich dem Kaiser selbst vortragen will – die Peinlichkeit des Gegenstandes verbietet es. Ich suche eine Unterredung mit den Marschällen – und durch den Mund der Marschälle wird bei gehöriger Gelegenheit der Kaiser alles wissen. Sind Sie bereit mich anzuhören?

CAROTTE *eifrig einen Sessel rückend.* Sie brauchen nur zu reden.

QUATRESOUS. Wir haben unsre Ohren, um zu hören.

CAROTTE. Stören Sie unsre Frauen?

QUATRESOUS. Dann schicken wir sie in den Park.

DERGAN. Ich halte es für wichtig, daß Frauen anwesend sind.

CAROTTE. Gut – ihr seid wichtig. Aber still sein. *Er winkt: Polly und Pepa setzen sich.*

Nun setzt sich auch Dergan. Dann Carotte und Quatresous.

CAROTTE *noch einmal verwarnend zu Polly und Pepa.* Ganz still – wenn der Baron spricht.

DERGAN. Ich komme aus der Stadt. Aus New Orleans. Dort ist das Bankhaus, das meine Geldgeschäfte führt. Das suchte ich auf. Ich wollte wieder eine große Summe abheben. Diese große Summe wurde mir verweigert. Ich könne nur noch über einen Restbestand verfügen, so wurde mir bedeutet, der so bescheiden ist, daß ich das Leben noch fristen kann – natürlich in einer mir gemäßen Weise – doch eben nur die Kosten dieses Lebens bestreiten und sonst nichts. *Nach einer Pause.* Ich kehre also diesmal mit leeren Händen heim und würde auch das nächste Mal mit diesen leeren Händen kommen und wieder eingestehen: ich bin mit meinen Lieferungen zu Ende. Die Quelle ist versiegt. Ich bin ein toter Born, der nicht sprudelt.

Es herrscht Stille.

CAROTTE. – – – – Betrügt das Bankhaus nicht?
DERGAN. Nein – es betrügt nicht.
QUATRESOUS. – – – – Leiht nichts das Bankhaus?
DERGAN. Ich müßte dieses Haus verpfänden.
CAROTTE. Nun – und?
DERGAN. Ich könnte nicht mehr über die Verwendung frei verfügen.
QUATRESOUS. Es bleibt doch stehn.
CAROTTE. Und brennt es ab, verbrennt doch fremdes Geld!
DERGAN *nach einem Zögern.* Es würde auch nicht reichen, um jenen Aufwand zu wiederholen, der schon geleistet. – –
CAROTTE *sich den Bart krauend.* Das ist eine schlechte Nachricht für den Kaiser. Ich weiß nicht, ob er sie vertragen wird. *Zu Quatresous.* Was meinen Sie, Marschall?
QUATRESOUS. Er darf es nie erfahren. Es würde ihm den Glauben an seine Sendung nehmen. Kein Geld mehr. Nichts erschüttert das Selbstvertrauen eines Imperators mehr als eine leere Tasche. Der Zechinenlärm zeugt Waffenlärm. Sonst schweigen die Kanonen. Wenn wir aufräumen, glaubt zuerst

das Bankhaus dran, das uns nichts pumpt. Dann sind wir an der Kasse – an der Macht!

CAROTTE *die Faust auf die Tischplatte hauend*. Bravo, Marschall – da hast du es gepackt!

Oben öffnet sich die goldene Tür: Napoleon-Youyou tritt heraus. Er steckt in einem Schlafrock von heller, bestickter Seide.

NAPOLEON-YOUYOU *hinter der Brüstung oben*. So lärmend? Es hätte mich aus meinem Schlaf rütteln können, wenn er nicht schon beendigt war. *In die Hände klatschend*. Die Damen zum Dienst. Madame will baden. Das Wasser war gestern zu heiß. Ich hätte mich fast verbrüht.

Polly und Pepa laufen die Treppe hinauf – oben ab.
Napoleon-Youyou steigt langsam herunter.

NAPOLEON-YOUYOU *zu Dergan, den er mit einem Schlag auf die Schulter begrüßt*. Ein Scherz: schon – wenn es Mittag ist. Aber schläft man köstlich mit dem Ruhm selbst? Und dieser Ruhm heißt Gloria. Ich bin mit Ihrer Tochter sehr zufrieden. – Doch, was ist los? Gab es ein Wortgefecht? Von allen Fechtereien mir die übelste. Sind Sie, Baron, der Übeltäter, der einen Zungenstreit anfing? – – Warum betretenes Schweigen? – – Das scheint ernst zu sein. Ich will Genaues wissen. Oder verweigert man dem Schlafrock die Achtung, die man einem Uniformrock zollt?

DERGAN. Sire, ich erregte die Gemüter – wie mein eigenes erregt ist.

NAPOLEON-YOUYOU. Wovon?

DERGAN. Von einer Nachricht, die ich hierher brachte – – *Er stockt.*

NAPOLEON-YOUYOU. Nun – welche?

DERGAN. Sire – alles was ich hatte, gab ich hin. Ich habe nichts mehr übrig.

NAPOLEON-YOUYOU. Soll das heißen – – *Er sieht Carotte und Quatresous an.*

CAROTTE *nickt*. Das soll –

QUATRESOUS. – es heißen.

Stille.

NAPOLEON-YOUYOU. – – – – – – Und was soll werden?

DERGAN. Sire, entschließen Sie sich heute!

NAPOLEON-YOUYOU. Heute – wozu?

DERGAN. Zum großen Aufbruch. Sie sind stark genug. Ein Arsenal von Waffen wurde angesammelt – versteckt in heimlichen Verliesen. Sie müssen bis an den Rand gefüllt sein. Öffnen Sie die Verliese. Gewähren Sie Zutritt denen, die sich Ihrer Sache verschworen. Befreien Sie die Bünde endlich vom Druck der Heimlichkeit. Verteilen Sie die Waffen, die unersetzlich sind – bevor sie rosten. Die Zeit ist reif – es kann nicht länger dauern, daß Sie zögern. Erheben Sie den Arm zum kühnen Gruß – und grüßen Sie die Völker Amerikas, das nun erfährt: der Kaiser – für den ein anderer auf Sankt Helena sich opfert – ist in Amerika zu neuem Kampf bereit. Nun opfre sich Amerika für seinen Ruhm. Schlagt seine Schlachten, Söhne ihr der neuen Welt – sucht seinen Sieg und keinen andren Ruhm. Die blanken Waffen klirren – unsre Waffen. Sire. Erteilen Sie den Befehl. Dann werden Frauen in Büscheln Blumen bringen, um die Gewehre – unsre Gewehre zu umwinden. Es zieht ein Blumenwald heran, um Sie zu holen. Verweigern Sie den Eintritt nicht. Ich reiße selbst das weite Tor auf, um ihre Scharen einzulassen – zum Herrn der Waffen, der heute seinen Marsch beginnt die Erde zu erobern!

Napoleon-Youyou sieht schweigend zu Boden.
Dann wird seine Aufmerksamkeit auf Carotte und Quatre-
sous gelenkt: die beiden vollführen im Rücken Dergans ein
eifriges Gestenspiel, das mit Hinweis auf die Glastür zur ei-
ligsten Flucht rät. Doch läßt sich Napoleon-Youyou nicht
aus der Ruhe bringen.

NAPOLEON-YOUYOU *schließlich Dergan anredend.* Ich hätte mir fast eine Grausamkeit zuschulden kommen lassen: den Menschen vergessen, der meine Stelle in Sankt Helena einnimmt. Jetzt haben Sie mich an ihn erinnert, Baron. Ich schulde Ihnen Dank. In zwölfter Stunde schickt das Schicksal Sie, um mich zu mahnen. Ich bin der Stunde würdig.

DERGAN *freudig.* Sire, Sie gehen?

NAPOLEON-YOUYOU. Ich bleibe – – um jenes Opfers willen, das in der Hölle siedet auf Sankt Helena.

DERGAN *starrt verständnislos.*

NAPOLEON-YOUYOU. Ist denn das nicht genug? Da lebt ein Mann – in einen Käfig eingesperrt. Ein Käfig ist es, vor dem die Wachen patrouillieren. Tag und Nacht. Klipp, klapp die harten Sohlen. Schläft man da besonders? Die Luft ist stickig wie in einer Kiste voll Sägemehl. Die Lungen atmen schwer den Dunst – die Poren sind wund vom Schweiß, der unaufhörlich strömt. Und diese Stille – diese fürchterliche Stille. Das Brummen von millionen Fliegen füllt sie ganz und wo sie stechen können, stechen sie. Ein Fliegenstich nur – aber millionen Fliegenstiche, ist das nicht Schlaf – Schlaf, der nicht kommt – auf einem Nagelbrett? – – Und diese Folter wollen Sie vermehren?

DERGAN *hebt unwillkürlich abwehrend eine Hand auf.*

NAPOLEON-YOUYOU. Es könnte nicht geschehn? Die Wachen würden nichts unternehmen, wenn sie erkennen, daß sie einen falschen Häftling hatten? Dreitausend Wachen mit sechshundert Geschützen – die Flotte auf den Fluten? Man würde einen Racheakt vollziehn – so schmählich, so blutig, daß einem Henker grauen würde es zu vollenden. Und ihm erlahmt der Arm – doch stehen hier dreitausend – zweimal dreitausend Arme zur Verfügung. Ein Heer von Henkern – spornend einer den andern.

DERGAN *bedeckt sich die Augen.*

NAPOLEON-YOUYOU. Und ich soll Anlaß aller Schändlichkeiten sein? Weil ich nicht warten konnte? Weil ich dem Lockruf nicht widerstand, der mir die Welt anbietet? Und böte man mir den Mond dazu – ich ließe den Mann im Käfig nicht instich.

DERGAN *verwirrt.* So viele fielen, Sire, für Sie.

NAPOLEON-YOUYOU. Die ich nicht kannte. Das ist numerierte Masse, die sonst nichts unterscheidet. Einer wie der andre – und keiner mehr ein eigentliches Wesen. Nur Blutgefäße, die platzen und sich leeren. Wer zählt die Tropfen im Meer – im Blutmeer? Ich hätte meine Schlachten nicht gewonnen mit einem Litermaß in meiner Hand, um dann zu sagen: es ist genügend Blut geflossen – hört auf. Kein Grund zu solcher Milde. Es ist ja nicht mein Blut. Ich habe keine Angst – zuletzt steht mir ein Ausweg offen: ich trabe heimlich ab, indes die andern sich noch raufen. Das ist Feldherrnglück! *Sich räuspernd.* Ich hatte Glück. Ich bin hier. Ich hätte diesen stillen Winkel, wo Milch und Honig fließen, nie gefunden –

wenn nicht ein andrer mich vertreten hätte. Und diesen andren sollte ich verraten? Ich soll mit Schall und Prall hinausziehn – um ihn den rohen Henkern auszuliefern? – Sie raten mir das, Dergan?

DERGAN. Es ist fast übermenschlich – diese Menschlichkeit.

NAPOLEON-YOUYOU. Ich überwinde mich und fühle mich als Mensch. Das ist ein herrliches Gefühl. *Er reckt die Arme, wobei sich der Schlafrock auf der Brust öffnet.*

CAROTTE *läuft hin und schließt ihm den Schlafrock.* Sire – Sie erkälten sich.

NAPOLEON-YOUYOU. Die Angelegenheit hat mich erhitzt. Dank für Ihre Sorgfalt, Marschall Carotte. *Wieder zu Dergan.* Ich bin der Unmensch nicht, als den man mich ausschreit. Nun lernen Sie mich kennen. Ich töte unbewußt in meinen Schlachten – bewußt könnte ich nicht ein Kaninchen schlachten. Das unterscheidet mich vom Mörder. Ich lehne jede Mordtat ab – den Messerstich in einen Rücken. Mein Entschluß steht fest: Ich bleibe bis an den Tod des Stellvertreters auf Sankt Helena hier. Hat ihn der Tod erlöst, ergreife ich die Fahne – die Fahne von Arcole – und trage sie wieder in die Schlacht voran. Vorher nicht einer Säbelklinge Blitzen – doch dann der Lärm von unserm Wald von Waffen. Sind wir uns einig?

DERGAN. Sire – Sie befehlen.

NAPOLEON-YOUYOU. Noch eine Nebensächlichkeit: die Unterhaltungskosten bringen Sie auf? Ich werde in Ihrem Haus nicht darben?

DERGAN. Sire – ich verbürge mich.

NAPOLEON-YOUYOU. Dann steht die Zukunft fest. *Zu Carotte und Quatresous.* So klärt man Fragen, die den Kopf verfinstern – wie Moder sich in einem Tümpel setzt und man schöpft helles Wasser. *Sich an die Stirn tippend.* Es ist das Bad bereitet und es wird kühl, wenn ich nicht komme. *Zu Dergan.* Entschuldigen Sie mich.

DERGAN. Ich ziehe mich zurück, Sire.

Während Napoleon-Youyou, dem Carotte nachsieht, die Treppe hinaufeilt, entfernt sich Dergan, dem Quatresous nachsieht, nach der Glastür.
Napoleon-Youyou oben ab.
Dergan durch die Glastür ab.
Polly und Pepa treten hastig oben heraus.

PEPA. Er badet?

QUATRESOUS. Wenn's ihn gelüstet.

POLLY. Und wir?

CARLOTTE. Wir schlagen uns hier weiter die Bäuche voll, so lange Fasanen in den Hainen flattern und Artischocken in den Beeten sprießen.

VIII

Die Halle.
Gleichzeitig kommen Gloria aus der Tür rechts oben und
Dergan unten durch die Glastür. Beide sind freudig erregt –
und als sie sich in der Mitte der Halle treffen, wirft Gloria
sich in Dergans Arme.

GLORIA. Mein Vater.

DERGAN. Meine Tochter.

GLORIA. Es ist der schönste Morgen meines Lebens – noch
schöner als der Hochzeitsmorgen.

DERGAN. So weißt du es?

GLORIA. Ich lief, um dich im Pavillon zu suchen und mich an
deine Brust zu werfen. Ich brauchte nicht mit einem übervol-
len Herzen so weit zu laufen. Wie dankbar bin ich dir.

DERGAN. Drang schon die Kunde hierher? Ich wähnte, daß ich
der erste sei.

GLORIA. Du bist der erste, dem ich's anvertraue. Du wirst es
lieben, wie ich es schon liebe. Das Ungeborene.

DERGAN *zieht sie noch dichter an sich.* Jetzt habe ich verstanden. Auch mein Herz beflügelt seinen Schlag – noch rascher
als es schon klopft. Sei getrost – du wirst ihm einen Sohn gebären.

GLORIA. Ich fürchte mich fast, daß ich die Mutter seines Sohnes sein soll.

DERGAN. Erschrecke nicht vor deinem großen Schicksal. Lass'
dich vom Glück erfüllen – wie ein tiefer Brunnen, aus dem
der Strahl des Jubels aufsteigt – sprühend in der Sonne, wie
diesen Tag sie segnet. Welch einziger Tag!

GLORIA *zurücktretend.* Du übertriffst mich fast in deiner Inbrunst. Geschah dir größeres?

DERGAN. Jetzt ist die Zeit erfüllt. Die Schranke fiel – der Weg
ist frei. Wir werden heute noch die Trommeln rühren.

GLORIA. Aus welchem Anlaß?

DERGAN. Zu Ehren eines Toten. Des Mannes, der auf Sankt
Helena verblich. Der erste Wirbel ihm.

GLORIA. Du hast gewisse Nachricht?

DERGAN. Sie läuft von Mund zu Munde. Ich lachte heimlich,
als ich in New Orleans vernahm: der Kaiser lebt nicht mehr.
Ich mußte an mich halten, um nicht aufzuschrein: hier lebt
der Kaiser – und der starb, war nicht der Kaiser. Das war

nur einer, der den Kaiser spielte. Doch biß ich mir die Lippen, bis sie schmerzten – und bändigte den Ruf.

GLORIA. Die armen Lippen, die so lange schweigen mußten.

DERGAN. Um hier sich dir zu öffnen, die mir mit froher Botschaft schon entgegentrat – um meiner Botschaft kühneren Klang zu leihen aus doppelt froher Brust.

GLORIA. Nun bist auch glücklich du.

DERGAN. Es ist die Stunde des letzten Überschwangs. Der Kaiser wird ausziehn. Nichts kann mehr seinen Willen, dem er sein Wort verpfändet, hemmen. Sein kaiserliches Wort. Die Pflicht der Menschlichkeit ist aufgehoben – der Tote auf Sankt Helena gebietet sie nicht mehr. Der Kaiser ist der Fessel ledig, die er sich selbst anlegte. Da liegen sie am Boden und er ist frei!

GLORIA. Willst du ihn auf die Nachricht warten lassen?

DERGAN. Wie kann ich zu ihm dringen?

GLORIA. Alles schläft noch.

DERGAN. So soll an diesem Morgen die Glocke sie erwecken. Die Glocke, die hinausschwingt und mahnt: reibt euch den Schlaf aus euren Augen. Es ist der Tag – es ist der Tag, da tatenlose Nacht vergangen. Der Kaiser ruft – der Kaiser ruft. Ergreift die Waffen – ergreift die Waffen. Der Kaiser will euch führen! – Fühlst du dich stark genug die Glocke überm Haus zu rühren?

GLORIA. An diesem Tage bin ich voller Kraft.

DERGAN. Ersteig' den Turm und läute ohne Ende – und lausche nach den Trommeln, die im Land erwidern!

Gloria verläßt durch die Glastür eilig die Halle.
Dergan sieht um sich – mit raschem Entschluß löst er aus einer Waffengruppe eine Fahne. Nun lauscht er.
Da beginnt eine helle, schnell schwingende Glocke zu tönen.
Dergan – die Fahne im Arm – blickt erwartungsvoll nach der Tür rechts oben.
Die Tür öffnet sich und speit den geballten Haufen der Fünf aus. In Hemd und Hose die Männer – in Rock und Schultertuch die Frauen, die Haare nicht geordnet, gleichen sie schon wieder den Banditen aus dem Schuppen.

YOUYOU *sich über die Treppenbrüstung lehnend.* Brennt es?

CAROTTE *ebenso.* Ist das die Feuerglocke?

QUATRESOUS *ebenso.* Ob das die Feuerglocke ist?

DERGAN. Es ist die Morgenglocke Ihres neuen Ruhms, Sire!

*Youyou gibt den andern ein Zeichen – kommt herunter, ge-
folgt von den übrigen.*

YOUYOU *vor Dergan.* Was gibt es zu läuten?
DERGAN. Sankt Helena birgt seinen Gefangenen nicht mehr.
YOUYOU. Ist er – – *Er stockt.*
DERGAN. Der Riegel seiner Zelle wurde gelöst – von einem
Wächter, der keine Qual mehr zuläßt. Der Tod nahm ihn in
seinen Schutz. – – – –

Es herrscht tiefe Stille.

DERGAN *das Schweigen endlich brechend.* Sire – die Toten-
klage darf nur kurz sein. Es würde der, der nicht mehr atmet,
im Geisteswehen die Fackeln selbst auslöschen, die wir ihm
entzünden – jedes Tun vermeidend, bis sie zum Stumpf verzehrt sind. Widmen Sie ihm den ersten Trommelwirbel vor
dem Aufbruch – wie diese ersten Glockentöne sein Gedächtnis feiern.

Dieselbe Stille.

DERGAN. Vergessen Sie den Toten, der nur das Opfer brachte,
das Sie von jedem fordern können. Dieser verhauchte heute
– morgen sind Tausende bereit dem Tod die Siegespalme ab-
zuringen, die Sie unsterblich krönt. Gedenken Sie der vielen
– lassen Sie den einen. Erschüttern Sie nicht Ihre Haltung.
Nehmen Sie die Fahne, der Sie sich angelobten – der Fahne
von Arcole! *Er hält ihm die Fahne hin.*

Stille und Regungslosigkeit.

DERGAN *unbeirrt.* Ich nahm die Fahne in treue Hut, als in Europa der Ruhm im Rinnstein wie ein Unrat weste. Ich machte
ihr Amerika zum Hort. Ich gab ihr zu Gefährten, was ich finden konnte – die Sammlung dieses Saals. Wie eine Weihe-
gruft erschien mir diese Halle – der Vergangenheit errichtet,
der keine Wiederkehr beschieden. War nicht die Größe aus
der Welt getilgt, als man den kaiserlichen Adler in seinen
Käfig sperrte?

Stille.

DERGAN. Der Käfig hielt ihn nicht. Der Adler entbreitete die mächtigen Schwingen und stieg hoch in den Himmel. Da erspähte er neues Festland, das er sich erwählte zu neuem Flug: Amerika!

Stille.

DERGAN. Ich sehe, wie sich die Halle wandelt. Ihre Wände weiten sich und schließen den ganzen Erdteil ein. Es hallt Amerika von Waffenklirren wider und blitzt gefährlich, daß sich der Gewitter Toben ihm nicht vergleichen mehr. In höchster kriegerischer Lust strafft sich Amerika!

Stille.

DERGAN. Nun keine Rast mehr – keine Heimlichkeit. Die Bünde sind gegründet – Waffen angehäuft. Des Führers harrt man. Sire – Sie sind es, dem man folgt. Lösen Sie die Siegel von unsern Zungen, die den Schrei schon übten, der Sie verkündet. Nehmen Sie die Fahne als Zeichen, daß Sie unser Flehn erhörten!

Stille und Regungslosigkeit.

DERGAN. Sire – dies ist Ihre Stunde. In der Weltzeit ausgewählt wie keine andre. Hören Sie die Glocke? Sie wird von einem Weib geschwungen, das in der Hoffnung ist und seinen Jubel in den Morgen läutet! – – – – Sire – alle Mächte haben sich vereinigt zum Ansporn: Tod und Leben. Der Tod, der auf Sankt Helena ein Leben auslosch – das Leben, das in Glorias Schoß mit neuem Wesen keimt!

Langsam verzieht ein Grinsen die bisher starren Gesichter der Fünf.

YOUYOU *mit glucksender Frage.* Hat sie ein Kind?
DERGAN *nickt.*
YOUYOU *im Ausbruch seine Kumpanen umhalsend.* Ein Kind – – ein Kind – – ein Kind – – ein Kind!
DERGAN. Sie sind sehr glücklich.

YOUYOU. Wir sind überglücklich. Wir werden uns empfehlen können – ohne Polizei am Hintern!

CAROTTE, QUATRESOUS, POLLY, PEPA *in dröhnendem Triumph-geschrei*. Ohne Polizei am Hintern!!

YOUYOU *vor Dergan*. Wieder überrascht? Wie beim Gläser-klingen und Schüsselpauken, Kling kling – tam tam. Das war eine von unseren Kunstfertigkeiten. Wir bringen noch andere zustande. Wie's die Gelegenheit verlangt. Wir lauern über-all. Wir klopfen an jede Tür und macht man uns den Spalt auf – wir klemmen schon den Fuß ein und sind im Haus!

DIE VIER *brüllend*. Sind wir im Haus!!

YOUYOU. Ein Invalide macht seinen Kratzfuß und stammelt seinen Spruch. Dem Herrn gefällt es. Es gefällt ihm unge-heuer. Er zieht die pralle Börse und zahlt dem falschen Inva-liden den halben Inhalt für seinen Rock!

DIE VIER. Dem falschen Invaliden!!

YOUYOU. Das gab Witterung für unsre Nasen. Wir schnüffel-ten nicht lange. Wir stahlen, was wir tragen konnten – aus alten Arsenalen, für die ein Wächter nicht mehr lohnte. Wir schabten Rost – wir stückten Reste. Wir machten Waffen, die nie ein Schlachtfeld gesehn!

DIE VIER. Wir schabten Rost – wir stückten Reste!!

YOUYOU. Wir lieferten die ganze Sammlung. Wir schneider-ten die Röcke und die Hosen – wir sengten Stoff für Fahnen, bis sie Fetzen waren. Wir schleppten her, was nur zu fälschen war!

DIE VIER. Die ganze Sammlung!!

YOUYOU. Zuletzt noch einen alten Pflanzerkittel, den wir im Feld gefunden. Er sollte unser Gaunerglück sein. Der regte Sie zu kühnen Wünschen an. Zu einem Tausch – den wir denn auch vollzogen. Ich wurde der Heros von Sankt Helena. Ich, der Youyou heißt – nur ein Strolch mit Strolchen – er-setzte ihn hier. Nirgends sonst war wer ersetzt!

DIE VIER. Nirgends sonst war wer ersetzt!!

YOUYOU. Zweifeln Sie an so viel Schwindel? *Sein Hemd auf-reißend und die tätowierte Brust zeigend.* Läßt sich Ihr Ab-gott die Haut mit solchen Bildern schmücken? – – Das also ist kein Schwindel, daß ich Youyou bin. *Zu den andern.* Stellt ihm euch vor.

QUATRESOUS *mit einem Satz vor Dergan*. Ich bin, was Youyou – ein Gauner, der seinen Arm bei einer Messerstecherei ver-lor. Der Ort ein Hurenhaus! *Er springt zurück.*

CAROTTE *wie Quatresous.* Ich bin, was Quatresous – ein Strolch, der mit dem dicken Bart Narbenlöcher zudeckt. Straßenraub der Anlaß. Kein Kapitän. Ich werde seekrank beim Anblick eines Schiffs! *Er springt zurück.*

POLLY, PEPA *gleichzeitig.* Wir sind die fleißigen Schneiderinnen, die alles machen. Wenn der Herr einmal – – *Prustend ziehen sie sich zurück.*

YOUYOU *wieder vor Dergan.* Sie haben Ihren Beutel gewaltig lüpfen müssen. Ihr Geld geht auf die Neige. Seufzen Sie nicht, daß es verstreut ist. Wir hielten es zusammen. Es ist in sicherem Versteck. Ich will Ihnen sagen. Warum noch Heimlichkeiten? Der große Tag ist da. Die Glocke verkündet den Anbruch aller Wahrheit. Im selben Schuppen ist es eingegraben, der unsre Werkstatt war. Wo sich die Straße nach New Orleans gabelt – in einer Senkung liegt der Schuppen. Mitten unterm Kistengerümpel der Schatz. – – Sie können den Schuppen nicht verfehlen und die Kisten leicht wegräumen. – – Warum laufen Sie nicht – hetzen uns die Polizisten auf den Hals? – – – – Weil es das schwangere Töchterchen verhindert. Von Youyou schwanger, der eine tätowierte Brust hat – die sie für Wundenmale hielt. Im Bad – im Bett. Es gab unendliches Erstaunen. Ich mußte schwatzen, daß sich die Zunge krampfte. *Vertraulich zu Dergan.* Doch das bleibt unter uns. Wir sind doch Kavaliere. Man bringt nicht Dinge an den Tag, die besser ungesehen bleiben. Besser für beide Teile. Oder fassen wir die Lage verschieden auf?

Stille.

YOUYOU *in die Hände klatschend.* Einen Reigen um den Baron. Stampft nach dem Takt der Glocke!

Die Fünf fassen sich bei den Händen und umkreisen Dergan.
Schließlich lösen sie den Kreis – verschränken ihre Arme auf den Schultern: so eine dichte Reihe bildend stampfen sie zur Glastür – über die Terrasse – in die Tiefe.
Dergan steht unbeweglich – mit der Fahne im Arm. Über ihm hallt die Glocke mit unvermindertem Schwung.

IX

Die Halle.
Dergan und Gloria stehen in der Mitte. Dergan hat einen
Arm um Glorias Schultern gelegt. Beide sprechen lange nicht.

GLORIA. – – – – Du schweigst noch.

DERGAN *unverändert stumm.*

GLORIA. – – – – Immer schweigst du.

DERGAN *stumm.*

GLORIA. – – – – Willst du nicht den Park sehn? Es ist ein Tag
wie damals. Du führtest mich vor die Glastür und zeigtest
in das grüne Dickicht. Da verwoben sich die Schatten mit
weißen Streifen Sonnenlichts. Wenn wir schwiegen, erhoben
sich die Vogellieder, als hätte die Helle Klang gewonnen. Wir
standen in Entzückung und erblickten die Welt im Traum.

DERGAN *stumm.*

GLORIA. – – – – Es regten sich die Büsche und lieferten ein
Schattenspiel. Wir schauten, wie es durch die Blätterlücken
glitt. Es war nicht Luft mehr, die einmal dunkelte und einmal blinkte. Du hattest die Gestalt entdeckt. Nur flüchtig
war der Augenblick. Dann war der Spuk vorbei.

DERGAN *sich aufraffend.* Es war ein Spuk – der nun vorbei ist.

GLORIA *aufmerksam.* Mit welcher Stimme sprichst du?

DERGAN. Klingt sie anders als früher?

GLORIA. Auch deine Augen sehen nicht mehr, was sie sehen.
Siehst du mich nicht?

DERGAN. Nur dich und mich. Im vorgehaltenen Spiegel meines Irrtums seh' ich mich. Du bist der Spiegel.

GLORIA *blickt fragend.*

DERGAN. Oder soll ich zögern mich zu bekennen? Bist du nicht
zerstört in Leib und Wesen?

GLORIA. Was hat mich zerstört?

DERGAN. Mein Willen, der dich glauben ließ – was unglaubwürdig war.

GLORIA. Was durfte ich nicht glauben?

DERGAN. Daß die Gestalten eines wüsten Spuks mehr sind als
wüster Spuk.

GLORIA. Was war so wüst?

DERGAN. Die Hochzeit, Gloria, die dich vermählte – dem
Mann, der nicht der Mann war, dem du dich vermähltest.

GLORIA. Ich wurde nicht dem Mann vermählt – – – –

DERGAN. Das war der wüsteste Betrug. Vor ihm wird alles klein. Das Angebot zu kaufen, was ich kaufte. Ich kaufte es gefälscht. Für einen Kittel – aufgelesen draußen – gab ich die volle Börse. Und mehr als eine Börse: dies Haus, in das die Horde einbrach – um zu verschlingen, was zu verschlingen war. Die Plünderung gelang vollkommen. Ich habe nicht behalten, wovon wir morgen unser Leben fristen können. Welches Leben?

GLORIA *verschränkt erschauernd die Arme über ihrem Leib.*

DERGAN. – – – – Ich könnte viel verteidigen. Wer so geirrt wie ich, ist auf dem Grund des Irrtums angelangt. Er könnte sich zum Widerstand erheben und ungebärdig rufen: irrt ihr nicht. Die Gnade sollte ihm nicht vorenthalten sein. Doch mir muß sie verweigert werden.

GLORIA. Ich bin deine Tochter.

DERGAN. Nicht das Werden, das in dir wächst, kann mir vergeben. Das Ungeborene klagt mich an – dich an, daß du es trägst. Wir dürfen nicht mehr schaudern es zu vernichten.

GLORIA. Wie soll es geschehn?

DERGAN. Ich wollte helfen Brand zu entfachen. Ich lockte den Brandstifter übers Meer und rüstete die Fackeln, die von neuem die Welt anzünden sollten. Ich gab Amerika den Ruhm der neuen Feuerherd zu sein. Hier sollten Funken glimmen, die die Flamme spornen, bis sie die Feuersbrunst entfacht – in der der Imperator einzig strahlt. Er sollte hier seine Bünde gründen, die ihr Maulwurfstum verrichten – die Felder unterwühlen, daß die Ernte einstürzt. Er sollte hier Waffen sammeln, die die List verbirgt – bis er gebietet wehrlos Schaffende zu überfallen und ihrer Arbeit Lohn zu rauben. Das ist sein Weg zur Macht. Es hatte die alte Welt ihn mit Sankt Helena versperrt – es sollte die neue Welt ihn wieder öffnen. Dies Los bestimmte ich Amerika. – – – – Und erhielt sie, die ich verdiente – die Züchtigung. Die Fackel wurde mir aus der Hand gewunden – von dieser Rotte, die das Schicksal sandte. Ist es hart? Ist es nicht milde? Du sagtest: meine Augen sehen nicht mehr, was sie sehen. Ich sehe sehr weit und was ich unterscheide – aus Nebel sich näher rückend – das ist Amerika. – – – – Entsinnst du dich der Sage, als sie den Turm von Babel errichten wollten? Die Völker aber verstanden einander nicht und nie gelang der Turm. Hier wird ein Volk sein, das mit einer Sprache die Fremdheit überbrückt und Bauten fügt – so hoch wie nie vorher erstanden. Es wird das Werkzeug mehr gelten als die Waffe. Doch wehe, wer eine Hand am Werk verhindern will – es würde diese Hand die Waffe furchtbarer schwingen als jede Hand vorher, um ihn, der blutig angriff, blutig zu vernichten. – – – – Soll ich nicht glücklich sein, daß ich dies sehe? Die neue Erde für ein neues Menschentum, das sich vom Blutstrom aller Völker speist: Amerika! – – – –

GLORIA. Wie glücklich bist du.

DERGAN. Lebt noch Furcht in dir?

GLORIA. Wovor soll ich mich fürchten?

DERGAN. Vor dem Feuer – das nun uns verzehrt?

GLORIA. Verbrennen wir?

DERGAN. Mit allem Schmuck der Halle, der falsch ist – wie er auch falsch ist, wenn er echt sein sollte. – – Lehn' dich an mich. *Er hält Gloria fest im Arm.*

Rauch dringt in die Halle und verfinstert sie mehr und mehr.
Dann schießen Flammen durch die berstenden Wände.
Zuletzt stürzt krachend die Decke ein und begräbt alles unter sich.

1937/41

DER SCHUSS IN DIE ÖFFENTLICHKEIT

Vier Akte

PERSONEN

MERTON UNWIN
HELEN, *seine Frau*
ALWIN FLANAGAN
BURNS, *Buchhalter*
GEOFFREY WIMBUSH
MORA SAVIL
PIGGOTT
STEEL, *Kriminalinspektor*
TRETTON, *sein Gehilfe*
WINSTON, *Diener*
MARY, *Zofe*

POLIZISTEN

ERSTER AKT

Großer Bibliothekraum in der Villa Unwins. Die Wände sind bis unter die Decke mit Büchern verstellt. In der Mitte ein schwerer Tisch, auf dessen geräumiger Platte Mappen liegen. Über dem Kamin hinten das hohe Porträt eines Mannes in vollem weißen Haar und mit weißem Wangenbart. Breite Türen mit altem edlen Schnitzwerk rechts und links, eine schmale glatte Tür in der Ecke links. Lehnstühle um den Tisch, rechts ein Ledersofa.
Abgewandt sich gegen den Tisch lehnend steht Merton Unwin und sieht regungslos zu dem Porträt auf.
Nach einer Weile tritt links der alte Diener Winston ein.

WINSTON. Jetzt ist Herr Burns gekommen.
UNWIN *sich umdrehend – noch zerstreut.* Ja. Danke, Winston. *Dann sich rasch sammelnd.* Schicken Sie ihn gleich herein.
WINSTON. Er wird noch ablegen.
UNWIN. Helfen Sie Herrn Burns.

Winston ab.
Unwin schafft nun Platz auf dem Tisch, indem er einige Mappen aufeinanderhäuft. Dann rückt er noch einen Lehnstuhl an das obere Ende des Tischs.
Winston läßt Burns links eintreten.
Buchhalter Burns ist eine bedeutungslose Erscheinung, die in jahrzehntelangem Bürodienst jede willenskräftige Eigenart abgestreift hat. Der Kopf sitzt etwas vorgezogen zwischen den Schultern, eine Brille mit dickgewölbten Gläsern verstärkt den Eindruck besonderer Kurzsichtigkeit. Seine Sprechweise ist langsam und erhebt sich nie zu vollerem Klang.

BURNS *an der Tür bleibend und sich gegen Unwin verneigend.* Guten Abend, Herr Unwin.

UNWIN. Guten Abend, Herr Burns. Von welcher Seite sind Sie gekommen?

BURNS. Von welcher Seite?

UNWIN. Nun es gibt eine Waldstraße, die den Weg aus der Stadt bedeutend abkürzt. Haben Sie die benutzt?

BURNS. Ich würde mich scheuen nachts durch einen Wald zu gehen –

UNWIN *lachend.* Sind Sie so ängstlich?

BURNS – wenn ich Papiere der Buchhaltung bei mir trage.

UNWIN *verstummt. Dann ernst.* Das war eine außerordentlich kluge Überlegung.

BURNS. Ich habe mir die Ledertasche an das Handgelenk gebunden. Vorsichtshalber. Es können einem überall schlechte Streiche gespielt werden. Bei Sonnenlicht geschehen solche Räubereien. Die Zeitungen sind voll davon. *Vortretend.* Jetzt müssen Sie mir den Riemen lösen. Ich kann es nämlich nicht allein. Zuhause hat ihn meine Frau geschnürt. So fest sitzt er. *Am Tisch hebt er die Hand mit der schweren Ledertasche auf die Tischplatte.*

UNWIN *den Riemen lösend.* Die Stelle ist ja blutunterlaufen. Hat es Sie denn nicht geschmerzt?

BURNS. Es hat ein wenig geschrammt.

UNWIN. Sie können sich beherrschen. Das hätte ich meinem Buchhalter Burns nie zugetraut! *Ihm den hingerückten Lehnstuhl anweisend.* Setzen Sie sich, Herr Burns.

BURNS *sich setzend.* Ich danke, Herr Unwin. *Er schließt mit einem Schlüssel, den er aus der Weste holt, die Ledertaschenschlösser auf.*

UNWIN *im Lehnstuhl vorm Tischende sitzend.* Wird es Sie nicht zu sehr anstrengen nachts noch zu arbeiten?

BURNS. Es ist nichts ungewöhnliches für mich.

UNWIN. Daß Sie nachts auf sind?

BURNS. Ich muß es doch.

UNWIN. Was zwingt Sie denn dazu?

BURNS. Die Krankheit meiner Frau.

UNWIN. Ihre Frau ist krank?

BURNS *fast vorwurfsvoll.* Aber Herr Unwin, sie hat doch dies schwere Lungenleiden. Haben Sie es vergessen?

UNWIN. Ich – wußte nur nicht, daß sie so sehr leiden muß.

BURNS. Das muß sie. Wenn ihr der Husten aufsteigt – es ist ein so erschütternder Husten, daß mir die Tränen kommen. Ich kann ihr doch nicht helfen. Ich stütze ihr den Kopf und so warten wir den Morgen heran. Morgens legt sich dann der Husten und sie kann schlafen.

UNWIN. Und Sie wandern ins Büro unausgeschlafen und verrichten Ihre Arbeit ohne murren.

BURNS. Mich freut, daß sie schläft. Das macht mich frischer als der tiefste Schlaf.

UNWIN *ihm den Handrücken drückend.* Es wird noch einmal besser werden.

BURNS. Es muß es. Es muß sich noch einmal erfüllen, daß sie von ihrem Schmerzenslager aufsteht. Der Arzt ist voller Hoffnung. Es ist doch nur der eine Lungenflügel. Ja wenn der andre angegriffen wäre – so kann man Hoffnung bis zur Gewißheit haben. Ist das nicht wunderbar, Herr Unwin? *Er hat den Inhalt der Ledertasche geleert und vor sich ausgebreitet.* Hier sind die Auszüge. Was wünschen Sie zuerst zu sehn?

UNWIN. Das Konto Flanagan.

BURNS. Hier ist es. *Er gibt ihm mehrere Papiere.*

UNWIN *prüft aufmerksam Blatt für Blatt. Schließlich legt er die Papiere beiseite.* Nun den Vertrag mit Flanagan.

BURNS. Vertrag Flanagan. *Er sucht und reicht hin.*

UNWIN *halblaut beim lesen.* Ja – das war vor vier Jahren der Vertrag mit Flanagan. *Dann ohne aufzusehen.* Ich möchte schreiben.

BURNS *legt Bleistift und Notizblock vor.*

UNWIN *beschäftigt sich sichtlich mit rechnen und starrt ein Resultat an.* – – Wie hoch sind die Bestände?

BURNS. Der Bücher Flanagans?

UNWIN. Die sind jetzt nichts wert. Der anderen Autoren.

BURNS. Laufend verkäuflich sind diese. *Er gibt ihm die Liste.*

UNWIN *prüft.* Die Bestverkäuflichen sind es – und bringen schätzungsweise – *Er notiert wieder Zahlen.* Das ist ein hoher Durchschnitt – der nur bei günstigsten Verhältnissen gehalten werden kann – allergünstigsten – – sechs Jahre muß der gleichmäßig glatte Absatz dauern, um – – *Er rechnet.* Sechs Jahre hier – – *Wieder die anderen Papiere heranziehend.* Und die sechs Jahre da, die der Vertrag mit Flanagan noch kostet – –

Frau Helen Unwin kommt rechts.

HELEN. Alwin Flanagan rief an. Er ist jetzt unterwegs. Du

hattest ihn eingeladen? Das wußte ich nicht. *Burns begrü-ßend, der ihre Fingerspitzen berührt und sich verneigt.* Herr Burns? Ich sehe Sie zum erstenmal hier draußen. Verfolgen Sie meinen Mann noch abends mit Geschäften?

BURNS. Ich folgte nur einer Aufforderung Herrn Unwins.

HELEN. Dann trifft Sie kein Vorwurf.

BURNS. Er wäre wirklich ungerechtfertigt, Frau Unwin.

HELEN. Ich durfte es nicht einmal vermuten. Verzeihen Sie mir, Herr Burns. – Ich habe neulich Ihre Frau besucht. Sie schien mir weniger frisch. Ich glaube, sie braucht Luftverän-derung.

BURNS. Nur das, dann wäre ihr geholfen. Wenn ihre Lungen erst andre Luft zu atmen kriegen – hier machen ja der Rauch und Ruß das Atmen zur Gefahr.

HELEN. Sie müssen sie aus London bringen.

BURNS. Ich will es. Es ist mein Plan. Ich habe meine Fäden schon gesponnen, die nach dem Süden führen. Der Süden wird sie wieder völlig heilen. Sind Sie der Ansicht nicht?

HELEN. Ich bin fest davon überzeugt, daß sie im Süden rasch genesen wird. Nur schieben Sie die Reise nicht lange auf. Das Leben ist eine Kostbarkeit.

BURNS. Ihr Leben ist meine Kostbarkeit. Die einzige, die ich besitze – und behüte.

Es herrscht kurze Stille.

HELEN *sich Unwin zuwendend, der neben seinem Lehnstuhl steht.* Warum war Alwin überrascht, als er mich hörte am Telephon? Ich wäre also doch zuhause und Merton hat ge-schwindelt. Warum der Schwindel?

UNWIN. Ich habe nicht geschwindelt – Alwin hat meine Zei-len mißverstanden, die ich ihm schickte. Ich schrieb nur, daß wir uns heute abend ohne Helen unterhalten würden. Daß es sich einmal um geschäftliche Dinge handeln könnte, das geht ihm gar nicht in den Kopf.

HELEN *lachend.* Nein – er beschwor mich ihn nachher gut zu füttern. Er habe noch nicht gegessen und bringe einen Riesen-appetit mit.

UNWIN *ruhig.* Ich hoffe, daß er ihm nicht vergeht.

HELEN. Was soll er denn hier hören?

UNWIN *ablenkend.* Du weißt, er kommt nicht ins Büro. Be-sondres nicht. Ich bin nur als sein Verleger verpflichtet ihm hin und wieder Rechenschaft abzulegen. Über Umsatz der Bücher, die bei mir erschienen. Auflagenzahl und Propaganda für seine Werke. Das alles muß er billigen – *Etwas schroffer.* – oder eines Tages steht das Haus in Flammen. Dann trage ich die Schuld und bin auch nicht ganz freizusprechen.

HELEN *lächelnd*. Der arme Alwin, der nicht ahnt, was ihm bevorsteht. Wenn er Herrn Burns sieht, springt er aus dem Fenster. Da hält ihn keine Macht. Ich würde raten, daß sich Herr Burns versteckt. Sonst hält hier Alwin Flanagan nicht stand. *Zu Burns.* Er fürchtet sich vor Ihnen, Herr Burns. Er haßt Sie nicht. Er scheut nur jede Wirklichkeit – und wirklich furchtbar ist ihm ein Buchhalter, der Kontobücher führt. Er könnte alle in der Welt ermorden. Mir hat er das gestanden und ich glaub' ihm.

UNWIN. Das schüchtert nicht Herrn Burns ein. Herr Burns ist tapfer. Schau' dir sein Handgelenk an.

HELEN. Was ist daran zu sehn?

BURNS *die Hand im Rücken versteckend*. Nichts außer einer Schramme. Herr Unwin scherzt.

HELEN *zu Unwin*. Quäl' Alwin auch nicht lange. Denk', daß er hungrig ist. Ich will ihn nachher lachend sehn. Denk' auch an mich! *Wieder rechts ab.*

UNWIN sieht ihr nach.

BURNS *das Schweigen brechend*. Soll ich nicht besser mich doch entfernen?

UNWIN *sich sammelnd*. Nein, Burns, Sie bleiben.

BURNS *neigt ergeben den Kopf.*

UNWIN *unwillkürlich die Stimme dämpfend*. Sie wissen – was auf dem Spiel steht?

BURNS *ebenfalls leise*. Ich habe Sie rechnen sehn.

UNWIN *schiebt ihm den Notizblock hin*. Verstehen Sie die Drohung dieser Zahlen?

BURNS. Es wird mehr ausgegeben werden als eingenommen werden kann.

UNWIN. Mehr ausgegeben als eingenommen – und das führt zum Ende.

BURNS. Passiv ist die Bilanz.

UNWIN. Sie wird es, Burns. Ich habe nicht Reserven, um einige Jahre aufzufüllen. Ich habe jeden Pfennig im Verlag. Ich kann nicht mehr sechs Jahre überstehn. Nicht mehr das

nächste Jahr. Es muß sofort – *Er hat ein Papier vom Tisch aufgenommen und starrt darauf.*
BURNS. Sie lesen den Vertrag mit Alwin Flanagan?
UNWIN. Burns – er muß fallen. Heute abend muß er gestrichen werden. Es ist die Rettung – die einzige Rettung vor dem Zusammenbruch, Flanagan muß auf den Vertrag verzichten!

Es herrscht wieder Stille.

BURNS. Herr Flanagan ist Ihr Freund.
UNWIN. Deshalb ist es so schrecklich. Es kommt mir wie Verrat vor, den der Freund am Freund begeht. Mit einem Gegner könnt' ich streiten. Du hast nicht das erfüllt, was ich erwartete. Ich zahle dir kolossale Summen für Unverkäufliches. Es grenzt an Straßenraub, wie du mich mit dem Vertrag aussaugst. Ich will nicht mehr – ich kann nicht mehr. Ein Schuft verlangt mehr, als man leisten kann. Ich würde mit jedem andern fertig. – Doch einen Freund, der sich nicht weigert – der diesen Fetzen Papier zerreißt und seine Schnitzel im Kamin verbrennt – – – – Das müssen Sie tun, Burns. Ich habe Sie zu diesem Zweck bei Nacht und Nebel herausgebeten. Ich hätt' es aus geringem Anlaß nicht getan. Sie müssen Flanagan die Zahlen zeigen, die ihm beweisen, wie es steht. Er wird den Ernst der Lage sofort begreifen, wenn er Sie sprechen hört. Mir würde er doch gar nicht glauben. Ich bin so jung wie er. Mich hätte mein Buchhalter bloß geblufft. Dann lacht er unwiderstehlich und führt mich fort zum Essen. Doch unter unsern Füßen wankt der Boden!
BURNS. Ich werde das Wort ergreifen, wenn Sie es befehlen.
UNWIN. Doch ohne jede Kraßheit, Burns. Wir sind nicht im Büro. Ich habe mit Absicht diesen Raum gewählt. Er stimmt verantwortlich. Der Gründer des Verlags – Augustus Unwin – schaut auf uns herab.
BURNS *nach dem Porträt blickend.* Sie hatten einen Vater, dem man mit Freude diente.
UNWIN. Er hätte länger leben sollen – ich hätte manchen Fehler nicht begangen! *Horchend.* Macht Winston nicht die Tür auf? Es ist – – *Er sieht gespannt nach links.*
BURNS *tritt an die Wand zurück.*

Alwin Flanagan tritt stürmisch links ein, schließt hinter sich und eilt auf Unwin zu.

FLANAGAN *hastig*. Was ist mit Helen?

UNWIN *verwundert*. Helen ist hier.

FLANAGAN. Das hörte ich am Telephon.

UNWIN. Sie wird dich nachher –

FLANAGAN. Warum nachher?

UNWIN. Wenn wir uns ausgesprochen haben.

FLANAGAN. Über –? *Burns bemerkend.* Wer steht da? Es ist Burns. Herr Burns. Buchhalter Burns. *Wieder zu Unwin.* Du hast zu arbeiten? Doch trotzdem hast du Zeit? Weil es so wichtig ist? Ist es – das? *Eindringlich und in Unwins Mienen suchend.* Das?

UNWIN. Ich versteh' dich nicht.

FLANAGAN. Schick' Burns fort. Du erklärst mir dann – ob ich gefährdet bin.

UNWIN. Was soll dich denn gefährden?

FLANAGAN. Du deutest doch in deinem Brief an – *Er zieht ihn aus der Tasche und liest fast flüsternd rasch vor.* Lieber Alwin. Ich bitte um deinen Besuch heute abend. Wir werden unsre Unterhaltung ohne Helen führen. Wenn wir beide Ruhe bewahren, werden wir den Ausweg aus gewissen Schwierigkeiten, die ich dir nicht länger verheimlichen kann, finden. Freundschaftlich dein Merton. *Er steckt den Brief wieder ein.* Sind Drohungen gefallen? Ernsthafte Drohungen? – Burns, gehen Sie!

UNWIN. Nein – bleiben Sie, Burns.

FLANAGAN *noch leiser*. Hat sie dir selbst –?

UNWIN Wer? – Helen?

FLANAGAN *befreit aufatmend*. Ja – Helen. *Lachend.* Helen soll meinen Riesenhunger stillen. Jetzt wird es mir wie einem Löwen schmecken, der aus der Wüste an die Oase trabt! *Er will nach rechts, hält plötzlich ein und faßt noch einmal nach dem Brief.* Was gibt es denn für Schwierigkeiten? Gehn Sie von Burns aus?

UNWIN. Du mußt Burns anhören. Herr Burns hat diesen Abend uns geopfert – zuhause liegt seine kranke Frau. Er ist mit dem Verlag verwachsen und meine Sorgen teilt er wie die eignen –

FLANAGAN *belustigt*. Du wirst die seinen teilen, die er ausbrütet im Schwaden der Büroluft! – Los, Merton, setzen wir uns hin. Wir sind doch nur zwei arme Sünder vor seinem Thron von dicken Kontobüchern. Kommen Sie, Herr Burns. Ich bin in bester Stimmung. Nutzen Sie das aus! – Hier auf dem Präsidentenstuhl. Am Kopf der Tafel. *Er drückt ihn in Unwins früheren Lehnstuhl.* Wir nehmen unsre Plätze zu seinen Seiten ein und warten auf die klugen Worte, die diesem Mund entquillen.

Unwin in Burns' früherem Lehnstuhl – Flanagan ihm gegenüber im schräggerückten Lehnstuhl.

BURNS *sieht Unwin fragend an.*

UNWIN. Beginnen Sie, Herr Burns.

FLANAGAN *zu Burns, der Papiere vor sich zurechtlegt.* Ich bin auf alles vorbereitet. Wenn Sie mir sagen, daß mich die Kritik kratzt, die mich bisher nur streichelte – macht mir das nichts. In diesem Augenblick nichts!

UNWIN *ruhig.* Alwin – es handelt sich nur um geschäftliches.

FLANAGAN. Bitte, Herr Burns, ich lese auch die Abrechnungen und unterzeichne ihre Richtigkeit.

UNWIN *besorgt.* Willst du nicht rauchen, Alwin?

FANAGAN. Nicht so lange diese Sitzung dauert. Ich lasse mich durch nichts ablenken. Jetzt will ich wissen – alles, was Herr Burns weiß!

BURNS *sichtet die Papiere weiter und schweigt.*

FLANAGAN *endlich spöttisch.* Ist das alles?

UNWIN *zu Burns.* Keine Einzelheiten, Burns. Das Wesentliche ist – *Er scheut sich weiterzusprechen.*

BURNS *ohne von dem Papier in seinen Händen aufzublicken.* Daß dieser Vertrag gestrichen wird.

FLANAGAN *arglos.* Welcher Vertrag?

BURNS *ihm das Papier reichend.* Ihr Vertrag.

FLANAGAN *nimmt und sieht hinein. Dann zu Burns.* Muß ein neuer aus irgendwelchen Gründen ausgefertigt werden?

BURNS. Der Verlag Augustus Unwin trägt sich nicht mit der Absicht ihn wieder zu schließen.

FLANAGAN. Wieder zu schließen – – Er ist doch noch nicht abgelaufen. Er läuft doch erst vier Jahre – und gilt noch sechs.

BURNS. Das ist schon richtig. Es ist auch nur ein Vorschlag, der unterbreitet wird. Ein Wunsch, zu dessen Äußerung sich der Verlag gezwungen sieht. Es würden bei weiteren finanziellen Leistungen, die dem Verlag aus dem Vertrag entstehen, sich Schwierigkeiten bilden, die den Bestand der Firma in Frage stellen. Deshalb ist es wichtig, daß der Vertrag mit beiderseitigem Einverständnis gelöst wird.

FLANAGAN *starrt Burns sprachlos an.*

BURNS *ihm andere Papiere hinschiebend.* Wenn Sie die Unterlagen prüfen wollen, die den Verlag zu diesem Schritt veranlaßten, so wird hier zahlenmäßig nachgewiesen, daß sich Verlust aus unsern Zahlungen und der Gewinn aus Ihren Werken schon längst nicht mehr die Waage halten. Nach weiteren sechs Jahren würde dieser Kontostand erreicht, der mehr als alle Mittel des Verlags verschlungen hat.

FLANAGAN *stützt den Kopf auf und sieht ins Leere.*

BURNS. Herr Unwin wünscht die Lösung des Vertrags heutabend. Herr Unwin zweifelt auch nicht an der Bereitschaft des ihm befreundeten Herrn Flanagan. – – – –

Es herrscht Stille. Burns ordnet Papiere. Unwin beobachtet Flanagan, der wie gelähmt dasitzt.

FLANAGAN. *endlich murmelnd.* Darauf war ich nicht vorbereitet. – – Auf alles andre – – aber darauf nicht. *Langsam dreht er den Kopf zu Unwin.*

UNWIN *lächelt schwach.*

FLANAGAN *verhalten.* Lass' uns allein sprechen.

UNWIN *bereitwillig zu Burns.* Ich bitte Sie zu gehn, Herr Burns.

BURNS *will die Papiere auf dem Tisch sammeln.*

UNWIN. Nein – später, Burns. Das hält jetzt auf. Ich brauche die Papiere vielleicht auch noch. Sie warten nebenan. Ich führe Sie. *Er geht voran und öffnet vor Burns die schmale Tür in der Ecke links. Um den Türpfosten greifend schaltet er Licht an.* So ist es hell. Sie finden da zu rauchen und Erfrischungen. Auch Zeitschriften, wenn Sie gern Bilder ansehn. Wenn Sie sich auf das Sofa legen wollen –

BURNS *abgehend.* Nein, Herr Unwin.

UNWIN. Nun wie Sie wollen. *Er schließt hinter ihm die Tür.*

Flanagan ist aufgestanden und geht mit gesenktem Haupt hin und her.
Unwin stellt sich an den Kamin und verfolgt Flanagans ruheloses Schreiten.

FLANAGAN *bleibt plötzlich stehn, stützt beide Fäuste auf den Tisch und stößt hervor.* Ich tu' es nicht.

UNWIN. Was nicht, Alwin?

FLANAGAN. Was dieser Buchhalter – was diese Kröte an Gift ausschwitzt zu schlingen.

UNWIN. Ich habe dieses Gift gemischt.

FLANAGAN. Nachdem dich dieser halbblinde Höhlenmolch behext.

UNWIN. Burns ist ganz unschuldig.

FLANAGAN. Wer hat geredet und wer hat geschwiegen?

UNWIN. Es wurde mir nur schwer es einzuleiten. Ich überließ die ersten Worte Burns.

FLANAGAN. So sind die letzten noch nicht gesprochen worden?

UNWIN. Was erwartest du noch?

FLANAGAN. Einen Widerruf – damit ich dir den Wunsch nicht abzuschlagen habe!

UNWIN *kommt um den Tisch, tritt zu Alwin Flanagan und legt ihm den Arm um die Schulter.* Es kam aus hellem Himmel – der Blitz, der dich erschüttert. Der Blitz trifft immer unerwartet, wenn sich die Wolken auch längst über uns zusammengezogen haben. Schwarze Wolken sind heraufgezogen. Dunkler als ich dir schildern will. Ich fahre auf einem aufgewühlten Meer – in einem lecken Schiff. Kann ich das Leck nicht schließen, geht alles unter. Mannschaft und Ladung. Und wertvoll ist die Mannschaft und wertvoll ist die Ladung. Es sänken Schätze auf den unfruchtbaren Grund des Meers, die niemals mehr zu heben wären. *Nach den Büchern ringsum zeigend.* Schätze wie diese. Muß man sie nicht hüten?

FLANAGAN *löst sich aus seinem Arm und setzt sich in das Ledersofa rechts.* Ich bin nicht wertvoll mehr. Mich wirft man über Bord, damit die Fahrt flott treibe mit der beßren Ladung.

UNWIN. Dein Wert ist heute nicht geringer als er zuerst war und wird sich nicht schmälern.

FLANAGAN. Das ist Spott, der wie mit Peitschenhieben trifft.

UNWIN. Das ist kein Spott. Das ist die unverhohlene Bewunderung, die ich dir zolle. Die heut noch so heiß ist wie damals, als ich die erste Zeile von dir las. Du hast nicht nachgelassen – dasselbe kühne Feuer brennt in jedem Werk. Du bist dir treu geblieben. Gibt es einen schöneren Ruhm? Mußt du nicht tief im Innern glücklich sein?

FLANAGAN *sieht stumm zu Boden und verschränkt nervös die Finger.*

UNWIN. Das ist dein Besitz – dies reichere Glück, das niemand dir vermindern kann. Nicht ich, der den Vertrag zurückverlangt – nicht alle märchenhaften Abmachungen, die man dir nicht erfüllt. Sind weitere Worte nötig? Lass' es die letzten sein in dieser Sache. *Er streckt ihm die Hand hin.*

FLANAGAN *steht brüsk auf und geht weg. Vom Tisch das Vertragspapier aufnehmend.* Ich lasse mich nicht heute beschenken und morgen ausplündern. Heute Gold was morgen Blei ist. Ich habe nichts ertrotzt und nichts erschwindelt. Ich habe nicht gefordert – nicht gefeilscht. Ich habe nicht den Preis gemacht – er ist mir aufgedrängt. Ich war noch zaghaft und wollte nicht unterschreiben. Es war doch viel zu viel – mit einem Schlage war ich reich!

UNWIN. Nur meine Schuld ist es. Verteidige dich nicht. Wer macht dir einen Vorwurf? Ich habe mich an dir vergangen. Mir fehlte noch die Übersicht – Erfahrung. Ich erbte von meinem Vater den Verlag. Ich wollte ihm frisches Blut zuführen. Ich war berauscht von meinen Plänen. Die schönsten galten dir. Ich war doch stolz dich zu entdecken. Ich glaubte alle würden die herrliche Entdeckung begrüßen. So schrieb ich den Vertrag aus!

FLANAGAN *nach einer Überlegung.* Tust du denn genug?

UNWIN. Was meinst du?

FLANAGAN. Um Bücher zu verkaufen?

UNWIN. Es fehlt an Propaganda?

FLANAGAN. Vielleicht.

UNWIN *am Tisch – ein Papier aussuchend.* Sieh' dir dies Konto an. Das sind die Propagandakosten, die allein den Umsatz überbieten, den wir mit dem Verkauf von deinen Büchern erzielen!

FLANAGAN *tritt vom Tisch zurück.* Plage mich nicht, Merton. Ich kann nicht den Vertrag zerreißen. Ich will leben!

UNWIN. Du wirst auch leben. Nur anders. Einfacher. Du wirst aus London ziehn. Hier brauchst du Geld – viel Geld, das weiß ich. Hier verführt dich alles zu üppiger Vergeudung. Man mißbraucht dich – deine Frische. Flieh' diese Kreise!

FLANAGAN *kopfschüttelnd.* Flucht – – Flucht ist das schlimmste.

UNWIN. Also – löse dich langsam los von allen Bindungen. Verreise erst einmal. Dann kehre wieder. Für immer Abschied dann. Bist du entschlossen? Die Mittel stehn dir zur Verfügung.

FLANAGAN *erst stumm – dann kalt.* Nein, Merton – ich weiche keinen Schritt zurück. Bezahle mich aus dem Vertrag – ich brauche Geld.

UNWIN. Das ist unmöglich.

FLANAGAN. Mach' es möglich.

UNWIN. Ich bin am Ende meiner Kräfte noch mehr für dich zu tun.

FLANAGAN *höhnisch.* Soll ich mich selbst anpreisen?

UNWIN. Wo?

FLANAGAN. Auf dem Markt? Mit einem Schuß. Der weckt doch immer Echo. Den Tauben fällt die Watte aus den Ohren und alle hören. Plötzlich steht er da vor aller Augen – der unbekannte Dichter. Er hat sein Blut dafür gegeben – es muß schon etwas an seiner Kunst sein. Für nichts verkauft man nicht das Leben!? *Dicht vor Unwin.* Soll ich mich niederschießen – was ich muß, wenn du nicht zahlen kannst?!

UNWIN. Schrei' nicht – es könnte Helen hören.

FLANAGAN *noch lauter.* Ich schreie meinem Mörder die Absicht mich zu morden vor meinem Tode ins Gesicht!

UNWIN *tritt von ihm zurück und betrachtet ihn schweigend.*

FLANAGAN *streicht sich über die Stirn. Ruhig.* Verzeih' mir das. Ich weiß nicht, was ich rede. *Noch gequält.* Wenn ich verzichten könnte – – ich kann dir es nicht schenken.

UNWIN. Nein nein – du kannst nicht – ich habe dich verstanden.

FLANAGAN. Auch ohne weitere Erklärungen mußt du mich verstehn. *Mit einem Anflug von Lustigkeit.* Man lebt nur einmal – und dann will man leben.

UNWIN. Das ist das Lebensrecht, das jeder hat.

FLANAGAN. Und das entschuldigt alles?

UNWIN. Alles – alles, Alwin.

FLANAGAN. Wie gut wir uns verstehn.

UNWIN. Wir sind doch Freunde.

FLANAGAN *lachend ihm die Hand hinstreckend.* Bis der Tod uns scheidet?

UNWIN *drückt sie matt.* Bis der Tod – –

Rechts kommt Helen. Statt des einfachen Tuchkleides vorher trägt sie ein reicheres Seidenkleid.

HELEN *sich umblickend – hell auflachend.* Wo steckt denn Burns? Wohin ist er geflüchtet? *Auf Alwin zugehend und ihm die Hand hinstreckend.* Lieber Alwin, Sie haben fürchterlich mit ihm geschrien – es hallte durch die Türen. Da bin ich hergeeilt, um Gnade für sein armes Leben zu erbitten.

FLANAGAN. Verzeihen Sie, Helen – daß ich so laut war.

HELEN. Bei mir sollen Sie sich nicht entschuldigen, ich höre Ihre Stimme gern. Je frischer umso schöner. Wir andern haben doch das offne Reden fast verlernt, wir flüstern nur noch. Lernen Sie nicht flüstern – es wär' ein schlimmer Schaden, den Sie erlitten.

FLANAGAN. Man muß sich mehr beherrschen.

HELEN. Vor Burns bestimmt. Hat der Orkan der Stimme ihn durch den Kamin geblasen? Schwebt er nun über Dächern und plumpst in die Themse? Er wird Merton fehlen. Sie hätten ihn um Mertons willen schonen sollen.

UNWIN. Es war nicht gegen Burns gerichtet. Burns war bald überflüssig. Wir schickten Burns hinaus. Dann deklamierte Alwin laut. Er trug mir starke Dinge vor. Die Lebensfreude behandelnd. Das ist jetzt sein Thema, das ihn allein beschäftigt. – Jetzt will ich Burns entlassen. *Zu Flanagan.* Es sind doch alle Punkte klar?

FLANAGAN. Ja.

UNWIN. Dann kann Burns gehn. *Er begibt sich zu der schmalen Tür links hinten.*

HELEN *Flanagan, der Unwin nachblickt, die Hand auf den Arm legend.* Erzählen Sie auch mir. Es wird noch angerichtet.

UNWIN *hat die Tür geöffnet und ruft hinein.* Herr Burns. *Da er keine Antwort erhält, späht er in das Zimmer. Sie schliefen ja!*

BURNS *in der Tür erscheinend.* Ich hatte mich doch hingelegt, wie Sie mir rieten – und da sind die Augen mir zugefallen. Ich habe wirklich fest geschlafen.

UNWIN. Es ist spät. Sie müssen heim. Packen Sie alles ein. Wir brauchen nichts mehr. *Er kehrt mit Burns an den Tisch zurück und sieht ihm zu.*

Erst jetzt folgt Flanagan Helens Geheiß und folgt ihr nach rechts, wo Helen sich im Ledersofa niederläßt – Flanagan auf einem Hocker Platz nimmt.

HELEN *vertraulich halblaut.* Was schreiben Sie jetzt über dieses Thema der Lebensfreude?

FLANAGAN *nach einer Pause.* Nichts.

HELEN. Ich will nicht in Sie dringen – Sie sollen kein Geheimnis preisgeben – ich will nicht mehr als Merton wissen. Ich habe auch kein Recht dazu. Doch habe ich nicht so viel Recht wie Merton hat?

FLANAGAN. Ich – schreibe nichts mehr. *Er stützt den Kopf in die Hände.*

HELEN *betroffen.* Warum nicht?

FLANAGAN. Weil – ich leer bin. Leer wie ein Brunnen, aus dem kein Eimer mehr einen Tropfen Wasser holt. Er klirrt auf Kies – und dann ist alles still. *Er stöhnt.*

HELEN *betrachtet ihn stumm.*

BURNS *gedämpft zu Unwin.* Soll ich auch diese Zettel mit mir nehmen?

UNWIN *wie erwachend.* Was für Zettel?

BURNS. Ihre Notizen.

UNWIN. Nein. *Er nimmt sie, zerreißt sie und streut sie in den Kamin.*

HELEN *sich aufraffend und seine Hand drückend.* Nein, Alwin. Sie haben der Welt noch viel zu sagen. *Laut zu Unwin und heiter.* Hörst du, was Alwin mir eben anvertraut hat?

UNWIN. Was?

HELEN. Er wird nichts wieder schreiben!

UNWIN. Allen Ernstes?

HELEN. Es scheint sein Ernst zu sein!

UNWIN *sich Burns zuwendend.* Sind Sie jetzt fertig?

BURNS. Jetzt bin ich fertig. *Er verneigt sich gegen alle und geht links hinaus.*

UNWIN *tritt hinter Alwin und legt ihm die Hand auf die Schulter.* Das sind Stimmungen, die sich verflüchtigen.

FLANAGAN *aufstehend und weggehend.* Das sind nicht Stimmungen – das ist Bestimmung.

HELEN. Alwin – kein Mensch weiß, was ihm beschieden ist.

FLANAGAN. Ich weiß es auch nicht – deshalb zittre ich. Den Feind, der im Verborgnen lauert, kann ich nicht stellen.

HELEN. Alwin – Sie haben keine Feinde.

FLANAGAN *spöttisch.* Keine Feinde?

UNWIN *geht rasch nach links und öffnet.* Burns – lassen Sie die Tasche hier!

Burns kommt zurück – in einem kurzen Paletot, mit dickem

Schal, Handschuhen – einen braunen steifen Hut in der Hand.

UNWIN. Ich schließe sie im Safe ein. Es sind die wichtigsten Verlagspapiere, die sie enthält.

BURNS. Ich rate auch zur Vorsicht – trotz meines Riemens. Er ist noch nicht befestigt.

UNWIN *nimmt ihm die Ledertasche ab und trägt sie auf den Tisch.*

HELEN *ist aufgestanden und mustert belustigt Burns.* Herr Burns – wie haben Sie sich denn vermummt? Wir sind doch nicht im Winter. Ein wenig feuchter Herbst. Sind Sie so ängstlich?

BURNS. Ich darf mich nicht erkälten. Wegen meiner Frau. Es könnte sich eine Erkältung übertragen und das ist schlimm bei ihrem Lungenleiden. Ich möchte mir nie einen Vorwurf machen müssen, daß ich nicht alles tat, um sie zu retten.

UNWIN. Nehmen Sie ein Taxi, Burns, sie halten an der Ecke.

BURNS. Das werde ich auch tun, Herr Unwin, um schneller heimzukommen. *Verneigung – ab.*

HELEN *nach einer Pause zu Alwin.* Das ist ein Stoff für Sie, Alwin. Es spielt sich hinter dieser Stirn ein Leben ab – halb närrisch und halb – – Sie ergründen das und wir sind atemlose Leser.

ALWIN *sich schüttelnd.* Nein – das ist kein Leben.

UNWIN. Helen rät dir richtig. Such' dir Motive in der kleinen Welt – bei Menschen in der Enge –

ALWIN *scharf.* Weil es die billigen Motive sind!

UNWIN *verstummt.*

HELEN *beeindruckt.* Was heißt das?

UNWIN. Das weiß Alwin nur.

HELEN *zu Alwin.* Sie werden essen und nach dem Essen sich weniger launisch zeigen. Jetzt ist auch angerichtet.

FLANAGAN. Helen, Sie dürfen mir nicht zürnen – wenn ich wieder gehe. Ich will gehn.

HELEN *ruhig.* Sind sie verabredet?

FLANAGAN. Ja – auch das.

HELEN. Dann darf ich Sie nicht halten. Ich hoffe, daß wir uns morgen sehn. Morgen ist Ihr Tag bei uns.

FLANAGAN *eifrig.* Morgen ist unumstößlich unser Tag.

HELEN. Also auf morgen. *Sie reicht ihm die Hand. Zu Unwin.* Ich gehe schlafen – ich bin müde, Merton.

UNWIN. Gutenacht.
HELEN *rechts ab.*

UNWIN. – – – – willst du den Wagen?
FLANAGAN. Nein, ich laufe. Mir tut die Nachtluft wohl.
UNWIN. Zu Fuß den langen Weg?
FLANAGAN. Den kürzeren – den Waldweg.
UNWIN. Dann begleit' ich dich.
FLANAGAN. Schön.
UNWIN *ergreift die Ledertasche, öffnet rechts hinten ein Wandsafe und legt die Tasche hinein. Dann nimmt er nach kurzem Besinnen noch einen Gegenstand aus dem Safe, den er in die hintere Hosentasche schiebt, und schließt ab.*
FLANAGAN *der ihm zugesehen hat.* Bewaffnest du dich?
UNWIN. Ja. Der Nachbar hält sich Doggen, die er herumstreifen läßt. Er hält das für sein gutes Recht, das niemand ihm verwehren kann. Dabei sind es gewaltige Tiere und sehr gefährlich. Ich hatte einmal schon ein Abenteuer mit solcher Bestie und habe ihm gedroht – Piggott heißt dieser Doggenzüchter – zu schießen, wenn ich wieder angegriffen werde. Ich habe wirklich Abscheu vor diesen Hunden.
FLANAGAN. Sie werden uns schon nicht zu nahe kommen.
UNWIN. Du sahst sie noch nicht.
FLANAGAN. Wir sind doch zwei.
UNWIN. Doch nur ein Schütze.
FLANAGAN *verbeißt sich eine Entgegnung und sagt nur.* Also mutig in den Wald.
UNWIN. Geh' vor.

Flanagan und Unwin verlassen links den Bibliothekraum.
Dann kehrt Unwin nochmals zurück – schon im Mantel, mit Schal und schwarzem steifen Hut – und schaltet das Licht aus.
Im Dunkel klappt die Tür.

ZWEITER AKT

Die Halle in der Villa Unwins. Rechts führt eine Treppe nach der umlaufenden Galerie. Unten weicht die Grundwand in ihrer Mitte zurück und bildet einen kurzen Gang, an dessen Ende sich die Einlaßtür befindet. Der Gang selbst ist vorn noch mit einem Schiebegitter versperrt. Links eine größere Tür, rechts vorn eine kleinere. Alte Möbel: Truhen, Sessel sind reichlich vorhanden.

Aus der kleinen Tür rechts tritt der Diener Winston – in einer gestreiften Leinenjacke. Beim Durchschreiten der Halle sieht er nach der Standuhr und schüttelt mißbilligend den Kopf. Dann schließt er das Sperrgitter auf, schiebt es beiseite – öffnet danach die Einlaßtür.

Draußen steht Piggott – hinter ihm zwei Herren in gelben Regenmänteln und weichen Filzhüten.

Piggott – rundlicher Fünfziger mit feuerfarbenem Gesicht – hat ein rotbraunkariertes Plaid umgehängt, eine schilfgrüne Kappe mit flatternden Ohrlaschen auf, Schaftstiefel an den kurzen Beinen.

PIGGOTT *aus voller Kehle.* Da ist er!

WINSTON *abweisend.* Wer, mein Herr?

PIGGOTT *mit schallendem Lachausbruch.* Wer? *Zu den Herren hinter sich.* Da stellt er eine Frage, die so himmelschreiend einfältig ist – *Zu Winston.* Ein Hund nimmt beßre Witterung mit seiner Nase als Sie mit Ihren Augen. Sehn Sie mich nicht täglich mit meinen Burschen auf dem Rasen tollen? *Er ahmt Laute von Hundegebell nach und stößt anfeuernde Zischlaute aus.* Das ist unsre Sprache, sie drückt mehr aus als ellenlange Kanzelreden. *Seine Kappe herunterreißend und schwenkend.* Der Nachbar Piggott bin ich. Melden Sie uns an!

WINSTON. Das ist unmöglich.

PIGGOTT *glotzt ihn an – platzt heraus.* Unmöglich –!

WINSTON. Unmöglich vor dem Frühstück. Herr Unwin empfängt nicht vor dem Frühstück.

PIGGOTT *sich schüttelnd.* Ein neuer Einfall von abgrundtiefer Torheit – ein Spitz ist klüger in der Spitze seines Pudelschwanzes – *Dicht vor Winston und ihn anherrschend.* Die Polizei verlangt hier Einlaß. Vor dem Frühstück. Aus dem Weg! *Zu den Herren.* Jetzt ist die Bahn frei! *Zu Winston, der zurückgeht.* Widerstand ist nutzlos!

Kriminalinspektor Steel und sein Gehilfe Tretton, der noch die Einlaßtür zumachte, treten in die Halle.

STEEL *zu Winston..* Berichten Sie Herrn Unwin, daß wir mit Herrn Piggott hier sind. Sie hörten, wer wir sind.

WINSTON *nun eifriger.* Das hörte ich. Das werde ich Herrn Unwin melden. *Er steigt die Treppe hoch.*

PIGGOTT *ihm nachrufend.* Mit einer Koppel Doggen bin ich da. Die Burschen sind heißhungrig, sie haben seit einer Woche nicht gefressen. Jetzt packen sie wie Wölfe an. Bestellen Sie das. Ihr Herr soll nicht sein Schießeisen vergessen!

Winston oben ab.

PIGGOTT *verschmitzt zu Steel.* Ich hätte wirklich Lust ihn zu erschrecken. Nicht sie am Halfter halten – frei hier streunen und, wenn ihr Feind kommt, auf ihn mit Geblaff!

STEEL. Das spüren Ihre Hunde, daß Herr Unwin ihr Feind ist?

PIGGOTT *sinkt auf eine Truhe und hebt beschwörend die Arme in die Höhe.* Hunde sind so empfindsam wie jene Pflänzchen, die bei Berührung ihre Blütenkelche schließen. Nur klappen sie das Maul nicht zu – sie reißen mächtig den Rachen auf und zeigen ihre Zähne. Nicht um zu beißen – um zu warnen. Sie stoßen ihre Warnungsrufe aus. Nicht cave canem heißt es – cave hominem. Hunde sind wie Kinder. Kinder spüren wer gut ist. Wir Erwachsenen sind weit davon entfernt. Uns ist ein dicker Pelz gewachsen, durch den nichts dringt. Wir sind schon ganz gefühllos. Deshalb sollen wir zu den unverdorbenen Hunden unsre Zuflucht nehmen. Sie helfen uns wie unsre Schutzengel. Wir brauchen alle einen Engel, der uns hütet. Ich hätte ohne solchen Engel Furcht vor meinem Schatten.

STEEL. Prächtige Doggen sind es.

PIGGOTT. Preisgekrönte zehnmal und zehnmal. Der Stolz sind sie der Ausstellungen. Es gibt kein Lobeswort, das nicht gefallen wäre. Vom König bis zum kleinen Mann der Straße sind alle einig: Das ist Rasse. Das ist so stark wie schön. Hier hat sich ein Naturgesetz verkörpert, nach dem die ganze Schöpfung trachtet: Stärke mit Anmut paaren.

STEEL. Unstreitig ein hoher Zuchterfolg.

PIGGOTT *mit Empörung.* Und er soll ihn gefährden dürfen? Mit seinem Schießeisen die Rasse ausrotten?

STEEL. Wir werden es ihm jetzt abnehmen.

PIGGOTT *aufspringend und sich reckend.* Und sei es mit Gewalt. Ich stehe meinen Mann!

Auf der Galerie erscheint Unwin in einem Morgenmantel. Steel sieht hin. Piggott folgt seinen Blicken, ballt stumm die Fäuste, bläst wütend die Backen auf, während Unwin die Treppe herabsteigt.

UNWIN *bleibt am Fuß der Treppe.*

STEEL. Herr Unwin?

UNWIN. Bitte?

STEEL. Ich bin Inspektor Steel. Herr Tretton ist mein Gehilfe.

PIGGOTT *losbrechend.* Und wer ich bin, das werden Sie nicht raten!

UNWIN. Was wünschen Sie, Herr Piggott?

PIGGOTT. Daß Sie meine Hunde in Ruhe lassen, die Sie noch nicht gebissen haben!

UNWIN. Es dürfte auch dazu nicht kommen.

PIGGOTT *keuchend.* Weil Sie – –

UNWIN. Ich schieße. Sie wissen das. Ich habe Sie schon längst gewarnt. Sie dürfen sich nachher nicht beschweren.

PIGGOTT. Ich aber setze Himmel und Hölle in Bewegung, um Ihnen Ihr mörderisches Handwerk zu legen. Hier sind zwei Herren, die bereit sind, die edelste Hunderasse, die je auf dieser Insel gezüchtet wurde, vorm Untergang zu retten. Niemals schießen Sie, Herr Hundetöter – es wird verhindert, daß Sie jemals wieder schießen können!

UNWIN *sich an Steel wendend.* Was heißt das?

STEEL. Wir sind in Herrn Piggotts Schuld.

Tretton tritt neben Piggott und legt ihm beschwichtigend die Hand auf den Arm. Piggott wickelt sich böse in sein Plaid.

STEEL. Herr Piggott hat an diesem Morgen – dazu an sehr frühem Morgen der Polizei einen Dienst erwiesen. Sie wissen, die Polizei belohnt gern. Mal höher mal geringer. Je nach Schwere des Falls, bei dessen Aufklärung man uns behilflich ist. Hier hat Herr Piggott nun nichts aufgeklärt. Er hat die erste Meldung uns gebracht. Es hätte sonst viel Zeit verstreichen können – die Waldstraße, auf der Herr Flanagan gefunden wurde, liegt reichlich abseits.

UNWIN. Wie – gefunden –?

STEEL. Tot.

UNWIN *faßt sich an die Brust.*

STEEL *fortfahrend.* Es waren Herrn Piggotts Hunde, die den Fund verbellten. Dieselben, die Sie mit Ihrer Abneigung verfolgen. Herr Piggott klagte uns sein Leid. Tatsächlich sind es Tiere von besondrer Schönheit. Sie sind auch gutartig, wie ich mich überzeugen konnte. *Zu Tretton.* Wie war Ihr Eindruck?

TRETTON. Der denkbar günstigste.

PIGGOTT *will losplatzen.* Doch er –

TRETTON *beschwichtigt ihn sofort.*

STEEL. Es wäre schade, wenn diesen Tieren ein unverdientes Leid geschähe. Ich gebe zu, man könnte sich erschrecken, wenn sie vor einem plötzlich auftauchen. Doch sie verdienen wirklich nicht den Abschuß. Wer sich da nicht beherrscht, soll keine Waffe führen. Ich bitte Sie um Ihre Waffe, Herr Unwin.

PIGGOTT *zischend.* Ums Schießeisen – mit dem Schinder knallen!

UNWIN *zu Steel.* Flanagan – hat sich –

STEEL. Nicht mehr zum Leben erwecken lassen, als man ihn fand.

PIGGOTT. Das hörte ich aus Sentas hohem Läuten und Ajax' tiefem Brummen: der lebt nicht mehr. Das wissen Hunde früher als manchmal Ärzte. Hunde riechen Todgeweihte!

Helen ist auf die Galerie herausgetreten; sie trägt ein lichtes Morgenkleid.

HELEN *sich über die Brüstung beugend.* Was ist denn, Merton? Warum sagte Winston –?

UNWIN *hebt das Gesicht nach ihr.*

HELEN *bei seinem Anblick erschrocken.* Ist denn ein Unglück –? *Nun kommt sie rasch herunter. Bei Unwin.* Sprich doch, Merton!

UNWIN *den Arm um sie legend.* Alwin – lebt nicht mehr.

HELEN *entsetzt.* Ist er verunglückt?

UNWIN. Vielleicht. Es wissen diese Herren.

HELEN *zu Steel.* Was haben Sie erfahren?

STEEL. Daß ein Schuß dem Leben Herrn Flanagans heutnacht ein Ende gesetzt hat.

HELEN *aufschreiend.* Alwin hat Selbstmord –?!

UNWIN. Alwin verübte Selbstmord. *Er führt sie zu einer Truhe.*

HELEN *gekrümmt sitzend und in die Hände klagend.* Warum hat er's getan? – – Warum ist er gegangen – – wortlos – – von uns – – von mir? – – Ich hing an ihm – – er – –

UNWIN *sanft.* Helen – sei ruhig – –

HELEN. Ich kann nicht – –

UNWIN. Komm' hinauf. – – *Zu Steel.* Erschütternd ist die Nachricht – Alwin Flanagan stand uns sehr nahe. Wenn irgendwelche – aber was kann das nützen?

STEEL *rasch.* Es sind nur ein paar Fragen, die ich an Ihren Diener richten möchte.

UNWIN. Meinen Diener?

STEEL. Formsache. Wir müssen immer etwas fragen. Mal mehr mal weniger.

HELEN *erhebt sich – schwankend.* Führ' mich, Merton.

UNWIN *zu Steel.* Ich schicke meinen Diener. *Er stützt Helen beim mühsamen Anstieg über die Treppe. Beide oben ab.*

STEEL *sah ihnen aufmerksam nach. Dann lebhaft sich Piggott zuwendend.* Nun kehren Sie zu Ihren Sentas und Ajaxen heim. Die ganze Meute wartet schon auf Sie und will mit ihrem Herren tollen. – Was fehlt noch?

PIGGOTT *zeternd.* Er hat sein Schießeisen noch nicht abgeliefert!

STEEL. Das kriegen wir schon noch. Wir kriegen alles, was wir wollen. Manchmal viel zu früh. *Ihm die Hand schüttelnd.* Herr Piggott, es war aufmerksam von Ihnen, uns zu benachrichtigen und Ihren Doggenzwinger uns zu zeigen. Man muß sich alles ansehn, dann sieht man genug. Tretton, erweisen Sie Herrn Piggott die Ehre der Begleitung.

Während Tretton Piggott in den Gang führt und aus der Tür entläßt, zieht Steel seinen Mantel aus und legt ihn samt Hut beiseite.

Auch Tretton entledigt sich nach seiner Rückkehr in die Halle des Mantels und des Huts.

Dann rückt Tretton einen Sessel zur Mitte, sieht Steel fragend an. Steel bedeutet ihm durch eine Geste den Sessel noch anders zu stellen. Tretton folgt dem Gehiß. Steel nickt befriedigt.
Winston kommt die Treppe herab und steht erwartungsvoll.

STEEL. Sie brauchen nicht zu stehn, Herr Winston. Sie unterbrechen jetzt Ihren Dienst und setzen sich bequem. Es spricht sich besser. Herr Tretton, nehmen auch Sie Platz. Dort auf der Truhe. Sehen Sie – auch Kissen. Ich bin mir noch nicht schlüssig, wo ich mich – *Er sieht sich um, rührt sich aber nicht vom Fleck.*

Winston sitzt steif im Sessel – Tretton mit übergeschlagenen Beinen auf einer Truhe hinten.

STEEL *sich wieder Winston zuwendend.* Wie lange sind Sie hier im Haus?

WINSTON *denkt angestrengt nach.*

STEEL. In Bausch und Bogen. Haben Sie die Stellung unlängst erst –

WINSTON. Ich diente schon Herrn Augustus Unwin.

STEEL. Wer ist –? Aha, der Vater und jetzt ist der Sohn Ihr Herr.

WINSTON. Herr Merton Unwin folgte seinem Vater hier.

STEEL *umblickend.* Ein wunderschönes Haus. *Zu Winston.* Dann war Herr Merton Unwin glücklich in dies erlesene Heim seine Frau zu führen.

WINSTON. Das war im Sommer vor vier Jahren.

STEEL. Vier Jahre dauert diese Ehe.

WINSTON. Ich habe mich nicht verrechnet.

STEEL. Das meine ich auch nicht. Ich meine nur – ist das nun lange oder kurze Zeit?

WINSTON. Vier Jahre sind vier Jahre.

STEEL. Kalendermäßig ist da nichts zu rütteln. Doch einem geht die Zeit rasch hin, dem andern langsam. Und wer sich langweilt, schafft sich Abwechslung. Herr Merton Unwin war doch viel beschäftigt?

WINSTON. Er war die meiste Zeit in London im Verlag.

STEEL. Verdroß das nicht Frau Unwin? Die Damen sind nicht gern allein.

WINSTON. Frau Unwin war nicht allein.

STEEL. Wer leistete ihr dann Gesellschaft?

WINSTON. Die Freunde von Herrn Unwin.

STEEL. Viele Freunde – und ohne Unterschied willkommen?

WINSTON. Es waren doch die Herren, die ihre Bücher im Verlag erscheinen ließen.

STEEL. Natürlich gehn die beim Verleger ein und aus. Doch nicht gleichmäßig. Einer zeigt sich öfter. Sehr oft sogar – und schließlich gibt es einen zweiten Herrn im Haus.

WINSTON. Ich habe hier keinen zweiten Herrn gesehn.

STEEL. Natürlich teilt er nicht Befehle aus. Er tritt nur anders auf. Sichrer. Man spürt, daß er ein Vorrecht hat. Wer hatte hier ein Vorrecht?

WINSTON. Niemand.

STEEL *schweigt. Dann klopft er Winston auf die Schulter.* Das ist gut, daß Sie so zuversichtlich sind. So soll ein guter Diener sein. Nichts sehen und nichts hören – der Herrschaft blindlings ergeben. Treu wie ein Felsen – halten Sie das fest. *Er läßt Winston aufstehn.* Noch eins: Frau Unwin hat doch eine Zofe?

WINSTON. Mit Namen Mary.

STEEL. Schicken Sie mir Mary.

Auf der Galerie beugt sich die junge Zofe Mary über die Brüstung.

MARY *ruft gedämpft hinab.* Winston – Sie sollen Herrn Unwin helfen!

STEEL *zu Winston.* Ist das Mary?

WINSTON. Das ist Mary.

STEEL *hinaufwinkend.* Also kommen Sie!

Während Winston hinaufsteigt – kommt Mary herunter.

STEEL. Sie müssen mir etwas sagen, Fräulein Mary. Es handelt sich um Dinge, die nur eine Frau versteht. Ich aber will sie wissen. Schöpfen Sie erst Luft – Sie sind die Treppe herabgeilt.

Auf seine Weisung setzt sie sich in den Sessel.

MARY. Es ist nicht von der Treppe –

STEEL. Das weiß ich. Wir sind alle aufgeregt.

MARY. Frau Unwin weint so –

STEEL – um Herrn Flanagan.

MARY *nickt und schneuzt sich.*

STEEL. Wie – wird sie den Verlust ertragen?

MARY. Furchtbar wird es werden.

STEEL. Hier – ohne Alwin Flanagan?

MARY. Ganz leer.

STEEL. Warum denn leer? Herr Unwin ist doch da – Herrn Unwins Freunde.

MARY. Herr Unwin hat doch nicht Zeit – und die andern sind so eitel. Die lachen alle nicht – die flüstern nur.

STEEL. Herr Flanagan aber konnte lachen?

MARY. Der konnte lachen. Der lachte jeden an. Er war unwiderstehlich, wie er lachte. *Ungläubig aufschauend.* Lacht er denn nun nie mehr?

STEEL. *kopfschüttelnd.* Von nun an schweigt er.

MARY. Wollte er nicht mehr –?

STEEL. Was?

MARY. Lachen.

STEEL *nach einer Pause.* Klang das wirklich so betörend – sein Lachen? Ein Frauenherz im Sturm erobernd? Wär' Ihr Herz gebrochen, kleines Fräulein Mary?

MARY *seufzend.* Ach – ich war doch keine Dame. Herr Flanagan gehörte doch den Damen. Sie stritten sich um ihn – und wer gewann, die fühlte sich als Königin. Erhaben über alles.

STEEL. Und wer gewann?

MARY *bricht in neue Tränen aus und schluchzt in ihr Taschentuch.*

Auf der Galerie kommt Unwin. Er trägt nun einen Straßenanzug.

UNWIN *auf halber Treppe einhaltend.* Sie sind noch hier?

STEEL. Das junge Mädchen macht uns Mühe – sie weint und spricht nicht.

UNWIN. Mary – fassen Sie sich doch!

Mary läuft aus dem Sessel weg nach der kleinen Tür rechts und schlägt sie laut hinter sich zu.

UNWIN *zu Steel und Tretton, der aufgestanden ist.* Es ist

doch überflüssig. Ich gebe der Presse eine ausreichende Erklärung. *Unten schlägt er den Vorhang von der Kleiderablage zurück und will nach Hut und Mantel greifen.*

STEEL. Wie soll sie lauten?

UNWIN *sich umdrehend.* Daß in einem Anfall von Schwermut –

STEEL. Schwermut?

UNWIN – sich Alwin Flanagan heutnacht entleibte.

STEEL. Auf welche Weise?

UNWIN *erstaunt.* Schoß er sich nicht –?

STEEL. Ich habe Ihnen davon nichts gesagt.

UNWIN *von einem zum andern sehend.* Nein – – doch – – das sagten Sie mir nicht?

STEEL. Es war ein Schuß. Jetzt sage ich es Ihnen.

UNWIN *wieder nach Hut und Mantel fassend.* So hätte ich auch nur berichtet. Das ist eilig.

STEEL. Herr Unwin – Sie vergaßen etwas!

UNWIN *sich wieder umwendend.* Was?

STEEL. Sie wollten uns Ihre Waffe geben.

UNWIN. Piggotts Wille, der noch nicht erfüllt ist. *Nach der großen Tür links gehend.* Ich hole sie. Ich habe sie im Safe.

Als er die Klinke niederdrücken will, ruft Steel.

STEEL. Sie brauchen sich nicht zu bemühen. Wir haben sie schon!

UNWIN *kehrt um und tritt zu Steel, der den Revolver auf der Hand hält.*

STEEL. Ist sie das?

UNWIN *sieht hin.* Ich nahm sie gestern an mich. Ich vergaß es im Schrecken der Nachricht, die Sie brachten. – Sie haben sie gefunden? Ich suchte noch vergeblich.

STEEL *verblüfft.* Wann – haben Sie gesucht?

UNWIN. Nachts. Ich verlor die Waffe, mit der ich mich vor Piggotts Doggen schützen wollte. Ich brachte Flanagan – er kürzte durch den Wald den Weg zur Stadt ab – und ich vernahm ein Kriechen im Gebüsch – ein Zweigeknacken dieser Hunde, die sich anschleichen wie die Tiger im Dschungel. Ich kenne das Geräusch – ich hatte es schon so oft gehört und mich erregt. Diesmal verlor ich die Geduld und sprang hin, wo ich solch ein Tier vermutete. Doch trat ich in ein Loch im Boden und strauchelte und mir entglitt die Waffe. Ich konnte sie nicht wieder finden – mein Diener hätte heute sie gesucht. Lag sie im Loch im Boden?

STEEL. Sie lag – in Flanagans Hand.

UNWIN *stammelnd.* Er – hat sie – sich geholt? – – Ist – umgekehrt – nachdem wir – uns getrennt? – – *Erschüttert.* Aus meiner Waffe – – fiel der Schuß!

STEEL. Ja – das ist schmerzlich: daß er nicht die Waffe, die er bei sich trug, benutzte.

UNWIN. Er trug – bei sich –?

STEEL *holt einen zweiten Revolver aus der Tasche.* Wir fanden sie bei der Durchsuchung. Hier ist sie – und voll geladen.

UNWIN *sinkt wie betäubt in den Sessel.* Was – sind das für Rätsel?

STEEL. Rätsel?

UNWIN *aufblickend.* Ist das denn kein Rätsel?

STEEL. Nein. Es ist vorgetäuschter Selbstmord.

UNWIN. Ein Mörder sollte ich gefunden haben – der Flanagan nach dem Leben trachtete?

STEEL. Ja – es ist Mord. Mit einer Kugel aus nächster Nähe. Aus diesem Lauf. – – Was haben Sie zu sagen?

UNWIN *starrt ihn an.* Vermuten Sie – – daß ich – –?

STEEL. Ja.

UNWIN. Warum – – sollte ich – –??

STEEL. Das wissen wir noch nicht. Wir sammeln erst das Material. Für diese Sammlung ist sehr wichtig – der bei dem Toten vorgefundne Brief. Die Einladung zu gestern abend. *Er zieht den Brief aus seiner Innentasche.* Sie hatten eine Auseinandersetzung vorbereitet, die stürmisch werden konnte! – *Aus dem Brief vorlesend.* Wenn wir beide Ruhe bewahren – – *Zu Unwin.* Doch dann im Walde haben Sie die Ruhe verloren – und geschossen. Das war der Ausweg aus gewissen Schwierigkeiten, den Sie zuletzt einschlugen. Der Ausweg in den Tod.

UNWIN *kopfschüttelnd.* Er hat ihn selbst gesucht.

STEEL *eindringlich.* Herr Unwin – es ist kein Selbstmord. Der Tote lag da – es war fast lächerlich, wie hier der Eindruck eines Selbstmords hervorgerufen werden sollte. Hören Sie doch zu: Herr Flanagan, der selbst bewaffnet ist, sucht im Gesträuch nach einer Waffe, die schwer zu finden ist. Sie selbst entdeckten sie nicht mehr. Weil es unmöglich ist unter dem dichten Blattwerk – auch beim halben Mond.

UNWIN. Sie ist gefunden.

STEEL. Sie war nie verloren!

UNWIN – – Ich habe kein Geständnis abzulegen.

STEEL. Bestanden keine Gründe zu einem tieferen Zerwürfnis?

UNWIN. Mit Alwin Flanagan? Nein – keine, die nicht ausgeglichen werden konnten.

STEEL. Warum sollte die Unterhaltung ohne Helen stattfinden?

UNWIN. Später sollte auch noch gegessen werden. Zusammen mit meiner Frau.

STEEL. Wie verlief das Essen?

UNWIN. Es fand nicht statt.

STEEL. Warum nicht?

UNWIN. Wir gingen vorher fort.

STEEL. Sie waren eifersüchtig – und im Wald machten Sie endlich Schluß.

UNWIN. Ich hatte keinen Grund zur Eifersucht.

STEEL *heftig*. Dann sagen Sie uns Ihren Grund, der das erklärt. Ein Mensch ist umgebracht. Wer will den grundlos töten und von Selbstmord faseln?! – Wo steckt der Grund, der diesen krassen Mord – –

Pochen an der Einlaßtür.

STEEL *mit raschem Entschluß zu Unwin*. Sie überlegen sich das noch, ob es ein Plan oder in Aufwallung geschehn. *Nach links weisend.* Was liegt dort für ein Raum?

UNWIN. Die Bibliothek.

STEEL *zu Tretton*. Herr Unwin wartet in Ihrer Obhut nebenan.

Unwin – von Tretton gefolgt – links ab.
Steel geht nach hinten und öffnet die Einlaßtür.
Draußen steht Burns – in kurzem Paletot, Schal, Handschuhen, steifem braunen Hut.

STEEL. Wer sind Sie?

BURNS. Buchhalter Burns.

STEEL. Beim wem – Buchhalter?

BURNS. Im Verlag.

STEEL. Sie kommen – zu Herrn Unwin?

BURNS. Nein. Ich hole eine Ledertasche.

STEEL. Die hier im Hause ist?

BURNS. Mit wichtigen Geschäftspapieren. Ich sollte sie gestern abend nicht mit mir tragen.

STEEL *überlegt kurz.* Kommen Sie herein.

Burns tritt ein und bleibt nach wenigen Schritten stehn.
Steel schließt die Tür – kehrt in die Halle zurück.

STEEL *sich auf den Sessel stützend – nach einer Pause.* Sie waren gestern abend hier?

BURNS. Gestatten Sie mir eine Frage: warum fragen Sie mich?

STEEL *lächelnd.* Weil es mein Amt ist. Weil das Land mich für meine Fragenstellerei bezahlt. Je mehr ich frage, umso weniger verliert das Land an Sicherheit und Gütern.

BURNS. Wie versteh' ich das?

STEEL. Ich bin ein Polizist. Ich heiße Steel.

BURNS. Sehr angenehm, Herr Steel.

STEEL *lachend.* Das hör' ich selten, daß ich angenehm bin. Ich danke schön, Herr Burns.

BURNS. O bitte – bitte sehr, Herr Steel.

STEEL *betrachtet Burns noch belustigt – dann sich räuspernd sachlich.* Es handelt sich um gestern abend. *Sich unterbrechend.* Legen Sie doch ab, Herr Burns.

BURNS. Nein – nein, mich ruft die Arbeit ins Büro.

STEEL. Gut. Setzen Sie sich wenigstens. Sie sind kein Jüngling mehr.

BURNS. Ich setze mich sehr gern. *Er läßt sich auf die nächste Truhe nieder.*

STEEL *auf der Sessellehne hockend.* Ich muß Sie noch mit einigen Worten, bevor ich Ihre Hilfe nachdrücklicher beanspruche – – Läßt Ihr Erinnerungsvermögen Sie manchmal instich?

BURNS. Mein Posten im Büro ist höchst verantwortungsvoll.

STEEL. Das zweifellos und Sie füllen ihn ganz aus. Also ich führe Sie nun ein: es hat sich ein Unglück zugetragen. Ein Freund des Hauses ist gestern nacht tot aufgefunden. Nicht weit von hier – auf der Waldstraße. Revolverschuß. Gleich tödlich. Piggotts Hunde haben ihn gefunden. Sie wissen, wer Piggott ist?

BURNS *schüttelt den Kopf.*

STEEL. Den Toten aber kennen Sie: Alwin Flanagan.

BURNS. Wer?

STEEL. Das überrascht Sie. Gestern noch vergnügt und heute steif und stumm. So ist das Leben, oft wird rasch gestorben.

BURNS. Sie täuschen sich auch nicht?

STEEL. Ist das unglaublich, daß sich Herr Flanagan –

BURNS. Getötet hat?

STEEL. Ja – das ist ganz unglaublich.

BURNS. Ein froher Mensch – und so begabt. Kennen Sie Bücher, die von ihm erschienen?

STEEL. Es ist die einzige Lücke nicht in meiner Bildung.

BURNS. Sie werden sie noch lesen. Flanagan steht erst im Anfang seiner Verbreitung. Er wird in alle Kreise dringen und sich die Leserwelt erobern.

STEEL. Nun schreibt er nichts mehr.

BURNS. Nein, er schreibt nicht wieder. Er hat die Feder weggeworfen. Den Platz verlassen, der ihm im Sonnenlichte angewiesen war. Es zog ihn zu den Schatten. Unbegreiflich.

STEEL. Ja – es stimmt traurig, wenn ein Geist wie er verlöscht wird.

BURNS. Doch die Werke leben. Die kann man nicht vernichten. Das muß trösten, wenn ein Großer stirbt.

STEEL. Das ist ein Trost für andre.

BURNS. Ein gewaltiger, Herr Steel!

STEEL. Für mich beginnt die Arbeit. Ich muß ergründen, wer Alwin Flanagan erschossen hat.

BURNS. – – Erschossen – – wurde er?

STEEL. Es traf ihn in den Rücken. Vielleicht drei Meter Abstand. Ich habe es Herrn Unwin noch verschwiegen. Man muß dem andern auch eine Chance lassen. Es gesteht sich besser, wenn man nicht alles weiß. Zu scharfsinnig macht schartig – und das Messer zerschneidet das Gewebe nicht.

BURNS. – – Was hat – – Herr Unwin – – denn damit – – zu tun?

STEEL. Scheinbar sehr wenig, hört man seine Worte.

BURNS. – – Und – – ohne – – seine Worte?

STEEL. Ist er's gewesen. – – *Vor Burns hintretend.* Was ging am Abend vor, als eine Unterredung über gewisse Schwierigkeiten stattfand zwischen Herrn Unwin und Flanagan? Wußten Sie von Schwierigkeiten?

BURNS *stockend.* Es ist – –

STEEL. Nun – was ist es?

BURNS. Geschäftsgeheimnis.

STEEL *klopft ihm die Schulter.* Herr Burns, wir wollen jedes Mißverständnis im Keim ersticken. Ich bin hier kein Herr Steel, der unerlaubte Neugier zeigt – ich verlange in meiner Beamteneigenschaft von Ihnen Auskunft. So – war das deutlich? Nun gibt es kein Geheimnis – nur schleierlose Offenheit. – Was war so schwierig?

BURNS. Der – *Er stockt.*

STEEL. Der? Munter, Burns.

BURNS. Der – Vertrag.

STEEL. Weswegen man sich nicht vertrug.

BURNS. Er – – überstieg die Kräfte – – Herrn Unwins.

STEEL. Was war denn abgemacht?

BURNS. Herr Unwin mußte zehn Jahre Herrn Flanagan zahlen.

STEEL. Wofür?

BURNS. Für seine Bücher.

STEEL. War das nicht ein Geschäft für Unwin? Sie hoben doch Flanagans Begabung in den Himmel.

BURNS. Es war noch kein Geschäft. Herr Unwin hatte sich getäuscht und sich zuviel versprochen. Von der raschen Wirkung. So war der Verlag mit dem Vertrag zu stark belastet.

STEEL. War der Vertrag in seinem Fortbestand bedroht?

BURNS. Die weiteren sechs Jahre, die der Vertrag noch lief, hätte er nicht überstanden.

STEEL. Alles hing von der Lösung des Vertrags ab?

BURNS. Alles.

STEEL. Und löste Flanagan ihn?

BURNS *schweigt.*

STEEL. Trat er von seinem Recht zurück?

BURNS *schweigt weiter.*

STEEL. Ob er verzichtete?

BURNS *hebt die Brillengläser zu ihm auf – und schweigt.*

STEEL. Ich kenne kneine Gnade. Dies ist der Kern der Sache. Wenn Sie nicht antworten, schöpfe ich Verdacht, daß Sie mir mehr verschweigen, als – –

BURNS *heftig.* Nein!

STEEL. Also was – nein?

BURNS. Herr Flanagan bestand auf dem Vertrag!

STEEL *geht befriedigt von ihm weg. Hinundher schreitend.* Und was enthält die Ledertasche?

BURNS. Meine Kontoauszüge, die gebraucht wurden.

STEEL. Sie haben die Berechnungen gemacht, nach denen alles ins schlingern geraten würde?

BURNS. Nein – gerechnet hat Herr Unwin.

STEEL. Bei den Akten?

BURNS. Seine Zettel verbrannte Herr Unwin im Kamin.

STEEL *wie angewurzelt.* Verbrannt??

BURNS *eifrig.* Ja – er zerriß sie – und verbrannte sie – vor meinen Augen!

STEEL *besinnt sich – dann stürmt er zur Tür links. Bevor er sie aufreißt, ruft er Burns, der sich erhoben, zu.* Nicht weggehn! *Links hineinsprechend.* Wir unterhalten uns hier weiter!

Unwin und Tretton treten wieder ein.

UNWIN *überrascht zu Burns.* Burns – was führt Sie her?

BURNS. Erinnern Sie sich nicht, Herr Unwin?

UNWIN *zu Steel.* Mein Buchhalter braucht eine Aktentasche, die bei mir eingeschlossen.

STEEL. Später, Herr Unwin. Herr Burns wird gehn, wenn noch der Nebel gelichtet ist, in dem wir nicht mehr lange tappen. *Unwin den Sessel anweisend.* Ihr Platz ist hier.

Unwin setzt sich in den Sessel, Tretton auf die Truhe hinten, Burns auf die Truhe links. Steel lehnt am Treppenpfosten.

STEEL. Wir haben inzwischen mehr erfahren. Den Gegenstand der Unterhaltung, zu der Herr Flanagan gebeten war. Natürlich ohne Frau. Es sollte geschäftliches besprochen werden. *Nach einer Pause.* Ein Vertrag bestand, worin vereinbart war, daß Herr Flanagan bestimmte Summen Jahr für Jahr erhalte – als Gegenwert für alle Bücher, die er schrieb.

UNWIN. Kein ungewöhnlicher Vertrag.

STEEL. Nur ungewöhnlich in der Differenz zwischen den Leistungen: Ihrer, der viel zahlte – und seiner, die wenig brachte.

UNWIN. Vorläufig wenig.

STEEL. Doch in naher Zukunft die beste Aussicht? In zwei – drei Jahren?

UNWIN. Nein – noch nicht.

STEEL. Auch in sechs Jahren nicht?

UNWIN. Auch dann noch nicht.

STEEL. So war es also ein drückender Vertrag für Sie? Sechs Jahre standen doch noch aus von zehn der ganzen Dauer!

UNWIN. Er war mir hinderlich bei andern Unternehmungen. Erwerbung wichtiger Werke mit sicherm Absatz.

STEEL. Dem stand der Flanaganvertrag im Wege?

UNWIN. Er band mir beide Hände.

STEEL. Und mit gebundenen Händen steuert man kein Schiff, das auf die Klippen rast und untergeht mit Mann und Maus. War Ihr Verlagsschiff am zerschellen?

UNWIN. Es trieb den Klippen zu.

STEEL. Mit dem Vertrag an Bord. Der schiefen Ladung.

UNWIN. Ich hatte mich übernommen.

STEEL *zu ihm tretend*. Und gestern abend sollte Ballast abgeworfen werden. Ein Vertrag gestrichen, der Sie verderben mußte. Die Rettung konnte nur von Flanagan erfolgen, der auf sein Recht verzichtete. Verzichtete Herr Flanagan?

UNWIN. So gleich – als er die Lage des Verlags erfuhr.

STEEL *verstummt*.

UNWIN *sieht ruhig vor sich hin*.

STEEL *noch verdutzt*. Das ging – ganz glatt vonstatten?

UNWIN. Wir waren Freunde. Sein Charakter war vornehm und keiner Handlung fähig, die einem andern schaden konnte. Er gierte nicht nach Ruhm und Geld und hätte lachend das letzte hingegeben, wenn man ihn bat. Er nährte sich aus andren Quellen – tiefen, reinen – die uns nicht strömen. Unversiegbar war sein Strom – wenn er auch manchmal träger trieb – er riß doch wieder hin mit seinen Fluten vorbei an grünen und erblühten Ufern. – – Das war der Mensch Flanagan – der meine Bitte hörte und erfüllte.

Es herrscht Stille.

STEEL *tief atmend*. Das war ein Todeslied – dem Freunde angestimmt – – doch wie die Grabgesänge stets auch dieser nicht von Übertreibung frei. Herr Flanagan zerriß nicht den Vertrag aus Freundestreue.

UNWIN *sieht zu ihm auf*.

STEEL *Burns anrufend*. Oder lügen Sie, Herr Burns?

BURNS. Wie – soll ich lügen?

STEEL. Daß Herr Flanagan nicht einen Zoll zurückwich von dem Recht, das ihm zustand?

BURNS. Er forderte sein Recht.

STEEL *zu Unwin*. Was sagen Sie zu diesem Zeugen?

UNWIN. Was weiß Herr Burns? Ich schickte ihn aus dem Zimmer. Ich fand ihn schlafend, als mein Gespräch mit Flanagan beendet.

STEEL *zu Burns*. Wurden Sie entfernt vorher?

BURNS *erhob sich*. Herr Flanagan verlangte es und ich begab mich – von Herrn Unwin hingeführt – in einen Nebenraum. Ich sollte indessen rauchen oder mich erfrischen.

STEEL. Und erfrischten Sie sich?

BURNS. Nein – ich hätte auch nicht rauchen können.

STEEL. Warum nicht?

BURNS. Weil – was ich hörte – so entsetzlich geschrien war, daß ich bebte.

STEEL. Wer schrie?

BURNS. Herr Flanagan schrie. Herr Unwin schrie nicht.

STEEL. Was schrie Herr Flanagan?

BURNS. Die Weigerung, mit der er diesen Antrag abwies zurückzutreten. Er wär' nicht gesonnen nur einen Penny zu verschenken. Er brauche selber jeden. Und dann kam noch schlimmres aus seinem Munde. *Er zögert.*

STEEL. Schießen Sie doch los!

BURNS. Davon sprach er – von sich erschießen. Ob man verlange, daß er sich erschieße, damit man endlich auf ihn höre. Nach seinen Büchern greife, die dann rasch verkauft sind. Ein Schuß lockt doch Neugierige an! – – – – Ich stellte mich nur schlafend, als mich Herr Unwin holte. Es mußte mir doch peinlich sein, was ich gehört hatte. Die Worte nicht – nur das Geschrei. Daß Herr Flanagan so mit meinem Chef geschrien. – – – – Jetzt mußte ich es zugeben, weil mich Herr Steel befragte. Ich tat es nur auf Befehl Herrn Steels. *Noch murmelnd.* Entschuldigen Sie, Herr Unwin. *Er setzt sich.*

Allgemeines Schweigen.

STEEL *vor sich hin*. Das war deutlich. Das macht den Vorgang deutlich. *Sich Unwin zuwendend.* Oder verhält es sich nicht so?

UNWIN. Herr Burns hat richtig zugehört.

STEEL. Wie ist es mit der Freundestreue?

UNWIN. Herr Flanagan hat sich geweigert.

STEEL. Das klingt nun anders – und es klingt nicht gut. Jetzt werden Sie mir noch bestreiten: nachdem Herr Flanagan Ihren Wünschen nicht willfahren konnte, verblaßte alle Hoffnung für eine sichere Zukunft. Ihr Haus hier wankte – Sie dachten an Ihre Frau – man denkt in solchen Fällen mehr an den Nächsten als an sich – das alles sollte um eines einzigen Menschen willen, der sich störrisch zeigte, zugrunde gehn? Von schießen fiel das Stichwort und man bewaffnet sich. Sah Flanagan das?

UNWIN. Er sah es.

STEEL. Sie hatten ja die Ausrede mit Piggotts Doggen. Sie brachten sie?

UNWIN. Ich habe ihm es so erklärt.

STEEL *nickt*. Und nun sind wir im Wald. Natürlich auf Flanagans Wunsch im Wald. Er wollte abkürzen. Er hatte ja nicht Zeit. Warum nicht?

UNWIN. Er war an diesem Abend – fast gehetzt.

STEEL. Wovon?

UNWIN *zuckt die Achseln*.

STEEL. Von *der* Aussprache. Sie hatten ihm gehörig zugesetzt – und setzten Ihr Drängen im Walde fort. Sie griffen das Thema noch einmal auf. Noch dringlicher. Da ließ er Sie stehn – und da krachte auch schon Ihr Schuß, der ihn im Rücken traf! – – Bestreiten Sie nun das?

UNWIN. Ich bestreite.

STEEL. Das habe ich erwartet. Nach allem andern war es nicht besser zu erwarten. Hier scheint Sie die Umgebung zu behindern. Wir wechseln dann den Ort. Tretton, wir brechen auf. Herr Unwin begleitet uns. *Er schlüpft schon in den Mantel.*

Tretton tritt vor die Kleiderablage und sieht Unwin fragend an.
Unwin nimmt seinen Mantel heraus und zieht ihn an. Tretton reicht ihm den steifen schwarzen Hut. Unwin schüttelt den Kopf – greift nach einer Sportmütze, die er sich reichlich tief aufsetzt. Auch Tretton in Hut und Mantel.
Steel winkt kurz.
Unwin folgt ihm – neben ihm geht Tretton.

BURNS *ist aufgestanden und spricht Unwin an*. Ich muß die Tasche haben.

UNWIN *ihm ein Schlüsselbund reichend.* Hier ist der Schlüssel. Schließen Sie das Safe auf. Bewahren Sie die Schlüssel.
BURNS. Mit aller Sorgfalt, Herr Unwin.
UNWIN. Und sagen Sie meiner Frau – *Er stockt.*
BURNS. Ich weiß es, was ich ihr zu sagen habe, Herr Unwin.
UNWIN *nickt ihm zu.*
BURNS *verneigt sich.*

Unwin, Steel und Tretton ab.
Burns geht nach der Tür links und läßt sie hinter sich halb offen.
Helen – fertig zum Ausgehen angekleidet – kommt oben und stürmt die Treppe herunter.

HELEN *schon auf der Treppe rufend.* Mary – – Mary! *Sie öffnet die kleine Tür rechts und ruft hinein.* Mary! *Nun bemerkt sie die halboffene Tür links und eilt hin.* Merton – bist du noch? – *Auf der Schwelle verwundert.* Burns – was treiben Sie denn hier? Beim Safe?
BURNS *zurückkehrend.* Ich holte die Ledertasche. Herr Unwin konnte nicht mehr selbst aufschließen. Er ist verhaftet.
HELEN. Verhaftet – –?
BURNS. Er hat Herrn Flanagan erschossen.
HELEN *zurückweichend und in den Seesel sinkend. Mit weiten Augen.* Warum – – – – warum denn – – – –??

DRITTER AKT

Vernehmungszimmer im Polizeigebäude. Geräumig, helle Wände, Möbel in neuzeitlicher Sachlichkeit. Türen – nur an ihren Nickelklinken kenntlich – hinten, rechts und links. In der Decke ein breites Milchglasfenster.
Burns – in Mantel, Schal, Handschuhen – steht bei der Tür hinten und wartet. In einer Hand hält er den steifen braunen Hut, in der andern die Ledertasche.
Links treten Steel und Tretton ein.

STEEL. Entschuldigen Sie, Herr Burns, daß wir Sie warten ließen. Wir sind nicht immer Herren unsrer Zeit. Es häuft sich manchmal. Allerhand manchmal. Doch jetzt – – Sind Sie erkältet?

BURNS. Warum soll ich erkältet sein, Herr Steel?

STEEL. Mit Mantel – dickem Schal bei diesem warmen Wetter. Herbstsonnenschein – man möchte in der Themse baden.

BURNS. Ich fühle mich sehr wohl.

STEEL. Warum dann so vermummt?

BURNS. Es ist Gewohnheit, Herr Steel. Sonst hätt' ich keinen Anlaß. Ich bin ganz gesund.

STEEL. Erhalte sich die Gesundheit jeder wie er kann! – Legen Sie ab, Herr Burns, wir gehen an die Arbeit. *Er holt aus der Schreibtischlade Bleistifte, die er vor sich aufreiht. Zu Tretton.* Es ist hier schwül wie in einem Glashaus, wo Blumenzwiebeln treiben sollen. *Nach oben blickend.* Wir machen oben auf und schaffen Durchzug.

BURNS *der inzwischen abgelegt hat und Hut und Mantel an einen Nickelständer aufhängt – sich jäh umwendend.* Nicht – nicht lüften!

STEEL. Stört Sie ein frischer Lufthauch?

BURNS. Ich könnte mich erkälten.

STEEL. Davor ist niemand sicher – und man schnupft sich aus.

BURNS. Ich darf mich nicht erkälten. – Ich bin doch allein im Büro. Herr Unwin ist abwesend.

STEEL. Sie haben Pflichtgefühl, Herr Burns – mehr als Ihr Chef jemals vergüten kann. Voraussichtlich niemals. Nach dem, was wir jetzt hören werden, sogar bestimmt nicht. *Burns einen Stuhl vorm Schreibtisch anweisend.* Setzen Sie sich mir gegenüber und lassen Sie uns sehn.

TRETTON. Er meldet sich sehr spät.

STEEL. Besser als gar nicht. Hören wir ihn an.

TRETTON *geht zur Tür. Zum Polizisten.* Der Herr soll kommen. *Er bleibt bei der Tür.*

BURNS. Wo soll ich warten, wenn Sie mit einem Herrn sprechen?

STEEL. Sie gehn nicht aus dem Zimmer. Uns wird nichts wichtiges mehr mitgeteilt. Das haben wir schriftlich. Unsre Zahlen. Setzen Sie sich an jenen Tisch – mit Mappe und Papieren. Alles muß zur Hand sein.

Burns sammelt die Papiere, Steel hilft ihm. Dann begibt sich Burns zu dem bezeichneten Tisch rechts hinten und läßt sich an ihm nieder.

Tretton – auf ein Geräusch hin – öffnet die Tür hinten: draußen der Polizist mit Wimbush.

Wimbush trägt einen leichten Staubmantel überm Arm, einen hellen weichen Filzhut in der Hand. Auch sein Anzug ist hellfarben, von feinem Stoff und bestem Zuschnitt. Das ausdrucksvolle Gesicht umrahmt ein rundgeschnittner schwarzer Vollbart.

Tretton läßt Wimbush eintreten und schließt hinter ihm.

Steel steht hinter seinem Schreibtisch.

Wimbush begibt sich hin – verbeugt sich.

Steel erwidert – fordert zum sitzen auf.

Wimbush läßt sich nieder.

Auch Steel.

Tretton auf einem Sitz bei der Tür.

WIMBUSH *nach einem Blick, mit dem er Burns gemustert hat, sich Steel wieder zuwendend.* Es ist vertraulich, was ich –

STEEL. Es ist hier niemand, der nicht zuhören dürfte.

WIMBUSH. Es handelt sich um eine Frau.

STEEL *aufhorchend.* Um Frau Unwin?

WIMBUSH. Nein. Um Frau Savil. Mora Savil lernte Alwin Flanagan in meinem Atelier kennen. Ich – *Er besinnt sich.*

STEEL. Sind Sie Maler?

WIMBUSH. Ich malte damals das Porträt von Mora Savil, das in Paris jetzt ausgezeichnet ist. Bei diesen Sitzungen war häufig Flanagan zugegen. Er liebte es bei mir im Atelier zu weilen – ich zeichnete auch seinen Kopf stets wieder. Wir wurden sehr vertraut. Er teilte mir bald alles mit, was ihn beglückte – und was ihn bedrängte. Ich komme darauf später noch zurück. *Er schöpft Atem.*

STEEL. Belästigt Sie Ihr Hut?

WIMBUSH. Durchaus nicht. – Der Vorfall, der mich zu diesem Schritt veranlaßte – er ist mir schwer geworden, denn es handelt sich um eine Dame der Gesellschaft, die ich mit Dingen in Beziehung bringe von außerordentlicher Schwere. Ich hoffe mich zu irren. Doch bin ich zu der Auffassung gelangt, daß mir der Irrtum von anderen Personen nachgewiesen werden müßte. Ich selbst darf nicht entscheiden, ob mein Verdacht berechtig oder falsch.

STEEL. Das ist auch unser Amt zu sichten und zu sondern.

WIMBUSH. Ich erzählte wie es begann. – Bei ihren mehrfachen Begegnungen im Atelier knüpften sich engre Bande zwischen Mora Savil und Alwin Flanagan. Es waren beide Menschen, die leidenschaftlich empfinden konnten. Entstand ein Brand, so würde eine Feuersbrunst aufflammen, die nichts verschonte. Ich sah das voraus und warnte Flanagan. Denn Mora Savil war verheiratet. – Doch war die Glut nicht mehr zu dämpfen. Die Warnung kam zu spät. Frau Savil gab ihren Mann auf und verließ ihn. Sie verließ sehr viel – Reichtum und ihre angesehene Stellung in ihren Kreisen. Es blieb ihr nach der Scheidung nichts. Doch Flanagan verfügte über Mittel – es bestand da ein Verlagsvertrag, der ihn sehr hoch entlohnte. So traten Alltagssorgen nicht an sie heran. Daher zog keine Wolke auf. Sie ballte sich in andrer Richtung. *Nach einer Pause.* Wie eine Flamme, die zu mächtig lodert, zu rasch den Stoff verzehrt, von dem sie ihre Glut speist – so schwand die Leidenschaft bei Flanagan. Er hatte ein Abenteuer ausgekostet bis zur Neige und war satt. Satt bis zum Überdruß. Entschuldigen kann ihn seine Jugend – sein kühnes Wesen. Ein Geist wie er fragt nicht nach dem, was folgt – ihm gilt nur das, was ist. Das schöpferische Element setzt sich in Taten wie in Werken durch. Alwin Flanagan war unteilbar – und das verleiht ihm die Bedeutung, die jetzt erkannt wird. Nach seinem Tod. Durch seinen Tod. *Wieder nach einer Pause.* Nur Mora Savil blieb entflammt. Das Weib liebt anders. Unerbittlicher. Denn es hat nur dies Leben – nicht die Werke. Das ist der Unterschied, den Alwin Flanagan übersah. Nun stand er einer Feindin gegenüber, die sich betrogen fühlte. Die den Betrug nicht dulden wollte. Die diesen Mann zwang bei ihr auszuharren – und so ihn weiter von sich wegtrieb als sie ahnte. *Nach neuer Pause.* An einem Abend kam Flanagan zu mir ins Atelier. Er war verstört wie ich ihn nie gesehn. Er brauchte mir nicht erst zu sagen, daß er vor Mora Savil floh. Er wollte fliehn. Ich mahnte zur Vernunft so gut ich konnte. Er höhnte nur: es ist zu spät für Worte. Sie droht mir überall – sie sagt es jedem, daß sie mich treffen wird – mit einer Kugel in der Brust. Und sie verfolge ihn – vielleicht nicht selbst – durch Häscher. Er lasse sich nicht niederknallen wie ein toller Hund und käme jedem Schuß zuvor. Er bat mich um die Waffe, die ich hatte, und ich lieh sie ihm.

STEEL. Von Ihnen stammt die Waffe, die wir bei ihm fanden?

WIMBUSH. Ja, es ist mein Revolver. Ich konnte ihn ihm nicht verweigern, da er am gleichen Abend noch Unwin besuchen wollte. Die Villa liegt abgelegen. Ein Wald umgibt sie. Ich riet auch ab noch nachts hinauszufahren. Doch er entgegnete: nein, heute muß alles geordnet werden – sonst kann ich nicht mehr schaffen. Wenn Unwin nicht einen Ausweg findet, bin ich erledigt. Ich werde nie mehr schreiben. Unwin soll alles Geld, das er aus dem Vertrag an mich zu zahlen verpflichtet ist, ihr geben. Dann sieht sie doch mein Opfer – daß ich nicht lebe, um zu prassen, sondern um zu schaffen. Dies Geld ist meine Rettung – es soll ihr gehören!

Es herrscht Stille.

STEEL. Und dann erlebte Herr Flanagan die bittere Enttäuschung, daß Unwin den Vertrag nicht mehr erfüllen konnte.

WIMBUSH. Er überlebte sie nicht lange – am gleichen Abend streckte ihn ein Schuß nieder. – – – – – –

STEEL *nach längerer Überlegung.* Sie kennen Frau Savil gut?

WIMBUSH. Ich möchte sagen – leider in diesem Fall zu gut.

STEEL. Weil Sie ihr zutraun müssen – daß sie auch ausführt, was sie androht?

WIMBUSH. Nach reifer Überlegung – ja.

STEEL *stützt die Ellbogen auf und denkt nach. Dann mehr vor sich hin.* Das tut ein Mann auch nicht. So ungeschickt stellt es kein Mann an. So viel versteht doch jeder von dem Gebrauch der Waffe. Und hätte er's aus Büchern, in denen Mordgeschichten stehn. Wer liest denn keine? Das müßte einer ohne Augen sein oder – *Aufstehend.* nur eine Frau, die selbst der Schuß erschreckt, legt den Revolver so hin wie er lag – und läuft davon. Nichts mehr von Überlegung – nur weg von ihm, der daliegt – vielleicht noch ächzt und blutet aus dem Rücken. Wer hält denn das aus? Eine Frau? Die stolpert über einen Grashalm in der Angst – verliert den Hut und rafft ihn gerad noch auf, um die verräterische Kopfbedeckung nicht zu hinterlassen. *Plötzlich stutzt er und bleibt vor Tretton stehn.* Dann würde es doch stimmen, was Unwin angibt? Daß er die Waffe verlor? Sie ist ihm wirklich aus der Hand geglitten, als er auf Piggotts Doggen jagte. Und Mora Savil hob sie auf – sie brauchte nach der eignen nicht zu greifen – ein andrer geriet in den Verdacht der Tä-terschaft – weibliche Schlauheit kombinierte schnell – und wäre nicht Herr Wimbush aufgetaucht –

WIMBUSH *hat sich erhoben.* Die Möglichkeit, daß ein Un-schuldiger –

STEEL. Noch ist er nicht gehängt. *An den Schreibtisch zurück-kehrend.* Wo wohnt Frau Savil?

WIMBUSH. Ich habe die Adresse aufgeschrieben. *Er zieht einen Zettel aus der Tasche.*

STEEL *liest.* Cliffton Hill. Das ist –

TRETTON *der hinzugetreten ist.* Bei St. Johns Wood.

STEEL. Das ist sehr weit. *Zu Tretton.* Sie fahren hin, Tretton. Sie laden Frau Savil zur Mitfahrt ein. Erschrecken Sie sie nicht. Dann fällt sie um und sagt uns nichts. Erfinden Sie einen Vorwand. In irgendeiner Autosache – es kann Ver-wechslung sein, doch muß sie jetzt erscheinen. Beeilen Sie sich, Tretton.

Tretton rasch hinten ab.

STEEL *zu Wimbush.* Wann haben Sie Frau Savil zuletzt ge-sehn?

WIMBUSH. Nicht mehr seit Flanagans Tod.

STEEL. Und wenn Sie ihr nun gegenübertreten?

WIMBUSH. Ich möchte das vermeiden.

STEEL. Warum?

WIMBUSH. Sie wird durch meine Aussage beschuldigt.

STEEL. Das ist peinlich. Gewiß. Sie haben sie gemalt. Das Bild hat einen Preis erhalten? In Paris?

WIMBUSH. Das Werk, das mich berühmt gemacht hat – das ohne diese Frau niemals entstanden wäre: es kommt mir – ich komme mir besudelt vor.

STEEL. Es wird sich aber nicht vermeiden lassen. Frau Savil, die so lange schweigen konnte, wird nicht gleich reden. Sträuben wird sie sich und in der Schlinge winden – dann brauchen wir Sie, um sie zuzuziehn. Sonst schlüpft die Maus uns aus. Vielleicht ist sie schon über alle Berge. Dann trifft Sie noch der Vorwurf, daß Sie zu spät den Weg zu uns gefunden haben, Herr Wimbush.

Tretton kommt eilig zurück.

TRETTON. Frau Savil ist im Haus!
STEEL. Zu welchem Zweck?
TRETTON. Sie holt sich einen Paß. Ich ging am Paßbüro vorbei. Die Tür war offen, da jemand wegging. Ich hörte den Namen Frau Mora Savil aufrufen. Ich ließ mich gleich bei dem Beamten melden und nahm den Paß an mich. *Er zeigt ihn.* Frau Savil wird aufgefordert sich den Paß hier abzuholen. Frau Savil wird gleich kommen.
STEEL. Der Vogel fliegt uns zu. *Zu Wimbush.* In letzter Stunde. Fast wäre er entflattert. Manchmal lächelt uns das Glück auch. Meist haben wir es schwerer Entwischte wieder einzufangen.
WIMBUSH. Es quält mich –
STEEL. Es geschieht nichts, was nicht nötig ist. Liegt ein Geständnis vor, fällt Ihr Namen nicht. Nur wenn sie uns quält, dann bleibt keinem Qual erspart. Kommen Sie, Herr Wimbush, Sie warten hier. *Er führt ihn zur Tür rechts.*

Wimbush ab.

STEEL *eilig zu Tretton.* Geben Sie den Paß her. Tretton – an die Tür. *Bei Burns.* Was machen Sie, Herr Burns?
BURNS. Soll ich gehn, Herr Steel?
STEEL. Nein – bleiben. Das ist unauffällig, wenn Sie noch hier sind. Sie warten auch auf einen Paß. Inzwischen gewöhnt Frau Savil sich an uns. Und dann – *Er bricht ab und eilt hinter den Schreibtisch auf seinen Stuhl.*

Es wurde hinten an die Tür geklopft.
Auf ein Zeichen Steels zögert Tretton noch.
Das Anklopfen wird wiederholt.
Nun öffnet Tretton.

Draußen steht Mora Savil.

TRETTON. Was wünschen Sie?

FRAU SAVIL. Ich bin hierher gewiesen. Nach meinem Paß.

TRETTON. Treten Sie ein. *Er läßt sie ein – weist ihr einen Stuhl rechts bei der Tür an und setzt sich links.*

Mora Savil – in einem grauen Reisekleid, das Gesicht von einem dünnen Schleier halb verdeckt – verharrt reglos. Nur manchmal zucken ihre Finger in den rostroten Wildlederhandschuhen nervös.

STEEL *der scheinbar sich beschäftigt, blickt auch nicht auf, als er endlich spricht.* Herr Burns muß sich gedulden. Sein Paß wird ihm dann später ausgehändigt. *Nun greift er nach Frau Savils Paß.* Frau Mora Savil.

FRAU SAVIL *steht auf und geht zum Schreibtisch.*

STEEL. Ich bitte sich zu setzen.

FRAU SAVIL *nimmt auf dem Stuhl ihm gegenüber Platz.*

STEEL *aufstehend.* Sie sind Frau Mora Savil?

FRAU SAVIL. Ja.

STEEL. Heben Sie den Schleier – ich muß Ihre Augen sehn.

FRAU SAVIL *tut es.*

STEEL *mustert sie aufmerksam – wendet sich wieder dem Paß zu. Dann unbetont.* Sie planen eine Reise?

FRAU SAVIL. Ja.

STEEL. Wann wollen Sie abreisen?

FRAU SAVIL. Gleich. Ich fahre von hier zur Bahn.

STEEL. Das Reiseziel?

FRAU SAVIL. Ein Ziel – ich habe keins. Ich reise.

STEEL *aufblickend.* Sie wissen nicht, wohin Sie reisen wollen?

FRAU SAVIL. Nein. Ich will nur –

STEEL. Fort?

FRAU SAVIL. Ja. Ich verlasse England – und will auf weiten Reisen mich zerstreun.

STEEL. Besondrer Anlaß?

FRAU SAVIL *sieht ihn fragend an.*

STEEL. Ich frage nach dem Anlaß, der Sie zerstreuungssüchtig macht.

FRAU SAVIL *verwundert.* Ich weiß auf diese Frage keine Antwort.

STEEL. Sie ist auch nebensächlich. *Im Paß blätternd.* Doch

eine andre, die Sie mir nicht abschlagen werden. *Aufblik-kend, ruhig.* Wo waren Sie am Abend, als Alwin Flanagan erschossen wurde?

FRAU SAVIL *starrt ihn sprachlos an. Dann stammelnd.* Wo ich – –

STEEL. Besinnen Sie sich nicht mehr?

FRAU SAVIL *verstummt ganz.*

STEEL. So lange Zeit ist doch noch nicht vergangen seit dem Tode Flanagans. Es ist doch ein Ereignis, das sich einprägt. Ihnen nicht?

FRAU SAVIL. Doch – –

STEEL. Ihnen doch besonders.

FRAU SAVIL. Mir – – ja.

STEEL. Sie wollen deshalb auch außer Landes gehn?

FRAU SAVIL *nickt.*

STEEL. Weil Sie den Abend nicht vergessen können, an dem das Unheil sich ereignete?

FRAU SAVIL *entgegnet nichts.*

STEEL. Wo waren Sie an jenem Abend?

FRAU SAVIL *atmet tief.*

STEEL. Sie wissen es nicht mehr?

FRAU SAVIL *nickt nun.*

STEEL. Wo waren Sie?

FRAU SAVIL. Ich war – –

STEEL. Nun wo?

FRAU SAVIL. Im Walde.

STEEL *lehnt sich zurück und schweigt. Dann richtet er die Augen wieder auf Frau Savil.* Sie hatten Grund Alwin Flanagan zu hassen?

FRAU SAVIL *sofort mit vollem Ausdruck.* Ich haßte ihn mit einer Glut, die mich versengte. Ich war von Rachedurst verdorrt – wie ein Verirrter, der in der Wüste taumelt. Mein Leben war durch ihn in eine Wüste verwandelt. Hoffnungslos verwelkt die Wünsche, die er einst weckte. Ich habe nicht nach Ruhm getrachtet, den ich an seiner Seite gewinnen konnte – teuer war mir das, was ich empfand. Er teilte dies Gefühl und ließ mich glauben, daß es nie sinken könnte – sondern stiege höher bis an den Himmel, wo die Sonne kreist – beständig kreist und brennend. Er log nicht – und lernte dann das Lügen. Manchmal kühn und manchmal kleinlich, um mir auszuweichen. Denn er hatte begonnen sich von mir zu entfernen. Ich gab mir nicht die Schuld. Ich hatte geopfert, was ein Mensch nur opfern konnte – ich ließ ein großes Haus instich, den Mann, der mich verehrte – und es waren keine Opfer. Ich hatte tausendfach gewonnen bei ihm, der mich aus Schatten in das weiße Licht gerufen, das schon den Glanz des Überirdischen funkelt. Ich lebte schon nicht mehr auf dieser Erde. Man kann sie schon in diesem Leben verlassen – das hatte ich erfahren. Es gibt Sterne, die in uns leuchten, wo wir beseligt wohnen. Wehe, wer aus dem Glanz vertrieben wird. Es ist ein Sturz aus einer Höhe, die unermeßlich. Man schlägt zerschmettert auf. Nicht an den Gliedern ist man verletzt, es wär' so wenig – das Fühlen ist verdorben. Das ist ein Schmerz, bei dem man nicht aufschreit – so furchtbar übt er seine Peinigung, daß man den Feind vor ihm bewahrt. Ich wollte nicht, daß einer noch so litte, wie mir dies Leiden zugestoßen war.

Stille.

STEEL – – – – Sie trugen sich mit dem Vorsatz ihn zu töten?

FRAU SAVIL. *stark.* Ja. Ich wollte töten. Aus keinem andern Grunde, als die Menschen vor ihm zu schützen. Andre Frauen. Mich plagte nicht gemeine Eifersucht. Ich wollte das Licht auslöschen, das zu hell brennt, um zu dauern. Die Nacht ist danach unerträglich!

STEEL – – Sie folgten Flanagan auf Schritt und Tritt?

FRAU SAVIL. Ich suchte die Gelegenheit!

STEEL. Günstig war sie, als Flanagan spät abends noch zur Villa Unwin fuhr?

FRAU SAVIL. Ich folgte ihm, als er vom Atelier des Malers Wimbush wegfuhr. Er fuhr zu Unwin. Ich stellte mich der Pforte gegenüber auf – unsichtbar – und harrte auf sein Wiederkommen.

STEEL. Sie brauchten nicht lange zu warten.

FRAU SAVIL. Nein. Der Besuch war kurz. Merkwürdig kurz. Ich hatte mich auf längres Warten eingerichtet und war nun überrascht. Er kam auch nicht allein.

STEEL. Herr Unwin kam mit ihm.

FRAU SAVIL. War es Herr Unwin?

STEEL. Sie kennen Herrn Unwin nicht?

FRAU SAVIL. Nein. Ich hielt ihn für einen andern Gast, der mit ihm wegging, um in der Stadt sich besser zu vergnügen.

STEEL. Die beiden Herren schlugen den Weg dann in den Wald ein. Folgten Sie den beiden?

FRAU SAVIL. Nein.

STEEL. Warum nicht?

FRAU SAVIL. Ich wollte Flanagan allein begegnen. Jetzt war er nicht allein. Ich fürchtete mich auf dem Waldweg zu verraten, der halbhell nur vom Mond beschienen war. Ich konnte straucheln – und ich war ertappt. Mein Plan gescheitert – wohl für immer.

STEEL. Was taten Sie, um doch noch in den Wald zu kommen?

FRAU SAVIL. Ich fuhr um das Gehölz, um an den Ausgang des Waldwegs zu gelangen. Ich wollte die Verfolgung nicht aufgeben. Ich mußte in dieser Nacht ein Ende machen. Ich hätte bis zum Morgengrauen überall gelauert, bis er allein war!

STEEL. Und – kam er aus dem Wald?

FRAU SAVIL. Nein. Ich wartete vergeblich. Die beiden konnten nicht vor mir den Wald verlassen haben. Es war unmöglich, ich war schnell gefahren.

STEEL. Sie – kehrten in den Wald zurück?

FRAU SAVIL. Sie mußten wieder in die Villa umgekehrt sein. Ich konnte das erfahren, wenn ich den Weg zurückging. So drang ich in den Wald ein.

STEEL. Und da begegneten Sie Flanagan, der nun allein war?

FRAU SAVIL. Nein. Er war nicht allein.

STEEL. Die beiden spazierten wie im schönsten Sonnenschein bei Nacht in feuchter Waldluft?

FRAU SAVIL. Ich verbarg mich rasch. Sie hörten nicht einmal, daß Zweige raschelten. So redeten sie laut.

STEEL. Worüber?

FRAU SAVIL. Das konnte ich nicht hören. Es brauste auch das Blut in meinen Ohren.

STEEL. Doch endlich trennten sich die beiden?

FRAU SAVIL. Ja – nachdem sie immer wieder dieselbe Strecke – es war dort eine Lichtung – auf und ab geschritten waren, ließ Flanagan ihn stehn. So wie man einen Streit abbricht. Er sah ihm nach erst, dann –

STEEL. Lassen wir ihn stehn – und sagen Sie uns, wie Sie sich Flanagan genähert.

FRAU SAVIL. Nicht einen Schritt. Ich blieb in meinem Dickicht.

STEEL. Und schossen diesen Meisterschuß aus Waldesdickicht bei erregten Pulsen?

FRAU SAVIL. Ich habe nicht getroffen.

STEEL *verblüfft.* Sie haben nicht – –? Wer hat getroffen?

FRAU SAVIL. Er.

STEEL. Wer?

FRAU SAVIL. Der andre. Ich schoß auf ihn, als er die Waffe anschlug – auf Flanagan. Ich wollte Flanagan schützen!

STEEL. Denselben Flanagan, den Sie erst töten wollten – um jeden Preis in jener Nacht?

FRAU SAVIL. Ich wollte es – kein andrer durfte es!!

STEEL – – – – Und nach dem Schuß? *Schnell.* Sie haben doch die Waffe – oder ist sie im Wald verloren?

FRAU SAVIL *entnimmt ihrer Handtasche eine kleine Pistole.* Hier ist sie.

STEEL *in Betrachtung.* Wie zierlich. Mit Perlmutt geschmückt und Silberschnörkeln. *Kopfschüttelnd.* Nein – daraus flog die richtige Kugel nicht. Die hat ein gröberes Kaliber. *Zu Frau Savil.* Entbehren Sie sie sehr?

FRAU SAVIL. Nicht mehr.

STEEL *sie weglegend.* So lassen Sie sie uns. Es hätte treffen können und diesen Fall für immer in Dunkel hüllen. Wer hätte – – Sie kennen Herrn Unwin nicht. Doch werden Sie ihn kennen lernen. Gleich. *Zu Burns hinüberrufend.* Herr Burns – wir brauchen jetzt keine Bücherlisten mehr. Wir haben einen Zeugen. Der hat die Tat gesehn!

BURNS. Soll ich dann gehn, Herr Steel?

STEEL. Um Himmelswillen – Sie sollen noch Herrn Unwin beschäftigen! *Zu Frau Savil.* Als nun Ihr Schuß krachte, erschrak der Täter nicht?

FRAU SAVIL. Die beiden Schüsse fielen zusammen – es war wie ein Schuß.

STEEL. Der andre weiß gar nicht, daß auch auf ihn geschossen wurde?

FRAU SAVIL. Ich unterschied die Schüsse selbst nicht.

STEEL. O hätten Sie ihn doch verletzt. Ein bißchen nur geritzt. Wir hätten doch ein Zeichen, an dem wir sehen könnten. Sehn muß man. Dann wird der Bau massiv – so schwankt das Kartenhaus im Winde! – Sahen Sie noch viel? Flanagan stürzte und der andre –

FRAU SAVIL. Ich sah nichts weiter. Ich floh durch die Sträucher – wie ich nachhaus kam, weiß ich nicht. Ich schloß mich ein und wollte es geträumt haben. Und heute fliehn vor dem Erwachen. In weiter Welt vergessen.

STEEL. Es wird schon gelingen, Frau Savil. Man muß den

Fächer des Lebens nur immer neu entfalten. Mit jeder Falte ein schönres Bild. Sie werden reisen.

FRAU SAVIL. Ich danke Ihnen. Mein Paß?

STEEL. Wird Ihnen ausgehändigt – nach einer Gegenüberstellung mit Herrn Unwin. Es hält nicht lange auf – ein Blick kann schon genügen. *Zu Tretton.* Herr Tretton eilt, um Herrn Unwin zu holen!

Tretton ab.
Frau Savil hat sich erhoben.
Steel kommt um den Schreibtisch.

STEEL. Herr Unwin streitet und will sich beweisen lassen. Da müht sich sein Buchhalter Tag und Nacht, um Konten auszuziehn – Buchhalter Burns, Frau Savil, die Stütze des Verlags und beste Hilfe der Untersuchung. Bisher – denn jetzt sind Sie der Stab, an dem wir schreiten ins Land des Lichts, da alles von Erklärung gleißt. Burns, zürnen Sie Frau Savil?

BURNS. Weshalb, Herr Steel?

FRAU SAVIL. Ich würde lieber Herrn Burns den Ruhm –

STEEL. Nein – seine Rolle spielt hier jeder, die ihm bestimmt ist. Indes Sie, Burns, Herrn Unwin den Geschäftsbericht erstatten – um Rat ihn fragen – sitzt hier Frau Savil. Kommen Sie, Frau Savil. *Er weist ihr einen Platz vor der Rechtswand an.* Von hier aus mustern Sie Herrn Unwin. Ist es der Mann, den Sie im Wald gesehn, so senken Sie den Schleier wieder. Dann habe ich verstanden. Dann packe ich mit Eisengriffen zu. Dann schüttle ich den Mann, bis er die Worte hergibt, die ich brauche. *Hinter seinem Schreibtisch. Den Paß schwingend.* Frau Savil, hier ist die Belohnung für gute Arbeit. *Zu Burns.* Herr Burns, verraten Sie sich nicht durch innere Erregung. Es geht um Kopf und Kragen! *Er läßt sich in den Stuhl fallen – sieht gespannt nach der Tür und beugt sich dann über den Schreibtisch.*

Tretton führt Unwin ein. Unwin trägt zu seinem blauen Anzug einen grauen Schal.

TRETTON *von der Tür aus, wo er mit Unwin bleibt.* Herr Unwin.

STEEL *scheinbar in Arbeit vertieft beachtet nicht den Eintritt Unwins.*

FRAU SAVIL *senkt den Blick zu Boden, als scheue sie sich hinzusehn.*

STEEL *dreht sich endlich Unwin zu.* Ich habe erlaubt, daß Ihr Buchhalter mit Ihnen eine Unterredung führt. Es sind die laufenden Verlagsgeschäfte, die von der Untersuchung nicht behindert werden sollen. Herr Burns will die Verantwortung für wichtige Entscheidungen nicht tragen – und kann es wohl auch nicht. Sein Pflichtenkreis ist nicht so weit gespannt. Er ist nur Buchhalter. Besprechen Sie mit ihm, was nötig ist. Sie können reden ohne uns zu stören. *Er kehrt zu seiner Scheinarbeit zurück.*

Unwin begibt sich zu Burns. Burns erhebt sich und setzt sich wieder, als Unwin am Tisch Platz genommen hat.
Nun hebt Frau Savil den Kopf und begegnet dem Blick Steels, der sie mit knapper Kopfbewegung auffordert, sich Unwin anzusehen.
Frau Savil späht mit erstem Seitenblick nach Unwin.
Unwin – der mit einer Geste Burns schweigen hieß – nimmt die Papiere fast mechanisch aus Burns's Händen und legt sie ohne Beachtung ab. Er nickt nur flüchtig und greift nach dem nächsten.
Frau Savil hat ihm ihr Gesicht nun voll zugewendet.
Steel liegt auf der Lauer.
Unwin fährt fort gleichgültig die Papiere zu betrachten.
Frau Savil kehrt sich Steel zu.
Steel blickt gespannt.
Frau Savil zuckt sacht mit den Achseln.
Steel bedeutet sie den Blick auf Unwin zurückzulenken.
Frau Savil tut es – und dann hebt sie langsam die Hand nach ihrem Schleier.
Steel duckt sich sprungbereit. Da wendet sich Frau Savil ihm wieder zu – und läßt die Hand, ohne den Schleier zu berühren, sinken.

STEEL *beherrscht sich mühsam.* Tretton – wir wollen die Zusammenkunft beenden. Sie scheint doch weniger wesentlich als sich Herr Burns es dachte. Herr Unwin äußert keinen Einspruch gegen meine Maßnahmen. Sie können mit Herrn Unwin weggehn.

*Unwin steht sofort auf und wird von Tretton hinausge-
leitet.*
*Kaum schließt sich die Tür hinter den beiden, als Steel auf-
springt und auf Frau Savil eindringt.*

STEEL. Sie haben sich in seiner Gegenwart gescheut – es ist zu
scheußlich von Angesicht zu Angesicht ein Zeugnis abzule-
gen, das die Verdammnis ausspricht. Jetzt sind wir unter
uns. Sie haben ihn erkannt?
FRAU SAVIL. Ich –
STEEL. War es der Mann im Wald?
FRAU SAVIL – bin nicht sicher.
STEEL. Sie würden nicht erklären: dieser und kein andrer?
FRAU SAVIL. In diesem Zimmer nicht.
STEEL. Warum hier nicht?
FRAU SAVIL. Hier ist ein andres Licht. Das Tageslicht zeigt
alles schärfer. Ich habe doch im Wald nicht klar gesehn. Ich
hatte nur einen Eindruck. Dieser Eindruck kehrte nicht zu-
rück – von dem, was ich im Wald erlebte.
STEEL. Dann – müssen wir es noch einmal im Wald ver-
suchen!

Tretton kommt wieder.

STEEL *zu ihm.* Tretton – wir ziehen heute abend in den Wald.
Frau Savil stört das Licht, das wir hier haben. Das Tages-
licht. Wir brauchen halben Mond.
TRETTON. Der Mond ist jetzt verschwunden.
STEEL. Dann schaffen Sie Maschinenmondlicht. Wir lassen uns
von der Natur nicht schlagen. Wir leuchten in den letzten
Winkel, wo dieser Unhold haust. Die Nacht soll ihn ent-
larven, wenn der Tag zu strahlend für seine Missetat! *Zu
Burns tretend.* Auch Sie sind gegenwärtig – mit den Papie-
ren. Es soll mit voller Wucht die Wolke sich entladen und
kein Entweichen geben. Weshalb getötet wurde und wie die
Rechnung stimmt. Der Vorteil ist erwiesen. Halbzehn am
Ort der Tat. Sie finden doch die Stelle, wo der Weg zur
Lichtung sich verbreitert?
BURNS. Ich werde mich einfinden – auf der Lichtung.
STEEL *bei Frau Savil.* Verschmerzen Sie den Reiseaufschub.
Wir können ohne Sie nicht leben und nicht sterben.
FRAU SAVIL *seufzend.* Noch einmal in den Wald?

STEEL *nach kurzem Besinnen rechts öffnend und hineinspre-chend*. Ich kann Sie jetzt entlassen.

Wimbush tritt ein.

FRAU SAVIL *erstaunt*. Geoffrey Wimbush?
STEEL *wie überrascht*. Sie kennen sich? – Herr Wimbush ist mit uns nicht einverstanden. Der alte Paß verlegt – ein neuer wird verlangt. Herr Wimbush soll sein Atelier genau durch-suchen, er wird schon finden. Fahren Sie nicht nach Paris?
WIMBUSH *verstehend*. Ja – nach Paris.
STEEL. Doch morgen erst?
WIMBUSH. Ja – morgen.
STEEL *zu Frau Savil*. Herr Wimbush begleitet Sie dann in den Wald. *Zu Wimbush*. Wir geben uns dort heut ein Stell-dichein. Bei Nacht und Nebel. Frau Savil fürchtet sich – und hat nichts zu befürchten. *Nachdrücklicher*. Nicht das ge-ringste. Wirklich nicht, Herr Wimbush. *Hinzufügend*. Wenn Sie ihr Schützer sind auf dunklen Wegen.
WIMBUSH *aufatmend*. Ich bin bereit – zu jeder Stunde.
STEEL. Die Stunde ist halbzehn. – Tretton, wir treffen alle Vorbereitungen!

Tretton öffnet hinten vor Frau Savil und Wimbush, die weggehn.
Steel legt seine Bleistifte wieder in die Schreibtischlade.

STEEL *noch Burns zurufend*. Herr Burns – Sie finden selbst hinaus! *Mit Tretton rasch links ab.*

Burns ist zum Kleiderständer getreten und beginnt sich an-zuziehn.

VIERTER AKT

Die Lichtung. Das Halbrund ist von dickstämmigen Bäumen umstanden, dichtes Gebüsch dahinter. Rechts und links vorn noch vorragende Teile des Dickichts, so daß dort stehende Personen verdeckt sind. Über dem grasbewachsenen Boden dünne Nebelschwaden.

In das anfängliche Dunkel schießt von rechts der erste Strahl eines Scheinwerfers und gleitet über die Bäume des Hintergrunds.

Ein zweiter Scheinwerfer flammt links auf: sein Strahl begegnet dem andern Strahl – beide Strahlen kreuzen sich – steigen auf und nieder – mischen sich wieder, bis eine gleichmäßige Helle über der Lichtung entsteht.

Steel – in Hut und Regenmantel – tritt hinter dem rechten Dickichtstück hervor und in die Mitte der Lichtung.

STEEL *sich umblickend.* Ist das nicht ein bißchen hell für abnehmenden Mond? Ihr müßt berechnen, daß das Mondlicht durch das Laub der Bäume noch verringert wird. Auch das ist ein Umstand, der nicht übersehn werden darf. Der Kalender allein tut's nicht, wenn er Halbmond ansagt. Aber ändert das Licht noch nicht! *Nach rechts.* Frau Savil, unterstützen Sie uns bei der richtigen Einstellung. Sie wissen, wie es damals hier aussah.

Frau Savil tritt aus dem rechten Dickichtstück und sieht sich um.

STEEL. War es so wie jetzt?
FRAU SAVIL. Nein – dämmriger.
STEEL. Wie ich vermutete. *Wieder nach rechts und links sprechend.* Zu grell. Weniger Licht. Zieht es um viele Grade ein!

Wieder entsteht unruhiges Spiel der Scheinwerfer: es schwillt ab – wogt stärker und festigt sich schließlich reichlich trübe.

STEEL. Wie auf dem Grund des Meers. Jetzt sind wir Fische. So schweigsam. Keiner gibt das Geheimnis preis. Man muß es förmlich aus den Klippen brechen. Laßt mich nur Taucher sein. Ich tauche tiefer als das Meer ist – in eines Menschen

Sinn. *Zu Frau Savil.* Frau Savil, schwelte dieser milchig grüne Schein, der an Ertrunkensein erinnert?

FRAU SAVIL. Ich hätte so nichts sehen können.

STEEL. Ich sehe Sie fast auch nicht. *Nach rechts und links rufend.* Das war zu dunkel, hellt es langsam auf. Auf halbe Kraft des ersten Zustands. Versuchen wir es so!

Zum drittenmal zucken die Scheinwerfer, bis ein mittleres Licht erzeugt ist.

STEEL. Ich könnte mir schon denken – *Zu Frau Savil.* Was sagen Sie zu der Beleuchtung? Entspricht es Ihrem frühren Eindruck?

FRAU SAVIL. Ja.

STEEL *nach rechts und links.* Nicht mehr die Scheinwerfer berühren. Wir haben einen wichtigen Schritt gemacht. Wir haben Licht. Wo Licht ist, ist auch Gnade der endlichen Erleuchtung. – Tretton!

Tretton – in Hut und Mantel – tritt rechts heraus.

STEEL. Klappen Sie den Tisch auf – die Stühle. Wir setzen uns hierhin und übersehen von hier aus alles.

Tretton winkt: zwei behelmte Polizisten kommen und stellen Klapptisch und Klappstühle im Vordergrund rechts auf. Frau Savil ist zu Steel getreten.

FRAU SAVIL. Wenn ich mich irren könnte?

STEEL. Nach diesen ungeheuren Vorbereitungen? Wir zaubern eine Mondschimmernacht, wie pfuschen frevelnd unserm ewigen Schöpfer ins Handwerk – und Sie wollen irren?

FRAU SAVIL. Ich war damals erregt.

STEEL. Erregt sind Sie auch heute, so sehen Sie mit gleichen Augen. Erst Überlegung fälscht. *Nach rechts sprechend.* Herr Wimbush!

Wimbush – in Hut und Mantel – tritt rechts heraus.

STEEL. Sie kannten doch Herrn Flanagan? Sie waren eng mit ihm befreundet?

WIMBUSH. Er – war ein naher Freund.

STEEL. Verlangt es Sie danach nicht, daß sein Tod gesühnt wird?
WIMBUSH. Ich würde alles unternehmen –
STEEL. Es wird nicht mehr gefordert, als daß Sie uns Frau Savil nicht entwischen lassen. Ich muß mich vielen Dingen vorher widmen, bis wir so weit sind. Achten Sie auf Frau Savil. *Er läßt die beiden stehn und tritt an den Klapptisch.* Herr Burns!

Burns – in seinem halblangen Paletot, dicken Schal, Handschuhen, steifen braunen Hut – tritt rechts heraus und trägt die Ledertasche.

STEEL *zu Tretton.* Wir fassen ihn. Wir fassen ihn bestimmt. Dies ist der Ort der Tat. Nicht ein verhärteter Charakter widersteht, wenn er zurückkehrt an den Schauplatz seiner wüsten Handlung. Hier floß das Blut – hier wird sein Fuß auch straucheln, wenn er die Stelle überschreitet, die getränkt ist. Er wird straucheln, Tretton – und uns in die Arme fallen, die ihn umklammern, bis die letzte Luft verströmt ist, die sein Geständnis stammelt. *Burns bemerkend.* Es steht schlimm für Sie, Herr Burns.
BURNS. Was stünde schlimm für mich, Herr Steel?
STEEL. Die Nacht ist neblig und die Nässe verbessert nicht den Aufenthalt im Freien. Sie können sich auch nicht Bewegung machen und sollen stillsitzen. Ein Schnupfen bleibt nicht aus.
BURNS. Ich würde mich nicht gern erkälten.
STEEL. Sie sollen auch als erster wieder gehn. Nur die Papiere zeigen. Als das Schlußstück der Kette von Beweisen.
BURNS. Es wäre freundlich, wenn Sie daran dächten.
STEEL. Ich schicke Sie sofort nachhaus. Jetzt setzen Sie sich hierhin. *Er weist ihm den Klappstuhl am vorderen Tischende an.*
BURNS *setzt sich und legt die Ledertasche auf den Tisch.*
STEEL *kehrt zu Frau Savil und Wimbush zurück.* Jetzt wird mir Frau Savil heimlich etwas sagen. Herr Wimbush sieht indes das Licht sich an. Es muß ein Malerauge entzücken. Tropische Urnacht, wie das farbig trieft. *Er führt Frau Savil an das Dickicht rechts vorn. Leiser.* Wo standen Sie?
FRAU SAVIL *zeigt scheu auf Burns, der nahe sitzt.*
STEEL. Das ist Herr Burns, Herr Burns vom Vormittag.
FRAU SAVIL. Ich habe ihn in Hut und Mantel nicht erkannt.
STEEL. Herr Burns hört niemals zu. Und was er hört, vergißt

er. *Lachend.* Er denkt nur an den Schnupfen, den er sich holt.

Hinter Burns. Herr Burns, Sie sollten solchen Hut nicht tragen.

BURNS. Was – ist mit meinem Hut?

STEEL. Er wärmt Sie nicht genug. Sie brauchen eine dicke Mütze von Bärenpelz mit Laschen für die Ohren. Wenn Sie sich heut erkälten, kriegen Sie die Mütze. Dann bringen Sie mir morgen Ihren Hut und tauschen ihn für eine Mütze. Abgemacht?

BURNS. Ja – wenn ich mich erkälte, bringe ich den Hut.

STEEL. Dann bleibt der Hut ein Hut der Polizei! *Zu Frau Savil.* War das genau Ihr Standort in der Mordnacht?

FRAU SAVIL. Hier stand ich hinterm Strauchwerk.

STEEL *prüfend.* Gut versteckt. Von hier aus schossen Sie?

FRAU SAVIL. Durch diese Lücke in den Zweigen.

STEEL. Schlecht gezielt. So nah und doch vorbei geschossen.

FRAU SAVIL. Ich muß getroffen haben.

STEEL. Wir haben Mantel – alles, was Herr Unwin trug, geprüft – es findet sich kein Riß. Das ist auch nicht die Spur, die wir verfolgen. Im Sand verläuft sie. Es wird wohl immer unergründet bleiben, wohin die Kugel flog. In einen Baum. Vorher durchschlug sie Blätter. Wer will die Löcher in den Blättern zählen? Im Herbst welkt alles. Was wir brauchen, sind Ihre Augen. Offne scharfe Augen, die besser zielen. Ein Blick, der sitzt und uns das Wild zur Strecke bringt, das nächtlich hier den Wald verwüstet. Kann die Jagd beginnen?

FRAU SAVIL. Ich sage, was ich sehe.

STEEL *rufend.* Herr Wimbush! *Zu ihm, der herbeigekommen ist, und Frau Savil.* Bleiben Sie dicht in der Nähe. Sobald ich winke, muß Frau Savil ihren Platz einnehmen. *Er schickt die beiden ganz vorn rechts hinaus. – Zu Tretton.* Nun Unwin. Führen Sie Unwin auf die Lichtung. Noch einmal soll das Spiel abrollen – beginnend mit dem Eintritt in die Lichtung und endend mit dem mörderischen Schuß!

Tretton geht über die Lichtung und verschwindet links.
Steel wartet inmitten der Lichtung.
Dann kehrt Tretton zurück: zwischen zwei behelmten Polizisten folgt Unwin – in Mantel, Schal und tiefgezogner Sportmütze.
Tretton tritt beiseite. Steel winkt den Polizisten, die sich in einigem Abstand aufstellen.

STEEL. Herr Unwin – was Sie erblicken, ist eine besondere Veranstaltung. Erkennen Sie darin die Unerbittlichkeit, mit der wir unsre Nachforschung betreiben. Wir haben nicht nur die Lichtung ausgeleuchtet – wir leuchten weiter bis in den letzten Winkel dieser Tat. Verbergen wird dann unnütz. Es ist schädlich. Wollen Sie vor größrem Schaden sich bewahren?

UNWIN *ruhig.* Woraus erwächst mir Schaden?

STEEL. Ich glaube nicht, Herr Unwin, daß wir uns mißverstehn.

UNWIN. Es waltet von Anfang an ein schweres Mißverständnis.

STEEL. Wollen Sie mir die Geschichte von dem verlorenen Revolver nochmals erzählen, den sich Ihr Freund dann suchte, um sich zu erschießen – und nicht die Waffe, die er bei sich trug, benutzte?

UNWIN. Ich verlor die Waffe, als ich verdächtiges Geräusch verfolgte.

STEEL. Und dabei bleiben Sie?

UNWIN. Ich bleibe bei der Wahrheit.

STEEL. Sie ist falsch wie dies Licht, das kein echter Mond ist. Doch täuscht es Mondlicht vor. Denselben Mond, der damals mit seinem fahlen Schein die Lichtung füllte. Erkennen Sie es wieder?

UNWIN *ohne umzublicken.* Ich werde es nicht wissen können.

STEEL. Warum nicht?

UNWIN. Weil ich die Lichtung nicht betrat.

STEEL *verblüfft.* Auf dieser Lichtung wurde Flanagan gefunden. In seinem Blut.

UNWIN. Ich hatte Alwin Flanagan vorher verlassen.

STEEL *ausbrechend.* Man hat Sie doch gesehn, wie Sie mit Flanagan hier sich ergingen!

UNWIN. Mich hat man nicht gesehn.

STEEL. Wen dann?

UNWIN. Das weiß ich nicht.

STEEL *achselzuckend.* Sie wollen uns die Arbeit nicht ersparen – und sich die Rechnung. Wir sind nicht billig, wenn man uns bemüht. Dazu bei Nacht. Doch grämt Sie das nicht viel. Schließlich auch uns nicht. Es ist Jagd und Hatz und höher klopft das Herz! *Zu Tretton – nach rechts zeigend.* Herr Unwin kam von dort.

UNWIN Ich kam nicht –

STEEL. Herr Unwin kam von oben. Er sprang von einem

Baum. Es ist doch einerlei, wie er hierher gelangt ist. Er war da.

UNWIN. Ich war nicht –

STEEL. Doch jetzt ist er hier. Das ist das wesentliche. Vergangenes soll ruhn vorläufig. Herr Unwin, da er nun einmal hier ist, holt den Spaziergang nach, den er mit Flanagan versäumte.

UNWIN *erregt.* Was soll das?

STEEL *scharf.* Das ist das, was Sie uns zeigen sollen. Wie Sie sich hier bewegen. Bei kargem Mondlicht. Weiter nichts, Herr Unwin! *Zu Tretton.* Wir brauchen einen Flanagan. *Zu einem Polizisten.* Miller – Sie sind Herr Flanagan. Nehmen Sie den Helm fort – setzen Sie meinen Hut auf.

Der Polizist tut es.

STEEL *zu Unwin.* Entspricht er ungefähr den Maßen Flanagans?

UNWIN. Das – ist entsetzlich.

STEEL. Aber wirkungsvoll. Darauf vertraun wir. Es kommt noch besser. Hier ist Ihre Waffe. Entladen selbstverständlich. Miller soll nicht sterben. So jung noch. Lassen Sie ihn leben – doch zielen Sie nach ihm. Wenn ich klatsche, bleiben Sie zurück und warten, bis sich Miller drei Meter weit entfernt hat. Dann schlagen Sie auf ihn an. Miller fällt. Wir sehn Flanagan im Grase liegen.

UNWIN. Das – kann ich nicht.

STEEL. Erschüttert Sie das so?

UNWIN. Die Vorstellung allein – –

STEEL. Es liegt bei Ihnen, ob Sie uns das vorführen. *Lauernd.* Oder ist es schon überflüssig?

UNWIN *sich aufraffend.* Ich werde alles tun. *Er steckt die Pistole in die Tasche.*

STEEL. Dann an die Plätze. Miller nach rechts und wenn ich klatsche, beginnen Sie die Gänge auf der Lichtung. Beim zweiten Klatschen legt Herr Unwin an. Los, Miller!

Unwin und der Polizist verschwinden im Hintergrund der Lichtung rechts.

STEEL. *rasch zu Tretton.* Er strauchelt. Er strauchelt bestimmt, wenn er auf Miller zielen soll. Er schwankt schon jetzt. Das

Rückgrat ist geknickt. Bald liegt er platt am Boden – winselnd, beichtend. *Er eilt nach rechts hinüber und winkt.*

Frau Savil kommt rechts vorn.

STEEL. Beziehn Sie Ihren Posten. Gleich erscheint er. Mit Flanagan.
FRAU SAVIL *mit unterdrücktem Aufschrei.* Mit Flanagan?
STEEL. Ein Polizist nur, der für Flanagan auftritt. Beachten Sie ihn nicht. Betrachten Sie nur Unwin. Zittern Sie denn so?
FRAU SAVIL. Noch einmal Flanagan – –
STEEL. Er ist es doch nicht. Unwin nimmt sich auch zusammen, obwohl er bebte. Er hat Grund – doch Sie?
FRAU SAVIL. Wir haben alle Grund, die Flanagan gekannt.
STEEL. Deshalb soll er gerächt sein! – Halten Sie sich gut, ich lasse Ihnen Zeit – und nicht erschrecken, was auch vorfalle. *Er verläßt Frau Savil, die durch das Dickicht späht, und hält sich noch bei Burns auf.* Schlafen Sie, Herr Burns? Ein bißchen eingenickt?
BURNS *den Kopf hebend.* Ich bin doch nicht beteiligt an dem, was auf der Lichtung vorgeht.
STEEL. Sind Sie nicht neugierig, wie alles sich entschleiert?
BURNS. Ich bin nie neugierig.
STEEL *ihm auf die Schulter klopfend.* Beneidenswerte Ruhe. Besäßen wir die alle, gäb's in der Welt kein Unrecht. Sicher die Hälfte weniger. Doch dämmern Sie nur – später sind Sie wach. *Er tritt halblinks, winkt Tretton und die Polizisten noch mehr beiseite – und klatscht in die Hände.*

Hinten rechts kommen Unwin und der Polizist. Langsam gehen sie nebeneinander über die Lichtung – kehren an ihrem linken Rande um – gehen dieselbe Strecke zurück – wiederholen diese Gänge weiter hin und her.
Steel sieht abwechselnd nach den beiden auf der Lichtung und nach Frau Savil vor dem Dickicht.
Lautlos begibt sich Steel zu Frau Savil.

STEEL *gedämpft.* Was sehen Sie?
FRAU SAVIL *sich ihm zuwendend.* Fast ist es so – wie damals.
STEEL. Warum nur fast?
FRAU SAVIL. Es fehlt etwas.
STEEL. Was fehlt?

FRAU SAVIL. Es ist nicht ganz genau so.

STEEL. Es ist nicht Flanagan. Es ist mein Hut.

FRAU SAVIL *wieder durch die Lücke spähend*. Es ist der Hut.

STEEL. Trug Flanagan ihn anders?

FRAU SAVIL. Nein – der andre.

STEEL. Unwin?

FRAU SAVIL. Er trägt jetzt eine Mütze.

STEEL. Und damals?

FRAU SAVIL. Es war ein runder – steifer Hut.

STEEL. Natürlich verändert das das Aussehn gehörig. Die flache Mütze muß unkenntlich machen. Die Mütze muß vom Kopf und – *Er tritt hervor und schreit.* Halt!

Unwin und der Polizist stehen still.

STEEL *hineilend*. Herr Unwin – war diese Mütze auf Ihrem Kopf, als Sie mit Flanagan den letzten Gang antraten? Natürlich nur bis zur Lichtung. Die Lichtung wurde nicht betreten. Trugen Sie diese Mütze? Ja oder nein?

UNWIN. Nein.

STEEL. Sondern?

UNWIN. Ich setzte einen steifen schwarzen Hut auf.

STEEL. Das wissen Sie genau?

UNWIN. Mein Diener Winston reichte mir den Hut.

STEEL. Das war Ihr Unglück. Wenn Sie gelogen hätten, wären Sie schon fertig. Dann hätten wir Sie überführt. Doch Sie gestehn die falsche Kopfbedeckung zu. Das läßt uns noch nicht ruhn. Sie wollen den Becher bis zur Neige leeren. Es sei gewährt. Wo ist ein steifer schwarzer Hut zur Stelle? *Er blickt sich um. Zum Polizisten.* Ihr Helm ist steif – doch ist ein Helm ein Helm. Man setzt ihn nicht für einen Hut auf und sagt, es ist kein Helm. Nie wird ein Helm ein Hut. *Nun fällt sein Blick auf Burns. Er geht schnell hin und zieht Burns den steifen braunen Hut vom Kopf.* Da ist er, den wir suchen. Er ist nicht schwarz – doch wählen wir nicht Farbe sondern Form.

BURNS *erregt*. Herr Steel –

STEEL *drückt ihn in den Stuhl zurück*. Ich weiß, Sie werden sich erkälten. Was habe ich versprochen? Die Bärenmütze für den Hut. Nur nicht erst morgen – wir brauchen ihn schon heute abend.

BURNS *sich halb aufstützend*. Herr Steel –

STEEL. Was ist denn? Ist der Hut so wertvoll, daß man ihn nicht berühren darf?

BURNS. Es ist mein Hut – –

STEEL. Bestreite ich das? Will ich ihn behalten? Für einige Minuten ist er ausgeliehn. Er wird auch nicht beschädigt.

BURNS. Das dürfen Sie auch nicht. Er ist noch nie beschädigt.

STEEL. Drohn ihm hier Gefahren? Auf dieser Lichtung?

BURNS *auf den Stuhl zurücksinkend – murmelnd.* Nein – ich will mich nur hier nicht erkälten.

STEEL *betrachtet ihn noch kopfschüttelnd – dann kehrt er zu Unwin zurück.* Vertauschen Sie die Mütze mit diesem Hut. Wir müssen uns beeilen. Ihr Buchhalter wird grimmig, wenn er ihm lange fehlt. Es scheint ein Zauberhut zu sein. Paßt er?

UNWIN *hat seine Mütze eingesteckt und Burns' Hut aufgesetzt.* Nicht gut. Ein wenig klein.

STEEL. Er wird den Zweck erfüllen. Rutscht er, so halten Sie ihn fest, damit er nicht ins nasse Gras rollt. Burns würde sich nie mehr beruhigen. Er hängt an ihm. Das sind so Menschenlaunen. Man muß sie achten. Wer weiß denn, was den andern freut oder schreckt? *Zurücktretend.* Jetzt wiederholen Sie den Gang.

Unwin und der Polizist gehen wieder rechts weg.
Steel steht vorn und gibt Frau Savil ein Zeichen sich auf ihren Spähposten zu stellen. Dann winkt er noch Tretton zu sich heran.

STEEL *nach einer Pause.* Ich warte – Miller!

Unwin und der Polizist kommen von rechts und überschreiten langsam die Lichtung. Links kehren sie um, erreichen den rechten Rand, wo sie nochmals kehrtmachen. Sie sind wieder fast in der Mitte der Lichtung angelangt.
Da klatscht Steel in die Hände.
Miller geht weiter.
Unwin bleibt stehn. Hastig greift er nach dem Revolver in seiner Tasche. Bei der heftigen Bewegung fällt ihm der Hut vom Kopf. Er will nach ihm greifen, verliert den Revolver – strauchelt in die Knie, als er den Hut aufheben will.
Der Polizist bleibt stehn und dreht sich um.

STEEL *im verhaltenen Triumph zu Tretton.* Er ist gestrau-

chelt! – Doch noch nicht genug. Er steht schon wieder auf.
– – Was macht er mit dem Hut?

*Unwin ist wieder auf den Beinen – will sich den Hut fester
aufdrücken. Doch gelingt es ihm dann nicht seine Hände
vom Hut zu lösen.*

STEEL *rufend.* Miller – geben Sie Herrn Unwin die Waffe
wieder!

*Der Polizist nimmt sie aus dem Gras und reicht sie Unwin.
Unwin hält seine Hände weiter am Hut.*

STEEL. So lassen Sie den Hut los!

Unwin nimmt den Hut zwischen seinen Händen herunter.

STEEL *zornig.* Sind Sie behext vom Hut?
UNWIN *rufend.* Im Hut sind Löcher. Ich bin mit meinen Fingern eingedrungen – von beiden Seiten!
STEEL. Haben Sie das angerichtet?
UNWIN. Das ist unmöglich!
STEEL *begibt sich zu Unwin in die Mitte der Lichtung. Aufmerksam betrachtet er den Hut in Unwins Händen. Dann
ruhig.* Ziehen Sie die Finger vorsichtig aus dem Hut. *Er hält
den Hut fest, während Unwin sich von ihm befreit.*

Tretton ist hinzugetreten.
*Steel zeigt ihm den Hut und vollführt kurze erklärende
Gesten.*
Tretton bestätigt nickend.

STEEL *nach vorn kommend – zu Frau Savil.* Sie haben doch
getroffen, Frau Savil. Ein wenig tiefer – und Herr Burns
war stumm. *Er nähert sich dem Tisch.*

*Burns ist aufgestanden und hinter den Tisch zurückge-
wichen.*

STEEL *setzt sich, legt den Hut auf den Tisch, verschränkt die
Arme und sieht Burns erwartungsvoll an.*
BURNS *schweigt.*

STEEL. Sie haben uns noch nichts gesagt. Sie haben immer nur geschwiegen. Sie haben wochenlang geschwiegen. Einmal muß jeder reden, der in die Sache hier verwickelt ist. Sie haben nicht das erste Wort gesucht – jetzt haben Sie das letzte.

BURNS. Ich – habe auf der Lichtung auf Herrn Flanagan geschossen.

STEEL. Wie kamen Sie dazu? War er Ihr Feind?

BURNS. Er mochte mich nicht leiden. Ich glaube, von allen Menschen haßte er nur mich.

STEEL. Woraus entstand der Haß?

BURNS. Weil ich die Bücher führte.

STEEL. Führten Sie sie falsch?

BURNS. Zu richtig. Zu genau. Ich war die Wirklichkeit, die er am liebsten ausgeschaltet hätte.

STEEL. Sie fühlten sich doch nicht bedroht?

BURNS. Daß er mich mit Gewalt vernichten könnte?

STEEL. Wenn er Sie glühend haßte?

BURNS *schüttelt den Kopf.* Auf diese Weise nicht. Er brauchte nicht die Faust zu heben, um mir den Hieb, der alles endet, zu versetzen. Er hatte andre Mittel.

STEEL. Um Ihnen Schaden zuzufügen?

BURNS. Schaden? – Meinen Untergang, den er beschlossen.

STEEL. Sagte er es Ihnen?

BURNS. Nein.

STEEL. Wie erfuhren Sie es?

BURNS. Am Abend, als die Unterredung in der Villa Unwin stattfand, war ich zugegen. Herr Unwin hatte mich bestellt mit den Papieren, die außerordentlich wichtig waren. Ich trug sie in der Ledertasche und hatte sie mir noch mit einem Riemen ums Handgelenk geschnürt. Denn Vorsicht war vonnöten. Hätte ich sie eingebüßt, konnte ein Fremder lesen, wie es um den Verlag stand.

STEEL. Es stand schlecht.

BURNS. Der Boden wankte unter Herrn Unwins Füßen. Er konnte nur befestigt werden, wenn die Belastung sich verringerte. Am meisten drückte der Vertrag mit Flanagan. Er mußte schwinden – und dann bat Herr Unwin um die Entlastung. Herr Flanagan aber schlug sie ab und wollte jeden Penny haben, der ihm versprochen war. Das hörte ich durch die geschloßne Tür. So schrie Herr Flanagan.

STEEL. Sie hatten die Vergeblichkeit der Bitten Herrn Unwins nebenan belauscht.

BURNS. Ich hörte alles. Dann holte mich Herr Unwin und schickte mich nachhaus. Die Ledertasche ließ ich da, ich sollte sie am nächsten Morgen holen.

STEEL. Und gingen Sie nachhaus?

BURNS. Nein. Ich ging nicht. Ich stellte mich im Dunkel bei der Villa auf und ließ das Tor nicht aus den Augen.

STEEL. Sie warteten auf –?

BURNS. Ich wartete auf Flanagan. Ich wollte noch mit ihm reden.

STEEL. Was wollten Sie mit ihm besprechen? Geschäftliches?

BURNS. Nein – menschliches. Doch er kam mit Herrn Unwin und ich konnte mich ihm nicht nähern.

STEEL. Sie wünschten ihn durchaus allein zu sprechen?

BURNS. Ja. Ohne Aufschub. Ich fühlte, daß es sonst zu spät war. So schlich ich den beiden Herren in den Wald nach, als sie den kürzeren Weg zur Stadt einschlugen. Der Weg war so wie jetzt vom Mond beschienen – ich mußte mich im Schatten halten, um nicht entdeckt zu werden. Einmal knackten am Boden dürre Zweige unter meinen Schuhen – da kehrte Herr Unwin um und suchte nach der Dogge, die hier streifte. Doch ich war es, der das Geräusch verursacht – und hinter einem Baum verborgen stand. Fast neben mir zerteilte Herr Unwin das Gebüsch – dabei entglitt die Waffe seiner Hand. Ich brauchte mich dann nur zu bücken, um sie aufzuheben. Ich wollte sie am andern Tag Herrn Unwin wiederbringen, wenn ich die Ledertasche holte – ich hätte morgens sie im Wald gefunden.

STEEL. So kam die Waffe in Ihre Hand.

BURNS. Ich steckte sie zu mir und setzte die Verfolgung fort. Ich hatte Glück. Noch vor der Lichtung machten die Verfolgten halt und nahmen Abschied voneinander. Herr Unwin ging zurück, ich duckte mich beiseite – dann eilte ich Flanagan nach. Ich holte ihn auf der Lichtung ein.

STEEL. Hier – auf der Lichtung.

BURNS. Hier. Als er mich hörte, drehte er sich erschreckt um und griff in seine Tasche, als packe er dort etwas – und lachte laut, als er mich sah. Soll ich Sie Hasenfuß beschützen? Fürchten Sie sich im Wald? So hatte er mein Kommen sich gedeutet. Ich klärte bald das Mißverständnis auf. Ich bin gekommen, um zu bitten, daß Sie auf den Vertrag verzichten. Es handelt sich um Geschäfte mitten in der Nacht, rief er, kann denn ein Buchhalter nur an Geschäfte denken?

Es handelt sich um Menschen, belehrte ich ihn, Menschenleben stehn auf dem Spiel. Man spielt nicht mit Menschenleben. Wenn der Verlag fällt, sinken viele in den Strudel. Ich habe eine Frau, die krank ist. Sie braucht Pflege und eine Reise nach dem Süden, um hier nicht zu ersticken. Sie erstickt, wenn ich die Reise nicht mehr bezahlen kann. Es geht auf Tod und Leben. – – Er hörte mich auch an und ging auf dieser Lichtung mit mir hin und her und überlegte es sich alles, wie ich merkte. Doch plötzlich blieb er stehn und schrie mich an – ich hörte keine Worte und nur die laute Stimme, die mich mit meinem Flehen abwies. Er kehrte mir auch gleich den Rücken und ging weg. Es wirbelte in meinem Hirn – Blutwellen klatschten hinter meinen Schläfen. Was hatte er zuletzt gesagt: er würde nichts mehr schreiben – leer sein Kopf? Da hatte ich schon auf ihn angelegt und abgedrückt. – – Dann legte ich die Waffe in seine Hand.

STEEL. So wurde er gefunden. Es sollte Selbstmord sein.

BURNS *nickt.*

STEEL. – – – – – – Kaltblütig kommen Sie am nächsten Morgen in die Villa, wo wir schon sind und einen andern beschuldigen.

BURNS. Ich wußte doch nicht, daß der Mord entdeckt war.

STEEL. Dann hörten Sie es doch?

BURNS. Ich konnte nicht mehr zurück.

STEEL. Zu feige, um zu gestehn?

BURNS. Ich dachte an die, die zuhause lag. Es wäre alles doch umsonst gewesen, wenn ich jetzt Schwäche zeigte.

STEEL *nach einer Pause nach dem Hut greifend.* Sie hörten nicht den zweiten Schuß, der auf Sie abgegeben wurde?

BURNS. Ich hörte nichts.

STEEL. Und wie erklärten Sie sich die Löcher in Ihrem Hut, die Sie dann sauber – doch nicht fest genug – verklebten?

BURNS. Ich eilte aus dem Wald und stieß an Äste, die mir den Hut durchbohrten.

STEEL. Und wann erfuhren Sie den wahren Ursprung?

BURNS. An diesem Vormittag.

STEEL. Und scheun sich nicht noch mit dem Hut hier aufzutauchen?

BURNS. Ich wagte nicht mir einen andern zu besorgen. Ich fürchtete, daß es auffallen würde. Es wurde auch vorhin ein steifer Hut verlangt. So war die Rede auf den Hut gekommen. Wenn ich nun einen neuen vorgewiesen hätte? Den Hut vom Vormittag beseitigt, den Sie doch gut gesehn? War das nicht verdächtig?

STEEL. Zu große Vorsicht bringt den schlausten um. Ist nicht die Frage überholt, ob Sie ein neuer Hut verraten hätte? Genügt hat dieser!

Ein Polizist tritt zu Steel und befragt ihn leise. Steel nickt. Polizist rechts ab.

STEEL *gibt Burns den Hut.* Setzen Sie auf. Sie können sich erkälten.

BURNS *nimmt ihn und behält ihn in der Hand.* Es hat nun keinen Sinn mehr. Ich komme nicht mehr nachhaus.

STEEL *aufstehend.* Nein, Burns!

Helen betritt die Lichtung und geht rasch zu Unwin. Unwin drückt stumm ihre Hand und legt den Arm um ihre Schulter.

BURNS. Kann ich Herrn Unwin die Ledertasche übergeben?

STEEL. Beeilen Sie sich. Die Nebel steigen. Uns durchtränkt die Nässe. Miller – mein Hut!

Der Polizist bringt ihm den Hut. Steel setzt ihn auf und zieht Handschuhe an. Der Polizist stülpt wieder seinen Helm auf.

BURNS *hat sich Unwin und Helen genähert.* Herr Unwin – Sie sahen heute vormittag nicht die Papiere an. Ihr Blick blieb stumpf. Sie dachten an den toten Flanagan. Flanagan ist nicht tot. Er ist lebendiger als er im Leben war. Der Tod hat seine Lebenskraft vertausendfacht. Nun zieht er immer weitere Kreise – wie ein Stein, den man ins Wasser warf. Das sollen Sie aus den Papieren lesen.

UNWIN *nimmt ihm die Ledertasche ab.*

BURNS *sich Frau Unwin zuwendend.* Vergelten Sie nicht meiner Frau, was ich Herrn Unwin angetan. Sie wird nicht lang mehr leben. Es ist doch schlimmer, als ich mir eingestehen wollte. Wer läßt von seiner Hoffnung? Wer nicht mehr hofft, verbreitet auch den Tod. Ich kann das Sterben ihr nicht mehr erleichtern. Erleichtern Sie es ihr. Sie soll nicht hier ersticken, sondern im Süden sanft hinübergehn. Sie soll schon morgen reisen – es ist mein letzter Wunsch.

HELEN. Ich sorge, Burns, für Ihre Frau.

BURNS. Das Wort begleitet mich in meine Nacht und hellt sie auf. Ich fühle meine Strafe nicht – und bin bereit. *Er blickt nach Steel.*

STEEL *lebhaft.* Frau Unwin, diesmal führen Sie Herrn Unwin ab. Wir sind von Burns beansprucht!

Unwin, der seine Sportmütze wieder aufsetzt, und Frau Unwin entfernen sich nach rechts von der Lichtung.

STEEL *zu den Polizisten.* Klappt das zusammen. Wir wollen heim!

Die Polizisten tragen Klapptisch und Klappstühle rechts weg.

STEEL *zu Tretton.* Ich folge, Tretton. Gehen Sie mit Burns voran!

Tretton winkt den Polizisten, die zu Burns traten.
Burns hat seinen Hut aufgesetzt und verläßt hinter Tretton und zwischen den Polizisten links die Lichtung.
Vorn rechts steht noch Frau Savil. Wimbush ist zu ihr getreten. Beide verlassen das Dickichtstück.

STEEL. Ich habe noch auf Sie gewartet, Frau Savil.

FRAU SAVIL *betroffen.* Weshalb erwarten Sie mich noch?

STEEL. Nehmen Sie Ihren Paß. *Er zieht ihn aus der Tasche und gibt ihn ihr.* Ich habe nichts mehr gegen Ihre Reise einzuwenden. Ist jetzt ein Reiseziel gefunden? Besuchen Sie Ihr Bild doch in Paris. *Zu Wimbush.* Ist es nicht in Paris?

WIMBUSH *zu Frau Savil.* Es ist verkauft. Ich würde es gern noch einmal sehn.

FRAU SAVIL. Das ist ein Ziel. *Zu Wimbush – lächelnd.* Ich habe Lust mich in Paris zu sehn. *Mit Wimbush über die Lichtung rechts ab.*

STEEL *allein inmitten der Lichtung stehend – nach links und rechts rufend.* Beleuchtet noch die Wege, bis alle aus dem Wald verschwunden sind. Die Lichtung braucht kein Licht mehr! *Nun eilt er nach links ab.*

Wie zu Anfang spielen die Scheinwerfer: die gleißenden

Strahlen gleiten über die Baumstämme des Hintergrunds – kreuzen sich – trennen sich – wenden sich nach rechts und links und leuchten nach außen.
Die Lichtung liegt im Dunkel.

1938

DER SOLDAT TANAKA

Schauspiel in drei Akten

PERSONEN

TANAKA
YOSHIKO, *seine Schwester*
GROSSVATER TANAKA
VATER TANAKA
MUTTER TANAKA
WADA
WIRTIN
PFÖRTNER
VIER MÄDCHEN IM FREUDENHAUS
UNTEROFFIZIER UMEZU
VORSITZENDER
BEISITZER
VERTEIDIGER

DORFLEUTE
OFFIZIER, UNTEROFFIZIER UND SOLDATEN DES
KRIEGSGERICHTS

In der armseligen Hütte des Reisbauern Tanaka.
Aus lichtlosem Winkel dringt ein Gemisch von Lauten, die
wie klägliches Hundewinseln klingen – dann als rasselndes
Röcheln aus erstickender Menschenbrust zu kommen schei-
nen – zuletzt zu schrillem Schrei sich erheben – – und wieder
wimmern, ächzen und klagen.
Die Hüttentür wird geöffnet: draußen steht Mutter Tanaka
– ein Reisigbündel auf dem Rücken, das sie an einem Strick
festhält. Nun bückt sie sich nach ihrem Korb, den sie ab-
gestellt hatte, um den Türriegel wegzustoßen, und tritt ein.
Am Herd – ein niedriges Steingefüge – entledigt sie sich
ihrer Bürde. Sie nimmt den breiten, flachen Strohhut ab und
läßt den gerafften Rock über die bloßen, dürren Beine her-
unter.
Danach taucht sie einen Lappen in einen Wassereimer –
wringt ihn halb aus und wendet sich dem Winkel zu, wo die
Geräusche unvermindert andauern.
Die Hüte ist jetzt erhellt von dem durch die offene Tür ein-
dringenden grellen Sonnenlicht.
Im Winkel bückt sich Mutter Tanaka über eine Schütte Reis-
stroh und schlägt eine zerlumpte Decke zurück.

MUTTER TANAKA. Aufwachen – Großvater. Hast heute genug geschlafen – kannst morgen weiter schlafen. Da weckt
dich niemand, bis du nicht rufst. Aber das würde uns niemals vergeben werden, wenn wir dich heute nicht weckten.

Mit Mutter Tanakas Hilfe richtet sich Großvater Tanaka
zum sitzen auf: sein Oberkörper ist entblößt – ein fast
fleischloses Gerippe.

MUTTER TANAKA. Niemals, Großvater. Deshalb muß ich dich
auch heute waschen. Ich muß dich blank waschen wie ein
geschältes Reiskorn. Wie ein weißer Fischbauch sollst du

glänzen – von einem Fisch, der im Wasser tanzt. *Sie fährt ihm mit dem Lappen über den Schädel und glättet die wenigen weißen Haarsträhnen.*

GROSSVATER TANAKA *starrt aus verängstigten Augenschlitzen gradaus.*

MUTTER TANAKA *ihm nun den Oberkörper waschend.* Hast geträumt?

GROSSVATER TANAKA. Von – – Reis.

MUTTER TANAKA. Hast keinen Reis gehabt? Hast schlecht geträumt?

GROSSVATER TANAKA. Viel Reis. Überall Reis. Reis hinten – Reis vorne. So viel Reis – wie ich wollte.

MUTTER TANAKA. Da hast du doch einen schönen Traum gehabt. Bedanke dich für den Traum.

GROSSVATER TANAKA. Keinen – – Mund hatte ich. Ich konnte meinen Mund nicht finden. Mein Mund war weg.

MUTTER TANAKA. Noch keinem hat der Mund zum essen gefehlt. Auch dir nicht. Wenn er nur Reis hat.

GROSSVATER TANAKA. Ich hatte bestimmt keinen Mund.

MUTTER TANAKA. Und hast du ihn jetzt?

GROSSVATER TANAKA *kläglich.* Aber den Reis nicht mehr.

MUTTER TANAKA. Den wirst du heute haben, bis dir der Magen schwer wie ein Stein wird. *Sie legt den Lappen weg und hält ihm einen verschlissenen ärmellosen Kittel hin.* Zieh' an.

GROSSVATER TANAKA. Warum soll ich mich anziehn?

MUTTER TANAKA. Kannst auch mal raten.

GROSSVATER TANAKA. Weil es Reis gibt?

MUTTER TANAKA. Reis ist großartig. Aber wegen Reis ist es nicht.

GROSSVATER TANAKA *schnüffelnd.* Nach Fisch riecht es. Es ist der Fisch, den euch der Kaufmann geschenkt hat. Ein alter Fisch.

MUTTER TANAKA. Der Fisch ist frisch – und der Kaufmann verschenkt nichts.

GROSSVATER TANAKA. Nicht Fisch, nicht Reis – was geschieht denn noch gewaltigeres in der Welt?

In der Hüttentür erscheint eine Frau: elend gekleidet wie Mutter Tanaka – doch ohne Traglasten.

DIE FRAU *atemlos.* Euer Sohn kommt nachhaus?

MUTTER TANAKA *herumfahrend.* Bist du ihm begegnet?

DIE FRAU. Der Kaufmann verkündet's im Laden. Er hat euch

den fettesten Fisch gegeben und den Reis ohne hinsehn gewogen.

MUTTER TANAKA. Er hat für alles Bezahlung genommen.

DIE FRAU. Aber er hat dir mehr gegeben.

MUTTER TANAKA. Warum hat er das gesagt?

DIE FRAU. Weil – ich um eine Handvoll Reis bettelte. Um eine halbe Handvoll. Um ein paar Fischköpfe. Nicht um den kleinsten ganzen Fisch – oder einen faulen Fisch, von dem seine gelbe Katze wegläuft. Es sind doch nur Fischköpfe, um die ich gebeten habe!

MUTTER TANAKA. Und hast du sie erhalten?

DIE FRAU. Er braucht sie für das Gewicht. Sonst ist der Fisch nicht gewichtig – hat er mir erklärt. Er hat mir alles erklärt: gewiß ist der Fischkopf ein minderwertiger Genußgegenstand und man sollte ihn auf den Mist werfen. Aber das würde den Fischpreis verteuern, wenn nur das Fischfleisch ohne den Fischkopf gewogen würde. Schließlich könnte keiner mehr Fischfleisch kaufen, weil es zu teuer ist.

MUTTER TANAKA. Das kann man einsehen.

DIE FRAU. Wie hätte ich Mutter Tanaka den dicken Fisch so billig lassen können – wenn ich vorher den Kopf abgeschnitten hätte, um ihn dir zu schenken? Dann hätte Mutter Tanaka von ihrem guten Geld noch ein Geldstück hinlegen müssen. Und so gewissenlos handelt ein ehrlicher Kaufmann nicht, der den einen Kunden mehr bezahlen läßt, um den andern zu beschenken.

MUTTER TANAKA. Ein Kaufmann muß viel überlegen.

DIE FRAU. Zuletzt hat er gesagt: – hol' dir den Fischkopf von Mutter Tanaka. Die werden heute keinen Fischkopf essen. Die schlucken heute weichen Reis und das Fischfleisch macht ihn noch zarter.

MUTTER TANAKA *nimmt den Fisch aus dem Korb.* Da ist der Fisch.

DIE FRAU *die Hände zusammenschlagend.* So könnt ihr euern Sohn bewirten?

MUTTER TANAKA. Der wird ihm schmecken. Oder ist es ein schlechter Fisch?

DIE FRAU. Das ist der größte Fisch, den ich je gesehen habe!

MUTTER TANAKA. Ein saftiger Rücken wie von einem Ferkel.

DIE FRAU. Lass' mich ihn heben. *Sie nimmt ihn.* Ja – der hat Gewicht.

MUTTER TANAKA. Acht Pfund.

DIE FRAU. Er wäre wohl ohne Kopf nicht zu bezahlen gewesen.

MUTTER TANAKA. Er hat vier Yen gekostet.

DIE FRAU. Er schickte euch so viel Geld?

MUTTER TANAKA. Wer?

DIE FRAU. Euer Sohn.

MUTTER TANAKA *nach dem Fisch greifend*. Gib mir den Fisch. *Sie legt ihn auf den Herd*. Ich werde niemand an diesem Tage, da unser Sohn kommt, mit einem Fischkopf abspeisen. Wenn du um die Mittagszeit wiederkommst, sollst du mit uns essen.

DIE FRAU *scheu*. Ich könnte mich nicht sättigen –

MUTTER TANAKA. Bring' deine Leute mit. Ich habe damit gerechnet, daß wir heute nicht allein bleiben werden.

DIE FRAU *stößt einen leisen Freudenschrei aus und eilt weg*.

Großvater Tanaka, der mit offnem Munde zugehört hatte, versucht nun sich aufzurichten.

MUTTER TANAKA *sich hinwendend*. Wohin strebst du denn?

GROSSVATER TANAKA. Zur Tür.

MUTTER TANAKA. Was willst du bei der Tür?

GROSSVATER TANAKA. Vor der Tür sein, wenn –

MUTTER TANAKA. Wenn was?

GROSSVATER TANAKA. Der Soldat Tanaka kommt.

MUTTER TANAKA *bei ihm und ihn niederdrückend*. Das sind die Ehren, die wir ihm erweisen. Du bist zu schwach, um vor der Tür zu stehn.

GROSSVATER TANAKA. Ich werde nicht diese Hütte beschämen, in die der Soldat Tanaka tritt – und niederliegen.

MUTTER TANAKA. Du hättest nicht hören sollen, was die Frau spricht. Jetzt regst du dich mächtig auf.

GROSSVATER TANAKA. Aber ihr hättet es mir verschwiegen und mich vor seinen Augen in die Schande gebracht.

MUTTER TANAKA. Weil es dich nicht vorher überwältigen sollte.

GROSSVATER TANAKA. Mich überwältigt nur die Schande, nicht bei seiner Ankunft an der Tür zu stehn und mich vor ihm bis zur Erde zu verneigen.

MUTTER TANAKA. Er wird es dir nicht als Schande auslegen.

GROSSVATER TANAKA. Er muß es, weil er Soldat ist. Das ist er dem schuldig, was er ist. Deshalb führe mich zur Tür.

MUTTER TANAKA. Du machst nicht zwei Schritte.

GROSSVATER TANAKA *nach einem vergeblichen Versuch.* So trage mich über die Schwelle.

MUTTER TANAKA. Wie soll ich dich tragen können, die unter einem Reisigbündel taumelt?

GROSSVATER TANAKA *scheltend.* Du bist die Frau meines Sohnes und sollst mir gehorchen.

MUTTER TANAKA. Ich gehorche dir, aber ich kann dich nicht tragen.

GROSSVATER TANAKA. Du willst nicht!

MUTTER TANAKA. Ich will gerne, wenn ich noch Kräfte hätte.

GROSSVATER TANAKA. Warte, bis mein Sohn kommt, der dein Mann ist – er soll dich prügeln, weil du mir den Gehorsam verweigert hast.

Es kommt Vater Tanaka: auch er eine abgezehrte Gestalt in halblangen Hosen und zerfetztem Kittel.

GROSSVATER TANAKA. Lass' sie dir nicht entschlüpfen und greif' dir einen Stecken!

VATER TANAKA. Einen Stecken?

GROSSVATER TANAKA. Da – vom Reisig.

VATER TANAKA. Was soll ich mit dem Reisigstecken?

GROSSVATER TANAKA. Ihr den Rücken streichen, auf dem sie mich nicht forttragen will.

MUTTER TANAKA *an Vater Tanaka vorbeigehend.* Er bricht mir das Rückgrat, wenn ich ihn auflade. Wer kocht dann? Bring' ihn zur Ruhe.

GROSSVATER TANAKA. Kannst du sie nicht festhalten?

VATER TANAKA. Wie kann ich sie festhalten – wenn ich Flaschen in beiden Händen habe? *Er hebt die Flaschen, die er mitbrachte, hoch.*

GROSSVATER TANAKA *vom Anblick der Flaschen bezaubert.* Flaschen –?

VATER TANAKA *zu ihm gehend und sich neben ihm niederhockend.* Kannst dich noch erinnern, wann wir zuletzt so ein Fläschchen in der Hütte hatten?

GROSSVATER TANAKA *glotzt sprachlos.*

VATER TANAKA *belustigt.* Hast fast vergessen, wie Flaschen aussehn. Wirst rasch wieder wissen, wo der Flaschenhals ist und das Loch im Hals.

GROSSVATER TANAKA. Keine – leeren Flaschen?

VATER TANAKA *an seinem Ohr eine Flasche schüttelnd.* Hör'
– wie das singt.

GROSSVATER TANAKA *verklärt.* Schöner – als eine Gitarre.

VATER TANAKA. Und jeder kann sie spielen, das ist das
schönste.

GROSSVATER TANAKA *wieder zornig und nach dem Herd
weisend, wo Mutter Tanaka Reisig knickt und Feuer entfacht.* Jetzt läßt sie dir keinen Stecken für die Schläge, die
sie verdient hat!

VATER TANAKA *begütigend.* Sie muß doch Feuer machen.

GROSSVATER TANAKA. Feuer – das kann sie später machen,
nachdem du sie –

VATER TANAKA. Sie muß kochen und mit allem rechtzeitig
bereit sein.

GROSSVATER TANAKA. Und warum hast du mir gestern noch
nichts gesagt?

VATER TANAKA. Gestern?

GROSSVATER TANAKA. Oder hält ein Soldat seinen Einzug –
wie ein Hündchen über die Schwelle springt?

VATER TANAKA. Er hat eine Karte geschrieben, die uns heute
früh gebracht wurde. Du schliefst noch, sonst hätte ich sie
dir vorgelesen.

GROSSVATER TANAKA. Wo ist die Karte?

VATER TANAKA. Du kannst nicht mehr lesen.

GROSSVATER TANAKA. Aber die Karte fühlen, die er beschrieben hat.

VATER TANAKA *nestelt sie aus seinem Gürtel, glättet sie und
gibt sie ihm.*

GROSSVATER TANAKA *betastet sie fast ehrfürchtig.*

VATER TANAKA. Er hat drei Tage Urlaub und kann einen
davon bei uns sein. Die beiden andern braucht er für den
Weg.

GROSSVATER TANAKA. Er wird einen ganzen Tag hier sein?

VATER TANAKA. Diese Ehre wird uns zuteil, ihn einen Tag in
unsrer Hütte zu beherbergen. *Er steckt die Karte wieder ein
und steht auf.*

GROSSVATER TANAKA. Und wirst du mich vor die Tür
tragen?

MUTTER TANAKA. Er will sich draußen in den Staub verneigen.

VATER TANAKA. Was fällt dir ein? Wie sollen wir dich stützen, wenn wir uns verneigen?

MUTTER TANAKA. Er schluckt nur Staub.

VATER TANAKA. So ist es. Du hängst zwischen uns und bei der ersten Verbeugung entgleitest du uns und stürzst auf dein Gesicht. Da liegst du und der Soldat Tanaka springt hinzu und kniet sich hin. Und was tust du? Du hustest ihm eine Ladung Erde ins Gesicht – nicht ins Gesicht bloß. Das wäre nicht das schlimmste, denn es ist sein Gesicht – das hat er von uns erhalten und ist nicht viel wert. Doch was ihm nicht gehört und mehr wert ist als alles, was wir auf dem Leibe haben – ein Knopf hat höheren Wert als unsere Kittel und Reisstrohhüte. Und jeder Knopf gehört dem Kaiser. Dich würde der Soldat Tanaka mit einem Fußtritt wieder in den Staub befördern, weil du den Knopf bestäubtest. Er müßte die Schwelle meiden, vor der ihm solche Schmach bereitet wurde. Dann tritt er nicht in unsre Hütte und ißt den Fisch und Reis mit uns und leert mit uns die Flaschen.

GROSSVATER TANAKA *verschüchtert.* Versprich mir –

VATER TANAKA. Was soll ich dir versprechen?

GROSSVATER TANAKA. Ihm nichts davon zu sagen, daß ich vielleicht gehustet hätte.

MUTTER TANAKA. Du hättest bestimmt gehustet.

GROSSVATER TANAKA. Verbiete ihr, mich zu verraten. Sie hat doch auch die Schläge nicht gekriegt.

VATER TANAKA. Doch würde sie sie kriegen, wenn sie ein Wort verriete!

Auf der Türschwelle ein andrer zerlumpter Reisbauer. Der Mann – in großer Schwäche – stützt sich an einem Bambusstab.

DER MANN. Stimmt es, was die Frau sagt?

VATER TANAKA. He – von welcher Frau sprichst du?

DER MANN. Die's jedem zuruft, der es hören will.

VATER TANAKA *freudig verschmitzt.* Und was will jeder hören?

DER MANN. Es kommt der Sohn Tanaka, der bei den Soldaten ist.

VATER TANAKA. Kannst du's nicht glauben? – Tritt mal näher!

DER MANN *kommt in die Hütte.*

VATER TANAKA. Sieh dich mal um! *Nach dem Herd zeigend.* Sieh das da! Was ist das?

DER MANN *stumm vor Erregung.*

VATER TANAKA. Fisch ist das. Zwischen Schwanz und Kopf ein feister Fisch, der nie gehungert hat. Das Meer macht alle satt. Das kann die Erde nicht. Die Erde ist ganz ohnmächtig, alle satt zu machen. Dich nicht und mich nicht – unser ganzes Dorf nicht. Es ist die Erde, die uns verdorren läßt. *Mit Füßen den Boden stampfend.* Warum sind wir nie satt? Wer leert uns die Gedärme und schält das Fleisch von unsern Rippen? Die Erde ist's. Verfluchte Erde! – – Und hältst du das hier nicht für Reis? Dann bist du stockblind. Und taub. Ich würde Reis rieseln hören, wenn sich die Körner reiben. Oder quält dich das Geräusch, weil du so lange keinen Reis gehabt?

DER MANN *staunend.* Wollt ihr das alles essen?

VATER TANAKA *auf die Flaschen zeigend.* Und dazu trinken. Ohne Durst – nur so. Wir wollen uns berauschen. Fröhlich werden und singen. *Aus seinem Gürtel zwei Zigarettenpäckchen kramend.* Und was ist das?

MUTTER TANAKA *hinzutretend.* Was hast du noch geholt?

GROSSVATER TANAKA *zeternd.* Lass' mich's auch sehn!

VATER TANAKA. Was die Soldaten rauchen – Zigaretten. Ich habe mir es nicht erst vom Kaufmann sagen lassen müssen, der mich nicht ohne Zigaretten fortgehen lassen wollte. Ich hätte sie gefordert. Genau zwei Päckchen, wie er mir riet. Zwei Päckchen sind nicht zu viel für einen Soldaten, er pafft sie bald leer. *Nachdrücklich.* Wir könnten ohne Zigaretten ihn nicht empfangen!

MUTTER TANAKA. Zerbrich sie nur nicht in deinem Gürtel. *Sie kehrt an den Herd zurück.*

VATER TANAKA *zum Mann.* Wozu hätt' ich nun Reis, Fisch und Wein geholt – die Zigaretten? Kannst du mir einen neuen Grund angeben, den ich nicht einmal weiß? Ich weiß nur, daß ein Soldat Tanaka uns die Ehre gibt, der unser Sohn ist.

DER MANN. Dir hat der Kaufmann alles – so gegeben?

VATER TANAKA. Natürlich hat er's mir geben müssen.

DER MANN. Für den Soldaten Tanaka lieh er es?

VATER TANAKA. Lieh er?

DER MANN. Und der Soldat Tanaka bezahlt es ihm.

VATER TANAKA *abbrechend.* Jetzt öffne ich die Flaschen. Wenn es dich später nach einem Schluck gelüstet, wird er dir nicht verweigert sein.

DER MANN. Wir werden alle gerne einen Schluck trinken. Jeder nur einen Schluck, dann reicht es auch für alle.
VATER TANAKA. Ja – jedem einen Schluck.
DER MANN. Das ganze Dorf soll trinken!
VATER TANAKA. Das kannst du überall verkünden.
DER MANN. Weil der Soldat Tanaka gekommen ist. *Er eilt aus der Hütte. Draußen stutzt er. Er späht in die Ferne. Nun kehrt er auf die Schwelle zurück und ruft in die Hütte. Er ist es, der zwischen den Reisfeldern kommt! Danach rasch ab.*

VATER TANAKA *die Flaschen verlassend.* Zwischen den Reisfeldern kommt er.
MUTTER TANAKA *den Herd verlassend.* Zwischen den Reisfeldern kommt er.
GROSSVATER TANAKA *sich auf seiner Strohschütte halb aufrichtend.* Zwischen den Reisfeldern kommt er.

Vater Tanaka und Mutter Tanaka verlassen die Hütte und stellen sich draußen nebeneinander auf.
Großvater Tanaka späht gespannt nach der Tür.
Nun beginnen Vater und Tanaka und Mutter Tanaka sich zu verneigen.
Dann tritt der Soldat Tanaka ins Blickfeld und erwidert die Verneigungen.

VATER TANAKA. Es wird deinen Großvater Tanaka in der Hütte freuen, wenn du auch seine Verneigungen erwiderst.
TANAKA. Er muß sich gedulden, bis ich meine Stifel ausgezogen habe.
MUTTER TANAKA *bückt sich.* Ich will sie dir ausziehn.
TANAKA. Das kannst du nicht. Es sind Schnürstiefel, wie du sie noch nicht gesehen hast.
MUTTER TANAKA *scheu.* Schnürstiefel.
VATER TANAKA. Nein – Schnürstiefel haben wir noch nicht gesehen.
TANAKA *entledigt sich der Stiefel, die er seitlich auf die Schwelle stellt. Er tritt in die Hütte, nimmt die Mütze ab und nähert sich der Strohschütte im Hüttenwinkel.*
GROSSVATER TANAKA *auf Knien hockend.* Du mußt mir die erste Verneigung lassen.
TANAKA. Ich bin der jüngere.

GROSSVATER TANAKA. Du bist nicht jung und nicht alt – du bist der Soldat Tanaka und der ersten Ehrung würdig. *Er verneigt sich.*

TANAKA *verneigt sich.*

GROSSVATER TANAKA *schwankt und will vornüber stürzen.*

TANAKA *fängt ihn auf.* Jetzt mußt du dich schonen, Großvater – und stillsitzen.

VATER TANAKA *hinzu.* Ist er nun doch zusammengesunken und hat dich mit seinem Speichel befleckt? *Zu Mutter Tanaka.* Bring' den Lappen und verwische den Schaden.

TANAKA. Es hat keinen Schaden verursacht.

VATER TANAKA. Und an der Tür wollte er dir entgegentreten und den ganzen Staub aufwühlen.

TANAKA. Noch mehr Staub? Davon habe ich genug geschluckt. So staubig habe ich die Wege hier noch nie gesehn. Allerdings, wenn kein Regen fällt, muß solch Staub entstehn. Und wann ist hier der letzte Regen gefallen?

MUTTER TANAKA *mit Vater Tanakas Hilfe Großvater Tanaka in sitzende Stellung bringend.* Dich töten wirst du und das Fest verderben. Vor einem Toten fliehen alle aus der Hütte.

TANAKA. Es gibt ein Fest, Großvater – halte dich frisch. *Lachend.* Das sollt ihr sehen, was wir für ein Fest veranstalten. *Er eilt zur Tür, schwingt seine Mütze und stößt laute Zurufe aus.*

Entgegnung von draußen.

TANAKA *wieder in der Hütte.* Ich komme nicht allein. Wir haben uns Urlaub zu einem bestimmten Zweck genommen. Wir hätten ihn auch für die Stadt gekriegt. Wir aber machten uns auf die weite Reise, um einen Tag hier zu verbringen. Es wird ein wichtiger Tag. Bevor es Abend wird, ist etwas wichtiges geschehn. Sehr wichtiges! *Er wartet auf Wirkung seiner Worte.*

VATER TANAKA *zu Mutter Tanaka.* Was kann hier wichtiges geschehn?

TANAKA. Dann rät es Mutter besser. Das ist mehr für eine Mutter. Was soll, wenn einer einen Kameraden mitbringt, dem er vertraut wie keinem andern – –

Vor der Tür der Soldat Wada.

TANAKA *zur Tür.* Jetzt spreche ich von dir – jetzt wissen sie, wer mitkommt. Du trittst in unsre Hütte nicht als ein Unbekannter ein.

WADA *zieht seine Stiefel aus und stellt sie zu Tanakas Stiefeln.*

TANAKA. Tritt ein.

WADA *kommt in die Hütte.*

TANAKA. Dies ist mein Kamerad Wada. Wir wurden gute Freunde. Wir dienen in derselben Kompanie – wir schlafen in derselben Stube – und wo der eine ein Vergnügen hat, hat's auch der andre.

WADA. Alles das ist wahr.

TANAKA. Dies ist mein Vater – dies ist meine Mutter.

Verneigungen werden zwischen den Vorgestellten ausgetauscht.

TANAKA *bei Großvater Tanaka, den er festhält.* Dies ist Großvater – meines Vaters Vater. Er steht nicht mehr auf, um sich zu verneigen.

WADA *verneigt sich.*

GROSSVATER TANAKA *zu Vater Tanaka.* Verneig' dich noch einmal. Du bist mein Sohn und sollst für deinen Vater –

TANAKA *beschwichtigend.* Ja – er verneigt sich für dich.

Vater Tanaka und Wada verneigen sich nochmals voreinander.

TANAKA *lustig zu Wada.* Jetzt sind wir eingeladen uns zu setzen. Wir machen es uns leicht. Was nicht gebraucht wird, kommt an einen Nagel. *Er hängt zuerst seine Mütze auf – dann schnallt er den Ledergürtel mit dem Seitengewehr los und hängt ihn neben die Mütze.*

WADA *folgt seinem Beispiel und will nun noch den Brotbeutel abstreifen.*

TANAKA *ihn verhindernd.* Den brauchen wir.

Unterdessen hat Mutter Tanaka eine Matte auf dem Boden ausgebreitet – Vater Tanaka Becher hingestellt.

TANAKA *Wada zuflüsternd.* Da – leere Becher. Wenn wir nun nichts in unsern Beuteln hätten?

WADA. Sie macht auch Feuer auf dem Herd.

TANAKA. Unser Dörrfisch wird sie überraschen.

WADA. Gut, daß wir Schnaps und Dörrfisch haben.

TANAKA. Sie haben es erwartet. *Kichernd.* Nur wollen wir sie ein wenig zappeln lassen. *Zur Matte tretend und sich niederlassend.* Dies ist mein alter Platz.

Auch Vater Tanaka und Wada hocken sich nieder – Mutter Tanaka kniet.

TANAKA *mit der flachen Hand über die Matte streichend.* Die alte Matte.

MUTTER TANAKA. Wir hätten uns eine bessere leihen können.

VATER TANAKA. Das haben wir vergessen.

TANAKA. Nein – nein, ich wünsche mir keine andre.

MUTTER TANAKA. Wer hätte uns auch eine bessere geben können?

VATER TANAKA. In unserm Dorf hat keiner eine bessere.

TANAKA. Ich lese in dieser Matte wie in einem Buch. Wada – siehst du diesen Fleck hier? Er hat die Form von einem Frosch – da ist die Fliege, nach der er springt. Erkennst du sie?

WADA. Fliege und Frosch – genau so.

TANAKA. Und beide entstanden an einem Tag des Überflusses. Wir hatten auf der Matte von allem, was wir wünschten. Es war ein Feiertag. Nur was für ein Feiertag, das weiß ich nicht mehr. *Zu Vater und Mutter Tanaka.* Erinnert ihr euch?

VATER TANAKA. An Überfluß?

TANAKA. Es standen gehäufte Schüsseln da.

VATER TANAKA. Wann standen hier gehäufte Schüsseln?

MUTTER TANAKA. Hier standen nie gehäufte Schüsseln.

TANAKA. Dann schien es mir so, weil ich so klein war – und mein Hunger so groß, daß jedes Reiskorn zu einem Berg anschwoll!

WADA *stimmt in sein Lachen ein.* Erzähl' noch mehr!

TANAKA. Hier fehlt ein Stück der Kante. Weil ich die Fasern auszupfte und kaute – wenn's manchmal nichts gab. Weniger als nichts. Nicht einmal Wurzeln. Wie alt war ich damals, als auch die Wurzeln nicht reichten?

VATER TANAKA. Wir haben es so oft erlebt, daß auch die Wurzeln fehlten.

MUTTER TANAKA. Dann waren wir zu schwach, um Wurzeln auszuwühlen.

TANAKA. So war es Baumrinde, die nicht mehr aufzutreiben war – und ich aß Fasern von der Matte. Geschmeckt hat's auch wie Rinde. Von einem Kirschbaum – nur wären mir die Kirschen lieber gewesen!

WADA *der wieder mit Tanaka lachte.* Erzähl', Tanaka – dir hört man gerne zu.

TANAKA *zu den andern.* Vernehmt ihr das? So klingt es überall, wo ich auftauche. In der Kaserne – wenn wir rasten, auf dem Marsch: erzähl', Tanaka. Als ob ich närrisch wäre.

WADA. Niemand schilt dich närrisch.

TANAKA. Oder einfältig. Gut – ich bin einfältig. Ich habe eine stille Seele. Ich brüste mich mit keinem Aufruhr, den ich anzettle, wenn mich jemand zwickt. Er soll mich zwicken. Zwicken kann ich auch – doch laßt uns einmal sehn, wenn sie was großes – was überwältigendes zuträgt.

WADA. Wann soll sich etwas überwältigendes zutragen?

TANAKA. Wenn es sich zuträgt – wer dann nicht zwickt?

WADA. Du zwickst nicht?

TANAKA. Nein – ich ließe es beim zwicken nicht bewenden.

WADA. Und was ist mehr als zwicken?

TANAKA *lachend.* Gar nichts ist mehr – und wieder hat Tanaka erzählt. Und jetzt ist Tanaka vom vielen Erzählen durstig und will trinken. Es gibt doch was zu trinken? Oder, Wada, hast du nichts trinkbares im Beutel?

WADA. Wenn du nichts hast, so hab' ich auch nichts.

TANAKA. Dann lass' uns sehn.

Bevor sie ihre Beutel öffnen können, hat Vater Tanaka die Flaschen herbeigeholt.
Tanaka und Wada sehen verblüfft zu, wie Vater Tanaka die Becher füllt.
Mutter Tanaka trägt Großvater Tanaka einen Becher hin.

TANAKA *seinen Becher in der Hand.* Du schenkst uns Wein ein?

VATER TANAKA. Trinkt ihn mit Freude!

Alle trinken.

TANAKA *zu Wada.* Hat dir das geschmeckt?

WADA. Wem schmeckt Wein nicht?

TANAKA. Nicht jedem.

WADA. Wem nicht?

TANAKA. Der keinen hat. *Zu Vater Tanaka.* Ihr habt – Wein?

VATER TANAKA. Ihr könnt noch aus der andern Flasche trinken.

TANAKA. Und da ist eine dritte.

VATER TANAKA. Die hat den Wein der ersten.

TANAKA. Und eine vierte.

VATER TANAKA. Die ist wie die zweite. Wie diese. Willst du von diesem Wein?

TANAKA. Mit Freuden, da euch der Wein so reichlich beschert ist. – Füll' auch Wada den Becher.

Mutter Tanaka versorgt Großvater Tanaka und trinkt nun selbst den zweiten Becher.

TANAKA. Es ist lustig sich so mit Wein zu laben.

WADA. Du hältst den Becher hin – und er füllt sich mit Wein.

TANAKA. Versuchen wir es noch einmal.

WADA. Diesmal mit geschlossenen Augen.

Vater Tanaka gießt von neuem ein.

TANAKA. Jetzt Augen öffnen.

WADA. Hast du das nun erzählt – oder ist's Wahrheit?

TANAKA. Alles, was ich erzähle, ist reine Wahrheit. *Er trinkt.*

WADA *trinkt ebenfalls.*

Auch die andern trinken.

MUTTER TANAKA *stellt ihren Becher hin.* Ich habe genug getrunken. Ich würde nach dem nächsten Becher betrunken sein. Wer sollte kochen? *Sie begibt sich an den Herd.*

VATER TANAKA. Es wäre schändlich, wenn dir das Mahl mißriete.

GROSSVATER TANAKA *scheltend.* Du sollst sie prügeln, bis sie heult!

TANAKA *halblaut zu Wada.* Hast du verstanden?

WADA. Deutlicher war's nicht zu sagen.

TANAKA. Sie rasselt mit der Pfanne.

WADA. Sie legt Reisig nach.

TANAKA. Da wird der Dörrfisch bald weich.

WADA. Jetzt wollen wir die Beutel leeren und zeigen, was wir bringen!

Mutter Tanaka kehrt zur Matte zurück – den großen Fisch in Händen.

MUTTER TANAKA. Seht ihn euch erst einmal an, bevor ich ihn in die Pfanne lege.

TANAKA. Ist das – ein frischer Fisch?

MUTTER TANAKA. Er riecht noch nach dem Wasser, aus dem er vor ein paar Stunden gezogen ist – so frisch ist er. Mit seinen Augen sieht er vielleicht noch, so glänzen sie. Plumpst er jetzt ins Wasser, schwimmt er davon. Es hat noch keinen frischeren Fisch in eines Menschen Hand gegeben.

TANAKA *zu Wada.* Wie urteilst du?

MUTTER TANAKA. Der Finger drückt sich nicht ins Fleisch ein.

WADA *versucht es.* Das Fleisch ist fest – wie frisches Fleisch ist.

MUTTER TANAKA. Seid ihr nun überzeugt, daß es kein Dörrfisch ist – den jeder Hund benäßt hat? Man weiß doch, wo beim Kaufmann die Fässer stehn. Da streifen Hunde von weit her, um das Faß zu nässen.

Endlich brechen Tanaka und Wada in ein schallendes Gelächter aus.

TANAKA. Wir haben Dörrfisch mitgebracht – und waren noch stolz auf unsre Last im Beutel!

MUTTER TANAKA. Dörrfisch gibt's heut' nicht. Ich hätte dir heute keinen Dörrfisch vorgesetzt. *Sie kehrt an den Herd zurück.*

TANAKA. Auch Schnaps schien uns die reine Herrlichkeit – und du bewirtest uns mit Wein!

VATER TANAKA. Mit gutem Wein und nicht mit schlechtem Schnaps.

TANAKA *zu Wada.* Nun können wir auch unsre Beutel ablegen. *Er erhebt sich.*

WADA *ebenfalls aufstehend.* Wir sind recht jämmerlich.

TANAKA. Es fuhr mir so heraus. Ich hätte einfach nichts erwähnen sollen. Bist du mir böse?

WADA. Wenn's sonst nichts schadet?

TANAKA. Sonst?

WADA. Du weißt schon. *Beide hängen ihre prallen Brotbeutel zu ihren Mützen und Seitengewehren.*

TANAKA. Jetzt gib mir eine!

WADA *sucht in seinen Taschen.*

TANAKA. Hast du keine?

WADA. Natürlich hab' ich welche. Ich habe sie doch eben gekauft.

TANAKA. Verloren?

WADA. Wie kann ich sie verlieren, wenn ich sie einsteckte? Haben Taschen wie unsre Löcher? *Sich vor die Stirn schlagend.* Ich habe sie nicht eingesteckt. Der Kaufmann schwatzte – er lobte die Uniform und faßte alles mit seinen schmierigen Fingern an. Ich machte kurzen Abschied und ließ das Päckchen liegen. Jetzt hole ich's. *Er nimmt seine Mütze vom Nagel.*

TANAKA. Lass' mich zum Kaufmann laufen. Die Sonne brennt so.

WADA. Brennt sie dich weniger?

TANAKA. Du bleibst in der Hütte.

WADA. Wer hat das Päckchen vergessen?

TANAKA. Rauchst du allein? *Sie halten einander zurück.*

VATER TANAKA *hinzutretend.* Hier sind zwei Päckchen.

Mutter Tanaka und Großvater Tanaka sehen in atemloser Spannung zu, wie Vater Tanaka die Zigarettenpäckchen anbietet.
Es herrscht Schweigen.

TANAKA *staunend.* Zigaretten! – *Zu Wada.* Hier sind ja Zigaretten! – *Wieder zu Vater Tanaka.* Ich schicke Wada zum Kaufmann. Ich sage, es ist ein kleiner Umweg – indessen begrüße ich meine Eltern – hol' du die Zigaretten. Er geht und – als walte hier das Schicksal – läßt seine liegen. Weil Zigaretten hier sind!

VATER TANAKA. Und richtig beschaffte ich zwei Päckchen.

TANAKA *zu Wada.* Er hatte dich vorausgesehn. *Nun gibt er ihm ein Päckchen.* Das soll für dich sein. *Das andre nehmend.* Das ist mir bestimmt. *Dankende Verneigungen der beiden, die Vater Tanaka erwidert.*

GROSSVATER TANAKA *aufgeregt zu Mutter Tanaka hinüber.* Jetzt rauchen sie!

Tanaka und Wada zünden sich Zigaretten an.

WADA *stößt Rauch durch die Nase.*
GROSSVATER TANAKA. Was macht er?
VATER TANAKA. Stör' ihn nicht, wenn er raucht. *Zu Mutter Tanaka tretend.* Vergiß das Kochen nicht.

Wada raucht eifrig.
Tanaka tritt unter die Tür und sieht in die sonnenheiße Landschaft hinaus.

TANAKA *schleudert die halbe Zigarette weg und wendet sich Vater Tanaka zu.*
VATER TANAKA. Willst du jetzt wieder Wein?
TANAKA. Ich will jetzt keinen Wein – ich will nur fragen. Stimmt das nicht mit der Hungersnot?
VATER TANAKA. Heute ist keine Hungersnot.
TANAKA *beharrlich.* Die Hungersnot – von der die Zeitungen berichteten. Ich las die Zeitungen. Es wurde der Distrikt, in dem ihr wohnt, am häufigsten genannt. Das Elend, das dort herrsche, solle unbeschreiblich sein. Noch schlimmer als in früheren Jahren, als wir die Wurzeln gruben. Was die Dürre nicht versengte, spülte der Wolkenbruch weg. Zu wenig Wasser – zu viel Wasser wieder. Alles gemacht, um Mißernte zu erzeugen, die nichts am Halm läßt. Blieb denn nichts am Halm?
VATER TANAKA. Am Halm blieb nichts.
TANAKA. Das Los des Reisbauern – hieß ein Artikel. Den konnte ich nicht zu Ende lesen. Ich mußte doch meinen Dienst verrichten. Den kann man nicht verrichten, wenn man zuviel weiß. Ich weiß nicht, warum ich das sage. Ich sagte mir aber, daß es genügt zu wissen: die Hungersnot ist angebrochen – es darben meine Leute. Da bleibt nur übrig: täglich ein Stückchen Dörrfisch sammeln und von der Löhnung für Schnaps zu sparen. Ich tat das und komme mit gefülltem Beutel her – und als ich ihn ausschütten will, ist alles überflüssig. Ihr habt den besseren Fisch – den milden Wein – den klaren Reis. Kann das ein Reisbauer nach einer Mißernte kaufen?
VATER TANAKA. Das kann er nicht.
TANAKA. Doch hier ist Fisch und Reis und Wein!

VATER TANAKA. Zum kaufen brauchst du Geld – sonst nichts. Nur Geld.

TANAKA. Und woher kommt es, wenn die Ernte ausfiel?

VATER TANAKA. Woher Geld kommt – – – –

MUTTER TANAKA. Großvater trinkt noch einen Becher.

VATER TANAKA *füllt einen Becher, den er dem Alten in den Winkel bringt.*

TANAKA *zu Mutter Tanaka.* Woher stammt denn das Geld?

MUTTER TANAKA. Er hatte noch etwas übrig aus alter Zeit. Er wollte dir einmal, wenn du als Soldat kommst, ein Fest bereiten.

TANAKA *sieht unschlüssig von einem zum andern.*

VATER TANAKA *wieder bei ihm.* Das hat dir deine Mutter gut gegeben. Jetzt kommst du als Soldat. Den letzten Yen habe ich dafür ausgegeben – nun klimpert keine Münze mehr in meinem Kittel. Und sollte ich's nicht tun? He – willst du mich beschämen? Ich brauche nicht groß zu essen, weil ich in Lumpen stecke – doch du, der ein Soldat ist, muß haben, was er will. Willst du nicht Zigaretten? So muß ich sie beschaffen.

TANAKA *wieder fröhlich.* Ja – eine Zigarette soll mir jetzt schmecken.

WADA *zündet sie ihm an. Nachdem Tanaka ein paar tiefe Züge getan hat, stößt er ihn mit dem Ellbogen an.*

TANAKA. Was heißt das?

WADA *blinzelnd.* Was soll's heißen.

TANAKA. Nun was?

WADA *gedämpft.* Wo ist sie

TANAKA. Wo – *Zu Vater Tanaka.* Wo ist Yoshiko?

VATER TANAKA. Wo – Yoshiko ist?

TANAKA. Ruf' doch Yoshiko?

VATER TANAKA *zum Herd.* Wo ist Yoshiko?

WADA. Erklär' jetzt, weshalb ich hier bin. Die Mutter soll es ihr dann sagen. So geht es rascher.

TANAKA. Was ist viel zu sagen: Wada will Yoshiko heiraten. Er kennt sie aus meinen Worten. Es war oft von ihr die Rede. Zuletzt entschied er sich und ließ an seinem Entschluß nicht rütteln: ich wünsche mir keine andre zur Frau als die Schwester meines besten Freundes. Er will sie gleich nach seiner Dienstentlassung zu sich holen. Yoshiko wird mit ihm glücklich sein. Ich weiß, wer Wada ist. Ihr könnt sie ihm für eine frohe Zukunft geben.

WADA. Und ich weiß, wer Tanaka ist – und ehre seine Schwester seit langem. Ich ehre seine Eltern, die diese Tochter haben.

TANAKA. Gebt sie ihm.

VATER TANAKA *zu Mutter Tanaka.* Wo – ist Yoshiko?

MUTTER TANAKA *herantretend.* Yoshiko ist abwesend. Yoshiko ist nicht hier. Yoshiko ist im Gebirge. Yoshiko verließ uns vor einiger Zeit. Yoshiko fand hier nichts zu essen – was sollte da Yoshiko tun? So ging sie ins Gebirge.

TANAKA. Einfach ins Gebirge?

MUTTER TANAKA. Nicht einfach ins Gebirge. Yoshiko ließ sich ins Gebirge führen. Yoshiko ging nicht allein. Nie wäre Yoshiko allein so weit gegangen. Sie ging zu einem Bauern ins Gebirge, der eine Dienstmagd suchte. So fand er Yoshiko. Er hätte nicht lange zu suchen brauchen, es wären alle ihm gefolgt. Doch ihm gefiel Yoshiko mehr als die andern. Sie dient nun bei dem Bauern im Gebirge.

TANAKA. – – Ist das weit, wo sie ist?

MUTTER TANAKA. Das ist hoch hinter vielen Bergen.

TANAKA. – – Bleibt sie lange?

MUTTER TANAKA *zu Vater Tanaka.* Nach wieviel Jahren schickt er sie zurück?

VATER TANAKA. Ich zählte Geld, als er das sagte.

TANAKA. Er zahlte – dir Geld?

MUTTER TANAKA. Er zählte sein eigenes Geld – von dem er Fisch und Wein einkaufen wollte, wenn du kommst.

VATER TANAKA. Hatte ich einen andern Gedanken?

MUTTER TANAKA. Ich müßte lügen, wenn ich's anders sagte. *Sie kehrt an den Herd zurück.*

Jetzt erscheinen in der Tür die ersten zerlumpten Gestalten von Dorfbewohnern, die Vater Tanaka an der Schwelle zurückhält.

TANAKA *zu Wada.* Was sollen wir tun?

WADA. Du nichts.

TANAKA. Und du?

WADA. Ich steige ins Gebirge, wenn ich frei bin, und hole sie mir doch!

Nun wird Tanaka auf die Vorgänge in der Tür aufmerksam.

TANAKA. Warum läßt du sie nicht eintreten?

VATER TANAKA. Sie sollen eintreten.

TANAKA. Aber du scheuchst sie von der Schwelle.

VATER TANAKA. Werden sie nicht eure Stiefel umstoßen, wenn sie einander drängen? *Zu den Dorfleuten.* Es sind Schnürstiefel, wie sie noch keiner von euch gesehn hat. Wartet – ich werde sie vor euren nackten Füßen in Sicherheit bringen! *Er nimmt Flaschen und Becher von der Matte weg. Zu Mutter Tanaka.* Rolle die Matte zusammen.

MUTTER TANAKA. Wollen wir denn nicht essen?

VATER TANAKA. Es wird nichts von dem übrig bleiben, was du gekocht hast. Aber wir wollen es in Frieden verzehren. *Nachdem Mutter Tanaka die Matte beseitigt hat, läßt Vater Tanaka von der Decke eine Querstange herab, an der einige Reisstrohbündel hängen. Diese entfernt er und schleudert sie in eine Ecke. Dann holt er die Schnürstiefel von der Schwelle und hängt sie an die Stange. Zu den Dorfleuten.* Dringt noch nicht ein. Wenn ihr hinten die Wände streift, könntet ihr mit euren lumpigen Kitteln mit so herrlichen Dingen in Berührung geraten, daß ihr vor Scham in den grauen Erdstaub versinken möchtet. *Nacheinander trägt er die Mützen, die ledernen Gürtel mit den Seitengewehren, die prallen Brotbeutel herbei und befestigt sie an der Stange. Schließlich windet er die ganze Last in die Höhe und knotet den Strick an seinem Wandhaken fest.* Jetzt kann jede Furcht schwinden. Nicht der geringste Schaden kann mehr zugefügt werden. Nicht einmal ein heftiger Atemstoß trifft und erschüttert. Da ist alles über unsern Köpfen. *Zu Tanaka und Wada.* Geschieht es zu eurer Zufriedenheit?

TANAKA *mit Wada sich verneigend.* Alles, was eben geschah, geschah zu unsrer höchsten Zufriedenheit.

VATER TANAKA *verbeugt sich ebenfalls. Nun zur Tür.* Es besteht kein Anlaß mehr euch den Eintritt zu verwehren.

Langsam schiebt sich nun diese ausgemergelte Menschenschar, die inzwischen durch neuen Zulauf zu einem dichteren Haufen von Männern, Frauen und Kindern angewachsen war, in die Hütte und nimmt die ganze hintere Hüttenwand ein.

VATER TANAKA. Ihr erblickt nicht nur den Soldaten Tanaka – es ist sein Kamerad, den ihr noch seht. Verneigt euch vor beiden!

Die Dorfleute verneigen sich – Tanaka und Wada erwidern.
Und auch Mutter Tanaka drehte sich um und verneigte sich
noch einmal tief – Großvater Tanaka auf seiner Schütte
Stroh buckelt eine mühselige Verbeugung.

TANAKA *die lastende Stille brechend – laut und lustig zu*
Wada. Das sind die Nachbarn. Jeden kenn' ich. Jetzt stehn
sie da, als kennten sie mich nicht. *Zu einem Mann tretend*
und ihm die Schulter rüttelnd. Habe ich einen andern Kopf
bekommen?

DER MANN. Du hast denselben Kopf.

TANAKA. Wie du mich angaffst, bin ich ein andrer.

DER MANN. Du bist mit keinem von uns zu vergleichen.

TANAKA. Mit wem bin ich denn zu vergleichen?

DER MANN. Doch nur mit ihm. *Er zeigt nach Wada.*

TANAKA *zu Wada.* Hast du das gehört?

WADA. Das stimmt, Tanaka – ein Soldat bist du und ein
Soldat bin ich. Sonst sehe ich keinen weiteren Soldaten hier.

TANAKA. So hat der Nachbar recht. *Er will weiter.* Warum
hältst du mich fest?

DER MANN. Ich halte dich nicht fest.

TANAKA. An meinem Ärmel hältst du mich fest.

DER MANN. Ich fühle nur den Stoff.

TANAKA. Gefällt er dir?

DER MANN *schnalzt mit der Zunge. Zur Frau neben sich.*
Fühl' du.

DIE FRAU *tut es.*

DER MANN. Was ist rauher – deine Fingerspitzen oder der
Stoff?

DIE FRAU. Zehnmal gröber sind meine Fingerspitzen.

EINE ANDERE FRAU *neugierig.* Ist das wahr?

DIE ERSTE FRAU. Prüf' doch, ob ich gelogen habe.

DIE ANDERE FRAU *betastend.* Das kann niemand bestreiten.

TANAKA *zu einem Mann, der seinen andern Ärmel ergriff.*
Wollt ihr mich auseinanderreißen? *Zu Wada.* Du mußt mir
helfen. Lass' du dich zupfen, wie sie mich zupfen. Es juckt
doch allen in den Fingern!

Wada tritt zur Gruppe bei der Tür und läßt sich unter ent-
zückten Ausrufen der Männer, Frauen und Kinder den Uni-
formrock betasten.

EINE FRAU *mit scheuer Frage.* Tragt ihr das täglich?

TANAKA *die Ärmel glatt streichend.* Täglich.

EIN MANN *zu Wada.* Wirklich täglich?

WADA. Es ist noch nicht das beste, was wir tragen.

DER MANN. Was ist noch besser?

WADA. Erzähl', Tanaka – was wir tragen, wenn wir Parade haben.

TANAKA *abwehrend.* Das ist nicht zu schildern!

WADA. Doch – doch, Tanaka, du kannst erzählen. Fang' ganz von unten an.

TANAKA. Von unten – – *Sich überwindend.* Unten sind die Stiefel. *Nach der Querstange zeigend.* Nicht diese Stiefel, die hier hängen. Die sind nur für den Dienst. *In Betrachtung der aufgehängten Stiefel.* Das sind Dienststiefel. Paradestiefel sind das nicht mehr. *Zu Wada.* Was würde unser Hauptmann sagen, wenn einer mit solchen Stiefeln zur Parade anträte?

WADA. Er stellt ihn vors Kriegsgericht.

TANAKA. Dazu braucht er kein Kriegsgericht. Es ist nicht Fahnenflucht – nicht Ungehorsam. Die kommen vor das Kriegsgericht. Das fällt das Todesurteil. Nein – ein todeswürdiges Vergehen ist das nicht. Und dennoch trifft ihn erbarmungslose Strafe. Und welche ist es, Wada?

WADA. Erbarmungslos und nicht der Tod?

TANAKA. Er würde von der Parade ausgeschlossen und dürfte nicht vorbeimarschieren.

WADA *halblaut.* Nicht vorbeimarschieren – – – –

EINE FRAU *zu einem Mann neben ihr.* Warum sagt er – Parade?

DER MANN *zu Tanaka.* Warum sagst du – Parade?

TANAKA. Weißt du nicht, was Parade ist?

DER MANN. Sie weiß es sicher nicht.

DIE FRAU. Er weiß es auch nicht.

TANAKA *sich wieder sträubend.* Soll ich das sagen, was sich da abspielt?

WADA. Sag' es, Tanaka.

TANAKA. Ich bin doch nur ein Mann in Reih' und Glied.

WADA. Doch dir entgeht nichts, was um dich vorgeht.

TANAKA *erregt.* Willst du behaupten, ich hätte hingesehn?

WADA. Das tust du nicht. Keiner tut es. Doch wie wir mit den neuen Stiefeln aufstampfen, das kannst du doch erzählen. Wie die Musik braust.

TANAKA *bald eifriger.* Die hat jedes Regiment. Die Sonne

sprüht auf den Instrumenten – es ist ein Wunder, daß sie blasen können. Doch so sind sie geübt, daß sie geblendet blasen können. Sie üben auch nichts andres. Sie dürfen nichts andres tun. Auch einmal könnte Regen fallen, dann müssen sie auf nassen Instrumenten spielen. Doch schlimmer ist die Sonne, die in ihre Augen sticht. Ich möchte kein Bläser sein, ich würde mich in jedem Tone irren und alles in Verwirrung bringen. Wärst du ein beßrer Bläser?

WADA. Ein schlechterer als du, der keiner ist.

TANAKA. Zum Bläser muß man geboren sein. Man muß besondre Ohren haben, die unerschütterlich sind. Der Lärm, der gleich anhebt, ist ungeheuer. Von allen Seiten des Paradefelds tönt es zugleich. Als schlüg' der Blitz ein. Jäher kann nichts geschehn. Und wie dem Blitz der Donner – so folgen die Befehle. Wir treten auf dem Fleck – dann schreiten wir frei aus und nähern uns der Stelle, wo sich ein weißer Schein zeigt – den wir nur gewahren und nicht betrachten: unten breiter der Schimmel und oben schwebend der Federbusch. Dort ist des Kaisers Standort.

Tiefe Stille.

EINE FRAU. Wozu ist – die Parade?

EIN MANN. Warum reitet der Kaiser in die Sonne?

EINE ANDRE FRAU. Der Kaiser hat doch ein dichtes Haus, in dem es kühl ist.

EIN ANDRER MANN. Erklär' uns das einmal, Tanaka, wenn du das kannst.

TANAKA. Da gibt es so wenig zu erklären –: der Kaiser will sehen, wofür er so viel Geld ausgibt. Wißt ihr denn, was das dem Kaiser kostet? Die Instrumente? Die Stiefel, besser noch als diese? Unsre Mützen? Die Hosen – Röcke – Strümpfe, die wir täglich tragen? Lest ihr nie Zeitungen? Da könnt ihr lesen, was solch ein Heer mit seinem ganzen Aufwand kostet. Der Kaiser weiß es und er läßt sich nichts vormachen. Er prüft uns haargenau, ob wir auch alles richtig verwalten, was er uns gibt – und wenn wir vorbeimarschieren, dann sieht sein scharfes Falkenauge jeden Knopf und jede Schnalle. Es ist sein Eigentum – es bleibt sein Eigentum. Woher sonst stammt es? Wir haben nichts gekauft. Oder hast du dir, Wada, deinen Ledergürtel selbst beschafft?

WADA *schüttelt den Kopf.*

TANAKA. Bezahlst du für die Regimentsmusik, nach der es sich so frisch marschiert?

WADA *verneint wieder.*

TANAKA. Für nichts bezahlst du und alles hast du. Das kann nur der Kaiser!

WADA *nickt.* Nur der Kaiser.

TANAKA. Und wer läßt dich essen? Mehrmals am Tag, daß du immer satt bist?

WADA. Ja – das sind wir.

TANAKA. Und noch erübrigst? *Er läuft zur Wand und läßt die Querstange herunter.* Häng' die Beutel ab!

WADA *löst die beiden prallen Brotbeutel von der Stange.*

TANAKA *zu Vater Tanaka.* Wind' du die Stange hoch! *Wada einen Beutel wegnehmend.* Verteile du den Inhalt dort. Ich teile hier aus. *Den Dorfleuten Fischstücke gebend.* Dörrfisch ist es, wie wir ihn täglich haben. So viel, daß wir ihn sammeln. Und Schnaps. Wir wollen uns mit diesen Flaschen nicht wieder schleppen. Wenn wir zurückkehren, ist neuer da. Dafür sorgt schon der Kaiser. Der Kaiser läßt uns nicht hungern oder dürsten – er würde lieber selbst auf Fisch und Reis verzichten, wenn ich so sagen darf. Wenn man von seinem Kaiser so sprechen darf. Ich tue es in aller Ehrfurcht und bescheiden. Nur mit Bescheidenheit sind diese Worte mir aus dem Mund gefahren.Ich weiß am besten, was ich meinem Kaiser schuldig bin! *Er teilt weiter aus – und die Dorfleute greifen gierig zu.*

Freudenhaus. Empfangsraum.
Hinten schläft auf einer Matte – das Gesicht gegen die Wand
gedreht – der Pförtner. Von seinem feisten Oberkörper, dem
ein Arm fehlt, ist der Kimono herabgeglitten.
Schweres Schnarchen, bei dem sich der Armstumpf hebt und
senkt.
Schall von Schlägen gegen eine Außentür – der den Schlaf
des Pförtners nicht unterbricht.
Neues, stärkeres Klopfen.
Der Pförtner schnarcht nicht mehr – wälzt sich auf den
Rücken.
Nun gleichmäßiges Hämmern des Türklopfers.
Der Pförtner erwacht – stützt sich auf – horcht. Zähne-
fletschend droht er mit der einzigen Faust – erhebt sich träge
– reibt sich die tätowierte Brust, bevor er den Kimono über-
zieht.
Verächtlich Speichel ausprustend schlurrt er links hinaus.
Draußen verstummt das Klopfen. Statt dessen erhebt sich
der Lärm scheltender Stimmen, der jäh wieder abbricht.
Der Pförtner kehrt eilig zurück. Verwirrt, weiß er nicht
gleich, was er zuerst tun soll. Schließlich stößt er hinten eine
schmale Tür beiseite, hinter der eine steile Treppe hinauf-
führt – fingert den Gongschläger los und paukt auf den Gong,
der am Türpfosten hängt. Dann stürzt er sich auf seine
Schlafmatte, rollt sie zusammen und trägt sie in eine Ecke.
Auf der Treppe erscheint die Wirtin des Freudenhauses.

WIRTIN. Was gongst du?
PFÖRTNER *wild gestikulierend.* Gäste.
WIRTIN. Aber es ist heller Tag. Die Mädchen schlafen.
PFÖRTNER. Nicht solche Gäste. Die hätte ich mit einem Fuß-
tritt in den Kot der Straße befördert. Die hätten sich ihre
Hüte aus dem Dreck fischen können und ihre Stöckchen.
WIRTIN. Die Mädchen sind doch schonungsbedürftig.
PFÖRTNER. Vor der Nase hätte ich denen die Türklappe zu-
geschlagen.
WIRTIN. Warum hast du es denn nicht getan?
PFÖRTNER. Weil es doch nicht solche Gäste sind.
WIRTIN. Was sind es denn für Gäste?
PFÖRTNER. Soldaten!

WIRTIN *verändert lebhaft.* Es sind Soldaten – auf dem Schießplatz?

PFÖRTNER *schnalzend.* Heiße Kerle.

WIRTIN. Da muß ich doch die Mädchen wecken. Der Schießplatz will bedient sein. Soldaten auf dem Schießplatz haben keinen Ausgang nachts. Das müssen sich die Mädchen sagen.

PFÖRTNER *den einzigen Arm reckend.* Soll ich's den Mädchen sagen?

WIRTIN. Es wird sich keine weigern. Wer läßt Soldaten schmachten? Später, wenn der Schießplatz wieder leer ist – da kann man ausruhn. Jetzt schickt er uns die beste Kundschaft. *Sich umwendend und die Treppe schon wieder hinansteigend.* Lass' sie ein. Ich scheuch' sie oben von den Matten. *Oben ab.*

Pförtner gürtet seinen Kimono ordentlicher und geht wieder links hinaus.
Bald nähert sich lauter Stimmenschwall – rückwärts tritt der Pförtner in die Tür.

PFÖRTNER *hinaussprechend.* Kann ich den Herren Soldaten behilflich sein?

EINE STIMME. Die Stiefel zieht der Soldat selbst aus.

EINE ANDERE STIMME. Die Stiefel nur?

EINE DRITTE STIMME. Willst du den Rock anbehalten?

EINE VIERTE STIMME. Und die Hose?

EINE FÜNFTE STIMME. Das Hemd?

EINE SECHSTE STIMME. Das wird doch einer dem andern nie verraten, ob er ganz nackt war.

Schallendes Gelächter.
Nun treten sechs Soldaten ein – unter ihnen Tanaka und Wada.
Alle verstummen in unwillkürlicher Verlegenheit.

PFÖRTNER *gongt noch einmal ganz leise und verneigt sich gegen die Soldaten.* Die Herren Soldaten sind gemeldet. *Links ab.*

EIN SOLDAT *nach einer Pause.* Wir haben uns in der Tür geirrt.

ZWEITER SOLDAT. Die ganze Straße hat nur solche Häuser.

DRITTER SOLDAT. Dann ziehn wir weiter.

VIERTER SOLDAT *Geldstücke in der Hand schüttelnd.* Wo wir nicht auf das Glück zu warten brauchen.

TANAKA. Bleibt doch.

WADA. Bis unser Urlaub abläuft.

TANAKA. Sie müssen in den andern Häusern auch erst geweckt sein. Nachts ist hier Verkehr. So sind sie hundemüde.

ERSTER SOLDAT. Weißt du so gut Bescheid?

TANAKA. Ich kann mir überall was menschliches vorstellen.

ZWEITER SOLDAT *den Gong gewahrend.* Alarm – Alarm. Es brennt – löscht unser Feuer! *Mit wilden Hieben schlägt er den Gong, der tosenden Lärm verbreitet.*

Die Wirtin – nun greller gepudert und bunter gekleidet – kommt auf der Treppe.

WIRTIN *dem Soldaten in den Arm fallend.* Sie erschrecken die Täubchen. Sie flattern aufgeregt durcheinander und trauen sich nicht herunter. *Zu den andern.* Es ist doch nicht Ihre Absicht hier allein zu bleiben?

ERSTER SOLDAT. Sind sie nun endlich wach geworden?

WIRTIN *erstaunt.* Wer soll wach geworden sein?

DRITTER SOLDAT. Ihre Täubchen.

WIRTIN. Haben die geschlafen?

VIERTER SOLDAT. Wie Bretter.

WIRTIN. Warum wie Bretter?

ZWEITER SOLDAT. Vom Nachtdienst. Wenn wir Nachtdienst haben, dann sind wir auch am Tag erledigt.

WIRTIN. Ach – Sie meinen, ich führe Sie in übermüdete Gesellschaft? Meinen Sie das?

Die Soldaten sehen Tanaka an.

WIRTIN. Das wäre ein Verbrechen an unsern Herren Soldaten vom Schießplatz. Wir halten den Schießplatz genau im Auge. Wenn er belegt wird, wissen wir, was wir zu leisten haben. Wie schließen nachts und sind tags frisch. Zuerst der Schießplatz. Wie sollte es denn anders sein?

ERSTER SOLDAT *zu Tanaka lachend.* So hast du dir's nicht vorgestellt?

WIRTIN. Was hatten Sie gedacht?

TANAKA. Ich hatte zur Geduld ermahnt. Wer hat uns denn erwartet?

WIRTIN. Natürlich sind Sie erwartet. Die Mädchen schauen längst durch alle Fensterritzen nach Ihnen aus. Jetzt pudern sie sich noch ein wenig. Eitle junge Dinger, man darf es ihnen nicht zu hart verargen. Sie wollen doch schön sein für die Herren Soldaten. *Sie läßt sich auf den Fußboden nieder und lädt mit einer Geste die Soldaten ein.*

Die Soldaten hocken sich im Halbkreis um sie.

WIRTIN. Ist es der erste Urlaub, den Sie erhalten haben?
ERSTER SOLDAT. Es sollte eigentlich noch gar kein Urlaub bewilligt werden.
WIRTIN. Sie haben ihn sich selbst genommen. Sind Sie –? *Bezeichnende Geste des heimlichen Ausgangs.*
ZWEITER SOLDAT. Nein – von uns hat jeder seinen Urlaubsschein. *Die Soldaten ohne Tanaka und Wada holen ihre Zettel hervor und zeigen sie der Wirtin.*
WIRTIN. Trotzdem mit Urlaub sonst so geknausert wird?
DRITTER SOLDAT. Weil wir vom ganzen Bataillon die meisten Punkte geschossen haben.
WIRTIN. So gute Schützen sind die Herren?
VIERTER SOLDAT. Nicht alle gleich gut.
WIRTIN. Und wer ist der beste?
DRITTER SOLDAT. Ich war's bestimmt nicht.
ZWEITER SOLDAT. Ich noch weniger.
ERSTER SOLDAT. Und ich hätte beinah – *Er bedeckt seine Augen.*
WIRTIN *zu Wada.* Sind Sie der Meisterschütze?
WADA *schüttelt den Kopf.* Tanaka traf am besten.
TANAKA *abwehrend.* Wir schossen alle gut. Ich habe mehr getroffen. Das ist Zufall.
WADA. Bei dir ist nichts Zufall, Tanaka. Wenn du dir eine Sache überlegst, dann vollbringst du sie aus deiner Überlegung. Oder hast du dir nicht überlegt zu treffen, als dir der Hauptmann sagte: Tanaka, es fehlen noch fünf Punkte – dann ist die höchste Punktzahl von meinem Bataillon erreicht. *Zur Wirtin.* Jetzt kniet Tanaka auf und zielt. Der Hauptmann steht bei ihm.
ERSTER SOLDAT. Mir hätte jedes Fingerglied gezittert.
ZWEITER SOLDAT *zu Tanaka.* Wie hast du deinen Aufruhr überwältigt?
DRITTER SOLDAT. Unter den Augen des Hauptmanns!

TANAKA. Ich spürte keinen Aufruhr. Oder – ich kann mich jetzt nicht mehr erinnern –

DIE SOLDATEN. Erinnere dich, Tanaka!

TANAKA. Es war ganz einfach. Ich hörte, was der Hauptmann sagte – und sagte mir: der Hauptmann hätte seine Worte nicht gesprochen, wenn es unmöglich war. Ein Hauptmann spricht nur das, was einen klaren Sinn hat. Fünf Ringe fehlen – und die Scheibe ist drüben kein Hirngespinst. Also kann ich zielen auf eine feste Scheibe. Ich ziele ruhig, weil ich weiß, daß mir die Scheibe nicht fortfliegt – und drücke ab. Ich habe so ruhig meinen Schuß getan, als hätt' ich schon getroffen. Es war doch möglich. Warum soll man es nicht vollbringen, was möglich ist?

WIRTIN. Sie werden Ihrem Hauptmann bald unentbehrlich werden.

TANAKA. Es gibt so viele tüchtige Soldaten.

WADA. Ich habe es gehört, was neulich der Hauptmann zu dir sagte.

TANAKA. Worte – Worte.

WADA. Ein Hauptmann sagt nur, was einen klaren Sinn.

TANAKA. Ich will mir selbst nicht widersprechen. Der Hauptmann will mich im Bataillon behalten – über die Dienstzeit.

WADA. Dann wirst du bald befördert.

TANAKA. Ich lasse mir's gefallen.

WADA. Du wirst dir noch mehr gefallen lassen müssen.

TANAKA. Was denn?

WADA. Eines Tages bist du Hauptmann.

TANAKA. Ich – Hauptmann?

WADA. Wenn du's nicht wirst, dann weiß ich nicht, woher einer kommen soll.

WIRTIN. Die Herren Soldaten werden diesen Streit erst in der Zukunft zu entscheiden haben.

WADA. Das ist kein Streit.

TANAKA *der sich auf Wada stürzen will, wird von Soldaten am Boden festgehalten.* Das ist ein wüster Streit!

WADA *belustigt salutierend.* Hauptmann Tanaka!

DIE SOLDATEN *einstimmend.* Hauptmann Tanaka!

WIRTIN. Beachten Sie das junge Mädchen, das sich jetzt vorstellt.

Sofort tritt Ruhe ein.
Auf der Treppe kommt das erste Mädchen: in blaßblauem

Kimono – sehr weiß geschminkt – einen Papierfächer wippend.
Das Mädchen stellt sich in den Halbkreis der Soldaten und verneigt sich gegen jeden einzelnen. Es sind mechanische Bewegungen, die sie vollführt – ihr Blick sieht nicht, wohin er trifft.
Die Soldaten – gebannt – erwidern die Verneigung nicht.

WIRTIN. Du darfst dich setzen, mein Töchterchen. Es wird den Herren Soldaten wohl sein dich zu betrachten.

Das Mädchen hockt sich in die Knie.

WIRTIN *eine Gitarre ergreifend.* Willst du uns nicht ein Liedchen singen? Du wirst es mit deinem süßen Stimmchen zwitschern. *Sie präludiert kurz.*
DAS MÄDCHEN *singt in hohen Tönen.*

> Da die Kirschen blühn,
> bleibt der ganze Himmel blau –
> und nicht Regen rinnt
> und es sinkt nicht Tau,
> um die Kirschenblüten
> zu behüten.
> li li li li li li
> li li li li
> li li.

WIRTIN. Wie ein Vögelchen, das von einem Ast zum andern hüpft und lustig trällert. *Zu den Soldaten.* Haben Sie so viel Wohllaut aus solch einem kleinen Mündchen erwartet? *Zum Mädchen.* Aber es ist nicht die einzige Darbietung, mit der du uns überraschen wirst. Kannst du nicht tanzen?

Das Mädchen steht sogleich auf.
Wirtin klimpert eine Tanzweise, zu der sich das Mädchen puppenhaft dreht – den Fächer schließend und öffnend.
Dann ist der Tanz zu Ende und das Mädchen bleibt abwartend stehn.

WIRTIN *die Gitarre weglegend.* Ist sie nicht reizend? Dies schmiegsame Körperchen – wie ein Stämmchen, das sich im Winde wiegt. Nun sehnt es sich nach einem Halt.

Die Soldaten rühren sich nicht.

WIRTIN. Lassen Sie das Stämmchen nicht schwanken. Die Kleine wird taumeln. Wer führt sie hinauf?

Die Soldaten sehen einander an.

WIRTIN. Wer soll den Vortritt haben? Das macht Ihnen Mühe. Da gibt es kein langes Kopfzerbrechen. Der Meisterschütze, der Ihnen den Ausgang verschafft hat, hat das erste Vergnügen.
DIE SOLDATEN. Tanaka zuerst!
TANAKA. Hier gibt es keinen ersten und keinen letzten. Hier sind wir alle gleich.
DIE SOLDATEN. Wir können nicht alle gleich –
TANAKA. Dann würfeln wir!

Alle ziehen ein Geldstück hervor.

TANAKA. Sonne gewinnt – Zahl verliert.

Alle werfen ihr Geldstück.

TANAKA. Zahl.
WADA. Zahl.
VIERTER SOLDAT. Zahl.
DIE DREI ANDEREN SOLDATEN. Wir drei nochmals. *Sie werfen wieder.*
DRITTER SOLDAT. Zahl.
ZWEITER SOLDAT. Zahl.
ERSTER SOLDAT. Sonne. *Er erhebt sich. Zur Wirtin.* Wieviel –
WIRTIN. Sie werden sich oben einigen. *Zum Mädchen.* Nun zeig' dem Herrn Soldaten dein nettes Zimmerchen.

Mädchen geht voran die Treppe hinauf – Soldat folgt. Beide oben ab.

WADA *zu Tanaka.* Der hat Glück. Ich wär' an deiner Stelle –
TANAKA. So lass' ihn Glück haben.
WIRTIN. Befürchten Sie, daß Sie nicht glücklich werden? Schon trippeln Taubenfüßchen auf der Stiege. Ein Täubchen flattert hoch – ein Täubchen flattert nieder. Eins wie das andere. Wollen wir es prüfen?

*Ein zweites Mädchen – in Schminke, Kleidung und Ge-
baren genau mit dem ersten übereinstimmend, ist gekommen und verneigt sich nun gegen die Soldaten.*

WADA *flüsternd zu Tanaka.* Dieselbe?
TANAKA *schüttelt den Kopf.*
WIRTIN. Setz' dich zu uns. Du bist von vielen Blicken einge-
laden. Sei nicht zu schüchtern.

Das Mädchen hockt sich in die Knie.

WIRTIN *die Gitarre ergreifend.* Weißt du nicht ein Liedchen?
Es ist dir auf der Zunge – ich fang' es mit der Gitarre auf.
Sie präludiert.
DAS MÄDCHEN *singt mit hoher Stimme.*

Da die Kirschen blühn,
bleibt der Himmel blau –
und nicht Regen rinnt
und es sinkt nicht Tau,
um die Kirschenblüten
zu behüten.
li li li li li li
li li li li
li li.

WIRTIN. Ein wunderschönes Liedchen, wenn es so vorgetra-
gen wird. Man kann es zweimal hören, ohne zu ermüden.
Es hat den Herren Soldaten gefallen. Nun wollen sie dich
auch tanzen sehen.

*Das Mädchen erhebt sich und zur Gitarrenbegleitung voll-
führt sie dieselben puppenhaften Drehungen.
Der Tanz ist aus – das Mädchen wartet.*

WIRTIN *die Gitarre weglegend.* War sie nun weniger geschickt? Bemerkten Sie einen Unterschied, wie sie den Fächer
schwenkte und sich in den Hüften wiegte?
TANAKA. Wir würfeln.

Alle werfen ihre Geldstücke.

TANAKA. Zahl.

WADA. Zahl.

VIERTER SOLDAT. Zahl.

ZWEITER SOLDAT *zum dritten neben ihm.* Wir beiden haben Sonne.

WADA. Werft.

DRITTER SOLDAT. Zahl.

ZWEITER SOLDAT. Sonne.

TANAKA. Also geh'.

WIRTIN. Ein nettes Zimmerchen erwartet Sie.

Das Mädchen voran – folgend der Soldat. Beide oben ab. Vierter Soldat neigt sich zum dritten Soldaten und flüstert mit ihm.

DRITTER SOLDAT. Das soll Tanaka fragen.

TANAKA. Was soll ich fragen?

DRITTER SOLDAT. Ob auch für jeden ein Mädchen oben ist.

WIRTIN. Sechs wie abgezählt. Sie hätten es nicht besser treffen können. Nicht fünf – nicht sieben, sondern sechs. Sechs Pärchen, die sich finden. Niemand hat Grund zur Eifersucht. Es werden alle ihr Vergnügen haben. *Seufzend.* Man möchte immer solche Harmonie erleben!

Zwei Mädchen – unterschiedslos gleich wie die früheren – kommen auf der Treppe.

WADA *blinzelnd zu Tanaka.* Zwei oder eine?

TANAKA. Das ist nur oberflächlich.

WADA. Siehst du denn tiefer?

TANAKA. Ich hab' meine Augen.

Die beiden Mädchen haben sich verneigt und sinken nun auf einen Wink der Wirtin in die Knie.

WIRTIN *zu den Soldaten.* Gehorsam wie die Äffchen. Sie lesen mir meine Wünsche von den Wimpern ab. Und nicht nur mir. Was hätte ich allein davon? Ich gönne jedem, was er sich wünscht. Jetzt wünschen wir ein Liedchen. *Sie greift zur Gitarre.*

Die beiden Mädchen singen dasselbe Liedchen in denselben hohen Tönen.

WIRTIN. Als hätten es zwei Lippen angestimmt – so eben-mäßig der Klang. Kein Ton, der sich vordrängte. Ein Kunst-stück seiner Art. Nun zeigt es auch im Tanz. *Sie klimpert die Tanzweise.*

Die beiden Mädchen tanzen wie die andern tanzten.

WIRTIN *die Gitarre weglegend.* Als tanze eine mit ihrem Schatten. Doch keine Angst: es ist kein körperloser Schatten – der eine und der andre nicht. Nur zwei Schmetterlinge sind es, die gaukelten und sich nun fangen lassen wollen. Zwei liebeslustige Schmetterlinge.

DRITTER SOLDAT. Ich werfe schon. *Er wirft sein Geldstück.* Sonne.

VIERTER SOLDAT. Nun werfe ich. *Er tut es.* Sonne.

WADA. Werfen wir noch?

TANAKA. Lass' sie ziehn.

Die beiden Soldaten erheben sich.

WIRTIN. Sie werden sich im großen Zimmer sehr behaglich fühlen.

DIE SOLDATEN *verdutzt.* In einem Zimmer?

WIRTIN. Die Mädchen werden sich nicht sträuben.

Die Soldaten lachen plump und folgen dann den Mädchen hinauf. Die vier oben ab.

WADA *plötzlich sein Geldstück in die Tasche stoßend.* So. Ich verzichte.

WIRTIN. Verzichten Sie auf Ihr Vergnügen?

WADA. Ich würfle nicht mehr.

TANAKA. Warum denn nicht?

WADA. Weil ich nicht will – daß du der letzte wirst.

TANAKA. Warum willst du's sein?

WADA. Ich habe die fünf Ringe nicht geschossen. Keiner hat sie geschossen – und alle sind schon oben. Jetzt wählst du dir dein Mädchen und ich warte.

TANAKA *kopfschüttelnd.* Unsre Münze entscheidet. Von An-fang bis zu Ende.

WADA *spöttisch.* Von Anfang bis zu Ende – das klinkt: als ob du von einer höheren Ordnung sprächest. In einem sol-chen Hause.

TANAKA *ruhig.* Ich sprach von keiner höheren Ordnung.

WADA *hitzig.* Und du würfelst?

WIRTIN. Sie verschüchtern das sanfte Wesen, das sich Ihnen naht.

Wieder kommt ein Mädchen auf der Treppe. Unten verneigt es sich vor Tanaka und Wada.

WIRTIN. Es ist schon Streit um dich entbrannt. Zeig', daß du nicht stolz bist. Sing' uns dein Liedchen.

Zur Gitarrenbegleitung zwitschert das Mädchen das übliche Lied.

WIRTIN. Ein Becherchen, das seine Perlentöne ausgießt. Du mußt uns auch vortanzen. Das soll beweisen, daß du nicht müde bist.

Das Mädchen vollführt denselben langsamen Tanz.

WIRTIN *nach Schluß des Tanzes zu Tanaka.* Sind Sie entschlossen?

TANAKA *sein Geldstück schüttelnd.* Zu würfeln.

WADA. Gefällt sie dir?

TANAKA. Das entscheidet nichts. *Er wirft.* Sonne.

WADA. Da hast du sie.

TANAKA. Erst wirf auch du.

WADA. Die beiden andern brauchten nicht mehr zu werfen, als sie Sonne hatten.

TANAKA. Wir sind die andern nicht.

WADA. Nein – du bist Tanaka.

TANAKA. Und du Wada. Wirf.

WADA *wirft.*

TANAKA. Was hast du?

WADA *schweigt.*

TANAKA. Sonne.

WADA *nickt.*

TANAKA. Wir werfen wieder.

Beide werfen.

TANAKA. Zahl.

WADA *stumm.*

TANAKA. Sonne?

WADA. Zahl.

TANAKA. Ein drittes Mal. *Beide werfen.*

WADA. Was hast du?

TANAKA. Zahl.

WADA *steht auf und tritt zu Tanaka.* Du bist ein Eisenkopf.

TANAKA. Gerecht bleibt, was gerecht.

WADA. Du wirst die Welt nicht ändern.

TANAKA. Versuch' ich das?

WADA. Wer von Gerechtigkeit erzählt – – *Sich ärgerlich abwendend.* Ich wünsche dir eine hundertjährige Hexe an den Hals! *Er umfaßt das Mädchen und zieht es mit sich rasch die Treppe hinauf. Beide oben ab.*

WIRTIN *sich erhebend und sich zu Tanaka beugend.* Sie werden nicht bereuen, daß Sie gewartet haben. Die jüngste ist für Sie. Sie ist noch ungeschickt. Doch das ist nicht langweilig. Wie eine Blüte, die sich erst erschließt. Der Duft betäubt noch nicht – er kitzelt. Sie werden mehr erleben als ihre Kameraden.

TANAKA. Stimmt das?

WIRTIN. Nein – ich lüge nicht. Erinnern Sie mich später an mein Wort.

TANAKA. Singt sie und tanzt sie?

WIRTIN. Ein wenig – sich selbst begleitend. Sie werden Nachsicht üben – und mich entschuldigen. Es wird bald Tee verlangt – ich richte immer selbst den Tee. Sie werden ihn noch kosten und rühmen. Tee hat keinen Preis – doch geben Sie dem Mädchen reichlich. Man soll nicht geizen, wo man gut bedient wird. Empfehlen Sie die Kleine auf dem Schießplatz – Sie werden Ihren Kameraden einen Dienst erweisen. Doch ich verschwende leere Worte – Sie bilden sich Ihr Urteil selbst. Ich scheuche Ihnen die zierliche Libelle zu. *Sie lehnt noch die Gitarre gegen den Türpfosten – ersteigt die Treppe. Oben ab.*

Tanaka – allein – teilt sein Geld ein. Es ist deutlich ersichtlich, daß er überlegt, wieviel er auszugeben gedenkt: so vermindert und vermehrt er mehrmals das Häufchen Geldstücke in seiner rechten Hand – bis er abschließend noch eine Münze hinzufügt und dann den Inhalt der linken Hand in die Tasche zurückfließen läßt. Nun wartet er mit dem abgezählten Geld in der rechten Faust.

Auf der Treppe kommt das sechste Mädchen: weiß ge-
schminkt – im blaßblauen Kimono – den Fächer wippend.
Tanaka schielt nur nach den sich nähernden Füßen.
Das Mädchen – unten – steckt ihren Fächer in den Gürtel
und nimmt die Gitarre. Blicklos und puppenhaft verneigt es
sich gegen Tanaka. Dann zupft es ein paar Töne und beginnt
zu tanzen.
Tanaka wiegt im Takt den Kopf.
Nun singt das Mädchen.
Tanaka bewegt sich nicht mehr. Mit seltsamer Gespanntheit
hört er zu.
Das Mädchen sang zu Ende und wartet nun.
Tanaka läßt langsam seinen Blick an des Mädchens Gestalt
hinaufgleiten. Nun haftet er an ihrem Gesicht. Das bereit-
gehaltene Geld klirrt in die Tasche zurück.
Das Mädchen lehnt die Gitarre wieder an den Türpfosten
und fächelt sich.

TANAKA *mit scheuer Stimme.* Yoshiko – – – –
YOSHIKO *läßt den Fächer sinken.*
TANAKA *sich erhebend.* Yoshiko – – Er vermag nicht mehr zu
sagen – tritt zu Yoshiko und schiebt hinter ihr die Tür zu.
YOSHIKO *sieht ihn jetzt an. Beide betrachten sich stumm.*
TANAKA *mit fast gelähmter Zunge.* Hier bist du – – – – Du
bist nicht – – – –?
YOSHIKO. Wo soll ich sein?
TANAKA. Im Gebirge – – – –?
YOSHIKO. Wie soll ich ins Gebirge kommen?
TANAKA. Zum Bauern, der eine Hilfe brauchte – – – –
YOSHIKO. Bei welchem Bauern?
TANAKA. Bei jenem Bauern, der dich – –
YOSHIKO *schweigt verständnislos.*
TANAKA *zieht sie mit sich in die Mitte des Raums und neben*
sich zu Boden. Yoshiko – lass' mich es wissen. Ich bin der
Bruder. Ein Bruder kann hingehn und über alles sprechen.
Es werden solche Dinge nicht im Streit beglichen – Streit
führt zu nichts. Was ich ihm sagen will, sind ruhige Worte.
Nur solche Worte sind der Keim zu Taten – zu Taten, die
unabweisbar sind. Hier mehr als irgendwo.
YOSHIKO. Was willst du wissen?
TANAKA. Alles, Yoshiko.
YOSHIKO. Was weißt du noch nicht?

TANAKA. Den Hergang, wie er es anstellte. Die Mittel, deren er sich bediente. Ob er dir schmeichelte – ob er dir drohte. Versprach er dir mehr, als er halten wollte? Und als es dann geschehn – war nichts gelobt. Flohst du erschrocken?

YOSHIKO. Ich könnte doch nicht fliehen.

TANAKA *hitzig.* Verstieß er dich? Verjagte er dich mit groben Flüchen – als sich die Folgen zeigten? Yoshiko – die Folgen, die nicht ausbleiben. Du warst zu unerfahren. Du liefst zu einer Frau. Die half dir – und half dir weiter in ein Haus wie dies. Nachhause wolltest du nicht wieder – du schämtest dich. Yoshiko – gibt es mehr von mir zu raten?

YOSHIKO *sieht ihn fragend an.*

TANAKA. Nur nicht den Namen rate ich – des Bauern, der das verschuldet hat – und der mit Tränen in den Augen dich um Verzeihung bitten wird, wenn er von mir erfährt, wie alles endete. Ich brauche ihm doch nur zu sagen, wo ich dich fand – und einem Herzen müssen Flügel wachsen, das sonst ein Stein war. Und mit Herzensflügelschlägen wirst du hinausgetragen – fort von hier. Sprich, Yoshiko – wer ist's, zu dem ich ins Gebirge steige?

YOSHIKO. Das war kein Bauer –

TANAKA. Dann war es ein Herr. Ein großer Pächter, der in den Tälern herrscht. Und du bist niedrig. Doch niemand hat das Recht – – *Er stockt und wehrt lauter ab.* Und niemand will es haben – –! *Dicht vor Yoshikos Gesicht.* Yoshiko – jetzt tust du Unrecht. Du tust Unrecht, wenn du schweigst und mir nicht sagst, wer dich hierher gebracht. Es will sich mit solcher Schuld kein Mensch beladen – du mußt es ihm erlauben sie zu tilgen. Schweigst du, fällt alle Schuld auf dich. Jener ist entlastet. Er kann nicht sühnen.

YOSHIKO *mit ihrer stillen Stimme.* Man weiß doch, wo ich bin.

TANAKA. Man weiß das?

YOSHIKO *überlegt.*

TANAKA. Wer weiß das?

YOSHIKO. Die – –

TANAKA. Die –?

YOSHIKO. Die Eltern.

TANAKA. – – – – Bist du verstoßen?

YOSHIKO. Verkauft.

TANAKA *verstummt.*

YOSHIKO *zupft an ihrem Gürtel.*

TANAKA *starrt sie an, als sähe er ein Phantom von unbegreiflicher Furchtbarkeit.*

YOSHIKO *endlich, ohne aufzublicken.* Es war doch wieder ein Jahr, in dem nichts gedieh. Es gedieh nichts unter der Sonne, die von früh bis spät stach und das Wasser in den Reisfeldern austrocknete. Die Erde klaffte zu Rissen und legte die Wurzeln frei. Und als sie freilagen, brach ein Unwetter nieder und schwemmte mit seinen brausenden Fluten die losen Pflanzen fort. Das geschah die zwei- oder dreimal, bis die letzte Hoffnung auf eine kleine Ernte zerstört war. Es war nicht schlimmer, als es in früheren Jahren schon gewesen. Es wurden Waldwurzeln gegraben und Baumrinde gesotten – man füllte sich den Magen und das genügte auch. Wir wissen, wie man hungert und nicht verhungert. Das lernt ein jedes Kind im Dorf. Der Hunger gehört gewiß zum Leben – anders kann's nicht sein. – – – – Sie hatten keinen Reis, um ihn zu essen – sie hatten keinen Reis, um ihn zu verkaufen. Der Reisverkauf bringt Geld – und Geld ist nötig. Sie müssen es ihm geben, der ihnen Geld gegeben hat. Er hat es ihnen geliehen, als früher einmal Not war und sie es brauchten. Für dieses Geld müssen sie Zinsen zahlen – und wenn sie keine Zinsen zahlen können, verlieren sie die Hütte, in der sie wohnen, und haben nichts mehr – weniger als ein Tier, das seine Höhle hat. – – – – Da war ich in der Hütte, als dieser Mann verlangte, was er Zinsen nannte. Sie lagen beide vor ihm auf den Knien und flehten um Erbarmen. Er ließ sie reden und dann sprach er. Nicht wild – nicht zornig. Er setzte ihnen auseinander, daß er selbst zahlen müsse. Die Steuern, die er entrichten müsse. Steuern vieler Art. Was wüßten sie, daß alles koste. Sie sollten einmal ein Verzeichnis lesen, wieviel gebraucht wird. Was Soldaten kosten. An erster Stelle die unzähligen Soldaten. Die Rechnung sei nicht billig und muß beglichen werden. Wer zaudert, wird verklagt. Soll er sich verklagen und auspfänden lassen? Weil er sein Geld Bedürftigen geliehen hat? Sei das gerecht? – – – – Da fiel sein Blick auf mich – er fragte nach meinem Alter. Sie sagten es ihm. Und er erklärte, einen Weg zu wissen, wie sie sich Geld beschaffen könnten. Dann ging er. – – – – Bald erschien ein andrer Mann in unsrer Hütte. Ich wurde hinausgeschickt, bevor sie miteinander redeten. Ich wartete, bis ich das Klingen von Münzen hörte. Da mußte wohl der Handel abgeschlossen sein. Man rief mich wieder und Vater führte mich zu dem Mann und sagte: jetzt muß du alles tun, was man von dir verlangt. Ich habe Geld genommen und könnte es nie zurückerstatten. Und er zeigt mir das Geld, das seine ganze Hand füllt. Ich habe mich verneigt vor meinen Eltern und bin gehorsam dem Mann gefolgt. Der Mann war ein Agent für solche Häuser wie dies. *Fast mit Stolz.* Er nimmt nicht jede. Er ist sehr wählerisch. Es schadet sonst seinem Ruf. Ich habe ihm sofort gefallen. War das nicht Glück?

TANAKA *sog förmlich ihre Worte von ihrem Munde.*

YOSHIKO *nach einer Pause.* Was das für ein Bauer, zu dem ich ins Gebirge gegangen sein sollte?

TANAKA *stockend.* Das sagten sie mir – – als ich sie besuchte.

YOSHIKO. Hattest du Urlaub?

TANAKA. Ja – Urlaub. Mit einem Kameraden. Wada ist sein Name.

YOSHIKO. Ist er aus unsrer Gegend?

TANAKA. Warum?

YOSHIKO. Er ging doch mit dir.

TANAKA. Das – hatte einen andern Grund.

YOSHIKO. Welchen?

TANAKA. Ich müßte grübeln, um mich zu entsinnen. *Er hält sich die Schläfen.*

YOSHIKO *nach einer Pause.* Wie war es in der Hütte? Lebt Großvater noch?

TANAKA *mit verhaltenem Spott.* Es war großartig. Es wurde gleich ein Fest veranstaltet, als wir uns sehen ließen. Der wackre Kamerad und ich. Wir hatten uns mit Vorräten beladen und kamen mit vollgestopften Taschen. Wir brauchten sie nicht zu leeren, um uns zu sättigen. Wir stießen in den vollen Überfluß. Die Pfanne, in der es siedete, vermochte kaum den Fisch zu fassen. Es war der fetteste Fisch, der je auf unserm Herde zubereitet wurde. Sein Fischkopf hätte vordem uns genügt. Hier schnalzten unsre Zungen nach seinem weißen Rückenfleisch. Der Reis war reichlicher als sonst sein Hauptgericht. Wir schluckten ihn wie unsern Speichel, der selbstverständlich fließt. Noch einen Napf. Wer will noch einen Napf? Wer satt ist, soll noch satter werden. Stockt dir der Fisch im Schlund? So spül' mit Wein nach. Es ist auch Wein da. Heute gilt kein Schnaps. Verschenk' den an die Gaffer aus allen Hütten. Und paff' dein Dutzend Zigaretten – damit dir wohler wird. Wohl soll dir sein, mein

Kamerad – und mir soll wohl sein, dein Kamerad. Wohl sein mit Fisch und Reis und Wein wie nie. *Das Gesicht hinter seinen Händen.* Und wir essen und trinken und rauchen – und es bezahlt das Geld, das glühen müßte, wenn man es anfaßt, um Fisch und Reis und Wein zu kaufen! – – – – –
– – –

YOSHIKO *legt beschwichtigend ihre Hand auf seinen Arm.* Ich bin die einzige nicht.

TANAKA *aufblickend – vor sich hin.* Nein – die einzige nicht. Soll ich das jetzt erst wissen? Man liest es in der Zeitung – man liest es nicht zu Ende. Man liest den Anfang. Das Los der Reisbauern. Es ist der Aufsatz, der mit der Schilderung der ungemessenen Mißernte beginnt – von Dürre handelt und von Überflutung und allem Untergang der Pflanzung. Es ist kein Halm verschont. Der Bauer darbt. Er darbt, bis ihm die Sinne schwinden – und er dann das tut, was mir zu lesen unmöglich war. Denn das ist unerträglich – es muß dem einen wie dem andern unerträglich sein – – und dennoch ist es in jeder Zeitung. Das Los des Reisbauern, dem seine Ernte versank – und der nun seine Tochter oder seine Töchter, wenn er der Töchter mehrere hat – der glückliche! – verkauft. Lebendig wie kein Vieh verkauft wird, zum Genuß – – – –

Geräusche hinter der linken Tür, die dann hastig aufgeschoben wird.
Der Pförtner kommt eilig und sieht die beiden.

PFÖRTNER *mit seinem einzigen Arm fuchtelnd.* Ein Unteroffizier!

TANAKA *rührt sich nicht.*

PFÖRTNER. Es ist ein Unteroffizier gekommen. Verstehen Sie denn nicht?

TANAKA *verharrt reglos.*

PFÖRTNER. Sie müssen aufstehn und weggehn. Ein Unteroffizier verlangt ein Mädchen!

TANAKA *wie vorher.*

PFÖRTNER. Es sollte mir einfallen, ihn wegzuschicken. Es würde mich meine Stellung kosten. Wollen Sie mich in den Kot der Straße setzen?

TANAKA *wie vorher.*

PFÖRTNER. Das Mädchen hier ist frei. Die andern sind alle oben. Es trifft sich gut, daß Sie mit Ihrem Mädchen noch nicht oben sind. Jetzt überlassen Sie das Mädchen dem Unteroffizier!

TANAKA *wie vorher.*

PFÖRTNER *sich Yoshiko zuwendend.* Du wirst ihm sagen, daß du jetzt nicht kannst. Es ist ein Unteroffizier erschienen, der seinen Vorrang hat. *Nochmals zu Tanaka.* Sie wollen doch das Mädchen nicht ins Unglück stürzen? *Schon zur Tür zurück.* Ich darf ihn nicht mehr warten lassen. Sonst schimpft er unser Haus zuschanden! *Links ab.*

Yoshiko steht auf. Auch Tanaka erhebt sich langsam.

YOSHIKO. Jetzt mußt du gehn.

TANAKA *mit schwerer Zunge.* Wohin –?

YOSHIKO. Sie schlagen mich.

TANAKA. Warum – wirst du geschlagen?

YOSHIKO. Wenn ich nicht gehorche.

TANAKA. Mußt du gehorchen?

YOSHIKO. Jetzt muß ich gehorchen.

Links sich nähernde Stimmen.

TANAKA *packt unwillkürlich Yoshikos Hand.*

YOSHIKO. Nun lass' mich.

TANAKA. Nicht hier. *Sich umblickend.* Wo –? *Er entdeckt die Tür rechts.*

YOSHIKO. Was willst du?

TANAKA *schon rechts öffnend.* Dich vor den Schlägen schützen. Bin ich nicht dein Bruder? *Er zieht sie mit sich rechts hinein. Dabei verliert Yoshiko ihren Fächer aus dem Gürtel. Tanaka schiebt die Tür zu.*

Pförtner führt den Unteroffizier, der sich seiner Stiefel entledigt hat, links herein.

UNTEROFFIZIER. Es sind Soldatenstiefel, die ich erkenne. Soldaten vom Schießplatz, die ihren Urlaub haben. Alles gemeine Leute?

PFÖRTNER. Nur die gewöhnlichen Soldaten. Kein Herr Unteroffizier.

UNTEROFFIZIER. Dann habe ich die Wahl. Wo ist die schönste?

PFÖRTNER. Die jüngste – *Nun gewahrt er, daß der Raum leer ist. Verdutzt.* Sie ist nicht hier.

UNTEROFFIZIER. Was heißt das – sie ist nicht hier?

PFÖRTNER. Die Pfirsichblüte, die Sie erwartete.

UNTEROFFIZIER. Nicht allzu ungeduldig, wie ich merke.

PFÖRTNER. Doch – doch, es flatterte ihr Herzchen. Sie schickte gleich einen andern fort.

UNTEROFFIZIER. Lügst du das?

PFÖRTNER. So wahr ich einarmig bin – *Er sieht den Fächer.* Da ist ihr Fächerchen. Ich habe nicht gelogen.

UNTEROFFIZIER. Und wo ist sie?

PFÖRTNER *verschmitzt.* Schon nebenan.

UNTEROFFIZIER *auf die Tür zugehend.* So schaffe ich mir Einlaß. *Er will die Tür beiseiteschieben – es gelingt nicht. Zum Pförtner.* Seit wann sind eure Türen wie Eisen schwer?

PFÖRTNER. Wie Eisen schwer?

UNTEROFFIZIER. Ich rücke sie nicht von der Stelle.

PFÖRTNER. Soll ich –

UNTEROFFIZIER. Was ich nicht kann, kannst du nicht. Ein Riegel eingeklemmt?

PFÖRTNER. Die Zimmer hier haben keine Riegel.

UNTEROFFIZIER. Sonst wär's kein öffentliches Haus. Warum nun gibt die Tür nicht nach?

PFÖRTNER. Die ist wie jede andre Tür.

UNTEROFFIZIER. Dann hält sie jemand von innen zu. Ein Mädchen hat die Kraft nicht. Es ist wer bei ihr.

PFÖRTNER. So hat sie der Soldat –

UNTEROFFIZIER *höhnisch.* Mir weggeschnappt? Das kann doch nur ein Spaß sein. *Er pocht an.* Aufmachen. – *Stille.* – *Er klopft wieder.* Es ist ein Unteroffizier, der klopft. Aufmachen. – *Stille.* – *Er klopft nochmals.* Ich klopfe ein drittes Mal. Sofort aufmachen. – *Stille.* – – – – Ich klopfe nicht mehr und gebe den Befehl, die Tür vor mir zu öffnen. In zwei Minuten ist diese Tür auf oder ich dringe mit Gewalt ein. Was Widerstand bedeutet, weiß ein Soldat. Ich gebe Frist von zwei Minuten und zähle mit der Uhr. *Er sieht auf seine Armbanduhr und murmelt immer den Ablauf von zehn Sekunden.*

Hinter der Tür ein erstickter Schrei und ein dumpfer Fall.

UNTEROFFIZIER *zum Pförtner.* Was war das?

PFÖRTNER. So schrein sie nicht, wenn sie –

UNTEROFFIZIER. Nein – dieser Schrei klang anders. *Gegen die Tür hämmernd.* Sofort die Tür auf!

Tanaka schob die Tür zurück und steht auf der Schwelle – das blutige Bajonett in der Hand.

TANAKA. Schon – alles offenbar.

Gebanntes Schweigen.

UNTEROFFIZIER *endlich die Frage an Tanaka richtend.* Warum – – erstochen?
TANAKA *zu einem mächtigen Stich ausholend.* Damit du sie nicht in den Armen hältst!! *Er stößt ihm das Bajonett tief in die Brust.*
UNTEROFFIZIER *wälzt sich auf der Erde.*
PFÖRTNER *erwacht aus seiner Erstarrung – läuft zur Tür hinten – öffnet und bearbeitet den Gong.*

Auf der Treppe die Wirtin.

PFÖRTNER *brüllend.* Er ist ein Mörder – – er ist ein Mörder – – er ist ein Mörder!!
WIRTIN *unten – schlägt dem Pförtner auf den Mund.*

Gong verhallt.

WIRTIN *beim Unteroffizier, der aushauchte – sich Tanaka zuwendend, der unbeweglich steht.* Um solch ein Mädchen? – Ihr seid Lumpenkerle! *Zum Pförtner.* Hol' die Polizei.

[DRITTER AKT]

Militärgerichtssaal. Wände und Decke aus geschnitztem Holz mit Goldlinien.

Hinten die Estrade mit dem Richtertisch und drei hochleh-nigen vergoldeten Sesseln.

Tiefer links Platz des Verteidigers.

Tiefer rechts Platz des Schreibers.

In der Mitte das Halbrund eines niedrigen Gatters.

In das Holz der Rückwand eingelassen und von einem brei-ten Goldrahmen umgeben das Bild des Kaisers: lebensgroß und glänzend mit Schärpe und Reiherbusch.

Der Saal liegt leer.

Dann wird rechts eine Tür geöffnet und wieder geschlossen: nachdem Tanaka von zwei Soldaten mit aufgepflanztem Bajonett hereingeführt wurde.

Die Soldaten geleiten Tanaka in das halbrunde Gitter und ziehen sich an die Tür zurück.

Tanaka – barhäuptig und aller Abzeichen entkleidet – steht mit gesenktem Kopf und blickt nach nichts.

Auch nicht erhebt er die Augen: als von rechts vier Offiziere die Estrade betreten. Der erste Offizier ist von hohem Rang und trägt Achselstücke mit breiten Goldfransen. Die drei anderen Offiziere haben gleiche Achselstücke, doch weniger Streifen um Mützen und Ärmel.

Es folgt noch ein Unteroffizier mit einer Aktentasche.

Die vier Offiziere haben die Mitte der Estrade erreicht – nehmen ihre Mützen ab und verbeugen sich tief vor dem Kaiserbild.

Der Unteroffizier, der die Tür schloß, strafft die Haltung.

Ebenso die Posten unten.

Jetzt nehmen die Offiziere ihre Plätze ein: in den mittleren Sessel setzt sich der rangerste Offizier, der den Vorsitz führt – rechts von ihm der zweite Offizier und links der dritte Offizier als Beisitzer.

Der vierte Offizier sitzt als Verteidiger links unten.

Der Unteroffizier als Schreiber rechts unten.

VORSITZENDER *aus einem Schriftstück vorlesend.* Hozen Ta-naka – dienstpflichtig eingezogen seit Oktober neunzehn-hundertzwanzig – ausgebildet als Schütze im einundsech-zigsten Regiment. *Aufblickend.* Bist du das?

TANAKA *schweigt und rührt sich nicht.*

VORSITZENDER *nach einer Pause.* Bist du das nicht? Nicht Hozen Tanaka – dienstpflichtig eingezogen seit neunzehnhundertzwanzig und Schütze im einundsechzigsten Regiment?

TANAKA *stumm.*

VERTEIDIGER. Es ist sein Namen.

VORSITZENDER. Tanaka – warum läßt du einen andern für dich sprechen?

TANAKA *schweigt.*

VORSITZENDER. Bist du stumm?

VERTEIDIGER *nach neuem Schweigen Tanakas.* Er hat noch nicht gesprochen – seit seiner Tat. Auch zu mir nicht, der ihn verteidigen soll.

VORSITZENDER. Du hattest keinen Fehler, als du dienstpflichtig eingezogen wurdest. Ein Stummer wird nicht dienstpflichtig eingezogen. Verlorst du später deine Sprache?

TANAKA *schweigt weiter.*

VERTEIDIGER. Er würde sprechen, wenn er sprechen wollte.

VORSITZENDER. Du schweigst – aus Feigheit. Du hast Angst, Tanaka. Du zitterst vor den Folgen und windest dich erbärmlich. Verschluck' doch deine Zunge. Es ist ein Vorteil sie nicht mehr zu haben. Ein Hauch könnte verraten mehr als man möchte. Und man will nichts aussagen. Von seiner Tat weglaufen und alles leugnen – leugnen – leugnen. Bis auf den eignen Namen.

TANAKA *duckt den Kopf tiefer.*

VORSITZENDER *eindringlich.* Nicht einmal deinen Namen gibst du zu, Tanaka?

TANAKA *endlich halblaut.* Ich heiße Tanaka.

VORSITZENDER. Hozen Tanaka?

TANAKA. Hozen – Tanaka.

VORSITZENDER. Dienstpflichtig eingezogen seit neunzehnhundertzwanzig?

TANAKA. Dienstpflichtig – eingezogen.

VORSITZENDER. Als Schütze ausgebildet im einundsechzigsten Regiment?

TANAKA. Als – Schütze.

VORSITZENDER *nickt befriedigt und reicht dem Beisitzer links ein Schriftstück.* Nun höre auch, Tanaka, nachdem du wieder sprechen kannst. Du hörst die Anklage, sie wird jetzt vorgelesen.

BEISITZER *liest vor.* Beschuldigt wird Hozen Tanaka des zweifachen Mordes. Den ersten Mord verübte er an Unteroffizier Umezu vom gleichen Regiment. Der Mord geschah im Überfall mit einem Bajonettstich. Umezu verschied nach wenigen Minuten. Der zweite Mord geschah an einer Dirne unbekannten Namens.

Es herrscht Stille.

VORSITZENDER *zum Verteidiger.* Ich brauche ihn wohl nicht zu fragen, ob er sich schuldig bekennt.

VERTEIDIGER. Die Frage dürfte nicht unterlassen werden.

VORSITZENDER. Wenn Sie darauf bestehen – *Zu Tanaka.* Hast du getan, was man dir vorwirft?

TANAKA *schweigt noch.*

VORSITZENDER. Hast du den Unteroffizier Umezu erstochen?

TANAKA *schweigt.*

VORSITZENDER. Hast du die Dirne erstochen?

TANAKA *schweigt.*

VORSITZENDER. Natürlich wird alles abgestritten. Umezu lief in dein Bajonett und tötete sich selbst. Das willst du doch sagen?

TANAKA *schweigt.*

VORSITZENDER. Der Dirne zeigtest du das Bajonett, weil sie neugierig war – und da entglitt es dir und sank ihr in die Brust. Auch nur ein Unglücksfall? Erklärst du es uns so?

TANAKA *schweigt.*

VORSITZENDER *nach Papieren greifend.* Wir haben eine andere Darstellung, wie es sich zutrug. Du hattest Pech, Tanaka, daß du nicht allein warst und man dir zusah. Die Zeugen sind zuverlässig, die dich überführen. Und da du überführt sein willst –

VERTEIDIGER. Er will sich äußern.

TANAKA *ruckte mit den Schultern.*

VORSITZENDER. Gab es keine Zeugen?

TANAKA. Ich habe – den Unteroffizier Umezu getötet.

Stille.

VORSITZENDER. Die Dirne?

TANAKA. Ich habe – *Er stockt.*

VORSITZENDER. Was hast du mit der Dirne –?
TANAKA. Ich habe – auch sie getötet.

Stille.

VORSITZENDER – – – – – – – – Warum?
TANAKA *stumm.*
VORSITZENDER. Warum hast du getötet?
TANAKA *stumm.*
VORSITZENDER. Tanaka, schläfst du? – *Zum Verteidiger.* Ich kann nicht sehen, ob er die Augen offenhält.
VERTEIDIGER. Er starrt zu Boden aus offnen Augen. – *Zu Tanaka.* Tanaka, du mußt auf diese Frage Antwort geben. – Ich kann nicht für dich antworten – ich weiß doch selbst nichts.
VORSITZENDER. Jetzt werden wir's erfahren. Tanaka wird uns langsam alles sagen und nichts vergessen. Was willst du uns nun sagen?
TANAKA *mühsam.* Ich – hab' es doch gesagt.
VORSITZENDER. Was hast du uns gesagt?
TANAKA. Ich habe beide mit meinem Bajonett erstochen.

Stille.

VORSITZENDER. – – – – – – – – – Ja, davon hast du uns erzählt. Doch das genügt nicht. Das ist doch nur das Ende einer Kette, das wir in Händen halten. Das blutige Ende – warum mußte es blutig enden?
TANAKA *stumm.*
VORSITZENDER. Was wir vermissen, sind die Zusammenhänge. Die Gründe für eine solche Tat, wie du sie ausgeführt. Die brauchen wir für das Urteil. Den Weg des Täters müssen wir verfolgen können – bis zu dem Punkt, wo sich der Keim in seine Brust gepflanzt zum Mord. Was stiftete ihn an?
TANAKA *stumm.*
VERTEIDIGER. Tanaka – das Urteil, das dich erwartet, kann gemildert werden, wenn dein Beweggrund uns bekannt wird. Es kann die Schuld verteilt sein – vielleicht hat alles eine lange Vorgeschichte und diese Vorgeschichte müssen wir erfahren.
TANAKA *stumm.*

VORSITZENDER. Auch wenn sie lang ist, die Geschichte, auf die wir warten – sie soll uns nicht ermüden. Willst du uns warten lassen?

TANAKA *dumpf*. Ich habe mein Geständnis abgelegt – und warte auf mein Urteil.

VORSITZENDER *nach einer Pause*. Mehr hast du nicht zu sagen?

TANAKA *schweigt*.

VORSITZENDER *kopfschüttelnd*. Nein – das genügt uns nicht. Wir würden der Gerechtigkeit schlecht dienen, wenn wir mit unserm Forschen nicht in jeden Winkel leuchteten. Du machst es uns nicht leicht – du machst es uns sehr schwer. Warum du mordetest – Tanaka, du – *In Papieren blätternd.* – der hier geschildert ist aus jedem Munde als Untergebener – als Kamerad mit vollem Lobe – – *Er legt die Papiere nieder.* Doch rollen wir den Vorgang auf. Es wird uns sichtbar der Tag – ein strahlend schöner Tag. Entsinnst du dich des Wetters? Oder floß Regen?

VERTEIDIGER *zu Tanaka*. Die Frage ist nicht verfänglich. Was gab es? Regen oder Sonne?

TANAKA *tonlos*. Sonne.

VORSITZENDER. Blitzblanke Sonne. Wunderschönes Schauspiel. Das Regiment tritt an. Die Regimentsmusik erschallt. Ihr präsentiert. Der Oberst sprengt vor die Front und übersieht sein Regiment. Du warst doch stolz bei diesem Regiment zu sein?

TANAKA *stumm*.

VERTEIDIGER. Er war der tüchtigste Soldat.

VORSITZENDER. Das hat er dann bewiesen. Besonders an diesem Tag. Es wurde um die Meisterschaft der Bataillone gestritten im Schießen. Der Ausgang hing an einem Haar – da schossest du fünf Ringe für dein Bataillon. Fünf Ringe, die den Sieg entschieden. So ruhig war deine Hand, daß du fünf Ringe schießen konntest?

TANAKA. Ich – schoß fünf Ringe.

VORSITZENDER. Das war am Vormittag. Da warst du nicht erregt, sonst hättest du nicht sicher zielen können. So sicher, um so gut zu treffen. Nun – ihr vom dritten Bataillon gewannt den Preis und euer Hauptmann belohnte euch mit Urlaub für den Nachmittag. Froh zogt ihr los – die besten sechs der Schützen – das Ausflugsziel ein Freudenhaus. *Zum rechten Beisitzer, der die Hand hebt.* Was gibt es?

BEISITZER *zu Tanaka.* Besuchtest du schon früher dies Freudenhaus?

TANAKA *schüttelt heftig den Kopf.*

VORSITZENDER. Warum verneinst du mit dieser Heftigkeit?

VERTEIDIGER. Es ist ein billiges Haus, das man nicht zweimal aufsucht.

VORSITZENDER. Es muß sehr übel sein. Die Dirnen, die dort enden – woher sind sie gekommen? Nicht einmal ihren Namen kennt man. Hier ist nichts verzeichnet. Das läßt man ruhn im Dunkel und zerrt nicht an dem Schleier, mit dem es undurchsichtig sich bedeckt. *Zum Beisitzer.* Erledigt sich die Frage?

BEISITZER *nickt.*

VORSITZENDER. So setzen wir den Ausflug fort. *Zu Tanaka.* Ihr klopftet an und vom Pförtner wurde euch geöffnet. Entsinnst du dich des Pförtners? Er hatte nur ein Bein?

TANAKA. Nein – einen Arm.

VORSITZENDER *schärfer.* Du hast dich gut besonnen. Denn dieser Pförtner, der dir noch leibhaftig vor den Augen steht, wird dir noch viel zu schaffen machen. Er war zuerst und war zuletzt da. Zuletzt – das ist das wichtige. Im Anfang ging alles glatt. Es kam die Wirtin und begrüßte ihre Gäste. Soldaten vom Schießplatz – hohe Ehre. Sie ließ die Mädchen wecken –

TANAKA *auffahrend.* Nein – sie weckte nicht.

VORSITZENDER. Sie mußte sie doch wecken, weil sie schliefen.

TANAKA. Sie schliefen nachts – und warteten am Tag auf uns.

VORSITZENDER. Woher weißt du das?

TANAKA. Die Wirtin sagte es.

VORSITZENDER. Und solche Wirtin lügt nie?

TANAKA *atemlos.* Tag und Nacht – –

VORSITZENDER. Entsetzt dich das? Weil eine Wirtin euch gutgläubige Soldaten beschwindelt? Fühlst du dich geprellt und würdest auch die Wirtin gern erstechen?

TANAKA *wieder erschlaffend.* Es gilt ja nichts mehr.

VORSITZENDER. – – – – – – – – Als die Mädchen erschienen – nicht zugleich, sie kamen eine nach der andern – war es im Würfelspiel, daß ihr sie wähltet. Du regtest dieses Würfelspiel an und bestandest auf seiner Durchführung, auch als dein Kamerad – *Ablesend.* – Wada – *Aufblickend.* Wada war dir ein guter Freund?

TANAKA. Er war es.

VORSITZENDER. Er blieb es. Obwohl du ihn enttäuscht.

TANAKA. Ein Mörder.

VORSITZENDER. Nein, vorher. Als du ihm deine Schwester zeigen wolltest. Die Heirat sollte vereinbart werden. Doch deine Schwester war im Gebirge. So hat er ausgesagt. Und wie sagst du aus?

TANAKA. Oben im Gebirge ist sie.

VORSITZENDER. Wo oben im Gebirge?

TANAKA. Wohin Wada nie kommt.

VORSITZENDER. Soll er sie nie bekommen?

TANAKA. Nein – nie.

VORSITZENDER. Das wirst du nicht verhindern, wenn sie Wada sucht.

TANAKA *murmelnd*. Er soll nicht suchen.

Stille.

VORSITZENDER. – – – – – – – – Wir kehren in das Freudenhaus zurück. Fünfmal hast du verspielt und erst das letzte Mädchen fiel dir zu. Was tatest du mit ihm?

TANAKA. Ich tat – nichts.

VORSITZENDER. Es sang – es tanzte. Nachdem es dir vorgetanzt und vorgesungen, verbliebt ihr unten. Warum gingt ihr nicht hinauf?

TANAKA *stumm*.

VORSITZENDER. Warum so lang gezögert? Denn so traf euch der Pförtner – beieinander sitzend. Du schienst nicht begierig. Warst du denn nicht begierig?

TANAKA *stumm*.

VORSITZENDER *zum Verteidiger*. Schämt sich Tanaka, hierzu ja oder nein zu sagen?

VERTEIDIGER *zu Tanaka*. Tanaka, du hast ein Freudenhaus besucht. Die Scham ist lächerlich. Es trieb dich die Begierde – und dann verflog sie?

TANAKA. Ja – sie verflog.

VORSITZENDER. Du wolltest dich dem Mädchen gar nicht nähern?

TANAKA. Nein.

VORSITZENDER. Dieses Nein ist wichtig. Es bahnt uns einen Weg und dieser Weg führt weiter. An das Ziel. Glaub' mir, Tanaka, dieses Ziel ist näher, als dir dämmert. Es ist sehr nah. Nun höre. Es fordert dich der Pförtner auf, dies Mädchen freizugeben. Es ist ein Unteroffizier gekommen, den man nicht warten läßt. Alle andern sind gemeine Soldaten – er von höherem Rang. So sollst du dich zurückziehn und der Pförtner lädt im Glauben, daß du dich zurückgezogen, den neuen Gast ein. Wie es erwartet, wirst du nicht mehr angetroffen – doch auch das Mädchen nicht. In eine Nebenkammer seid ihr entwichen. *Nach einer Pause mit erhobener Stimme.* Und in der Kammer stachst du die Dirne nieder – und stießest auch noch den Stahl in dessen Brust, der draußen stand. *Ganz stark.* Woher stammt diese Feindschaft gegen den Unteroffizier Umezu, die bis zum Mord dich trieb? Sehr alt – sehr heiß muß diese Feindschaft sein. Denn um der Dirne willen, die du nicht einmal begehrtest, vollführtest du den Todesstich nicht!

Stille.

VORSITZENDER *nachdem er vergeblich auf eine Äußerung Tanakas gewartet hat, in sachlichem Verhör.* Wie lerntest du Umezu kennen?

TANAKA. Ich kannte – Umezu nicht.

VORSITZENDER. Du dienst im zweiten Jahr im Regiment und kennst die Unteroffiziere nicht?

TANAKA. Es ist der Unteroffizier Umezu – den ich kenne.

VORSITZENDER. Du kennst ihn und du kennst ihn nicht. Was ist nun Wahrheit?

TANAKA. Daß ich ihn kenne.

VORSITZENDER. Wir wickeln deine Widersprüche wie von einer Spindel ab. Zuletzt erhalten wir den Faden, der aus dem Labyrinth führt – zum Ausgang, den wir suchen. Zum Ursprung aller Taten. Als Umezu noch nicht Unteroffizier war – wo traft ihr euch vorher?

TANAKA. Vorher – nicht.

VORSITZENDER. Nie?

TANAKA. Ich kann – mich nicht besinnen.

VORSITZENDER. Du hast dich schon auf vieles nicht besinnen können – oder nur langsam. Jetzt strenge dein Gedächtnis an. Woher stammst du?

TANAKA. Aus dem Norden.

VORSITZENDER *zum linken Beisitzer.* Was wissen wir von Umezus Herkunft?

BEISITZER *blätternd.* Es steht nichts verzeichnet.

VORSITZENDER. Dann hilft uns Tanaka. War er dein Lands-
mann? Saßet in den Schenken zusammen und beim Schnaps
gibt's Streit? Ist es nicht so bei euch? Oder war's in der
Vorstadt, wo ihr euch entzweitet?

TANAKA. Es war – in keiner Vorstadt.

VORSITZENDER. Im Dorf?

TANAKA. Im Dorf nicht.

VORSITZENDER. Weder Stadt noch Dorf. Auf freiem Felde?
Bist du Bauer?

TANAKA. Reisbauernsohn.

VORSITZENDER. Reisbauernsohn. – – Und war Umezu euer
Nachbar? Der Sohn des Nachbarn, wie du ein Sohn bist.
Herrschte Zwietracht zwischen den Vätern – zwischen deinem Vater und Umezus Vater – und was du rächtest, war
die Beleidigung, die deinem Vater einst von Umezus Vater
zugefügt war?

VERTEIDIGER. Tanaka – es kann zur Ehre dir gereichen, wenn
du für deinen Vater eintratst.

VORSITZENDER *eindringlich*. Taucht nicht dein Vater vor dir
auf, dem du die Wahrheit schuldest?

VERTEIDIGER. Tanaka – wenn Söhne für ihre Väter sterben,
stirbt nicht die Ehre.

TANAKA *ausbrechend*. Ich habe nicht Umezu um meines Vaters willen umgebracht!

Stille.

VORSITZENDER. – – – – – – – – So ist der Haß in späterer
Zeit geboren. Zur Zeit, als du im Regiment warst. Fühltest du dich vom Unteroffizier Umezu ungerecht behandelt?

TANAKA. Nein.

VORSITZENDER. Das konnte auch nicht sein – denn er gehörte
zum ersten Bataillon und du zum dritten. Die Bataillone
unterstehen verschiedenen Befehlsgewalten. Nur einmal gab
es Anlaß zu Reibereien zwischen den Bataillonen. Bei jenem
Wettbewerb im Schießen. Das erste und das dritte Bataillon
hielten die Spitze. Es fehlten dem dritten Bataillon zum Sieg
fünf Ringe, die du dann schossest. Hat dich Unteroffizier
Umezu behindern wollen?

TANAKA. Wie – mich behindern?

VORSITZENDER. Das sollst du uns sagen. Ich war nicht auf

dem Schießplatz gegenwärtig – und sah, wie dich Umezu
– – Nun, was tat er?

TANAKA. Nichts.

VORSITZENDER. Er gab dir keinen Stoß, den du nicht ahnden
konntest – dein Hauptmann stand bei dir? Du hattest alle
Mühe dich zu beherrschen, doch die Wut kochte in dir. Jetzt
nicht zur Scheibe schießen, sondern Umezu in den Leib die
Kugel senden – war das nicht dein dunkles wildestes Begehren?

TANAKA. Umezu – hat mich nicht gestoßen.

VORSITZENDER. Geblendet? Mit irgend etwas blankem, das
einen Blitz dir in das Auge sprühte, mit dem du zieltest.
Doch der Blitz entfachte nur ein Feuer der Rache in dir, die
du nehmen würdest, wenn die Gelegenheit sich böte. *Stark.*
Nicht auf dem Schießplatz, wo der Soldat den Vorgesetzten
achtet – im Freudenhaus, wo alle Ränge schwinden und die
Verbrechen mit der Unzucht wuchern!

TANAKA *schweigt.*

VORSITZENDER *spöttisch.* Du hegtest keinen Groll gegen den
Unteroffizier Umezu?

TANAKA. Ich – hatte keinen Grund.

VORSITZENDER. Und grundlos stachst du ihn nieder?

TANAKA *nach einem Zögern.* Ja – – grundlos.

VORSITZENDER. War das ein Blutrausch, der dich überfiel? Ein
Blutrausch, Tanaka, wie sollte der dir kommen? Du bist am
Vormittag der beste Schütze und zielst mit ruhiger Hand –
und nachmittags empört sich so dein Wesen, daß Blut vergossen werden muß? Aus keinem wichtigen Anlaß? Eine
Dirne soll dir genommen werden – wie gleichgültig dir Dirnen sind, beweist dein Würfelspiel. Es ist dir jede recht. In
einem andern Haus hättest du das gefunden, was du brauchtest – doch diese stachst du nieder, damit er sie nicht habe – –
Ablesend. Damit du sie nicht in den Armen hältst – sind
deine Worte, die uns der Pförtner aufbewahrt. Damit
Umezu sie nicht halte – das ist unwiderleglich festgelegt.
Dieser Pförtner wird dir gefährlich. Sind die Worte richtig?

TANAKA. Ich – habe sie gesagt.

VORSITZENDER. Und an Umezu waren sie gerichtet?

TANAKA. An jeden – der wie Umezu war.

VORSITZENDER. Willst du damit sagen, daß du an jenem Tage
jeden, der vor der Tür gestanden hätte, niedergestochen hättest?

TANAKA *schweigt.*

Stille.

VERTEIDIGER. Es muß Tanaka, ohne daß er es weiß oder es sich früher bekundet hat, von Zuständen befallen werden, in denen ihm die Überlegung schwindet. In einem solchen Zustand, der von geringstem Reiz erzeugt wird – der Allgemeinheit kaum erklärlich – beging er ganz unbewußt die Taten. Die Störung des Bewußtseins und ihr Grad muß untersucht werden. Ich empfehle, Tanaka in eine Anstalt einzuliefern und das Ergebnis der ärztlichen Beobachtung noch abzuwarten.

Während der Rede des Verteidigers beschrieb der rechte Beisitzer einen Zettel und reichte ihn dem Vorsitzenden.
Der Vorsitzende liest – überlegt und nickt.

VORSITZENDER *zum Verteidiger.* Es ist wahrscheinlich, daß ich die Verhandlung unterbreche und später weiterführe. Es taucht ein Zweifel auf – nicht an Tanakas Zurechnungsfähigkeit – der Grund ist andrer Art. *Zu Tanaka.* Tanaka, willst du zweimal vor deinem Richter stehn?
TANAKA *schweigt.*

VORSITZENDER. Du würdest Zeit gewinnen – doch weniger Geduld bei mir. Wo liegt dein Vorteil? Überlege dir's.
TANAKA. Ich will nicht – Zeit gewinnen.

VORSITZENDER. So hast du dich entschieden. Alles geht nun schnell. Was lag dir an der Dirne?
TANAKA *zuckt zusammen.*

VORSITZENDER *nach einer Pause.* Ist diese Frage zwecklos? Du zucktest. Die Zunge kann der Mensch beherrschen, doch nicht den ganzen Körper. Der zuckte dir. Es ist bemerkt, Tanaka. Was verrät das?
TANAKA *stumm.*

VORSITZENDER. Jetzt klammerst du mit beiden Händen dich an das Gitter wie ein Ertrinkender an Treibholz. Was bedeutet das?
TANAKA *hauchend.* Nichts. – – – –

VORSITZENDER. Jetzt nichts mehr. Doch vorher war es bedeutungsvoll. So wichtig – so tödlich wichtig, daß ein Umezu – Umezu war da jeder – verbluten mußte, der nach dem Mädchen griff.
TANAKA *schweigt.*

VORSITZENDER. Du – kanntest es von früher?

TANAKA *seufzend.* Nein.

VORSITZENDER. Dies Nein ist eine Lüge. Doch diese Lüge sei dir verziehn, da die Wahrheit manchmal zu schwer ist, um sie gleich zu äußern. Ich wiederhole meine Frage: ihr kanntet euch?

TANAKA *wie vorher.* Nein.

VORSITZENDER. Tanaka, wenn du dich scheust zu sprechen – es ist hier niemand, der ein Geheimnis nicht hüten könnte. Ich lasse die Posten abtreten. Willst du das?

TANAKA *stumm.*

VORSITZENDER *winkt den Posten, die den Saal verlassen. Wieder zu Tanaka.* Blick' um dich. Keiner hört dir zu, der deiner spotten könnte. Es wird auch nichts geschrieben. *Der Unteroffizier legt seinen Halter hin.* Alles ist vorbereitet, um das Geheimnis, das du enthüllst, zu schonen.

TANAKA *regt sich nicht.*

VORSITZENDER *nach vergeblichem Warten.* Der Fisch von früher? Änderst du dich nicht, Tanaka? Stumm sind die Fische. Einstmals warst du's nicht. Das rühmen die Berichte der Kameraden, wie du erzählen konntest – wunderbar erzählen. Da schichtetest du Märchen über Märchen und bautest eine ganze Zauberwelt. Stürzte sie ein?

TANAKA *stumm.*

VORSITZENDER. Stürzte sie ein mit stäuben und mit krachen – als du im Freudenhaus das Mädchen wiedertrafst?

TANAKA. Das – – Mädchen?

VORSITZENDER. Ja – sie, die deine Braut war. War sie es?

TANAKA. Sie war nicht – meine Braut.

VORSITZENDER. So sollte sie es werden.

TANAKA. Sie sollte nicht –

VORSITZENDER *unterbrechend.* Es ist natürlich, daß du leugnest. Du willst auch in der Erinnerung mit einem solchen Wesen nichts mehr zu schaffen haben. Doch lass' für wenige Minuten aufleben, was dann für immer begraben werden soll. Das ist ein Unrat, man verscharrt ihn nicht schnell genug. Antworte darum rasch. Von Jugend auf seid ihr bekannt. Ihr wachst im selben Dorf auf und seht euch täglich. Gab es ein tägliches Zusammentreffen?

TANAKA *stumm.*

VORSITZENDER Gab es schon nächtliche? Ich stelle diese Frage, um zu ermessen, wie eng du dich verbunden fühltest. Bedenke, es endigte mit Mord. – War schon viel vorgefallen?

TANAKA *stumm*.

VORSITZENDER. Versteh' mich: sie kränkte dich sehr oft. Sie hielt es damals schon mit andern Burschen – und was sie dir gewährte, gewährte sie noch andern. Denn ohne Vorbereitung für das Freudenhaus wird man nicht sein Insasse. Sie lief hin, als du fort warst. Der Weg war frei ins Laster.

TANAKA *stumm*.

VORSITZENDER. Erzählte sie dir's nicht? Ihr unterhieltet euch doch nur, der Pförtner traf euch so. Und dich entsetzte es. Wie du von Anfang an getäuscht warst und nun die Krönung dieser Täuschung erlebtest. Du, guter Eltern Sohn – ein tüchtiger Reisbauer dein Vater und die Mutter redlich besorgt um ihre Kinder – von einer Dirne hinters Licht geführt. Das ist Schimpf, der im Geweide brennt – wie löscht man diesen Brand? Blut löscht ihn – und nun fließt das Blut der Metze und es ist nicht genug Blut. Es muß noch mehr Blut in das Feuer ausgegossen werden – und aus Umezus Wunde strömt es, die dein Bajonett geöffnet. Da ist die Glut gekühlt. Da ist die Tat ergründet. Oder tasten wir im Nebel?

TANAKA *hebt nur, wie um eine Last abzuwälzen, die Schultern*.

VORSITZENDER. Die letzte Antwort fehlt noch. Wie lautet sie?

TANAKA *stumm*.

VORSITZENDER *scharf*. Daß weiter Nebel herrschen soll?

TANAKA *stumm*.

VORSITZENDER *mit aller Schärfe*. So werden wir den Nebel selbst durchstoßen – nach dieser Dirne forschen. Die Rolle, die sie spielt – sie wird verdunkelt. Mit vorgefaßter Absicht. Es erscheint mir planvoll, wie hier geschwiegen wird. *Zu den Beisitzern*. Alles soll unternommen werden, um alles zu ermitteln. Namen und Herkunft – schonungslos vom Anfang bis zum Ende. *Zu Tanaka*. Und was wir hörten, werden wir mit neuen Zeugen dir beweisen. Es wird nicht eine Lücke klaffen. Dann stehst du wieder hier. *Zu den Beisitzern*. Ich schließe die Verhandlung mit Vertagung. *Zum Unteroffizier*. Die Posten sollen wiederkehren.

Jetzt erhebt Tanaka mit fast flehender Gebärde die Hand gegen den Verteidiger.

VERTEIDIGER. Was willst du?

TANAKA *schluckt nur.*

VERTEIDIGER. Willst du jetzt sprechen?

TANAKA *nickt heftig.*

VERTEIDIGER *zum Vorsitzenden.* Tanaka will etwas sagen. Vielleicht das Wesentliche.

VORSITZENDER *zweifelnd.* Das Wesentliche aus Tanakas Munde?

VERTEIDIGER *zu Tanaka.* Ist es denn wesentlich?

TANAKA *mit äußerster Anstrengung.* Das Mädchen, das –

VERTEIDIGER *drängend.* Das du –

TANAKA. Das ich erstach –

VERTEIDIGER. Du erstachst es – wissen wir es nicht?

TANAKA. War – – meine Schwester – – – – – – –

Vollkommene Stille.
Alle Blicke sind auf Tanaka gerichtet – der mit gesenktem Kopf im Gatter steht.

VORSITZENDER *mit unverhohlenem Erstaunen endlich.* Tanaka – wie kommt deine Schwester an solchen Ort?

TANAKA *dem man nun Zeit läßt, die Antwort vorzubereiten, krümmt die Schultern, als sollten sie den Kopf aufrichten. Doch das gelingt nicht – und er spricht in seiner alten Haltung zu Boden.* Sie hat ihn nicht gesucht. Ich konnte für Yoshiko eintreten – den Namen hatte sie – und zu meinem Kameraden sagen – der Kamerad war Wada –: du kennst mich – und wie du mich kennst, so ist sie. Er hatte an mir nichts auszusetzen und würde auch ihr nichts vorgeworfen haben. Sie war gehorsam jedem, der ihr befehlen durfte. Der Spiegel war ich, in dem sie Wada sah. Der Spiegel gab ihr echtes Bild zurück. Gehorsam sind wir beide. Wir haben nicht gelernt zu trotzen oder hinterrücks zu lästern. Ich führte, wie ich mußte, die Befehle aus und keiner übertraf mich – ich schoß die fünf Ringe. Es würde aus Yoshiko in ihrer Demut keine übertroffen haben – – wenn sie nicht einen andern Pfad geleitet wäre. Dorthin – wo ich sie traf. Auch hier war sie gehorsam – und folgte dem Befehl, der ausgesprochen war. Befohlen war es ihr von ihren Eltern. Sie durfte nicht den Befehl mißachten – und folgte dem Agenten, er durch das Land zog – – der durch die Dörfer streift, wenn schlechte Ernte war – – und Bauern ihre Töchter verkaufen müssen, um den Zins zu zahlen, mit dem sie sich verschuldet haben – zu einer andern Zeit, als auch der Reis nicht wuchs. Der Reis wächst manchmal nicht – der Zins wächst immer. Da rauschen nicht mächtige Gewitter und schwemmen ihn ins Meer, wo er ertrinkt – da dörrt ihn keine Sonnenglut zu Staub, der mit dem Wind verweht: der Zins ist unentbehrlich – er vergeht nicht. Der Bauer kann ihn nicht mit Reis entrichten – Vater und Mutter liegen auf den Knien und winseln um Erbarmen. Man kann es nicht gewähren. Die Zinsen oder ihr verliert die Hütte, die euch beherbergt. Wo ist ein Ausweg? Und es steht Yoshiko in der Hütte und wird gemustert. Bald wird sie abgeholt und Geld ist in der Hütte. *Nach einer Pause.* Wir haben von diesem Geld ein fettes Mahl verzehrt – Wada und ich, als ich ihm meine Schwester zeigen wollte. Es hat mir gut geschmeckt. Ich kannte nicht die Herkunft dieses Geldes – sonst hätte ich den Bissen ausgespien, der mir im Gaumen schmatzte. Wer kauft von solchem Geld sich Fisch und Wein? – – – – Uns hat man alles vorgesetzt – wir griffen zu. Wir ließen uns unbändig ehren und thronten in der Hütte wie Wesen aus einer andren Welt. Das ganze Dorf lief zu und staunte, wie wir Wein tranken und Zigaretten rauchten. Das konnten alle sehen – nur nicht Yoshiko, der wir den Rauch verdankten. Sie hatte andre Gäste zu bedienen. *Nach einer Pause.* Und als ich dort Gast war – – in jenem Haus – – als sie ein Mädchen war, um das man würfelt – das ich aus meinen brüderlichen Armen dem, der bezahlte, ausliefern sollte – –: da hatte ich das Bajonett in meiner Hand – – und mit dem Bajonett erstach die Hand sie – – und noch ihn. – – – – – – – – – – – – – – – – –

Wieder vollkommene Stille.
Jetzt will der Verteidiger sich zum Worte melden.

VORSITZENDER *ablehnend.* Sie brauchen uns nichts zu sagen. *Er schreibt und reicht dann das Schriftstück dem linken Beisitzer.*

Der linke Beisitzer liest und unterschreibt.
Ebenso der rechte Beisitzer.

VORSITZENDER *das Schriftstück vor sich niederlegend – zu*

Tanaka. Tanaka – wir kommen zum Urteil. Zwei Taten hast du begangen – zweimal hast du getötet. Die erste Tat – wir wissen jetzt, wer dieses Opfer des ersten Bajonettstichs war – verfolgen wir nicht mehr. Sie soll dem Richterspruch entzogen sein.

VERTEIDIGER *nickt beifällig.*

VORSITZENDER *fortfahrend.* Die zweite ist schwerer als jede andre, die ein Soldat verüben kann: die Tötung eines Vorgesetzten. Es gibt für dies Vergehen nur eine Sühne: der Tod. Hozen Tanaka – wegen der Ermordung des Unteroffiziers Umezu fällt das Gericht das Todesurteil.

Stille.
Danach meldet sich der Verteidiger von neuem.

VORSITZENDER *lehnt wieder ab. Zu Tanaka.* Tanaka – das Urteil, das dies Gericht ausspricht, wird gleich vollstreckt. Im Hof. In wenigen Minuten sollst du nicht mehr leben. So löschen wir gemeine Übeltäter aus. Du bist es nicht. Nichts deutet darauf hin, daß du die Taten wiederholen könntest. Denn dieser Anlaß ist beseitigt. Daß er bestand – wir wollen es verstehen. Und dies Verständnis soll dich vor dem Tode retten. Es gibt nur eine Rettung: des Kaisers Gnade.

TANAKA *verharrt reglos.*

VORSITZENDER. Tanaka – des Kaisers Gnade winkt dir, wenn du bittest.

TANAKA *reglos.*

VORSITZENDER. Du sollst den Kaiser um Entschuldigung bitten.

TANAKA *hebt langsam den Kopf und sieht nun den Vorsitzenden frei an.*

VORSITZENDER. Willst du das nicht?

TANAKA *klar.* Der Kaiser soll mich um Entschuldigung bitten.

Wie ein Bann der Erstarrung legt es sich über den Saal.

TANAKA. Er soll es tun – auf dem Paradefeld. *Mit wachsender Festigkeit.* Es stehn die Regimenter ausgerichtet im weiten Viereck. Sonnenklar der Tag. Es blitzt und sprüht vor jedem Regiment – das ist das Funkenfeuer, das von den Instrumenten flammt, die noch nicht schallen. Noch schweigt die Regimentsmusik. Es ist der Augenblick noch nicht gekommen, den sie erwartet. Alle warten – und in den Stunden, die sie warten müssen, wird niemand kraftlos. Denn die Stunden sind nur Minuten, wenn man des Kaisers harrt. – – Und nun verkünden die Signale, daß er naht. Die Regimenterreihen erstarren in Befehlen. Die Musik entzündet ihre Weisen und mächtige Klänge rauschen über das Feld hin. – – Doch plötzlich bricht der Klang ab. Der Kaiser hob die Hand auf. So mächtig ist der Kaiser, daß die Musik vor seiner aufgehobenen Hand verstummt. Die Stille liegt wie Erstarrung auf dem Feld. Als wäre alles Leben für immer ausgelöscht. Und nur des Kaisers Stimme kann sie brechen. Da ruft der Kaiser mich – Tanaka. Ich trete aus dem Glied und halte dort, wo er auf weißem Pferd sitzt. Tanaka, sagt der Kaiser, weißt du jetzt, woher das Geld stammt, mit dem ich diese Regimenter bezahle? Und noch die Regimenter hinter diesen, die überall im Land stehn? Jetzt weißt du es. Ich nehm' es nicht aus meiner Tasche – ich nehme es von euch, die in so großen Nöten darben, daß eure Schwestern sich verkaufen müssen, um Zins zu bringen. Es ist unentschuldbar. Ich müßte mich aus dem Sattel schwingen und vor dir niederwerfen und den Staub küssen dort, wo du standst. Doch du wirst mir vergeben. Es hat noch niemand sich vor dir bei mir beklagt – du bist der erste, der mehr ist als alle andern – ein Mensch. Ein Kaiser ich nur. Ich kann nicht gebieten, daß keine Regimenter mehr im Land sind – zu viele leben von Regimentern – doch ich will die Schmach verhüten, die dir geschah und allen Brüdern solcher Schwestern. Nur noch die Trommeln sollen dröhnen – die dumpfen Trommeln, wenn ihr vorbeimarschiert. Sie wirbeln das Trauerlied der Menschheit, das nie endet. Doch traurig und unwürdig ist dies Lied. – – Bist du zufrieden – hab' ich mich genug entschuldigt? Tanaka – ich flehe dich um Verzeihung an. Ich kann nicht länger Kaiser sein, wenn du mir nicht vergibst. *Ganz stark.* Wenn mich der Kaiser so gebeten hat – auf offenem Paradefeld – will ich dem Kaiser seine Schuld vergeben. – – – – – – –

Noch Bann der Stille.

VORSITZENDER *nun den Bann brechend – überlaut.* Die Posten! *Zu den beiden Soldaten, die in den Saal zurückkehren.* Bewacht Tanaka!

Sie Soldaten stellen sich neben dem Gatter auf.

VORSITZENDER *zu Tanaka.* Unwürdig bist du jeder Gnade. Aufruhr und Lästerung schoß wie ein Giftstrahl von deinen Lippen. Du hast dein Urteil nicht gemildert – jetzt hast du es verdient. Dies Urteil wird vollstreckt!

Nun erheben sich alle und ergreifen ihre Mützen.
Der Verteidiger begibt sich wieder auf die Estrade: um sich mit den übrigen Offizieren tief vor dem Kaiserbild zu verneigen.
Der Unteroffizier hat die Tür auf der Estrade rechts geöffnet, durch die die Offiziere abgehen. Der Unteroffizier folgt und schließt die Tür.
Nur noch von den Posten flankiert Tanaka im Gatter.
Dann zieht durch eine Tür links ein Trupp Soldaten ein – vom Anführer mit einigen Gesten befehligt: Tanaka tritt aus dem Gatter zwischen die Soldaten.
Der Trupp mit Tanaka links ab.
Nach einer Weile einschallend: erst kurzer Trommelwirbel – dann Gewehrsalve.
Wieder Stille.
Der Saal liegt leer – in dem das Kaiserbild fast gegenständlich erscheint.

[1939/40]

DAS FLOSS DER MEDUSA

Im September 1940 wurde der Dampfer, der Kinder aus bombardierten Städten von England nach Kanada bringen sollte, auf hoher See torpediert. Nur wenige Kinder entrannen in Rettungsboten dem Tode. Die Vorgänge in einem dieser Boote während der siebentägigen Irrfahrt sind der Inhalt der folgenden Szenen: wie von den dreizehn Insassen zuletzt doch noch elf geborgen wurden und für die zwei übrigen das Flugzeug zu spät kam.

PERSONEN

ALLAN
ANN
FÜCHSLEIN

DER ZWEITE KNABE
DER DRITTE KNABE
DER VIERTE KNABE
DER FÜNFTE KNABE
DER SECHSTE KNABE

DAS ZWEITE MÄDCHEN
DAS DRITTE MÄDCHEN
DAS VIERTE MÄDCHEN
DAS FÜNFTE MÄDCHEN
DAS SECHSTE MÄDCHEN

PILOT

DAS VORSPIEL

Da es Nacht ist, kennzeichnen nur Lärm und Licht das Werk der Vernichtung.

Aus anfänglicher Dunkelheit und fast lautlosem Gewoge der Wasser löst sich der erste Blendstrahl der Explosion – zugleich mit dem Krachen platzender Platten des Eisenschiffs.

Sausen des wachsenden Feuers übertönt Menschenstimmen – und zu klein sind Menschengestalten, um in dem Übermaß von Brand und Rauch gewahrt zu werden.

Nur Lärm und Licht.

Blitzspitze Flammen, die auffahren – vom Donner berstender Dampfkessel gefolgt.

Es sprühen Garben von schneller entzündeten Holzteilen und tanzen ihr Funkenspiel in weiterer Höhe zu Ende.

Doch noch sind es einzelne Brandherde, die ihre jähen Fackeln entfachen.

Nicht das ganze Schiff ist ergriffen vom Feuer.

Der wütende Ausbruch schrumpft sogar noch einmal ein.

Es wird stiller und dunkler.

In dieser Frist rasseln Ketten, die Rettungsboote herablassen. Das Rasseln durchschneidet das Knistern des lauernden Brennens. Mit knallendem Schlag setzt sich ein Boot aufs Wasser. Noch einige Boote kommen nach unten.

Dann entzündet die Hitze den Treibstoff. Ein Hagel von glühenden Eisenstücken streut sich gen oben, wo die Nacht und das Nichts sind: Öl hat Behälter und Röhren gesprengt.

Nun sickert der flüssig gleitende Brand über die volle Fläche des Deck und läßt keine Lücke im feurigen Umriß des Schiffes. Die grelle Zeichnung des Opfers ist vollendet – nun mag es untergehen.

Der Eisenrumpf birst mitten. So stürzt das Wasser zuerst dort ein und zieht zur Tiefe. Bug und Heck türmen sich steil – wie Wale von der Harpune getroffen – und tauchen unter einer Haube von Qualm weiter und weiter hinab, bis das schwächste Glimmen verlosch – vom Wasser mit dem, das es trug, verwischt.

NACHT

Dicht ist die Finsternis über dem Meer, das mit
zielloser Flutung dumpf rauscht.
Manchmal brechen sich Wellen, als schlügen sich
Hände klagend zusammen.
So jammert das Meer.
Dann erhebt der Wind seine Klage. Seufzendes
Wehen zuerst – entstehend, vergehend.
Wiederkehrend
mit stärkerem Stöhnen – begegnend windigem Ächzen
aus andrer Richtung. Mit ihm sich vereinend –
und Wort wird das Wehen:

MEDUSA

MEDUSA

MEDUSA

MEDUSA

Es zergehen die Töne und nur ein hauchendes
Seufzen schwebt noch eine Frist –
und erstirbt.

DER ERSTE TAG

*Aus dem Dunst des Morgengrauens verdeutlicht sich das
Rettungsboot. Seine Sichtbarkeit wird von wieder stärkeren
Nebeln hingerafft. Von neuem taucht es auf – entschwindet
von Schwaden umwölkt.*

*Schließlich verziehen sich die Nebel und nichts verbirgt mehr
das Boot.*

*Auf seinen Bänken hocken in gekrümmter Haltung des
Schlafens zwölf Kinder: sechs Knaben und sechs Mädchen.
Zehnjährig – elfjährig – zwölfjährig. In der Farblosigkeit
ihrer Regenmäntel gleichen sie einander. Alle sind ohne
Kopfbedeckung.*

Ein Knabe trägt einen weißen Wollschal. – Es ist Allan.

*Ein Mädchen umklammert einen Gegenstand vor der Brust
– es ist Ann.*

Auf bleierner Fläche liegt das Boot reglos.

Das Frühlicht wächst.

ANN *ist die erste, die blinzelnd wach wird. Durch den Spalt
ihrer Lider äugt sie vorsichtig – nur so viel aufnehmend wie
sich dem Blick aufdrängt: die Bootsmitte – und nichts als die
Bootsmitte. Dann ist ein weiterer Augenaufschlag nicht zu
vermeiden: das Wasser hinter der Bootswand ist Wirklichkeit – ist die unabänderliche Wirklichkeit. Nun schweifen
die Augen nach links und mustern die Schicksalsgefährten in
jener Bootshälfte – schweifen nach rechts zur Musterung in
dieser Bootshälfte. Da ist die Entdeckung erschöpft. Jetzt
spürt sie den Druck des Gegenstandes auf ihrer Brust. Sie
lockert den Griff: es ist eine Thermosflasche, die sie so hü-
tete. Bald schraubt sie die Kapsel ab, die zugleich Becher
ist – und gießt aus der Flasche in den Becher. Dann trinkt
sie.*

ALLAN *erwacht. Auch er tastet sich ruckweis ins Erkennen des
Boots und der geduckten Schicksalsgefährten weiter – bis
sein Blick an Ann haftet.*

ANN *den Becher hebend.* Willst du?

ALLAN *sieht sie nur an und lächelt.*

ANN *kopfschüttelnd.* Nicht?

ALLAN. Doch.

ANN *gießt ein.*

ALLAN. Was ist es?

ANN. Milch.

ALLAN *wiederholend.* Milch.

ANN. Oder trinken große Knaben keine Milch?

ALLAN. Wie groß bin ich denn?

ANN *abschätzend.* Zwölf.

ALLAN *nickt.*

ANN. Ich bin auch zwölf.

ALLAN. Aber das ist nicht dasselbe.

ANN. Was ist nicht dasselbe?

ALLAN. Wenn Mädchen zwölf sind, dann sind sie älter als Knaben, die zwölf sind.

ANN. Ist das schöner oder schlimmer für Knaben.

ALLAN. Dann können sie sich nicht heiraten.

ANN *belustigt.* Wir?

ALLAN. Ich meine gleichalterige heiraten nicht.

ANN *lachend.* Aber ich habe geschummelt – ich bin erst elf.

ALLAN. Das ist ein mächtiger Unterschied.

ANN. Kannst du mich nun heiraten?

ALLAN. Das mußt du dir überlegen.

ANN. Du nicht?

ALLAN. Ich brauche mir nichts zu überlegen.

ANN *den Arm mit dem Becher ausstreckend.* Nimm.

ALLAN *mit seinem ausgestreckten Arm den Becher ergreifend. Staunend.* Warme Milch.

ANN. Trink.

ALLAN *ansetzend.* Die ist ja richtig heiß.

ANN. Aus der Thermosflasche.

ALLAN. Die hast du gerettet?

ANN. Du nichts?

ALLAN *nachdem er ausgetrunken.* Ich meinen Schal. *Ihn schon aufknotend.* Wenn du ihn haben willst.

ANN. Nein.

ALLAN. Du hast mir aus deiner Thermosflasche abgegeben.

ANN. Das war doch nur ein Schluck.

ALLAN. Jetzt ist mir warm.

ANN. Mir ist nicht kalt.

ALLAN. Doch wenn dir kalt wird, versprichst du mir den Schal dir umzulegen.

ANN. Das will ich dir versprechen.

ALLAN *nach einer Pause.* Und wie heißt du?

ANN. Ann.

ALLAN *nachsprechend.* Ann.

ANN. Und du?

ALLAN. Allan.

ANN. Wirklich?

ALLAN. Weil es so klingt? –: Allan und Ann.

ANN. Du sagst das so, als wären wir –

ALLAN. Wie in der Welt allein –: Allan und Ann.

Nun vergeht eine kurze Zeit des Schweigens, in der beide von einander weg aufs Wasser sehen.
Danach beleben sich die starren Gestalten der übrigen Bootsinsassen.

DER ZWEITE KNABE *sich die Augen reibend – aufstehend.* Wo ist der Dampfer?

DER DRITTE KNABE. Welcher Dampfer?

DER ZWEITE KNABE. Unser Schiff.

DER VIERTE KNABE. Das ist doch torpediert.

DER FÜNFTE KNABE. Das schwimmt doch nicht mehr, wenn es torpediert ist.

DER SECHSTE KNABE. Es brannte doch nach der Torpedierung gleich lichterloh.

DER FÜNFTE KNABE. Das Öl verbrannte.

DER VIERTE KNABE. Wenn nicht der Wind gewesen wäre, der den Qualm wegblies.

DER DRITTE KNABE. Wir wären vom Qualm erstickt.

DER ZWEITE KNABE. Nun gibt es unser Schiff nicht mehr. *Er setzt sich wieder und begräbt das Gesicht in den Händen.*

Es herrscht Schweigen.

ALLAN *Ann den Becher reichend.* Die Milch wird kühl, wenn du nicht wieder zuschraubst.

ANN *nimmt den Becher und sieht sich im Boot um.* Hat einer Durst?

DAS ZWEITE MÄDCHEN *die Hand hochwerfend.* Ich.

ANN. Die andern nicht?

DAS DRITTE MÄDCHEN. Das reicht doch nicht für uns.

ANN. Wenn man es einteilt.

ALLAN. Ich habe schon getrunken.

ANN. Ich schon. Wieviel seid ihr?

DAS VIERTE MÄDCHEN *abzählend*. Fünf Jungen.

DER ZWEITE KNABE *ebenso*. Und fünf Mädchen.

ANN. Also zehn. Für zehn zehn halbe Becher. Sitzt im Boot still, sonst verschütte ich mich. *Sie gießt ein*. Wer ist eins?

DAS ZWEITE MÄDCHEN. Ich bin eins. *Es erhält den Becher und gibt ihn ausgetrunken zurück*.

ANN *wieder eingießend*. Wer ist zwei?

DAS DRITTE MÄDCHEN. Ich bin zwei. *Es trinkt und gibt zurück*.

ANN *eingießend*. Wer ist drei?

DAS VIERTE MÄDCHEN. Ich bin drei. *Es trinkt und gibt zurück*.

ANN *eingießend*. Wer ist vier?

DAS FÜNFTE MÄDCHEN. Ich bin vier. *Es trinkt und gibt zurück*.

ANN *eingießend*. Wer ist fünf?

DAS SECHSTE MÄDCHEN. Ich bin fünf. *Es trinkt und gibt zurück*.

ANN *eingießend*. Wer ist sechs?

DER ZWEITE KNABE. Ich bin sechs. *Er trinkt und gibt zurück*.

ANN *eingießend*. Wer ist sieben?

DER DRITTE KNABE. Ich bin sieben. *Er trinkt und gibt zurück*.

ANN *eingießend*. Wer ist acht?

DER VIERTE KNABE. Ich bin acht. *Er trinkt und gibt zurück*.

ANN *eingießend*. Wer ist neun?

DER FÜNFTE KNABE. Ich bin neun. *Er trinkt und gibt zurück*.

ANN *eingießend*. Wer ist zehn?

DER SECHSTE KNABE. Ich bin zehn. *Er trinkt und gibt zurück*.

ANN *die Thermosflasche schüttelnd*. Jetzt haben zwölf aus einer Flasche getrunken und sie ist noch nicht leer. Den Rest kriegt einer, der zuerst schwach wird.

DAS ZWEITE MÄDCHEN *ängstlich*. Wie soll uns denn schwach werden?

DER ZWEITE KNABE. Wenn es lange dauert.

DAS DRITTE MÄDCHEN. Was kann lange dauern?

DER DRITTE KNABE. Bis wir an einer Küste landen.

DAS VIERTE MÄDCHEN. Sind wir so weit von einer Küste?

DER VIERTE KNABE. Das ist doch alles Meer.

DAS FÜNFTE MÄDCHEN. Mitten im Meer?

DER FÜNFTE KNABE. Wenn wir vor drei Tagen vom Hafen abgefahren sind, ist nirgends Land.

DAS SECHSTE MÄDCHEN. Warum sind wir auch abgefahren?

DER SECHSTE KNABE. Die Kinder sollten nicht in den bombardierten Städten wohnen.

DAS ZWEITE MÄDCHEN *nach einer Stille.* Wir sind doch Kinder. Das ganze Schiff voll Kinder. Wir spielen und wir singen und tun Leid an keinem. Und wenn wir's täten, so könnte uns doch jeder mit einer Rute züchtigen. Man soll doch nicht mit Bomben nach uns zielen. Sind wir denn so schlecht? Sind wir schon groß? Wir wollen doch nur vor den Schrecken der Großen fliehn. Die Großen sind so schrecklich. Wir sind Kinder, die nie so mächtiges Unrecht tun. Man könnte die Grausamkeit austilgen, wenn man uns sähe. Wenn man nur sähe, wie eine das bißchen Milch verteilt, die selbst in solcher Not ist und alle trinken läßt. *Ausbrechend.* Es müßte doch in allen Zeitungen der Welt erscheinen, wie Kinder miteinander sind, wenn man sie Kinder sein läßt. Warum sind die Großen so schonungslos in ihrem bösen Tun?! *Sie weint auf ihren Armen – Schluchzen schüttelt ihre Schultern.*

Stille.

ALLAN *laut.* Wir wollen das Boot durchsuchen. In jedem Rettungsboot gibt's einen Notvorrat für längere Zeit für die erwachsene Besatzung. Wir sind noch Kinder und brauchen weniger zu essen. Ich kann ganz wenig essen und bin doch satt, als ob ich viel gegessen hätte. Wer meinen halben Anteil will, der soll ihn haben.

DER ZWEITE KNABE. Ich würde ihn nicht nehmen. Bestimmt nicht.

DAS DRITTE MÄDCHEN. Wer das von einem andern annimmt, benimmt sich nicht so wie er soll.

DER DRITTE KNABE. Nein – er benimmt sich einfach schlecht.

DAS VIERTE MÄDCHEN. Er könnte nicht erwarten, daß ihn ein Mädchen im Boot beachtet.

DER VIERTE KNABE. Die Mädchen sollen mehr essen als wir Jungen.

DIE MÄDCHEN *von den Bänken aufspringend.* Nein – weniger!

DIE KNABEN *ebenso.* Nein – mehr!

ALLAN. Das Boot schwankt – bringt es nicht zum kentern!

Sofort tritt Ruhe ein und alle setzen sich wieder.

ALLAN. Jetzt holen wir die Ruder vor. Darunter ist der Proviant verstaut. Faßt alle mit an.

In gemeinsamer Anstrengung ziehen die Kinder die langen Ruder – vier – unter den Bänken hervor und bergen sie längs der Bordwände.
Atmend rasten sie.

ALLAN *noch eine Stange zum Vorschein bringend.* Der Bootshaken. Wenn man anlegen will, hält man das Boot mit ihm. Da ist er unentbehrlich. Verwahrt ihn. *Er reicht ihn anderen Kindern. Im vorderen Teil des Bootes sich bückend.* Hier sehe ich schon was. *Er hebt Segeltuch auf. Ausrufend.* Beutel – Büchsen! – Zwieback – Zucker – Schinken! – Und Wasser in mehreren Kanistern! – Es ist nichts vergessen. Das sind Lebensmittel – genügend wenn wir sparen. Wir fangen erst mittag an und halten ohne neue Mahlzeit aus, so lange wir können. *Er schlägt das Segeltuch wieder zu. Sich umdrehend und das Boot überblickend.* Und was ist hinten?

DER ZWEITE KNABE *am Heck des Bootes.* Hier?

ALLAN. Was ist dort zugedeckt?

DER ZWEITE KNABE *von anderen Kindern unterstützt beseitigt geknülltes Segeltuch.* Das ist noch einer!

Alle Kinder recken die Köpfe hin.

DAS DRITTE MÄDCHEN. Ist er tot?

DAS VIERTE MÄDCHEN. Er hat die Augen offen.

DER DRITTE KNABE. Der lebt.

DER VIERTE KNABE. Willst du nicht aufstehn?

DAS DRITTE MÄDCHEN. Kannst du nicht aufstehn?

DER ZWEITE KNABE. Hast du dir wehgetan?

DAS VIERTE MÄDCHEN. Dann würde er doch weinen.

DER ZWEITE KNABE. Wir wollen ihn auf die Bank setzen und fragen, wie er ins Boot gekommen ist.

Es ist ein neunjähriger Knabe mit rotem Haar und sommer-sprossigem Gesicht in einem rostroten Sweater, der auf die Bank gehoben wird. An einer Schnur hängt ihm eine Taschenlampe auf der Brust.

DAS FÜNFTE MÄDCHEN *bei seinem Anblick ausrufend.* Rot wie ein Füchslein!

Die Kinder lachen.

DER ZWEITE KNABE. Also – du bist Füchslein. Wir haben dich aus deiner Höhle ausgegraben. Du konntest doch ersticken. Warum krochst du nicht selbst heraus?

Das Füchslein schweigt und starrt die Kinder an.

DER ZWEITE KNABE. Kannst du nicht sprechen?

Das Füchslein schweigt und starrt.

DER ZWEITE KNABE. Bist du noch erschrocken, weil wir torpediert sind und alles brannte?

Das Füchslein schweigt und starrt.

DER ZWEITE KNABE. Das ist doch nun vorbei: das Krachen – die Explosion – das Feuer. Oder siehst du noch Feuerfunken vor den Augen?

Das Füchslein schweigt und starrt.

DER ZWEITE KNABE. Du bist wohl gleich gerannt und in dies Boot geklettert. So ohne Mantel – mit deiner Taschenlampe. Brennt die Lampe? *Er knipst sie an.* Sie leuchtet – und du grämst dich? Da fehlt doch jeder Grund. Ich würde mit einer Taschenlampe mit voller Batterie mich mächtig freuen. *Ausknipsend – zu den andern Kindern.* Sagt, wer beneidet nicht das Füchslein um solche Lampe?

DAS DRITTE MÄDCHEN *nach einer Pause.* Man muß ihm was zu trinken geben.

DAS VIERTE MÄDCHEN. Es war noch warme Milch da.

DAS DRITTE MÄDCHEN *zu Ann.* Gib die Thermosflasche.

ANN. Kannst du sie öffnen?

DAS DRITTE MÄDCHEN. Willst du es nicht?

ANN. Du kannst das tun.

DAS DRITTE MÄDCHEN *empfängt die Flasche – schraubt den Becher ab und füllt ihn.* Nun trinke, Füchslein.

Das Füchslein faßt krampfig den Becher und trinkt ihn aus.

DAS DRITTE MÄDCHEN. Jetzt haben alle von derselben Milch getrunken – jetzt ist die Flasche leer! *Zu Ann.* Da hast du deine leere Flasche wieder.

ALLAN *in die Hände klatschend.* Wir werden rudern!

DER ZWEITE KNABE. Wohin denn rudern?

ALLAN. Nach der nächsten Küste.

DER DRITTE KNABE. Wir sind doch mitten auf dem Meer.

ALLAN. Weißt du das? Die Schiffe fahren einen Zickzackkurs, um die Gefahr zu mindern. Vielleicht sind wir nicht weit von Land und wir erreichen es noch heute. Schiebt die Ruder in die Dollen.

DER ZWEITE KNABE. Die Ruder sind zu schwer für Kinder.

ALLAN. Wenn drei mit einem Ruder rudern, geht es.

DAS ZWEITE MÄDCHEN. Wir wollen mit den Jungen um die Wette rudern, wer länger aushält.

Nun besetzen die Mädchen die eine Bank und die Knaben die andre. Mühsam werden die langen Ruder ausgelegt.

ALLAN. Wir müssen Takt halten mit eins – zwei. Bei eins eintauchen – bei zwei ausheben. Alle zählen: eins –

ALLE *einstimmend.* Eins – – zwei – – eins – – zwei – – eins – – zwei – – – –

Die Ruderschläge bringen das Boot in Bewegung.
Auf der Heckbank sitzt das Füchslein in seiner Starrheit.
Nun verschwindet das Boot und das Einszwei der Kinderstimmen verhallt.

DER ZWEITE TAG

Die Nebelschwaden verschweben.
Mit seiner Fracht der schlafenden Kinder wird das Boot
sichtbar.
Die Ruder sind eingezogen und liegen längs den Bordwänden.
Ein Winseln und bellen – gleichend dem Kläffen eines kleinen Hundes – stimmt sich im Boot an.
Davon erwachen die Kinder – richten sich aus ihrer kauernden Stellung auf.

DAS ZWEITE MÄDCHEN. Ist ein Hündchen in unser Boot gekommen?
DAS DRITTE MÄDCHEN. In der Nacht?
DAS VIERTE MÄDCHEN. Vom Schiff?
DAS FÜNFTE MÄDCHEN. Da bellt es wieder.

Alle lauschen.

DER VIERTE KNABE. Hunde schwimmen nicht einen Tag und eine Nacht.
DER FÜNFTE KNABE. Und dann noch über den Bootsrand klettern?
DER SECHSTE KNABE. Vielleicht ein Seehund.
DER ZWEITE KNABE *am Heck das Segeltuch hebend.* Füchslein ist es. Er hat sich wieder unter das Segeltuch verkrochen. Füchslein – wach' auf. Die Hunde jagen dich nicht. Keiner beißt dich. *Er rüttelt ihn.* So. Jetzt bist du munter. Nun richte dich auf. Morgen ist.
DAS FÜNFTE MÄDCHEN. Nie steht er allein auf.
DER ZWEITE KNABE. Wir heben dich auf die Bank.

Mit Hilfe des fünften Knaben wird Füchslein auf die Heckbank gesetzt.

DER ZWEITE KNABE. Das war wohl ein schrecklicher Traum. Wer war denn hinter dir her? Doggen mit solchen Schnauzen, die ihre Zähne fletschten, um dich zu zerreißen? Wo sind sie jetzt? Weg sind sie. Jetzt siehst du uns. Sind wir wilde Doggen, die hetzen und beißen? – – Vor Menschengesichtern hast du doch keine Angst? Vor Gesichtern von Kindern, die noch gar keine richtigen Menschen sind? Fürchtest du dich vor uns?

DAS DRITTE MÄDCHEN. Er muß sich noch erholen.

DER VIERTE KNABE. So lange laßt ihn in Ruhe.

Man wendet sich von ihm ab.

ALLAN *im Bug des Boots.* Wir fangen mit einem Beutel Zwieback den Tag an. *Er holt ihn hervor.* Das ist ein verwünschter Knoten. Ich kriege das nicht auf. Wer hat spitzere Finger?

ANN *zugreifend.* Ich.

ALLAN *zusehend.* Wie geschickt du bist. Ich habe solche Finger noch nie gesehn. Wie Elfenbein.

ANN. Ich bin auch eine Elfe.

ALLAN. Wieso bist du eine Elfe?

ANN. Weil ich – – *Den Beutel öffnend.* Weil ich den Knoten offen habe. *Sie gibt ihm den Beutel zurück.*

ALLAN *noch in ihrem Anblick.* Nein – du bist auch ohne Fingerfertigkeit eine. Ich würde mich nicht wundern, wenn du – fliegen könntest.

ANN. Dann würde ich wegfliegen und mit dem großen Flugzeug wiederkommen, das uns alle rettet.

ALLAN. Das tätest du.

ANN. Das tu' ich auch, wenn es jetzt Zwieback gibt.

ALLAN *beginnend.* Wenn jeder zwei nimmt, muß der Beutel reichen! *Er reicht den Beutel weiter.*

So wandert der Beutel von einem Kinde zum andern und jedes nimmt sich zwei Zwiebäcke.
Das fünfte Mädchen hält Füchslein den Beutel hin.

DER ZWEITE KNABE. Dem mußt du geben, der faßt nicht selbst zu.

DAS FÜNFTE MÄDCHEN. Hier, Füchslein – in jede Füchsleinpfote eins. Nun iß. Iß mit uns. So wie alle essen. Nun essen wir zusammen.

Füchslein folgt dem Beispiel der anderen, die hingegeben ihren Zwieback verspeisen.

ANN *plötzlich innehaltend.* Dreizehn!

Die Aufmerksamkeit einiger Kinder richtet sich auf sie.

ANN. Wir sind dreizehn!

Doch andre Kinder lassen sich nicht stören.

ANN. Hört ihr denn nicht? Ihr dürft nicht weiter essen. Wir sind dreizehn!

DER SECHSTE KNABE. Hier ist doch Platz für dreizehn.

ANN. Hier ist für mehr Platz. Für vierzehn – fünfzehn – sechzehn. Doch dreizehn dürfen es nicht sein.

DER VIERTE KNABE. Wer schreibt das vor?

DAS DRITTE MÄDCHEN *auflachend*. Wer das vorschreibt!

DER VIERTE KNABE. Nun ja – ich bin ein Stadtkind, das nichts von Seefahrt weiß.

DAS ZWEITE MÄDCHEN. Das hat doch mit Seefahrt nichts zu tun!

DER VIERTE KNABE. Womit denn?

ANN. Mit Christentum!

DAS DRITTE MÄDCHEN. Bist du kein Christ?

DER VIERTE KNABE. Natürlich bin ich einer.

ANN. Wer ist kein Christ im Boot?

DER ZWEITE KNABE. Wir sind doch alle Christen.

ANN. Da habt ihr's. Wir sind dreizehn Christen – und nun sind wir verloren!

Stille.

DER DRITTE KNABE. Das ist noch nicht gesagt.

DAS DRITTE MÄDCHEN. Wie nicht gesagt?

DER DRITTE KNABE. Daß immer dreizehn –

DAS ZWEITE MÄDCHEN. Dreizehn Christen – nicht dreizehn Heiden!

DAS VIERTE MÄDCHEN. Bei Heiden trifft das auch nicht zu!

DAS DRITTE MÄDCHEN. Die Heiden sind doch nicht wie wir. Nur Heiden!

DER DRITTE KNABE. Ich spreche auch bloß von Christen. Heiden kenn' ich gar nicht.

DAS VIERTE MÄDCHEN. Und was kennst du von Christen?

DER DRITTE KNABE. Es können doch dreizehn Christen in einem Omnibus fahren – und kippt der Omnibus dann um?

ANN. Die fahren – da braucht der Omnibus nicht umzukippen.

DER DRITTE KNABE. Nun also!

ANN. Die essen nicht. Im Omnibus wird nicht an einem Tisch gegessen. Doch wir essen im Boot. Das ist der Unterschied.

DER DRITTE KNABE. Nein – hier ist auch kein Tisch.

ANN. Und aus derselben Flasche trinken – aus demselben Beutel essen: ist das nicht noch viel schlimmer? – – Das hat Jesus nicht einmal getan – und doch ward er gekreuzigt!

DAS DRITTE MÄDCHEN *nach einer Pause.* Ja – von Jesus stammt es.

ANN. Es stammt vom heiligen Abendmahl – und das ist wohl das höchste, was man sich denken kann. Oder soll das für uns nicht gelten, weil wir mehr sind als Jesus und seine Jünger?

DER DRITTE KNABE *schüchtern.* Ich habe nie behauptet, daß ich mehr sein will.

DAS ZWEITE MÄDCHEN. Dann hat es so geklungen.

DER DRITTE KNABE. Ich verstell' mich manchmal.

DAS VIERTE MÄDCHEN. Vor Gott im Himmel wird dir das nicht gelingen.

DER DRITTE KNABE. Ich glaub' doch auch, was ihr glaubt.

DAS ZWEITE MÄDCHEN. Jetzt bist du nur feige.

DER DRITTE KNABE. Ich – feige? *Gegen die andern Knaben.* Wer Jesus lästert und sein Abendmahl verspottet, den – *Er schüttelt seine Fäuste.*

ANN. Jetzt seid ihr wohl bekehrt. In eurer Schule scheint ihr nicht viel zu lernen. Doch Jesus führt jeden in Versuchung, um an ihn zu glauben. Darum sind wir in diesem Boot. Der Dampfer wäre nie torpediert, wenn ihr vor Jesus und seinen zwölf Aposteln, die zusammen dreizehn, mehr Achtung spürtet. Das haben wir nun euch zu verdanken, daß wir hier auf dem Ozean sind und – wenn der Sturm kommt – untergehn. Bei dreizehn kommt der Sturm!

Es herrscht Stille im Boot.

ALLAN *zuversichtlich.* Es kommt kein Sturm.

ANN *mit dem Finger auf ihn weisend.* Das ist ein Heide!

ALLAN. Meine Taufe war so christlich wie jedes andern in unserm Land.

DAS VIERTE MÄDCHEN. Dann mußt du glauben.

ALLAN. Aber nicht an den Sturm.

ANN. Der Sturm ist doch nur die Folge vom richtigen Glauben.

ALLAN. Ist er richtig?

DAS DRITTE MÄDCHEN. Was soll er sonst sein?

ALLAN. Aberglauben.

DAS DRITTE MÄDCHEN. Dann will ich euch erzählen, wie meine Eltern sich verhalten haben. Also große Menschen. Ihr müßtet meinen Vater sehn, der sich vor niemand fürchtet – und meine Mutter, die furchtlos wie mein Vater ist. Doch einmal hatten wir Gesellschaft und ich lag schon zu Bett. Da stürzte plötzlich meine Mutter in mein Zimmer und schüttelte mich wach und rief: du mußt so fort aufstehn – ein Gast hat abgesagt – nun sind wir dreizehn. Keiner hätte sich zu Tisch gesetzt – und das ganze schöne Essen wäre verdorben, wenn ich nicht dagewesen wäre. Die Gäste waren leichenblaß und zitterten mit Messer und Gabel – nur weil sie beinah dreizehn waren, wenn meine Eltern nicht genau gezählt hätten. Dafür bedankten sich die Gäste den ganzen Abend – und noch am andern Tag kam eine Tante und schenkte meiner Mutter etwas für ihre Wachsamkeit. So ernst wird das genommen, damit nicht dreizehn an einer Tafel speisen.

DAS ZWEITE MÄDCHEN *seufzend.* Ja – furchtbar ernst ist das.

DER VIERTE KNABE *nach einer Pause.* Ich kenn' auch einen Fall.

MEHRERE MÄDCHEN. Was ist das für ein Fall?

DER VIERTE KNABE. Das habe ich belauscht. Ich habe auch große Eltern, die sich niemals fürchten. Ich war erkrankt und konnte nicht aufstehn, sonst hätten sie mich auch geholt. Mein Kinderzimmer stieß an die Diele und ich hörte die eingeladenen Bekannten eintreten. Immerzu klappte die Tür, es mußten bald alle dasein. Doch dann vernahm ich, wie meine Eltern in die Diele traten und selbst öffneten, als es wieder klingelte. Da sprachen abwechselnd mein Vater und meine Mutter: mein lieber Doktor, Sie müssen wieder weggehn. Der Himmel weiß, wie das geschehn sein mag. Wir haben uns verrechnet, wir sind dreizehn. Da hörte ich den Doktor mit einem Schreck ausrufen: erzählen Sie nichts den andern von Ihrem Irrtum, es könnte Folgen haben. Gott behüte, flüsterte meine Mutter, wir haben Sie seit Tagen nicht gesehn. Dann hörte ich die halbe Nacht den Schall des frohen Festes. Es durfte nicht einmal ausgeplaudert werden, daß der dreizehnte beinah erschienen wäre. Und ich hielt meinen Mund wie zugeleimt.

DER DRITTE KNABE *den Kopf auf die Hände stützend.* Das hätte sonst grausig enden können.

ALLAN. Das kann man doch nicht wissen, wie es endet.

DAS ZWEITE MÄDCHEN. Natürlich weiß das keiner, weil man sich vorgesehen hat.

ALLAN. Ob es so grausig enden muß. Es fehlen doch die Beweise, das will ich damit sagen.

ANN. Das wär' nicht bewiesen? Dann will ich den Beweis dir bringen. Mein Onkel hat ein großes Gut – so groß wie eine Landschaft ohne Erde. In meinen Ferien reiste ich zu meinem Onkel und konnte reiten, schwimmen – alles, was ich wollte. Mein Onkel aber war ein großer Jäger. Er hat sogar in einem andern Erdteil gefährliche Raubtiere gejagt. Ich glaube, er hat auch Schlangen getötet. Das ist das kühnste. Er aber rühmte sich seiner Taten gar nicht. Er sprach nur manchmal von seinem Gärtner, der elf Kinder hatte. Und das war nicht zuviel für meinen Onkel. Er sagte: wenn es nur zwölf wären, dann säßen sie nicht stets zu dreizehn am Tisch. So lange sie zu dreizehn sind, hört nicht das Elend auf. Doch einmal starb ein Kind. Da wurde mein Onkel richtig froh um seiner Gärtnersleute willen: jetzt endlich ist der Bann gebrochen – das Tote hat die Lebenden erlöst. Von nun an herrschte Glück und Frieden im Gärtnerhaus. Doch erst nachdem das dreizehnte gestorben war.

DAS SECHSTE MÄDCHEN *nach einer Stille.* Dein Onkel jagte Löwen und Schlangen?

ANN. Deshalb ist es bewiesen, weil solch ein Mann weiß, was gefährlich und ungefährlich ist. Die Schlangen und Löwen sind es weniger als dreizehn, die von denselben Speisen essen und Getränken trinken!

Nun sitzen die Kinder verzagt da und zögern vom Zwieback in ihren Händen von neuem abzubeißen.
Auch Füchslein ißt nicht, da die andern nicht essen.

ALLAN *springt auf.* Wir wollen weiter rudern. Irgendwo ist Land – ist eine Insel, der wir uns nur mit ein paar Schlägen zu nähern brauchen. Dann lagern wir uns unter Palmen und lassen uns von den Eingeborenen füttern. Jeder hat seine Hütte und ißt und trinkt allein nach Herzenslust. Auf – laßt

uns rudern! *Er steigt über Bänke, um einen Platz dem Füchs-lein gegenüber einzunehmen.* Füchslein – du zählst. Kannst du so zählen: eins – zwei?
ANN. Füchslein kann gar nichts. Wir müssen alles selber machen.

Wieder sind die langen Ruder in die Dollen geschoben.
Die Kinder – diesmal Knaben und Mädchen durcheinander – schwingen die Ruder aus und den Takt zählend treiben sie das Boot weiter.
Verhallend: »Eins – – zwei – – eins – – zwei – – eins – – zwei – – – – «

DER DRITTE TAG

Dunst der Frühe zerrinnt.
Im Boot die schlafend kauernden Kinder.
Nur das zweite Mädchen sitzt aufrecht – wach. Es nestelt
aus der Manteltasche – umständlich mit der linken Hand aus
der rechten Tasche – das Taschentuch, während die rechte
Hand vorsichtig weggestreckt ist. Nachdem das Taschentuch
vorgezogen ist, rückt das Mädchen an die Bordwand. Es
beugt sich tief über und senkt das Tuch in die Flut. Langsam
zieht sie es wieder heraus und richtet sich auf. Mit dem
nassen Tuch – linkshändig mühsam werkelnd – macht es
einen Umschlag um die rechte Hand. Gleich danach zer-
reißt sein gellender Schrei die Stille. Und der Schrei geht
in ein wildes Heulen über – das Mädchen krümmt sich vor
Schmerz.
Die Kinder rucken vom Schlaf hoch – wenden die Köpfe zur
Schreienden.

DAS ZWEITE MÄDCHEN *die rechte Hand schwingend.* Reißt
das ab! – – Reißt das ab! – – Ich verbrenne doch!
DER DRITTE KNABE. Wie verbrennst du denn?
DAS ZWEITE MÄDCHEN. O ihr wollt mich verbrennen lassen
– – wie gemein ihr seid!
DER VIERTE KNABE. Willst du das Taschentuch los sein?
DAS ZWEITE MÄDCHEN. Eh' meine Hand verbrennt – reiss'
es ab!
DAS DRITTE MÄDCHEN *löst es.* Was war denn?
DAS ZWEITE MÄDCHEN *wimmernd.* Was war – – was war
– – es war doch Salzwasser. Ich habe nicht daran gedacht,
daß salzig das Meerwasser ist. Und Salz auf offene Wunden
– als ob man Feuer anfäßt!
DER SECHSTE KNABE. Daß du das aushältst.
DAS ZWEITE MÄDCHEN. Ich habe es nicht ausgehalten. Ich ertrug es vorher schon nicht mehr. Es ließ mich nicht schlafen.
Ich habe die ganze Nacht gewacht und mich gefürchtet, daß
ich aus dem Boot fiele, wenn ich im Dunkel mich übers Wasser neigte. Dann hab' ich morgens – als endlich heller Morgen wurde – mein Taschentuch so mit der linken Hand, weil
die so schlimm nicht wie die andre – aus der rechten Manteltasche das Tuch gekramt und eingetaucht und den Verband
mir um die schlimmste Hand gemacht. Jetzt blutet sie. Da

könnt ihr alle das Blut sehn, wie es rinnt! *Sie hebt die rechte Hand auf.*

DER VIERTE KNABE. Wenn es blutet, wird es besser.

DER SECHSTE KNABE. Da rinnt das Salz aus.

DER FÜNFTE KNABE. Lass' es tüchtig bluten.

DAS DRITTE MÄDCHEN *sich die Augen bedeckend.* Ich kann kein Blut sehn!

DAS SECHSTE MÄDCHEN *ebenso.* Schrecklich – Menschenblut.

DER DRITTE KNABE. Es tropft in deinen Ärmel.

DER VIERTE KNABE. Ganz verschmiert bist du.

DAS ZWEITE MÄDCHEN. Wo?

DAS FÜNFTE MÄDCHEN. Weil du dich ins Gesicht gefaßt hast.

DAS ZWEITE MÄDCHEN. Nach meinen Tränen. Muß man denn nicht weinen, wenn es so wehtut?

ALLAN *nach einer Stille.* Tut es noch sehr weh?

DAS ZWEITE MÄDCHEN *schluchzend.* Die Tränen sind auch salzig – wie das Meer.

ALLAN *einen leeren Zwiebackbeutel aufhebend.* Dazu ist dieser Beutel gut. Daraus mach' ich Verbandzeug. Beide Hände?

DAS ZWEITE MÄDCHEN.. Die eine blutet noch nicht, doch sie kann gleich bluten, wenn ich anstoße.

ALLAN. Also zwei Streifen. Jetzt wird angefeuchtet – mit besserem Wasser. *Er holt einen Kanister hervor.*

MEHRERE KINDER. Trinkwasser!

ALLAN. Darf ich meinen Anteil nicht verwenden, wie ich will?

DER FÜNFTE KNABE. Willst du verdursten?

ALLAN. Verdursten? Mich dürstet nicht so rasch, wenn ich nicht will. *Nun tränkt er die Leinenstreifen aus dem Kanister. Danach zum zweiten Mädchen.* Streck deine Hände her – lass' dich verbinden. Kühlt das? *Da das zweite Mädchen nickt.* Das soll es auch. Und wenn du später die verbundenen Hände in den Wind hältst, dünkt's dich wie Eis. Denn Feuchtigkeit im Wind wird kälter. Merk' dir das.

DAS ZWEITE MÄDCHEN *lächelnd.* Ich will's mir merken.

ALLAN. So lernt man manches auf abenteuerlicher Seefahrt. *Er kehrt auf seine Bank im Bug zurück.*

DAS ZWEITE MÄDCHEN *sich umblickend.* Seh' ich sehr wild aus?

DAS DRITTE MÄDCHEN. Wisch' dir das Blut ab.

DAS ZWEITE MÄDCHEN *ihre verbundenen Hände hebend.* Ich habe keine Finger.

DER DRITTE KNABE. Laßt doch das bißchen Blut.

DER VIERTE KNABE. Wir sind auch nicht mehr fein.

DER SECHSTE KNABE. Wenn man sich nie mehr wäscht.

DER FÜNFTE KNABE. Nur Füchslein wird nicht schmutzig – der hat die Sommersprossenflecken immer. *Er bückt sich und hilft dem Füchslein auf die Heckbank.* Ist wieder Morgen, Füchslein. Zeig' dich mit deinem scheckigen Gesicht. Wieviele sind es? Hast du die Sprossen nie gezählt? Sollen wir raten? Und wer richtig rät, gewinnt die Taschenlampe. Knips – sie brennt noch. Das ist ein funkelnder Gewinn. Ich möchte um alles in der Welt die Taschenlampe.

DAS DRITTE MÄDCHEN. Die Sprossen kann man gar nicht zählen.

DER VIERTE KNABE. Wenn Füchslein richtig stillhält.

DER FÜNFTE KNABE. Ich versuch's. *Er kniet vorm Füchslein und von den andern Kindern umgeben zählt er lautlos.*

Allan und Ann sind allein im vorderen Boot.

ALLAN *eine Hand Ann's nehmend und sie öffnend.* Sind deine Hände heil geblieben?

ANN. Ich bin nicht so empfindlich.

ALLAN. Ist Elfenbein so fest?

ANN. Ich habe in meinem Leben schon viel gerudert.

ALLAN. Wo?

ANN. Bei meinem Onkel auf dem Gut, das einen eigenen Teich hat.

ALLAN. Zwischen Schwänen?

ANN. Schwarze australische.

ALLAN. Schwarze – – australische – –

ANN. Zweifelst du, daß es schwarze gibt?

ALLAN. Ich stelle mir nur vor – – daß es so schön ist – – wie du zwischen den schwarzen Schwänen ruderst – – – –

ANN. Natürlich in einem weißen Kleid.

ALLAN. Das habe ich mir anders nicht gedacht.

ANN. Reiten macht auch die Hände hart. Oder glaubst du das nicht?

ALLAN. Ich glaub' dir alles.

ANN. Die Zügel tun es. Natürlich trägt man Handschuhe, doch das ist nur ein halber Schutz. Die Lederriemen drücken doch durch. Davon wird dann die Hand fest.

ALLAN *ihre beiden Hände innen betrachtend.* Einzigartig sind deine Hände.

ANN *sie ihm entziehend.* Ich könnte noch zwanzig Tage rudern – die andern nicht.

ALLAN. Welche andern?

ANN. Die andern Kinder. Die haben doch schon Blasen an den Händen, die morgen bluten. *Hinrufend.* Wer hat keine Blasen?

Nun wenden sich alle vom Füchslein ab.

DER DRITTE KNABE. Ich kann nicht mehr rudern. *Er hält die Hände hoch.*

DAS DRITTE MÄDCHEN. Ich habe gestern nur noch so getan – heute fass' ich nichts mehr an.

DAS VIERTE MÄDCHEN. Bis mir die Hände bluten? Nein – rudern nicht mehr.

MÄDCHEN und KNABEN *durcheinander.* Rudern nicht mehr!!

ALLAN *aufspringend.* Dann kommen wir doch nicht vom Fleck. Wir können doch nicht hier im Boote trödeln, bis uns die Nahrung ausgeht. Das sind nicht unerschöpfliche Vorräte, die wir im Rettungsboot haben. Es sind doch dreizehn Münder, die essen wollen!

ANN *nach einer Stille – ruhig.* Einer soll nicht mehr essen.

ALLAN. Was – heißt das?

ANN. Ich sage: einer von uns soll nicht mehr essen.

ALLAN. Wie kommst du denn darauf?

ANN. Weil das die Sühne für unsre Schuld ist.

ALLAN. Welche Schuld?

ANN. Wir waren dreizehn, die zusammen aßen und tranken. Das ist gestern festgestellt – und heute wird es noch schlimmer, wenn wir es wieder tun, obwohl wir wissen, daß wir dreizehn sind.

ALLAN *sich an die andern wendend.* Wer ist denn damit einverstanden?

ANN. Wer ist denn damit einverstanden, daß morgen seine Hände bluten und er so wimmert wie sie jetzt wieder wimmert?

ALLAN *zum zweiten Mädchen.* Brennt es?

DAS ZWEITE MÄDCHEN *sich krümmend.* Wie Flammen.

ALLAN. Dann muß man nochmal löschen.

DAS ZWEITE MÄDCHEN *kopfschüttelnd.* Kein Wasser mehr – das sollt ihr trinken.

MÄDCHEN und KNABEN *murrend.* Es ist Trinkwasser!

ALLAN. Ich habe euch nichts zu befehlen und kann nur selbst verzichten.

DER DRITTE KNABE. Das hast du schon, so viel dir zusteht.

DER VIERTE KNABE. Es war dein Anteil heute.

ALLAN. Ich brauche keinen.

DAS DRITTE MÄDCHEN *nach einer Pause.* Wer soll denn nicht mehr essen?

ANN. Wer meldet sich freiwillig? – – Wer rettet uns aus unsrer Not und schwört mit seinem heiligen Eid, daß bis zu unsrer Rettung er keinen Bissen und keinen Tropfen mehr zu sich nehmen wird, und ob er stürbe – klaglos wie unser heiliger Jesus zum Heil der Menschen, die durch seinen Kreuzestod das ewige Leben finden.

Es herrscht tiefe Stille.

ANN. Ich kann es auch nicht. Ich nehme es auch keinem Jungen übel. Wir sind noch in den Kinderjahren und können nicht so Ungeheueres vollbringen, das dann in Büchern überliefert wird. Wir sind nur Kinder – und wenn wir das christliche Gebot erfüllen müssen – so soll das Los entscheiden.

DER ZWEITE KNABE *nach einer Pause.* Er muß doch nicht verhungern?

ANN *achselzuckend.* Wenn Land vorher in Sicht kommt.

DAS FÜNFTE MÄDCHEN. Darf man gleich wieder essen – an Land?

ANN. An Land ist alles überstanden.

DAS VIERTE MÄDCHEN. Der eine hält weniger Hunger aus.

DER DRITTE KNABE. Schwach sind wir alle schon.

DER VIERTE KNABE. Nicht einen Bissen?

ANN. So bestimmt das Los!

Stille.

DER ZWEITE KNABE. Ich opfere mein Notizbuch. Ich weiß, wie man verlost. Ich zeichne auf zwölf Blätter einen Kreis und auf das dreizehnte ein Kreuz. Wer Kreis hat, kann sich freun. Wer Kreuz hat –

ANN. Ist verloren!

Der zweite Knabe entreißt nun dreizehn Blätter seinem No-

tizbuch und bezeichnet sie. Dann dreht er Röllchen aus den Blättern.

DER ZWEITE KNABE *zu Allan.* Hast du noch einen leeren Beutel vorn im Boot?
ALLAN *reicht ihn hin.* Ich will das Spiel nicht stören.
ANN. Es ist kein Spiel – es geht um Tod und Leben!

Nun werden die Lose in den Beutel getan, der kräftig geschüttelt wird.

DER ZWEITE KNABE. Und wer fängt an?
DER DRITTE KNABE. Der die Verlosung angab.
ANN. Ich. *Sie empfängt den Beutel.*
DER ZWEITE KNABE. Erst öffnen, wenn alle Lose haben.
ANN. Also wart' ich.

Der Beutel geht reihum. Zuletzt wird er Füchslein hingehalten, der nicht zugreift.

DER ZWEITE KNABE. Da, Füchslein – schnapp' das letzte.

Füchslein starrt und regt sich nicht.

DER ZWEITE KNABE. Soll ich für ihn ziehen?
ANN *in die Hände klatschend.* Lose muß jeder selber ziehn! *Während sie das sagt, rollt ihr das eigene Los vom Schoß.*
ALLAN *hebt es auf und öffnet es rasch: er zuckt zusammen.*
DER DRITTE KNABE. Er weiß doch gar nicht, was er soll.
ALLAN *laut.* Er soll auch nichts!
ANN *erschreckt.* Wo ist mein Los?
ALLAN. Ich schleudre es hier ins Wasser. Mit meinem. *Durch das Boot steigend und den Kindern die Lose entreißend.* Alle ins Wasser. *Auch den Beutel über Bord schleudernd.* Das bringt die Rettung nicht, wenn einer nicht mehr ißt und nicht mehr trinkt. Die Rettung – da unsre schlimmen Hände die schweren Ruder nicht mehr halten – schafft ein Wimpel, der uns weithin bemerkbar macht. Man sieht uns ohne Wimpel nicht. Nun will ich einen Mast errichten und einen Wimpel flattern lassen! *Er steigt wieder nach vorn, wo er den Bootshaken an einer Bank aufrecht festschnürt. Danach löst*

er seinen weißen Halsschal, um ihn an der Hakenspitze zu
befestigen.
ANN *ausrufend.* Wir kriegen Nebel. In dem Nebel wird man
den Wimpel nicht sehn. Wir sind mit deinem Wimpel ganz
verloren!

Eine Nebelwand schiebt sich heran und deckt mit ihrer Dich-
te Boot und Kinder zu.

DER VIERTE TAG

Über die Tageszeit hin wallt der Nebel.
Unbestimmt ist die Stunde.
Nichts ist sichtbar.
Aber dann dringt pochender Schall durch: er gleicht dump-
fem Trommelschlag, der mit wechselnder Schnelle gerührt
wird.
Als der Nebel in strudelnden Schichten entweicht, offenbart
sich das Boot.
Die Kinder sitzen wach auf den Bänken.
Auch das Füchslein in seiner steinernen Starrheit auf der
Heckbank.
Der sechste Knabe hört noch nicht auf, mit einer eisernen
Ruderrolle auf einen leeren Blechkanister zu schlagen, der
auf eine Bank gestellt ist.

DER ZWEITE KNABE *laut.* Jetzt sind wir aus dem Nebel heraus!

DER SECHSTE KNABE *trommelt weiter.*

DAS ZWEITE MÄDCHEN *seinen Arm festhaltend.* Du sollst
nicht mehr trommeln.

DER SECHSTE KNABE *einhaltend.* Warum denn nicht?

DER DRITTE KNABE. Weil kein Nebel mehr ist.

DER SECHSTE KNABE. Ich konnte auch nicht mehr. *Er wirft*
die Dolle weg. Übrigens war das ganze Unsinn.

ALLAN. Das war kein Unsinn. Wenn nun ein Schiff in der
Nähe gewesen wäre: sehen hätte man uns im Nebel nicht
können, aber hören auf weite Strecken. Denn Nebel trägt
den Schall.

DER SECHSTE KNABE. So dichter Nebel?

DER DRITTE KNABE. Doch. Nach bestimmten physikalischen
Gesetzen.

DER SECHSTE KNABE. Gelten die überall?

DER DRITTE KNABE. Wo sollen sie nicht gelten?

DER SECHSTE KNABE. In unserm Falle, wo wir trommeln
und Hilfe erwarten.

DER DRITTE KNABE. Das macht keinen Unterschied.

DER SECHSTE KNABE. Dann ist es ja gut, daß es solche Gesetze gibt.

Stille.

DAS DRITTE MÄDCHEN. Der Wimpel!

Alle Kinder sehen nach oben, wo die Bootshakenspitze ohne Wimpel ist.

DAS VIERTE MÄDCHEN. Der Wimpel ist verschwunden.

DAS FÜNFTE MÄDCHEN. Den Wimpel hat der Wind entführt.

DAS SECHSTE MÄDCHEN. Wer soll uns ohne Wimpel auf dem weiten Meer entdecken?

DAS DRITTE MÄDCHEN. Der Wimpel war unsre Rettung.

ALLAN *nach einer Pause.* Ich mache einen neuen Wimpel.

ANN. Hast du noch einen Schal?

ALLAN. Ich binde zwei Hemdärmel aneinander, die sind noch länger, als der Schal war. Ich kann mir immer helfen.

ANN *kopfschüttelnd.* Uns hilfst du nicht.

ALLAN. Wieso nicht?

ANN. Du könntest Hemdärmel von Ellenlänge wieder an den Haken binden – es nützt doch nichts.

ALLAN. Natürlich nützt es uns allen, wenn meine Ärmel gesehen werden. Man rettet doch nicht mich nur, sondern das ganze Boot.

ANN. Das Boot wird nicht gerettet.

ALLAN. Sicher sieht man uns eines Tages oder hört das Trommeln. Wir werden auf zwei Kanistern trommeln, wenn es wieder nebelt.

ANN. Das Trommeln nützt nichts und der Wimpel nützt nichts und von dem rudern haben wir nur wunde Hände. Das alles hat seinen tiefen Grund. Deshalb ist auch der Wimpel fortgeflogen. Es war doch gar kein Wind. Der Wimpel aber flog doch fort. Wenn das kein Zeichen ist, dann weiß ich nicht, wie noch ein Zeichen aussehn soll.

ALLAN. Ich hatte ihn nicht richtig angebunden.

ANN. Das sind nur Ausreden. Der wahre Grund bleibt doch bestehn.

DER FÜNFTE KNABE *nach einer Pause.* Was ist der Grund, weshalb wir nicht gerettet werden?

ANN. Zählt nach – wieviel wir sind.

Die Kinder blicken reihum.

DER ZWEITE KNABE. Wir sind nicht weniger geworden.

DAS ZWEITE MÄDCHEN. Mehr auch nicht.

ANN. Mehr können wir nicht werden – nur weniger.

Stille.

DAS DRITTE MÄDCHEN. Müssen wir warten – bis einer stirbt?
ANN. Nicht einer stirbt – wir sterben alle, wenn wir dreizehn bleiben.

Stille.

ANN. Wir sollten ja nicht losen. Es riß uns einer die Lose weg und warf sie ins Wasser. Vielleicht hat dieser einen Anlaß dazu gehabt.
ALLAN *lächelnd.* Vielleicht.
ANN. Und er hat selbst das Kreuz auf seinem Los gehabt und heimlich es entrollt, bevor wir andern durften?
ALLAN. Ich?
ANN. Wer fragt, ist meist gemeint.
ALLAN. Ich schwöre, daß ich nicht mein Los geöffnet habe.
ANN. Weshalb hast du uns dann gehindert?
ALLAN. Weil man nicht mit dem Leben spielt. Das Leben ist eine ernste Sache.
ANN. Jetzt sagst du's selbst. Und zwölf Leben sind zwölfmal ernster als ein Leben. *Zu den andern Kindern.* Ist das nicht kinderleicht – im Kopf zu rechnen? *Auftrumpfend.* Und wenn es dreizehn Leben sind, ist eins zu nichtig, um es nicht für zwölf zu opfern. *Ruhig.* Da wir nicht losen sollten – müssen wir Gewalt anwenden.

Stille.

DER DRITTE KNABE *zögernd.* Gewalt?
DAS VIERTE MÄDCHEN *zu Ann.* Was meinst du – mit Gewalt?
ANN. Einer muß aus dem Boot. Einer darf nicht länger mit uns andern essen und trinken und ruhen. Einer, der noch mit uns lebt, ist unser Judas – wie Judas seinen Herrn verriet.

Stille.

ALLAN. Es ist kein Judas hier.
ANN. In jedem dreizehnten kehrt Judas wieder und wenn er nicht umkommt – schlägt gleich das Boot um. Wir haben

schon zu lange in einem Boot mit ihm geweilt. Wir können nicht länger dreizehn bleiben – das heißt Gott versuchen. Und Gott läßt sich das nicht gefallen – besonders nicht von Kindern. Es hüten sich schon Erwachsene die Judaszahl zu bilden. Denkt an die Beispiele, die wir erwähnten. Es läßt sich ihre Zahl auf tausend und mehr erhöhen, wenn man alle Menschen fragt. Auf hunderttausend. Vorausgesetzt, daß diese Menschen Christen sind – wie wir.

DAS DRITTE MÄDCHEN. Ich wurde aus dem Bett geholt, damit es vierzehn waren.

DER FÜNFTE KNABE. Ich lauschte, wie man einen wegschickte, damit es nur zwölf wurden.

ANN. Erst als das eine Kind tot war, zog Glück ins Gärtnerhaus. Sie waren vorher dreizehn.

Stille.

DAS FÜNFTE MÄDCHEN. Versuchen wir jetzt Gott?

ANN. In seiner Güte warnt er uns noch.

DAS SECHSTE MÄDCHEN. Wie warnt er?

ANN. Der Wimpel flog ohne Wind fort und die Nebel kamen. Das ist die letzte Warnung – dann bricht Sturm los.

DER ZWEITE KNABE. Sturm schlägt das Boot um.

ANN. Das ist unvermeidlich.

Stille.

ALLAN *seinen Mantel öffnend.* Jetzt mach' ich den Wimpel!

ANN *ebenso laut.* Jetzt vollbringen wir's!

ALLAN. Was wird vollbracht?

ANN. Gewalt – weil nicht gelost wird!

ALLAN. Wollt ihr einen im Boot umbringen?

ANN. Den dreizehnten!

ALLAN. Wer läßt sich das gefallen?

ANN. Füchslein! – – Der konnte nichts: nicht rudern – nicht zählen, wenn wir ruderten – nicht trommeln. Nichts – nichts – nichts. Er lag im Boot und wär' schon längst gestorben, wenn wir ihn nicht gefunden hätten. Er kann's uns nicht verdenken, wenn wir ihn erwählen. Von seinem Untergang im Wasser fühlt er keinen Hauch. Der Hauch vergeht ihm beim ersten Wasserschlucken. Hier ist er überflüssig – deshalb muß er's sein!

Die Kinder wenden sich Füchslein zu.

ANN. Mit einem Stoß ist er verschwunden! – – Gebt ihm den Stoß!

ALLAN. Wer Füchslein stößt – – wer nur versucht Füchslein zu stoßen – –!

ANN *flammend.* Heide!!

ALLAN. Dann bin ich Heide.

ANN. Und mit einem Heiden soll man – – *Ihre Stimme versagt.*

ALLAN. Ein Heide, der die christlichen Gebote kennt. Besser als ihr. Eins heißt: du sollst nicht töten.

Stille.

ALLAN. Dagegen ist doch nichts einzuwenden? Das ist doch klipp und klar verständlich. Ein Tauber kann es lesen und ein Blinder tasten. Wie kann es da einem Menschen mit gesunden Sinnen nicht faßbar sein? Das ist doch unsre Religion, mit der wir Heiden predigen. Das sind doch unsre stolzesten Worte, die unsre Lippen schwellen: du sollst nicht töten!

Stille.

ALLAN. Das sind Gottesworte, die wunderbar geprägt sind. Ich sage noch einmal: es können sich Blinde und Taube nicht dieser Wissenschaft entziehen – mit keinem Vorwand ist ihre Kenntnis zu verleugnen und winde man sich auch wie eine Schlange um die Wahrheit, die jeder kennt, der sich Christ nennt: du sollst nicht töten!

Stille.

ALLAN. Oder ist jemand unter euch, der schlimmer als taub und blind an seinen Sinnen ist?

Stille.

ALLAN. Dann haltet dies' Gebot und handelt wie Christen: tötet nicht!

ANN *nach einer Pause.* Man braucht nicht blind und taub zu

sein – um zu verstehen – – daß das nur für die Kirche gilt. Im Leben ist es doch ganz anders.

ALLAN. Ist denn die Kirche nicht unser Leben?

ANN. Dann brauchten wir doch keine Kirche. Keine Kirchen, in denen Gottes Wort gepredigt wird. Wovon sollte denn dann gepredigt werden, wenn alles so im Leben zuginge, wie wir es in der Kirche hören? Wer wollte noch in eine Kirche gehn, wenn er da nur vernähme, was alles schon geschieht? Da hätte der Prediger doch gar nichts mehr zu sagen und könnte von der Kanzel verschwinden. Die ganze Kirche brauchte nicht mehr zu sein und alles was daran hängt. Das ist doch ein mächtiger Staat von Predigern, der sonst nicht wäre, wenn die Gebote erfüllt würden. Vor allem dies Gebot: du sollst nicht töten. Dann hast du nie gesehn, wie unsre Prediger die Waffen weihen, mit denen immer mehr getötet wird als früher schon der Fall war. Es können sogar die Bomben, die uns vertreiben, und das Torpedo, das unser Schiff versenkte, geweiht sein – wenn nur die Prediger zum segnen zugelassen werden. Bereit sind sie. Das ist in allen Ländern so, wo Christen wohnen. Deshalb sind sie Christen, weil sie nur mit geweihten Waffen töten. Aber töten, das müssen sie – und täten sie es nicht, so wäre in unsern Kirchen nichts mehr zu sagen. Das ist der Unterschied – das mußt du nur begreifen: Gebote sind für die Sonntagspredigt da, das hallt gewaltig in der Kirche – doch draußen ist alles anders: da ist das größte Übel dreizehn!

ALLAN. Das ist ein Unterschied, den du dir ausdenkst.

ANN. Von der Kirche und vom Leben?

ALLAN. Man wird einst die Gebote halten.

ANN. Und alle Kirchen überflüssig werden?

ALLAN. Jesus wird wieder leben.

ANN. Jesus lebt im Himmel.

ALLAN. Ich meine: auf unsre Erde wiederkehren und nicht mehr gekreuzigt werden.

ANN. Am jüngsten Tag. Dann hält er Gericht. Und wehe, wer sich verging. Mag seine Sünde groß oder klein sein.

ALLAN. Töten ist die größte!

ANN. Wer verlangt es von dir? *Sie wendet sich von ihm ab.*

ALLAN *springt von der Bank und steigt zum Heck. Dort nimmt er das Füchslein in seine Arme und trägt es durch das Boot. Im Bug läßt er sich nieder.* Jetzt baue ich ein Zelt für uns – Füchslein. Da werden wir wohnen, wie es uns beliebt.

Und keinem ist der Zutritt erlaubt. So soll es sein – und ich verbürge mich für deine Sicherheit! *Mit geschickten Griffen befestigt er Segeltuch an der Bootshakenspitze, so daß ein Zelt entsteht, in dem das Füchslein verborgen ist.*

Neue Nebelschwaden wälzen sich heran.

ALLAN *schwach sichtbar vor dem Zelteingang.* Wir müssen trommeln. Wenn wir uns nicht bemühen, kommt nichts zu unsrer Rettung. Die Rettung liegt bei uns – laßt euch nicht täuschen. Trommelt – trommelt – trommelt!

Der Nebel verschlingt das Boot. Nur noch das Trommeln bekundet seinen Bestand. Aber es klingt wie Negertrommeln im Urwald, die das Blut stocken lassen.

DER FÜNFTE TAG

Nebelluft und gischtlose Flut.
Einziger Laut: das Trommeln – gleichmäßig, blechern.
Bis der Dunst sich verdünnt – flieht.
Da ist das Boot – mit dem Zelt im Bug, das Allan und Füchs-
lein verbirgt.
Das dritte Mädchen legt die Dolle hin – läßt sich, matt wie
die andern Kinder, auf eine Bank nieder.

ALLAN *bückt sich aus dem Zelt.* Jetzt muß ich trommeln. Warum ruft ihr nicht, wenn ich an der Reihe bin? *Aufsehend.* Ach so – kein Nebel mehr. *Nun setzt er sich so, daß er Ann ansieht.*

ANN *wischt mit den Händen Nässe aus dem Gesicht.*

ALLAN. Du kannst im Zelt sein. Im Zelt ist es trockener. Es ist Platz für drei.

ANN. Ich schlafe nicht mit Jungen im Zelt.

ALLAN *nach einer Pause.* Du warst doch im Zelt.

ANN. Ich habe mich nicht von meiner Bank gerührt.

ALLAN. Das bestreite ich auch nicht. Trotzdem gibt es Begegnungen, zu denen keine körperliche Veränderung nötig ist.

ANN. Im Traum.

ALLAN *nickt.* Ich habe von dir geträumt. – – Soll ich dir den Traum erzählen?

ANN. Träume vergißt man doch, wenn man erwacht.

ALLAN *heftig.* Diesen nicht, Ann. Ann – ich glaube fest daran, daß es Ereignisse gibt, die das ganze Leben bestimmen – und so plötzlich geschieht es, wie nur im Traum sich alles abspielt. Wenn wir nicht träumen könnten, würde uns unser Leben nichts mehr bedeuten. Ohne diesen Traum möchte ich nicht mehr leben.

ANN. Hast du von einem goldenen Schloß geträumt?

ALLAN. Von dir.

ANN. Das ist nichts feines, wie du mich hier siehst.

ALLAN. Es war auch nicht hier.

ANN. Wo ist es denn gewesen?

ALLAN. Bei deinem Onkel auf dem Gut. Entsinnst du dich der Schilderung, die du von deinem Aufenthalt dort machtest?

ANN *gedehnt.* Ja – ich entsinne mich.

ALLAN. Der Teich – die schwarzen Schwäne – australische.

ANN. Das war ganz unnütz, daß ich das alles sagte.

ALLAN *eifrig.* Es sind auch nicht die Schwäne, die unter Wasserweiden kreisen – schwimmen durch Wasserrosen.

ANN. Warst du denn schon dort?

ALLAN. Warum?

ANN. Weil alles so ist, wie du es beschreibst.

ALLAN. Da siehst du, wie mächtig Träume sind. Sie sind noch mächtiger als jede Wirklichkeit. Das wirst du gleich erfahren. Wie alt bist du jetzt?

ANN. Das sagte ich dir schon.

ALLAN. Zwölf oder elf?

ANN. Das ist mein Geheimnis.

ALLAN. Im Traum warst du erwachsen. Deshalb zählt es nicht, ob du zwölf oder elf bist. Das bedeutet meine Frage.

ANN. Ich bin schon zwölf.

ALLAN. Das stört nicht die Erscheinung, die ich von dir hatte. Nicht mehr. Ich glaube, es ist unabänderlich, daß ich dich so sehe. Achtzehn.

ANN *belustigt.* Ich achtzehn – da warst du wohl neunzehn?

ALLAN *schüttelt den Kopf.*

ANN. Zwanzig?

ALLAN *verneint wieder.*

ANN. Wie alt denn?

ALLAN *ernst.* Einundzwanzig.

ANN. Und das soll ich dir glauben?

ALLAN. Du wirst es glauben, wenn ich dir schildere, wie ich zu deinem Onkel ging, um ihn zu bitten – – *Er stockt.*

ANN. Den Onkel um was zu bitten?

ALLAN. Ob ich dich küssen dürfte.

ANN. Und – schalt mein Onkel?

ALLAN *verträumt.* Das war wunderbar. Es war sehr hell im Zimmer. Sonst sind Zimmer immer dunkel, in denen viele Bücherwände sind. Hier stiegen die Bücherreihen bis zur Decke auf. Es ging von ihnen so viel Größe – so viel Schweigen aus, daß alles zeitlos wurde. Als hätte die ewige Stille jeden Lärm verschlungen und unser Wissen zur Unbegreiflichkeit verändert. Man fühlte einen andern Ruhm des Strebens – wo unsre Taten, die wir jetzt tun, streng verwehrt sind. Das war wunderbar: so außer sich zu sein und doch nur tiefer in sich einzudringen.

ANN. Mein Onkel hat wirklich viele Bücher.

ALLAN *freudig.* Stimmt es?

ANN. Und was habt ihr gesprochen?

ALLAN. Von dir ist dann gesprochen. Dein Onkel sprach. Ich brauchte ihm nichts zu erklären. Er sagte: Sie werden, wenn Sie meine Nichte küssen, nie mehr den Aufenthalt in diesem Zimmer vergessen. Denn durch dies' Zimmer geht der Weg – es ist kein andrer, der würdig und unsterblich macht. *Nach einer Pause aufblickend.* Mit der Unsterblichkeit meinte er doch die Liebe? – – Und würdig wird man, wenn man – – – – *Seufzend.* Würdig werden, ist das schwerste – – – – *Verstummend stützt er den Kopf.*

ANN. Und – küßten wir uns?

ALLAN *sie anblickend.* Wie Erwachsene sich küssen – so küßten wir einander.

ANN. Fest umschlungen?

ALLAN. Wie immer unzertrennlich.

ANN *nach einer Pause.* So was träumt man.

ALLAN. Ja – das war der Traum. – – – – Bist du mir böse?

ANN. Warum soll ich dir böse sein?

ALLAN. Weil ich dich küßte.

ANN. Der Onkel hat's doch erlaubt.

ALLAN *stockend.* Und würdest du mich küssen –

ANN *sich im Boot umblickend.* Wenn es die anderen erlauben. *Sie lacht. Plötzlich hält sie ein – klatscht dann in die Hände.* Wir wollen uns verloben!

Die andern Kinder sind nun aufgerüttelt und richten sich nach den beiden.

ANN *zu Allan.* Oder war das kein Antrag?

ALLAN. Ich habe doch gesagt, daß dieser Traum mein höchstes Leben wird.

ANN. Da hört ihr's. Ihm hat's sein Traum befohlen, daß er mich küssen soll. Und wenn man küßt, dann ist man Braut und Bräutigam.

ALLAN. Das ist wahrhaftig so.

ANN. So küss' mich.

ALLAN *zögernd.* Vor den andern?

ANN. Wo denn sonst?

ALLAN. Im Zelt.

ANN. Wo Füchslein ist?

ALLAN *nimmt sie stumm in seine Arme und küßt sie.*

DAS ZWEITE MÄDCHEN *seine verbundenen Hände schwenkend.* Jetzt haben wir ein Liebespaar im Boot!

DER ZWEITE KNABE. Küßt euch noch einmal!

Allan und Ann küssen sich wieder.

DER DRITTE KNABE. Jeder soll sich eine Braut nehmen!
DAS DRITTE MÄDCHEN. Jede einen Bräutigam!
ANN *laut*. Nein. Nur ich und er!
DAS VIERTE MÄDCHEN. Warum wollt ihr nur küssen?
ANN. Weil wir auch heiraten. Wir halten morgen Hochzeit. Es kann nur ein Paar Hochzeit halten. Das werde ich euch nachher erklären. Im Boot ist gar kein Platz für so viel Paare.
DER SECHSTE KNABE. Es war doch bisher Platz für alle.
ANN. Doch nicht für Hochzeit. Hochzeit, die ist anders. So wartet doch, bis ich erkläre.
ALLAN *staunend*. Ann – es ist dein tiefer Ernst?
ANN. So wahr ich dich geküßt – will ich dich heiraten. Als wär' ich achtzehn.
ALLAN *ausbrechend*. Das ist schöner noch als Traum. Daß dies' kein Traum mehr ist – ich muß es – – *Er grübelt – bückt sich und holt die Thermosflasche hervor.* Es muß mit allen Namen unterschrieben werden, daß dies' kein Traum blieb. Wir schicken eine Botschaft in die Welt, die die Verwirklichung erfahren soll. Die Welt braucht solche Botschaft in ihren Nöten. *Zum zweiten Knaben.* Hast du noch Notizpapier?
DER ZWEITE KNABE *zerrt sein Notizbuch aus der Tasche*. Ja.
ALLAN *die Thermosflasche aufschraubend – zu Ann*. Du botest mir einen Becher Milch an und ich sah dich an. Ich liebte dich auf den ersten Blick. Es war bestimmt, daß es so kommen sollte. Nun heiraten wir uns – und hier wird es bezeugt. Ich schreibe dies'. *Er entriß dem Notizbuch ein Blatt – schreibt und reicht es Ann.* Jetzt unterschreibe.

Ann liest – unterschreibt und reicht weiter.
So unterschreiben nun alle Kinder.

ALLAN *wieder das Blatt empfangend*. Und Füchslein.
ANN *jäh*. Füchslein auch?
ALLAN. Das Füchslein darf nicht fehlen.
ANN. Füchslein kann gar nicht schreiben!
ALLAN. So schreibe ich für ihn: und Füchslein. *Nachdem er*

das geschrieben, knifft er das Blatt und stößt es in die Ther-
mosflasche, die er wieder verschraubt. Jetzt steht er im Boot
und schleudert mit weitem Schwunge die Thermosflasche
hinaus. Die Flaschenpost mit unbekanntem Ziel. Wer sie auf-
fischt, der soll verkünden: Allan und Ann sind eins in Tod
und Leben!!

Die Kinder sehen der Flasche nach.

DER VIERTE KNABE. Die geht nie unter.
DAS VIERTE MÄDCHEN. Rot ist gut zu sehn.
DER FÜNFTE KNABE. Wird sie wer sehn?
ANN *laut.* Jetzt müssen wir die Hochzeit vorbereiten. Das
soll ein Fest sein.
ALLAN. Was denkst du dir aus?
ANN. Irgendwas, das du nicht wissen sollst. *Zu den andern*
Kindern. Nein, Allan darf vorher nichts erfahren. Allan soll
in das Zelt gehn und uns allein beraten lassen. Helft mir
doch, daß er zu seinem Füchslein geht!
DER SECHSTE KNABE. Du sollst zu deinem Füchslein gehn!
DAS SECHSTE MÄDCHEN. Zum Füchslein!
MEHRERE KINDER. Zum Füchslein!
ALLE KINDER *mit unwillkürlich drohend erhobenen Fäusten.*
Zum Füchslein!!
ALLAN *lächelt verständnislos und bückt sich ins Zelt zurück.*

Die Kinder starren noch nach dem Zelteingang.

DER FÜNFTE KNABE *zu Ann.* Du wolltest uns erklären –
DAS ZWEITE MÄDCHEN. Was erklären?
DER DRITTE KNABE *sich umwendend.* Seht den Nebel!
ANN. Drängt euch zusammen, daß ich flüstern kann – und
dann erklär' ich euch, was diese Hochzeit – – – –

Während die Kinder sich um Ann ducken, überfällt sie schon
die Masse des Nebels.
Aus der Nebelmasse ist Anns Stimme nicht mehr vernehm-
bar. Aber ein anderes Geräusch dringt mit wachsender Stär-
ke hervor; es ist nur ein »Ja«, das sich keuchend wiederholt
und in vollkommener Zustimmung endet.
Dann hebt das Trommeln wieder an – doch wild wie ein
Triumph.

DER SECHSTE TAG

Stille über den flutlosen Wassern.
Die träge Dichte des Nebels.
Zuerst wird die Lautlosigkeit erschüttert: von Glockentönen.
Dann zerteilt sich der Nebel: das Boot.
Im Boot sitzen Allan und Ann auf der vorderen Bank.
Im hinteren Bootsteil die übrigen Kinder – um den Kanister
geschart, den ein Knabe schlägt. Seine gleichmäßigen Schläge
begleiten die Kinder mit dem »Bim-Bam« ihrer glockennach-
ahmenden Stimmen.
Das währt, bis Ann ihre Hand hochwirft.
Stille.

ANN *zu Allen.* Jetzt sind wir in der Kirche angekommen.
ALLAN. Wie schön war die Fahrt durch die Straßen unter
Glockenläuten.
ANN. Und hellster Sonnenschein.
ALLAN. Hast du die Menge vor der Kirchentür gesehn?
ANN. Das ist doch selbstverständlich.
ALLAN. Wenn Ann und Allan heiraten.
ANN. Still. Wir dürfen nicht mehr sprechen. Jetzt wird ge-
sungen. *Wieder gibt sie ein Zeichen nach rückwärts.*
DIE KINDER *mit ihren reinen Kinderstimmen singend.*

> Lobe den Herren, den mächtigen König der Ehren!
> Lob' ihn, o Seele, vereint mit den himmlischen Chören!
> Kommet zu Hauf!
> Psalter und Harfe, wacht auf!
> Lasset den Lobgesang hören!

> Lobe den Herren, der sichtbar dein Leben gesegnet,
> der aus dem Himmel mit Strömen der Liebe geregnet.
> Denke daran,
> was der Allmächtige kann,
> der dir mit Liebe begegnet!

> Lobe den Herren, was in mir ist, lobe den Namen!
> Lob' ihn mit allen, die seine Verheißung bekamen!
> Er ist dein Licht!
> Seele, vergiß es ja nicht!
> Lob' ihn in Ewigkeit! Amen.

Ann *gedämpft zu Allan.* Nach dem Gesang erscheint der Prediger. Du mußt dir alles vorstellen. Du hast doch schon eine Hochzeit mitgemacht?

Allan. Ich habe so nicht aufgepaßt.

Ann. Dann richte dich nach mir. *Vorausblickend.* Da ist er. Sieh' ihn an wie ich. Er spricht zu uns. – – Natürlich ist das keine so lange Predigt wie für Erwachsene. Wir sind doch Kinder.

Allan. Er redet aber so ernst wie zu Erwachsenen.

Ann. Das ist bei ihm nur Übung.

Allan. Mich aber überläuft es heiß und kalt.

Ann. Schweig'. Nun vollzieht er unsre Trauung. – – Die Ringe reichen. – – Nun vertauscht er sie. – – Jetzt streift er sie an unsre Finger. – – Der Segen folgt noch. *Sie beugt das Haupt.*

Auch Allan verharrt so, nachdem er den geflüsterten Weisungen Anns gehorchend wie sie die entsprechenden Gesten vollführt hatte.
Dann richtet sich Ann auf.

Allan *ebenso.* Sind wir –

Ann. Wir sind noch in der Kirche. Noch ein Gesang! *Sie gibt das Zeichen.*

Die Kinder *rein und zweistimmig.*

> Die Himmel rühmen des Ewigen Ehre,
> ihr Schall pflanzt seinen Namen fort.
> Ihn rühmt der Erdkreis, ihn preisen die Meere.
> Vernimm, o Mensch, ihr göttlich Wort!
>
> Wer trägt der Himmel unzählbare Sterne?
> Wer führt die Sonn' aus ihrem Zelt?
> Sie kommt und leuchtet und lacht uns von ferne
> und läuft den Weg gleich als ein Held!

Ann *sich auf der Bank umdrehend.* Jetzt halten wir das Hochzeitsmahl. Da sind ja unsre Gäste!

Die Kinder *Ann und Allan Hände hinstreckend.* Seid beglückwünscht – seid beglückwünscht!

Das zweite Mädchen. Dein wundervolles Brautkleid!

Das dritte Mädchen. Seide?

ANN. Brokat. Es hat sich im Wagen arg gedrückt. Es kann sich auch drücken, man trägt es doch nur einmal.

DAS VIERTE MÄDCHEN. Dieser Spitzenschleier!

ANN. Alte Spitzen.

DAS FÜNFTE MÄDCHEN. Die sehn wie neu aus.

ANN. Alte sind mehr wert.

DAS VIERTE MÄDCHEN. Bei Spitzen ist das so.

DAS FÜNFTE MÄDCHEN. Das kann ich doch nicht wissen.

ALLAN. Wir dürfen unsre Gäste nicht hungern lassen!

ANN. Schon ist angerichtet!

DER SECHSTE KNABE. Was gibt es denn zu essen?

ANN. O – es ist eine lange Speisekarte. Wir müssen uns beeilen, um alles zu verspeisen. *Zu Allan.* Gib mir einen Beutel.

ALLAN *bückt sich und holt einen Zwiebackbeutel hervor.* Sind das Genüsse aus dem Morgenland?

ANN. Viel feiner. Was noch kein Mensch gegessen hat. Einbildungsfrüchte.

DIE KINDER. Ah – die müssen schmecken!

ANN *öffnet den Beutel – entnimmt zwei Zwiebäcke und reicht an Allan weiter.*

ALLAN. Zwei für jeden?

ANN. Willst du mehr als ich?

ALLAN. Willst du noch meine?

ANN. Jedem seinen Anteil.

Der Beutel geht von Hand zu Hand und kehrt zu Ann zurück. Noch nicht leer.

ALLAN *ihn ergreifend.* Gib mir. *Er holt die beiden letzten Zwiebäcke heraus und steckt sie in seine Manteltasche.*

ANN. Da nimmst du dir doch mehr als ich.

ALLAN. Die sind nicht für mich.

Sofort tritt eine sichtliche Veränderung bei den Kindern ein: unter scheuen Blicken knabbern sie an ihren Zwiebäcken – ducken die Rücken.

ANN *aufspringend.* Zu Ende ist das Hochzeitsmahl. Was kommt jetzt, Allan?

ALLAN. Jetzt?

ANN. Weißt du das nicht?

ALLAN. Was soll ich denn nicht wissen?

ANN. Was zwei tun müssen, die Hochzeit hatten.

ALLAN. Ich will alles tun.

ANN. Sie müssen in einem Zimmer schlafen.

ALLAN. Du würdest mit mir in einem Zimmer schlafen?

ANN. Ich muß.

ALLAN. Ein Zimmer kann man sich nicht einbilden.

ANN. Ein Zimmer kann ein Zelt sein.

ALLAN. Ein Zelt ist wirklich da.

ANN. Dann lass' uns in das Zelt gehen. *Sie öffnet den Zelteingang und tritt zurück.* Wir sind nicht allein.

ALLAN. Füchslein ist dort.

ANN. Ich frage nicht nach Füchslein – ich sage nur, daß wir allein sein müssen.

ALLAN. Es ist doch nur Füchslein.

ANN. Dann erklär' ich mich außerstande dir ins Zelt zu folgen, wenn ich nicht mit dir allein sein soll. Wenn du das willst, so hätte ich mir Brautkleid und Schleier und alles sparen können. Die Glocken sind geläutet und zweimal ist gesungen – so ernst war alles und du sagtest selbst, wie es dich überläuft. War das alles Lüge? Sag' es selbst, damit ich eine Lehre für das Leben habe – was ich von dir – von deiner Liebe zu halten habe.

ALLAN. Weinen macht dich noch schöner.

ANN. Deshalb soll ich weinen?

ALLAN. Jetzt bist du wie achtzehn.

ANN. Und darf nicht mit dir allein sein?

ALLAN. Wir sind schon allein.

ANN. Und Füchslein?

ALLAN. Wird nicht im Zelt sein. *Er sieht sie innig an.*

ANN *reicht ihm ihren Mund.*

ALLAN *küßt sie.*

ANN *zu den Kindern.* Nun holt Füchslein!

Der zweite und fünfte Knabe steigen durch das Boot – begeben sich ins Zelt und kehren mit Füchslein zwischen sich zurück.

ALLAN. Er soll noch haben, was ich ihm aufgehoben! *Er holt die Zwiebäcke aus der Manteltasche und hält sie Füchslein hin.*

DER ZWEITE KNABE. Das sind deine – die gehören dir.

DER FÜNFTE KNABE *die Zwiebäcke wegnehmend.* Er will sie jetzt nicht essen.

DER SECHSTE KNABE. Kann man nicht seine Taschenlampe brauchen?

DER FÜNFTE KNABE. Wir können nachts mit ihr Signale geben.

ALLAN *heftig*. Tut das nicht. Die Schiffe fahren doch verdunkelt. Ein kleiner Lichtschein verrät ein ganzes Schiff. Man kann das Boot für einen Frachter halten und schießt nach unserm Licht. Das ist dann sicherer Tod! *Nach der Taschenlampe greifend*. Gebt mir die Lampe. Ich will sicher sein, daß keiner winkt und einem Feind das Ziel zeigt! *Er steckt die Lampe ein.*

ANN. Seht den Nebel!

ALLAN. So schwarz wie noch nie!

DER FÜNFTE KNABE. Wir werden trommeln – bleibt im Zelt!

ANN *Allan mit sich ziehend*. Ins Zelt!

Die Mauer des schwarzen Nebels schiebt sich heran und über das Boot hin.
Wilde Hiebe sausen auf den Kanister nieder – und es entsteht ein Trommellärm, der jedes andere Geräusch zudeckt.

DER SIEBENTE TAG

Auf dem Meer lastet Nebel über den Tag hin.
Spät verdünnt sich der Dunst – letzte Schwaden heben sich
endlich vom Boot.
Zwischen den Bänken hocken die Kinder schlaff und still.
Jetzt ensteht ein Dröhnen in hoher Luft.

DER SECHSTE KNABE *wird wach – lauscht. Plötzlich wirft er*
die Arme auf. Flieger!

Allmählich raffen sich die übrigen Kinder auf – schauen
nach oben.

DAS ZWEITE MÄDCHEN. Ich seh' ihn nicht.
DER DRITTE KNABE. Noch ist er nicht zu sehn.
DER VIERTE KNABE. Der Nebel schwebt nach oben.
DER ZWEITE KNABE. Er ist überm Nebel.
DER FÜNFTE KNABE. Der Nebel muß erst weichen.
DAS SECHSTE MÄDCHEN. Dann sieht er uns.
DAS VIERTE MÄDCHEN. Dann rettet uns der Flieger!
DIE KINDER *in einem Freudenausbruch.* Der Flieger – der
Flieger!!

Allan bückt sich aus dem Zelt.

DAS ZWEITE MÄDCHEN *zu Allan.* Es kommt ein Flieger uns
zu retten.
DER FÜNFTE KNABE. Ich habe ihn zuerst gehört.
ALLAN *besorgt.* Er wird doch nicht vorüberfliegen.
DAS VIERTE MÄDCHEN. Unser Flieger?
DIE KINDER *mit neuem Ausbruch.* Es ist doch unser Flieger
– unser Flieger!!

Ann bückt sich aus dem Zelt.

ALLAN. Ann – wir hören einen Flieger. Vielleicht ist das die
Rettung.
ANN. Das ist die Rettung.
ALLAN. Weißt du es?
ANN. Ich weiß es. *Zu den andern Kindern.* Oder kann ich
es nicht wissen?

Die Kinder verstummen – senken die Köpfe.

ANN. Die andern wissen's auch. Das ist nun ganz bestimmt die Rettung.

DER DRITTE KNABE *nach einer Pause.* Ich seh' das Flugzeug!

DER VIERTE KNABE. Ein Wasserflugzeug!

DER ZWEITE KNABE. Es kreist über uns!

DER FÜNFTE KNABE. Da hat uns der Pilot gesehn!

DIE MÄDCHEN *mit Händeklatschen.* Nun hat uns der Pilot gesehn!

ALLAN. – – – – Er geht in weiten Kreisen tiefer. – – – – Das ist ein sichres Zeichen, daß er uns retten will. – – – – Da ist für alle Platz – – in diesem mächtigen Rumpf. *Zu den andern Kindern.* Wer steigt zuerst ein? – – Füchslein steigt zuerst ein. Er ist der kleinste. – – Wo ist Füchslein?

Wieder dies' Verstummen der Kinder.

ALLAN. Verschläft er unterm Segeltuch die Rettung? – – Weckt Füchslein unterm Segeltuch auf!

Stummheit und Reglosigkeit der Kinder.

ALLAN. Schiebt das Segeltuch weg!

Die Kinder verharren wie vorher.

ALLAN. Warum gehorcht ihr nicht?

DER FÜNFTE KNABE *trotzig.* Er – ist nicht unterm Segeltuch.

ALLAN. Wo ist er dann?

Tiefes Schweigen.

ALLAN *begreifend.* Was habt ihr denn mit Füchslein getan? *Stockend.* Habt ihr das Füchslein – – – – *Sich Ann zuwendend.* Sie haben Füchslein aus dem Boot geworfen – – *Seine Stimme versagt.*

ANN *fest.* Und jetzt sind wir gerettet.

ALLAN *starrt sie an.*

ANN. Deshalb wußt' ich, daß wir gerettet werden.

ALLAN *mühsam.* Füchslein sollte ich nicht im Zelt beschützen – deshalb – –?

ANN. Deshalb. Auch deshalb.

ALLAN. Ann – es ist nicht wahr. Sag', Ann, daß es nicht wahr ist. Es war nicht überlegt von dir – du hast nicht so an mir gehandelt – du hast nicht, wo ich alles glaubte – – Ich glaube dir doch, Ann. Du mußt es mir nur sagen, daß nicht, um Füchslein aus dem Zelt zu bringen, du mit mir im Zelt warst. Du liebtest mich doch, Ann.

ANN. Ich habe dich geliebt.

ALLAN. Nun liebst du mich nicht mehr?

ANN. Das kann ich so nicht sagen.

ALLAN. Lass' es – wenn nur Füchslein nicht auf diese Weise umgekommen ist.

ANN. Auf welche Weise?

ALLAN. Durch einen Mord.

ANN. Ich habe nicht gemordet.

ALLAN. Die andern mit deiner Hilfe. *Zu den Kindern.* Seid ihr keine Mörder?

DER FÜNFTE KNABE. Willst du uns verraten?

ANN. Verräter sind verächtlich.

ALLAN. Wollt ihr denn leugnen, daß Füchslein mit im Boot war?

DAS ZWEITE MÄDCHEN. Wer weiß denn, daß wir dreizehn waren?

DAS DRITTE MÄDCHEN. Wer hat uns gezählt?

ALLAN. Ihr habt euch selbst gezählt. Der Zettel schwimmt in der Thermosflasche. Und an das Ende schrieb ich Füchslein!

ANN *flammend.* Man müßte dich ausspeien!

DER SECHSTE KNABE *schreiend.* Das Flugzeug ist auf dem Wasser!

Das Dröhnen der Motoren hatte aufgehört – nun schieben sich die Schwimmer und ein Flügel des hohen Flugzeugs ins Bild.
Der Pilot bleibt unsichtbar – nur seine Stimme schallt klar.

PILOT. Hallo – habt ihr den Bootshaken bereit? Den Bootshaken, versteht ihr? Es muß mit ihm das Boot am Schwimmer gehalten werden. Wer ist der stärkste von euch? Der soll das Boot mit aller Kraft festhalten. Sonst holen wir euch nicht aus euerm Boot.

Allan beseitigt mit raschen Griffen das Segeltuch – knüpft den Bootshaken los: von nun an hält er das Boot am Schwimmen fest.

PILOT. Wir lassen eine Seilleiter hinab, die richtig ausgeschwungen werden muß. Vor allem Sicherheit!

Geräusch im oberen Flugzeug.

PILOT. Das Glück hat euch gelächelt, Kinder. Ein Patrouillenboot hat eure rote Thermosflasche aufgefischt. Der Zettel war gut verfaßt. Ich kann euch sagen, er wird schon in den Zeitungen gedruckt. Ihr seid schon ganz berühmt. Besonders das jüngste Ehepaar des Königreichs. Das wird am meisten bewundert. Die beiden sind dem ganzen Land zum Vorbild geworden, wie man sich in Gefahr benimmt. Nicht denken an Gefahr und sich dem Leben widmen als ob es Hochzeitstag wär'. Und die andern, die unterschrieben haben: ein jeder ein kleiner Held!

Geräusch im Flugzeug.

PILOT. Und wo ist Füchslein? – – – – Euer Hündchen, das auch verzeichnet ist. – – Ein hübscher Einfall: das Hündchen in menschliche Gesellschaft aufzunehmen. – – Ist es nicht im Boot? – – Verhungert? – – Die Strapazen nicht überstanden? – – Oder bei einem lustigen Sprunge über Bord gepurzelt? – – Nehmt es euch nicht zu Herzen: ein Hündchen bleibt ein Hündchen – und ihr seid erhalten. Das ist am Ende doch wichtiger als das Füchslein!

Die Seilleiter senkt sich vom Flugzeug ins Boot.

PILOT. Ihr könnt nun hintereinander – ohne erst zu warten, bis einer oben angelangt ist – unten aufsteigen. Die Leiter ist sehr fest – und ihr seid keine Last. Wahrhaftig: die sieben Tage auf freiem Meer haben ihr Werk verrichtet. Ihr seht doch wie böse Teufel aus. Man müßte sich vor euch fürchten, wenn Mitleid nicht mehr am Platze wär'!

Die Kinder drängen zur Leiter.

DER SECHSTE KNABE. Zuerst die Mädchen!

PILOT. Bravo, Junge!

*Ann und die fünf Mädchen verschwinden über dem Flug-
zeugflügel.*

DER ZWEITE KNABE. Wir klettern flinker!

*Auch die fünf Knaben verschwinden oben.
Allan hält weiter das Boot fest.*

PILOT. Du kannst jetzt loslassen – das Boot treibt nicht so
schnell ab, bis du dich rettest!

ALLAN *mit einem Aufschrei*. Ich rette mich nicht!!

PILOT. Was willst du nicht?

ALLAN. Ich will nicht – will nicht – will nicht ohne Füchslein
in der Welt sein!

PILOT. Hat es dir gehört?

ALLAN *außer sich geratend*. Es hat nicht mir gehört – es hat
der ganzen Welt gehört. Es hat die ganze Welt an Füchsleins
Ende Schuld!

PILOT. Vergiß nicht, daß auch Menschen sterben.

ALLAN. Ja: sie töten – töten – töten. Sie haben sich vorgenommen, was sie nicht tun sollen, zu jeder Stunde und mit
jedem Grund zu tun!

PILOT. Die Menschen werden einmal besser – und wie die
Kinder sein.

ALLAN. Es werden die Kinder wie die Erwachsenen sein –
weil sie als Kinder schon wie Erwachsene sind!

PILOT. Töten denn Kinder?

ANN *unsichtbar oben*. Allan – du sollst dich retten!

ALLAN. Rufst du, Ann?

ANN. Es war mir mit der Hochzeit ernst!

ALLAN. Es war mir ernst, als ich dich rettete. Du hattest das
Kreuzlos. Ich sah heimlich nach und warf es mit den Frei-
losen ins Meer.

ANN. Du sagst es mir so spät!

ALLAN *tränenüberströmt*. Weil es das letzte ist, was ich dir
sagen wollte. Jetzt habe ich nichts mehr zu sagen! *Er hakt
den Bootshaken los und schleudert ihn ins Wasser.*

PILOT *überlaut*. Wir empfangen Nachricht: man verfolgt
uns. Wir können hier nicht länger zögern. Wir ziehen die
Leiter auf – häng' dich noch an!

Die Seilleiter verschwindet oben.
Allan blieb im Boot.

PILOT. Nach so viel Nöten kann ein Kopf verwirrt sein. Schade, es schien ein guter Kopf zu sein!

Die Motoren beginnen zu dröhnen. Das Wasserflugzeug gleitet aus dem Bilde – braust bald in der Höhe.
Es dunkelt.
Im Dunkel aus entgegengesetzter Richtung naht ein anderes Flugzeug.
Allan – im Umriß deutlich – steigt auf eine Bootsbank – zerrt die elektrische Taschenlampe aus seiner Manteltasche.
Als das feindliche Flugzeug sehr nahe ist, schwingt Allan die entzündete Lampe über sich hin und her.
Es währt nicht lange, bis das Flugzeug sein Ziel entdeckt hat.
Eine Salve aus dem Maschinengewehr streckt Allan im Boot nieder.
Das Flugzeug entfernt sich.
Es dunkelt tiefer.

NACHSPIEL

Blutrot entsteigt das Gestirn dem Meer und
färbt die Flutbahn wie Blut.
Auf dieser Blutflut treibt das Boot.
Da seine Wände von Schüssen durchlöchert,
sank es schon halb.
Allan liegt mit Kopf und ausgebreiteten Armen
auf der mittleren Bank:
WIE GEKREUZIGT
Höher umspült das eindringe Wasser
den Leib Allans.
Tiefer taucht das Boot.
Bis ein stärkeres Wogen der Flut das Boot
überschwemmt.
Als die Woge sich glättet, sind Boot und
Allan verschwunden.
WIEDER EINMAL IST ES VOLLBRACHT·

1940/43

DIE SPIELDOSE

Schauspiel in fünf Akten

PERSONEN

PIERRE CHAUDRAZ
NOELLE
PAUL CHAUDRAZ
PARMELIN, *Bürgermeister*

ERSTER AKT

Bretonische Bauernstube.
Rechts zwischen Schrank und Truhe Tür – halb Holz halb
Buntglas – zur Küche.
Hinten neben der tiefen Fensternische die Tür ins Freie.
Runder Tisch mit Binsenstühlen in Stubenmitte.
Links in der Ecke die ersten Stufen und Geländerstütze einer
Stiege, die in ein oberes Stockwerk führt.
Vor der Linkswand eine Pfostenlade mit einem Schubfach.
Auf der Lade: eine gerahmte Photographie, ein Messingkäst-
chen, zwei Zinnleuchter mit gewundenen ungebrauchten
Kerzen, zwei leere Blumenvasen.
In der offenen Tür hinten steht Noelle – von Sonnenlicht
umflossen. Durch ihre hohlen Hände ruft sie hinaus.

NOELLE. Pierre –! *Sie läßt die Arme sinken und wartet. – –*
Wieder ründet sie die Hände um den Mund und erneuert
ihren Ruf. Pierre –! *Wieder warten. – – und neuer Ruf.* Pier-
re – –! *– – Dann stößt sie ihren Ruf in rascher Folge aus.*
Pierre! – Pierre! – Pierre! – Pierre! – Pierre! *Nun ist sie des*
Erfolges gewiß ud schwenkt das Tuch, das sie sich rasch vom
Halse löste. Das Tuch wieder umknüpfend bleibt sie auf der
Schwelle.

Draußen erscheint Pierre Chaudraz: die Jacke über die
Schulter gehängt – eine Hand im Rücken.

NOELLE. Man muß dich rufen, bis man heiser ist.
PIERRE. Pierre –?
NOELLE. Bis man atemlos und stockheiser wird.
PIERRE. Pierre –?
NOELLE. Pierre!
PIERRE. Seit wann rufst du mich – Pierre?
NOELLE. Soll ich dich nicht Pierre rufen?
PIERRE. Bisher wurde ich Vater gerufen. Warum heute nicht?

NOELLE. Weil du nicht wie ein Vater aussahst.

PIERRE. Nicht wie Pauls Vater?

NOELLE. In der blendenden Sonne nicht, die alles verwischt. Die Umrisse lösen sich auf und kleiner und feiner erschienst du. Da rief ich dich Pierre.

PIERRE. Aber im Schatten bin ich wieder grob und alt?

NOELLE. Du bist nicht alt, du hast noch kein einziges graues Haar.

PIERRE. Soll ich mir graue Haare anschaffen?

NOELLE. Wozu willst du dir graue Haare anschaffen?

PIERRE. Um dem Mädchen, das meine Schwiegertochter werden will, Ehrfurcht vor ihrem Schwiegervater einzuflößen. *Lachend tritt er ein.*

NOELLE *umschlingt und küßt ihn.* Ich habe nie Angst vor dir – Pierre!

PIERRE *bedrängt.* Noelle –!

NOELLE *mit neuen Küssen.* Pierre – – Pierre – – Pierre!

PIERRE *keuchend.* Noelle – – Noelle – – Noelle!

NOELLE *ablassend.* Das war die Strafe.

PIERRE. Jetzt bin ich atemlos.

NOELLE. Jetzt sind wir es beide gewesen – atemlos.

PIERRE. Beide – Pierre und Noelle.

NOELLE. Wir beide – Noelle und Pierre!

PIERRE *holt endlich die Hand hinterm Rücken hervor, in der er ein Büschel gelber Blumen hält.*

NOELLE. Von den Klippen?

PIERRE. Das hielt mich auf. Die ersten, die blühen.

NOELLE. Du darfst dich nicht in Gefahr begeben.

PIERRE. Für Paul?

NOELLE. Die Klippen sind gefährlich.

PIERRE. Paul beschützt mich.

NOELLE *bringt von der Pfostenlade die beiden Vasen und stellt sie auf den Tisch.* Sie verdorren nicht gleich, ich gebe später Wasser. Lass' uns nicht säumen. *Sie schließt die Tür hinten, kehrt dann zur Pfostenlade zurück, wo sie das Messingkästchen ergreift. Es ist eine Spieldose. Nachdem sie den Deckel aufgeklappt hat, zieht sie das Spielwerk auf. Mehrmals muß sie ihr Haar wegstreifen, das über ihr Gesicht flutet. Nun schließt sie den Deckel wieder und stellt das Kästchen an seinen früheren Platz.*

Während nun Pierre mit den gefüllten beiden Vasen die

Photographie auf der Pfostenlade flankiert, rückt Noelle zwei Schemel heran.
Pierre läßt sich auf einen Schemel nieder.
Noelle öffnet das Schubfach der Pfostenlade und entnimmt ihr ein Päckchen Briefe. Mit einem plötzlichen Entschluß reicht sie Pierre die Briefe.

PIERRE *erstaunt.* Soll ich heute lesen?
NOELLE. Ich will die Lichter anzünden.
PIERRE. Warum Lichter?
NOELLE. Weil du Blumen gebracht hast.
PIERRE *reicht ihr aus einer Tasche seines Jacketts, das er inzwischen ausgezogen hatte, die Streichhölzer.*
NOELLE *entzündet die Kerzen.*
PIERRE *steckt die Streichholzschachtel wieder ein.*
NOELLE *schaltet das Spielwerk der Spieldose ein, die mit hellen Tönen eine kleine Melodie zu klimpern beginnt.*

Noelle sitzt neben Pierre auf ihrem Schemel – lauschend seufzt sie in tiefer Ergriffenheit und tastet nach Pierres Hand, der ihre Hand faßt und festhält.
Viermal rollt die gleiche Melodie ab.

NOELLE *nach kurzer Stille.* Gib mir den Brief.
PIERRE. Welchen?
NOELLE. Den letzten.
PIERRE *reicht ihr den obersten Brief.*
NOELLE *liest.* Meine Lieben. Es sind keine Neuigkeiten, die ich Euch zu berichten habe. Ihr könntet ebenso gut jeden Brief nehmen, den ich Euch früher geschrieben habe, und er würde mit seinem Inhalt noch ganz so gegenwärtig sein wie dieser neue, der also so alt wie die andern ist. Wie mit den Briefen geht es mit den Tagen: einer gleicht dem andern. Es ist wirklich seit dem Tage, an dem wir von der Erdoberfläche verschwanden, kein Unterschied zu entdecken. Ist es Sommer oder Winter – Sonne oder Mond, wir bemerken es nicht. Höchstens könnten wir uns einbilden, daß es Winter ist, weil wir wie Maulwürfe in der Erde stecken um unsern Winterschlaf zu halten. Es ist ein ganz richtiger Vergleich, der es Euch am besten klarmacht, daß Ihr meinetwegen nie in Sorge zu sein braucht. Ich habe ein so festes Dach über mir, daß es nicht einmal der Blitz zu erschüttern vermag. Ich wollte, ich

würde im ganzen Leben so behütet sein wie in den Gewölben der Maginotlinie. Doch man darf nicht unbescheiden sein und zuviel verlangen. Bleibt denn nicht genug Glück übrig, wenn einmal die Heimkehr stattfindet? Ich male es mir zu jeder Stunde aus und habe eine Stärke der Vorstellung gewonnen, die mich manchmal die Gegenwart mit der Zukunft verwechseln läßt. Dann glaube ich, daß man zwei Leben leben kann – eins dort wo man ist und das andre dort, wo man zu sein begehrt mit allen Sinnen. Geschieht es Euch auch so? Ich meine, es müßte bei Euch dasselbe sein. Sicher bin ich, daß es in jener Stunde geschieht, die wir verabredeten. Es ist Mittag und du, Vater, kommst vom Felde und du, Noelle, erwartest ihn auf der Schwelle und rufst ihm schon von weitem zu: Vater – Vater. Ich höre deutlich, wie du ihn rufst. Denn er soll pünktlich zur Stelle sein, damit sich alles so begibt wie es sich begeben soll. Du ziehst die Spieldose auf, die ihre vier Verse klimpert. Dann liest du meinen neusten Brief vor und die Spieldose spielt noch einmal ihre vier Verse. Die Feierlichkeit ist beendigt – unsre Begegnung in Gedanken hat stattgefunden und Ihr entfernt Euch in die Küche, wo Euch das Mittagmahl köstlich munden soll. Meine Noelle wird ihrem zukünftigen Schwiegervater leckere Gerichte bereitet haben und was den Wein anbelangt, so wirst du, mein guter Vater, deiner zukünftigen Schwiegertochter keine Beleidigung ihrer Zunge zufügen. Ich werde von dem allen später genauen Bericht verlangen, doch ich fürchte nicht, daß ich einen von Euch für irgendeine Kränkung zur Rechenschaft ziehen muß. Dann würde ich allerdings ein strenger Richter sein und unbarmherzige Strafen verhängen. Nämlich in Gestalt von Küssen, die unzählig noch meine übertreffen, die ich Euch beiden mit diesem Briefe sende. Paul. – – – –

PIERRE *nach einer Stille.* Soll ich –?

NOELLE *wie erwachend.* Was?

PIERRE. Sie spielen lassen?

NOELLE. Nein. Ich – wie immer.

PIERRE. Warum zögerst du?

NOELLE. Wie schön das ist: die Kerzen – die Blumen. So feierlich war es noch nie. Ob Paul das fühlt?

PIERRE. Paul riecht die Blumen und das Wachs.

NOELLE. Ich bin überzeugt. *Indem sie die Spieldose aufzieht.* Er hört es, wie sie hier spielt. Wenn sie nicht spielt – – *Doch schon hat sie das Spielwerk aufgestellt – die klingende Spiel-*

dose läßt sie auf der Pfostenlade zurück und setzt sich wieder auf ihren Schemel.

Zweimal spielt die Spieldose ihre Melodie – beim drittenmal stockt der Ablauf und steht nach spärlich werdenden Tönen ganz still.

PIERRE. Hast du nicht genug aufgezogen?
NOELLE *steht auf und nimmt die Spieldose*. Der Schlüssel dreht sich nicht.
PIERRE *zu ihr tretend*. Dreht sich nicht –?
NOELLE. Versuche du es.
PIERRE. Da ist ein Widerstand. *Er schüttelt das Kästchen.*
NOELLE. Klappert es innen?
PIERRE. Ich höre nichts.
NOELLE. Dann wird man besser sehen.

Pierre geht zum Rundtisch in der Mitte und läßt sich auf einen Binsenstuhl nieder. Noelle nimmt ihm gegenüber Platz.

PIERRE *untersuchend*. Die Walze bewegt sich nicht.
NOELLE. Sonst ist nichts beschädigt?
PIERRE. Nein.
NOELLE. Im Räderwerk? Das könnte auch nicht sein. Der Händler pries es uns ausdrücklich an: der Mechanismus ist unzerstörbar. Wenn eure Liebe dauert – das sagte der Mann noch, weil Paul es vorher ausgesprochen hatte, es sei ein Brautgeschenk.
PIERRE *die Walze aushebend*. So – sagte das der Mann?
NOELLE. Deshalb behütet Paul das Kästchen so. Es ist ihm beinah heilig. Ich glaube auch daran.
PIERRE. Woran?
NOELLE. Wenn es nicht spielt – –
PIERRE. Es wird schon wieder spielen.
NOELLE *zusehend – nach einer Pause*. Ich lebe gar nicht in der Gegenwart. Wie ich hier bin – lebendig bin ich nicht. Ich atme – spreche, doch das sind nur Pulse, die ohne meinen Willen klopfen. Was ich wirklich will, das bleibt der Zukunft aufgespart. Wenn Paul zurück ist. Dann beginnt das Leben. Dann hat sich so viel Leben in mir aufgestaut, daß mich die Kraft von meinem eignen Leben erschlagen würde, wenn es sich nicht erfüllte, worin es sich verbrauchen kann. Verstehst

du diese Inbrunst der Erwartung? Oder befremdet dich solch Übermaß? Erscheine ich dir zu begehrlich? Soll ich Paul weniger lieben? Wie ist weniger Liebe? Kannst du mir helfen?

PIERRE. Ich – der nicht lebte ohne Paul?

NOELLE. Was gilt dir Paul? Sag' alles!

PIERRE. Ich schlich mich einmal in den Stall und suchte nach einem Balken – für eine Schlinge. Das war damals, als meine Frau verhauchte. Es war Finsternis in mir und um mich so ungeheure Stille. Ich ertrug das nicht und wollte ein Ende machen – der fürchterlichen Stille und schlich zum Stall. Da wimmerte das junge Kind – Paul war's – oben und ich vernahm es draußen und bannte meinen Schritt im Hof. Paul schob sich in mein Leben – und das Leben hatte von seiner Stimme wieder Sang und Klang und hat ihn auch behalten. Ohne Paul ein Leben? Was ist dann Leben?

NOELLE. Fürchtest du den Tod?

PIERRE. Fürchten?

NOELLE. Als du zum Stall schlichst?

PIERRE. Tod ist aller Grauen Grauen.

NOELLE *ihm jäh die Hand hinstreckend.* Lass' uns leben.

PIERRE. Wird nicht Paul von uns erwartet?

NOELLE. Wenn er nicht käme –

PIERRE *behutsam etwas zwischen seinen Fingern hochziehend.* Es war nur eine Störung – durch ein Haar von dir.

NOELLE. Ich habe es verursacht?

PIERRE. Sieh' an.

NOELLE. Das war vorhin, als ich mich überbeugte. Wo ist es jetzt?

PIERRE. Von unserm Hauch verweht.

NOELLE. Und sie spielt wieder?

PIERRE *die Walze wieder einlegend.* Du wirst sie hören.

NOELLE. Nur eine Unterbrechung.

PIERRE. Noelle – nichts weiter.

Noelle hat die Spieldose wieder auf die Pfostenlade gestellt und in Gang gesetzt. Auf ihren Schemeln hören Pierre und Noelle dem Spiel zu. Als es aufhört, erheben sie sich. Noelle löscht die Kerzen aus. Pierre will die Schemel wegtragen.

NOELLE *ihn hindernd.* Wir schaffen nachher Ordnung. Die Töpfe brodeln über. Komm' in die Küche! *Sie zieht ihn mit sich nach rechts. Beide ab.*

An die Tür hinten wird geklopft.
Das Klopfen wird nach einer Weile wiederholt.
Dann tritt der Bürgermeister Parmelin ein – weißhaarig, in
schwarzem Anzug, Stock.
Parmelin sieht sich in der leeren Stube um – nimmt den breit-
randigen Hut ab, wischt sich die Stirn. Er vernimmt die Ge-
räusche in der Küche – will sich der Küchentür nähern – zö-
gert. Sein Blick fällt auf die Pfostenlade und die Schemel da-
vor. Er tritt hinzu – mustert die Kerzen und die Blumen. Die
Photographie ergreift er und betrachtet sie – kopfschüttelnd
und seufzend. Nun stellt er sie wieder hin – rafft sich zu dem
Entschluß auf: an die Küchentür mit dem Stockknauf zu
pochen.
Noelle öffnet.

NOELLE *erstaunt.* Herr Bürgermeister –?
PARMELIN. Wenn ihr eßt, unterbrecht nicht euer Essen – ich
warte.
NOELLE. Das würde uns niemals einfallen.
PIERRE *neben Noelle tretend.* Besuchst du uns auf ein Glas
Wein, Parmelin? Es ist heiß. *Zu Noelle.* Gläser, Noelle.
PARMELIN *Noelle aufhaltend.* Wir wollen miteinander spre-
chen – nicht trinken.
PIERRE. Mit Noelle und mir?
PARMELIN. Ich denke – es wird euch beide treffen.

Die drei setzen sich um den Rundtisch.

PIERRE. Was betrifft es?
PARMELIN. Mein Amt ist schwer.
PIERRE. Willst du es niederlegen?
NOELLE *inbezug auf Pierre.* Wird er der neue Bürgermeister?
PARMELIN. Es ist nur manchmal schwer – wie heute. *Nach der*
Pfostenlade blickend. Ihr habt sein Bild ganz feierlich ge-
schmückt – – ganz feierlich.

Stille.

PIERRE *zaghaft.* Was ist – mit Paul?
NOELLE *fast heftig.* Wie fragst du nach Paul?
PARMELIN *eifrig.* Die Frage ist nicht unberechtigt. Und eine
Antwort erleichtert eine Nachricht.

NOELLE *mit aufgerissenen Augen.* Ist Paul – –?

PARMELIN. Die Meldung lief heute ein. Der erste in unserm Dorf.

Pierre und Noelle starren Parmelin an.
Parmelin sieht schräg zu Boden.

PIERRE *stockend.* Sie stecken tief in der Erde – – sie haben sich eingegraben – –

NOELLE. Wie Maulwürfe – –

PIERRE. Unter einem Panzer von meterdickem Stein – –

NOELLE. Nicht der Blitz sprengt ihn – –

PIERRE. Wohnen sie in Gewölben – –

NOELLE. Sicher wie nirgends in der Welt – –

PIERRE. Wie kann denn da – –?

NOELLE. Wie kann denn da – –??

PARMELIN. Es finden auch Gefechte im Vorgelände statt. Streifen, die dem Feind begegnen. Bei einer fiel er. Hier die Mitteilung. *Er legt ein Papier auf den Tisch.*

Pierre und Noelle starren hin ohne zu lesen.

PARMELIN *ein Päckchen aus der Tasche ziehend.* Was man in seinen Taschen fand, ist hier geborgen. *Er schiebt ihnen das Päckchen zu.*

Pierre und Noelle starren es wie vorher das Papier an.

PARMELIN. Wollt ihr nicht öffnen? *Da er keine Antwort erhält.* Tut es später. Es mögen geringe Gegenstände sein, die man sonst nicht groß achtet. Im Leben ist vieles wichtiger, was erst der Tod entwertet. Dann würdigt man das kleine. Ein Taschenmesser, mit dem man Brot und Käse schnitt, erreicht den Rang von einem Heiligtum. Die Uhr, die niemals wieder gehn soll, wird Zeiger aller Ewigkeit. Ewig die Ruh' des Toten – und ewig das Gedenken des Toten. Ich will euch diese erste Stunde, die ihr mit eurem Toten lebt, nicht stören. *Er steht auf – tritt noch einmal zur Pfostenlade und nimmt die Photographie in seine Hände. Danach geht er zur Tür hinten, die er sacht hinter sich schließt.*

Pierre und Noelle allein – noch reglos und stumm.

NOELLE *ausbrechend*. Nein – – nein – – es ist nicht wahr!!

PIERRE. Was – – ist nicht wahr?

NOELLE. Daß Parmelin hier war!

PIERRE. War's nicht Parmelin – – in seinem schwarzen Rock?

NOELLE. Schwarz sind die Schatten – – wesenhaft sind die nicht!

PIERRE. Wie dringt der Schatten ein?

NOELLE. Wie er entsteht? Ich kann ihn selbst erschaffen. Ich hebe meinen Arm auf – und da liegt der Schatten quer auf dem Tisch. Oder so – mit einer andern Schwenkung: jetzt auf dem Stuhl. Siehst du ihn sitzen?

PIERRE. Deutlich.

NOELLE. Und das war mit Parmelin, in den wir uns vergafften. Weil uns die Sonne die Augen flimmern läßt. Man kann auch ungeheure Kugeln rollen sehn – und Räder mit Riesenspeichen. Alles Ausgeburten der mittaglichen Blendung. Ich glaubte einmal mich selbst zu sehn als Baum mit Wurzel – Ästen – Blüten. Mich selbst sah ich ganz anders – wie sollte es nicht leicht sein andre zu verwandeln? Siehst du noch Parmelin?

PIERRE. Parmelin ist fort.

NOELLE. Er war nie hier. Es waren Gedanken, die uns durch unsre Hirne schossen – weil sich die Dose sperrte und überall sich Aberglauben einmischt: es muß etwas geschehn sein, weil das Spiel abbricht. Es muß sich grauenhaftes zugetragen haben – und schon sitzt Parmelin am Tisch. Mit Rock und Stock ein Phantasiegebilde – ein Phantom, das unsrer Furcht entsprossen. Es würde Parmelin sich später wundern, wenn wir ihn fragen, ob er gut heimgefunden von uns. Ich schlafe mittags, wird er widersprechen – weil mein Amt so schwer. Ist nicht sein Amt schwer? Willst du es bestreiten?

PIERRE. So stoße Parmelin aus dem Gedächtnis – doch wie verschwindet das? *Er hebt das Päckchen auf.*

NOELLE *starrt hin*.

PIERRE. Hier sind die Zeugen – gewichtiger als Schatten. Wie bringst du sie zum schweigen?

NOELLE *tief atmend*. Das legt kein Zeugnis ab – – das sind nur stumme Dinge – – die sich nicht zeigen dürfen. *Ihr Blick gleitet nach der Pfostenlade. Wieder zu Pierre.* Gib mir das – und den Schein. *Mit scheuen Griffen faßt sie das Päckchen und das Papier – geht nach links, wo sie das Schubfach der Lade öffnet, um erst Päckchen und Papier hineinzulegen –*

dann die Leuchter, die Blumenvasen, die Spieldose, das Brief-
bündel, die Photographie. Mit hartem Stoß schließt sie das
Schubfach wieder.

PIERRE. Löschst du den Tod aus?

NOELLE *mit dem Rücken gegen die Pfostenlade dastehend – in*
sprachloser Erregung keuchend.

PIERRE. Mächtiger als das Leben ist der Tod.

NOELLE *in unveränderter Haltung.*

PIERRE. Du schließt kein Grab, das dir in deiner Brust gegraben.

NOELLE *aufschreiend und wie gehetzt zu ihm fliehend.* Ich
schließe es – mit dir!! *Auf Knien – das Gesicht zu ihm*
hebend. Es droht der Himmel einzustürzen und in alle Leere
verliert die Welt sich. Wer tritt die Wanderung ohne Ende
an? Wer will den Druck des Nichts ertragen, das nirgends an-
hält und das nirgends losläßt? In diesem schwindlig drehen-
den Sausen kreisen – haltlos – tiefer – weiter – ins Nichts verloren – und im Nichts gehalten!

PIERRE *ihr Gesicht umfassend.* Klag' nicht so –

NOELLE. Soll ich mich nicht fürchten? Vor keinem Nichts?
Weil du ins Nichts dich stellst – und alle Leere ausgefüllt ist?
Die Luft ist wieder dicht und Atem schmeckt sie. Da sind
auch meine Arme nicht starr mehr und können wieder umarmen. *Sie umschlingt seine Hüften.* Pierre – – Pierre – – Pierre!!

PIERRE. Wie rufst du mich?

NOELLE *sieht zu ihm hoch.* Rief ich dich nicht schon so? Da
war es schon geschehn, was ich noch gar nicht wußte. Da
waren Worte rascher als die Erkenntnis. Und küßten wir uns
nicht wie zwei Verliebte, die von ihren Münden nicht lassen können? Alles war schon vorbereitet – und wir erfüllen
nur was uns beschieden!

PIERRE. Der Schmerz verwirrt dich –

NOELLE. Bist du weniger verletzt? Suchst du nicht bald nach
einem Ausweg – in den Stall mit einer Schlinge für
den Balken? Diese Nacht schon – oder überstehst du
diese, verscheucht dich nicht die nächste? Ruft dich
nicht meine Stimme ⌐ diesmal meine Stimme ins Haus zurück?

PIERRE *gequält.* Noelle –!

NOELLE *sich an ihn drängend.* Da bin ich – und du bist da,
Pierre. Wir schließen einen Bund. Der Tod ist ausgeschieden.

Es muß nur einer treu zu dem andern halten. Gelobst du mir die Treue?

PIERRE. Ja.

NOELLE. Und ich gelobe sie. *Ruhig.* Nun küsse mich, wie Mann und Frau sich küssen.

PIERRE *beugt sich zu ihr.* Deinen Mund, Noelle.

NOELLE. Hier, Pierre.

ZWEITER AKT

Dieselbe Wohnstube.
Noelle kommt von der Stiege links – ihr Mieder knöpfend.
Das beschäftigt sie noch eine Weile in Stubenmitte – zuletzt
streicht sie ihr überflutendes Haar zurück. Dann setzt sie ih-
ren Weg zur Küchentür fort. Doch – durch das Fenster spä-
hend – hält sie ein und winkt hinaus. Nun verläßt sie das
Fenster und öffnet die Tür hinten.
Pierre in Jacke und Mütze tritt ein.

NOELLE *schließt die Tür – umarmt ihn.* Pierre!
PIERRE *drückt sie an sich.* Noelle! *Sie küssen sich.*
NOELLE *tritt zurück.* Staubig bist du –!
PIERRE. Noch mehr hab' ich geschluckt.
NOELLE. Noch mehr als Staub auf deiner Mütze ist? *Sie hat sie*
ihm abgenommen.
PIERRE. Noch mehr als Staub auf meinen Stiefeln ist. *Belustigt*
streckt er ein Bein nach dem andern vor.
NOELLE. Du mußt dich von oben bis unten waschen in der
Küche – ich klopfe draußen den Staub aus. Gib mir die
Jacke.
PIERRE. Zuerst muß ich die Taschen leeren. Fühl', wie prall
sie sind.
NOELLE *betastend.* Was wird es sein?
PIERRE. Das sollst du sehn. *Er setzt sich an den Rundtisch.*
NOELLE *läßt sich ihm gegenüber nieder.*
PIERRE *seine inneren und äußeren Jackentaschen entleerend*
breitet er eine beträchtliche Anzahl von Tüten vor sich aus.
Das tat er stumm – jetzt spricht er mit zufriedenem Kopf-
nicken. Ja – das ist es.
NOELLE *die Hände zusammenschlagend.* So viel und alles –!
Hinlangend. Was ist es denn?
PIERRE. Alles was knapp ist und täglich knapper wird. *Er*
schiebt ihr die Tüten zu.
NOELLE *öffnet begierig jede Tüte und stößt bei Anblick des In-*
halts jedesmal einen Freudenschrei aus.
PIERRE *betrachtet sie mit glücklichen Augen.*
NOELLE *beendigte die Prüfung – sieht auf und gewahrt Pierres*
Blick. Sie läuft um den Tisch zu ihm und wirft die Arme um
seinen Hals. Mein Pierre – geliebter Pierre, du wanderst auf
den heißen Landstraßen von Ort zu Ort, der Staub erstickt

dich halb – und nichts behindert dich. Ich müßte mich doch schämen, wenn es für mich geschähe.

PIERRE. Es geschieht nicht nur für dich –

NOELLE *eifrig und sich auf den nächsten Stuhl setzend.* Für mich nur, weil er Nahrung von mir nimmt. Das ist doch alles zu seinem Vorteil. – Worauf hörst du?

PIERRE *gegen die Stiege gewendet.* Schrie er nicht?

NOELLE. Er schlief schon an meiner Brust ein. Das tut er immer, wenn er sich satt getrunken. Ich lasse ihn noch eine Weile mit seinem Mündchen so, das nicht mehr saugt, damit er nicht erwache, wenn ich ihn bette. Nun ruckt er nicht bis zu seiner nächsten Mahlzeit. Wir könnten tanzen, wenn es uns gelüstet.

PIERRE *gedankenvoll vor sich hin.* Tanzen – –

NOELLE *ihre Hand auf seine legend – fest.* Ja, Pierre – du schuldest mir noch einen Tanz.

PIERRE *sieht sie an.* Ich schulde dir –?

NOELLE. Den Hochzeitstanz.

PIERRE. Den konnten wir einander nicht gewähren. Du mir nicht und ich dir nicht. Das lag wohl nicht in unsrer Macht.

NOELLE. Nein – damals waren andre Kräfte mächtig.

PIERRE. Erschreckten sie dich auch?

NOELLE. Ich fühlte mein Herz in einer Eisenklammer. Das war wohltätig und schmerzhaft zugleich. Versuchte ich den wehen Druck zu lindern – die Klammer zu sprengen: es wäre mein Herz gesprungen. Ich mußte den Krampf erdulden. Pierre – welch grauenhafter Krampf!

PIERRE. Erging es mir nicht so? Ich stand auf einer Klippe. Ich bin schwindelfrei. Ich schreite auf dem schmalsten Grat wie auf dem breitesten Pfad. Das war bis zu dem Tag, da alles sich verdrehte. Ich mußte mich versteifen, um nicht zu stürzen. Ich verfiel in eine Starrheit und hatte keine Adern mehr sondern Röhren von Blei. In denen floß mein Blut wie Blut sonst pulst. Doch eigentümlich leblos. Nur um nicht zu erstarren. Noelle – ganz zu erstarren!

NOELLE. Wir retteten uns zueinander – du dich zu mir, ich mich zu dir. Wir wollten einen Toten nicht sehen und deckten ihn mit unsern Körpern zu.

PIERRE. Mehr war es nicht.

NOELLE. Mehr war es nicht. Die Hochzeit, Pierre, erlebtest du sie? Hörtest du den Priester? Sahst du das Kruzifix?

PIERRE. Er konnte segnen oder fluchen, der Priester – ich hätte nichts vernommen.

NOELLE. Unsre Hochzeitsnacht?

PIERRE. Wir waren zwei Ertrinkende, die sich umklammern. – – – –

Stille.

NOELLE. Dann löste sich der Krampf. Dann schmolz das Blei. Wann war das, Pierre?

PIERRE. Als das Kind geboren wurde.

NOELLE. Es tauchte das neue Leben auf. Da schloß sich ganz das Grab, an das wir nicht zu treten wagten. Es ebnete sich ein so spurlos, daß wir es nicht mehr finden. Grab und Wiege sind ein Behälter für dasselbe Leben. Dasselbe und ein andres Leben. Eins störte nicht mehr das andre.

PIERRE. Wir nannten Paul ihn wieder.

NOELLE. Konnte ein andrer Namen uns auf die Lippen kommen?

PIERRE. Es gibt nur diesen, der die Auferstehung kündet.

NOELLE *verhalten.* Damit der Tote mit den Toten ruht.

PIERRE. Amen – in Ewigkeit. – – – –

Stille.

PIERRE *sich aufraffend – auf die Tüten zeigend.* Wie lange wird das reichen?

NOELLE *lebhaft.* Wie lange muß es reichen?

PIERRE *lachend.* Bis zum nächsten Bittgang.

NOELLE. Geld gilt nichts mehr?

PIERRE. Geld gilt noch – aber Tausch ist besser. Und psalmodieren: man hat ein junges Kind zuhaus – die Mutter stillt. Ein Mischmasch von Geschäft und Rührung.

NOELLE. Armer Pierre.

PIERRE. Arm? Reich.

NOELLE *bei ihm.* Weil du uns hast. –

PIERRE *abwehrend.* Aus einem ganz andren Grunde. *Aus der Hosentasche ein Päckchen ziehend.* Ist das nicht Reichtum in dieser hundearmen Zeit?

NOELLE *anerkennend.* Ja – das ist Tabak.

PIERRE. Das ist Tabak – ein Wort mit Ehrfurcht auszusprechen. Und der wird nicht geraucht.

NOELLE. Wozu hast du ihn sonst?

PIERRE. Der wird gespart. Bis einmal eine Zeit kommt, die den Tanz erlaubt. Den aufgeschobenen Hochzeitstanz. Da wird geraucht.

NOELLE. Du sollst den Tabak nicht aufsparen.

PIERRE. Getanzt wird und geraucht.

NOELLE. So tanzen wir noch heute. *Ihn rüttelnd.* Jetzt.

PIERRE. Gut – wenn ich meine Schuhe wechselte.

NOELLE. Und waschen mußt du dich.

PIERRE. Noch einmal Hochzeitstag mit Tanz und Tabak.

NOELLE. Tust du's nur um des Tabaks willen?

PIERRE. Bestimmt, Noelle – sonst wüßt' ich keinen Grund.

NOELLE *sich an ihn drängend.* Bin ich kein Grund?

PIERRE *umschlingt sie.* Du bist der Grund. *Er küßt sie.*

NOELLE *ihn wieder verlassend und sich der Tüten bemächtigend, die ihr teilweise wieder entfallen.* Wie hast du alles schleppen können, Pierre?

PIERRE. Ich helfe dir, Noelle. *Er sammelt die übrigen Tüten vom Tisch und folgt Noelle in die Küche, deren Tür er hinter sich schließt.*

Klopfen an die Tür hinten.
Das Klopfen wiederholt sich.
Parmelin tritt ein. In der leeren Stube hält er Umschau – vernimmt Geräusche in der Küche – zögert. Sein Blick fällt auf die leere Pfostenlade, vor die er hintritt. Seufzend trocknet er sich die Stirn. Dann begibt sich Parmelin zur Küchentür und pocht mit seinem Stockknauf.
Noelle steckt den Kopf durch die Türspalte.

NOELLE. Sind Sie es –?

PIERRES STIMME. Wer ist da?

NOELLE *zurücksprechend.* Der Bürgermeister.

Pierre öffnet ganz und steht mit Noelle auf der Schwelle.

PIERRE. Du selbst, Parmelin? *Beiseitetretend und Noelle wegschiebend.* Ich will dir nichts verbergen. Da siehst du mein Vergehen. Ich denke, ich habe mit meinem Schweiß gebüßt – reichlich vergossen.

PARMELIN *schüttelt den Kopf.*

PIERRE. So walte deines Amts. *Zu Noelle.* Es ist beschlagnahmt. Er muß es.

NOELLE. Wer hat uns angegeben?

PARMELIN *abwinkend*. Laßt das. Ich habe nichts gesehn. Laßt's keinen andern sehn. *Mit dem Stock nach oben zeigend*. Der Kleine?

NOELLE. Er trinkt, wenn er nicht schläft.

PIERRE. Vergißt du, wie er kräht?

NOELLE. Sie wollen Paul sehn?

PARMELIN. Paul? – – Nein. *Er hat sich an den Rundtisch gesetzt*.

Pierre und Noelle folgten ihm und sitzen nun ebenfalls am Tisch.

PARMELIN *grübelnd nach einer Pause*. Wie lange ist das her – –

PIERRE. Was willst du wissen?

PARMELIN *verstummt*.

PIERRE. Stimmt etwas im Gemeindebuch nicht?

PARMELIN. Nein nein – ich trage alles richtig ein. Geburt und Eheschließung – – und wenn einer stirbt.

PIERRE. Das machst du seit Jahrzehnten tadellos. Du bist der beste Bürgermeister.

PARMELIN. Und einmal unterläuft ihm doch ein Fehler.

PIERRE. Wem?

PARMELIN. Dem besten Bürgermeister. Du nanntest mich doch so?

NOELLE. Sie sind es.

PARMELIN. Bist du sicher?

NOELLE. Wer uns getraut, der bleibt der beste Bürgermeister.

PARMELIN. Vielleicht – weil das Versehen nicht meine Schuld war. Ich führte nur eine Weisung aus, an der es nichts zu deuteln gab.

PIERRE *unsicher*. Als – du uns trautest?

PARMELIN. Als ich den Toten eintrug – – – – der nicht tot ist.

Tiefe Stille.

PIERRE *endlich tastend*. Paul – –?

PARMELIN *langsam beginnend*. Ich habe den Bericht empfangen, der jene erste Meldung aufhebt. Der Irrtum wird so geklärt: es fand ein Ausfall aus der Linie statt. Ein Spähtrupp wurde vorgeschickt, bei dem er sich befand. Das Unternehmen blieb nicht unentdeckt und die feindlichen Geschütze er-